A SHORT
ITALIAN DICTIONARY

A SHORT ITALIAN DICTIONARY

BY

ALFRED HOARE, M.A.

VOLUME II

ENGLISH-ITALIAN

NEW AND ENLARGED EDITION

CAMBRIDGE
AT THE UNIVERSITY PRESS
1949

PUBLISHED BY
THE SYNDICS OF THE CAMBRIDGE UNIVERSITY PRESS

London Office: Bentley House, N.W. 1
American Branch: New York

Agents for Canada, India, and Pakistan: Macmillan

First Edition	1919
Second Edition (*Enlarged*)	1926
Reprinted	1931
,,	1937
,,	1939
,,	1941
,,	1942
,,	1944
,,	1945
,,	1946
,,	1949

Printed in Great Britain at the University Press, Cambridge
(Brooke Crutchley, University Printer)

INTRODUCTION

With the view of adding to the usefulness of the Dictionary a large number of idiomatic translations have been inserted, as will be seen upon reference to any of the undermentioned words:

All	Either	High	More	Over	Up
And	Else	Home	Next	Quite	Very
Any	End	In	No	So	Way
As	Every	Just	Of	Some	What
At	Far	Keep	On	Soon	Wind
Be	For	Long	Once	Stand	With
But	From	Look	One	Such	Wrong
By	Get	Make	Only	Than	
Case	Go	Matter	Open	The	
Come	Hand	Might	Out	To	

The following list of the principal words which may be followed by an infinitive shows what preposition is to be used for translating the English "to." A dash indicates that the "to" may be left out. Thus the word Difficile, being entered with "a" or "—," corresponds to such phrases as Difficile a camminare su' sassi, (we found it) awkward going over the rocks; Difficile camminar nel fango senza inzaccherarsi, it is not easy to walk in mud without getting splashed.

Abituare	**a**	**avviare**	**a**
accettare	**di**		
acconsentire	**a**	**Badare (keep on at, take care to)**	**a**
accordare	**di**		
accostumarsi	**a**	**badare (take care not to)**	**di**
adatto	**a**		
affaticarsi	**a**	**bastare**	**—, a, di**
affrettarsi	**a**	**bisognare**	**—**
agevole	**a**	**bramare**	**a, di**
agognare	**a**	**bramoso**	**di**
aiutare	**a**		
amare	**—**	**Causare**	**di**
ammonire	**a**	**cercare**	**—, di**
andare	**a, —**	**certo**	**di**
applicarsi	**a**	**cessare**	**a, di**
ardire, ardirsi	**—, di**	**chiedere**	**di**
arrabbattarsi	**a**	**cominciare**	**a**
arrischiarsi	**a**	**compiacersi**	**a, di**
arrivare	**a**	**concedere**	**di**
aspettare	**a**	**condannare**	**a**
assuefatto	**a**	**condurre**	**a**
attendersi	**a**	**confortare**	**a**
autorizzare	**a**	**confortarsi**	**di**
aver cura	**di**	**consentire**	**a, di**
avere	**a**	**contento**	**di**
avido	**di**	**continuare**	**a**
avvezzare	**a**	**contribuire**	**a**

convenire	—, a
correre	a
cospirare	a
costretto	di
costringere	a
curarsi	di
Degnarsi	di
degno	di
deliberare	di
desiderare	—, di
destinare	a
determinare	a
difficile	a, —
dilettarsi	a, di
dimenticare	di
dire	di
diritto	di
disegnare	di
disporre	a
disposto	a
divisare	di
domandare	di
dovere	—
duro	—, a
Eccitare	a
esitare	a
esortare	a
Far conto	di
far meglio	a
far piacere	di
fare a meno	di
figurarsi	di
fingere	di
forza fisica	di, per
forzare	a
Geloso	di
giovare	—, di
giustificare	di
godere	di
guardare	di
Imbarazzato	a
imparare	a
impaziente	di
impedire	di
impegnarsi	di
impensierito	a
impiegare	a
imporre	di
imprendere	a
incitare	a
inclinare	a
incoraggiare	a
indugiare	a
indurre	a
insegnare	a
intendere	di
interessante	—
invitare	a
invogliare	a
Lasciare	—, a, di
libero	di
lieto	di
Mancare	di
mandare	a, per, perchè
meditare	di
meravigliarsi	di
meritare	di
mettersi	a
muovere	a
Nato	a
Obbligare	a, di
obbligatorio	—
occorrere	a, di
occuparsi	a
offrire	di
ordinare	di
osare	—
ostinarsi	a
Parere	—, di
passar oltre	a
penare	a
pensare	a
pentirsi	di
permettere	—, di
persistere	a
persuadere	a, di
pervenire	a
piacersi	di
possibile	—, a, di
potere	—
preferire	—, di
pregare	a, di
prendere	a
prepararsi	a
presumere	di
pretendere	di
principiarsi	a
procurare	di
proibire	di
promettere	di
pronto	a
proporre	di
provarsi	a
Rallegrarsi	di
rassegnarsi	a
ricordarsi	di
ricusare	di
rifiutare	di
rimanere	a
rincrescersi	di
rinunziare	a
ripugnare	a
risolvere	a, di

rispondere	di
ritornare	a
riuscire	—, a, di
Sapere	—
scongiurare	di
scrivere	di
sdegnare	di
seguire	a
seguitare	a
sembrare	—, di
sentire	—
servire	a
sfidare	a
sforzarsi	a, di
sicuro	di
smaniare	di
smettere	di
solere	—, di
sollecitare	a
sperare	a, di
spiacere	di
spingere	a
spronare	a
stimolare	a
strano	a
sufficente	a, per
suggerire	di
supplicare	a, di
Tardare	a
temere	di
tenere	a, di
tentare	a, di
toccare ad uno	a
tornare	a
trarre	a
triste	—
Udire	—
usare	—
utile	di
Valere	a
vedere	—
venire	a
vergognarsi	a
vietare	di

ENGLISH-ITALIAN

A

A; *pronunz.* È. **A 1**; di prim' ordine, abilissimo, l' asso. As indefinite article, uno. So much a week, un tanto per settimana. So much a piece, tanto al pezzo.
Ab-ack; Take —, sconcertare. Be taken —, trasecolare. **-acus**; ábaco *m.* **-aft**; dietro di, a poppavia di.
Abandon; diŝinvoltura *f.* To —, abbandonare, diŝertare, rinunciare a. — oneself to, darsi in braccio a. **-ed**; scellerato. **-ment**; abbandóno *m.*; ŝbandonaménto *m.*
Abase; umiliare, abbassare. **-ment**; umiliazióne *f.*, abbassaménto *m.*
Abash; ŝvergognare. Be -ed, vergognarsi.
Abate; scemare; ribassare. **-ment**; scemaménto *m.*; ribasso *m.*, scónto *m.*
Abatt-is; abbattuta *f.* **-oir**; ammazzatóio *m.*
Abb-acy; dignità o ufficio di Superiore. **-é**; abáte *m.* **-ess**; badéssa *f.*
Abbeville; Abbevilla *f.*
Abb-ey; badía *f.* **-ot**; Superiore di un convento di monaci. **-otship**; *see* Abbacy.
Abbrevia-te, -tion; -re, -zióne *f.*, raccorciaménto *m.*
ABC; principio *m.*, rudiménti *m. pl.*
Abdicat-e, -ion; rinunziare al trono, abdicare; rinúnzia *f.*, abdicazióne *f.*
Abdom-en, -inal; addòm-e *m.*, -inále.
Abduct; portar via. **-ion**; il portar via, abduzióne *f.* **-or**; abduttóre *m.*
Abeam of; al traverso di.
Abed; a letto.
Aberdeen; Aberdònia *f.*
Aberration; aberrazióne *f.*
Abet; tener mano a.
Abeyance; diŝuŝo *m.*
Abhor, -rence; aborr-ire, -iménto *m.* **-rent**; ripugnante.
Abid-e; stare, restare, abitare; sopportare. I — by my opinion, mantengo salda la mia opinione. I cannot — it, ne provo ribrezzo. **-ing, -ingly**; costant-e, -eménte.
Ability; abilità *f.*, fòrza *f.*, ingégno *m.*, mèŝŝi *m. pl.*, capacità *f.* I will do it to the best of my —, lo farò il meglio che potrò.
Abj-ect; abiètto, basso. **-ectly**; in modo abietto. **-uration, -ure**; abiur-a *f.*, -are.
Abla-tion; il levar via. **-tive**; -tivo.
Ablaze; in fiamme.
Able; ábile, capace. Be — to, potére, sapére, esser in grado di, esser da tanto per. — to inherit, in condizione di ereditare. As far as I am —, per quanto potrò. So little — to, tanto poco in grado di. **-bodied**; valènte, robusto, sano. **-seaman** (A.B.); marinaro scelto.
Ablution; abluzióne *f.*
Ably; abilménte, con abilità, destraménte.
Abn-egate, -egation; rinunzi-are, -a *f.*, abneg-are, -azióne *f.* **-ormal, -ormality**; anormál-e, -ità *f.* **-ormally**; in modo o grado anormale.
Aboard; a bordo di. — ship, a bordo. All —! partènza!
Abode; abitazióne *f.*, casa *f.*; *rem.* di Abide.
Abol-ish; -ire. **-ishment, -ition**; -izióne *f.* **-itionist**; chi voleva abolire la schiavitù negli Stati Uniti.
Abomin-able, -ableness, -ably, -ate, -ation; abomin-évole, l' esser -evole, in modo -evole, -are, -azióne *f.*
Aborigin-al, -es; -ale, -i *m. pl.*
Abort; abortire. **-ion**; sconciatura *f.*, abòrto *m.* Cause —, sconciare. **-ive**; abortito, fallito.
Abound; abbondare. — in, — with, abbondare di, esser ben provvisto di.
About; intorno a, attórno, prèsso, sópra, circa, incirca, all' incirca, riguardo, riguardante, a proposito di, su, in fatto di, al soggetto di, in, presso di, vicino a, press' a poco. — it, ne. What are you —? che fate? What are you thinking —? a che pensate? What do you think — it? che ne pensate? What — it? che ne è stato? He spoke — you, parlò di Lei. Have you heard —? Lei ha sentito parlare di? He had his boys — him, stava con i suoi ragazzi intorno a lui. I don't like such people — me, non mi piace simile gente presso di me. Somewhere — the house, in qualche parte della casa. He is — twenty, ha circa venti anni. He had no money — him, non aveva denaro addosso. Keep — one, tenere con sè. Send — his business, mandare a spasso. Not to know what one is —, non rendersi conto di quel che si fa. Be — to, esser in procinto di. Be — to start, stare per partire. Get —. Go —, Right —, *see* Get, Go, Right.

Above; sópra, al di sopra, su, più di, superiore a. — board, carte in tavola. — all, prima di tutto, soprattutto. — mentioned, suddétto, predétto. — all such meanness, al di sopra di simile bassezza. Up —, lassù in alto. Not to be — middle height, non oltrepassare la media statura.

Abra-de, -sion; scortic-are, -atura *f.*

Abraham; Abrámo.

Abreast; di fronte. Three horses —, tre cavalli in fila. They marched five —, marciavano in fila per cinque. — of the age, all' altezza dei tempi. — of the Scillies, all' altezza delle isole sorlinghe.

Abridg-e; scorciare, compendiare, riassúmere, ridurre. **-ment**; sunto *m.*, ristrétto *m.*, riassunto *m.*, riduzióne *f.*, compèndio *m.*

Abroad; fuóri, all' estero. Go —, viaggiare all' estero.

Abrupt; brusco, reciṡo, subitaneo, precipitóso. **-ly**; bruscaménte ecc. Ending —, troncato improvvisamente, terminato *ex abrupto*. **-ness**; asprézza *f.*, scorteṡía *f.*, rożżezza *f.*, subitaneità *f.*

Abruzzi; gli Abruzzi o l' Abruzzo. Of the —, abruzzése.

Abscess; ascèsso *m.*, postèma *f.* Form an —, marcire, venire a suppurazione.

Abscissa; ascissa *f.*

Abscond; scappare, sfuggire, sottrarsi alla giustizia, farsi latitante. **-ing**; fuga *f.*, latitanza *f.*

Absence; assènza *f.*, mancanza *f.*; distrazióne *f.*, assenza di spirito. Leave of —, congèdo *m.*, permésso *m.* In the — of, in mancanza di. In his —, durante la sua assenza. — makes the heart grow fonder, il cuore vieppiù si accende nell' assenza.

Absent; 1. assènte; Be —, mancare, non esserci. 2. distratto, ṡmemorato, diṡattento. 3. — oneself, assentarsi, allontanarsi. **-ee**; proprietario o operaio assente. **-eeism**; assentiṡmo *m.* **-ly**; distrattaménte, in modo distratto, disattentaménte. **-minded, -mindedly**; *see* Absent (2), Absently. **-mindedness**; distrazione abituale, indole disattenta, temperamento floscio.

Absinth; assènzio *m.*

Absolute; assoluto, imperióso, illimitato, senza condizioni, complèto, non relativo. — government, governo assoluto. — promise, promessa incondizionata. — rogue, vero mascalzone, proprio un mascalzone. — alcohol, alcool puro. — necessity, pura necessità.

Absolutely; assolutaménte, completaménte, affatto. I — intend to have this done, io intendo assolutamente che si faccia questo. — useless, affatto inutile.

Absolution; assoluzióne *f.*, assolutòria *f.*, perdóno *m.*

Absolutism; governo assoluto, assolutiṡmo *m.*

Absolve; assòlvere, rilasciare, prosciògliere, perdonare.

Absor-b; assorbire, inghiottire. **-bed** in his studies, assorbito nei suoi studii. **-bing** occupation, lavoro che assorbe del tutto chi se ne occupa. **-bent**; assorbènte. **-ption**; assorbiménto *m.*, *fig.* preoccupazióne *f.*

Abstain; astenérsi. **-er**; astèmio *m.*, chi non beve l' alcool, bevilacqua *m.*

Abstemious; continènte, moderato. — diet, dieta sobria. **-ly**; in modo astemio, con temperanza. **-ness**; gran moderazione.

Abst-ention; astenzióne *f.*, l' astenérsi. **-inence**; astinènza *f.*, rinunzia a. **-inent**; astinènte.

Abstract; sunto *m.*, epítome *m.* or *f.*, compèndio *m.*; astratto. In the —, in senso astratto. — ideas, idee astratte. To —, astrarre, staccare, rubare, sottrarre. **-ed, -edly, -ion**; astra-tto, -ttaménte, da -tto, -zióne *f.*

Abstruse, -ly, -ness; astrus-o, -aménte, -ággine *f.*

Absurd; assurdo. **-ity, -ness**; assurdità *f.* **-ities**; sciocchézze *f. pl.* **-ly**; assurdaménte, in modo -o.

Abundan-ce; còpia *f.*, abbondanza *f.* **-t**; abbondante, copióso, ricco. **-tly**; abbondanteménte ecc.

Abus-e; abuṡo *m.*; ingiúrie *f. pl.*, maldicènza *f.*, impropèri *m. pl.*, cattive parole; abitudine corrotta, costumanza cattiva; abuṡare, ingiuriare, maltrattare. **-ive, -ively**; ingiuriós-o, -aménte.

Abut; confinare (con). **-ment**; coscia di ponte, pieddritto *m.*

Abys-mal; profondissimo, senza fondo. **-s**; abisso *m.* **-sinian**; abissíno.

Acacia; acácia *f.*, falsagágia *f.*

Academ-ic, -ical; accadèmico. **-icals**; abito professoriale. **-ician**; accadèmico *m.* **-y**; accadèmia *f.* Riding, Dancing, Fencing —, scuola di equitazione, di ballo, di scherma, sala d' armi. Ladies' —, collegio per giovinette.

Aca-nthus; acanto *m.* **-rus**; ácaro *m.*

Accede; accèdere, aderire, acconsentire; salire (sul trono), pervenire (alla corona).

Accelerat-e, -ion, -ive; acceler-are, -azióne *f.*, -atívo.

Accent; accènto *m.*, modo di parlare; accentare.
Accentual; accentuále.
Accentuat-e; accentuare, far risaltare, far più evidente, inasprire. **-ion**; accentuazióne *f.*, accentatura *f.*
Accept; accettare, accògliere, aggradire, menar buono. **-ability**; accettabilità *f.* **-able**; accett-ábile, -évole, degno di esser accettato; gradévole. **-ance**; accettazióne *f.*, approvazióne *f.*, accogliènza *f.*; cambiale che è stata accettata, accettazióne *f.*
Acceptation; approvazióne *f.*, il ricevere, ricevimento *m.* In the fullest — of the word, nel più bel senso della parola.
Acceptor; accettante *m.*
Access; accèsso *m.*, entrata *f.*; abbórdo *m.*; auménto *m.*; il ritorno di una febbre. Have — to, essere ammesso alla presenza di. **-ary**; cómplice. **-ibility**; -ibilità *f.* **-ible**; -íbile, di facile accesso. **-ion**; avveniménto *m.*, venuta al trono. **-ory**; avventízio, accessòrio. **-ories**; roba che appartiene, cose accessorie, annèssi *m. pl.*
Accidence; accidènti *m. pl.*, grammatica delle inflessioni.
Accident; accidènte *m.*, caṡo *m.*, disgrázia *f.*, infortúnio *m.* By —, per combinazione, per caso. Unfortunate —, incidente disgraziato. Aeroplane —, disgrazia aviatoria. **-al**; accidentale. **-ally**; accidentalménte, caṡualménte.
Accl-aim, -amation; -amare, -amazióne *f.*
Acclimatis-ation, -e; acclima-zióne *f.*, -re.
Acclivity; acclività *f.*, pendío *m.*
Accolade; colpo cerimoniale di cavalierato.
Accommodat-e; accomodare, adattare, acconciare, alloggiare. — with, fornire di, somministrare, provvedere di. **-ing**; compiacènte; di indole buona, gentíle. **-ion**; accomodaménto *m.*, allòggio *m.*; prèstito *m.* — bill, cambiale di favore. — ladder, scala di comando.
Accompan-iment, -ist; accompagnaménto *m.*; -atóre *m.*, -atrice *f.* **-iments** of a meal, companático *m.* **-y**; accompagnare, tener compagnia a; suonare l' accompagnamento per. The laugh that accompanied his words, il riso con cui accompagnò le sue parole. **-ing** documents, documenti di corredo.
Accomplice; còmplice *m.* Be an — in, prender parte a.
Accomplish; compire, cómpiere, portare a fine, effettuare. — one's purpose, raggiungere il suo scopo. **-ed**; compíto, garbato; perfètto. Highly —, compitissimo. **-ment**; adempiménto *m.*; effetuazióne *f.*, dòte *f.*, qualità di persona compita, cognizióne *f.* Impossible of —, impossibile da compiere.
Accord; accòrdo *m.*, concòrdia *f.* Of his own —, spontaneaménte, senza esserci obbligato, di moto proprio. With one —, unanimeménte. In — with, conforme a. To —, accordare, acconsentire, tributare, esser d' accordo.
Accordance; accòrdo *m.* In — with, conforme a, secóndo.
According to; secóndo, a seconda di. — — law, conforme alla legge. — — Roman ideas, stando alle idee romane.
Accordingly; perciò, in conseguenza, conformeménte, in modo conforme.
Accordion; fiṡarmònica *f.*
Accost; abbordare, farsi vicino a (uno) per parlargli, accostare.
Accouche-ment; parto *m.* **-ur**; ostètrico *m.* **-use**; ostètrica *f.*
Account; 1. cónto *m.* Drawing —, conto aperto. Keep -s, tenere i libri. — sales, conto di vendita. Closed —, conto chiuso. Carry to —, portare in acconto. 2. valóre *m.*, prègio *m.* Thing of no —, una cosa da nulla. People of no —, gente da poco. 3. ragióne *f.* On all -s, per tutte le ragioni. 4. By all -s, da quanto dicono tutti. On your —, per conto vostro. On no —, per nulla al mondo. On my —, per mio riguardo. 5. raccónto *m.*, ragguáglio *m.*
6. considerare, tenere per, stimare. 7. — for, render conto di; spiegare. There is no -ing for tastes, non si possono spiegare i gusti.
Account-ability, -able; responsabil-ità *f.*, -e.
Accountan-cy; computistería *f.*, l' esser ragioniere, ufficio di ragioniere. **-t**; ragionière *m.*, contábile *m.*, computista *m.* Chief —, capo di contabilità.
Accoutre; vestire. **-ments**; equipaggiaménto *m.*
Accredit; accreditare. **-ed**; autoriżżato.
Accretion; accrezióne *f.*, accresciménto *m.*
Accrue; provenire, procèdere, derivare. -d but not due, interessi accresciuti ma non scaduti.
Accumbent; appoggiato sul gomito.
Accumulat-e; accumulare, ammassare. **-ion**; accumulazióne *f.*, ammasso *m.* **-or**; accumulatóre *m.*
Accur-acy, -ate, -ately; eṡatt-ézza *f.*, -o, -aménte. **-sed, -sedly**; maledétt-o, -aménte.
Accus-ation; accúṡa *f.* **-ative**; -ativo. **-e**; accuṡ-are, incolpare. — of, imputare di. **-ed**; imputato *m.* **-er**; -atóre *m.*, -atrice *f.*

Accustom; avvezzare, assuefare, abituare. **-ed**; avvézzo, sòlito. Be —, solére, esser solito.
Ace; asso *m.* Within an — of, vicinissimo. I was within an — of being drowned, mancò pochissimo che non affogassi.
Ace-phalous; acèfalo. **-rbity**; acerbità *f.*
Acet-ate, -ic, -osity, -ylene; acet-ato *m.*, -ico *or* -óso, -osità *f.*, -ilène *m.*
Achaean; achèo. **Achaia**; Acaia.
Ache; dolóre *m.*, male *m.*; dolére, far male. My head -s, mi duole la testa.
Acheron; Acherónte *m.*
Achiev-able; effettuábile, eseguíbile, da effettuarsi o eseguirsi. **-e**; effettuare, eseguire, cómpiere, riportare (vittoria, successo). **-ement**; 1. fatto (eroico); compiménto *m.* 2. una composizione araldica. **-ements**; gesta *f. pl.*
Achilles; Achille.
Achromat-ic, -ise, -ism; acromát-ico, -iżżare, -iṡmo *m.*
Acid; ácido, agro. **-ify, -ity, -ly, -ulate, -ulous**; acid-ificare, -ità *f.*, -aménte, -ulare, -ulo.
Acknowledg-e; riconóscere, constatare, amméttere, accuṡare (ricevuta di una lettera). **-ment**; riconosciménto *m.*, confessione (di fallo), avviso di ricevimento, riconosciménto *m.*, ringraziaménto *m.*
Acme; cólmo *m.*, apogèo *m.*
Acne; acne *f.*, acme *f.*
Acolyte; accòlito *m.*
Aconite; acònito *m.*
Acorn; ghianda *f.*
Acotyledonous; acotilèdone.
Acoustic; acústico. **-ally**; acusticaménte. **-s**; acústica *f.*
Acquaint; avvertire, avviṡare. — oneself with, mettersi al corrente di, prendere informazioni su. Be -ed with, conóscere. **-ance**; conoscènza *f.* Close —, dimestichézza *f.* Friends and -s, amici e conoscenti.
Acquiesc-e; contentarsi, sottométtersi. **-ence**; acquiescènza *f.*, consentiménto *m.*, sottomissióne *f.* **-ent**; disposto a contentarsi, acquiescènte.
Acquir-able; acquistábile, da ottenersi. **-e**; acquistare, conseguire, ottenére. **-ement**; acquisto *m.*, cognizióne *f.* **-s**, talènti *m. pl.*
Acquisition; guadagno *m.*, acquisto *m.*
Acquit; assòlvere, discolpare. — oneself, comportarsi, diṡimpegnarsi. **-tal**; assoluzióne *f.*, sentenza assolutoria. **-tance**; quietanza *f.*
Acre; 1. acro *m.* (*circa* 4047 metri quadrati). Broad -s, vaste tenute. **-age**; superficie di terreno. What is the — of the farm? il podere è di quanti ettari? 2. Acri. **-d**; possidènte.
Acrid; acre, mordace, aspro. **-ity**; agrézza *f.*, mordacità *f.* **-ly**; acreménte.
Acrimon-ious; -ióso. **-iously**; -iosamente. **-y**; -ia *f.*
Acrobat, -ic; -a *m.*, -ico.
Acropol-is; -i *f.*
Across; attravèrso, su. Just — the street, giusto dall' altra parte della strada. Write — the paper, scrivere attraverso la carta. His arms folded — his breast, le braccia incrociate sul petto. Go —, attraversare. Reach —, arrivare dall' altra parte. A tree has fallen — the garden, un albero è cascato attraverso il giardino. Come —, Run —, imbattersi in, incontrare per caso.
Acrostic; acròstico *m.*
Act; atto *m.*, azióne *f.*, fatto *m.*; légge *f.* -s, gesta *f. pl.* His -s, ciò che ha fatto. In the very —, nell' atto stesso. Caught in the —, colto in flagrante, o sul fatto. — of oblivion, legge di amnistia. To —, fare, agire, operare, funzionare; (of a brake) chiudere; rappresentare, dare, recitare; fingere, fare la parte di. — upon, metter in pratica, agire in base a; influire. — a part, recitare una parte. — the part of, fare il. — up to, comportarsi secondo o conforme a. **-ing**; facente funzione, supplènte; il recitare, il fíngere, ipocrisia *f.* Single —, a semplice effetto. Double —, a doppio effetto. **-ion**; azióne *f.*, fatto *m.*; marcia di meccanismo, funzionaménto *m.*, combattiménto *m.*; procèsso *m.*, querèla *f.*, lite *f.* Bring an —, intentar lite. — of the bowels, benefizio del corpo, azione del corpo. **-ionable**; processábile. **-ive**; attívo, lèsto, ágile. — service, servizio attivo. **-ively**; attivaménte, effettivaménte. **-ivity**; attività *f.* **-or**; attóre *m.*, commediante *m.* **-ress**; attrice *f.* **-ual**; attuale, reale, effettivo. **-uality**; attualità *f.*, realtà *f.* **-ually**; di fatto. He — told me, osò dirmi. **-uary**; contabile esperto, ragioniere di una compagnia d' assicurazione. **-uate**; animare, muòvere. -uating pinion, pignone di manovra.
Acu-men; -me *m.*, -tézza *f.* **-puncture**; agopuntura *f.* **-te**; -to, aguzzo; perspicace. **-tely**; -taménte. **-teness**; -tézza *f.*, perspicácia *f.*
Ada-ge; -gio *m.* **-m**; Adámo. **-mic**; -mico. **-mant**; -mante *m.* **-mantine**; -mantíno. **-pt, -ptability, -ptable, -ptation**; adatt-are, -abilità *f.*, -ézza *f.*; -ábile, -aménto *m.*; aggiust-are, -ábile.
Add; aggiúngere, unire. — in, tener anche conto di. — to, aumentare. —

up, sommare. **-endum**; appendíce *f.*, aggiunta *f.* **-er**; vípera *f.* **-ict**; — oneself, darsi. -ed, dèdito, dato. **-ition**; addizióne *f.*, aggiunta *f.*, auménto *m.*, il sommare, l' aggiungere. In —, di più, inóltre, oltracciò. **-itional**; addizionale, nuovo, aggiunto. Made — member, aggregato. **-itionally**; per giunta.
Addled; vuòto, putrido, guasto.
Addle-pated; con cervello di stoppa.
Address; indirizzo *m.*, recápito *m.*; sagacità *f.*, destrézza *f.*; discórso *m.*, petizióne *f.* -es, omàggi. Pay one's -es to, far la corte a. He has a good —, ha un' aria distinta. Of pleasing —, di belle maniere. To —, dirígere, indirizzare, dirigere il discorso a, rivolger la parola a, rivolgersi a. — oneself, méttersi, affacciarsi, pórsi (a). **-ee**; destinatário *m.*
Adduce; metter innanzi, addurre, intavolare, fornire.
Adduct-ion, -or; addu-zióne *f.*, -ttóre *m.*
Adelaide; Adèle, Adeláide; *abbrev.* Lalla.
Ad-enoid; adenóso. **-ept**; espèrto.
Adequa-cy; sufficiènza *f.* **-te**; bastante, sufficiènte, competènte. **-tely**; abbastanza, bastanteménte.
Adher-e; aderire, attaccarsi. — to, mantenére. **-ence**; aderènza *f.*, attaccaménto *m.* **-ent**; aderènte, attaccato; fautóre *m.*, partigiáno *m.* His -s, i suoi.
Adhes-ion; adeṡióne *f.*, attaccaménto *m.*; fedeltà *f.* **-ive**; adeṡívo. — stamp, francobollo ingommato. **-iveness**; qualità adesiva, tenacità *f.*
Ad-ieu; addío. **-ige**; Ádige *m.*
Adipo-cere; -céra *f.* **-se**; -so.
Adit; ádito *m.*, ingrèsso *m.*
Adjacent; attíguo, adiacènte, accanto. **-ly**; accanto.
Adjectiv-al, -ally, -e; come aggettivo, da aggettivo, aggettívo *m.*
Adjoin; confinare con, esser contiguo. **-ing**; vicíno, attíguo.
Adjourn; aggiornare, prorogare, rimèttere. -ed *sine die*, rinviato a sine fine. **-ment**; aggiornaménto *m.*, rinvío *m.*, pròroga *f.*
Adjud-ge, -icate; aggiudicare.
Adjudication; aggiudicazióne *f.*
Adjunct; appendíce *f.*, giunta *f.*, aggiunto *m.*
Adjur-ation, -e; scongiur-o *m.*, -are.
Adjust; aggiustare, assestare, accomodare, regolare. **-able**; aggiustábile ecc., spostábile. **-ment**; aggiustaménto *m.*, assestaménto *m.* — screw, vite di registro.
Adjutancy; grado d' aiutante.
Adjutant; aiutante *m.*
Admeasurement; misurazione accurata.
Administer; amministrare, somministrare, dispensare, far prestare (un giuramento).
Administration; amministrazióne *f.*, somministrazióne *f.* govèrno *m.* maneggio e distribuzione dei beni di una persona morta intestata.
Administrat-ive; amministrativo. **-or**; amministratóre *m.* direttóre *m.* **-orship**; ufficio di amministratore. **-rix**; amministratrice *f.*
Admirabl-e, -y; ammirábil-e, -ménte, stupend-o, -aménte.
Admiral; ammiráglio *m.* **-ty**; ammiragliato *m.*, ministero della marina. — court, tribunale marittimo.
Admir-ation, -e, -er, -ing, -ingly; ammirazione *f.*, -are, -atóre *m.*, -atívo, con -azione.
Admissib-ility, -le; ammissibil-ità *f.*, -e.
Admission; ammissióne *f.*, confessióne *f.*, accèsso *m.* — free, entrata libera. Give —, lasciar entrare. Ticket of —, biglietto d' ingresso.
Admit; amméttere, concèdere, introdurre, fare entrare, perméttere. He -s, egli conviene. **-tance**; *see* Admission. No —, vietato l' ingresso. **-tedly**; secondo ciò che è convenuto.
Adm-ix, -ixture; mescol-are, -anza *f.*, -aménto *m.* **-onish**; ammonire, riprèndere. **-onition**; ammonizióne *f.*, avvíṡo *m.*
Ado; affaccendaménto *m.* Much — about nothing, un gran da fare per niente. Without more —, senz' altro. **-be**; mattone cotto al sole.
Adolescen-ce, -t; adolescèn-za *f.*, -te.
Adopt, -ion, -ive; assúmere, adott-are, -aménto *m.*, adozióne *f.*, adottívo.
Ador-able, -ableness, -ably, -ation, -e, -er, -ing, -ingly; -ábile, -abilità *f.*, -abilménte, -azióne *f.*, -are, -atóre *m.*, -ante, con -azione.
Adorn; ornare, abbellire. **-ment**; abbelliménto *m.*
Adria-nople, -tic; Adria-nòpoli *f.*, -tico.
Adrift; a deriva, abbandonato. Turn —, metter fuori, lasciar andare al diavolo.
Adroit, -ly, -ness; dèstr-o, -aménte, -ézza *f.*
Adul-ation, -atory; -azióne *f.*, -atòrio.
Adullam; Odolláno.
Adult; adulto, cresciuto.
Adulter-ant, -ate, -ation; -atóre *m.*, -are, -azióne *f.*; falsific-are, -azióne *f.*
Adulter-er, -ess, -y; adúlter-o *m.*, -a *f.*, adultèrio *m.*
Adumbrat-e, -ion; adombr-are, -aménto *m.*

Advanc-e; progrèsso *m.*, avanzaménto *m.*, avanzata *f.*; auménto *m.*, rialzo *m.*; anticipazióne *f.*, prèstito *m.* A day in —, in avanzo di un giorno. In —, prima, anticipataménte. Make the first —, fare il primo passo. Make -s to, tentar di amicarsi con. To —, avanzare, metter innanzi, promuòvere, pagare anticipataménte; prestare; aumentare; farsi avanti, avanzarsi. **-ed**; aumentato. — in years, avanzatétto, attempato. — guard, avanguárdia *f.*

Advanc-ement; avanzaménto *m.*, promozióne *f.* **-ing**; che s' avanza.

Advantage; vantággio *m.*, profitto *m.*, utilità *f.*, superiorità *f.* Take —, prevalérsi, approfittarsi, abuśarsi. To —, avvantaggiare. Be -d by, trarre profitto da. **-ous, -ously**; vantaggióś-o, -aménte, in modo vantaggioso.

Adven-e; sopravvenire. **-t**; Avvènto *m.*; venúta *f.* **-titious, -ly**; avventízi-o, -aménte. **-ture**; avventur-a *f.*, -are; ríschio *m.*, arrischiare. **-tur-er, -ess**; avventurièr-e *m.*, -a *f.* **-turesome, -turous**; ardíto, avventuróso, pieno di avventure. **-turously**; arditaménte, in modo arrischiato. **-turousness**; arditézza *f.*, amore delle avventure.

Adver-b, -bial, -bially; avvèrbi-o *m.*, -ale, -alménte. **-sary**; avversário *m.*

Advers-e, -ely, -ity; avvèrs-o, -aménte, -ità *f.*; contrári-o, -aménte.

Advert; volgere il discorso.

Advertise; avviśare, far fare degli annunzii, pubblicare. — oneself, far pompa di sè. — one's requirements, annunciare i suoi bisogni sui giornali.

Advertisement; avvíśo *m.*, annúnzio *m.*, recláme *f.* Without bold — one is nowhere, senza estesa reclame non si riesce a gran cosa.

Advertiser; chi fa degli annunzii. Its circulation was too small to attract -s, la sua circolazione era troppo ristretta per attrarre chi facesse degli annunzii.

Advertising; annunzi *m. pl.*, recláme *f.*

Advice; consiglio *m.*, parére *m.*; informazióne *f.*, avvíśo *m.*, notízia *f.* Letter of —, lettera d' avviso. Latest -s, ultime notizie. To take —, farsi consigliare. Take my —, fate a modo mio. **-boat**; avvíśo *m.*

Advis-ability; utilità *f.*, saviézza *f.*, conveniènza *f.* **-able**; a proposito, prudènte, útile. Obvious reasons make it —, ovvie ragioni consigliano. **-e**; consigliare; avviśare, avvertire. He would be well -d to, gli gioverebbe di. Ill -d, sciòcco, poco giovevole. **-edly**; appòsta, a bello studio. **-er**; consiglière *m.*, cauśídico *m.* **-ory**; consultatívo.

Advocacy; diféśa *f.*, appòggio *m.*, apología *f.*, discorso in favore (di), patrocínio *m.*

Advocate; avvocato patrocinante *m.*, legale *m.*, difenśóre *m.*, partigiáno *m.* Judge —, ragguagliatóre *m.* (nel consiglio di guerra). Lord —, procuratore generale nella Scozia. To —, difèndere, patrocinare, sostenere le parti di.

Advowson; patronáto *m.*

Adze; ascia da bottaio.

Ae-gean; egèo. **-gis**; ègida *f.*

Aegrotat; diploma rilasciato per ragione di malattia.

Aeneid; enèide *f.*

Aeol-ian; eòlio. **-ic**; eòlico.

Aeon; eternità *f.*, tempo lunghissimo.

Aer-ate; arieggiare, dar aria a, aerificare. **-ated**; gassóso. — water, gassóśa *f.* **-ation**; il dar aria, l' arieggiare, aerificazióne *f.* **-eal**; aèreo. **-eally**; aereaménte. **-iform**; -ifórme. **-odrome**; aeròdromo *m.* **-olite**; aeròlito *m.* **-ometer, -ometry**; ariòmetr-o *m.*, -ía *f.* **-onaut, -onautics**; -onáuta *m.*, -onáutica *f.* **-oplane**; -opláno *m.*, velívolo *m.* **-ostat**; -òstato *m.* **-ostatics**; -ostática *f.*

Aeschylus; Èschilo.

Aesthet-e, -ic, -ics; estètic-o *m.*, -o, -a *f.*

Afar; lontáno.

Affab-ility; -ilità *f.* **-le**; affábile, di facile abbordo. **-ly**; affabilménte.

Affair; affáre *m.*, còsa *f.*, faccènda *f.*; scaramuccia *f.* Be the — of, spettare a, toccare a. Love —, amorétto *m.*, (in bad sense) amorazzo *m.* Grand —, affaróne *m.* Bad —, affaraccio *m.* **-s**; le cose.

Affect; affettare, commuòvere, influenzare, interessare, danneggiare (salute), nuocere (agli interessi) indebolire (le facoltà); pretèndere, fíngere, imitare; affliggere. — ignorance, fare lo gnorri. **-ation**; moíne *f. pl.*, affettazióne *f.*, leziosággine *f.*, ricercatezza di maniere. **-ed**; affettato, śdolcinato, śmorfióso; frequentato; affetto o afflitto (da), ammalato (di); commòsso, intenerito. Be — by, affliggersi di. — in the lungs, ammalato nei polmoni. Well —, ben disposto, ben intenzionato. **-edly**; in modo affettato. **-ing**; commovènte. **-ion**; affezióne *f.*, affètto *m.*, amóre *m.*, attaccaménto *m.*; malattía *f.* Have — for, esser affezionato a. (Girl) of his -s, del suo cuore. Nervous —, male nervoso. **-ionate**; affezionato, amorévole, affettuóso. **-ionately**; in modo affezionato ecc. **-ionateness**; amorevolézza *f.*, disposizione amorevole.

Aff-erent; -erènte.

Affiance; fidanzare. **-d**; promèsso.

Affidavit; deposizione giurata. Make an —, deporre con giuramento.
Affiliat-e, -ion; affili-are, -azióne *f.*
Affinity; affinità *f.*
Affirm, -ation etc.; afferma-re, -zióne *f.*, -tivo, -tivaménte.
Affix; affisso *m.*; appórre, attaccare.
Afflatus; afflato *m.*
Afflict, -ion; afflí-ggere, -zióne *f.*
Affluen-ce; opulènza *f.*; concórso *m.* **-t**; -te *m.*; ricco.
Afflux; affluènza *f.*, afflusso *m.*
Afford; perméttere, dare, fornire. I can — to, mi posso permettere il lusso di. I cannot — it, i miei mezzi non lo permettono. — temporary relief, procurare un sollievo temporaneo.
Afforest, -ation; imbosch-ire, -iménto *m.*
Affranchise, -ment; affranc-are, -aménto *m.*
Affray; rissa *f.*, tafferúglio *m.*
Affright; spaventare.
Affront; offèsa *f.*, affrónto *m.*; offèndere, oltraggiare.
Afield; Go far —, andar molto lontano.
Aflame; in fuoco.
Afloat; galleggiante, a galla. Get —, diṡincagliare. Period of service —, periodo di embarco.
Afoot; a piedi, in moto o azione. There is some plan —, qualche progetto sta combinandosi. Set —, avviare.
Afore-said; predétto. **-thought**; premeditato. **-time**; altre volte.
Afraid; pauróso. Be —, aver paura. — to go, troppo timido per andare.
Afresh; da capo, di nuovo.
African; affricáno. **-der**; bianco nato in Sud-Africa.
Afrit; demònio *m.*
Aft; all' indietro, di poppa. The wind is right —, il vento è in poppa.
After; 1. dópo, dietro, in capo a, in seguito a, dietro (un modello), alla moda di. (With pronouns, dopo di, *e.g.* — me, dopo di me; *cp.* Towards); (*mar.*) di poppa. — all, dopo tutto, alla fine delle fini, in sostanza, in fin dei conti. A few hours —, di lì a poche ore. Day — day, da un giorno all' altro. Call —, dare nome. He called his boy — me, ha detto il mio nome a suo figlio. Ask —, domandar notizie di. Go —, andar dietro, seguire. Look —, aver cura di; seguire con lo sguardo. Take —, rassomigliare, tirar da (il padre). — a certain time, in capo ad un certo tempo. Year — year, d' anno in anno. 2. (*mar.*) poppière, di poppa.
After-ages; secoli futuri. **-birth**; secondína *f.* **-cabin**; camerino di poppa. **-damp**; gas asfissiante dopo una esplosione in una miniera. **-glow**; rosei vapori dopo tramonto. -grass; guaímc *m.*, seconda raccolta di erba. **-mast**; albero poppiere. **-math**; seconda falciatura, grumeréccio *m.* **-most**; più indietro. **-noon**; pomeríggio *m.* In the —, dopo mezzogiorno. Of the —, pomeridiano. This —, questo pomeriggio. Yesterday —, ieri nel pomeriggio. **-pains**; spasimi dopo il parto. **-piece**; farsa *f.* **-taste**; sapore che ritorna a gola. **-thought**; An — occurred to me, mi è sopravvenuta l' idea. It was only an —, era solo un pensiero che mi è sopravvenuto dopo. **-times**; l' avvenire. **-wards**; dópo, pòscia, pòi, più tardi.
Again; 1. ancóra, ancora una volta, di nuovo. — and —, più e più volte. Go over — and — in his mind, riandare continuamente col pensiero. As much —, altrettanto, ancora altrettanto. He knows as much — about it as you do, egli ne sa il doppio di quel che sai tu. As big —, più grosso il doppio. Once —, una volta di più. 2. d' altra parte, d' attrónde, di più, pariménte. 3. Be — as before, tornar quello di prima. Be strong —, tornare in forza.

4. The word is often to be translated by the prefix Ri-, *e.g.* to write —, riscrivere.
Against; cóntro, incóntro, contrario a, in faccia a. Over —, vicino a. (With a pronoun, contro di, — me, contro di me, *see* Towards.) What is one century — eternity? dirimpetto all' eternità, che è un secolo?
Agape; a bocca spalancata.
Agate; ágata *f.*
Age; 1. età *f.* What is your —? quanti anni avete? Be thirty years of —, aver trent' anni. Of great —, annóso (albero). Middle -s, medio evo. Of the middle -s, medioevále. Of —, maggiorènne. Under —, minorènne. Come of —, raggiungere l' età maggiorenne. 2. sècolo *m.*, tempo *m.* I have not seen you for -s, è un secolo che non vi ho veduto. In an — when, ad un tempo che. 3. invecchiare, far apparire vecchio. **-d**; attempato, vècchio. Middle —, di mezza età.
Agen-cy; azióne *f.*, mediazióne *f.*, agenzía *f.* **-t**; agènte *m.*, piazzista *m.*, uomo d' affari; affittacámere *m.*; fattóre *m.* Election —, agente elettorale. Forwarding —, spedizionière *m.* Be a free —, poter fare quel che si vuole.
Agglomer-ate, -ation; -are, -azióne *f.*
Agglutin-ate, -ation, -ative; -are, -azióne *f.*, -atívo.

Aggrandise, -ment; ingrand-ire, -iménto *m.*
Aggravat-e; aggravare, render più biasimevole; stuzzicare, far andare sulle furie. **-ing**; noióso, fastidióso. **-ingly**; in modo o in tempo molto sconveniente, in modo provocante. **-ion**; aggravazióne *f.*, provocazióne *f.*, cosa che aggrava.
Aggreg-ate; -are; somma. In the —, nell' insieme. **-ation**; l' -are, aggregazióne *f.*
Aggress-ion; -ióne *f.* **-ive**; -ívo. **-ively**; da -ore. **-or**; -óre *m.*
Aggrieve; offèndere, danneggiare, lèdere, far torto a, recar dolore a. **-d**; malconténto.
Aghast; atterríto, stupefatto, šbalordíto.
Agil-e, -ity; -e, -ità *f.*, švèlt-o, -ézza *f.*
Agio; ággio *m.*
Agist; far pascolare. **-ment**; pascolaménto *m.*
Agitat-e, -ion, -or; agita-re, -zióne *f.*, -tóre *m.*
Agley; a sghimbèscio.
Aglow; riscaldato, arroventato.
Agnail; pipíta *f.*
Agnostic, -ism; -o, dottrina degli -i.
Ago; fa, ora è, or sono, prima. A gentleman was here a quarter of an hour —, c' è stato qui un signore che sarà un quarto d' ora. Three days —, tre giorni fa. A little while —, poco fa. Long —, molto tempo fa. How long —? quanto tempo fa?
Agog; in uzzolo, ardentemente bramoso, operóso, *v.* Astir. Be all —, bramare vivamente.
Agon-ised; da agoniżżante, angoscióso. **-isingly**; — painful, dolorosissimo. **-y**; agonía *f.*, angòscia *f.*, strázio *m.*
Agouti; agúti *m.*
Agree; intèndersi, accordarsi, convenire, acconsentire, rimaner d' accordo, concordare, esser conforme, andare d' accordo. — to, accettare, acconsentirsi a. — with, esser del parere di, esser buono per, confarsi a. Not to — with, far male a. The Roman climate does not — with me, l' aria di Roma mi si confà poco. I never -d to anything of the kind, non ho mai convenuto nulla di simile.
Agreeabl-e; 1. gradévole, piacévole, grato, amèno. Be — to, garbare a. 2. a norma (di), confórme. I am —, son disposto a farlo, son contento. **-eness**; piacevolézza *f.* **-y**; piacevolménte; confórme, a norma (di).
Agreed; intéso, siamo intesi, convenuto.
Agreement; accomodaménto *m.*, convenzióne *f.*, patto *m.*, accòrdo *m.*, obligazióne *f.*, intelligènza *f.*, consènso *m.*, convenzióne *f.* By mutual —, di comune accordo. Concerted —, concèrto *m.*
Agricultur-al; agronòmico, agrícolo. — association, comizio agrario. **-e**; agricoltura *f.* **-ist**; agrònomo *m.*
Agrimon-y; -ia *f.*
Aground; incagliato, arrenato, in secco.
Aguardiente; acquavíte *f.*
Agu-e; febbre intermittente. **-ish**; febbricitante.
Aha! bene! ecco! deh! ah!
Ahab; Acabbo.
Ahead; avanti, in avanti. Be — of, aver oltrepassato. Run —, andar per le spiccie. From right —, da proravia. Line —, linea di fila. A ship —! una nave da prora! — of time, con anticipo sull' ora.
Ahem! ehm!
Ahoy! olà!
Aid; aiúto *m.*, soccórso *m.*; aiutare, secondare, recar aiuto a.
Aide-de-camp; aiutante di campo.
Aigrette; pennácchio *m.*, pennino *m.*
Ailanthus; ailanto *m.*
Aileron; alettóne *m.*
Ail-ing; malatíccio, indispósto. What -s him? cos' ha? **-ment**; malattía *f.*
Aim; 1. mira *f.*, fine *m.*, scòpo *m.*, diségno *m.* Take —, prender mira, mirare, puntare. 2. mirare, prender di mira, dirigere (colpo). I missed my —, mi mancò il colpo.
Aimless, -ly; senza scopo o mira.
Ain't; *raccorc.* di Am not, o Are not; alle volte di Have not.
Air; 1. aria *f.*, breżżolína *f.*; céra *f.*, aspètto *m.*, aria *f.*, fare *m.*, contégno *m.* Change of —, cambiamento d' aria. Build castles in the —, fare castelli d' aria. -s and graces, manieríne *f. pl.* Give oneself -s, fare l' importante, *see* Assume. Beat the —, far buco nell' acqua. With an — of, con una certa qual aria di. 2. far prender aria, esporre all' aria, arieggiare, sciorinare, ventilare. — one's grievances, lagnarsi. Well -ed, sécco.
Air-bladder; vescica natatoria. **-brick**; mattone ventilatore. **-bubble**; bollicina d' aria. **-chamber**; cassa d' aria, camera d' aria. **-craft**; aèrei. **-cushion**; cuscinetto d' aria. **-engine**; macchina ad aria calda. **-flask**; accumulatore ossia serbatoio d' aria. **-gauge**; manometro d' aria. **-gun**; fucile ad aria compressa. **-hole**; sfiatatóio *m.*, spiraglio per l' aria. **-ily**; leggerménte, quasi impertinentemente, senza turbarsi. **-iness**; l' esser ben arieggiato; leggerézza *f.* **-ing**; giro *m.*, passeggiata *f.* Take an —

andare a prender aria. **-less**; senz' aria, rinchiuso. **-lock**; camera d' equilibrio. **-man**; aviatóre *m.* **-pocket**; buco d' aria. **-pump**; macchina pneumatica. **-raid**; incursione aerea. **-shaft**; spiráglio *m.*, condotta d' aria, pozzo per ventilazione. **-ship**; dirigíbile *m.*, aeronáve *f.* **-tight**; impermeabile all' aria. **-trunk**; tromba d' aria. **-y**; arióso, ben ventilato; frívolo, leggièro, indifferènte.

Aisle; navata *f.*, navata laterale.

Ait; isolòtto *m.*

Aix-la-chapelle; Aquiśgrana. **-les-bains**; Aix-les-bains (pronounced as in French).

Ajar; socchiuso, semi-apèrto.

Akimbo; colle mani alle anche.

Akin; congiunto, affíne. Be — to, esser parente a, rassomigliare.

Alabaster; alabastr-o *m.* As *adj.*, -íno.

Alack, Alackaday; ohimè!

Alarm; allarme *m.*, paúra *f.*; allarmare, dare l' allarme. Ring the — bell, sonare la campana a martello. Take —, allarmarsi. Be -ed, esser inquieto. **-ing**; allarmante, inquietante. **-ingly**; in modo allarmante. **-ist**; allarmista *m.*

Alarum; śvéglia *f.* **-clock**; orologio a sveglia.

Alb; cámice *m.*

Albanian; albanése.

Albatross; álbatro *m.*

Albeit; sebbène.

Albigenses; Albigési *m. pl.*

Alb-ino *id.*, **-ion** *id.*, **-um** *id.*

Album-en, -inoid, -inous, -inuria; -ína *f.*, -inòide, -inato, -inúria *f.*

Alcaic; alcáico.

Alchem-ist, -y; alchim-ista *m.*, -ía *f.*

Alcohol, -ic, -ism; alcool *m.*, -ico, -iśmo *m.*

Alcove; alcòva *f.*, nícchio *m.*

Aldehyde; aldèide *f.*

Alder; ontáno *m.* **-buckthorn**; rammo *m.* **-copse**; ontanéto *m.*

Alderman; consigliere municipale.

Alderney; isola di Alderney o Aurigny.

Aldine; aldíno.

Ale; birra forte. **-house**; béttola *f.*

Alee; sottovento.

Alembic; lambicco *m.*

Alençon; Alenzóna *f.*

Alert; vivo, vispo. On the —, all' erta. **-ness**; vigilanza *f.*, vivacità *f.*

Aleutian; aleutíno.

Alexandrian; alessandríno.

Alfa; giunco di Spagna.

Alfalfa; varietà di erba medica.

Al-geria, -gerian, -giers; -gería *f.*, -geríno, -gèri *m.* **-ias**; détto, altrimenti detto. As *sb.*, pseudònimo *m.* **-ibi**; álibi *m.*

Alien; stranièro *m.*, forestièro *m.* As *adj.*, alièno, estráneo. **-ability, -able**; -abilità *f.*, -ábile. **-ate**; -are, diśaffezionare. **-ation**; -azióne *f.* **-ist**; -ista *m.*, psichiátra *m.*

Al-ight; in fuoco, accéso. To —, scéndere, śmontare. — on land (aeroplane), atterrare; — on sea, ammarare. **-ign, -ignment**; aline-are, -aménto *m.* **-ike**; pari, uguale, simile; d' un modo pari, ugualménte. Just —, tale e quale.

Ali-ment, -mentary, -mentation; aliment-o *m.*, -ario, -azióne *f.* **-mony**; pensione alimentaria. **-quot**; alíquoto.

Alive; vivo, vivènte, in vita. — to, sensibile di. Burn —, bruciar vivo. No man —, nessun vivente. Be still —, esser ancora vivente. Look —! fate presto. All —, vigile, tutt' occhio.

Alkal-i, -imeter, -ine, render -ine, -inity, -oid; álcal-i *m.*, -ímetro *m.*, -íno, -iniżżare, -inità *f.*, -òide *f.*

Alkanet; ancuśa *f.*

All; tutto, ógni, tutto quello. After a negative word, qualunque: To exclude —..., escludere qualunque.... Above —, sopra tutto. After —, dopo tutto, *v.* After. — **along the line**, ad ogni punto, per **tutta** la strada per corsa, lungo il percorso. **At** —, anche in minimo grado. Not — —, nothing — —, niente affatto. He upsets himself about nothing — —, per un minimo che si turba. — **at**, tutto compreso. — **the better**, tanto meglio, meno male. — **but**, fuori, eccetto, vicinissimo a. He — — fell, era lì lì per cascare. He — — had to, vi mancò poco che non gli fosse necessità (o bisogno). — — ruined, vicinissimo alla rovina (o ad esser rovinato). **At — costs**, a qualunque prezzo, ad ogni costo. **By — means**, certamente, ad ogni mezzo. — **day long**, tutto il santo giorno. **For — that**, malgrado ciò, nondiméno, quantunque sia il caso. What is the score? **Four —**, Quali sono i punti? Quattro per parte. How did the tricks stand? We were — —, come stavano le date? Ne avevamo quattro per parte. — **important**, della più alta importanza. — **in — to each other**, (esser) tutto il mondo l' uno per l' altro. **Love —**, niente punto segnato. Score, — —, numero di punti, nulla. — **the more**, tanto più. — **night**, tutta la notte. **Not at —**, niente affatto, a nullo modo; non son punto d' accordo, lo nego assolutamente. **Not at — well**, di pessima salute, (star) molto male. — **of a sudden**, ad un tratto, in un batter d' occhio, improvvisaménte. **On — fours**, carpóni. — — — **with**, All of a piece with, dello stesso colore o del medesimo carattere che. (The two things) are not — — —, non vanno del pari. — **one**, lo stesso. **One and** —, tutti quanti senza eccezione. — **over**, finito. — — **with**, finito per. My leg is aching — —, la mia gamba mi duole dappertutto. — **right**, va bene, d' accordo. He is quite — —, sta benissimo. Take him — **round**, he is..., prendetelo come è, è.... It will be — **the safer**, non sarà che più sicuro. — **Saints' day**, Ognissanti *m.* festa d' Ognissanti. — **Souls' day**, giorno dei morti, i Morti. — **we**, — **you**, noi tutti, tutti voi.

☞ As prefix, infinitaménte, onni-, or translate by a superlative, or by che and a verb followed by tutto; *e.g.* all-good, infinitamente buono, all-powerful, onnipotente, all-just, giustissimo, all-seeing, che vede tutto.

Allay; calmare, raddolcire, alleggerire.

All-egation; -egazióne *f.* **-ege**; allegare, dichiarare, sostenére, presentare come scusa o argomento. **-eged**; finto, pretéso. — **fraud**, accusazione di frode.

Allegiance; dovere di fedeltà.

Allegor-ical, -ically, -ise, -iser, -y; -ico, -icaménte, -iżżare, -ista *m.*, -ía *f.*

Alleluia; *id. f.*

Alleviat-e, -ion; allevi-are, -azióne *f.*; soll-evare, -ièvo *m.*

Alley; vícolo *m.*, viále *m.*; pallina piuttosto grossa di marmo. Blind —, angipòrto *m.*

Allhallows; l' ognissanti.

Alli-ance; alleanza *f.* **-ed**; affine; unito per matrimonio o trattato, alleato.

Alligator; alligatóre *m.*

Allitera-tion, -tive; -zióne *f.*, -tivo.

Alloc-ate, -ation; assegn-are, -azióne *f.*; ripart-ire, -izióne *f.* **-ution**; allocuzióne *f.*

Allopath-ic, -y; allopát-ico, -ía *f.*

Allot; distribuire, spartire, assegnare. **-ment**; distribuzióne *f.*, spartiménto *m.*, appezzaménto *m.* Let out in -s, dare in affitto in appezzamenti.

Allow; perméttere, lasciare, riconóscere, confessare, amméttere; accordare uno sconto, abbonare, diffalcare; assegnare. — **for**, tener conto di. — **for waste**, dedurre per disperdimento. **-able**, **-ably**; lécit-o, -aménte. **-ance**; pensióne *f.*, indennità *f.*, assegnaménto *m.*, provviśióne *f.*; scónto *m.*, diffalco *m.*, indulgènza *f.*; scuśa *f.* Monthly —, mesata *f.* Outfit —, assegno per fornitura di primo corredo, indennità di equipaggio. Weekly —, provvisione settimanale, settimána *f.* Make — **for**, scuśare, giudicare con indulgenza. Pay and -s, salario e provvisioni. Lodging —, indennità di alloggio. Travelling —, indennità di trasferita.

Alloy; léga *f.*

All-powerful; *see* note to **All.**

Allspice; piménto *m.*

Allude; allúdere, rapportarsi.

Allure, -ment; allett-are, -améento *m.*

Allus-ion, -ive, -ively; alluś-ióne *f.*, -ivo, -ivaménte.

Alluv-ial, -ium; -ionale, -ióne *f.*

All-wise; onnisciënte, *see* note to All.

Ally; alleato *m.*; collegare.

Almanac; almanacco *m.*

Almight-ily; in sommo grado. **-iness**; onnipotènza *f.* **-y**; onnipotènte.

Almond; mándorla *f.* Burnt —, mandorla tostata. — **icing**, — **paste**, pasta di mandorla. **-tree**; mándorlo *m.*

Almoner; limośinière *m.*

Almost; quaśi, press' a poco, vicino a, presso che, a un di presso.

Alms; limòśina *f.* Give —, fare la carità. **-house**; ospizio dei poveri.

Aloe, -tic; alo-è *m.*, -ètico.

Aloft; su, sópra, in alto, a riva.

Alone; solo. Leave —, lasciar stare, non toccare, lasciar tranquillo. Talk with him —, parlare da solo a solo con lui.

Along; lungo. — **with**, insieme con. Go, Get —! via! All — the road, per tutta la via. Come —! via, andiamo! su via! prèsto! Sail — the coast, costeggiare la riva. As we went —, strada facendo, mentre si camminava.

Alongside; lungo il bordo. Go — **of**, accostare lungo il bordo di. Remain —, star lungo il bordo.

Aloof; a distanza, lontano. Stand —, starsene da banda. **-ness**; indiffèrenza *f.*, maniere difficili.

Aloud; alto. Read —, leggere ad alta voce. Cry —, chiamare alto. Half —, a mezza voce.

Alp; alpe *f.* **-aca**; alpáca *m.* — **cloth**, alpagà *m.* **-enstock**; alpenstock *m.*, bastone ferrato.

Alpha; alfa *f.* **-bet**; alfabèto *m.* **-betical**, **-betically**; alfabètic-o, -aménte.

Alphonsist; alfonśíno.

Alpine; alpèstre, alpigiáno, alpíno.

Already; già, di già, altre volte.

Alsa-ce; -zia *f.* **-tian**; -zio o -ziáno.

Alsike clover; trifoglio ibrido.

Also; anche, altresì, pure, di più.

Altar; altare *m.* High —, altare maggiore. **-cloth**; paliòtto *m.*, tovaglia per l' altare. **-piece**; ancóna *f.*, pala *f.* **-step**; predèlla *f.*

Alter; alterare, cambiare, mutare. — **the course to port (starboard)**, accostare a sinistra (destra). **-able**; alterábile, cambiábile. **-ation**; alterazióne *f.*, cambiaménto *m.* **-ative**; -atívo.

Altercat-e; questionare, altercare. **-ion**; altèrco *m.*, divèrbio *m.*
Alternat-e; altèrno, vicendévole, alternato; avvicendare, alternare, succedersi turno a turno, far succedere alternativamente. **-ely**; alternaménte, vicendevolménte. **-ion**; alternazióne *f.* **-ive**; alternatívo; alternativa *f.* In the — of, nell' eventualità che. There is no —, non c' è altro da fare. **-ively**; alternativaménte, eventualménte.
Although; quantunque, *v.* Though.
Altitude; altézza *f.*, altitúdine *f.*
Alto; alto *m.*
Altogether; interaménte, insómma, insième, affatto, addirittura, per sempre. Take him —, he is, prendetelo come è, egli è.
Altruis-m, -t, -tic; -mo *m.*, -ta *m.*, -tico.
Alum; allume *m.*
Alumin-a, -iferous, -ium, -ous; allumín-a *f.*, -ífero, -io *m.*, -óso.
Alumnus; alunno *m.*
Alv-eolar; -eolare. **-eolus**; -èolo *m.* **-ine**; -ino.
Always; sèmpre, per sempre.
Amadou; ésca *f.*
Amain; con forza, mólto.
Amalgam, -ate, -ation; amálgam-a *f.*, -are, -azióne *f.*
Amanuens-is; -e *m.*
Amarant-h, -hine; -o *m.*, -íno.
Amass; ammassare, raccògliere.
Amateur; amatóre *m.*, dilettante *m.*, giocatore che gioca per chiasso. **-ish**; poco abile, da dilettante.
Amat-ive, -iveness; -òrio, disposizione -oria. **-ory**; -òrio, di amore.
Amaz-e; stupire, far meravigliare, recar meraviglia fra. **-ement**; stupóre *m.*, gran meraviglia. **-ing**; meraviglióso, stupefacènte, stupèndo. **-ingly**; stupendaménte.
Amazon; 1. amáżżone *f.* 2. le Amáżżoni.
Ambassad-or, -orial, -ress; ambasciatóre *m.*, di o da -atore, -atrice *f.*
Amber; ambra *f.* **-gris**; ambra grigia.
Ambidextrous; ambidèstro.
Ambient; ambiènte *m.*
Ambigu-ity, -ous, -ously, -ousness; -ità *f.*, -o, -aménte, incertézza *f.*
Ambit; ámbito *m.*, giro *m.*
Ambit-ion, -ious, -iously, -iousness; ambizi-óne *f.*, -óso, -osaménte, disposizione ambiziosa.
Ambl-e; ámbio *m.*, andare a passo d' ambio. Ride at an —, cavalcare all' ambio. **-ing**; che va all' ambio.
Ambros-e; Ambrògio. **-ian**; ambrośiáno.
Ambrosia, -l; -a *f.*, -ále.
Ambulance; ambulanza *f.*
Ambuscade, Ambush; imboscata *f.*, agguato *m.*; metter in imboscata, cogliere in una imboscata. Be in ambush, stare in agguato.
Ameer; emíro *m.*
Ameliorat-e, -ion; miglior-are, -aménto *m.* **-ive**; migliorativo.
Amen; ammen.
Amenab-ility; disposizione a dar retta a. **-le**; disposto a ubbidire; soggetto (ad una giurisdizione).
Amen-d; emendare, corrèggere; emendarsi, comportarsi meglio, riformarsi. **-dment**; rifórma *f.*; emendaménto *m.*, miglioraménto *m.* Move an —, proporre un emendamento. **-ds**; compènso *m.*, risarciménto *m.* Make — for, risarcire, riparare. **-ity**; -ità *f.*
Amerce, -ment; mult-are, -a *f.*
American, -ise, -ism; -o, -iżżare, modo -o.
Amethyst; ametista *f.*
Amiab-ility, -le, -ly; amabil-ità *f.*, -e, -ménte, gentil-ézza *f.*, -e, -ménte.
Amicab-ility, -le, -ly; amichevol-ézza *f.*, -e, -ménte.
Amid; in mezzo a, fra, tra. **-ships**; a mezza nave, nella mezzania, al centro. **-st**; *see* Amid.
Amiss; male. Take —, avere a male, avere in uggia. Something —, qualche cosa di male o che non va bene.
Amity; amicízia *f.*
Ammeter; amperòmetro *m.*
Ammoni-a, -ac, -acal, -acum; -aca *f.*, -aco, -acále, -aco *m.* **-te**; -te *f.* **-um**; -o *m.*
Ammunition; munizióni *f. pl.*
Amnesty; amnistía *f.*
Amoeba; amèba *f.*
Among, Amongst; fra, tra, in mezzo a, prèsso.
Amor-ous; -óso. **-ously**; -osaménte. **-ousness**; dispośizione -osa. **-phous**; amòrfo. **-tisation, -tise**; ammortiżżazióne *f.*, -are.
Amount; montante *m.*, sómma *f.*, quantità *f.*, impòrto *m.*, l' ammontare. — brought forward, saldo riportato. — to, venire a, ridursi a, esser lo stesso che, ammontare a, valére. — to much, to little, avere molta, o poca, importanza.
Amour; amorazzo *m.*
Amphibi-an, -ous; anfíbio.
Amphictyon-s, -ic; anfizión-i *m. pl.*, -ico.
Amphitheatre; anfiteátro *m.*
Amphora; ánfora *f.*
Ampl-e; ampio, largo. **-ify**; amplificare. **-itude**; ampiézza *f.* **-y**; ampiaménte, in pieno grado, abbondanteménte.
Amputat-e, -ion; amput-are, -azióne *f.*
Amsterdam; An — Jew, un ebreo d' Amsterdam.

Amuck; Run —, fare il frenetico, combattere all' impazzata.
Amulet; amulèto *m.*
Amus-e; divertire, intrattenére, baloccare, ṡvagare, far ridere, diṡannoiare. — oneself, distrarsi. **-ement**; passatèmpo *m.*, dipòrto *m.*, divertiménto *m.*, spasso *m.*, ṡvago *m.* **-ing**; divertènte, còmico, da far ridere. **-ingly**; in modo divertente ecc.
Ana-baptist; anabattista *m.* **-basis**; -baṡi *f.* **-coluthon**; -colúto *m.* **-conda**; -cónda *m.* **-creon**; Anacreònte. **-cronism**; -croniṡmo *m.* **-emia, -emic**; anemía, -èmico. **-esthesia, -esthetic, -esthetise, -esthetist**; anest-eṡía *f.*, -ètico, -iżżare, chi somministra un anestetico. **-gram**; -gramma *m.* **-l**; anale. **-lecta**; analètti *m. pl.*
Analog-ical, -ically, -ous, -ously, -ue, -y; -ico, -icaménte, -o, -aménte, cosa -a, -ía *f.*
Analy-se, -sis, -st, -tical, -tically; analiżżare, -iṡi *f.*, -iżżatóre *m.*, -ítico, -iticaménte.
Ana-paest; -pèsto *m.* **-rch, -rchic, -rchical, -rchically, -rchism, -rchist, -rchy**; anárch-ico *m.*, -ico, -icaménte, -iṡmo, -ista *m.*, -ía *f.* **-stomos-e, -is**; anastomiarsi, -òṡi *f.* **-thema, -thematise**; anátem-a *m.*, -iżżare. **-tolian**; anatòlico. **-tom-ical, -ically** etc.; anatòm-ico, -icaménte, -iżżare, -ista *m.*, -ía *f.*
Ancest-or; antenato *m.*, avo *m.* An — of mine, un mio antenato. **-ral**; degli avi. **-ress**; antenata *f.*, ávola *f.* **-ry**; antenati *m. pl.*, stirpe *f.*, razza *f.*, proṡápia *f.*
Anchor; áncora *f.* Back —, ancora di pennello. Bower —, ancora di posta, di servizio, *or* (when in use) di guardia. Kedge —, boat's —, ancoròtto *m.* Sheet —, ancora di speranza. Stream —, ancora di tonneggio. Stockless —, ancora senza ceppo. Drag the -s, arare sulle ancore. Cast —, gettare l' ancora. Weigh —, salpare l' ancora. Get in the —, imbarcare l' ancora. Break the — out of the ground, spedare l' ancora. Lie at —, essere o stare all' ancora. To —, ancorare. -ing ground, fónda, fondo opportuno per ancorare. **-bed**; scarpa dell' ancora.
Anchorage; ancorággio *m.*
Anchorite; anacorèta *m.*
Anchovy; acciúga *f.*
Anchylos-ed; affetto da anchilosi. **-is**; anchilòṡi *f.*
Ancient; antíco, anziáno. **-ly**; anticaménte.
Ancillary; utile in grado secondario.
Ancona; Of —, anconetáno.
And; e, anzi. Poorer — poorer, sempre più povero. Two — two, a due a due. Worse — worse, di peggio in peggio. Better — better, di meglio in meglio. By — by, più tardi.
And-alusian; andaluṡo. **-es**; le Andi. **-iron**; aláre *m.* **-rew**; Andrèa. **-rogynous**; andrògino.
Anecdot-al, -e; aneddòt-ico, -o *m.*
Anemometer; anemòmetro *m.*
Anemone; anèmone *m.* Garden —, anèmolo *m.*, anemone de' giardini. Wood —, anemone de' boschi. Sea —, attínia *f.*, anemone di mare.
Anent; riguardo, circa a.
Aneroid; aneròide *m.*
Aneuris-m, -mal; -ma *m.*, -male.
Anew; di nuovo, da capo.
Angel; ángelo *m.* Fallen —, angelo caduto. Guardian —, angelo custode. **-ic**; -ico. **-ically**; -icaménte. **-us**; l' Ave Maria.
Anger; còllera *f.*, stizza *f.*, sdègno *m.*, ira *f.*, rábbia *f.* Provoke to —, arrabbiare. To —, stizzire, irritare, inasprire, metter in collera.
Angevin; angiovíno.
Angina; angína *f.*
Angle; ángolo *m.*, canto *m.* — iron, ferro d' angolo, cantonièra *f.* To —, pescare (coll' amo). **-r**; pescatóre *m.*
Anglic-an, -anism; -áno, -aniṡmo *m.* **-ise**; inglesiżżare. **-ism**; angliciṡmo *m.*
Anglo-American; anglo-americáno. **-Indian**; inglese nato o vivente nelle Indie. **-mania**; anglomanía *f.* **-maniac**; anglòmane *m.* **-phobia**; anglofobía *f.*, sfiducia degli inglesi. **-Saxon**; anglosássone (*adj.* or *sb.*).
Angora; d' Angora.
Angoulême; Angolème.
Angrily; con collera, ṡdegnosaménte, con voce di collera o rabbia.
Angry; in collera, iróso, impermalíto, ṡdegnóso, stizzito, adirato, arrabbiato, furibóndo. Get, Be terribly —, andare, essere su tutte le furie. — words, parole acerbe. Be — with, irritarsi con.
Anguish; angòscia *f.*, strázio *m.*
Angular; angolare. **-ity**; *fig.* maniere goffe.
Anhydrous; anidro.
A-nights; di notte.
Aniline; anilína *f.*; anilino.
Animadver-sion; animavversióne *f.*, gastígo *m.* **-t upon**; censurare.
Anim-al; -ale (*adj.* or *sb.*), béstia *f.* Full of — spirits, di vigore esuberante. — food, sostanze animali usate come cibo, carne di animale. — painter, animalista *m.* **-alcule**; animálculo *m.*, ani-

malétto (microscopico). -alism; animalità *f.*, sensualità *f.* -ality; l' esser animale. -ate; vivo, vivente; animare, ispirare, incoraggiare. -ated; vivace, animato (colloquio). -ation; -azióne *f.*, brio *m.*, movimento focoso. -ism; -iśmo *m.* -ist; -ista *m.* -osity; -osità *f.*, rancóre *m.* -us; mala voglia, malanimo. The evident — of the judge only made the jury more determined to acquit the prisoner, l' ostilità apparente del giudice contro l' imputato non fece altro che i giurati s' ostinassero maggiormente ad assolverlo.

Anis-e; ánace *m.*, ánice *m.*, ánacio *m.* **-eed**; ánici *m. pl.* Flavoured with —, aniciato. **-ette**; aniśétta *f.*

Anjou; Angiò. Of —, angiovíno.

Ankle; cavíglia *f.*, noce del piede. — deep, sino alla caviglia. Sprain one's —, storcersi il piede. Pretty —, gamba ben fatta. **-joint**; giuntura del piede.

Annal-ist, -s; -ista *m.*, -i *m. pl.*

Anneal, -ing; ricòcere, ricòtta *f.*; stemperare, -aménto *m.*

Annelida; anèllidi *m. pl.*

Annex; annèsso *m.*; allegato *m.*; attaccare, unire, annèttere. **-ation**; annessióne *f.* **-ationist**; annessionista *m.* **-e**; succursale *f.*

Annihil-ate, -ation; annient-are, -aménto *m.*; annichil-are, -aménto *m.*

Anniversar-y; -io *m.*

Anno Domini; l' anno di grazia.

Annotat-e, -ion, -or; annot-are, -azióne *f.*, -atóre *m.*, chioś-are, -a *f.*, -atóre *m.*

Announce; annunziare, avviśare, pubblicare, far sapere. **-ment**; annunzio *m.*, avvíśo *m.*

Annoy; annoiare, seccare, incomodare, infastidire. **-ance**; nòia *f.*, seccatura *f.*, incòmodo *m.*, úggia *f.*, torménto *m.*, contrarietà *f.*, crucci *m. pl.* In the midst of his —, in mezzo ai suoi crucci. **-ing**; noióso, importúno, fastidióso. **-ingly**; in modo noioso ecc.

Annu-al; annuo, annuale. **-ally**; ogni anno. **-itant**; chi gode d' una rendita vitalizia. **-ity**; assegno annuale, censo vitalizio, rèndita *f.*, somma annuale d' una rendita. Government life —, rendita vitalizia dello Stato.

Annul; annullare, dirímere.

Annul-ar, -ate; an-ulare, -ellato.

Annulment; annullaménto *m.*, abrogazióne *f.*

Annul-oid, -ose; anell-òide, -ato.

Annunciation; annunziazióne *f.*

Anodyne; anodíno *m.*

Anoint; úngere, unguentare.

Anomal-ous, -ously, -y; -o, -aménte, -ía *f.*

Anon; fra poco. Ever and —, ogni tanto.

Anon-imity, -ymous, -ymously; -imità *f.*, -imo, -imaménte.

Another; un altro. In — way, diversaménte, per mezzo di un metodo diverso. I have one franc, give me —, ho una lira, datemene ancora una. Just such —, un affatto uguale. Husband and wife detest one —, marito e moglie si detestano l' un l' altro. One with —, uno coll' altro.

Answer; rèplica *f.*, rispósta *f.*, replicare, rispóndere, soggiúngere; esser mallevadore; riuscire come si vorrebbe; confutare. — the bell, aprire la porta, comparire. — the summons, comparire alla chiamata. — to, corrispondere a. — the purpose, esser adatto allo scopo, esser ciò che si vuole. -ing pendant, l' intelligenza. To make the answer or hoist the -ing pendant, alzare l' intelligenza. **-able**; responsábile, garante.

Ant; formíca *f.* White —, termíte *m.* **-'s nest**; nido di formiche.

Antagon-ise; opporsi a. **-ism**; -iśmo *m.* **-ist**; -ista *m.* **-istically**; -isticaménte.

Ant-arctic; -ártico.

Anteater; formicolière *m.*

Ante-cedent, -cedently; -cedènte, -cedenteménte. **-chamber**; anticámera *f.*, vestíbolo *m.* **-chapel**; avancorpo d' una cappella collegiale. **-date**; antidatare. **-diluvian**; antidiluviáno. **-lope**; antílope *f.* **-natal**; che spetta alla vita del bambino prima della nascita. **-nna**; anténna *f.* **-nuptial**; antinuziale. **-pendium**; frontále *m.*, paliòtto *m.* **-penultimate**; antipenultimo. With accent on the —, śdrucciolo. **-position**; inversióne *f.* **-prandial**; prima del pranzo. **-rior**; anterióre. **-riorly**; anteriorménte. **-room**; anticámera *f.*, antisála *f.*

Anthelmintic; antelmíntico.

Anthem; antífona *f.*, salmo o altro messo in musica. National —, inno nazionale.

Ant-her; ántera *f.* **-hill**; formicaio *m.*

Anth-ology; antología *f.* **-racite**; antracíte *f.* (specie di carbon fossile durissimo). **-rax**; antráce *m.*

Anthropo-logical, -logist, -logy, -morphic, -morphically, -morphism, -phagous, -phagy; antropo-lògico, -lògico *m.*, -logía *f.*, -mòrfico, -morficaménte, -morfiśmo *m.*, -fago, -fagía *f.*

Anti-aircraft; anti-aèreo.

Antibes; Antíbo. Of —, antiboíno.

Anti-catholic; anticattòlico.

Antichrist, -ian; anticrist-o, -iáno.

Anticip-ant; -ante *m.*

Anticipate; 1. prevedére, aspettarsi, prométtersi (piacere), riprométtersi (guadagno); *see* Look forward. 2. anticipare, prendere anticipatamente.
Anticipation; 1. anticipazióne (sul salario). By —, anticipataménte. 2. previṡióne *f.*, speranza *f.*, presentiménto *m.*, preveggènza *f.*, antiveggènza *f.*
Anticlimax; fine inetta d' un discorso, esito poco dignitoso d' un affare.
Anticlinal; anticlinale.
Antics; burle *f. pl.*, ṡgambettate *f. pl.*, scimmiottate *f. pl.*
Anti-cyclone; -ciclóne *m.* **-cyclonic**; -ciclònico. **-dote**; antídoto *m.*, contravveléno *m.* **-dysenteric**; -dissentèrico.
Antilles; le Antilli.
Anti-macassar; poggiacápo *m.*, voltèr *m.* **-ministerial**; -ministeriale. **-monarchical**; -monárchico. **-monial**; -moniále. **-mony**; -mònio *m.* **-national**; -nazionále. **-nomian**; -nòmio, -nomiáno. **-nomy**; -nomía *f.*, contraddizione fra due leggi.
Antioch; Antiòchía *f.*
Antipath-etic, -y; antipat-ètico, -ía *f.*, avversióne *f.* Have -y for, avere in uggia.
Antipatriot; nemico del proprio paese. **-ic**; antipatriòttico.
Anti-periodic; -periòdico. **-phon**; antífona *f.* **-phonal**; -fonále. **-phrasis**; -fraṡi *f.* **-phrastic**; -frástico. **-podean**; -pòdico. **-podes**; gli antípodi. **-pope**; -papa *m.* **-pyretic**; -febbríle.
Antiquar-ian; -io *m.*, da antiquario. **-ianism**; passione per le antichità. **-y**; -io *m.*
Antiqu-ated; invecchiato, fuor d' uso, antiquato, vièto. **-e**; antíco. **-ity**; antichità *f.*
Anti-revolutionary; -rivoluzionário. **-sabbatarian**; -sabatariáno. **-scorbutic**; -scorbútico. **-scriptural**; contra la santa scrittura. **-septic**; -sèttico. **-skid**; -ṡdrucciolante. **-slavery**; the — society, la società per l' abolizione della schiavitù. **-social**; -sociále. **-socialist**; -socialista *m.* **-spasmodic**; -spaṡmòdico. **-strophe**; -strofe *f.*, controballata *f.* **-submarine**; anti-sommergíbile *m.* **-syphilitic**; -sifilítico. **-thesis**; -teṡi *f.* **-thetical**; -tètico. **-torpedo**; parasilúri *m.* **-toxin**; -tossíno *m.* **-type**; -típo *m.*
Ant-ium; Anzio. **-lers**; palchi *m. pl.* **-lion**; formicaleóne *m.*
Antonomas-ia, -tic; -ía *f.*, -tico.
Ant-ony; Antònio. **-werp**; Anvèrsa *f.*
Anvil; ancúdine *f.*
Anxi-ety; ansietà *f.*, inquietúdine *f.*, premúra *f.*, angòscia *f.* **-ous**; ansióso, ṡmanióso. Be —, stare in pena, stare in pensiero. What I am more — about, quel che mi angustia di più. **-ously**; con ansietà, con sollecitudine. **-ousness**; ansietà, ánsia *f.*, disposizione ansiosa.
Any; 1. del, ne. Has he — money? ha egli del danaro? Have you — gloves? avete dei guanti? I want some stamps, have you got —? ho bisogno di qualche francobollo, ne avete? If you have —, se ne avete. She had never known — real sorrow, essa non aveva mai provato un vero dolore. Are you — the happier for that? ella si sente più felice a causa di cio? Have you — more of those cigars I bought yesterday? avete ancora di quei sigari che ho comprati ieri? 2. nessuno, alcuno. How could -one think? a chi poteva venire in testa? I have not seen -body, non ho visto nessuno. — news since I left you? nessuna notizia da che vi lasciai? Without — exception, senza nessuna eccezione. Can -one be so mad as to doubt it? si può esser pazzi al punto di dubitarne? I suppose you have not dined — more than I, voi non avrete pranzato più di quel che abbia pranzato io. If -one should call, se alcuno venisse. If I could be useful in — way, si io potessi in maniera alcuna esser utile. — way it is the fact that, tant' è vero che. Without regard to -thing, senza rispetto di cosa alcuna. 3. qualunque, ogni. Come at — time, venite a qualunque ora, o ad ogni ora. — man who, ogni uomo che. 4. — one whatever, — whatever, chichessía, chechessía.
Anybody; qualcuno, taluno, qualcheduno, chiunque, chichessía, il primo venuto. — can do it, tutti possono farlo, lo sanno fare. Was there — there? c' era gente? Has — been? qualcheduno è stato qui? — can understand, chiunque può capire. She is as much feared as —, ella è temuta al pari di chichessia.
Anyhow; 1. ad ogni modo, ciò non ostante. 2. alla carlona, alla rinfusa. Do it —, lo faccia come può, come va va.
Anyone; *see* Anybody.
Anything; qualche cosa, qualunque cosa, alcuna cosa. Hardly —, quasi niente. Too funny for —, comico al di là di ogni dire. — so unreasonable, una cosa così irragionevole. — would be better than this, qualunque cosa sarebbe meglio di questo. Her life is — but happy, la sua vita è tutto quel che volete, ma non è felice, o, è tutt' altra che felice. I have never seen — of the

kind, non ho mai veduto nulla di simile. Can I do — for you? posso far qualche cosa per lei? — but, tutto al contrario. Eat —, mangiare tutto. Eat hardly —, toccare appena cibo.

Anywhere; dovunque, dove che sia, in qualunque luogo. Not —, in nessun luogo.

Aor-ist; aoristo *m*. **-ta**; aòrta *f*.

Apace; presto, a passi concitati.

Apart; 1. da parte, in disparte, da canto, da banda, separataménte. 2. in due. Pull —, separare. Keep them —, tenerli divisi. — from, prescindendo da.

Apartment; stanza *f*., locále *m*. **-s**; appartaménto *m*. Furnished, unfurnished —, alloggio ammobiliato, smobiliato.

Apath-etic, -etically, -y; apat-ètico, in modo -etico, -ía *f*.

Ape; scímmi-a *f*., -òtto *m*., babbuíno *m*., macacco *m*., bertúccia *f*.; scimmiottare, contraffare, scimmieggiare.

Apeak; a picco.

Apennines; gli Apennini.

Aper-ient, -ture; -itivo, -tura *f*.

Apetal-ous; -o.

Apex; ápice *m*., cima *f*.

Aph-aeresis, -asia, -elion; af-èreṡi *f*., -aṡía *f*., -èlio *m*.

Aphis; afídio *m*., moscerino verde.

Aph-orism, -rodisiac, -thae; af-oriṡmo *m*., -rodiṡíaco, -te *f*. *pl*.

Api-ary, -culture; -ário *m*., -cultura *f*.

Apiece; a testa, per uno. How much —? quanto costa ciascuno? Three pence —, sei soldi l' uno.

Apish, -ly; scimmi-ésco, da -a.

Apo-calypse, -calyptic, -cope, -crypha, -cryphal, -dosis, -gee; apo-calisse *f*., -calíttico, libri -crifi, -crifo, -doṡi *f*., -gèo *m*.

Apolog-etic; -ètico. **-etics**; -ètica *f*. **-etically**; -eticaménte, d' un tono di scusa.

Apolog-ise; scuṡarsi, far le sue scuse, chieder perdono. — for, scusarsi di. **-ist**; -ista *m*. **-ue**; -o *m*. **-y**; -ía *f*., diféṡa *f*., scuṡa *f*.

Apo-neurosis, -phthegm, -physis, -plectic, -plexy, -plectic fit, -siopesis; aponevròṡi *f*., -tèmma (-ftègma) *m*., -fige *f*., -plèttico, -plessía *f*., accidènte *m*., -ṡiopèṡi *f*.

Aposta-sy, -te, -tise; -ṡía *f*., -ta *m*., -tare.

Apost-le, -leship, -olate, -olic, -olically; -olo *m*., -olato *m*., -olato *m*., -òlico, -olicaménte.

Apostr-ophe, -ophise; -ofe *f*., -ofare.

Apothe-cary, -osis; speziale *m*., apoteòṡi *f*.

Apothegm; apotèmma *m*., sentènza *f*.

Appal, -ling, -lingly; spavent-are, -évole, in modo -evole; ṡbigottire, atterrire.

Appanage; appannággio *m*.

Apparatus; apparato *m*., apparécchio *m*., congégno *m*.

Apparel; vestiménti *m*. *pl*., ábiti *m*. *pl*.; vestire, abbigliare.

Apparent; apparènte, evidènte. Not —, poco chiaro. Be —, parere. Be very —, risaltare maggiormente. Heir —, erede presuntivo. **-ly**; a ciò che pare, a quanto sembra. — in bad temper, con aria di cattivo umore.

Apparition; apparizióne *f*., fantaṡma *m*.

Apparitor; apparitóre *m*., bidèllo *m*.

Appeal; 1. appèllo *m*., ricórso *m*., intercessióne *f*. — for reduction of a sentence, ricorso in grazia. Lodge an —, interporre appello. 2. appellarsi, ricórrere, fare appello. — to him for help, supplicarlo di aiutare. It does not — to me much, non mi ci sento tanto attratto, non m' impressiona molto. It would not — to the public, il pubblico non saprebbe apprezzarlo. **-ingly**; da supplicante.

Appear; apparire, preṡentarsi, mostrarsi; sembrare, paríre, ricavarsi, venir fuori, farsi vedere. It —s that, pare che. — upon the scene, comparire sulla scena. — in print, essere stampato.

Appearance; apparènza *f*., aspètto *m*., sembianza *f*., apparizióne *f*.; aria *f*., probabilità *f*.; contégno *m*. Keep up —s, mantenere le apparenze. First —, eṡórdio *m*. — upon the scene, comparsa sulla scena. — of pride, contegno orgoglioso. For — sake, per salvare l' apparenza. To all —, a quanto pare. Of fine —, di una bella presenza. Make a good —, far bella figura. Outward —, esterióre *m*. At first —, a prima vista.

Appease; calmare, placare, acquietare.

Appell-ant; -ante *m*. **-ation**; -azióne *f*.

Append; appèndere, aggiúngere. **-age**; aggiunta *f*., annèsso *m*., dipendènza *f*. **-ant**; annèsso, sospéso. **-ix**; appendíce *f*.

Appertain; appartenére, spettare, toccare.

Appet-iser; ciò che stimola l' appetito.

Appet-ising, -ite; -itóso, -ito *m*. Ravenous -ite, fame da lupo.

Applau-d; -dire, approvare. **-der**; -ditóre *m*. **-se**; pláuṡo *m*., acclamazióne *f*., approvazióne *f*., lòde *f*. Round of —, salva d' applauso.

Apple; mél-a *f*. Eating —, mela da mangiarsi cruda. Cooking —, mela da cuocere. Crab —, mela salvatica. Crab — tree, melo salvatico. — of the eye, globo d' occhio. Adam's —, pomo d' Adamo. — of discord, pomo di discordia. **-blossom**; fiori di melo. **-dumpling**; specie di dolce con ripieno di una mela. **-fritters**; frittura di mele. **-jelly**; gelatina di mele. **-orchard**; meléto *m.*, pométo *m.* **-peel**; scorza di mele. **-pie**; torta di mele. In — order, in ordine perfetto, benissimo assettato. **-pip**; granello di una mela. **-pudding**; budino di mele. **-puff**; pasticcino di mele. **-sauce**; salsa fatta con delle mele. **-stand**; tavolato o baracca dove si vendono delle mele. **-tree**; mélo *m.* **-woman**; vendugliola di mele, fruttivéndola *f.*

Appl-iance; mèżżo *m.*, apparécchio *m.* **-icability, -icable**; -icabilità *f.*, -icábile. **-icant**; postulante *m.*, chi vuole applicarsi, candidato *m.* **-ication**; applicazióne *f.*

Appliqué work; lavoro fatto su un altro materiale.

Apply; applicare, appórre, dirígere; applicarsi, indirizzarsi, rivòlgersi, ricórrere. — oneself, dedicarsi, darsi. — for, cercare, chièdere. — to, toccare, rapportarsi a, aver da fare con, riguardare. — the brake, metter in giuoco, chiudere, o stringere, il freno. Applied mathematics, matematica applicata.

Appoint; fissare, stabilire, nominare, assegnare. Well -ed, bene equipaggiato o corredato. **-ment**; appuntaménto *m.*, nòmina *f.*, fissato *m.*, impiègo *m.* Make an —, fissare un convegno.

Apportion; distribuire, scompartire. **-ment**; spartiménto *m.*, riparto *m.*

Apposi-te; accóncio, appòsito. **-tely**; a taglio, a propòsito. **-tion**; -zióne *f.*

Appraise; valutare, stimare. **-ment**; stima *f.*, apprezzaménto *m.*, perízia *f.* **-r**; períto *m.*, commissario stimatore.

Appreci-able; non trascurabile, da non negligersi. **-ably**; sensibilménte. **-ate**; apprezzare, pregiare, gustare. — in value, crescere di valore. I — your kindness, riconosco la sua gentilezza. I do not —, non mi va, non mi va a genio. **-ation**; apprezzaménto *m.*, auménto di valore. **-ative, -atory**; sensíbile; lodatòrio.

Apprehen-d; 1. capire, crédere, suppórre. 2. temére. 3. arrestare. **-sion**; 1. timóre *m.*, apprensióne *f.* 2. intelligènza *f.*, apprensíva *f.* 3. arrèsto *m.* **-sive**; apprensivo. Be —, apprensionarsi. **-sively**; con apprensione.

Apprentice; apprendista *m.*, novízio *m.*; collocare, metter a novizio. **-ship**; tirocínio *m.*, noviziato *m.*

Apprise; avvertire, far sapere, prevenire.

Approach; avvicinaménto *m.*, accostaménto *m.*, accèsso *m.*; in *pl.*: 1. approcci *m. pl.* 2. il far la corte a, attenzióni *f. pl.* To —, avvicinarsi, accostarsi, approssimarsi, esser vicino a. **-able**; accessíbile, di facile abbordo. **-ing**; pròssimo, vicíno.

Approbation; approvazióne *f.* On —, a prova, in prova. Smile —, sorridere in segno di approvazione.

Appropriat-e; convenévole, a proposito, accóncio, pròprio; appropriarsi, riservare (ad uso di). **-ely**; convenevolménte ecc. **-ion**; appropriazióne *f.*, l' impossessarsi.

Approval; *see* Approbation.

Approv-e; approvare, esser contento di. An -ing look, uno sguardo di approvazione. -ed acceptances, accettazioni riconosciute. -ed shipping documents, regolari documenti di bordo. **-er**; denunciatóre, chi si fa testimonio contro i complici. **-ingly**; con approvazione.

Approximat-e, -ely, -ion, -ive; approssim-ativo, -are; -ativaménte, -azióne *f.*, -ativo. *See* Approach.

Appurtenance; attinènza *f.*

Apricot, -tree; albicòcc-a *f.*, -o *m.*

April; apríle. **-fool**; pesce d' aprile.

Apron; grembiule *m.*; parafango *m.*, salienti di un bacino. **-string**; cordone di grembiule.

À propos; a proposito.

Apse; ábside *f.*

Apt; atto, adatto, accóncio; prónto, intelligènte; proclíve, inclinato. Be —, inclinare. **-itude**; attitúdine *f.*, abilità *f.*, dispoṡizióne *f.* **-ly**; a proposito. **-ness**; giustézza *f.*

Apulia, -n; Pugli-a, -ése.

Aquafortis; acqua forte.

Aquarium; acquário *m.*, stazione zoologica.

Aqu-atic, -educt, -eous; acqu-atico, -edótto *m.*, -óso. **-iline**; -ilíno.

Arab; árabo *m.* Street —, monèllo *m.*, birichíno *m.* **-esque**; rabésco *m.* As *adj.*, arabésco. **-ian**; árabo. **-ic**; arábico. — figures, cifre arabe. **-le**; arábile.

Arachnida; gli arácnidi.

Aragon, -ese; Aragón-a *f.*, -ése.

Aramaean; aramèo.

Araucanian; araucano.

Arbit-er; -ro *m.* **-rable**; da risolversi per -rato. **-rage**; -raggio *m.*

Arbitr-ament, -arily, -ariness, -ary, -ate, -ation, -ator, -ess; -ato *m.*, -ariaménte, modi -arii, -ário, -are, -ato *m.*, -o *m.*, -a *f.*

Arbore-al; -o. **-scence**; -scènza *f.* **-scent**; -scènte. **-tum**; alberéto *m.*

Arboricultur-e; -a *f.*
Arbor vitae; tuia *f.*
Arbour; frascato *m.*, pèrgola *f.*, pergolato *m.*, cupolíno *m.*, capanno *m.*, bersò *m.*
Arbutus, -berry; corbézzol-o *m.*, -a *f.*
Arc; arco *m.* **-lamp**; lampada ad arco.
Arcade; arcata *f.*, colonnato *m.*
Arcadian; árcade *m.*; arcádico.
Arcana; mistèri *m. pl.*
Arch; 1. arca *f.*, arco *m.*, vòlta *f.*; inarcare, incurvare, fabbricare a volta. 2. furbo, maliziosétto.
Arch-; arci-, a prefix freely used in Italian, as arcibellissimo, superlatively beautiful.
Archaeolog-ical, -ically, -ist, -y; archeològ-ico, -icaménte, -o *m.*, -ía *f.*
Arch-aic, -aism; arcái-co, -ṡmo *m.*
Archangel; arcángelo *m.*, Arcángelo.
Archbishop, -ric; arcivéscov-o *m.*, -ádo *m.*
Archdeacon, -ry; arcidiácon-o *m.*, -áto *m.*
Archdu-cal, -chess, -chy, -ke, -kedom; arcidu-cále, -chéssa *f.*, -cáto *m.*, -ca *m.*, -cato *m.*
Arched; arcuato, incurvato, a volta.
Archer, -y; arcière *m.*, tiro all' arco.
Archetype; archetípo *m.*, protòtipo *m.*
Archidiacon-al, -ate; arcidiacon-ale, -ato *m.*
Archiepiscop-al, -ate; arcivescov-íle, -ato *m.*
Archimandrite; archimandríta *m.*
Archimedean; d' Archimede.
Arching; curvato, arcato.
Archipelago; arcipèlago *m.*
Architect, -ural, -ure; architètt-o *m.*, -ònico, -ura *f.*
Architrave; *id.*
Archiv-es, -ist; archívii *m. pl.*, cartellário *m.*; archivista *m.*
Arch-ly; da maliziosetto, con occhio furbo. **-ness**; maliziétta *f.*, finézza *f.*
Archon, -ship; arcónt-e *m.*, -ato *m.*
Archway; passaggio arcato, passaggio sotto una volta.
Arct-ic; artico. **-urus**; Arturo.
Ardennes; le Ardènne.
Ard-ent; -ènte, appassionato; spiritóso (liquore). **-our**; -óre *m.*, fóga *f.* **-uous**; -uo, scabróso.
Area; area *f.*; żòna *f.* — of sea, water, specchio d' acqua. — of operations, scacchière *m.* — (of a London house), cortiletto dinanzi al piano sotterraneo. Administrative —, circoscrizione amministrativa.
Areca; arèca *f.*
Arena; aréna *f.* Enter the —, entrare in lizza. Political —, campo politico.
Areola; arèola *f.*
Areo-meter; -metro *m.* **-pagite**; -pagita *m.* **-pagus**; -pago *m.*

Argent-ic; inargentato. **-iferous**; -ifero.
Argentine; l' Argentina. He emigrated to the — or else to Australia, emigrò nell' Argentina oppure in Australia.
Argillace-ous; -o.
Argive; d' Argo, grèco.
Argolis; Argòlide *f.*
Argonau-t; -ta *m.*, náutilo *m.* **-tic**; -tico.
Argonne; le Argonne.
Argosy; navíglio *m.*
Argu-able; discutíbile, da disputarsene. **-e**; arguire, argomentare, ragionare, discútere, fare argomenti, conclúdere. — a good heart, dinotare un cuore d' oro. — for, sostenere le parti di. I tried to — him out of his purpose, cercai con argomenti di fargli cambiare risoluzione. **-er**; argomentatóre *m.* **-ing**; argomentazióne *f.*, ragionaménto *m.* **-ment**; argoménto *m.*, ragionaménto *m.*, controvèrsia *f.*, dísputa *f.*; sommário *m.*
Ariadne; Arianne.
Arian, -ism; -o, -iṡmo *m.*
Arid; -o, sécco. **-ity**; -ità *f.*, siccità *f.*
Aries; Aríete *m.*
Aright; giustaménte, come si deve, rettaménte.
Arise; alzarsi, presentarsi, sórgere, offrirsi, provenire, náscere, derivare.
Aristocra-cy, -t, -tic; -zía *f.*, -tico *m.*, -tico.
Aristophanic; aristofanésco.
Aristotel-ian; -ico, peripatètico. **-ianism**; filosofia peripatetica.
Arithmetic, -al, -ally, -ian; arimmètic- *or* aritmètic-a *f.*, -o, -aménte, -o *m.*
Ark; arca *f.*
Arm; 1. bráccio *m.* At -'s length, a braccio teso, *fig.* a distanza. **-s**; braccia *f. pl.* when meaning human arms or used of trees, or figuratively, *e.g.* of the law, but -s of inanimate objects or rivers or the sea, bracci *m. pl.* With folded —, colle braccia incrociate. 2. bracciuolo (seggiola). 3 arma *or* arme *f.* The cavalry —, l' arma della cavalleria. Men of all -s, uomini d' ogni arma. Fire —, arme *or* arma da fuoco, *pl.* armi da fuoco. *See below*, Arms. 4. Coat of -s, arme gentilizia. 5. To —, armare, munire.
Armada; flotta spagnuola del 1588, l' armata invincibile.
Armagh; Armacco.
Arma-ment; -ménto *m.* **-ture**; -tura *f.*, indótto *m.* Shuttle —, indotto a doppio T.
Arm-chair; sedia a bracciuoli, poltróna *f.*
Armed; armato, colle armi in mano. Long —, dalle braccia lunghe. One —, mónco.
Armenian; armèno.

Arm-ful; bracciata *f.* **-hole**; giro della manica.
Arminian; arminiáno.
Armistice; armistízio *m.*
Armless; monco delle braccia.
Armorial bearings; armi gentilizie, stèmma *m.*
Armour; armatura *f.*, corazzatura *f.* — plate, piastra di corazza. **-bearer**; scudièro *m.* -ed; corazzato. — belt, cintura corazzata. — car, carro blindato, carro corazzato. — hose, tubo protetto. — train, treno blindato. **-er**; armaiòlo *m.*
Armoury; armería *f.*, sala d' armi, provvigione d' armi.
Arm-pit; ascèlla *f.* **-rest**; manòpola *f.*
Arms; armi *f. pl.* Side —, armi bianche. Small —, armi portatili. Cleaning and examination of —, pulitura e rivista delle armi. Man at —, uomo d' armi. Under —, sotto le armi. Feat of —, fatto d' armi. To —! all' armi! Take up —, dar di piglio alle armi. Present —! presentat' arm'! Shoulder —! spall' arm! **-rack, -stand**; rastrellièra *f.*
Army; esèrcito *m.*, armata *f.* **-corps**; corpo d' armata. **-list**; annuario dell' armata.
Arn-ica; *id.* **-otto**; oriána *f.*
Arom-a, -atic; aròm-a *m.*, -atico.
Arose; *rem.* di Arise.
Around; attórno, intórno.
Arouse; destare, far nascere, svegliare, concitare, eccitare.
Arrack; arac *m.*
Arraign; accuṡare, citare in giudizio.
Arrange; accomodare, aggiustare, arrangiare, dispórre, ordinare, stabilire, fissare, diviṡare, preparare, metter in ordine, assettare, dare assetto a, intendersi (con). Of music, ridurre. **-ment**; accomodaménto *m.*, disposizióne *f.*, assètto *m.*, concordato *m.*, convenzióne *f.* Make a mutual —, stabilire reciprocamente. Make -s, combinare. — of trellis work, sistemazione a traliccio. — of booms, sistemazione di ostruzioni.
Arrant; matricolato, di prima riga. Or use augmentatives: Bugiardone, Scioccone ecc.
Arras; arazzo *m.*
Array; órdine *m.*, ordinanza *f.*, schièra *f.*, apparáto *m.*, corrèdo *m.*; abbigliaménto *m.*; abbigliare, ordinare.
Arrear; In —, arretrato, in ritardo. **-s**; arretrati *m. pl.*
Arrest; -o *m.*, -are. Close —, arresto di rigore. Under —, agli arresti.
Arriv-al; -o *m.*, venuta *f.* **-e**; -are, giúngere, capitare, approdare.
Arrogan-ce, -t, -tly; -za *f.*, -te, -teménte
Arrogate; — to oneself, arrogarsi.
Arrondissement; circondário *m.*
Arrow; saetta *f.*, fréccia *f.*
Arrow-head; 1. punta di freccia. 2. erba saetta. **-root**; arrow-root *m.* **-y**; da freccia.
Arse; culo *m.*
Arsenal; arsenále *m.*
Arseni-ate, -c, -cal; -uro *m.*, -co *m.*, -cale.
Arsis; arsi *f.*
Arson; delitto d' incendio.
Art; arte *f.* Black —, magia nera.
Arter-ial, -y; -ióso, artèria *f.*
Art-esian; -eṡiáno.
Artful; astuto, dèstro, scaltro. **-ly**; astutaménte ecc. **-ness**; astúzia *f.*, finézza *f.*, scaltrézza *f.*
Arthr-itis, -opod; artr-íte *f.*, -òpodo *m.*
Arthur; Arturo.
Artichoke; carciòfo *m.* Jerusalem —, topinámbur *m.*, tartufo bianco.
Article; artícolo *m.*, cláuṡola *f.*, capo *m.*; oggètto *m.*, còllo *m.*; collocare. **-d** clerk, scriváno *m.* Leading —, articolo di fondo.
Artic-ular; -olare. **-ulata**; -olati *m. pl.* **-ulate**; -olato. To —, -olare. **-ulately**; distintaménte. **-ulation**; -olazióne *f.*, modo di parlare, o di pronunziare.
Artific-e; artifízio *m.*, astúzia *f.* **-er**; artèfice *m.* **-ial**; artefic-iale, -ióso, finto. — leg, gamba finta. — style, stile artefatto. **-iality**; modi arteficiosi. **-ially**; con arte, arteficialménte. — **produced**, frutto di lavoro umano.
Artiller-ist; artiglierista *m.* **-y**; artiglieria *f.* Siege, Field, Heavy —, artiglieria d' assedio, di campagna, grossa. **-yman**; artiglière *m.*
Artisan; artigiáno *m.*
Artist; -a *m.* **-ry**; qualità artistica.
Artless, -ly, -ness; ingènu-o, -aménte, -ità.
Art union; società d' incoraggiamento delle belle arti, unione d' arte.
Arum; aro *m.*
Arundel; the — marbles, i marmi arundelliani.
As; cóme, siccóme, che, quale, méntre, dal momento che, poichè, conforme a, come pure, in qualità di, da.
Phrases: 1. Especially —, tanto più che. — it is so, poichè è così. — you did not wish, dal momento che non voleste. — the day was very fine we took a long walk, essendo la giornata bellissima, facemmo una lunga passeggiata. 2. One day — I was sitting, un giorno che stavo seduto. — we were writing, mentre scrivevamo. 3. Be that — it may, sia come si vuole. — it is, come sta attualmente, come veramente è,

stante il complesso attuale delle cose. It will do — it is, sta bene così come è. It will not do — it is, così non istà. — it were, per così dire. I regard it — an invention, la considero come una bugia. — a friend, a titolo di amico, da amico. Do — I bid you, fate ciò che vi dico. Mind you make it — I wish, badate a farlo (foggiarlo) conforme a quel che voglio io. I promised him to do — he bid me, gli promisi di far quello che mi avrebbe ordinato. — the times go, per i tempi che corrono. Dressed up — a flower girl, vestita da fioraia. — a sedative, in via di calmante. — though he liked it, come se gli piacesse. — usual, come il solito. — a token of, in segno di. Known — a brave man, conosciuto per coraggioso. Not so coarse — might have been expected, non così rozzo quanto si sarebbe potuto credere. — the time passed, vedendo passare il tempo. 4. Do — well, fare lo stesso, esser lo stesso. I might — well be dead, è come se fossi morto. It would be — well, sarebbe meglio.

5. **As...as**, come (if simply descriptive; — sweet — sugar, dolce come lo zucchero); tanto...come, tanto...quanto. — tall — I, tanto grande quanto io. — good — he is brave, tanto buono come è coraggioso. Be — good — nothing, non valere nulla, esser lo stesso che niente. — long —, finchè, fin a che, fin a tanto che. — long — I remain in Turin, fin tanto che rimango a Torino. — long — I live, finchè vivo, tutta la mia vita. He has — many dogs — cats, ha tanti cani quanti gatti. You can have — many — you like, Lei può averne quanti vuole. — much —, tanto...quanto. It is quite — much — it is worth, è tutto che vale. — much — any of you, al pari di tutti voi. — often —, sempre che, ogni volta che, subito che. — soon —, tosto che, appena che, non appena (with a participle; — soon — he was there, non appena venuto). — soon — possible, — soon — you can, al più presto possibile, al più presto che potrete. — soon — judgment had been given, non appena pronunziata la sentenza. — soon — he went away, tosto che se ne andò. — loudly — they dared, tanto alto quanto ne avevano l' ardire. His irritation vanished — quickly — it had arisen, la sua irritazione sparì presto come era nata. John is not — rich — Frederick, Giovanni non è così ricco come Federigo. A country — rich — England is, un paese ricco qual si è l' Inghilterra. He was protesting — fast and — loud — his assailant threatened him, andava protestando colla stessa energia con cui il suo assalitore lo minacciava. Society would — gladly do this — dance, la società si divertirà a questo come a ballare. — suddenly — it had begun, altrettanto improvvisamente quanto era sorto. — recently —, in epoca così recente come. — calmly — he could, con quanta più calma poteva. — easily —, colla stessa facilità con cui. — good a gentleman — you, un gentiluomo al pari di voi. To get — much rent — possible for it, ottenerne il maggior utile possibile. She loves her baby — much — she is capable of loving anything, ama la creatura per quanto è capace di amare qualche cosa. — correct — usual, corretto come al solito. Make it — hard — possible for him to do it, rendergli più difficile che fosse possibile il farlo. To comfort her — well — she could, confortarla il meglio possibile. — well — anyone, meglio di chiunque.

6. — **well** — (used conjunctively), ed anche, insieme a, nonchè *or* non che, nello stesso tempo che, tanto...che, al pari di. With insults — well — abuse, con insulti nonchè con cattive parole. Beautiful — well — good, tanto bello che buono. It seems he had a hand in it — well — you, pare che lui ci avesse mano al pari di voi. You are to go — well — we, tanto voi che noi dovete andare, noi dobbiamo andare ed anche voi. It will be for your good — well — mine, tornerà tanto al vostro prò quanto al mio.

7. — far —, fino a *or* sino a, per quel tanto che, per quanto, rispetto a. — far — it goes, per quanto vale. — far — it will go, fin che non sarà finito. — far — the door, sino alla porta. — far — I can see, per quanto posso vedere io. — far — eye can see, fin là dove l' occhio può arrivare.

8. — for, — to, in quanto a, per, per ciò che concerne, su. Doubts — to that, dubbi su ciò. — for me, in quanto a me. 9. — yet, fin ora, fin qui, ancora, per anco. 10. — often, *i.e.* equally often, altrettanto spesso.

11. Just —, a misura che, man mano che, proprio quando. It is just — much your doing — his, è tanto voi che l' avete fatto quanto lui. Just — he was going to start, proprio quando stava per partire. Just — he was going, proprio nell' andarsene.

12. Be — cold — ice, esser ghiacciato. Rich — you are, per quanto siete ricco. Terrible — it is, per terribile che sia. — you love your life, se vi è cara la vita. — a matter of fact, fatto è che. — we went along, cammin facendo.

As (the ancient Roman coin); asse *m.*

Asbestos; aṡbèsto *m.*, amianto *m.*

Ascen-d; ascèndere (*intr.*); salire, risalire (fiume). — the throne, salire sul trono. — the Matterhorn, salire il Monte Cervino. **-dancy**; autorità morale, superiorità *f.* Gain the —, impadronirsi dell' autorità. **-dant**; Be in the —, avere una grande autorità, prevalere maggiormente. **-sion**; ascensióne *f.* — day, festa dell' Ascensione, giorno dei grilli. Right —, ascensione retta. **-t**; salíta *f.*, pendío *m.*, èrta *f.*, montata *f.* Steep —, salita a scarpa.

Ascertain; accertarsi, assicurarsi, constatare, verificare, determinare. **-able**; accertábile ecc. **-ment**; accertaménto *m.*, l' accertarsi ecc.

Ascet-ic, -ically, -icism; -a *m.*, -ico; -icaménte, -iciṡmo *m.*

Ascri-bable, -be, -ption; -víbile, -vere, -zióne *f.*, attribu-ibile, -ire, -zióne *f.*

Aseptic; asèttico.

Ash; 1. cénere *f.* Volcanic —, lapilli, cernere vulcanica. **-es**; after cremation, ceneri *f. pl.* 2. frássino *m.* Flowering —, órno *m.* Ground —, pollone di frassino. Mountain —, sorbo de' cacciatori. **-box, -bucket, -pan, -pit**; portacénere *m.*, ceneraio *m.* **-coloured**; ceneríno, color cenere. **-en**; di frassino. **-heap**; ammasso o mucchio di ceneri. **-hoist**; monta-céneri *m. indecl.* **-hole**; condotto di ceneri.

Ashamed; vergognóso, confuṡo. Be —, vergognarsi, aver vergogna.

Ashlar; pietra riquadrata, pietra concia.

Ashore; a terra. Of a ship, in secco. Go —, ṡbarcare, andare o scendere a terra. Put —, mettère a terra. Run —, gettar sulla costa; incagliarsi, arrenarsi.

Ash-pan, -pit; *v.* Ash-box.

Ash-Wednesday; Mercoledì delle ceneri, le Ceneri.

Ashy; ceneríno, cenerógnolo.

Asia, -tic; Áṡia, -tico.

Aside; a parte, in disparte, da banda. Say it —, dirlo a parte. Turn —, voltarsi da parte o altrove. Put —, metter da parte. Stand —, scostarsi, appartarsi. Set —, annullare (sentenza).

Asinin-e, -ity; asinín-o, -ità *f.*

Ask; chièdere, domandare a; invitare. — him in, invitatelo ad entrare. — to dinner, convitare. — about, — after, informarsi di, chieder notizie di. — for, chiedere (qualcosa), chiedere di parlare con. — a question, fare una domanda, una richiesta. — him in, pregatelo di entrare. What are you -ing for that ring? quanto chiedete per quell' anello.

Askance; in isbieco, in cagnesco.

Asker; interrogatóre *m.*

Askew; a traverso, a storto.

Asking; richièsta *f.* First time of —, prima pubblicazione del matrimonio.

Aslant; a spiove, spiovènte.

Asleep; addormentato.

Asp; áspide *f.*

Asparagus; spáragio *m.*

Aspect; aspètto *m.*, apparènza *f.* Have a southern —, dare sul mezzogiorno.

Aspen; trèmula *f.*

Aspergill; aspersòrio *m.*

Asperity; asperità *f.*

Aspers-e, -ion, -ory; calunni-are, -a *f.*, -óso.

Asphalt; asfalt-o *m.*, -ico.

Asphodel; asfodèlo *m.*, astarègia *f.*

Asphyxi-a, -ate, -ation; asfissí-a *f.*, -are, -azióne *f.*

Aspic; freddi in gelatina.

Aspir-ant; -ante *m.* or *f.* **-ate**; lettera aspirata, acca *f.*; aspirare. **-ation**; -azióne *f.* **-e**; aspirare. **-ing**; ambizióso.

Ass; ásino *m.*, ciuco *m.* She —, ásina *f.* Make an — of oneself, agire da asino. Pack —, somáro *m.* **-'s foal**; asinello *m.*

Assafetida; *id.*

Assail, -ant; assal-ire, -itóre *m.*

Assassin, -ate, -ation; assassín-o *m.*, -are, -azióne *f.*

Assault; assalto *m.*, assalire.

Assay; sággio *m.*, pròva *f.*, assaggire; cercare. **-er**; assaggiatóre *m.*

Assegai; żagáglia *f.*

Assembl-age; concórso *m.*, adunaménto *m.*, adunanza *f.*; riunióne *f.* **-e**; adunare, riunire; calettare. **-y**; assemblèa *f.*

Assent; consènso *m.*, approvazióne *f.*, assènso *m.*; assentire, consentire. — to, accettare, approvare, riconoscere per vero. **-ingly**; da chi consente, in segno di consenso.

Assert; asserire, constatare, rivendicare. — oneself, farsi valere, far valere le sue ragioni. **-ion**; asserzióne *f.*, affermazióne *f.*, constatazióne *f.*, rivendicazióne *f.* **-ive**; affermatívo.

Assess; tassare, censire, fissare. **-able**; tassábile, censíbile. **-ment**; tassa *f.*, cènso *m.*, èstimo *m.*, valutazióne *f.* **-or**;

assistènte *m.*, consigliere aggiunto, stimatore perito.
Asset; articolo dell' attivo. Valuable —, cosa o materiale di pregio. So valuable an —, un bene di così alto pregio. **-s**; attivo *m.*
Assever-ate, -ation; -are, -azióne *f.*
Assidu-ity, -ous, -ously; -ità *f.*, -o, -aménte.
Assign; assegnare, designare, delegare, attribuire, destinare. **-at**; assegnato *m.* **-ation**; appunto *m.*, convégno *m.* **-ee**; cessionário *m.*, curatóre *m.*, mandatário *m.* Official —, giudice commessario del fallimento. **-ment**; cessióne *f.*, stanziaménto *m.*
Assimila-ble, -te, -tion; -bile, -re, -zióne *f.*
Assist; aiutare, assístere, dare man forte, soccórrere. **-ance**; aiuto *m.*, soccórso *m.* **-ant**; assistènte *m.*, aggiunto *m.*, aggregato *m.*, assessóre *m.* As prefix, sotto-, *e.g.* — manager, sottindènte *m.*; — master, sottomaéstro *m.*
Assize; giudízio *m.* **-s**; corte delle assise, le Assise.
Associ-ate; compagno, sòcio; associare, accompagnare, congiúngere. — with *intr.*, praticare, associarsi con, bazzicare con (gente cattiva). **-ation**; associazióne *f.* Agricultural —, comizio agrario. To have -s for, esserti caro per ricordanze affettuose.
Assonan-ce, -t; -za *f.*, -te.
Assort; assortire, classare. — well, (badly) with, confarsi (non confarsi) con. **-ment**; -iménto *m.*, miscúglio *m.*
Assuage; calmare, raddolcire.
Assume; assúmere (responsabilità), prèndere, suppórre, amméttere. Don't — such airs, non affettare un' aria così arrogante. He -d an air of innocence, si prese un' aria d' innocenza. He -d that it was a case of murder, pretendeva che l' uomo fosse stato assassinato. -d name, nome falso.
Assuming; pretensionóso. — that, posto che, dato che, ammesso che.
Assumption; 1. suppoṡizione *f.*, ipòteṡi *f.*, assunto *m.*, *v.* Assuming. 2. Feast of the —, l' Assunzione (15 agosto). 3. atto di arrogarsi. — of a false name, il prendersi un nome falso.
Assur-able; assicurábile. **-ance**; 1. certézza *f.*, sicurézza *f.*, garanzía *f.* He gave me his —, mi promise, mi disse di fidarmene. 2. sfrontatézza *f.*, arditézza *f.* 3. Policy of —, polizza d' assicurazione.
Assure; assicurare, rassicurare, dire per fermo. — oneself, accertarsi, mettersi al sicuro. **-d**; sicuro, cèrto. **-dly**; sicuraménte, senza fallo.
Assuring; incoraggiante.
Assyrian; assiriáno, assíro.
Aster; ástero *m.* **-isk**; -isco *m.*
Astern; a poppa, indiètro. Drop —, cadere all' indietro. Go —, indietreggiare.
Asteroid; asteròide *m.*
Asthenia; astenía *f.*
Asthma, -tic; aṡma *f.*, -tico.
Asti; Of —, astigiáno.
Astir; in piedi.
Astonish; stupire, sbalordire, stordire. Greatly -ed, altamente sorpreso. **-ing**; sorprendènte, stupèndo. **-ingly**; da far stupire, stupendaménte. **-ment**; stupóre *m.*, meravíglia *f.*
Astound; *see* Astonish.
Astra-chan; Astracàn. **-l**; astrále.
Astray; fuor di via, traviato. Go —, smarrirsi, fuorviare. Lead —, traviare, ṡviare.
Astride; accavalcióni.
Astringe, -ncy, -nt; -re, -nza *f.*, -nte.
Astrolog-er, -ical, -y; -o *m.*, -ico, -ía *f.*
Astronom-er, -ical, -y; -o *m.*, -ico, -ía *f.*
Astute, -ly, -ness; astut-o, -aménte, astúzia *f.*, furb-o, -aménte, -ízia.
Astyanax; Astianatte.
Asunder; in due parti, diviṡo, lontáno. Fall —, rompersi in due pezzi.
Asylum; aṡilo *m.*, ricóvero *m.*, manicòmio *m.* Orphan —, orfanotròfio *m.* — for deaf mutes, istituto dei sordimuti. Blind —, istituto dei ciechi. Infant —, asilo infantile.
Asymmetr-ical, -ically, -y; asimmètr-ico, -icaménte, -ía *f.*
Asymptote; asíntoto *m.*
At; a, ad, contro, in, in casa da, in casa di, prèsso, su. Aim —; aver per iscopo. — all; in minimo grado. Not — all, punto, in nessun modo, nullaménte. Many thanks. Not — all, mille ringraziamenti. Non c' è di che. — best, al meglio, tutt' al meglio. — one blow, con un solo colpo. — the chemist's, dal farmacista. — church, in chiesa. — first, sulle prime, da prima. — hand, vicino; sotto mano. — the head of, alla testa (della sua professione, dell' esercito ecc.). — the inquest, nella inchiesta. Be — it again, far sempre la stessa cosa, ricominciare. Be — it all day, ne stare occupato tutto il giorno. What are you —? Che fai? — last, — length, finalmente, alla fine, ultimaménte. — least, al meno. — length, distesaménte. — liberty, in libertà, líbero. Be — a loss, non saper che fare. — such a moment, in tal momento. — that moment, in quel punto. — most, al più. — once, súbito. All —

once, tutto ad un tratto. — peace, in pace. — a quarter to three, alle tre meno un quarto. — his request, dietro la sua richiesta. — rest, in riposo. — sea, in mare, sul mare; *fig.* šmarrito. As regards that I find myself rather — sea, di ciò me n' intendo poco. Shoot —, tirar su. — one time or another, in un tempo od in un altro. — the same time, nello stesso tempo. — what time? A che ora? — full trot, trottando a tutta forza. Be — the trouble of, darsi la pena di. — my uncle's, da mio zio. — the utmost, tutt' al più. — war, in guerra. — work, al lavoro. — work upon, occupato di. — worst, al peggio, nel peggio caso.

Ata-vism; -višmo *m.* **-xy**; atassía *f.*

Ate; *rem.* di Eat.

Atelier; studio.

Atheis-m, -t, -tical, -tically; ate-išmo *m.*, -ista *m.*, -o; -isticaménte.

Athen-s, -ian; Atène *f.*, ateniése.

Athirst; assetato.

Athlet-e, -ic, -ically; atlèt-a *m.*, -ico, da -a. **-icism**; devozióne ai giuochi atletici. **-ics**; l' atlètica, esercizii o giuochi atletici.

Athwart; a, di, *or* per, traverso.

Atl-antic; -antico. **-antis**; Atlante *m.* **-as**; -ante (whether mountain, vertebra, moth, or book of maps) *m.*

Atmospher-e, -ic; atmosfèr-a *f.*, -ico.

Atoll; isola corallina, atóllo *m.*

Atom, -ic, -icity; -o *m.*, -ico, -icità *f.*

Atomiser; polverizzatóre *m.*

Atone, -ment; espi-are, -azióne *f.*

Atony; atonía *f.*, floscézza *f.*

Atop; in cima. — of, su.

Atrabilious; atrabiliário.

Atroc-ious, -iously, -ousness, -ity; -e, -eménte, -ità *f.*, -ità *f.*

Atroph-ied, -y; atrof-iżżato, -ía *f.*

Atropin; atropína *f.*

Attach; attaccare, unire, appèndere, annèttere, allegare; affezionare; staggire. **-able**; attaccábile. **-é**; addétto. An — at the embassy, un addetto all' ambasciata. **-éship**; posizione di un attaché. **-ment**; attaccaménto (di muscolo o altro); affètto *m.*, amóre *f.*, passióne *f.*; sequèstro *m.*, staggiménto *m.*

Attack; attacco *m.*, assalto *m.*, accèsso *m.* (di febbre); attaccare, assalire, aggredire, investire. **-able**; attaccábile, assalíbile. **-er**; assalitóre *m.*, aggressóre *m.*

Attain; ottenére, conseguire, raggiúngere, pervenire a. — twenty-two, compire i ventidue anni. **-ability, -able**; otten-ibilità *f.*, -íbile, conseguíbile.

Attain-der; privazione dei diritti civili, proscrizióne *f.*, morte civile. **-ment**; acquisto *m.*, conseguiménto *m.* It is no great —, è di poco vantaggio. **-ments**; cognizióni *f. pl.*, conoscènza *f.* **-t**; privare dei diritti civili.

Attar; essènza *f.* (di rose).

Attempt; tentatívo *m.*, pròva *f.*, sfòrzo *m.* Make an — upon one's life, attentare ai suoi giorni, alla propria esistenza; make an — upon another's life, attentare alla vita altrui. To —, tentare, cercare, provare, sforzarsi.

Attend; attèndere, badare, assistere a, fare atto di presenza, intervenire, accompagnare, far attenzione, provvedére, recarsi. She -s on her mistress, serve la sua padrona. He -ed the king in his travels, accompagnò il re nei suoi viaggi. — the races, andare alle corse. The theatre was largely -ed when..., c' era molta gente nel teatro allorchè.... — a lecture, assistere ad una conferenza. Ladies -ed on at their own house, si servono le signore clienti a domicilio. — to, occuparsi di, esser incaricato di, šbrigare. — at, frequentare. — to what he says, ascoltare ciò che egli dice. — to the wishes of, conformarsi ai desideri di. Orders will be punctually -ed to, le ordinazioni verranno eseguite con puntualità.

Attendance; servízio *m.*, assistènza *f.*, intervénto *m.*, cura *f.* In — upon, in servizio di. Including —, servizio compreso. Dance — upon, fare da cavaliere servente a. Excuse from regular —, dispensare dalle sue mansioni.

Attendant; servitór-e *m.*, -a *f.*, inserviènte *m.* or *f.*, camerièr-e *m.*, -a *f.*, sèrv-o *m.*, -a *f.* As *adj.*, che accompagna. — results, conseguènze *f. pl.* With all its — horrors, con tutti gli orrori che l' accompagnano.

Attention; attenzióne *f.*, riguardo *m.*, premúra *f.*, cura *f.* Pay — to, ascoltare, dar retta a, occuparsi di. Pay -s to, far la corte a. Unwelcome -s, atti di cortesia mal veduti. —! attenti! Stand at —, stare sull' attenti.

Attentive; attènto, intènto, officióso, sollécito, premuróso, pieno di riguardi (per). Be very — to his person, aver molta cura della sua persona. **-ly**; con attenzione, assiduaménte. **-ness**; sollecitudine *f.*, officiosità *f.*

Attenua-te, -tion; -re, -zióne *f.*, assottigli-are, -atura *f.*, -aménto *m.*

Attest; -are. -ed copy, copia autentica. **-ation**; -azióne *f.*

Attic; 1. soffitta *f.* 2. áttico.

Attire; abbigli-aménto *m.*, **-are.**

Attitud-e; **-ine** *f.*, atteggiaménto *m.*, pòsa *f.*, dispošizióne *f.* (di mente). **-inise**; posarsi affettatamente, prender atteggiamenti affettati.
Attorney; legále *m.*, procuratóre *m.* Power of —, procúra *f.*, mandato di procura. **-General**; procuratore del re.
Attract; attrarre, attirare. — the attention of, tirarsi addosso l' attenzione di, cattivarsi la benevolenza (dei superiori). **-ion**; attrazióne *f.*, attrattíva *f.*, vézzo *m.* **-ive**; attraènte, amábile, seducènte, attrattívo, allettatívo, lusinghévole. **-ively**; in modo attraente ecc. **-iveness**; attrattíva *f.*, allettatíva *f.*
Attribu-table; -íbile. **-te**; -to *m.*, -ire, ascrívere. **-tion**; -zióne *f.* **-tive**; -tivo.
Attrition; attrizióne *f.*, tritaménto *m.*
Attune; accordare.
Auburn; castagno chiaro.
Auction; incanto *m.*, asta *f.* **-eer**; banditóre *m.* **-room**; sala delle vendite all' incanto.
Audac-ious, -iously, -iousness or **-ity**; -e, -eménte, -ia *f.*, sfacciatággine *f.* Have the -ity, ošare.
Aud-ibility; udibilità *f.* **-ible**; udíbile. Scarcely — voice, voce semispenta. **-ibly**; ad alta voce, distintaménte. **-ience**; 1. uditòrio *m.*, gli spettatori. 2. udiènza *f.*
Audit; verificazióne *f.*, revišióne *f.*; sindacare, verificare, appurare. **-or**; 1. revišóre *m.*, verificatóre *m.*, controllóre *m.*, síndaco *m.* 2. uditóre *m.*, ascoltatóre *m.* **-orium**; sala del teatro. **-orship**; ufficio di verificatore. **-ory**; uditòrio.
Augean; di Augia.
Auger; succhièllo *m.*, trivèlla *f.*
Aught; checchessía, qualche cosa. For — I know, per quanto io sappia.
Augment; auménto *m.*; accréscere, aumentare. **-ative**; aumentatívo. **-ation**; accresciménto *m.*
Augsburg; Augusta *f.*
Augur; áugure *m.*; prešagire, pronosticare. — well, augurar bene. **-y**; augúrio *m.*
August; 1. agósto *m.* 2. augusto. **-an**; augustèo. **-inian**; agostiniáno.
Au-k; alca *m.* **-lic**; áulico.
Aunt; zia *f.* Great —, prozía *f.* **-Sally**; specie di bambola.
Aura; aura *f.*, ešalazióne *f.*
Aural; dell' orecchio.
Aureol-a, -e; aurèola *f.*
Auricle; auricola *f.*; orecchio esterno.
Auricula; orecchio d' orso.
Aur-icular; -icolare. **-iferous**; -ífero.
Aurist; otoiátra *m.*, medico degli orecchi.
Aurora Borealis; aurora boreale.
Auscultat-e, -ion; ascolt-are, -azióne *f.*
Auspic-es; auspízi *m. pl.* **-ious**; auspicale, di buon augurio, benaugurato. **-iously**; sotto auspizi felici, feliceménte.
Auster-e, -ely, -eness or **-ity**; -o, -aménte, -ità *f.*
Austin; Agostíno.
Austr-alasia; l' Australia e vicinato. **-alian**; -aliáno. **-ian**; -íaco. **-o-Hungarian**; áustro-ungárico, áustro-úngaro.
Authentic, -ally; autèntic-o, -aménte. **-ate**; autenticare, omologare. **-ation, -ity**; autentic-azióne *f.*, -ità *f.*
Author, -ess; autóre *m.*, autrice *f.* **-isation, -ise**; autoriżża-zióne *f.*, -re. **-itative**; autor-évole. Be —, far testo. **-itatively, -ity**; -evolménte, -ità *f.* **-ship**; paternità *f.* Of unknown —, di autore sconosciuto.
Autobiogra-pher, -phical, -phy; -fo *m.*, -fico, -fía *f.*
Autocar; automòbile *m.*
Autocthonous; autòctono.
Autocra-cy, -t, -tic, -tically; -zía *f.*, -ta *m.*, -tico, -ticaménte.
Auto-graph; -grafo *m.* **-matic, -matically, -maton**; -mático, -maticaménte, -ma *m.* **-mobile**; -mòbile *m.* **-nomous, -nomously, -nomy**; -nomo, in modo -nomo, -nomía *f.* **-psy**; -ssía *f.* **-type**; fotografía di tinta forte.
Autumn, -al; autunn-o *m.*, -ále.
Auvergne; Alvèrnia *f.*
Auxiliary; aušiliare.
Avail; 1. efficácia *f.* Of what — is it? A che serve? Without —, inutilménte, senza pro. Of no —, inútile. 2. profittare a, giovare a, servire. — oneself of, profittare o servirsi di, utiliżżare, valersi di. **-ability**; capacità per giovare. It is of doubtful —, è incerto se vi sia modo di valersene. **-able**; disponíbile, alla mano, sotto mano. Have —, avere alla sua disposizione.
Avalanche; valanga *f.*, lavína *f.* — of bad language, precipizio di maldicenza.
Avaric-e, -icious, -iciously, -iciousness; avar-izia *f.*, -o, -aménte, -iżia *f.*
Avast! basta! ferma!
Avatar; manifestazióne *f.*, incarnazióne *f.*
Avaunt! via!
Aveng-e, -er, -ing; vendic-are, -atóre *m.*, -atóre. **-e oneself**, vendicarsi, prendere vendetta.
Avens; erba di San Benedetto.
Avenue; viále *m.*; accèsso *m.*
Aver; affermare.
Average; media *f.*, mezzo termine *m.* Ship's —, avaría *f.* — adjuster, perito regolatore d' avaria. As *adj.*, medio, comune. The — Englishman, la media

degl' Inglesi. The — person, il comune delle persone. The — return from the farm, la rendita comune del podere. On the —, in media, ripartitaménte. To —, calcolare in media, prendere il mezzo termine. He -s about fifty francs a week, guadagna in media cinquanta lire alla settimana.

Averment; affermazióne *f.*

Avers-e; avvèrso, contrário, non disposto, oppósto. **-ion**; avversióne *f.* Take an — to, prendere in avversione. Snakes are my pet —, i serpenti sono per me le bestie più antipatiche.

Avert; śviare, allontanare, rimuòvere, tener lontano.

Aviary; uccellièra *f.*; gábbia *f.*

Avi-ation, -ator; -azióne *f.*, -atóre *m.*

Avid, -ity, -ly; -o, -ità *f.*, -aménte.

Avignon; Avignóne.

Avocation; mestière *m.*

Avocet; avośètta *f.*

Avoid; evitare, schivare, scansare, sfuggire, sottrarsi (alla necessità). **-able**; scansábile, evitábile. **-ance**; scampo *m.* His — of me, il fatto che mi scansa.

Avouch; dichiarare.

Avow; confessare, riconóscere. **-able**; confessábile. **-al**; dichiarazióne *f.*, confessióne *f.* **-ed**; manifèsto, aperto. **-edly**; francaménte, apertaménte, da sua propria dichiarazione, dichiarataménte.

Avulsion; strappaménto *m.*, lo strappare.

Await; attèndere, aspettare, essere reservato a.

Awake; śvéglio, désto; śvegliare, destare, riśvegliare. When he is —, nella veglia. Half —, tra il dormi e il veglia. Wide —, désto, *fig.* avvistato. **-ning**; riśvéglio *m.*

Award; sentènza *f.*, giudízio *m.*; aggiudicare, pronunziare una sentenza di.

Aware; informato, avveduto, prevenuto avvertito, al corrente. Become —, accòrgersi.

Awash; a fior d' acqua, affiorato, in affioramento.

Away; via, fuóri, assènte, altrove. Far —, molto lontano. Right —, subito. —! fuori! váttene! via! — with you! andátevene! — with such foolish ideas, e basta di tali idee sciocche. Go —, andarsene. Clear —, sparecchiare. Do, Make — with, distrúggere, abolire. Make — with, involare; fare sparire. Make — with oneself, darsi la morte. Explain —, spiegare l' innocenza di, ridurre a nulla con una spiegazione. Fire —, tirar via. Get —, scampare; togliere, portar via, levare. Run —, scapparsene, fuggire. Ride —, allontanarsi (a cavallo). Dig —, (1) fare sparire, vangando, (2) continuare a vangare, and similarly with other verbs. Turn —, congedare, licenziare; voltarsi da un' altra parte, voltare altrove. Turn — from, voltare le spalle a.

Awe; paura riverenziale, śgoménto *m.*, soggezióne *f.* To —, imporre rispetto o timore. Keep in —, tenere a segno. Stand in —, stare con suggezione. **-d, -struck**; colpito di timore ed ammirazione.

Aweary; stanco, spossato.

A-weather; al vento.

Awesome; spaventóso, terríbile, fièro.

Awful; terríbile, spaventévole. An — cold, un raffreddore da cane. It was — weather, faceva tempo orribile. **-ly**; terribilménte, assaissimo. **-ness**; carattere tremendo.

Awhile; un pezzo, per qualche tempo.

Awkward; goffó, śguaiato, inètto, malagévole, malaccorto. Or a peggiorative may be employed; — sentence, periodaccio *m.* — position, posizione imbarazzante. — question, domanda scabrosa. — silence, silenzio penoso. — and shy, scontroso e timido. **-ly**; goffaménte ecc., in modo imbarazzante. **-ness**; goffággine *f.*, incomodità *f.*, śguaiatággine *f.*, diśgrázia *f.*, scòmodo *m.*

Awl; léśina *f.*

Awn; lòppa *f.*, barba delle spighe, rèsta *f.*

Awning; tenda (da sole), tendalétto *m.*

Awry; stòrto, a sghembo.

Axe; scure *f.*, áscia *f.*, mannáia *f.*

Axil; ascèlla *f.*

Axill-a, -ary; ascèll-a *f.*, -are.

Axiom, -atic, -atically; assiòm-a *m.*, -ático, -aticaménte.

Axis; asse *f.*

Axle, -tree; asse *f.*, álbero *m.*, sala *f.* **-box**; cassa di asse. **-grease**; sugna *f.*

Ayah; aia, bambinaia indiana.

Aye; sì. The -s and the Noes, i sì e i no.

Aye aye; sicuro, capito.

Azalea; azalèa *f.*

Azimuth; ażżimutto *m.*

Azores; le Ażżòrre.

Azure; ażżúrro.

B

B; *pronunz*. Bì.

Baa; belare.

Babble; ciàrla *f*., cicaléccio *m*., chiacchierata *f*.; ciarlare, cinguettare, mormorare. **-r**; ciarlóne *m*., chiacchieróne *m*.

Babel; Babèle *f*. confuṡióne *f*., cagnára *f*.

Baboo; indiano che sa parlare l' inglese.

Baboon; babuíno *m*.

Baby, Babe; bambíno *m*., bimbo *m*., bambòccio *m*., persona rimbambita. **-clothes**; fasce *f*. *pl*., pannolíni *m*. *pl*. **-farmer**; mestierante in fatto di bambini, chi alleva bambini. **-face**; volto fanciullesco. **-hood**; infanzía *f*. **-ish**; infantíle, bambinésco.

Babylonian; babilonése *m*., babilònico. — captivity, la schiavitù di Babilonia.

Bacch-anal; baccante *m*. or *f*. **-analian**; baccanále. **-ante**; baccante *f*. **-ic**; -ico. **-us**; Bacco.

Bachelor; scápolo *m*., cèlibe *m*. — of arts, baccellière *m*. Old —, vecchio scapolo. **-'s buttons**; licnide o simile a fiore doppio, piedi di cornacchia, bottoni d' oro. **-hood**; celibato *m*.

Bacillus; bacillo *m*.

Back; 1. dièdro, indiètro, all' indietro. A little time —, poco tempo addietro. Be — by four, tornare prima delle quattro. Beat —, respíngere, far indietreggiare. Hold —, trattenére. Stand —, rinculare. Stand — from the street, stare alquanto discosto dalla strada. Draw —, ritirarsi, cèdere. The word may often be translated by the prefix ri-, *e.g.* to have —, riavere. *See* Again (4).

2. dòrso *m*., schièna *f*., schienále *m*., spallièra *f*. Behind my —, alle mie spalle. Wooden — of a picture frame, tavola di custodia. — part of a room, fóndo *m*. — of the stage, sfóndo *m*. Lean one's — against, addossarsi a, appoggiarsi col dorso a. On its —, rovesciato. An 8 lying on its —, un 8 rovesciato, ∞. Have a pain in the —, aver male ai reni. Turn one's — upon, volgare le spalle a.

3. secondare, appoggiare; indietreggiare, andare indietro, fare macchina indietro; rinculare, girare (vento) contro il sole; scommettere per; controfermare (una cambiale). — one's opinion, arrischiare qualche cosa per la sua opinione. He said there was no danger and offered to — his opinion by going there himself, disse che non vi era pericolo, prestandosi ad appoggiare la sua opinione coll' andarvi egli stesso. — the red, puntare sul rosso. — the winner, scommettere sopra il vincitore. — **down**, ritirarsi, retrocèdere. — **out**, uscire indietreggiando, *fig*. ritirarsi o mancare alla promessa. — **up**, sostenere le parti di, mantenére. — **it** —, continuare i suoi tentativi o aggiungervi forza.

Back-biter; calunniatore sleale. **-biting**; maldicenza perfida. **-blow**; rovescióne *m*. **-board**; schienále *m*. **-bone**; fil delle reni, colonna vertebrale, *fig*. sostegno centrale o principale; fermezza di carattere. **-comb**; pettine da donna. **-court**; retrocortíle *m*. **-door**; porta di servizio. As *adj*., clandestíno. **-ed**; Broad —, dalle spalle larghe. High — chair, sedia da schienale alto. Strong —, dalla schiena forte. **-er**; partigiáno *m*., appoggiatóre *m*. His -s, i suoi. **-exit**; uscita posteriore. **-fire**; controcólpo *m*. **-gammon**; sbaraglíno *m*., tric-trac *m*., tavola reale. **-gammon-board**; tavoliere del tric-trac. **-ground**; fóndo *m*., sfóndo *m*. In the —, all' ombra, nell' oscurità. **-hair**; capelli di dietro, zázzera *f*. **-handed**; rovescióni, a rovescio, (colpo) fatto colla racchetta portata alla sinistra del corpo e con la manc a rovescio, o vice versa per chi è mancino. **-hander**; manrovèscio *m*., colpo di rovescio. **-ing**; il rinculare; sostégno *m*., appòggio *m*. **-kitchen**; retrocucína *f*. **-lash**; vibrazione di un meccanismo con troppo giuoco. **-number**; vecchio numero. **-parlour**; retrobottéga *f*. **-piece**; schienále *m*. **-premises**; intèrno *m*. **-room**; retrocámera *f*., retrostanza *f*., stanza che dà sul cortiletto. **-seat**; posto di dietro, posto di fondo. Take a —, *fig*. sottométtersi, umiliarsi. **-settlements**; colonie lontane. **-shish**; donativo *m*., mancia *f*. **-shop**; retrobottéga *f*. **-side**; deretáno *m*. **-sight**; alzo *m*. **-slider**; recidívo *m*. **-sliding**; ricaduta nel peccato, recidíva *f*. **-slums**; bassi quartieri. **-stairs**; scala di servizio. **-stays**; patarassi *m*. *pl*. **-stitch**; punto addietro. **-ward**; tardívo, in ritardo, poco istruito; ṡvogliato. — pupil, scolaro tardivo. — season, stagione tardiva. **-wardation**; depòrto *m*., premio di deporto. **-wardness**; sviluppo tardivo, mancato progresso, mancanza d' istruzione. **-wards**; indiètro, addiètro, all' indietro, al rovescio. — and forwards, innanzi (o avanti) e indietro. **-wash**; agitazione dell' acqua dietro un bastimento. **-water**; risacca *f.*; ramo secondario di un fiume ad acqua cheta. As *vb.*, scïare coi remi. **-woods**; foreste selvagge, foresta fitta. **-yard**; retrocortíle *m.*

Bacon; lardo *m.*, porco salato. — and eggs, prosciutto con uova. Save one's —, mettersi in salvo. **-ian**; -iáno.

Bacterial; proveniente da batterii.

Bacteri-ologist, -ology, -um; batteri-òlogo *m.*, -ología *f.*, -o *m.*

Bad; cattivo, malo, malvagio, brutto; ammalato; putrido, putrescènte, márcio; dannóso. — air, aria malsana. — cold in the head, raffreddore forte, catarro forte. — coin, moneta falsa. — digestion, mala digestione. — finger, dito infiammato, ferito ecc. — fortune, mala fortuna, mala sorte. — head-ache, gran mal di testa. — job, mala cosa. — land, terreno poco fertile. — language, parolacce *f. pl.* — law, (1) legge dannosa, nociva, (2) falsa interpretazione della legge. — look out, (1) brutta prospettiva, (2) mancata vigilanza. — meat, carne guasta. In a — way, in mal punto. — woman, donna di mala vita, di mal affare.

In many instances this word can be translated by the use of a peggiorative, as — picture, pitturaccia, — word, parolaccia.

Is it as — as that? è vero che il male sia così grave? così grave è la cosa? It hurt my — finger, mi ha fatto male al (mio) dito malato (piagato, ferito). Feel —, sentirsi male. It is very — of you, è una cattiveria la vostra di.... That is too —, quest' è troppo. It is too — for anything, è dir tutto. Too — to be worn, troppo logoro, sudicio, sdruscito ecc., per esser portato. From — to worse, di male in peggio. Go —, imputridire, marcire, guastarsi. Go to the —, andare a male, corrompersi. Keep — hours, rientrare tardi la sera, alle ore piccole. Not so —, meno male. Be on — terms, non esser buoni amici, essere in rotta, in cattivi rapporti. Good and —, il bene e il male.

Bade; *rem.* di Bid.

Baden; il Bade. Of —, badése.

Badge; inségna *f.*, ségno *m.*, placca *f.*, croce o stella d' ordine cavalleresco.

Badger; tasso *m.*; tormentare.

Badinage; schérzi *m. pl.*, burle *f. pl.*

Badly; male. — off, pòvero. I want it —, ne ho gran bisogno, ne sono desiderosissimo. To be — off, essere a mal partito. You have got it very —, l' avete fra capo e collo.

Badness; cattivería *f.*, malvagità *f.*, cattiva qualità, cattivo stato.

Bad-tempered; di cattivo carattere.

Baffl-e; sconcertare, mandare a monte, ṡventare, frustrare. — description, sfidare ogni descrizione. **-ed** hope, speranza delusa. **-ing** winds, venti contrarii o variabili.

Bag; sacco *m.*, bórsa *f.*, bolgétta *f.*; insaccare, prèndere (selvaggina), fare sgonfio, fare il sacco. — of bones, scheletro vivente.

Bagatelle; bagatèlla *f.*, miscèa *f.*

Baggage; bagáglio *m.*; bagáscia *f.*

Bagging; tela da sacco; insaccatura *f.*

Bag-hook; falcíno *m.*

Bagman; commesso viaggiatore.

Bagnio; stabilimento di bagni; bordèllo *m.*

Bag-pipe; cornamuṡa *f.*, piva *f.*

Bah! oibò!

Bail; sicurtà *f.*, malleverío *f.*, cauzióne *f.*; mallevadóre *m.*; farsi mallevadore per. Grant —, metter in libertà contro cauzione. Be **-ed** up, trovarsi donde non si può uscire. Give leg —, darla a gambe. **-ee**; depositario *m.* **-er**; *see* Baler. **-iff**; agente di polizia, ṡbirro; fattóre *m.*, gastaldo *m.* Water —, guarda-pésca *m.* **-s**; pezzetti di legno che sormontano il "wicket" al giuoco di "cricket."

Bainmarie; bagnomaria *m.*

Bairn; bambíno *m.*

Bait; ésca *f.*, allettaménto *m.*; inescare; (gergo) stuzzicare, irritare; rinfrescare (cavallo). Lay a — for, adescare, allettare. Take the —, abboccare all' amo. **-ing-place**, osteria di campagna.

Baize; baiétta *f.*, flanella ruvida. — door, porta o controporta foderata di panno.

Bake; cuocere nel forno. — every day, cuocere pane tutti i giorni. **-house**; fórno *m.* **-ing**; cottura *f.* **-r**; fornaio *m.*, panettiere *m.* **-ry**; panettería *f.*

Balance; biláncia *f.*, bilàncio *m.*, equilíbrio *m.* — of fly-wheel, peso del volante. Trial —, bilancio di verificazione. Be off one's —, esser esaltato. To —, librare, bilanciare, pareggiare (conti). The gain **-d** the loss, guadagno e perdita si bilanciarono. **-sheet**; foglio di bilancio. Value in the —, valore di bilancio. **-spring** (of a watch); bilancière *m.* **-weight**; peso di bilanciamento.

Balancing; bilanciaménto *m.* **-pole**; contrappéso *m.*, asta de' funamboli.

Balcony; balcóne *m.*, terrazzíno *m.*

Bald; calvo. — headed, dalla testa calva. — translation, traduzione senza spirito.

Balderdash; fròttole *f. pl.*, insulsággine *f.*

Bald-ly; roż̇żaménte, senz' altro. **-ness**; calvízie *f.* **-ric**; bálteo *m.* **-win**; Baldovíno.

Bale; balla *f.*, fáscia *f.*, mazzo *m.* To —, vuotar l' acqua.

Balearic Islands; le Baleari.

Baleful; infáusto, funèsto. **-ness**; perniciosità *f.*, carattere funesto.

Baler; votazza *f.*, gottazza *f.*

Balk; trave, *v.* Baulk.

Balkans; i Balcani.

Ball; 1. palla *f.*, glòbo *m.*, gomítolo *m.* — and socket joint, articolazione sferica, giunto a ginocchio, nocèlla *f.* Signal —, pallóne *m.* Light —, (*milit.*) proietto illuminante. — of earth (round the roots of a shrub being moved), piòta *f.* To —, appallottarsi. **-bearings**; cuscinetti a palle. **-cartridge**; cartuccia a palla. **-cock**; chiave a galleggiante. **-valve**; valvola sferica.

2. festa da ballo. Fancy —, ballo in costume. Masked —, ballo in maschera. Open the —, aprire il ballo, *fig.* cominciare le operazioni. **-dress**; vestito da ballo. **-room**; sala da ballo.

Ballad; ballata *f.*, canzóne *f.*

Ballast; żavòrra *f.*, ballas *m.*; żavorrare, inghiaiare. Road —, inghiaiata stradale.

Ballet; ballétto *m.* **-dancer**; ballerín-o *m.*, -a *f.* **-master**; direttore di balletto.

Ballistics; balística *f.*

Balloon; pallóne *m.* Captive, Free —, pallone frenato, libero. Kite —, pallone drago. **-company or section**; battaglione o squadriglia aerostieri. **-ist**; aeronáuta *m.* **-park**; parco aerostático.

Ballot; scrutínio *m.*; ballottare. Second —, ballottággio *m.* Vote by —, ballottaménto *m.*, -azióne *f.* Election by —, elezione a scrutinio. **-paper**; lista per votare.

Bally (gergo); bèllo.

Ballyrag (gergo); strapazzare scherzando.

Balm; bálsamo *m.* **-iness**; dolcézza *f.* **-y**; balsámico, dolce ed odorante.

Balsam; bálsamo *m.*, balsamína *f.*

Baltimore; Baltimòra *f.*

Balust-er, -rade; baláustr-o *m.*, -ata *f.*

Bamboo; bambù *m.*

Bamboozle; minchionare, ingannare, mistificare, imbrogliare il cervello a.

Ban; bando *m.*, scomúnica *f.*; maledire, interdire, mettere al bando.

Banal; senza sale, banále, scipíto. **-ity**; -ità, stupidaggine *f.*

Banana; (the tree) banáno *m.*, fico d' Adamo; (the fruit) banána *f.*

Band; bènda *f.*, stríscia *f.*, lista *f.*, fáscia *f.*; nastro (da cappello); legáme *m.*; víncolo *m.*; banda *f.*, música *f.*; compagnía *f.*, truppa *f.*, schièra *f.*, stuòlo *m.* — together, collegarsi, fare una combriccola. **-iron**; reggétta *f.* **-s**; facciuòle *f. pl.*

Bandage; bènda *f.*, fasciatura *f.*; fasciare. Suspensory —, sospensòrio *m.* **-es, -ing**; bendággio *m.*

Bandana; fazzoletto all' indiana.

Bandbox; scatola leggera di cartone.

Bandeau; benda piccola per i capelli.

Banderilla; banderuola a punta che serve al torero per aizzare il toro.

Bandicoot; peramèle *m.*

Bandit; bandíto *m.*, brigante *m.*

Bandmaster; capobanda *m.*

Bandolier; bandolièra *f.*

Bandsaw; sega a nastro.

Bandsman; bandista *m.*, musicista *m.*

Bandstand; piazzale della musica.

Bandy; scambiare (cose poco sentite o poco cortesi). — words with, stare al tu per tu.

Bandy-legged; dalle gambe storte.

Bane; ṡventura *f.*, flagèllo *m.* **-ful**; funèsto, triste. **-fully**; funestaménte. **-fulness**; perniciosità *f.*

Bang; bòtta *f.*, cólpo *m.*, żómbo *m.*, colpo risonante, detonazione forte; battere, bastonare, percuòtere, chiudere (la porta) violentemente, ṡbacchiare. Don't let the door —, attenti alla porta, che non (i)sbatacchi.

Bangle; anello da polso o da gamba, cérchio *m.*, maníglia *f.*

Banish; bandire, eṡiliare. **-ment**; bando *m.*, eṡílio *m.*

Banister; baláustro *m.*, ringhièra *f.* **-s**; balaustrata *f.*

Banjo; chitarra dei negri.

Bank; riva *f.*, spónda *f.*, árgine *f.*, alzata *f.*; banca *f.*, banco *m.*; piccolo poggio. To —, arginare; depositare nella banca. Deposit —, banca di deposito. — of issue, banca di emissione. Joint stock —, banca per azioni. Loan —, banca di prestiti. Savings —, cassa di risparmio. To keep the — (at cards), tenere il banco. — with, avere per banchiere. **-bill**; cambiale accettata da una banca. **-book**; libretto di banca. **-holiday**; festa, uno dei quattro giorni di chiusura delle banche inglesi. **-note**; biglietto di banca. **-stock**; rendita della Banca d' Inghilterra.

Bank-er; banchiere. **-ing**; mestiere di banchiere. — company, società bancaria. — house, casa bancaria. — transactions, affari bancarii.

Bankrupt; fallíto. Become —, far fallimento o bancarotta. Fraudulent —, fallito doloso. — State, Stato in fallimento o senza credito. To —, *or* make

—, far dichiarare fallito. Made —, dichiarato in fallimento. **-cy**; fallimento *m.*, bancaróttа *f.* Act of —, atto di fallimento. Trustee in —, amminístratore, curatore o sindaco di fallimento. — Court, Corte dei fallimenti. Fraudulent —, bancarotta dolosa.
Banner; bandièra *f.*, stendardo *m.*
Banneret; knight —, cavaliere banderese.
Bannock; focaccia di avena.
Banns; denúnzie *f. pl.* Forbid the —, addurre un impedimento ad un matrimonio.
Banquet; banchétto *m.*, convíto *m.* -ing hall, sala da banchetto. To —, far banchetto.
Banshee; fata irlandese.
Bantam; gallino di Giava. As *adj.*, píccolo, piccíno.
Banter; burla *f.*, bèffa *f.*, baia *f.*, maniere facete; burlare, beffarsi di, dar la baia a.
Bantling; marmòcchio *m.*
Banyan; fico d' India.
Baobab; báobab *m.*, adansónia *f.*
Baptis-e; battezzare. **-er**; battezzatóre *m.* **-m**; battèṡimo *m.* **-mal**; batteṡimále. **-t**; S. John the —, il Battista. There is no Italian term for the sect. **-tery**; battistèro *m.*
Bar; barra *f.*, ṡbarra *f.*, spranga *f.*, stanga *f.*, vérga *f.*; impediménto *m.*, ostácolo *m.*; fòro *m.*, collegio degli avvocati. Of music, battuta *f.* Of a harbour, barra. Iron —, sbarra di ferro. — to secure a door, sbarra di una porta. -s of a chair, sbarre di una sedia. — gold, oro in verghe. — of God, tribunale di Dio. Bred to the —, destinato all' avvocatura. Go to the —, studiare l' avvocatura. Be called to the —, esser ammesso avvocato. Appear at the —, comparire in tribunale. — of a public house, bar *m.*, banco d' osteria.
To —, ṡbarrare, stangare, ostruire, sprangare; esclúdere, interdire. — the way, precludere la via. I — that, mi oppongo a ciò. No time -s my right, il tempo non può render nullo il mio diritto.
As *prep.*, salvo, méno. — mistakes, salvo gli errori. All — one, tutti meno un solo.
Barb; punta *f.*, spina *f.*
Barbadoes; la Barbada.
Barbar-ian; -o. **-ic**; -ico, -ésco. **-ism**; -iṡmo *m.* **-ity**; -ità *f.*, crudeltà *f.* **-ous**; -o, crudèle. **-ously**; -aménte, crudelménte.
Barbary; Barbería. Of —, barbarésco. — horse, cavallo barbero.
Barbecue; porco arrostito intiero; griglia per arrostire maiali intieri, o per far seccare i grani di caffè. To —, far arrostire per intiero.
Barbed; dentato, uncinato. — wire, fil di ferro spinato.
Barbel; bárbio *m.*, filamento presso alla bocca d' un pesce.
Barber; barbière *m.*
Barbery; bérbero *m.*, crespíno *m.*
Barbican; barbacáne *m.*
Barcarolle; barcaròla *f.*
Barcelona; Barcellóna. Of —, barcellonése.
Bard; -o *m.* **-ic**; -ico.
Bare; 1. *rem.* non più in uso di Bear. 2. nudo, scopèrto; magro, scarso; spelato; privo, sprovvisto; diṡadórno. — of money, senza danaro. — truth, la pura verità. — suspicion, semplice sospetto, il solo sospetto. Lay —, scoprire, metter a nudo, spogliare, render manifesto, smascherare.
Bare-back; a bisdosso, a pelo. Ride —, montare a cavallo senza sella. **-faced**; sfacciato, sfrontato. **-facedly**; sfacciataménte. **-foot**, **-footed**; scalzo. **-headed**; senza cappello, a capo scoperto.
Barège; barése *m.*
Bare-legged; a gambe nude.
Barely; appéna, scarsaménte.
Bare-necked; a collo nudo, scollato.
Bareness; scarsézza *f.*, povertà *f.*
Bargain; patto *m.*, accordo *m.*, convenzióne *f.*, affare *m.*, mercato *m.*; patteggiare, pattuire, stiracchiare, contrattare. Into the —, di soprappiù, per soprammercato, per soprassello. Great —, ottimo affare. It is a —, è convenuto.
Barge; barca *f.*, chiatta *f.* — into, dar di cozzo a. **-board**; mensola aggiunta ad un frontone, copertura di un comignolo. **-e**; barcaiuòlo *m.* **-master**; proprietario di una barca.
Bar-itone; -ítono *m.* **-ium**; -io *m.*
Bark; 1. scòrza *f.*, cortéccia *f.* 2. china *f.* 3. brigantino a palo. 4. abbaio, abbaiata; abbaiare. 5. scortecciare.
Barley; òrżo *m.* Pearl —, orzo perlato. **-corn**; grano d' orzo. **-meal**; farina d' orzo. **-sugar**; zucchero d' orzo. **-water**; acqua d' orzo.
Barm; lievito di birra.
Bar-maid; servitora del bar di un' osteria, chellerína *f.* **-man**; servitore o garzone del bar.
Barn; granáio *m.*, capannóne *m.*
Barnacle; 1. dattero di mare, lèpade *f.*, ostrica di carena. 2. -s (gergo), occhiáli *m. pl.* **-goose**; bernácola *f.*

Baromet-er, -ric; -ro *m.*, -rico. **Recording -er**, barògrafo *m.*
Baron; baróne *m.* — of beef, lombo doppio di bue. **-ess**; -éssa *f.* **-et**; -étto *m.* **-etage**; elenco dei -etti. **-etcy**; dignità di -etto. **-ial**; -iále. **-y**; -ía *f.*
Baroque; baròcco.
Barouche; baròccio *m.*
Barque; *see* Bark.
Barquentine; nave goletta.
Barrack; caśèrma *f.*
Barrage; barrággio *m.* — fire, tiro di interdizione.
Barrel; baríle *m.*; canna *f.*, cilindro *m.*, cannetta di penna, tambúro *m.*, campana dell' argano. **-organ**; organétto a cilindro, organétto *m.*
Barren; stèrile, árido.
Barrenness; sterilità *f.*, aridità *f.*
Barricade; barric-ata *f.*, -are.
Barrier; barrièra *f.*, límite *m.* — reef, barriera di corallo.
Barrister; avvocato patrocinatore.
Barrow; barèlla *f.*, carrétta *f.*; túmulo *m.*
Bar-sinister; sbarra traversa.
Barter; cambi-o *m.*, -are; baratt-o *m.*, -are.
Baryt-a, -es; baríte *f.*
Basalt, -ic; baśalt-o *m.*, -ico.
Base; baśe *f.*, fondaménto *m.* At certain games, barra. Naval —, luogo di stazionamento. As *adj.*, vile, basso, ignóbile, infáme. To —, fondare, baśare, imbaśare.
Base-ball; giuoco americano alla palla. **-born**; bastardo, di nascita disonesta. **-less**; senza fondamento, senza base, infondato. **-ly**; vilménte, in modo infame. **-ment**; fóndo *m.*, sotterráneo *m.* — floor, piano al disotto del pianterreno, piano sotterraneo. — room, stanza d' abbasso. **-minded**; dall' animo vile e sordido. **-ness**; bassézza *f.*, viltà *f.*
Bash; bastonare, báttere.
Bashaw; pascià *m.*
Bashful; vergognóso, verecóndo. **-ly**; vergognosaménte, con verecondia. **-ness**; vergógna *f.*, modèstia *f.*, verecóndia *f.*
Basic slag; scoria basica.
Basil; baśílico *m.*, bażżána *f.*
Basilicata; Of the —, baśilisco.
Basilisk; baśilisco *m.*
Basin; bacíno *m.*, bacíle *m.*, vasca *f.*, catíno *m.*, catinèlla *f.* River —, bacino di un fiume. **-stand**; portacatíno *m.*
Basis; baśe *f.*, princípio *m.*
Bask; scaldarsi, sdraiarsi al sole o davanti al fuoco.
Basket; césta *f.*, panière *m.*, canèstro *m.*, búgnola *f.*, spòrta *f.*, gèrla *f.*, zana *f.*, sportèlla *f.* Of a balloon, navicèlla *f.* **-carriage**; giardinièra *f.* **-ful**; panierata *f.* **-hilt**; guardamano a graticcio. **-maker**; panieráio *m.* **-work**; roba fatta di vimini, viminata *f.*
Basle; Baśilèa *f.*
Basque; basco.
Bas-relief; bassorilièvo *m.*
Bass; 1. basso; — voice, voce di basso. 2. labráce *m.*, ragno *m.* 3. *see* Bast.
Basset; bassòtto *m.* **-horn**; corno di bassetto.
Bassinette; culla *f.*
Bassoon; fagòtto *m.*
Bast; tíglio *m.*
Bastard, -ise, -y; -o, dichiarare -o, -ággine *f.*
Baste; imbastire; spruzzare di grasso.
Bastille; Bastíglia *f.*
Bastinado; baston-atura *f.*, -are.
Bastion, -ed; bastión-e *f.*, -ato.
Bat; máglio *m.*, mazza *f.*, mazzeranga *f.*; pipistrèllo *m.* — fowling, caccia col frugnolo.
Batavian; bátavo.
Batch; mano di uomini, truppa *f.*; infornata *f.*
Bate; scemare, *see* Abate. With -d breath, a voce soppressa, a mezza voce.
Bath; bagno *m.*, vasca *f.* Hip —, semicúpio *m.* Salt water —, bagno d' acqua salata. Sand —, bagno di sabbia. Shower —, dóccia *f.* **-brick**; mattone di terra calcarea per pulire la posateria. **-chair**; carrozzella da malati. **-gown**; accappatoio *m.*, pállio *m.* **-house, -s**; stabilimento balneare. **-room**; camera da bagno. **-towel**; asciugatoio ruvido, tovaglia da bagno. **-tub**; tinòzza *f.*
Bathe; bagnarsi. -d in tears, con il volto bagnato di lagrime. **-r**; bagnante *m.* or *f.*
Bathing; il bagnarsi. Sea —, bagni di mare. **-costume, -dress**; costume da bagno. **-drawers**; mutandine da bagno. **-establishment**; stabilimento di bagni. **-machine**; carrozzèlla, cabina, o capanna, da bagno. **-man, -woman**; bagníno, -a. **-place**; sito riservato ai bagnanti, luogo frequentato dai bagnanti, sito di bagni. **-season**; stagione balnearia o di bagni.
Bathos; enfasi sciocca, ampollosità *f.*, falsa nota patetica.
Bating; salvo.
Batman; attendènte *m.*
Batsman; chi batte la palla al "cricket."
Batswing burner; becco di gas a ventaglio.
Battalion; battaglióne *m.*
Battels; conto settimanale dei viveri nei collegii di Oxford.

Batten; asse *f.*, assicèlla *f.*, corrènte *m.*, tavolétta *f.*, listèllo *m.* To —, ingrassarsi, menare vita lauta. — down, assicurare con assicelle. — down the hatches, lattare i boccaporti.

Batter; farinata *f.*, fritèlla *f.*; battere, ŝbattere. — down, abbattere a colpi di cannoni o simile. **-ed**; guasto, rótto, intaccato, ŝbattuto, abbattúto, in cattivo stato. **-ing-ram**; ariéte *m.* **-pudding**; focaccia con uova.

Battery; battería *f.*, pila elettrica. Assault and —, assalto personale. Auxiliary —, batteria di rinforzo. Floating —, nave batteria. Storage —, batteria di accumulatori. Sunken —, batteria interrata.

Battle; battáglia *f.*, combattiménto *m.* Sea —, combattiménto. Drawn —, battaglia indecisa. Fight one's -s over again, ritornare sugli antichi fatti d' armi. Give —, dar battaglia. Pitched —, battaglia campale. In — array, schierato, in ordine di battaglia. To —, lottare, combáttersi. — with, or against, lottare contro. — royal, battaglia accanita.

Battle-axe; azza *f.*, piccozza appuntata. **-cry**; grido di guerra. **-field**; campo di battaglia. **-piece**; quadro di una battaglia.

Battledore; racchétta *f.*

Battlement; mèrlo *m.* **-ed**; merlato.

Battue; caccia a' fagiani, battúta *f.*

Bauble; baẑẑècola *f.*, bagatèlla *f.*, nínnolo *m.* Jester's —, scettro di follia.

Baulk; legno riquadrato, trave *m.*; (al biliardo) casa *f.* To —, impedire, *v.* Baffle.

Bavarian; bavarése.

Bavin; fastello di frasche. **-wits**; cervello che avvampa e poi muore come fuoco di frasche.

Bawbee; soldo *m.*

Bawcock; bellimbusto *m.*

Bawd; meẑẑána *f.*, ruffiána *f.* **-iness**; oscenità *f.*, sconcézza *f.* **-ry**; oscenità *f.* **-y**; scóncio, oscèno. — house, bordèllo *m.*

Bawl; gridare, vociare, schiamazzare.

Bay; 1. baia *f.*, séno *m.* Sick —, ospedale di bordo. 2. láuro *m.* 3. vano di finestra. 4. — salt, sale grigio. 5. — window, finestra sporgente. 6. baio, color castagno. 7. abbaiare, urlare. 8. Keep at —, tenere a bada. Stand at —, tenersi sulle difese.

Bayonet; baionétta *f.*

Bayonne; Baióna *f.*

Bazaar; baẑàr *m.*

Be; essere, stare. It was not to —, non doveva riuscire, o succedere, così. — that as it may, comunque sia. I wish it were! così fosse! Were it not that, se non fosse che. So — it then! sia pure! I know how it is with you, so in quali condizioni vi trovate. How are you? come state? To — well, star bene. — hungry etc., aver fame, sete, caldo, freddo ecc. To — two years old, aver due anni. This wine is ten years old, questo vino ha dieci anni. I am better than I was yesterday, sto meglio di quanto sono stato ieri. I am none the worse, non sto peggio di prima. — watching, stare a guardare. — making, occuparsi di fare. We shall — making, si tratterà di fare. — at the Cancelleria, trovarsi alla Cancelleria. — High Steward, coprire la dignità di gran maggiordomo. — after, perseguitare. He was after them like a shot, egli li perseguì come un lampo. It is not for me to give advice, non istà a me dare consiglio. — fine weather, far bel tempo.

Beach; riva *f.*, spiággia *f.*, lido *m.* (senza scogli). To —, arrenare. Be -ed, arrenarsi. **-comber**; cavallone grandissimo. **-y**; ciottolóso.

Beacon; faro *m.*, fanále *m.*, gavitèllo *m.* *See* Buoy.

Bead; grano (di corona), perlina di vetro, pallottolína *f.*, miríno (di fucile). Glass -s, conteríe *f. pl.* **-ing**; astrágolo *m.* **-s**; corona del rosario. Tell one's -s, dire il rosario.

Beadle; bidèllo *m.*, mésso *m.*, uscière *m.*, birro *m.*

Bead-roll; lista di morti raccomandati alle preghiere altrui. **-sman**; chi fa le preghiere d' intercessione.

Beady; (occhi) piccoli e brillanti, (vino) brillante.

Beagle; bracco piccolo. **-fish**; scillio gattopardo.

Beak; bécco *m.*, sperone di galera; (gergo) magistrato di polizia.

Beaker; còppa *f.*, tazza *f.*, bicchiere con beccuccio.

Beam; trave *m.*, asse *f.*, vèrga *f.* Of a balance, asta *f.* Of a ship's deck etc., báglio *m.* Weaver's or other large —, súbbio *m.* Ship's — (breadth), larghézza *f.* Abaft the —, a poppavia del traverso. On her — ends, ŝbandato. On the starboard (port) —, pel traverso a dritta (sinistra). To —, brillare, raggiare. — upon, guardare con viso raggiante. **-engine**; macchina a bilanciere.

Bean; fava *f.* Broad —, fava ortolana. Horse —, fava da foraggio. Kidney —, fagiuòlo *m.* French -s, fagiolíni *m. pl.* **-stalk**; fusto di fava.

Bear; 1. órso *m.*; (gergo di Borsa) ribassista *m.* Sell a —, vendere con intenzione di ricomprare. Great —, Orsa maggiore. 2. To —, sostenére, sopportare, portare, avére, amméttere, comportare, resistere a; (*mar.*) rilevarsi. I cannot — **him**, egli non mi garba punto, non mi va. — (children), metter al mondo, partorire. — **a son** to, dare figlio a. — **along**, strascinare, portare seco. — **away**, riportare; portar via, condurre via. — **company**, tener compagnia. — **down**, abbassare, sopraffare. — **down upon**, avvicinarsi a. — **fruit**, fruttare, recare il suo effetto. — **a grudge**, portar rancore. — **a hand**, prestar mano. — **interest**, portar interesse. Money **is now** -ing high interest, il danaro dà ora un forte interesse. — **in mind**, tener presente. — **off**, menar seco. — **out**, esser conforme a, comprovare, giustificare. — **up**, farsi animo, sopportarla con coraggio. — **upon**, appoggiarsi a, riferirsi a aver da fare con. — **with**, tollerare. *See* Carry, Born.

Bearable; sopportabile.

Bear-baiting; stuzzicamento degli orsi.

Bearbind; vilucchio delle siepi.

Bear-cub; orsácchio *m.*

Beard; barba *f.*; prender per la barba, affrontare. Pulling at his thin —, strappandosi la rada barba del mento. **-ed**; barbuto. -ed wheat, grano restone. **-less**; imbèrbe.

Bearer; porta-tóre *m.*, -trice *f.*, latóre (di lettera); sostégno *m.*, soppòrto *m.*; portantíno *m.* Good **fruit** —, albero assai fruttifero.

Bear-garden; riunione chiassosa, baraónda *f.* **-hunt**; caccia all' orso.

Bearing; 1. contégno *m.*, píglio *m.*, condótta *f.* 2. relazióne *f.*, connessióne *f.*, rappòrto *m.* 3. cuscinétto *m.* Ball -s, cuscinetti a sfere. Roller -s, cuscinetti a rulli. 4. (*mar.*) rilevaménto *m.*, rilièvo *m.* 5. Past all —, più che insopportabile. Tree past —, albero sfruttato. Come into —, incominciare a fruttare. Considering the thing in all its -s, considerata la cosa per estenso.

Bearing-rein; freno che costringe un cavallo a tenere il collo inarcato.

Bearish; 1. różżo, incivíle. 2. con una tendenza al ribasso.

Beast; béstia *f.*, bruto *m.* — **of burden**, bestia da soma. **-liness**; bestialità *f.*, sporcízia *f.* **-ly**; bestiale, spòrco. — drunk, sconciamente ubriaco.

Beat; 1. cólpo (di tamburo), battúta *f.* 2. polsazióne *f.*, il battere. 3. rónda *f.*, giro *m.* Off my —, fuori del mio corso. It is off my —, non spetta a me. 4. battere, percuòtere, bastonare. 5. víncere, sorpassare. 6. — **about**, cercare qua e là. — **about the bush**, raggirarsi, battere la campagna. — **off**, — **back**, respíngere. — **down**, abbáttere, atterrare, far ribassare. — **in**, sfondare. — **out**, ridurre in lamine. — **up**, andare in cerca di. 7. (*mar.*) bordeggiare.

Beater; battitóre *m.*, scaccia *m.*; mazzeranga *f.*

Beatif-ic, -ication, -y; -ico, -icazióne *f.*, -icare.

Beating; sconfitta *f.*; bastonatura *f.* — of the heart, battito del cuore.

Beatitude; beatitúdine *f.*

Beau; elegante *m.*

Beaut-eous, -iful; bèllo, vago, grazióso, vezzóso, leggiádro. **-ifully**; bellaménte ecc., benissimo. Be — situated, star bellamente situato. **-ify**; abbellire, ornare.

Beauty; bellézza *f.*, beltà *f.*, grázia *f.*, vaghézza *f.* Sleeping —, la bella dormente. **-show**; esposizione di bellezze. **-sleep**; il dormire prima di mezzanotte. **-spot**; nèo *m.*

Beaver; 1. castòro *m.*, pelliccia di castoro. 2. visièra *f.*

Becalmed; sorpreso dalla bonaccia. Be —, stare in bonaccia.

Became; *rem.* di Become.

Because; perchè, perciocchè, poichè. — **of**, a causa di. Be — of, esser cagionato di, *see* Arise.

Beck; 1. ruscèllo *m.* 2. at the — and call of, soggetto agli ordini di.

Becket; stroppo di sospensione, stroppolétto *m.*

Beckon; far segno, far cenno, accennare.

Becloud; annebbiare, annuvolare.

Become; divenire, diventare; convenire, star bene a, addirsi. What will — of me? che sarà mai di me? What would — of the world? che cosa ne sarebbe del mondo? He did not care what would — of him, non badava a ciò che sarebbe di lui. — **acquainted with**, far conoscenza con. — **steady**, metter testa a partito. This dress does not — her, questo abito non le si addice.

Becoming; grazióso, dicévole, che sta bene, convenévole. **-ly**; dicevolménte, leggiadraménte, con creanza. **-ness**; grázia *f.*, decènza *f.*, creanza *f.*

Bed; lètto *m.*; strato *m.* Four post —, letto a quattro colonne. — **and board**, camera e pensione. — **of roses**, letto di rose. Go to —, coricarsi. Take to one's —, mettersi a letto. Keep one's —, tenere il letto. Be brought to —, partorire. Make the —, fare, o rifare, il letto. Turn down the —, rimboccare il lenzuolo del letto, fare la rimboccatura. Bridal, Nuptial —, letto nuziale. Sick —, letto di dolore. — of state, letto di parata. Head of the —, capezzále *m*. — of a river, letto di un fiume, álveo *m*. Folding —, letto portatile. Camp —, letto da campo. Early to — and early to rise etc., presto a letto e presto fuore dà salute e buon umore.

To —, *vb*., piantare; incastonare, incastrare. — out, trapiantare in aiuole.

Bed-chamber; camera da letto. **-chair**; sedia da ammalato. **-clothes**; lenzuòla *f. pl*., coperte da letto. **-cover**; coperta da letto. **-curtains**; cortine da letto, cortinággio *m*. **-ding**; biancheria da letto, lettiera di animale.

Bedeck; abbellire.

Bedew; umettare, inumidire, irrorare.

Bed-fellow; compagno di letto. **-hangings**; tornalètto *m*.

Bedizen; rinfronżolire.

Bedlam; il manicomio di Bedlam. **-ite**; fuorsennato *m*.

Bed-linen; biancheria da letto. **-maker**; inserviente *f*. (nelle università inglesi).

Bedouin; beduíno.

Bed-pan; bacino da letto. **-plate**; lastra di fondazione. **-post**; colonna del letto.

Bedraggle; inzaccherare.

Bed-ridden; obbligato a letto. **-room**; camera da letto. **-side**; sponda del letto. At his —, al suo capezzale. **-sore**; piaga da decubito. **-spread**; sopraccopèrta *f*. **-stead**; lettiera. Put up a —, montare un letto. Iron —, lettiera di ferro.

Bedstraw; Ladies' —, caglio *m*.

Bed-tick; tralíccio *m*., fodera da materassa. **-time**; ora di coricarsi.

Bee; ape *f*., pécchia *f*.; riunione lavoratrice. Honey —, ape da miele. Bumble —, calabróne *m*. (senza pungiglione), bofónchio *m*. Queen —, l' ape regina. Working —, ape operaia. **-bread**; cibo delle larve delle api.

Beech; fággio *m*. **-grove**; faggéto *m*. **-marten**; faina *f*. **-mast**, **-nut**; faggiòla *f*., seme di faggio.

Beechen; di faggio.

Bee-eater; mèrope *f*., grucciόne *m*.

Beef; manżo *m*., carne di bue. Boiled —, manzo lesso. Roast —, bue arrosto. Stewed —, ragù o stufato di bue. Pressed —, preparazione fredda di carne di bue condita. Spiced —, bue in umido. Salt —, bue salato. **-eater**; guardia della Torre di Londra. **-steak**; bistécca *f*. **-tea**; brodo di bue. **-y**; stòlido.

Bee-hive; árnia *f*., bugno *m*., alveáre *m*.

-lzebub; Belzebù. **-orchis**; orchide pecchie.

Beer; birra *f*. Small —, birraccia *f*. Strong —, birra forte, birrone *m*. **-barrel**; barile da birra. **-engine**; pompa di birra. **-house**, **-shop**; béttola *f*., birrería *f*. **-money**; mancia che si dà come parte della paga. **-y**; chi beve molta birra, o chi ne ha la cera.

Beestings; colostro di vacca.

Beeswax; cèra *f*.

Beeswing; crosta di vecchio vino.

Beet, **Beetroot**; biètola *f*. **-sugar**; zucchero di barbabietola.

Beetle; 1. scarafággio *m*. Black —, piáttola *f*. Burying —, necròfago *m*. 2. máglio *m*., mazzeranga *f*.

Beetle-browed; dalle folte ciglia.

Beetling; strapiombante.

Befall; accadére.

Befit; addirsi, confarsi. **-ting**; confacènte.

Befogged; colto dalla nebbia; *fig*. annebbiato.

Before; prima, prima d' ora, avanti, innanzi, dinanzi a, davanti, in presenza di, di fronte a, sotto gli occhi di, anzichè, piuttosto che. — and behind, innanzi e indietro. — long, fra poco. Be — the mast, esser un marinaio ordinario. — the wind, col vento a poppa. — meals, prima di mangiare. — night, prima di notte. — time, innanzi tempo. Some years —, qualche anno fa, da qualche anno. As I said —, come dissi prima. — the altar, davanti all' altare. Be as it was —, tornare quel di prima. Which he had never — enjoyed, di cui non aveva mai goduto per lo innanzi. **-hand**; primieraménte, anticipataménte, ora per allora. **-mentioned**; suddétto, succitato.

Befoul; sporcare, insudiciare.

Befriend; favorire, protèggere, giovare a, render servigio a.

Beg; pregare, chiedere con insistenza; accattare, mendicare, stender la mano. — pardon, scuśarsi, domandare scusa. — the question, far petizione di principio. I — to acknowledge your favour of the 6th inst., ho l' onore di accusare ricevuta della vostra pregiata del 6 corr.

Began; *rem*. di Begin.

Begem; ingemmare.

Beget; generare, procreare; far nascere, suscitare, cagionare.

Beggar; accattóne *m*., pitòcco *m*., limośinante *m*., pezzènte *m*.; impoverire. — description, non potersi descrivere. **-ly**; grètto, meschíno. miśerábile. **-my-neighbour**; struggicuòre *m*. **-y**; miśèria *f*., indigènza *f*.

Begging; l' accattonaggio, mendicanza *f*.
Begin; incominciare, principiare, iniziare, mettersi a, ėsordire, avviare, aver principio. — business, esordire negli affari. — a conversation, attaccare un discorso. — a story, principiare un racconto. **-ner**; principiante *m*., novízio *m*. **-ning**; princípio *m*., eṡòrdio *m*., primo passo, orígine *f*., avviaménto *m*. From the — of the world, da che mondo è mondo. The — of the 13th century, il primo ducento. At the — of last January, i primi del gennaio scorso.
Begirt; circondato, cinto.
Begone; Woe —, pieno di guai. —! via di qua!
Begotten; Only —, figlio unico.
Begrime; annerire.
Begrudge; portar invidia a.
Beguile; ingannare, sedurre. — the time, ingannare il tempo, far passare il tempo.
Begum; principessa indiana.
Begun; *part*. di Begin. Well — is half done, tutto sta nel cominciare.
Behalf; On — of, in favore di; a nome di, per conto mio, suo ecc.
Behav-e; comportarsi, condursi, agire. — like, fare il, portarsi da. — oneself, stare come persona ammodo, stare a dovere. Well -d, bencreato, ben accostumato. Ill -d, malcreato, scostumato. **-iour**; condótta *f*., contégno *m*., portaménto *m*.
Behead; decapitare, decollare, far la testa a. **-al**; decapitazióne *f*., decollazióne *f*.
Beheld; *rem*. di Behold.
Behest; cárico *m*., comando *m*.
Behind; diètro, indiètro, per di dietro; dópo, in ritardo; in groppa (a cavallo). There is something —, c' è qualche cosa sotto. Laugh — my back, ridersi alle mie spalle. Be — in one's payments, esser addietro nei pagamenti. As *sb*., deretáno *m*. **-hand**; tardívo, indiètro, arretrato, tardi.
Behold; vedére, scòrgere, guardare; ecco!
Beholden; obbligato, debitóre.
Beholder; osservatóre *m*.
Behoof; vantággio *m*., pro *m*.
Behove; convenire, biṡognare.
Being; èssere *m*., ènte *m*. Call into —, chiamare alla vita. Supreme —, ente supremo. In —, vigènte, in vita. For the time —, pel tempo attuale.
Bejewelled; ingioiellato.
Belabour; bastonare, dar busse a.
Belated; troppo tardo, sorpreso dalla notte.
Belay; attaccare, dar volta. -ing cleat, gallòccia *f*. -ing pin, cavíglia *f*.
Belch; rutto *m*.; ruttare. — out, eruttare.
Beldame; vecchiáccia *f*.
Beleaguer; assediare, investire.
Belfry; cella campanaria. **-tower**; campaníle *m*.
Belg-ian; Bèlga *m*.; bèlgico. **-ium**; Bèlgio *m*.
Belgrade; Belgrádo *m*.
Belie; ṡmentire.
Belie-f; féde *f*., il credere; credènza *f*. Beyond —, incredíbile. Article of —, articolo di fede. To the best of my —, a ciò che mi pare, per quanto a me consta. **-vable**; credíbile. **-ve**; prestar fede a, crédere, accettar per vero. I — not, credo di no. I — so, credo di sì. If he is to be -d, se gli si crede. He would have me —, vorrebbe darmi ad intendere. **-ver**; fedéle *m*., credènte *m*. True -s, i veri credenti.
Belike; fórse, probabilménte.
Belittle; attenuare, deprezzare.
Bell; campána *f*., campanèllo *m*., sonáglio *m*.; attaccare il sonaglio a. Eight -s, otto colpi. **-adonna**; belladònna *f*. **-buoy**; gavitello a campana. **-e**; donna bella. **-es lettres**; belle lettere. **-flower**; campanèlla *f*. **-founder**; fonditore di campane. **-foundry**; fondería di campane. **-glass**; campana di vetro per giardino. **-hanger**; chi appende le campane.
Bell-icose; -icóso. **-ied**; Big —, panciuto. **-igerent**; -igerante *m*. **-igerency**; guerra dichiarata.
Bell-man; banditore con sonaglio. **-metal**; bronzo da campana. **-mouthed**; slargato a foggia di campana.
Bellow; mugghiare, muggire, ṡbraitare.
Bellows; mántice *m*., soffiétto *m*.
Bell-pull, -rope; cordone di campanello. **-push**; chiamata *f*. **-ringer**; campanáio *m*. **-ringing**; scampanío *m*. **-shaped**; *see* -mouthed. **-tower**; campaníle *m*. **-turret**; campanilétto *m*. -wether; montone col campanaccio.
Belluno; Of —, bellunése.
Belly; vèntre *m*., addòme *m*., páncia *f*.; — out, gonfiare. **-ache**; còlica *f*., mal di ventre. **-band**; sottopáncia *m*. **-ful**; scorpacciata *f*.
Belong; appartenére, spettare, concèrnere, compètere. — to London, esser nativo di Londra. — to a society, far parte di o esser membro di una società. **-ings**; dipendènze *f*. *pl*., ciò che si possiede, ròba *f*.; congiunti *m*. *pl*., parentèla *f*.
Beloved; caro, predilètto.
Below; sótto, al di sotto di, giù, in giù; più innanzi (in un libro). Here —,

quaggiù. On the floor —, al piano di sotto. — the horizon, sotto all' orizzonte. The court —, la corte inferiore. The regions —, le regioni infernali.

Belt; cintura *f.*, cinturíno *m.*, fáscia *f.*, coréggia *f.*, żòna *f.* Of machinery, cínghia *f.* Endless —, cinghia continua o senza fine. Hit below the —, fare un colpo sleale. **-ed**; chi ha diritto di portare una cintura cavalleresca. — earl, nobile segnato.

Belvedere; belvedére *m.*, torrétta *f.*

Bemire; infangare.

Bemoan; lamentarsi di.

Bemuddle; sconvòlgere, intorbidare.

Bench; banco *m.*, panca *f.*, scranna *f.* Stone —, sedile di pietra. Be raised to the —, esser nominato giudice. **-er**; anziano di un collegio di avvocati. **-mark**; segno dell' agrimensura.

Bend; curva *f.*, curvatura *f.*, piegatura *f.*, flessióne *f.*, giro *m.*; banda araldica; gruppo *m.* Single —, gruppo semplice di scotta. Carrick —, nodo vaccaio. — of a river, gomito di fiume.

To —, piegare, curvare, chinare, inarcare; tèndere (arco). — together (two hawsers), intugliare. — a sail (to a yard), inferire una vela. — attention, fare attenzione, concentrare la mente. To — (*intr.*), piegarsi; sottométtersi, accondiscéndere. — the pride of, fiaccare l' orgoglio di. — forward (backward), piegarsi in avanti (all' indietro). The street -s to the left, la via piega a sinistra. *See* Bent.

Beneath; sótto, di sotto, al di sotto di, giù, a basso. It is — my notice, non comporta la pena di occuparmene.

Benedictine; benedettíno.

Bene-diction; -dizióne *f.* **-faction**; -fazióne *f.* **-factor**; -fattóre *m.* **-factress**; -fattrice *f.* **-fice**; -fízio *m.* **-ficed**; -fiziato. **-ficence**; -ficènza *f.* **-ficent**; -fico, generóso. **-ficently**; -ficaménte. **-ficial**; útile, giovévole, serviziévole, vantaggióso. — owner, proprietário usufruente. Be — to, giovare a. **-ficially**; utilménte, in modo giovevole ecc. **-ficiary**; -ficiário *m.*, usufruttuário *m.*, chi gode l' utile di un fedecommesso.

Benefit; benefízio *m.*, utilità *f.*, útile *m.* Theatrical —, benefiziata *f.* To —, giovare, far bene a, profittare, fare il suo pro. **-night**; benefiziata *f.* **-society**; società di mutuo soccorso.

Benevento; Of —, beneventáno.

Benevol-ence, -ent, -ently; benevol-ènza *f.*, -o, -ménte.

Bengal; Bengála *m.* **-light**; bengála *m.*, fuoco del Bengala. **-i**; Bengalíno *m.*

Benighted; sorpreso dalla notte; *fig.*, di scarsa intelligenza.

Benign, -ant; benigno. **-ly, -antly**; benignaménte. **-ity**; benignità *f.*, gentilézza *f.*

Benison; benedizióne *f.*

Bent; 1. *part.* di Bend. 2. piegato, ricurvo; bramóso, desiderosissimo, risoluto. — wood, legno ricurvo. 3. disposizióne *f.*, naturale *m.*, inclinazione naturale. 4. — grass, agròstide *f.* **-s**; steli della gramigna.

Benthamite; seguace del Bentham, bentamista *m.*

Benumb; intormentire, intiriżżire, aggranchire.

Benzine; benzina da pulire.

Benzoin; belzuíno *m.*

Bepowdered; incipriato.

Bepuffed; tutto sboffi e gonfii.

Bequ-eath; legare per testamento, *fig.* trasméttere. **-est**; láscito *m.*

Berberry; bèrbero *m.*, crespíno *m.*

Bereave; privare, spogliare. **-ment**; privazióne *f.*, pèrdita *f.*, vedovanza *f.*

Bereft; privo.

Berg; *see* Iceberg.

Bergamot; bergamasco. — pear, bergamòtta *f.* — pear tree, bergamòtto *m.*

Ber-lin; Berlíno *m.* — carriage, berlína *f.* Of —, berlinése. **-muda**; le Bermúde.

Berne; Bèrna *f.*

Berry; grano *m.*, bacca *f.*, còccola *f.*

Berth; pósto *m.*; *fig.* impiègo *m.*; luogo d' ancoraggio, punto d' ancoraggio. — in a cabin, cuccétta *f.* Sick —, ospedale di bordo. To —, amarrare, ormeggiare. Give a wide — to, passare al largo di.

Beryl; berillo *m.*

Besançon; Besanzóne *m.*

Beseech; implorare, scongiurare. **-ingly**; da supplicante.

Beseem; convenire, addirsi a.

Beset; assediare, circondare. **-ting sin**, vizio inveterato o inestirpabile.

Beshrew me! maledetto!

Beside; accanto, alláto, accosto a, prèsso. — oneself, fuor di sè. **-s**; inóltre, sopra a ciò, del resto, d' altrónde, di più, óltre (che), eccètto, all' infuori di, senza contare (che), per soprappiù.

Besieg-e, -er; assedi-are, -ante *m.*

Beslobber; imbavare.

Besmear; allumacare, imbrattare.

Besmirch; macchiare, lordare, sporcare.

Besom; scópa *f.*

Besotted; stupidíto.

Besought; *rem.* di Beseech.

Bespangle; cospárgere, ornare di lustrini

Bespatter; inzaccherare, spruzzare.

Bespeak; comandare, farsi promettere.

Bespeckled; macchiettato.

Besprinkle; spruzzare, aspèrgere.
Bessarabian; bessarábo.
Best; méglio, miglióre, òttimo. — attention, tutta la sua attenzione. The — of men, il miglior degli uomini. At the —, al meglio, a andar bene, al più. At the very —, al meglio possibile, tutt' al più. Have the — of it, vincerla. Do one's —, fare il possibile; far di tutto, fare il suo meglio. — plan, il meglio a farsi. — man, amico che accompagna lo sposo in chiesa. Do the — one can, far quanto si può. You had — stay at home, fareste meglio a stare a casa. Make the — of one's way, affrettarsi il più possibile. Like —, preferire. Make the — of it, far di necessità virtù. Be the — natured man in the world, aver la ottima indole del mondo.
Bestead; profittare, giovare.
Bestial; bestiále. **-ise**; abbrutire. **-ity, -ly**; -ità *f.*, -ménte.
Bestir oneself; ingegnarsi, affrettarsi, darsi attorno.
Bestow; dare, accordare. — very little attention upon, darsi ben poco pensiero di.
Bestrew; cospárgere.
Bestride; accavalciare, stare a cavalcione.
Bet; scomméssa *f.*; scomméttere.
Betake oneself; recarsi, aver ricorso, applicarsi, portarsi, rifugiarsi.
Betel; bètel *m.* **-nut**; nocciuola dell' areca.
Bethink oneself; mettersi a pensare, ricordarsi.
Bethlehem; Betlèmme *m.*
Betide; accadére, succèdere.
Betimes; per tempo, di buon' ora.
Betoken; preṡagire, esser segno di.
Betony; bettònica *f.*
Betook; *rem.* di Betake.
Betray; tradire, denunciare; mostrare, rivelare, lasciar vedere. **-al**; tradiménto *m.* **-er**; ingannatóre *m.*
Betroth; fidanzare, impalmare. **-al**; promessa di matrimonio, fidanzaménto *m.* **-ed**; promésso (sposo).
Better; miglióre, or as *adv.* mèglio; migliorare. I had —, farò meglio a. I know it — than you can, lo so meglio di quel che voi non possiate saperlo. The sooner the —, più presto (se lo faccia) meglio sarà. All the —, tanto meglio, meno male. I am —, sto meglio. The smaller the —, quanto più piccolo tanto meglio. — off, in migliori circostanze, più agiato. Get —, migliorare, ristabilirsi. Get the — of, superare; víncere; ingannare. Look —, aver migliore apparenza. — late than never, meglio tardi che mai. This is — than that, questo val più di quello. For the —, per il meglio. — and —, di bene in meglio. So much the —, tanto meglio. For — for worse, per la felicità e per la sventura. To — oneself, avanzarsi, migliorare, migliorare le sue condizioni. **-s**; superióri *m. pl.*
Betterment; miglioraménto *m.*, aumento di valore cagionato dall' accrescimento di una città.
Betting; lo scommettere, il vizio dello scommettere. **-ring**; convegno di chi scommettono da mestieranti. **-man**; scommettitore professionale.
Betty; *raccorc.* di Elizabeth.
Between; tra, fra, in mezzo a. — us, tra noi due. They will do it — them, lo faranno tra loro tutti. — wind and water, a fior d' acqua. **-whiles**; ai mezzi tempi.
Betwixt; *see* Between. — and between, nè tutto questo nè tutto quello.
Bevel; falsa squadra *f.*, ugnatura *f.*, cartabòno *m.*, squadra zoppa; calandríno *m.*, ṡmusso *m.* To —, dare il cartabono. **-led**; a cartabono, a sghembo. **-ling**; cartabono *m.*, il tagliare per isghembo. **-wheel**; ruota ad angolo.
Beverage; bevanda *f.*
Bevy; branco *m.*, stuòlo *m.*, schièra *f.*
Bewail; rimpiángere, deplorare.
Beware; guardarsi, stare all' erta.
Bewigged; in parrucca.
Bewilder; ṡbalordire, imbrogliare, far girare il cervello a, confóndere. **-ed**; colla testa in giro, stralunato. **-ing**; che sbalordisce ecc. **-ingly**; in modo da far girar la testa. **-ment**; scompíglio *m.*, ṡbalordiménto *m.*, ṡmarriménto *m.*
Bewitch; ammaliare, affascinare, incantare. **-ing**; incantévole. **-ingly**; incantevolménte, in modo affascinante.
Bey; governatore turco.
Beyond; óltre, di là di, al di sopra di, superiore a; laggiù. — what could have been done on purpose, neanche a farlo apposta. It is — everything, non c' è che dire.
Beyrout; Beirùt *m.*
Bezel; castóne *m.*
Bezonian; pezzènte *m.*
Bhang; ascisc *m.*
Bheesty; porta-acqua indiano.
Bias; gonfiatura o soprappeso unilaterale della palla al giuoco delle bocce perchè corra di sbieco, obliquità *f.*; *fig.* pregiudízio *m.*, prevenzióne *f.*, propensióne *f.*; — (in favour of) predilezióne *f.*, inclinazióne *f.* To —, far nascere una prevenzione nella mente di, influenzare.

Bib; bavaglíno *m.*
Bibl-e; bíbbia *f.* **-ical**; bíblico.
Bibliogra-pher, -phic, -phy; -fo *m.*, -fico, -fía *f.*
Biblioman-ia, -iac; bibli-omanía *f.*, -òmane *m.*
Biblio-phile; -filo *m.*
Bibulous; chi beve molto, bíbulo, spugnoso.
Bicarbonat-e; -o *m.*
Bicentenary; secondo centenario.
Biceps; bicípite *m.*
Bichloride; biclorúro *m.*
Bicker, -ing; leti-care, -chío *m.*
Bicon-cave, -vex; bicòncavo, -vèsso.
Bicuspid; -e. **— tooth**, molare falso.
Bicycl-e; biciclétta *f.*; andare a bicicletta. I will — over for it to-morrow, verrò domani a cercarlo a bicicletta. **-ist**; biciclista *m.*
Bid; offèrta *f.*; comandare, dire, ordinare, invitare, offrire. — fair, offrire la probabilità (che). — welcome, dare il benvenuto (a). **-der**; offerènte *m.* Highest —, maggior offerente. **-ding**; comando *m.*, offèrte *f. pl.*
Biddy; (*raccorc.* di Bridget) serva irlandese.
Bide; stare, rimanére. — one's time, aspettare finchè non vi sia l' opportunità.
Bidet; bagno per lavarsi al di sotto.
Bienn-ial, -ially; -ale, -alménte.
Bier; bara *f.*
Biestings; primo latte dopo il parto di un animale.
Biffin; mela seccata e schiacciata.
Bifid; bífido.
Bifilar; a due file.
Bifurcat-e, -ion; biforc-arsi, -aménto *m.*
Big; grande, gròsso, alto. — family, famiglia numerosa. — game, 1. caccia grossa. 2. gioco grosso. — with young, gravido. Grow —, créscere. — with pride, gonfio d' orgoglio. Look —, 1. fare l' importante. 2. aver l' aria di una cosa grossa. Look -ger than it is, aver l' aria più grande di quel che è. Talk —, parlare con millanteria o da vanaglorioso.
Bigam-ist, -ous, -y; -o *m.*, -o, -ía *f.*
Bigaroon; ciliègia durácina.
Big-bellied; panciuto. **-boned**; dalle ossa grandi.
Biggin; bròcca *f.* Coffee —, caffettièra *f.*
Big-horn; pecora americana.
Bight; calanca *f.*, insenatura *f.*; doppíno *m.*
Bigness; grandézza *f.*, mòle *f.*
Bigot; bigòtto *m.*, bacchettóne *m.* **-ed**; bigòtto. **-ry**; bacchettonería *f.*, bigottismo *m.*
Big-wig; pezzo grosso, persona altolocata.
Bilater-al; -ále.
Bilberry; mortèlla *f.*, mirtillo *m.*
Bilboes; ferri da punizione.
Bil-e, -iary; -e *f.*, -iare.
Bilge; sentína del fondo (di bastimento), rigonfio (di botte), sentína *f.* **-cock**; robinetto per allagare la sentina. **-ed**; sfondato, aperto nel fondo. **-keel**; aletta di rullio. **-water**; acqua della sentina.
Bilingual; bilingue.
Bilious; bilióso. **-ness**; azione disordinata del fegato.
Bilk; truffare, scroccare.
Bill; *raccorc.* di William.
Bill; 1. cónto *m.*, nòta *f.* 2. fòglio *m.*, annúnzio *m.*, affisso *m.*, appigiónasi *m.*, cartellóne *m.*, programma stampato. 3. — of health, patente di salute o di sanità. 4. — of lading, polizza di carico. 5. — of mortality, registro mortuario. 6. — of parcels, fattura commerciale. 7. — of fare, distinta, carta dei piatti. 8. — of indictment, atto d' accusa.

9. progetto di legge. Private —, progetto di legge d' interesse particolare.

10. cambiále *f.* Foreign —, cambiale per l' estero, divísa *f.* Internal —, Domestic —, cambiale per l' interno. -s payable (receivable), effetti da pagare (ricevere). -s payable (receivable) book, libro effetti da pagare (ricevere). Short-dated (Long-dated) —, cambiale a breve (lunga) scadenza.

11. bécco *m.*, ròstro *m.*; marra d' ancora. 12. -ing; il darsi beccate. — and cooing, il carezzarsi degl' innamorati.

13. To —, affiggere avvisi. Well -ed, con gli affissi dappertutto.
Bill-book; libro scadenze, scadenzário *m.*, scadenzière *m.*
Bill-broker; mediatore in cambi.
Bill-discounter; scontista *m.*
Billet; 1. pósto *m.*, bono d' alloggio. To —, alloggiare con bono. 2. ceppo da bruciare, tondèllo *m.*, pedagnolo di carbone.
Billet-doux; lettera amorosa.
Bill-hook; pennato *m.*, róncola *f.*
Billiard-ball; palla da biliardo. **-cue**; stecca da biliardo. **-marker**; biscazzière *m.*, marcatóre *m.* **-room**; sala da biliardo. **-s**; biliardo *m.* Play at —, giocare al biliardo.
Billingsgate; il mercato di pesci a Londra; *fig.* parolacce da pescivendola.
Billion; bilióne *m.*
Billow; maróso *m.* **-y**; ondeggiante, ondóso.

Bill-poster; attacchíno *m.*, affissore d' avvisi.

Billy; 1. forma famigliare di Willy (Guglielmo). 2. paiòlo *m.* **-cock-hat**; cappello basso di feltro. **-goat**; capro *m.*

Biltong; fette di carne disseccate al sole.

Bimetall-ic, -ism, -ist; -ico, -išmo *m.*, -ista *m.*

Bimonthly; ogni due mesi.

Bin; mádia *f.*, scompartimento o nicchia in una cantina, arca da grano.

Binary; binário, dóppio.

Bind; legare, attaccare, stríngere; rilegare con nastri o corde; rilegare (libro); fasciare; cucire insieme; rendere stitico; legare con un contratto; obbligare, costríngere. Be bound for, esser destinato a, dirígersi a. *See* Bound (5). — oneself, obbligarsi. — over, obbligare sotto pena di ammenda. — up, fasciare, avvòlgere, bendare. — down, obbligare. **-er**; legatóre *m.* **-ing**; 1. legatura *f.*, copertína *f.* — in boards, legatura alla bodoniana o in cartoncino. 2. stringènte, obbligatòrio, astringènte. **-weed**; vilúcchio *m.*

Binnacle; chiešuòla *f.*, abitácolo *m.*

Bino-cular; -colare. **-mial**; -mio.

Binoxide; biòssido *m.*

Biograph-er, -ical, -y; biograf-o, -ico, -ía *f.*

Biolog-ical, -ist, -y; -ico, -o *m.*, -ía *f.*

Bip-artite, -ed; -artíto, -ede *m.*

Biplan-e; -o *m.*

Birch; betulla *f.*; castigare con una frusta di betulla. **-broom**; scopa fatta di rami di betulla. **-en**; di betulla.

Bird; uccèllo *m.* -'s eye view, veduta a vol d' uccello. Kill two -s with one stone, prendere due colombi con una fava, oppure fare un viaggio e due servigi. A — in the hand is worth two in the bush, meglio un uovo oggi che una gallina domani. **-cage**; gabbia d' uccello. **-call**; richiámo *m.* **-catcher**; uccellatóre *m.* **-cherry**; ciliegio racemoso. **-fancier**; mercante d' uccelli. **-lime**; víschio *m.* **-'s foot trefoil**; trifoglio giallo. **-'s nest**; nido d' uccelli. **-'s nesting**; il cacciare nidi.

Birth; náscita *f.*, parto *m.* **-day**; compleanno *m.*, giorno natalizio. Of a royal personage, genetliaco. **-mark**; segno congenitale. **-place**; luogo natio, luogo di nascita. **-right**; diritto di nascita.

Biscay; Biscáglia *f.*

Biscuit; biscòtto *m.* Ship's —, gallétta *f.*

Bisect; fare una bisezione. **-ion**; bisezióne *f.* **-or**; bisettóre *m.*

Bishop; véscovo *m.*; (scacchi) alfière *m.* **-ric**; vescovádo *m.*

Bison; bisónte *m.*

Bisque; 1. brodetto di gamberi o selvaggina, ecc. **-soup**; minestra al gambero. 2. vantaggio di un colpo conceduto in uno solo del numero dei giuochi che costituiscono una partita alla pallacorda.

Bissextile; bišestíle.

Bistouri; bisturì *m.*

Bistre; bistro.

Bit; 1. *rem.* di Bite. 2. pèzzo *m.*, pezzettíno *m.* Threepenny —, moneta da sei soldi (30 cent.). — of bread, tozzo di pane, boccone di pane. Not a —, niente affatto. Every —, tutto, pienaménte. — of advice, un piccolo consiglio. A — of a bore, un po' seccante. Not a — of it, tutto al contrario, in nessun modo. Little — of a fellow, omiciáttolo *m.* — by —, poco a poco, gradataménte. 3. mòrso *m.* Take the — in one's teeth, *fig.* scuotere il freno, vincer la mano. 4. punta della menarola. 5. ingegno di una chiave.

Bitch; 1. cagna *f.* **-wolf, -fox**; lupo o volpe femmina. 2. *fig.*, šgualdrína *f.*

Bite; mòrso *m.*, dentata *f.*, morsicatura *f.*; mòrdere, morsicare; abboccare all' amo. — at, tentare di mordere. — off, strappare coi denti. He has bitten off more than he can chew, si è imbrogliato con più di quel che gli riuscirà di tirare a capo. — the dust, cader morto. Get one's nose bitten off, incorrere ingiurie aspre. — one's nails, rodersi le unghie.

Bit-er; morsicatóre *m.* The — bit, il truffatore truffato. **-ing**; mordènte, mordáce. A — dog, un cane presto a mordere. **-ingly**; mordaceménte.

Bitt; bitta *f.*; abbittare.

Bitten; *part.* di Bite.

Bitter; amáro, acre, pungènte; rígido (inverno); accaníto (combattimento). To the — end, a oltranza, fin al più non posso. **-ish**; amarògnolo, alquanto acre ecc. **-ly**; amaraménte, aspraménte. **-ness**; amarézza *f.*, acrèdine *f.*, acrimònia *f.*

Bittern; tarabúšo *m.*, aghirone stellare.

Bitum-en, -inous; -e *m.*, -inóso.

Bivalve; biválve *m.*

Bivouac; bivácc-o *m.*, -are.

Biweekly; bisettimanál-e, -ménte.

Bizarre; biżżarro.

Blab; rivelare un segreto. — out, palesare sconsideratamente, rifischiare. **-ber**; rifischióne *m.*

Black; 1. néro, búio, scuro, tètro; *fig* pèrfido, funèsto. Be in the — books of, esser malvisto da. — art, negromanzía *f.* — and blue, lívido, tutto ammaccato. — draught, purgante di sena e magnesia. — Forest, la Foresta Nera. — Maria, carro della polizia. — pudding, sanguináccio *m*. — Sea, il Mar Nero. 2. lutto *m*. 3. négro *m*., mòro *m*. 4. lustrare (stivali). **-amoor**; mòro *m*. **-beetle**; piáttola *f*., blatta *f*., scarafaggio *m*. **-berry**; mora di macchia. — bush, moro di macchia, róvo *m*. **-bird**; mèrlo *m*. **-board**; tavola nera. **-cap**; capinéro *m*. **-cock**; fagiano di monte. **-currant**; ribes nero. **-edged**; listato di nero. — paper, carta abbrunata.

Blacken; annerire, *fig*. denigrare.

Black-eyed; dagli occhi neri. **-fellow**; aborigene d' Australia. **-fish**; specie di piccola balena.

Blackguard; mascalzóne *m*., bricconaccio *m*., figúro *m*. To —, ingiuriare sconciamente. **-ism**; bricconería *f*., porchería *f*. **-ly**; infáme, scóncio.

Black-ing; lucido *m*., lustro *m*., grasso nero. **-ish**; neríccio, nereggiante. **-lead**; piombággine *f*., grafíte *f*. **-leg**; baro *m*., grèco *m*., scroccóne *m*., crumíro *m*. **-letter**; caratteri gotici. **-mail**; estorsione con minaccia di rivelazioni vergognose, concussióne *f*., ricatto *m*. To —, fare siffatte estorsioni. **-mailer**; chi fa i ricatti, concussionario *m*. **-ness**; nerézza *f*., oscurità *f*. **-smith**; fabbro ferraio, maniscalco *m*. **-thorn**; pruno salvatico.

Bladder; vescíca *f*. **-campion**; bubbolíni *m. pl*.

Blade; lama *f*., fòglia *f*., pala *f*.; *fig*. giovinastro *m*.

Blam-able; biasimévole, colpévole. **-e**; biáśimo *m*., cólpa *f*.; biaśimare, censurare, dare biasimo. Lay — upon, incolpare, dar la colpa a. He was in no wise to —, non gli si poteva fare nessuna colpa. Bear the —, sopportare il biasimo, o l' opprobrio. **-eless**; irreprensíbile. — life, vita illibata. **-elessly**; innocenteménte. **-elessness**; innocènza *f*. **-eworthy**; *see* -able. **-eworthiness**; demèrito *m*., colpevolézza *f*.

Blanch; impallidire, imbiancare.

Blanche; Bianca.

Blancmange; biancomangiare *m*.

Bland; dólce, blando. **-ish**; far moine, blandire. **-ishments**; moíne *f. pl*., blandízie *f. pl*. **-ly**; blandaménte. **-ness**; dolcézza *f*.

Blank; bianco, vuòto; triste, sconcertato. — cartridge, cartuccia a polvere. Fire with — cartridges, tirare a polvere. — cheque or credit, scecche o credito, facoltativo. — verse, versi sciolti. — wall, muraglia nuda. Leave —, lasciare in bianco. Draw —, non ottener niente del suo intento; non trovar volpe. Point —, di punto in bianco. He told me point —, me l' ha detto chiaro e tondo.

Blanket; coperta di lana, pannoláno *m*.

Blankly; confusaménte, da chi non ha capito.

Blare; ruggire, squillare.

Blarney; moíne *f. pl*.; piaggiare, lisciare.

Blasé; diśgustato, stufo della vita.

Blasphem-e, -er, -ous, -ously, -y; bestemmi-are, -atóre *m*., -ante o di -a, da -atore, -a *f*.

Blast; soffio forte, buffata *f*., colpo di vento, aria forzata; esplośióne *f*.; squillo *m*., strombettata *f*. To —, bruciare, fulminare, minare, fare scoppiare, spaccare con esplosione, distruggere (reputazione), rovesciare (speranze). Short —, squillo di breve durata. Prolonged —, squillo prolungato. — it! fístolo! — him! lo prenda il diavolo! **-ed**; molèsto, noióso. **-furnace**; alto forno. **-ing**; bruciante, distruttivo. **-pipe**; tubo di soffiamento.

Blatant; schiamazzante, reboante.

Blather; stupidággine *f*.

Blaz-e; 1. fiamma *f*., luce *f*., vampa *f*. In a —, in fiamme. Like -s, furiosaménte. Gone to -s, andato al diavolo. 2. segno bianco alla fronte di un cavallo o bue; segno fatto su di un albero. 3. To —, fiammeggiare, divampare; segnare (alberi). — abroad, divulgare dappertutto. — away, sparare continuamente, far fuoco continuo. — up, divampare. **-er**; abito corto di flanella. **-ing**; risplendènte, in fiamme. — fire, fuoco grande.

Blazon; blaśón-e *m*., -are. **-ry**; l' araldica.

Bleach; imbiancare. **-er**; imbiancatóre *m*. **-ing**; imbiancaménto *m*. — place, imbiancatóio *m*. — powder, polvere imbiancante, cloruro di calce.

Bleak; 1. argentíno *m*., ávola *f*., lasca *f*. 2. aspro, selvaggio, squallido, fosco e freddo. **-ness**; squallóre *m*., asprézza *f*.

Bleared; cispóso.

Bleat; belare. **-ing**; belato *m*.

Bleb; vescichétta *f*., pústula *f*.

Bleed; sanguinare, far sangue, salassare, cavar sangue. My nose is -ing, mi fila il sangue dal naso. **-ing**; emorrágia *f*., salasso *m*., cavata di sangue.

Blemish; magagna *f*., mácchia *f*., difètto *m*.; macchiare.

Blench; rinculare o ritirarsi per paura o dolore.

Blend; miscèla *f*., mescolanza *f*.; mescolare, mischiare, fóndersi, confóndersi. **-ing**; mescolanza *f*., fuśióne *f*.

Blende; bléndа *f.*, solfuro di zinco nativo.
Blenny; bavósa *f.*
Bless; benedire. **-ed**; beato. Be — with, godere di. I'm —! Dio mio! impossíbile!
Blew; *rem.* di Blow.
Blight; nébbia *f.*, gólpe *f.*, malattia delle piante che le fa deperire, deperiménto *m.*, *fig.* steriliżżazióne *f.*; annebbiare, guastare, corrómpere, ingolpare. **-ed**; avvizzito. — hopes, speranze svanite.
Blind; 1. cortína *f.*, tendína *f.* Venetian —, persiana alla veneziana. 2. pretèsto *m.*, sotterfúgio *m.* As a —, per mascherare la sua intenzione. 3. cièco, òrbo, *fig.* noncurante, senza giudizio. To —, accecare, oscurare, abbacinare. — alley, vicolo cieco, ronco *m.*, via senza uscita. — side, lato debole.
Blindage; blindatura *f.*
Blind-fold; con gli occhi bendati. To —, bendare gli occhi a. **-ly**; alla cieca, ciecaménte. **-man's buff**; mosca cieca. **-ness**; cecità *f.*, accecaménto *m.* **-worm**; cecília *f.*
Blink; occhiata *f.*; batter le palpebre, ammiccare. — at, tralasciare, socchiudere gli occhi a. **-ers**; paròcchi *m. pl.*
Bliss; felicità *f.*, contentézza *f.* **-ful**; felíce, beáto. **-fully**; feliceménte.
Blister; 1. vescíca *f.*, bólla *f.*, bolliciáttola *f.*; (in whitewash) cocciòla *f.* 2. vescicante *m.* 3. metter un vescicante. 4. ṡbullettare.
Blithe, Blithesome; gaio, allégro. **-ly**; gaiaménte. **-ness**; gaiézza *f.*, allegría *f.*
Blizzard; uragano gelato, nevíschio *m.*
Bloated; paffuto, rigónfio.
Bloater; aringa affumicata.
Blob; góccia *f.*, patacca *f.*
Block; 1. céppo *m.*, masso *m.*, blòcco *m.*, ròcchio *m.* 2. ostruzióne *f.* 3. ísola *f.*, gruppo di case. 4. intaṡaménto *m.* 5. (*mar.*) bozzèllo *m.* 6. pane di stagno. 7. (for wood-engraving) lastra di legno. 8. — ice, ghiaccio in masso. 9. ṡbarrare, ostruire. — in, rinchiúdere. — out, impedire (vista); preparare approssimativamente. — up, murare, intaṡare, ṡbarrare.
Blockade; blòcco *m.*; bloccare.
Block-building; casaménto *m.*
Blockhead; stúpido *m.*, scioccóne *m.*, grullo *m.*
Block-house; fortíno *m.*; casa di legno.
Block-paving; pavimento di legno.
Bloke; còso *m.*
Blonde; bióndo.
Blood; sangue *m.* Of pure —, di sangue puro. Of noble —, di famiglia nobile. Prince of the —, principe del sangue. To —, insanguinare (lancie). **-guiltiness**; delitto d' omicidio. **-guilty**; reo d' omicidio. **-horse**; cavallo puro sangue. **-hound**; cane segugio. **-less**; eṡangue, pallidissimo. **-lessly**; senza spargimento di sangue. **-letting**; salasso *m.* **-money**; premio di delazione. **-orange**; arancia maltese. **-poisoning**; avvelenamento del sangue. **-pudding**; sanguinaccio *m.* **-red**; rosso acceso. **-relation**; parente di sangue. **-shed**; spargimento di sangue. **-shot**; iniettato di sangue. **-stained**; insanguinato. **-stock**; cavalli di razza pura. **-stone**; diaspro sanguigno. **-sucker**; succhiasangue *m.* **-tax**; tributo del sangue. **-thirstiness**; sete del sangue. **-thirsty**; sanguinario. **-vessel**; vaso sanguineo. **-worm**; vermicelletto color sangue. **-y**; sanguinóso, insanguinato. Nel gergo popolare si usa come peggiorativo. — fool, sciocconaccio *m.* — minded, ferocissimo.
Bloom; fióre *m.*, fioritura *f.*; ferro greggio, massèllo *m.*; fiorire. **-er**; abito femminile così detto; (gergo) strafalcióne *m.* **-ing**; fiorènte; (gergo) lo stesso (ma meno) che Bloody. **-ingly**; segnataménte. — well, in ottima salute.
Blossom; fióre *m.*, fiorire, ṡbocciare.
Blot; 1. ṡgòrbio *m.*, táccia *f.*, mácchia *f.*; ṡgorbiare, macchiare. — out, cancellare, fare sparire. The paper -s, la carta spande l' inchiostro. 2. asciugare con della carta suga. 3. nel gioco di tavola reale, pezzo scoperto. Hit a —, spostare un pezzo scoperto.
Blotch; pústola *f.*, scoloramento della pelle. **-y**; pustolóso, scolorato qua e là, con enfiagioni scolorate.
Blotter; scartafáccio *m.*
Blotting-book; cartella di carta sugante. **-pad**; carta asciugante in blocchi. **-paper**; carta suga.
Blotty; pieno di sgorbii.
Blouse; bluṡa *f.*, bluṡétta *f.*, giacca *f.*
Blow; 1. cólpo *m.*, bòtta *f.* Come to -s, venire alle mani. It is often expressible by the suffix -ata, *e.g.* — from a stone, sassata *f.* At one —, d' un sol colpo. Without striking a —, senza colpo ferire.

2. fiorire, aprirsi, ṡbócciare. Full blown, tutto sbocciato.

3. soffiare, spirare, tirare (vento); trafelare, ansare; (gergo) vantarsi; suonare (trombetta ecc.). — ashore, gettare sulla costa. — away, dissipare. — down, abbattere. — one's fingers, soffiarsi sulle dita. — the fire, soffiare sul fuoco. It is -ing fresh, tira un vento fresco. — hard, tirar forte vento. — hot and cold, vacillare, cambiare e poi

ricambiare parere. — **off**, sfogare, dare sfogo a, portar via con un' esplosione. — **out**, ṡgonfiare; spegnere (soffiando). A good — out, una bella strippata. He blew out his brains, si fece saltare le cervella. — **over**, calmarsi, rasserenarsi, passare. — **up**, scoppiare, far saltare; (gergo) lavare il capo a.

4. — it! caspita! corpo di Bacco! I'm -ed! *escl.* di sorpresa, sto sbalordito. -ed if you do! vatene al diavolo! -ed if I don't! ma sì! lo farò.

Blow-er; soffiatóre *m.*; chiudenda di camino. **-fly**; mosca qualunque che depone le uova nella carne. **-hole**; sfiatatóio *m.* **-pipe**; cannello da smaltitori.

Blubber; 1. grasso di balena. 2. piagnucolare.

Bludgeon; randèllo *m.*, bacchio impiombato.

Blue; blu, celèste, aẓẓurro, turchíno, cerúleo, violétto. To — (gergo), sciupare, scialacquare. — sky, cielo turchino. — eyes, occhi turchini o azzurri. Dark — hyacinths, giacinti violetto oscuri. Have the -s, averi i nervi, esser di cattivo umore. Look —, avere apparenza poco gaia. I shall give you the -s, io vi renderò malinconico. **-beard**; Barbablu. **-bell**; campánula *f.*; giacinto salvatico. **-book**; libro azzurro. The corresponding Italian term is Green-book, libro verde. **-bottle**; moscóne *m.*, mosca vomitoria; (flower) fioralíṡo *m.* **-breast**; pett' aẓẓurro *m.* **-eyed**; dagli occhi azzurri. **-gum**; eucalitto *m.* **-ish**; aẓẓurrógnolo. **-jacket**; marinaio della regia marina. **-ness**; color azzurro. **-peter**; bandiera di partenza. **-pill**; pillola mercuriale. **-stocking**; saccentóna *f.* **-tit**; cinciallegra turchina o piccola.

Bluff; millantería *f.*, iattanza *f.*; promontorio a picco; brusco, franco. To —, spacciarsi per più di quel che vi è. He -ed him into giving in, lo portò ad arrendersi dandogli ad intendere d' esser superiore di forze.

Blunder; erróre *m.*, ṡbáglio *m.*, marróne *m.*, spropòsito *m.*, fallo *m.*, equívoco *m.*, scappúccio *m.*; ṡbagliare, inciampare, pigliar un granchio. — into, cadere (in errore) storditamente. — out, tirar fuori, venir fuori con un dire, dire spensieratamente. **-buss**; trombóne *m.* **-headed**, **-ing**; balórdo, stordíto, maldèstro, malestróso. **-ingly**; scioccaménte.

Blunt; spuntato, ṡmussato, mal affilato, poco tagliente; brusco, róẓẓo, dura (verità), contundènte (strumento); spuntare, ṡmussare, *fig.* rendere ottuso. **-ly**; senz' altro, nudo e crudo, reciṡaménte, schiettaménte. **-ness**; l' esser smussato ecc.

Blur; mácchia *f.*, (in printing) doppieggiatura *f.*, segno indistinto. **-red**; confuṡo, poco chiaro.

Blurt out; scattar su a dire, scattar fuori con un dire.

Blush; rossóre *m.*, rósso *m.*, l' arrossire; rosseggiare, arrossire, esser vergognoso, vergognarsi. At the first —, a prima vista. To — at, *or* for, aver vergogna di. — very red, diventare di bragia. **-ing**; rosseggiante, modèsto.

Bluster; millantería *f.*, fanfaronata *f.*; strepitare, tempestare, ṡbraveggiare, ṡmargiassare. **-er**; bravaccióne *m.*, spaccóne *m.*, rodomónte *m.* **-ing**; gradassata *f.*, spacconata *f.*; chiassóso, schiamazzante.

Boa; bòa *m.*

Boar; vèrro *m.* Wild —, cignále *m.*

Board; 1. asse *f.*, távola *f.*, pancóne *m.*; pensióne *f.*, doẓẓína *f.* 2. -s, palco scenico. 3. Bound in -s, legato in cartone. Bottom -s of a boat, serrette di un' imbarcazione. 4. comitato *m.*, consiglio *m.*, giunta *f.* — of directors, consiglio d' amministrazione. — of Customs, direzione delle dogane. — of Health, ufficio di sanità. Local —, autorità locale. — of works, sovrintendenza delle fabbriche. — of Trade, ministero del commercio. 5. Black —, tavola nera. Notice —, cartèllo *m.* 6. Tenere o stare a dozzina, mettere o prendere in pensione. — and lodging, tavola e alloggio, pensióne e camera. — wages, indennità di vitto. 7. — at, stare in pensione da. — out, mangiare fuori di casa. — up, intavolare, chiudere con intavolato. 8. Above —, schiettaménte, lealménte, colle carte in tavola. Go by the —, andar perduto o in rovina. Sweep the —, vincer ogni punto, far tabula rasa, portar via tutto. 9. On —, a bordo. Go on —, imbarcarsi. To —, arrembare. To — the train, salire sul treno.

Board-er; pensionario *m.*, doẓẓinante *m.*, convittóre *m.* Girl —, educanda *f.* Day —, mezzo convittore. **-ing**; pensióne *f.*; (*mar.*) arrembággio *m.* — house, casa di pensione, doẓẓina *f.* — school, collègio *m.*, convitto *m.* **-room**; sala di consiglio. **-school**; scuola comunale.

Boar-hound; aláno *m.* **-hunt**; caccia al cignale. **-spear**; spièdo *m.*

Boast; vanto *m.*; vantarsi, ṡmargiassare, vanagloriarsi. **-er**; spaccóne *m.*, vantatóre *m.*, ṡmargiasso *m.*, millantatóre *m.* **-ful**; vanaglorióso. **-fully**; da spaccone ecc. **-fulness**; iattanza *f.* **-ing**; il vanagloriarsi, millantería *f.* **-ingly**; da smargiasso ecc.

Boat; barca *f.*, barchétta *f.*, battèllo *m.*, palischérmo *m.* Ship's —, imbarcazióne *f.* Steam —, battello a vapore, or simply vapore. Collapsable —, battello pieghevole. Ferry —, pontóne *m.* Fishing —, barca o battello da pesca. Ship's life —, imbarcazione di salvataggio. Shore life —, battello di salvataggio. Open —, battello senza coperta. Pilot —, battèllo-pilòta *m.* Rowing —, barca a remi. Whale —, balenièra *f.* To —, andare in barca. Be in the same —, stare ad ugual partito.

Boat-builder; barchettaiuòlo *m.* **-hook**; gancio o gaffa d' accosto, anghière *m.* **-house**; capanna per una barchetta. **-man**; barcaiuòlo *m.*, battellière *m.* **-race**; regata *f.* **-swain**; nostròmo *m.*, nocchière *m.*

Bob; 1. sughero da pesca, lente d' un pendolo; scattare, moversi rapidamente su e giù; fare un inchino. Keep -bing in and out, non far altro che apparire e sparire. — up, apparire improvvisamente. He -s up again quite serenely, si fa rivedere come se niente fosse. 2. bòtta *f.*, piccola scossa o colpo. 3. (gergo) scellíno *m.* 4. (*mus.*) ritornèllo *m.* — major, cariglione a otto campane. 5. Dry, Wet —, studente a Eton che si dà al "cricket" o al remare. 6. *raccorc.* di Robert.

Bob-bery; Make a —, far fracasso. **-bin**; cannèllo *m.*, rocchétto *m.* **-binet**; trina fatta con una macchina. **-bish**; (gergo) abbastanza bene. **-by**; *vezz.* di Robert; (gergo) guardia municipale. **-cherry**; giuoco di afferrare le ciliege colla bocca. **-sleigh**; paio di slitte legate insieme. **-stay**; briglia del bompresso. **-tail**; coda raccorciata; *fig.* plebáglia *f.* **-tailed**; mozzo di coda. **-wig**; parrucca con piccoli riccioli.

Bode; preṡagire. — well (ill), esser di buono (cattivo) augurio.

Bodice; sottovíta *f.*, camicétta *f.*

Bodily; 1. corpòreo, físico. 2. di peso.

Boding; presentimenti tristi.

Bodkin; punteruòlo *m.*, infilacáppi *m.*

Body; còrpo *m.*, corsétto *m.*, sostanza (di vino), parte sostanziale, gúscio (di carrozza), fusolièra (di velivolo), drappèllo (di truppe), tronco del corpo, corporazióne *f.*, navata (di chiesa). Dead —, cadávere *m.* In a —, tutti assieme. The great —, la gran maggioranza. **-colour**; color misto con biacca. **-guard**; guardia del corpo. **-politic**; lo Stato. **-snatcher**; dissotterratore di cadaveri.

Boeotia; Boèzia *f.* **-n**; beòta.

Boer; bòero.

Bog; acquitríno *m.*, pantáno *m.*; impantanare. **-bean**; trifoglio palustre. **-moss**; sfagno *m.* **-myrtle**; mirica gale. **-oak**; quercia trovata e preservata nelle paludi. **-orchis**; epipáttide *f.*

Boggle; eṡitare, tentennare.

Boggy; paludóso, acquitrinóso.

Bogie; treno girevole, carrèllo *m.*

Bogus; falso, finto, contraffatto.

Bogy; òrco *m.*, babáu *m.*, spaurácchio *m.*

Bohemia; Boèmia. **-n**; 1. boèmo. 2. artista o altro licenzioso, scostumato. 3. zíngaro *m.* **-nism**; scostumatézza *f.*, vita sregolata.

Boil; fígnolo *m.*, forúncolo *m.*; bollire, lessare, far alzare il bollore. — away, dissiparsi, consumare coll' ebolizione. — down, consumare o ridurre (bollendo); *fig.*, ridursi. — hard, bollire fortemente; assodare (bollendo). — over, traboccare; *fig.*, andare in furia. — up, ribollire, bollire all' ebullizione. — with rage, lasciarsi trasportare dalla rabbia. -ed meat, lésso *m.*

Boiler; cald-aia *f.* Tubular —, caldaia a tubi. **-maker**; calderaio *m.*

Boiling; il bollire. **-hot**; caldo come l' acqua bollente. **-point**; punto d' ebullizione. Bring to —, far alzare il bollore. **-spring**; sorgente d' acqua calda.

Boisterous; furióso, rumoróso, tempestóso, brióso. **-ly**; briosaménte. **-ness**; briosità *f.*, strèpito *m.*

Bold; ardíto, baldo, audáce, coraggióso. Make —, oṡare. **-faced**; sfacciato, sfrontato. **-ly**; arditaménte ecc., francaménte. **-ness**; arditézza *f.*

Bole; 1. bòlo *m.* 2. trónco *m.*

Bolivian; boliviáno.

Bollard; palo d' ormeggio, corpo morto.

Bologna; Of —, bolognése. — sausage, salame bolognese.

Bolster; capezzále *m.* — up, dare appoggio avventizio, sostenere (un sistema cattivo).

Bolt; 1. catenáccio *m.*, stanghetta d' una toppa, chiavistèllo *m.*, chiavarda *f.*, cavíglia *f.*, palétto *m.*, bollone da collegamento. 2. dardo *m.*, fréccia *f.*, fúlmine *m.*, saètta *f.* 3. chiudere con catenaccio, inchiavacciare, fermare con cavicchie. 4. ingollare, inghiottire senza masticare. 5. prender il volo, darsi a fuggire, prender la mano al cocchiere, *fig.* disertare da un partito, scappare. 6. — upright, tutto diritto in piede, dritto come un palo.

Bolt-rope; ralinga *f.*

Bolus; bòlo *m.*

Bomb; bómba *f.*, granata *f.*; bombardare. Drop a — on, lanciare una bomba contra. **-ard**; bombardare. **-proof**; a prova di bomba. **-thrower**; bombarda *f.*

Bombasine; bambagína *f.*

Bombast, -ic; ampollos-ità *f.*, -o, reboante.

Bonbon; dólce *m.*, confètto *m.*

Bond; nòdo *m.*, legáme *m.*; obbligazióne *f.*, títolo *m.*, buòno *m.*; porto franco; cauzióne. — of friendship, vincolo d' amicizia. -ed warehouse, deposito doganale, deposito franco di una città marittima. **-age**; servitù *f.* **-holder**; proprietario di titoli. **-s**; fèrri *m. pl.* **-sman**; schiávo *m.*, mallevadóre *m.*

Bone; òsso *m.* Fish —, lisca *f.* To —, disossare. Have a — to pick with you, aver un motivo di querela con voi. Make no -s about, non farsi scrupolo di, non trovar difficoltà a. — of contention, soggetto di rissa. Big -d, dalle osse larghe. **-less**; disossato. **-setter**; ciarlatano che pretende di rimettere le ossa dislogate.

Bon-fire; falò *m.*, fuoco d' allegrezza. **-homie**; bonomía *f.* **-iface**; òste *m.* **-ito**; palamíta *f.*

Bonn; Bonna *f.* **-e**; bambináia *f.* **-ebouche**; leccorníaf.

Bonnet; cappèllo *m.*, berrétta *f.*, cappellíno *m.* Of a car, còfano *m.* To —, ficcare il cappellino sopra gli occhi a. **-box**; cappellièra *f.* **-maker**; modista *f.*, crestaia *f.*

Bonnily; graziosaménte ecc., *see* Bonny.

Bonny; grazióso, leggiádro, vezzóso.

Bonus; avanzo *m.*, bòno *m.*, prèmio *m.*

Bony; scarno, ossuto.

Bonze; prete buddista.

Boo; gridare dietro a.

Booby; balórdo *m.*, scioccóne *m.*, cempenna *m.* or *f.* **-trap**; acchiappatóio *m.*

Book; libro *m.*, registro *m.* Bank —, Pass —, libretto di banca. To —, registrare, iscrívere, prender il posto anticipatamente. I am -ed up, non ho ora libera da darvi. The hotel is fully -ed up, tutte le stanze dell' albergo sono prese anticipatamente. Parish -s, registri parrocchiali. In his black -s, mal veduto da lui. Bring to —, far stare a segno. Take a leaf out of his —, copiarlo. Speak like a —, parlare come un libro stampato, aver tutte le ragioni. **-binder**; legatore di libri. **-case**; scaffále *m.*, scansía *f.*, librería *f.* **-cover**; copertína *f.* **-debt**; articolo dell' attivo. The only assets they have unpledged are their book -s, tutto il loro attivo non vincolato da ipoteca consiste nei danari non ancora riscossi. **-ing**; registrazióne *f.* — clerk, bigliettináio *m.* — office, ufficio biglietti. **-ish**; studióso, pedante. **-learning**; erudizióne *f.* **-let**; libriccíno *m.* **-maker**; scommettitore di professione, sensale di scommesse alle corse ippiche. **-man**; studióso *m.* **-marker**; segnacarte *m.*, segnalibri *m.* **-plate**; ex libris. **-post**; servizio postale per libri. **-seller**; libráio *m.* — and publisher, libraio-editore *m.* -'s shop, librería *f.* **-selling**; commercio di libri. **-shelf**; scaffále *m.*, palchétto *m.* **-shop**; negozio da libri. **-slide**; fermalíbri *m.*, congegno per tenere i libri riuniti sulla tavola. **-stall**; bottega di libri. **-stand**; portalíbri *m.* **-trade**; commercio libraio. **-worm**; tarma *f.*, tígnola *f.*, *fig.* topo di biblioteca, chi si occupa tutto dei libri. **-writing**; mestiere d' autore.

Boom; 1. rimbómbo *m.*; rimbombare. 2. commercio vivace, sviluppo o rincaro straordinario, aumento rapido di valore. To — a politician, far reclame ad una persona politica. Be -ing, rialzarsi rapidamente. He is -ing his business for all it is worth, fa ogni reclame possibile ai suoi affari. 3. (*mar.*) bóma *f.*, asta *f.*; ostruzione (di un porto). Swinging —, tangóne *m.*

Boomerang; bomerang *m.*

Boon; favóre *m.*, grázia *f.*

Boor; villáno *m.*, rusticóne *m.* **-ish, -ishly, -ishness**; różżo, -aménte, -ézza *f.*; żòtic-o, -aménte, -ággine *f.*

Boot; 1. stivále *m.* Light —, stivalétto *m.*, calzatura *f.*; cassetta (di carrozzone). 2. What -s it? a che serve? To —, per soprappiù. **-ed, in -s**; cogli stivali, stivalato.

Boot-black; lustrascarpe *m.*, lustríno *m.*

Booth; baracca *f.*, baraccóne *m.*

Boot-jack; cavastiváli *m.* **-lace**; stringa *f.*, cordoncíno *m.*, passamáno *m.* Leather —, coreggiuòlo *m.*

Bootless, -ly; inútil-e; -ménte.

Bootmaker, -'s shop; calzol-áio *m.*, -ería *f.*

Boots; lustríno *m.*, garzóne *m.*

Boot-tree; gambále *m.*, fórma *f.*

Booty; bottíno *m.*

Booz-e; sbòrnia *f.*; sbevazzare, avvinazzarsi, bére. **-y**; brillo, stupido col bere.

Bo-peep; Play at —, giocare a rimpiattino.

Bor-acic, -ate, -ax; bòr-ico, -áto *m.*, -áce *m.*

Borage; borrággine *f.*, borrána *f.*

Bordeaux; Bordò *m.* Of —, bordolése.

Border; órlo *m.*, orlatura *f.*; confíne *m.*; orlare, far l' orlatura. — on, confinare con, costeggiare. **-er**; confinante *m.* **-ing**; limítrofo, vicíno, contíguo. **-land**; paese o territorio limitrofo. **-line**; confíne *m.*, linea di separazione.

Bore; 1. fóro *m.*, buco *m.*; forare, pertugiare, fare un buco collo scandaglio, trivellare (un pozzo artesiano). 2. calíbro *m.*, aleśággio *m.*; canale (d' una spoletta), anima (d' una bocca da fuoco). Rifled —, anima rigata. Smooth —, (fucile) a anima liscia. Small —, (fucile) di piccolo calibro. 3. impáccio *m.*, nòia *f.*, seccatura *f.*, fastídio *m.*; seccatóre *m.*, importúno *m.* To —, seccare, annoiare, tediare. 4. riflusso alla foce dei fiumi, maremoto per marea grossa. **-dom**; tèdio *m.*, nòia *f.* **-r**; foratóio *m.*, trivèllo *m.*

Boring; foratura *f.*, perforazióne *f.*

Born; nato, prodótto. Be —, náscere. — blind, cieco di nascita. All my — days, durante la mia vita.

Borne; *part.* di Bear.

Boron; bòro *m.*

Borough; città *f.*, comune *m.* — of Finsbury, comune di Finsbury.

Borromean; — Islands, isole borromèe.

Borrow; pigliare in prestito, farsi prestare. **-ed**; imprestato; *fig.* fittízio, finto. — light, luce secondaria. **-er**; chi prende in prestito. **-ing**; il pigliare in prestito. — abroad, contrazione di debiti all' estero.

Bosh; stupidággine *f.*, fròttole *f. pl.*

Bosnian; bośníaco.

Bosom; séno *m.*, grèmbo *m.* **-friend**; amico di cuore.

Bosphorus; Bòsforo *m.*

Boss; bòzza *f.*, bugna *f.*, bòrchia *f.*; direttóre *m.*, padróne *m.*; padroneggiare. — the show, fare da padrone.

Botan-ical, **-ist**, **-y**; -ico, -ico *m.*, -ía *f.*

Botanize; erboriżżare.

Botch; abborracciare, acciabattare. — up, rattoppare alla meglio. **-er**; acciarpóne *m.*, guastamestièri *m.* **-work**; acciabattura *f.*, lavoro mal fatto, rabberciaménto *m.*

Botfly; assillo *m.*, tafáno *m.*

Both; ambo, ambe, ambedúe, entrambi, tutt' e due, l' uno e l' altro. — of us, noi due. — hands, ambo le mani. — sides, le due parti. — by sea and land, tanto per terra che per mare. — annoyance and trouble, tanto noia e disturbi. — because...and because, sia perchè...o perchè. — the gravity and the dignity of his behaviour, tanto la gravità e la dignità dei suoi modi. — rich and poor, tanto i ricchi come i poveri.

Bother; 1. *see* Bore (3). 2. imbarazzare. 3. cápperi! 4. darsi briga. Nobody -ed to test his capacity, nessuno si diede la briga di metter a prova la sua abilità. Oh! — it! ma che importa! **-ation**! diámine! **-some**; fastidióso.

Bothy; casúpola *f.*, capanna *f.*

Bottle; bottíglia *f.*, fiasco *m.*, boccétta *f.* Hot water —, scaldapièdi *m.*, caldaníno *m.* (ad acqua calda). — off, infiascare, imbottigliare. — up, rattenére. **-case**; cantína *f.* **-green**; verde scuro. **-holder**; portafiaschi *m.*; chi seconda un pugilatore, *fig.* sostenitóre *m.*

Bottom; fóndo *m.*, baśe *f.*, fondaménto *m.*; deretáno *m.*, culo *m.* — dollar, l' ultimo dollaro. — part, parte bassa. Ship's —, carèna. To find the —, trovare il fondo. Reach the — of the page, arrivare in fondo alla pagina. At —, in fondo, in sostanza. On one's own —, indipendenteménte. From the — of the heart, dal profondo del cuore. From top to —, dall' alto in basso. Be at the — of it, esserne la prima cagione. In neutral -s, sotto bandiera neutra. To —, esaminare a fondo la cagione di. Flat -ed, a fondo piatto. Flat -ed boat, chiatta *f.* **-less**; senza fondo. **-ry**; cambio marittimo.

Boudoir; sala o salotto particulare.

Bough; ramo *m.*, ramoscèllo *m.*

Bought; *rem.* e *part.* di Buy.

Bougie; sonda di gomma.

Boulder; masso *m.* **-clay**; deposito d' argilla dell' età glaciale.

Boulevard; viále *m.*, via alberata.

Bounc-e; salto *m.*, balzo *m.*; bravata *f.*, bravazzata *f.*, millantería *f.*; balzare, lanciarsi. He -ed him into it, lo fece farlo per furberia, o per fanfaronata. **-er**; fanfaróne *m.* **-ing**; gròsso, vigoróso.

Bound; 1. salto *m.*, balzo *m.* 2. límite *m.* Keep within -s, non uscire dai limiti. Out of -s, oltre i limiti, fuori dei limiti. Go out of -s, passare i limiti. Speak within -s, parlare con misura. 3. saltare, rimbalzare. 4. limitare, restríngere. 5. destinato, in partenza (per), viaggiando (a). 6. *rem.* e *part.* di Bind. — by ties of friendship, legato da vincoli d' amicizia. Ice —, Wind —, preso dal ghiaccio, vento. — in calf, rilegato in vitello. I'll be —, ne sto mallevadore io. — over, obbligato sotto pena. Where are you — for? dove andate?

Boundary; límite *m.*, tèrmine *m.*, confíne *m.* **-stone**; tèrmine *m.*

Bounden; — duty, dovere imperativo. I am much — to you, vi sono molto obbligato.

Bounder; strepitóso *m.*, figuríno *m.*

Boundless; illimitato.

Bount-eous, -iful; largo, generóso. **-ifully**; largaménte. **-y**; bontà *f.*, liberalità *f.*; prèmio *m.*

Bouquet; mazzo *m.*; profumo *m.*, aròma *m.*

Bourbon; Borbón-e *m.*, -ico.

Bourgeois; borghése. — type, garamoncíno. **-ie**; borgheśía *f.*, cittadinanza *f.*

Bourgeon; germogliare.

Bourne; límite *m.*, tèrmine *m.*

Bourse; Bórsa *f.*

Bout; pròva *f.*, lòtta *f.* — of fencing, assalto d' armi. At one —, ad una volta, in una tirata. Drinking —, bevúta *f.*

Bovine; bovíno.

Bow; 1. arco. Saddle —, arcióne *m.* — for a violin, archétto *m.* Draw the long —, esagerare assai. Have two strings to one's —, aver due corde al proprio arco. 2. fiòcco *m.*, rośetta *f.* Tie in a —, annodare a cappio. 3. saluto *m.*, inchíno *m.*; salutare. — down, chinarsi, prostrarsi. — out, congedare con saluto. A -ing acquaintance, una conoscenza superficiale. **-ed**; curvato, piegato, curvo. 4. prua *f.*, pròra *f.* As *adj.*, di prora. **-hawseholes**; cubie di prora. **-oar**; primo rematore di una barca.

Bowdlerise; espurgare.

Bowel; budèllo *m.* **-s**; budèlla *f. pl.* Open the —, dare il benefizio di corpo. Have a motion of the —, andar di corpo. Have the — regular, avere il benefizio di corpo.

Bower; pèrgola *f.*, frascato *m.* **-anchor**; ancora di posta. Al giuoco di "euchre," il "right bower" è il fante di trionfo, il "left bower" è l' altro fante dello stesso colore. **-bird**; uccello sericeo, specie di tordo australiano. **-y**; ombreggiato.

Bowie-knife; coltellàccio *m.*

Bowl; 1. scodèlla *f.*, bacíno *m.*, vaśo *m.* 2. rotolare, gettare o lanciare la palla. 3. **-s**; bòcce *f. pl.* 4. — out, mettere un giocatore (al "cricket") fuori del giuoco colpendo il "wicket" colla palla; *fig.* smascherare le scuse di chi è in fallo. 4. (*mar.*) Be -ing along, correr con vento largo.

Bow-legged; śbilènco.

Bowler; 1. lanciatore della palla al "cricket" ecc. 2. **-hat**; cappello di feltro da uomo.

Bowl-full; scodellata *f.*

Bowline; bolína *f.* — on the bight, gassa d' amante doppia. Running —, nodo scorsoio di bolina. **-hitch**; gassa con mezzo parlato, gassa d' amante semplice. **-knot**; gassa *f.*

Bowling-alley; pallottoláio *m.*

Bowling-green; prato per giocare alle bocce.

Bowman; arcière *m.*

Bowshot; Within —, a tiro d' arco.

Bowsprit; bomprèsso *m.*

Bow-window; finestra ad arco.

Bow-wow; baubau.

Box; 1. cassa *f.*, scátola *f.*, custòdia *f.*, cassétta *f.*, valígia *f.* 2. corpo di pompa, mozzo di ruota. 3. (theatre), palco *m.*, palchétto *m.* 4. scompartimento per un cavallo. 5. **-tree**; bòssolo *m.* Bossolo or Bossoletto is also the word for any little box such as a dice-box, alms-box, which is or might be made of box-wood, synonymously with Scatola, but a little box of slight material like a match-box is Scatola. 6. — on the ear, schiaffo sull' orecchio. 7. To —, báttersi, fare a pugni. 8. Feed — of a machine, blocco di alimentazione. Radiator —, corpo del radiatore. Christmas —, ceppo di Natale. Cash —, scrigno *m.*, salvadanáio *m.* Coach —, cassetta di vettura. Coal —, cassa per il carbone. Country —, casetta campestre, casíno *m.* Hunting —, villino con stalla per cavalli da caccia. Letter —, buca delle lettere. Poor —, cassetta per l' elemosina. Snuff —, tabacchièra *f.* Strong —, cassa forte, forzière *m.* 9. In the wrong —, a mal partito.

Box-coat; tabarro *m.* **-er**; pugilatóre *m.*, lottatore alla box. **-guide**; scatola a guida. **-ing**; il fare a pugni, pugilato *m.* — day, il domani di Natale. — gloves, guanti da pugilato. — match, gara di pugilato. — night, la prima sera dopo Natale. **-keeper**; apripòrte *m.* **-kite**; cervo volante cellulare. **-maker**; fabbricante di scatole, cassettáio *m.* **-wrench**; chiave femmina.

Boy; ragazzo *m.*, fanciullo *m.*, giovinétto *m.*; servo indigeno.

Boycott; boicott-aggio *m.*, -are, scansare come se vi fosse la lebbra.

Boyhood; puerízia *f.*

Boyish; fanciullésco, da ragazzo. **-ly**; puerilménte. **-ness**; fanciullággine *f.*, puerilità *f.*, allegrezza da giovane.

Brabant, -ine; Braban-te; -zése, -tino.

Brace; 1. paio *m.*, còppia *f.* 2. grappa *f.* 3. caténa *f.* 4. **-s**; bertèlle *f. pl.* 5. zanca di trapano, trápano *m.* 6. stríngere, tèndere, dar del tono a; bracciare (antenna).

Bracelet; braccialétto *m.*, śmanígli-a *f.*, -o *m.*
Brachial; bracchiále.
Bracing; fortificante, invigorante.
Bracken; felce ramosa o da ricotta.
Bracket; 1. mènsola *f.*, beccatèllo *m.*, cavallétto *m.*, soppòrto *m.*, pedúccio *m.* 2. gáncio *m.*, grappa *f.* 3. parèntesi *f.* 4. pareggiare, metter al pari, accoppiare. Be **-ed**, esser posto *ex aequo*.
Brackish; salmastro. **-ness**; salsézza *f.*
Bract; bráttea *f.*
Brad; chiodo a gancio.
Bradawl; léśina *f.*, piccolo punteruolo.
Brag; millantería *f.*; millantarsi, vantarsi. **-gart**; spaccóne *m.*, spaccamónti *m.*, millantatóre *m.* **-gingly**; da fanfarone.
Brahmin, -ical; bramín-o *m.*, -ico.
Braid; tréccia *f.*, cordoncino o passamano a treccia, intrecciare.
Brail up; imbrogliare.
Brain; cervèllo *m.*, giudízio *m.*, sénno *m.* Good -s, un buon cervello. To —, far saltare le cervella a. With little -s, con poco sale in zucca. Hare -ed, Crack -ed, dalla testa imbrogliata, scervellato. **-fever**; febbre cerebrale. **-less**; senza cervello. **-y**; intelligènte, astuto.
Braise; stufare con lardo ecc.
Brake; 1. fréno *m.*, martinicca *f.* Foot, Hand, Rim —, freno a pedale, a mano, a cerchio. 2. vettura scoperta a quattro ruote e a sedili laterali. 3. *v.* Bracken. 4. macchia *f.* Cane —, cannéto. **-sman**; frenatóre *m.*
Bramble; rovo di macchia, moro di macchia.
Brambling finch; fringuello alpino.
Bran; crusca *f.*
Branch; ramo *m.*, diramazióne *f.*; succursále *m.* — of the service, mansione del servizio. To —, ramificare. — off, lasciare la strada principale, śvoltare. — out, diram-are, -arsi. **-less**; senza rami. **-line**; linea di diramazione.
Brand; tizzóne *m.*, marca fatta con un ferro rovente, marca di fabbrica; marchiare a ferro caldo, bollare, *fig.* stimatiżżare. — as a traitor, dichiarare traditore. -ing iron, ferro da bollare. — new, nuovo di zecca.
Brandenburg; Brandeburgo *m.*
Brandish; brandire, vibrare.
Brandling; vermiciattolo rosso.
Brand-y; acquavite *f.*, cognac *m.* **-ied**; fortificato con acquavite, alcoliżżato.
Brass; ottóne *m.*, *fig.* sfacciatággine *f.* **-band**; fanfára *f.* **-founder**; fonditore in ottone. **-ware, -work**; ottonáme *m.* **-y**; bastone dal "golf" a suola di ottone.
Brat; marmòcchio *m.*
Bravado; śmargiassata *f.*
Brave; bravo, coraggióso; sfidare. Put on a — face, far buon viso. **-ly**; bravaménte, coraggiosaménte. **-ry**; corággio *m.*; attillatézza.
Bravo; 1. bravo *m.*, cagnòtto *m.* 2. benissimo.
Bravura; bravura *f.*, aria di bravura.
Brawl; rissa *f.*, schiamazzo *m.*; rissare, schiamazzare. **-er**; rissatóre *m.*, schiamazzatóre *m.* **-ing**; lo schiamazzare.
Brawn; 1. múscolo *m.*, forza muscolare. 2. salame di porco sminuzzato. **-y**; tarchiato, gagliardo.
Braxy; malattia di pecora; (pecora) malata.
Bray; 1. rágli-o *m.*, -are, rágghi-o *m.*, -are. 2. macinare, triturare.
Braz-e; saldare a fuoco o a forte. **-en**; di ottone. — faced, sfacciato. — it out, far lo sfacciato, far faccia tosta. **-ier**; bracière *m.*
Brazil, -ian; Braśíle *m.*, braśiliáno.
Breach; rottura *f.*, violazióne *f.*, bréccia *f.*, scioglimento (d' amicizia), abuso (di confidenza), infrazione (al dovere, di un patto). To —, fare una breccia in. — of promise, il violare la promessa. Action for — of promise, citazione per matrimonio promesso e poi ritirato.
Bread; pane *m.* Quarrel with one's — and butter, prendersela col proprio stato. — and butter policy, politica annonaria. **-basket**; cesta per il pane. **-crumb**; briciola di pane. **-winner**; chi mantiene la famiglia.
Breadth; larghézza *f.*, ampiézza *f.*, *fig.* franchézza *f.*, liberalità *f.* Hair's —, spessore di capello.
Break; 1. rottura *f.*, rompiménto *m.*, frattura *f.*, sospensióne *f.*, interruzióne *f.*; páuśa (in una conversazione); *see* Breach. 2. *v.* Brake (2). 3. al "cricket," rimbalzo storto della palla. 4. al biliardo, seguito di punti, somma dei punti fatti in seguito, tiro *m.* (Al biliardo inglese un giocatore che ha fatto un punto continua a giocare; i giocatori giocano alternativamente nel solo caso che nessuno de' due faccia un punto.) The longest — I ever made was 72, il tiro più lungo che io abbia mai fatto è stato di 72 punti. 5. cambiamento (della voce colla pubertà). 6. cangiamento (del tempo). 7. — of day, l' alba. — in the clouds, strappo di sereno, radura di cielo annuvolato.
8. rómpere, spezzare, spaccare; fiaccare (osso); traśgredire, violare (la legge). *See also under* Broken. 9. rómpersi, spezzarsi, frángersi (onde). The sea was -ing over the deck, il mare

frangeva sopra la coperta. 10. rovinare, far fare bancarotta. 11. al "cricket," rimbalzare di sbieco. 12. spuntare (l' alba). 13. mutarsi (voce, alla pubertà). 14. giocare il primo colpo al biliardo. 15. mancare (ad un voto, una promessa). 16. degradare (sottufficiale).

Break asunder; rompersi in due.

Break one's bones; fiaccarsi le costole.

Break bulk; cominciare a scaricare.

Break cover; uscire (volpe) dal bosco.

Breakdown; 1. sconfitta *f.*, insuccèsso *m.*, arresto forzato, guasto *m.*, rottura *f.*, interruzióne *f.* 2. ballo dei negri. 3. **-gang**; squadra incaricata di riparare il binario dopo una disgrazia.

Break down; dirómpere, sciupare (salute), crollare, far crollare, abbattere, vincere, superare, accasciare; restar corto, restar senza parola, scoppiare in pianto, ṡvenire, andare a monte, riuscire in nulla; rovinarsi (salute), essere sfinito; decompórsi, diṡorganiżżarsi. The engine broke down, il vapore non funzionò più. The carriage broke down, la carrozza si ruppe, si sfasciò.

Break faith; mancare alla parola.

Break from; staccarsi da, abbandonare.

Break ground; aprire una trincea, prender il primo passo.

Break the heart; spezzare il cuore.

Break in; 1. domare, addestrare, scozzonare. 2. sfondare, scassinare. 3. irrómpere, penetrare con effrazione, entrare forzatamente o di forza. 4. interrómpere. — — upon, interrómpere, sorprèndere. The light at last broke in upon me, la luce mi si fece finalmente nella mente.

Break into; entrare per forza, scassinare. — — loud laughter, sgannasciarsi dalle risa.

Break loose; spezzare i lacci, sfuggire alla prigionia. Hell has broken loose, le catene si sono rotte all' inferno.

Break-neck; At — speed, a rompicollo.

Break one's neck; fiaccarsi il collo.

Break news; comunicare una cattiva notizia coi dovuti riguardi.

Break off; 1. staccare, strappare. 2. metter fine a, rompere il filo (delle negoziazioni), tralasciare (lavoro). 3. interrómpersi, fermarsi. The engagement is broken off, il matrimonio non si farà. The engagement was broken off, l' impegno si sciolse.

Break open; sfondare, aprire a forza, scassinare; dissugellare.

Break out; 1. evadere, scappare, prorómpere. 2. mostrarsi (sole) da dietro le nuvole. 3. scattar fuori a dire. 4. scoppiare. 5. mostrarsi (eruzione). The children broke out with measles, i bambini eruppero in morbilli. Hostilities broke out again, le ostilità vennero riprese.

Break over; rompersi su.

Break through; penetrare, farsi giorno, attraversare; tagliare la linea.

Break up; 1. demolizióne *f.*, fine *f.*, rovína *f.*, lo sgelare. 2. — — value, valore dopo dissoluzione. 3. demolire, spezzare, sciògliere, ṡbandare; dissiparsi (nuvole), guastarsi (tempo), entrare in vacanza (scuola), separarsi, rómpersi, squarciarsi, dispèrdersi (folla), ṡgelarsi, sciògliersi. Be -ing up, tirare verso la fine.

Break wind; speteżżare, trar peti.

Break with; farla finita con, abbandonare.

Breakable; che si rompe facilmente.

Breakage; rottura *f.*, avaria o danno prodotto dalla rottura.

Breaker; chi rompe ecc., *see* Break. **-s**; frangènti *m. pl.*, cavallóni *m. pl.*

Breakfast; colazióne *f.*; far colazione. **-set**; servizio di porzellana per prender la colazione, servizio da colazione.

Breakwater; diga *f.*, frangi-ónde *m.*

Bream; 1. scarda *f.* 2. bruscare.

Breast; pètto *m.*, séno *m.*, póppa *f.*, mammèlla *f.* Give the — to, allattare. Make a clean — of it, confessare tutto. To —, opporre il petto a. **-bone**; stèrno *m.* **-high**; sino al petto. **-pin**; spilla *f.* **-plate**; pettorále *m.* **-pocket**; taschíno *m.* **-strap**; cínghia *f.* **-work**; parapètto *m.*

Breath; fiato *m.*, respíro *m.*, sóffio *m.*, lèna *f.* Out of —, senza fiato. Be short of —, aver il fiato grosso. You will be out of — long before you get within speaking distance, non avrete più fiato in corpo molto tempo prima di giungere ad un luogo di dove vi possano udire. Take a full —, respirare a pieni polmoni. Under his —, sussurrando. At a —, d' un fiato. **-able**; respirábile.

Breathe; respirare, eṡalare, spirare, soffiare. — one's last, spirare. — the wish, manifestare il desiderio. —short, respirare asmaticamente. **-r**; Take a —, andare a prender una boccata d' aria, uscire per far del moto.

Breathing; respirazióne *f.*; aspirazióne *f.*; vivènte, respirante. Moment's — space, un momento per prender fiato. **-hole**; spiraglio *m.* **-place**; luogo da riposarsi. **-time**; tempo di riposo.

Breathless; sfiatato, senza fiato; eṡanime, trafelato. — silence, silenzio cupo e pieno d' aspettativa. **-ly**; da sfiatato. **-ness**; sfiatatura, l' esser senza fiato.

Breccia; bréccia *f.*

Bred; *rem.* di Breed. Well —, ben educato, bencreato. Ill —, malcreato, screanzato.

Breech; deretáno *m.*, culatta *f.*; cálcio *m.* **-action**; meccanismo del calcio di un fucile. **-band**; straccále *m.*, imbraca del basto. **-es**; calzóni *m. pl.*, pantalóni *m. pl.* **-ing**; braca *f.* — strap, straccále *m.* **-loader**; arma a retrocarica.

Breed; razza *f.*; allevare, generare, ingenerare, moltiplicarsi. **-er**; allevatóre *m.* **-ing**; generazióne *f.*, allevaménto *f.*; creanza *f.* Ill —, mala creanza. — in and in, accoppiamento consanguineo. — cage, cóva *f.*, gabbia d' allevamento. — ground (oysters), viváio *m.* — pond, pescáia *f.*

Breeze; bréżża *f.*, brezzolína *f.*, venticèllo *m.*; *fig.* rissa *f.*, altèrco *m.* Gentle —, soffio d' aria. Fresh —, brezza fresca. Light —, brezza leggera. Stiff —, brezza forte. Sea —, brezza marina. Land —, brezza da terra.

Breeze-fly; tafáno *m.*

Breezy; arióso, frésco; gaio, di buon umore.

Bremen; Brèma *f.*

Breslau; Breslávia *f.*

Bressummer; trave grossa da sostenere tutta la fronte di una casa.

Breton; bretóne.

Brevet; brevétto *m.*, patènte *m.*

Breviary; breviário *m.*

Brevier; garamoncíno *m.*

Brevity; brevità *f.*, concisióne *f.*

Brew; fabbricar birra, mescolare, prepararsi. A good —, una bella mescolanza. A storm is -ing, si leva un temporale. There is something -ing, c' è qualche cosa che bolle in pentola. Something has been -ing for a long time, è un pezzo che la bolle.

Brewer; birráio *m.* **-'s grains**; flèmme *f. pl.* **-y**; birrería *f.*

Briançon; Brianzóne *m.*

Briar; róvo *m.*, rosa canina, pruno *m.* **-patch**; rovéto *m.*, prunéto *m.* **-root pipe**; pipa di radice di scopa.

Brib-able; che si lascia corrompere, venále. **-e**; donativo o mancia corrotta, prezzo di corruzione; corrompere, unger la mano a. Take a —, lasciarsi corrompere. To — with a promise, sedurre con una promessa. — to silence, comprare il silenzio di. **-er**; seduttóre *m.* **-ery**; corruzióne *f.*, donativi corrotti.

Bric-a-brac; anticáglie d' occasione, sferravècchie *f. pl.*

Brick; mattóne *m.*; (gergo) brav' uomo, buon compagno. Pave with -s, ammattonare. — up, murare con mattoni. **-bat**; pezzo di mattone. **-built**; costrutto di mattoni. **-clay, -earth**; terra da mattoni. **-dust**; polvere di mattoni. **-field**; mattonáia *f.* **-floor**; mattonato *m.* **-kiln**; fornace da mattoni. **-layer**; muratóre *m.* **-laying**; l' arte muraria. **-maker**; mattónaio *m.* **-making**; il fabbricare mattoni. **-wall**; muro di mattoni. **-work**; lavoro in mattoni, costruzione in mattoni, i mattoni. **-yard**; mattonáia *f.*

Bridal; nuziale.

Bride; spòsa *f.* **-cake**; chicca o focaccia di nozze. **-elect**; promessa sposa. **-groom**; spòso *m.* **-smaid**; damigella d' onore della sposa.

Bridewell; casa di correzione a Londra.

Bridge; 1. pónte *m.* — of boats, Pontoon —, ponte di barche. Draw —, ponte levatoio, ponte a bilico. Flying —, ponte volante. Foot —, ponticello *m.* Iron —, ponte in ferro. Skew —, ponte sbieco. Suspension —, ponte sospeso. Swing —, Revolving —, ponte girante. Wooden —, ponte in legno. 2. dorso del naso. 3. ponticello di strumenti ad arco. 4. (*mar.*) ponte o palco di comando. 5. To —, gettar un ponte sopra. **-d**; provvisto di un ponte. 6. (*electr.*) Connecting —, ponte di corrente. Conducting —, sbarra conduttrice. 7. brigge *m.* (giuoco di carte).

Bridge-head; testa di ponte, posizione che domina un ponte. **-house**; (*mar.*) cassero. **-train**; treno dei ponti.

Bridle; bríglia *f.*, fréno *m.*; imbrigliare, *fig.* raffrenare. — up, arrossire per collera, insuperbirsi, risentirsi. **-path**; sentiero da cavallo.

Brief; brève, córto; incartaménto *m.*, insèrto *m.* Hold a — for, esser obbligato a sostenere le parti di. **-less**; senza clienti. **-ly**; breveménte.

Brier; *see* Briar.

Brig; brigantíno *m.*, brick *m.*

Brigade; brigáta *f.* Household —, le guardie del rè. **-d**; schierato in ordine militare. **-major**; capo di stato maggiore.

Brigadier; brigadière *m.*

Brigand; brigante *m.*, masnadièro *m.* **-age**; brigantággio *m.*

Brigantine; brigantino goletta.

Bright; lúcido, brillante, chiaro, lucènte, fúlgido, sfolgorante, smagliante, lustro risplendènte; gaio, viváce, svéglio, intelligènte. — side of a thing, la parte bella di una cosa. **-en**; far brillare, rischiarare, animare, rallegrare; farsi

raggiante, illuminarsi. **-eyed**; dagli occhi lucenti. **-ly**; lucidaménte ecc., *see* Bright. **-ness**; splendóre *m.*, lucidézza *f.*, ecc., *see* Bright.
Brill; rombo liscio.
Brillian-ce, -cy; splendóre *m.*, lucidézza *f.*, ecc., *see* Bright. **-t**; 1. brillante, lucènte, risplendènte, insígne. 2. (diamond) brillante *m.* **-tly**; splendidaménte. The sun shone —, il sole risplendeva.
Brim; órlo *m.*, cólmo *m.*, spónda *f.*, tesa o falda del cappello. **-full**; ricólmo, pieno fin all' orlo. **-med**; Wide, Narrow —, a tesa larga, stretta. **-ming**; *v.* Brimfull.
Brimstone; zólfo *m.*
Brindled; brizzolato, chiazzato, tigrato.
Brine; salamóia *f.* **-pit**; salína *f.*
Bring; apportare, condurre, portare, menare, recare, fruttare, procurare; intentare (lite). — oneself, méttersi, riṡòlversi, decídersi. I could not — myself to do it, non saprei decidermi a farlo. — sleep, far addormentare. — close, avvicinare. — word, portar notizie, far sapere, avviṡare. Be brought to do this, esser spinto a far così.
Bring about; effettuare, menare, conseguire; produrre, cagionare. You will never bring it about, non ne verrete mai a capo.
Bring an action against; processare, intentar lite contro.
Bring away; portar via, asportare, allontanare.
Bring back, again; ricondurre, riportare, far ritornare, richiamare; portare indietro; restituire.
Bring down; abbassare, abbattere, far scendere, indebolire, far crollare, umiliare, far ribassare, far cadere. — — the house, entusiasmare l' uditorio. — one's fist —, battere il pugno sulla tavola; *fig.* proibire in modo assoluto.
Bring forth; produrre, partorire, dare alla luce, metter al mondo, far nascere, far comparire.
Bring forward; produrre, recare, addurre, far avanzarsi, metter innanzi, riportare (partita).
Bring home to; impressionare; provare la reità di.
Bring in; introdurre, far entrare; portare, propórre; allegare, citare; preṡentare (progetto di legge). — — dinner, servire in tavola. — — guilty, dichiarare reo. — — an income of, rendere (qualche migliaio di franchi all' anno).
Bring into; — — fashion, introdurre la moda. — — question, fare entrare in questione.
Bring near; avvicinare.
Bring off; liberare, diṡincagliare, riuscire con, portare a fine felice. He brought that off well, ciò gli è riuscito bene.
Bring on; cagionare, cauṡare, esser cagione di; intavolare (materia di discussione).
Bring out; portar o cavar fuori, far vedere, produrre, far risaltare, espórre, ṡviluppare, far mostrarsi, pubblicare, far rappresentare (dramma), metter in iscena.
Bring over; trasportare, apportare, far traversare, far trasportare, guadagnare a sè, menare alla sua parte. He brought them over to his side by large promises, li fece trasferirsi al suo partito promettendo loro mari e monti.
Bring round; ristabilire, restaurare, rimetter in salute, far riprendere i sensi, far venire (carrozza che aspetta).
Bring through; cavar d' impiccio, portare attraverso, rimetter in salute o in salvo.
Bring to; far riprender i sensi, rianimare; (*mar.*) metter in panna. — — pass, far accadere, far che qualche cosa succeda, effettuare, fare realizzarsi. — — poverty, ridurre in miseria. — — justice, far processare, far arrestare. — — reason, far stare a segno, far metter giudizio.
Bring to bear; metter in effetto, dirigere (lo sguardo) verso. They brought great pressure to bear upon her, esercitavano grande influenza su di lei.
Bring together; riunire, raccògliere; metter d' accordo; accozzare.
Bring under; assoggettare, soggiogare.
Bring up; allevare, educare; intavolare; metter in tavola; metter avanti o fuori. Be brought up to, esser abituato sin da giovane a. — — the rear, esser l' ultimo, comandare la retroguardia. — — to date, correggere secondo lo stato attuale delle cose.
Bring upon; far accadere a. I brought it upon myself, me lo sono attirato per colpa mia.
Bringer; portatóre *m.*
Bringing up; educazióne *f.*
Brink; órlo *m.*, bórdo *m.* On the —, vicinissimo.
Briny; salmastro. The —, il mare.
Brioche; stiacciata *f.*, focáccia *f.*
Briquette; mattonèlla *f.*, formèlla di torba o carbone.
Brisk; viváce, brióso, ṡvèlto, vispo, ṡnèllo. At a — pace, a passo accelerato. To — up, ravvivarsi, rallegrarsi.
Brisket; pètto *m.*
Briskly; vivaceménte, ṡveltaménte.

Briskness; brio *m.*, śveltézza *f.*, gagliardía *f.*, vigoría *f.*, śvegliatézza *f.*
Bristl-e; sétola *f.* — up, arricciarsi, rizzarsi, increspàrsi; *fig.*, arrabbiarsi, offèndersi. -ing with difficulties, spinosissimo. **-y**; setolóso, irto, irsuto.
Britain; Bretagna *f.*
Britannia metal; specie di peltro; è una lega di stagno, antimonio, piombo e bismuto.
British; britannico. **-er, Briton**; Britanno *m.*, Inglése *m.*
Brittany; Bretagna *f.*
Brittle; frágile, diacciòlo, vetríno. **-ness**; fragilità *f.*
Britzska; vettura aperta polacca.
Broach; maniméttere, por mano a; intavolare.
Broad; largo, estéso, vasto, ampio. In Norfolk "broads" sono laghi accanto a un fiume e connessi ad esso da un canale laterale. — arrow, segno come la punta d' una freccia con due spine allargate, ↑, che sta su roba del governo, p.e. sui vestiti dei forzati. — bean, fava di orto. — Church, Chiesa liberale, che interpreta i dogmi con certa liberalità. — daylight, pieno giorno, giorno fatto. — joke, scherzo poco decente. — language, un parlare grossamente. — Scotch, pretto scozzese. — statement, vaga dichiarazione.
Broadcast; a spaglio (seminare). To scatter —, spargere dappertutto, disseminare; dappertutto.
Broadcloth; panno fino.
Broaden; allargare, ampliare.
Broadly; in termini generali, senza particoleggiare, su per giù. — speaking, parlando in massima.
Broad-shouldered; dalle spalle larghe.
Broadside; 1. bordata *f.*, salvo *m.* Fire a —, tirare a contro bordo. On her —, (nave) alla banda. 2. carta stampata da una sola facciata.
Broadsword; spadóna *f.*
Brocade; bróccato *m.*
Broccoli; bròccoli *m. pl.*
Brochure; opúscolo *m.*, libricíno *m.*
Brogue; accento irlandese; stivalóne *m.*
Broider; ricamare.
Broil; 1. rissa *f.* 2. arrostire sulla graticola.
Broke; *rem.* di Break. Stony — (gergo), senza danaro.
Broken; *part.* di Break, rótto, spezzato, interrótto, ineguále, scoscéso, destituito (ufficiale). — down, rótto, decrepito, disfatto, rattrappito, affranto, abbattuto, accasciato. — off, andato a monte. — ground, terreno accidentato o frastagliato, scoscendiménto *m.* — meat, avanzi o minuzzoli di carne. — number, numero incompleto. — sleep, sonno rotto. **-hearted**; col cuore spezzato. **-kneed**; spelato alle ginocchia. **-winded**; bólso.
Broker; sensále *m.*, agente di cambio. **-age**; sensería *f.*
Brom-ate, -ic, -ide, -ine; -ato *m.*, -ico, -úro *m.*, -o *m.*
Bronch-i, -ial, -itis; -i *m. pl.*, -iále, -te *f.*
Bronco; cavallo poco domato.
Bronze; brónżo *m.* — medal, medaglione in bronzo. **-d**; abbronżato.
Brooch; spilla *f.*, fermáglio *m.*
Brood; covata *f.*, nidiata *f.*; covare. — over, meditare, stare a pensare. -ing hen, chiòccia *f.* **-mare**; cavalla da frutto. **-y**; disposta a covare, *fig.* tètro, cupo.
Brook; 1. ruscèllo *m.*, fiumicíno *m.* 2. soffrire, tollerare.
Broom; granáta *f.*, scópa *f.*; ginèstra *f.* **-stick**; manico di scopa.
Broth; bròdo *m.* — of a boy, ragazzo ottimo.
Brothel; bordèllo *m.*, postríbolo *m.*
Brother; fratèllo *m.*; confratèllo *m.*, collèga *m.*; frate *m.* Elder —, fratello maggiore. Half —, fratellastro *m.* **-hood**; fraternità *f.* **-in-law**; cognáto *m.* **-ly**; fratèrno, da fratello. **-officer**; collega ufficiale. **-soldier**; commilitóne *m.*
Brougham; cupè *m.*
Brought; *rem.* e *part.* di Bring.
Brow; cíglio *m.*
Browbeat; sconcertare, intimidire, confóndere, śbigottire.
Brown; marróne, castagno, tané, lionato, avána, color bronzo, color caffè; abbrunire. A — (gergo), un soldo. Dark —, castagno bruno. Light —, castagno chiaro. — with age, annerito dal tempo. — bear, orso castagno bruno. — bread, pan bigio o bruno. — coal, ligníte *f.* — hair, capelli castagni. — holland, tela greggia. — horse, morèllo *m.*, morello bruciato. — jug, brocca color caffè. — owl, allòcco *m.* — paper, carta d' imballaggio, carta bruna. — study; In a — —, soprappensièro, impensierito. — sugar, zucchero greggio.
Brownie; follétto *m.*
Brownish; rossíccio, rossastro.
Brownness; l' esser color marrone.
Browse; pascolare.
Bruges; this name is written and spoken as in French.
Bruin; nome per l' orso.
Bruise; ammaccatura *f.*, lividura *f.*; ammaccare, contúndere. **-r**; pugilatóre *m.*

Bruit about; divulgare. It began to be -ed —, cominciò a correr voce.
Brummagem; dozzinále.
Brunette; brunétta *f.*
Brunswick; Brunsvígo *m.*
Brunt; urto. Bear the — of, sostener la maggior parte di.
Brush; 1. spázzola *f.*, granatína *f.*, scópa *f.*, setolíno *m.*, pennèllo *m.* Clothes —, spazzola da panni. Hair —, spazzola da capelli. Tooth —, spazzolino pei denti. Feather —, spazzola di padule. Paint —, pennèllo *m.* Wire —, scovolo di fil di ferro. 2. scaramuccia *f.* 3. coda delle volpe. 4. spazzolare, spazzare, scopare. — down, dare una spazzolata a. — off, spazzar via. — up, lisciare, metter a pulito, rivedére. I must — up my French, devo rivedere quanto ho studiato di francese. — up against, imbattersi in. He -ed up against me, mi venne bruscamente addosso. 5. Electric —, spazzola. **-holder**; porta-spazzola *m.* **-maker**; setolinaio *m.*, fabbricante di spazzole. **-terminal**; morsetto portaspazzola. **-wood**; frasche *f. pl.*, frascame *m.*; prunéto *m.*, rovéto *m.*
Brusque, -ly; brusc-o, rúvid-o, aspr-o, -aménte, scortéṡ-e, -eménte. **-ness**; ruvidézza *f.*, asprézza *f.*, rożżézza *f.*
Brussels; Brussèlle *f.* — carpet, tappeto di Brusselle. — sprouts, cavolo di Brusselle.
Brut-al; -ále. **-alise**; abbrutire, imbestialire. **-ality**; -alità *f.* **-ally**; -alménte. **-e**; bruto *m.*, animále *m.* — force, mera forza. **-ish**; różżo, da porco, bestiále. **-ishly**; bestialménte. **-ishness**; bestialità *f.*
Bryony; briònia *f.* White —, vite bianca. Black —, vite nera.
Bubble; bólla *f.*, *fig.* chimèra *f.*; far bolle. — over, traboccare. He was -ing over with excitement, era agitato al punto che stava per rompere tutti i freni, o che non più capiva in sè. — over with merriment, esser di umore molto gaio, irradiare buon umore. — up, gorgogliare, scaturire, sórgere, bollire.
Bub-o; -óne *m.*, tincóne *m.* **-onic**; -ònico.
Buccaneer; piráta *m.*
Buck; 1. dáino *m.* 2. un elegante. 3. máschio. 4. *see* Buck-jump. 5. — up, mettersi al lavoro sul serio.
Buck-basket; cesta da bucato.
Bucket; sécchia *f.*, bugliòlo *m.*, bigonciolíno *m.* **-ful**; secchiata *f.* **-shop**; agenzia irregolare di cambio.
Buck-jump; capriòla *f.*; far la capriola. **-jumper**; cavallo che fa la capriola, che fa giocare la schiena.
Buckle; 1. fíbbia *f.*, fermáglio *m.*; affibbiare. 2. incurvarsi, piegarsi, far la pancia. 3. — to, *see* Buck up.
Buck-ler; scudo *m.* **-ram**; bucheráme *m.*, bugráne *m.* or *f.* **-shot**; pallinácci *m. pl.*, palline da lepre. **-thorn**; spino cervino, ranno *m.* **-wheat**; grano saraceno.
Bucolic; buccòlico.
Bud; gèmma *f.*, germòglio *m.*, bottóne *m.*, bòccia *f.*, bocciuòlo *m.*; germogliare, mettere i germogli, ṡbocciare; innestare a occhio. Nip in the —, tagliar corto, soffocare sul bel principio. **-ding**; nascènte.
Buddhis-m, -t; buddiṡ-mo *m.*, -ta *m.*, -tico.
Budge; mòversi, spostarsi.
Budget; bilancio consuntivo, conto preventivo, bilancio governativo. — of news, fascio di nuove. **-ary**; del bilancio.
Buff; cuoio pieghevole. **-coloured**; color camoscio. **-s**; nome di certi reggimenti inglesi.
Buffalo; búfalo *m.* **-calf**; bufalòtto *m.*
Buffer; paracólpi *m.*, amortiżżatóre *m.*, respintóre *m.*; (gergo) bonòmo *m.* Air —, moderatore pneumatico.
Buffet; 1. schiaff-o *m.*, -eggiare. -ed about, malmenato. 2. credènza *f.*, buffè *m.*
Buffoon, -ery; buffón-e *m.*, -ería *f.*
Buffy coat; cotenna del sangue.
Bug; címice *m.*; scarafággio *m.* Big — (gergo), pezzo grosso.
Bugbear; spaurácchio *m.*, oggetto di spavento poco ragionevole.
Buggy; 1. pieno di cimici. 2. biroccíno *m.*
Bugle; 1. corno da segnali, trómba *f.* -call; segnale di tromba. 2. búgola. **-r**; trombettière *m.*
Bugloss; buglòssa *f.*
Buhl; boule *m.* **-work**; intarsiatura alla Boule.
Build; corporatura *f.*; fabbricare, costruire, edificare, murare. — in, attorniare con fabbriche. — up, metter su, stabilire. — up a business, far sorgere un commercio. — upon, imbasare su, *fig.* fare assegnamento su. Built that way, fatto così. Built up beam, trave composto. **-er**; fabbricatóre *m.*, capomastro *m.*, impresario costruttore. **-ing**; fábbrica *f.*, fabbricato *m.* — land, terreno da costruzione. — materials, materiali da costruzione.
Bulb, -ous; -o, -óso. Electric —, ampólla.
Bulgar-ian; -o.
Bulge; gónfio *m.*, gonfiaménto *m.*; gonfiarsi, far pancia.
Bulk; grossézza *f.*, mòle *f.*, il grosso, la più gran parte, la maggior parte. In

—, alla rinfusa, all' ingrosso. To — large, esser d' importanza.
Bulk-head; paratía *f.*, tramèżżo *m.* Water-tight —, paratia stagna. Collision —, paratia di collisione. Armoured —, compartimento corazzato. **-iness**; mòle *f.*, massa *f.*, grossézza *f.* **-y**; grosso, massíccio.
Bull; 1. tòro *m.* To take the — by the horns, affrontare un mal passo con coraggio. 2. bolla papale. 3. (gergo) śvarióne *m.* 4. rialzista *m.* 5. **-calf, -whale** etc.; vitello maschio, balena maschio ecc.
Bullace; prugnola di Marsilia. **-tree**; suśíno di macchia.
Bull-baiting; il tormentare un toro con i cani. **-dog**; cane boldrò. **-doze** (gergo, Stati Uniti); strapazzare.
Bullet; palla *f.*, pallòttola *f.* Explosive —, Spent —, pallottola esplodente, morta.
Bulletin; bollettíno *m.*
Bull-fight; *corrida de toros*, corsa o combattimento dei tori, caccia del toro. **-fighter**; toreadóre *m.* **-finch**; ciuffolòtto *m.* **-frog**; rana mugghiante dell' America. **-head**; scazzóne *m.*
Bullion; oro o argento in verghe, o anche monetato trattando d' una gran quantità.
Bullish; da favorire i rialzisti. There was a — tone about the market, vi era una tendenza al rialzo.
Bull-nosed; — brick, mattone arrotondato da un canto.
Bullock; giovènco *m.*
Bull's eye; 1. specie di confetto. 2. barilòzzo *m.*, centro del bersaglio. 3. — — lantern, lanterna cieca a vetro lenticulare. — — window, finestrino tondo, occhio di bove.
Bull-terrier; cane incrociato tra il bull dog e il terrier.
Bully; 1. tiranno *m.*, persona brutale, śmargiassóne *m.* 2. as *adj.*, di prim' ordine. — for you! bravo! 3. malmenare, maltrattare. Be a —, tiranneggiare.
Bulrush; giunco *m.*
Bulwark; baluardo *m.*, parapetto di murata, ringhièra *f.*
Bum; deretáno *m.*
Bumbailiff; assistente di un usciere.
Bumble-bee; calabróne *m.* **-dom**; burocrazia inetta. **-puppy**; giuoco tra persone che non sanno giocare.
Bumboat; battello da provvigioni.
Bumkin; buttafuóri *m.*
Bump; urto *m.*, scòssa *f.*, colpo sordo; bernòccolo *m.*, protuberanza *f.*, enfiagióne *f.* To —, scuòtere (automobile). — against, urtare contro. **-er**; bicchiere traboccante.
Bumpkin; villáno *m.*, rusticóne *m.*
Bumptious, -ly, -ness; presun-tuóso, -tuosaménte, -zióne *f.*; arrogan-te, -temente, -za *f.*; spocchi-óne, da -one, spòcchia *f.*
Bumpy; irregolare, poco piano. — road, strada tutto buchi e prominenze.
Bun; paníno *m.*, ciambèlla *f.*, cofáccia *f.*, focáccia *f.*
Bunch; mazzo *m.*, gráppolo *m.*, mucchiétto *m.*, nòdo (di nastri), ciuffo *m.*, pennácchio *m.*; gòbba *f.* — out, gonfiarsi. — together, riunire in un fascio. **-ed**; raggomitolato.
Bundle; pacco *m.*, pacchétto *m.*, piègo *m.*, fardèllo *m.*, fagòtto *m.*, fastèllo *m.*, fascíno *m.*, fáscio *m.* — in, entrare alla meglio, imballare a catafascio. — off, — out, cacciar di casa, far fagotto, uscire alla meglio.
Bung; cocchiume *m.*, zaffo *m.*, tappo *m.*; (gergo) menzógna *f.* — up, turare, stoppare, ostruire.
Bungalow; casa di campagna all' indiana, capanna indiana.
Bung-hole; buco *m.*, spina *f.*
Bungl-e; lavoro mal fatto, pastíccio *m.*, guazzabúglio *m.*; guastare, acciarpare. **-er**; guastamestièri *m.*, śbèrcia *f.*, acciarpóne *m.*, impasticcióne *m.* **-ing**; malaccòrto. **-ingly**; alla carlona, alla peggio.
Bunion; soprosso al pollice del piede, callo *m.*, callosità *f.*
Bunk; cuccétta *f.*; (gergo) andarsene.
Bunker; 1. carbonáia *f.*, carboníle *m.* 2. ostacolo nel terreno dove si gioca al "golf."
Bunkum; ciarlatanata *f.*, ciárle *f. pl.*
Bunny; nome fanciullesco d' un coniglio.
Bunting; 1. burato *m.*, stamígna *f.* 2. emberíza *f.*, migliaríno *m.*, passera di padule, strillòzzo *m.*, zígolo *m.*
Buntline; demèżżo *m.*
Buoy; gavitèllo *m.*, bòa *f.* Bell —, boa a campana. — with ball, cone, cylinder, flag etc., boa sormontata da pallone, cono o piramide, cilindro, banderuola ecc. Light —, boa luminosa. Mooring —, boa da ormeggio. Telephone —, boa telefonica. Warping —, boa da tonneggio. To — (a channel), individuare, segnalare a boe. — up, far galleggiare, *fig.* sostenere gli spiriti di.
Buoyan-cy; leggerézza *f.*, facoltà di galleggiare, elasticità di spirito. **-t**; che galleggia o fa galleggiar bene, leggièro. **-tly**; con vivacità, leggerménte.
Bur; zéccola *f.*, seme di lappola o altro che s' attacca ai panni.

Burbot; bottatrice *f.*

Burden; péso *m.*, fardèllo *m.*, cárico *m.*, sòma *f.*, portata *f.*, tonnellággio *m.*; tema principale; ritornèllo *m.*; caricare, imbarazzare, aggravare, sopraccaricare. A — upon, a carico di. Beast of —, bestia da soma. **-some**; pesante, incòmodo, penóso. **-someness**; severità *f.*

Burdock; láppola *f.*, bardána *f.*

Bureau; stúdio *m.*, uffício *m.*, burò *m.*, scrittóio *m.*, segretería *f.*, armádio *m.* **-cracy**; burocrazía *f.* **-crat**; buròcrata *m.*

Burette; burétta *f.*, tubetto graduato.

Burgeon; germogliare.

Burgess, Burgher; cittadíno *m.*, borghése *m.*

Burglar; ladro con effrazione, o con scassinamento. **-ious, -iously**; ladronésc-o, -aménte. **-y**; effrazióne *f.*

Burgle; scassare.

Burgomaster; borgomastro *m.*

Burgrave; burgrávio *m.*

Burgundian; borgognóne.

Burgundy; Borgógna *f.*; vino di Borgogna.

Burial; sotterraménto *m.*, interraménto *m.*, sepoltura *f.*, seppelliménto *m.* **-ground**; cimitèro *m.* **-place**; tómba *f.*, sepoltura *f.* **-service**; uffizio dei morti.

Burin; bulíno *m.*

Burke; sopprímere, soffocare.

Burlesque, -ly; burlésc-o, -aménte. To —, mettere in burla, travestire.

Burl-iness; l' esser robusto ecc. **-y**; robusto, corpacciuto, tarchiato.

Burm-ah; Birmánia. **-ese**; birmáno.

Burn; 1. (Scozia) ruscèllo *m.* 2. arsióne *f.*, scottata *f.*, scottatura *f.* 3. bruciare, abbruciare, scottare, cuòcere, calcinare, árdere, splèndere (lampada), *fig.* arrabbiarsi. — away, consumarsi. — out, spègnersi. — down, dar fuoco a, bruciare completamente. -t down, distrutto dal fuoco. — up, bruciare tutto, consumere col fuoco. -ing with zeal, acceso di zelo. **-er**; becco di gas.

Burnet; salvastrella maggiore. **-moth**; zigèna *f.*

Burning; cottura *f.*, còtta *f.*, arsura *f.*; abbruciante, vivo, ardènte, infocato. — hot, rovènte, caldissimo. — coals, brace *f.*, tizzoni ardenti. — question, questione scottante. — shame, vergogna grandissima. Smell of —, odore di bruciato. Sensation of —, arsione (alla gola). **-glass**; specchio ustorio.

Burnish, -er; brun-ire, -itóio *m.*

Burnous; manto arabo.

Burr; 1. *see* Bur. 2. ceṡèllo *m.* 3. pronuncia gutturale delle R.

Burrow; tana *f.*, covíle *m.* farsi un buco, scavare una tana. Go into a —, intanarsi. Rabbit —, coniglièra *f.* -ing animals, quelli che covano sotterra.

Bursa; sacco sinoviale.

Bursar; 1. teṡorière *m.*, ecònomo *m.* 2. (in Iscozia) borsista. **-ship**; teṡorierato *m.*, economato *m.* **-y**; (in Iscozia) bórsa *f.*

Burst; scòppi-o *m.*, -are; rottura *f.*, rómpere; schiant-o *m.*, -are; esploṡióne *f.*, esplòdere. — in, sfondare. — asunder, fendere in due. — forth, — out, prorómpere. — out with, scattar fuori col dire. — into, precipitarsi in, irrómpere in. — into loud laughter, esplodere in risa, dare in uno scoppio di risa. — with laughing, smascellarsi dalle risa. — into sobs, tears, scoppiare in singhiozzi, in lagrime. — with envy, crepar d' invidia. Be -ing into bloom, stare appunto sbocciando. — of indignation, slancio d' indignazione. — upon us, comparirci improvvisamente innanzi.

Burthen; *see* Burden.

Burton; táglia *f.*, paranchíno *m.*

Bury; interrare, sotterrare, seppellire; sommèrgere, immèrgere, coprire, nascóndere. — the hatchet, dimenticare e perdonare.

Burying; *see* Burial. **-beetle**; necròfago *m.* **-place**; cimitèro *m.*

'Bus; omnibus *m.*

Busby; colbàc *m.*

Bush; 1. arboscèllo *m.*, frasca *f.*; cespúglio *m.*, mácchia *f.*, forèsta *f.* 2. bronzína *f.*, fodera di bronzo. To —, inghierare. 3. Beat about the —, girare intorno senza venire al fatto, andar per le lunghe.

Bushed; 1. perduto nella foresta. 2. a boccola.

Bushel; staio *m.*

Bush-fighting; guerra irregolare, guerra nella macchia. **-harrow**; ròsta *f.*, strascíno *m.*, ramacce *f. pl.*; raschiare colla rosta. **-man**; 1. abitatore delle foreste australiane. 2. indigeno dell' Africa del Sud. **-ranger**; galeotto evaso. **-y**; fólto.

Busi-ed; occupato. **-ly**; tutto, con serietà, da attento. **-ness**; affare *m.*, negòzio *m.*, faccènda *f.*, lavóro *m.*, biṡógna *f.*, diritto *m.*, mestière *m.*, genere di commercio. Man of —, uomo di affari, commerciante *m.* Full of —, molto affaccendato. How is —? Come vanno gli affari? Send about his —, mandare pei fatti suoi. Mind your own —, badate ai fatti vostri. You have no — there, non è luogo per voi. To mean

—, parlare sul serio. Manage a —, condurre un negozio. — habits, abitudini da uomo d' affari. I will make it my —, me ne occuperò.

Business-like; sèrio, prático, ben fatto, fatto nelle regole.

Buskin; borzacchíno *m.*, stivalétto *m.*

Bust; busto *m.*, pètto *m.*

Bustard; ottarda *f.* Lesser —, gallina prataiola.

Bustl-e; scompíglio *m.*, bruśío *m.*, trambusto *m.*, da fare, affaccendaménto *m.*, andirivièni *m.*; puf di un vestito; industriarsi, affrettarsi; sfaccendare, confóndere. — about, darsi attorno. **-ing**; affaccendato, frettolóso.

Busy; occupato. — life, vita affaticata. — over, attento a. **-body**; faccendière *m.*, imbroglióne *m.*, pasticcióne *m.*

But; ma, senza, fuorchè. Not — that, se non che. — one, uno solo. He has — this, non ha che questo. Who —, chi se non. — now, un momento fa. — for you, se non fosse di voi. — that, se non fosse che. Nobody — he, nessun altro che lui. — a little, per poco che sia. — yesterday, solo ieri. Have — four, aver solo quattro. I can — go, non posso fare a meno di andare. Anything —, tutt' altro che. *See* Except.

Butcher; macelláio *m.*, beccáio *m.*; macellare, far strage di. **-bird**; avèrla *f.* **-'s broom**; pugnitòpo *m.* **-y**; strage *f.*, macèllo *m.*

Butler; maggiordòmo *m.*

Butt; mira *f.*, ségno *m.*, berságlio *m.*; bótte *f.*; monticèllo *m.*; grossa estremità, calcio (di fucile), culatta (della stecca), matrice *f.*, steccóne *m.* (al biliardo); *fig.* zimbèllo *m.* To —, cozzare, dar del capo.

Butte; collina o vetta isolata.

Butter; burro *m.*; imburrare. Melted —, salsa di burro. — up (gergo), imburreggiare.

Butter-cup; bottone d' oro. **-fly**; farfalla *f.* **-milk**; siero di latte. **-scotch**; caramella al burro. **-y**; dispènsa *f.*; burróso, imbrattato di burro.

Buttock; chiappa *f.*, nática *f.*, coscia di manzo; culo di una nave.

Button; bottóne *m.*; abbottonare. **-factory**; bottonería *f.* **-hole**; occhièllo *m.*; trattenere colla ciancia. **-holer**; occhiellaia *f.* **-hook**; allaccia-scarpe *m.*, allaccia-guanti *m.* **-maker**; bottonaio *m.* **-s**; paggio *m.*

Buttress; contraffòrte *m.*, sostégno *m.*, appòggio *m.*; sostenere con pilastri, appoggiare, puntellare, rinforzare. Flying —, arco a sprone, arco d' appoggio.

Butty; specie di socio-minatore nelle miniere di carbon fossile. **-system**; il subaffittare un lavoro a chi dividono i benefizii.

Buxom; grassòccio, giocóndo, śnèllo.

Buy; comprare. — in, ricomprare valendosi di un offerente finto. — off, riscattare. — out, rilevare la parte He bought out all his partners and is now the sole owner, ha rilevato la parte di tutti i suoi soci ed ora è proprietario unico. — up, far acquisto di. **-er**; impiegato compratore, compratore *m.*

Buzz; ronżare, rombare, *fig.* susurrare.

Buzzard; bozzágro *m.*, poiána *f.*

Buzzer; (*telegr. senza fili*) apparato cicala.

Buzzing; ronżío *m.*

By; per, da, vicino a, presso di, accanto a, dietro, secóndo, per causa di. Begin — accusing, cominciare dall' accusare. End — accusing, finire coll' accusare. Her children — me, i figli che ne ho avuti. Come —, 1. venire per. 2. passare davanti. 3. ottenére. Day — day, giorno per giorno, di giorno in giorno, giornalménte. Do —, comportarsi verso. Hard —, qui vicino. Three metres — five, tre metri su cinque. One — one, uno ad uno, l' uno dopo l' altro. Set great store —, valutare altamente. With his arms hanging — his side, colle braccia lungo i fianchi. Sit — the table, star seduto dinanzi alla tavola. Stand —, 1. aderire a. 2. aiutare, sostenere le parti di. 3. stare attenti. Younger — some years, più giovane di qualche anno.

— and —, adesso adesso, quanto prima, fra qualche tempo. — the bye, *see* By the way. — **day**, di giorno. Be paid — the day, pagarsi alla giornata. — **degrees**, poco a poco, mano a mano, gradataménte. — **far**, di molto, di gran lunga. — **force of arms**, colla forza delle armi. — **land**, per terra. — **law**, giusta la legge. — great **luck**, per grande fortuna. — **means** of, per, per mezzo di, mediante. — all **means**, ad ogni modo, certaménte, pure. — no **means**, in nessun modo, niente affatto. — this **means**, con questo mezzo. — **night**, di notte. — **now**, ora. — now it is all over, ora è già finita. — **our own** exertions, da per noi stessi. — **ourselves**, da soli. — **post**, per la posta. — the **pound**, alla libbra. — **reason** of, per cagione di. Know — **sight**, conoscere di vista. — **stealth**, di soppiatto. Seize — the **throat**, afferrare per la gola. — this time, a questa ora, a questo tempo. — to-morrow, da qui a domani. — trade, di mestiere. — train, in treno, per ferrovia. — turns, a turno, a vicenda, vicendevolménte, alternativaménte. — the way, 1. cammin facendo. 2. a proposito, a volo, a taglio. — the window, presso alla finestra.

Bye; al "cricket" punto ottenuto senza che il "batsman" tocchi la palla. Draw a —, stare senza avversario nell' appaiamento di concorrenti.

Bye-law; regolaménto (di autorità secondaria).

By-election; elezione per sostituire a un deputato defunto. **-end**; secondo fine. **-form**; forma secondaria. **-gone**; passato. Let **-s** be **-s**, lasciare stare o dimenticare il passato. **-pass**; tubetto per lasciar passare un po' di gas. **-path**; sentiero poco usato. **-place**; luogo appartato. **-play**; mimica da parte o per sè. **-product**; prodotto secondario.

Byre; stalla *f.*

By-road; travèrsa *f.*, strada secondaria.

Byssus; bisso *m.*

By-stander; astante *m.* **-street**; vicoétto *m.* **-way**; stradicciòla *f.* **-word**; Become a —, passare in proverbio, diventare lo scherno.

Byzanti-ne, -um; biṡantíno, Biṡanzio.

C

C; *pronunz.* Si.

Cab; carròzza *f.*, calèsso *m.*, fiácchere *m.*; at Rome, bótte *f.*; ricovero del fochista di una locomotiva.

Cabal; cábala *f.*; -are. **-istic**; -istico.

Cabbage; cávolo *m.* Red —, cavolo rosso. Savoy —, cavolo arricciato. Whiteheart —, cavolo bianco. Thousandhead —, cavolo a mille teste. **-butterfly**; pièride *f.* **-palm**; arèca *f.*

Cabby; *raccorc.* di Cabman.

Cabin; cámera *f.*, cameríno *m.*, cabína *f.* **-boy**; cameròtto *m.* **-companion**; tuga di cabina. **-ed**; rinchiuso. **-passenger**; passeggero di camera.

Cabinet; gabinétto *m.*, armádio *m.*, stipa *f.* **-Council**; Consiglio dei Ministri. **-maker**; ebanista *m.*, stipettáio *m.* **-size**; formato album.

Cable; cavo *f.*, gómena *f.* Light —, gherlino *m.* Submarine —, cavo sottomarino. Telegraph —, cavo o canapo telegrafico. Field —, filo volante aereo. Chain —, catena d' ormeggio. Towing —, cavo di rimorchio. To —, mandare per cavo sottomarino. **-gram**; cablogramma *m.* **-'s length**; distanza di gomena (185 metri). **-way**; telefèrica *f.*

Cabman; cocchière *m.*, vetturíno *m.*, fiaccheráio *m.*

Caboodle (gergo); compagnía *f.*

Caboose; cucina di nave, cambúsa *f.*

Cabriolet; calessíno *m.*

Cabstand; stazione di carrozze.

Cacao; cacáo *m.*

Cachalot; capidòglio *m.*

Cache; deposito nascosto.

Cachexy; cachessía *f.*

Cachinnation; riso immoderato.

Cachou; casciù *m.*

Cacique; cacicco *m.*

Cackl-e; fare il grido delle oche. **-er**; chiacchieróne *m.* **-ing**; cicalío *m.*, chiacchierío *m.*

Cacoethes; prurito *m.*, propensione forte.

Cacophon-ous, -y; cacofòn-ico, -ía *f.*

Cactus; catto *m.*

Cad; figúro *m.*, villanzóne *m.*, sudicióne *m.*

Cadastr-al, -e; catast-ále, -o *m.*

Cad-averous; -avèrico. **-die**; ragazzo *m.*

Caddis, -worm; légnipèrda *m.* **-fly**; friganèa *f.*

Caddish; malcreato, basso, vile, ributtante. **-ly**; da malcreato, bassamente ecc.

Caddy; scatola da tè.

Cadenc-e, -y; cadènza *f.*

Cad-et; -étto *m.* **-etship**; stato di -etto.

Cadge; guadagnucchiare, far ogni sorta di mestieruccio. **-r**; rivendúgliolo *m.*; chi si guadagna da vivere alle spese altrui.

Cadi; cadi *m.*

Cadiz; Cádice *f.*

Cadm-ean; -ico. **-ium**; -io *m.*

Caduc-eus; -eo *m.* **-ous**; -o.

Caecum; intestino cieco.

Caesar, -ean, -ism; Céṡar-e, -eo, -iṡmo *m.*

Caesura; ceṡúra *f.*

Café; ristorante *m.*, trattoría *f.*, caffè *m.*

Caftan; caftáno *m.*

Cage; gábbia *f.*; ingabbiare.

Caique; caicco *m.*

Cairn; tumulo celtico.

Caisson; cassóne *m.*

Caitiff; furfante *m.*

Cajol-e; luṡingare, ingannare con moine, piaggiare. **-ery**; moíne *f. pl.*, vézzi *m. pl.*

Cake; pasta *f.*, tórta *f.*, dólce *m.*, focáccia *f.*, chicca *f.*, schiacciata *f.*, berlingòzzo *m.*, gatò *m.*; pèzzo (di sapone), fórma (di cera) tavolétta (di cioccolata), pane o panétto (di colore); cròsta *f.* Take the — (gergo), primeggiare, esser il colmo. You cannot eat the — and have it, ciò che va nelle maniche non va nei calzoni. Oat —, Dog —, Twelfth night —, Wedding —, focaccia di avena, per cani, della festa dell' Epifania, nuziale. Plum —, focaccia all' uva passa. To —, indurire, incrostare, rappigliarsi. **-shop**, pasticcería *f.* **-woman**; venditrice di paste.

Calabar bean; fava del Calabar.

Calabash; zucca che serve da recipiente.

Calabrian; calabrése.

Calais; Calè *or* Calése *m.*

Calamine; giallamína *f.*

Calamint; calaminta *f.* Lesser —, nepitèlla *f.*

Calamit-ous, -ously, -ousness; -óso, -osaménte, l' esser -oso.

Calamit-y; -à *f.*, malanno *m.*

Calcareous; calcáreo.

Calceolaria; *id.*

Calcin-ation, -e; -azióne *f.*, -are.

Calcul-able, -ate, -ation; calcol-ábile, -are, -o *m.*, -azióne *f.* Better -ated, più atto. I -ate, mi figuro. **-ator**; calcolatóre *m.* **-us**; cálcolo *m.*

Caledonian; caledòn-e, -iáno.

Calendar; calendário *m.*, almanacco *m.* **-year**; anno solare. **-month**; mese solare.

Calender; cilindro *m.*, mángano *m.*; cilindrare; cilindratóre *m.* **-ing**; cilindratura *f.*

Calends; calènde *f. pl.*

Calf; 1. vitèllo *m.*; pelle di vitello. Bound in —, legato in pelle o in cuoio. 2. pólpa *f.*, polpáccio *m.*

Calibr-ate, -ation, -e; -are, il -are, -o *m.*

Calico; calicò *m.* Printed —, indiána *f.* **-printer**; stampatore di calicò.

Californian; californiáno.

Caligraphy; caligrafía *f.*

Calip-ash, -ee; grasso della tartaruga; questo dalla parta inferiore del guscio di colore giallo chiaro, quello dalla parte superiore di colore verdastro.

Caliph, -ate; califf-o *m.*, -ato *m.*

Calk; 1. *see* Caulk. 2. rampone usato nel ferrare a ghiaccio.

Call; 1. chiamata *f.*, vóce *f.* 2. vocazione divina. 3. vísita *f.* 4. diritto di comprare dei titoli a prezzo predeterminato (usanza sconosciuta in Italia). 5. biśógno *m.*, cagióne *f.* 6. domanda per il pagamento di una rata, chiamata di uno versamento. At —, su richiesta. 7. Give a — to, (i) riśvegliare. (ii) fare un grido a. 8. Place, Port of —, luogo, porto di fermata, porto di rilascio. 9. Within —, a portata di voce. 10. I have many -s upon my time, ho molti impegni che mi lasciano poco tempo libero.

To —, 11. chiamare, gridare alto. Be -ed, chiamarsi. — oneself, considerarsi. -ed, detto. Be -ed after, derivare il suo nome da. 12. far venire, far avanzare. 13. at cards, accennare, accuśare. 14. venire a far visita ad uno, esser entrato. 15. (*mar.*) fare scalo, toccare. We -ed at Gibraltar, si è toccato a Gibilterra.

Call to account; śgridare, rimproverare. — — — for, chieder conto di, citare a render conto di.

Call again; rivenire, visitare di nuovo.

Call aside; chiamare in disparte, tirare a parte.

Call attention; attirare, richiamare l' attenzione.

Call away; chiamar fuori o altrove. I was called away, mi hanno chiamato altrove.

Call back; 1. richiamare, far tornare. 2. *see* Call over.

Call down; far scendere, chiamare qualcuno perchè scenda, invocare (ira di Dio).

Call for; chièdere, venir a prendere; reclamare, richièdere. To be called for, fermo in posta.

Call forth; produrre, far nascere, metter in giuoco.

Call in; ritirare, fare rientrare (danaro); far entrare, invitare a entrare.

Call in question; disputare.

Call to mind; richiamare alla memoria.

Call names; ingiuriare.

Call off; richiamare, stornare (attenzione).

Call on; rivolgersi a; accennare a, parlare a; passare da, viśitare.

Call to order; richiamare all' ordine.

Call out; mandare un grido; chiamar fuori; chiamar alle armi; metter in campo o in azione; sfidare a duello.

Call over; far riscontro a voce; fare appello nominale. On calling over the names it appeared that, sull' appello nominale si verificò che. — — the coals, rimproverare, richiamare severamente.

Call together; convocare, riunire.

Call up; far salire, comandare di presentarsi; chiamare sotto le bandiere; ridestare. — — **for training**, richiamare in servizio o per istruzione. Calling up, richiamo *m.*, richiamata *f.*

Call upon; invocare, rivolgersi a, chiedere a; far visita a, farsi annunziare a.
Call to witness; prender a testimonio.
Call-boy; avvisatore *m*.
Caller; visita-tóre *m*., -trice *f*.
Calling; professióne *f*., mestière *m*.
Calliopsis; calliòsside *f*.
Callipers; compasso di spessore. Inside —, compasso balestrino.
Call-osity; -o *m*., -osità *f*. **-ous, -ously, -ousness**; -oso, -osaménte, -osità *f*.
Callow; impiume.
Calm; calma *f*.; bonáccia *f*.; calmo, tranquillo, spassionato. A dead —, calma piatta. To —, calmare, tranquilliżżare. **-ly**; con calma, tranquillaménte, spassionataménte. **-ness**; calma *f*., tranquillità *f*., pacatézza *f*., spassionatézza *f*.
Calomel; calomeláno *m*.
Calori-c, -e; -co, -a *f*.
Calumet; caluméto *m*.
Calumn-iate, -iator, -ious, -iously, -y; calunni-are, -atóre *m*., -óso, -osaménte, -a *f*.
Calvary; calvário *m*.
Calve; figliare.
Calvinis-m, -t, -tic; -mo *m*., -ta *m*., -tico.
Calycanthus; calicanto *m*.
Calyx; cálice *m*.
Cam; pálmola *f*., dènte *m*., bocciuòlo *m*., camma *m*., eccèntrico *m*. **-shaft**; albero di distribuzione o a eccentrico.
Camaldoli; Of —, camaldolése.
Camarilla; camarilla *f*., consortería *f*.
Camber; arcatura *f*.; arcare. **-ed**; arcuato.
Camberwell beauty; vanessa antiopa.
Camb-ist; -ista *m*. **-ium**; -io *m*. **-rian**; -rio.
Cambric; tela batista, cambrì *m*.
Cambridge; Cambrigge.
Came; *rem*. di Come.
Camel; cammèllo *m*. She —, cammèlla *f*. **-corps**; fanteria a cammello. **-driver**; cammellière *m*. **-'s hair**; pelo di cammello. **-'s hair brush**; pennèllo *m*.
Cam-ellia; -èlia *f*. **-embert**; formaggio Camembert. **-eo**; cammèo *m*. **-era**; camera fotografica. **In —, in** sessione segreta.
Camisole; camiciuòla *f*., giubbétto *m*., camicétta *f*., giacchetta attillata.
Cam-let; cammellòtto *m*. **-omile**; camomilla *f*.
Camp; campo *m*.; accampare. — out, accampare all' aperto. **-bed**; letto da campo. **-follower**; rivendugliolo che segue un' armata. **-ing**; accampaménto *m*. **-kettle**; marmitta *f*. **-meeting**; predica all' aria aperta. **-stool**; panchetto o sedia pieghevole o a iccasse, pliant *m*., iccasse *m*., brandína *f*., caprétta *f*.
Campaign; campagna *f*.; fare una campagna. **-er**; Old —, vecchio soldato.
Campan-ia; *id*., ossia Terra di lavoro. **-ian**; -iáno. **-ula**; *id*.
Camphor, -ated; cánfor-a *f*., -ato.
Campion; gittóne *m*., bubbolini *m*. *pl*.
Camp-shedding, -sheeting; palafittata *f*.
Can; 1. vaso o brocca di latta, stagna *f*., secchièllo *m*., scátola *f*. Milk —, secchiello da latte. 2. mettere in iscatola. Tin of canned salmon, scatola di salmone. 3. potére, sapére. — you do that? sai far ciò? Do all one —, far del suo meglio.
Canaan-ite, -itish; -íta *m*., di Canaan.
Canad-a, -ian; Canad-à *m*., -ése. **-balsam**; colla d' oro.
Canaille; canáglia *f*.
Canal, -isation, -ise; -e *m*., -iżżazióne *f*., -iżżare.
Canard; stellóne *m*., caròta *f*.
Canary; canaríno *m*.; vino delle Canarie. Hen —, canarína *f*. — Is lands, Canarie. **-seed**; canária *f*., semi della falaride delle Canarie.
Cancel, -lation; -lare, -lazióne *f*.; annullare, -aménto *m*. — completely, scancellare.
Cancer, -ous; cancro *m*., cancheróso.
Candelabrum; candelábro *m*.
Candia; Of —, candiòtto.
Candid; -o, ingènuo, franco, schiètto. **-ly**; candidaménte ecc.
Candidat-e; -o *m*., pretendènte *m*. Be a — for, aspirare a. — for confirmation, cresimando *m*. **-ure**; -ura *f*.
Candied; candíto.
Candle; candéla *f*. Short piece of —, mòccolo *m*. Burn the — at both ends, spendere e spandere. The game is not worth the —, è più la spesa che l' entrata. Tallow, wax, sperm —, candela di sego, di cera, stearica. **-end**; mozzicone o avanzo di candela. **-holder**; portacandéle *m*. **-light**; lume di candela. **-mas**; Candelára *f*. **-power**; Light of a million —, luce di milione candele. **-ring**; padellína *f*. **-snuff**; moccolaia *f*. **-stick**; candelière *m*. Flat —, bugía *f*. **-wick**; lucígnolo *m*., stoppíno *m*.
Candour; schiettézza *f*., candidézza *f*., franchézza *f*.
Candy; Sugar —, zucchero candito. To —, candire, cristalliżżare.
Candytuft; porcellána *f*.
Cane; canna *f*., giunco *m*.; mazza *f*., bastóne *m*.; bastonare, battere a mazzate; impagliare (seggiola). **-brake**; cannéto *m*. **-chair**; seggiola di canna o di sala. **-sugar**; zucchero di canna.
Canella; scorza della cannella bianca.

Canin-e; -o.
Caning; bastonatura a mazzate; impagliatura *f*. The — is all broken, l' impagliatura è tutta sfondata.
Canister; scátola *f*. **-shot**; mitráglia *f*.
Canker; úlcera *f*., cánchero *m*., piaga *f*.; corródere, corrómpere. **-ed**; cancrenóso. **-worm**; bruco *m*.
Canned; conservato nelle stagne, *see* Can.
Cannibal; -e *m*. **-ism**; -iśmo *m*.
Cannily; astutaménte, abilménte.
Cannon; cannóne *m*.; carámbolo *m*.; urtare, cozzare; far carambolc. **-ade**; cannoneggiaménto *m*., cannoneggiare.
Cannot; *sincope di* Can not.
Cannula; cánula *f*.
Canny; astuto, ábile, fino.
Canoe; canòtto *m*.; piròga *f*., sandolíno *m*.
Cañon; burróne *m*.
Canon, -ical, -ically, -icity, -ise, -ry; -e *m*., -ico, -icaménte, -icità *f*., -iżżare, -icato *m*. **-icals**; abiti sacerdotali.
Canopy; baldacchíno *m*., vòlta *f*., cièlo *m*.; coprire con baldacchino.
Can't; *sincope di* Can not.
Cant; 1. bacchettonería *f*. Whining —, i soliti lamenti falsi. The old —, la vecchia frottola. As *adj*., di voga. 2. inchinare, śbandare. — timbers, quinti deviati. As *sb*., inclinazióne *f*., pendènza *f*.
Cantab; studente di Cambrigge.
Cantankerous; biśbètico, duro, agro.
Cantata; *id*.
Canteen; taverna di caserma, cantina militare; boráccia *f*.
Canter; galoppo sciolto; galoppare dolcemente, andare al piccolo galoppo. Hand —, Half —, traino *m*. Win in a —, vincere facilmente.
Canterbury; 1. Cantorberi; 2. casellario per musica. 3. — bell, campánula *f*.
Cantharides; cantáridi *f*. *pl*.
Canthus; angolo interiore o esteriore dell' occhio.
Canticle; cántico *m*.
Cantilever; modiglióne *m*.
Canting; salmodiante. **-ly**; con tono ipocrita.
Canto; *id*.
Canton, -al; -e *m*., -ále.
Cantonment; accantonaménto *m*.
Canvas; canaváccio *m*., stamígna *f*., téla *f*.; di canavaccio. Under —, sotto vela.
Canvas-back; anatra dell' America del Nord.
Canvass; sollecitazióne *f*.; sollecitare, brigare; esaminare discutendo (una proposta), discútere. We organised a general — of the neighbourhood in favour of the proposal, si organizzò una sollecitazione generale del vicinato a favore della proposta. **-er**; chi briga per ottenere voti, viaggiatore di commercio che va in giro per sollecitare ordinazioni.
Canyon; burróne *m*.
Caoutchouc; caucciù *m*.
Cap; berrétta *f*., (with a peak) berrétto *m*., berrettíno *m*., (woman's) cúffia *f*. Percussion —, cápsula *f*., cappellòtto *m*., fulminante *m*. To — (salute), far di berretto. — a story etc., addurne un' altra a proposito. Square —, College —, berretto quadrato. Set her — at him, cercare di cattivarselo. A feather in one's —, cosa da vantarsene. Fool's —, cuffia da matto. To — it all, render la cosa completa. Radiator —, tappo del radiatore. — of a mast or spar, testa di moro. Breech — of a gun, cuffia di culatta di cannone (a retrocarica). Muzzle —, cuffia di volata. Nose — (rifle), bocchíno *m*.
Capab-ility; capacità *f*., possibilità *f*. **-le**; capace, ábile, atto, suscettíbile.
Capac-ious; vasto, spazióso. **-itate**; abilitare. **-ity**; capacità *f*., abilità *f*., sapére *m*. In the — of, nella qualità di. In what — are you speaking? a qual titolo parlate?
Cap-à-pie; da capo a piede.
Caparisoned; ingualdrappato.
Cape; 1. mantèllo *m*., caśacchíno *m*., bávero *m*., bávera *f*. 2. capo *m*. **-gooseberry**; ciliégine del Capo di Buona Speranza. **-pigeon**; daptióne *m*.
Caper; 1. capriòla *f*.; saltellare, far delle capriole. 2. cáppero *m*.
Capercailzie; gallo cedrone.
Cape Town; Città del Capo.
Capful; cappellata *f*. — of wind, breve raffica.
Capias; mandato d' arresto.
Capillar-ity, -y; -ità *f*., -e.
Capital; 1. capitále *f*., metròpoli *f*. 2. capitèllo *m*. 3. maiúscola *f*. 4. capitále *m*., fóndo *m*., fóndi *m*. *pl*. Make — out of, trarre il suo profitto di. 5. capitále, òttimo, famóso, di prim' ordine. — punishment, pena di morte. — sentence, condanna a morte.
Capitalisation; capitaliżżazióne *f*. With such a high — it was impossible for the concern to pay decent dividends, essendo così fortemente capitalizzata non vi fu modo che l' impresa rendesse dei dividendi convenevoli.
Capital-ism, -ist; -ismo *m*., -ista *m*.
Capitally; benissimo, ottimaménte.
Capitation-grant; sussidio per teste.
Capitol; campidòglio *m*.
Capitul-ar; -are. **-aries**; -ári *m*. *pl*.

Capitulat-e, -ion; capitol-are, -azióne *f.*
Cap-maker; berrettáio *m.*
Capon, -ise; cappón-e *m.*, -iżżare.
Capot; capòtto *m.*, far capotto.
Capote; cappa *f.*, mantello lungo.
Cappadocian; cappadòcio.
Capped; copèrto, incappucciato (monte).
Capric-e; capríccio *m.*, ghiribizzo *m.*, fantaśía *f.* **-ious**; capricciόso, biśbètico, di umore bizzarro. **-iously**; da capriccioso ecc. **-iousness**; umore bisbetico.
Capricorn; capricòrno *m.*
Capriole; capriòla *f.*
Capsicum; guscio del peperone, peperóne *m.*
Capsize; capovòlger-e, -si, ribaltare, capovoltar-e, -si.
Capstan; árgano *m.* **-bar**; arpa o manovella d' argano.
Cap-stone; comígnolo *m.*
Capsule; cápsula *f.*
Captain; capitáno *m.* To —, esser capitano di. **-cy**; capitanato *m.*
Captious; cavillóso, sofístico, biśbètico. **-ly**; cavillosaménte ecc. **-ness**; umore cavilloso ecc.
Capt-ivate; cattivarsi, innamorare. **-ivating**; incantévole, seducènte, affascinante. **-ive**; prigonièro. **-ivity**; prigionía *f.*, cattività *f.*, schiavitù *f.* **-or**; catturatóre *m.* **-ure**; présa *f.*, cattura *f.*; catturare.
Capuchin; cappucíno *m.*
Capybara; cabiái *m.*
Car; carro *m.*, carrétta *f.*, carròzza *f.*, vagóne *m.*, automòbile (in *sing.* often contracted to auto) *m.* Dining —, vagone ristorante. Sleeping —, vagone dormitorio. Tram —, tranvia *f.*, tranvai *m.* Balloon —, navicèlla *f.*, góndola *f.*
Caracal; caracàl *m.* (lince persiana).
Caracole; caracollare.
Carafe; caraffa *f.*
Caramel; caramèlla *f.*
Carapace; guscio della testuggine.
Carat; caráto *m.*
Caravan; carována *f.*
Caravanserai; caravanserraglio *m.*
Caravel; caravèlla *f.*
Caraway; caro *m.*, carvi *m.*
Carbide; carbúro *m.*
Carbin-e, -eer; carabín-a *f.*, -ière *m.*
Carbolic; fènico.
Carbon, -ate, -ic, -iferous, -isation, -ise; -io *m.*, -ato *m.*, -ico, -ifero, -iżżazióne *f.*, -iżżare.
Carboy; fiascóne *m.*
Carbuncle; carbónchio *m.*
Carburettor; carburatóre *m.*
Carcase; carcáme *m.*, carcassa *f.*
Carcinoma; carcinòma *m.*, cancro *m.*
Card; 1. carta *f.*, bigliétto *m.*, cartolína *f.*, lista *f.* Court —, figura. Play at -s, giocare alle carte. Have the -s in one's hand, aver buono in mano. Show one's -s, metter le carte sulla tavola. Knowing — (gergo), furbo matricolato. On the -s, possibile o anche probabile. Speak by the —, dir la cosa come è. 2. To —, cardare.
Cardamine; cardamíno *m.*
Cardamom; cardamòmo *m.*
Card-board; cartóne *m.* **-case**; portabigliétti *m.*
Card-iac; -íaco. **-igan waistcoat**; panciotto di lana lavorato a maglia. **-inal**; -inále. **-inalate**; -inalato *m.* **-oon**; -óne *m.*
Card-sharper; truffatore di carte. **-table**; tavola da giuoco. **-tray**; vassoino da biglietti.
Care; cura *f.*, attenzióne *f.*, accuratézza *f.*, premúra *f.* To —, inquietarsi, curare, darsi pensiero. Not to — for, non curarsi di, non occuparsi di. Not to — to, non sentirsi disposto a. I don't —, non me ne importa niente, poco mi fa, me n' impipo, me n' infischio. Full of —, impensierito. Take — of, badare a, curarsi di. To the — of, presso (un tale). With —! posapiano!
Careen; carenare.
Career; carrièra *f.*, córsa *f.*; correre rapidamente.
Careful; accurato, attènto, eśatto, prudènte, premuróso, sollécito. Be — to, badare di. **-ly**; accurataménte ecc., con attenzione, con precauzione. **-ness**; accuratézza *f.* ecc., cura *f.*, frugalità *f.*
Careless; spensierato, trascurato, senza cura, incurante, śventato, negligènte. **-ly**; spensierataménte, in modo trascurato, con incuranza, alla carlona. Dress —, esser negligente nel suo abbigliamento. **-ness**; trascuranza *f.*, negligènza *f.*, incúria *f.*, noncuranza *f.*
Caress; carézza *f.*; accarezzare, vezzeggiare. **-ingly**; con amorevolezza, con moine.
Caret; segno di mancanza.
Care-taker; casière *m.*, guardiáno *m.*, guardapòrte *m.*
Careworn; abbattuto.
Cargo; cárico *m.* **-boat**; battello da carico.
Carib; Caráibo *m.* **-bean Islands**; Isole dei Caraibi. **-bean Sea**; Mare dei Caraibi.
Caricatur-e; **-a** *f.*; mettere in -a. **-ist**; -ista *m.*
Cari-es, -ous; -e *f.*, -óso.
Carillon; scampanío *m.*
Carinthia, -n; Carín-tia, -zio.

Carking; ansióso, strozzante.
Carline thistle; carlína *f*.
Carlisle; Carlilla *f*.
Carlovingian; carlovíngio.
Carman; carrettière *m*.
Carmel; -o *m*. **-ite**; -íta *m*., -itáno.
Carmine; carmínio *m*.
Carnage; strage *f*.
Carnal, -ly, -ity; -e, -ménte, -ità *f*.
Carnation; garòfano *m*. **-colour**; color rosso.
Carnival; carnevál-e *m*.; -ésco.
Carnivor-e, -ous; carnívoro.
Carob; carrúba *f*.
Carol; Christmas —, cantico di Natale; gorgheggiare (uccelli), trillare, cantare.
Carolingian; carolíngio.
Carolinian; caroliniáno.
Carolling; il canticchiare, il canterellare.
Carotid; caròtide *f*.
Carous-al, -e; gozzovígli-a *f*., -are.
Carp; carpióne *m*.; cavillare, trovar da ridire, censurare, criticare.
Carpathian; carpázio.
Carpel; carpèllo *m*. (parte del pistillo).
Carpenter; legnaiuòlo *m*., (joiner) falegnáme *m*. Ship's —, carpentière *m*. **-ing**; lavoro di legnaiuolo ecc.
Carper; criticastro *m*.
Carpet; tappéto *m*., copertóne *m*.; tappezzare. **-bag**; sacco da viaggio. **-bagger**; avventuriere politico. **-knight**; cavaliere da salotto.
Carping; critica minuziosa, critica per amore di criticare.
Carriage; pòrto *m*., traspòrto *m*., spese di porto; carròzza *f*., vettúra *f*., vagóne *m*., affusto *m*.; portaménto *m*., andatura *f*., aria *f*. — **free**, franco di porto. Private —, carrozza padronale, carrozza privata. — **entrance**, entrata per carrozze. — **drive**, via carrozzabile nei parchi ecc. — **road**, strada carrozzabile. — **and pair**, carrozza con due cavalli. Four-wheeled —, veicolo a quattro ruote. Land, Water —, porto per terra, per mare. **-builder**; carrozzière *m*. **-door**; sportèllo *m*. **-horse**; cavallo da carrozze.
Carrick-bend; nodo vaccaio.
Carrier; portatóre *m*., spedizionière *m*., carrettière *m*. Bicycle fitted with a —, bicicletta munita di un portabagaglio. **-pigeon**; piccione viaggiatore.
Carrion; carógna *f*.
Carron oil; olio di Carron (olio di lino misto ad acqua calcinosa).
Carronade; carronáda *f*.
Carrot; caròta *f*. **-y**; color carota.
Carry; portata *f*., distanza percorsa dalla palla al "golf" prima di toccar terra; portare, condurre, menare, recare, trasferire, trasportare; sostenére, sopportare. **-ing capacity** (cable or gun), portata *f*. — **oneself**, condursi, comportarsi. Put down 4 and — 1, scrivere 4 e riportare 1. — **one's arm in a sling**, portare il braccio al collo. — **an armament**, avere un armamento. — **by assault**, prendere di assalto. — **a bill**, far adottare un progetto di legge. — **the day**, víncerla, riportare la vittoria. — **canvas**, portar vele. — **to extremes**, portare all' estremo. — **one's head high**, portare la testa alta. — **a heavy heart**, esser melanconico. — **a jest too far**, spingere uno scherzo troppo innanzi. — **a motion**, far adottare una proposta, far accettare una mozione. — **one's point**, riuscire. At last I carried my point, finalmente mi riuscì. — **a press of sail**, fare sforzo di vele.
Carry about, portar con sè, portar adosso. — **along**, trascinare. — **away**, strappare, portar via, tògliere; ottenére (premio); rómpere (cavo, asta); pèrdere, far perdere (un albero). Carried away by his own eloquence, trasportato dalla propria eloquenza. Be carried away with admiration, esser trasportato dall' ammirazione. — **back**, riportare, portar dietro. — **forward**, ripòrto *m*., riportare. — **into effect**, metter ad esecuzione, *see* Carry out. — **off**, 1. *see* Carry away. 2. rapire. 3. cagionare la morte di. — **on**, 1. condurre, continuare, proseguire. — — the business of a baker, esser fornaio, fare il fornaio. He carries on the largest business in the town, ha il più grande negozio della città. His impetus carried him on some yards, il suo impeto lo trasportò per parecchi metri. 2. Don't — — so, non lamentarti così. — **out**; 1. portar fuori. 2. eseguire, metter in pratica, tradurre in atto. — — a threat, a scheme, effettuare una minaccia, realizzare un progetto, un disegno. — — to the end, portare a fine, cómpiere. I carried out all my plans, ho realizzato tutti i miei progetti. 3. — — one's bat, al "cricket," lasciare il campo per perdita del suo socio ultimo. — **over**, 1. trasportare, portar dall' altra parte. 2. *see* Carry forward. — **through**, far trionfare, aiutare a sormontare, sostenere per, condurre a buon fine. His energy carried him through, la sua energia lo cavò dall' imbarazzo. — **up**, *see* Carry forward. — **up to**, costruire all' altezza di.
Carryings on; tresche *f*. *pl*., brighe *f*. *pl*.

Carrying-trade; trasporto di merci, mestiere della trasportazione.
Cart; carrétta *f.*, barròccio *m.*, camióne *m.*, carrettóne *m.* Tip —, carro a bilico. Put the — before the horse, metter il carro innanzi ai buoi. To —, trasportare in carro. Child's —, carrétto *m.*
Cart-age; traspòrto *m.*, spese di trasporto. **-e-blanche**; carta bianca, pieno potere. **-el**; cartèllo *m.*, sfida *f.* **-er**; carrettière *m.* **-esian**; carteṡiáno. **-grease**; grasso per carri.
Carthag-e, -inian; Cartágin-e *f.*, -ése.
Cart-horse; cavallo da carretta.
Carthusian; certoṡíno. — convent, Certóṡa.
Cartilag-e, -inous; -ine *f.*, -inóso.
Cart-load; carrettata *f.*
Cartogra-pher, -phy; -fo *m.*, -fía *f.*
Cartoon; cartóne *m.* **-ist**; artista disegnatore.
Cartouche; cartòccio *m.*, gibèrna *f.*
Cartridge; Rifle —, cartúccia *f.* Gun —, cartòccio *m.* Practice —, cartuccia d' esercizio. Ball —, cartuccia a palla. Blank —, cartuccia a salvo. Dummy —, cartuccia d' esercitazione. **-bag**; giberna *f.* **-belt**; cartuccièra *f.* **-case**; bòssolo *m.* **-extractor**; levacáriche *m.*, estrattóre-espulsóre *m.* **-paper**; carta stráccia *f.*
Cart-road; strada carreggiabile. **-rope**; corda grossa o da carro. **-rut**; rotáia *f.* **-shed**; tettoia per carrette. **-'s tail**; parte posteriore di una carretta.
Cartulary; cartolario *m.*
Cart-wheel; ruota di carretta.
Caruncle; carúncola *f.*
Carve; scolpire; scalcare, trinciare, tagliare (a mensa); intagliare. Seats of -d oak, sedili di legno di quercia con lavori d' intaglio. Curiously -d, con curioso lavoro. — out, farsi (carriera), aprirsi (via). My initials are -d on my umbrella, le mie iniziali son incise sul mio ombrello.
Carvel-built; costrutto a tavole liscie, bordato a giustaposto.
Carv-er; trinciatóre *m.*, scalco *m.*; scultóre *m.* **-ing**; scultura *f.*; il trinciare, lo scolpire. — fork, forchettóne *m.* — knife, trinciante *m.*
Caryatid; cariátide *f.*
Cascabel; bottone di culatta.
Cascade; cascata *f.*, cascatèlla *f.*
Cascarilla; cascaríglia *f.*
Case; 1. caṡo *m.*, fatto *m.*, poṡizióne *f.*, stato *m.*, eṡèmpio *m.* Nominative —, caso nominativo. A plain —, una cosa chiara. Strange —, caso strano. If you were in my —, se voi foste ne' miei panni, se voi foste in me. Putting the —, posto il caso. As the — may be secondo il caso. In —, nel caso che. As is generally the —, come suole avvenire. Which in fact is not the —, il che di fatto non è. In any —, in ogni caso, a qualunque modo. Though it is not the —, quantunque non ne sia il caso. In — you have forgotten them, nel caso li aveste dimenticati. That being the —, la cosa essendo così. Hard —, cosa dura. Be a hard —, esser duro. Strengthen the —, rinforzare la posizione. — in point, esempio a proposito.
2. cáuṡa *f.*, procèsso *m.*, lite *f.*, affare *m.*, caso giuridico, questione *f.*
3. cassa *f.*, scátola *f.*, custódia *f.*, astúccio *m.*, fòdero *m.*, guaína *f.*, busta *f.*, copertína *f.*, copertura *f.* To —, rivestire.
Case-harden; cementare all' esterno, *fig.* indurire. **-mate**; casamatta *f.* **-ment**; finestra a gangheri. **-shot**; mitráglia *f.*
Casein; caṡeína *f.*
Cash; contanti *m. pl.*, numerário *m.*, fondo di cassa; cambiare (biglietto di banca), farsi pagare. For —, a contanti. — down, a pronta cassa. — in hand, pronti contanti. **-book**; libro di cassa. **-box**; cassétta *f.* **-credit**; apertura di credito, credito annotato in conto corrente.
Cashier; 1. cassière *m.* 2. cassare, licenziare.
Cashmere; Cascemir *m.* **-shawl**; scialle fatto di cascimirra. **-wool**; cascimirra *f.*
Cash-note; buono di cassa. **-price**; prezzo per pronta cassa.
Casing; rivestiménto *m.*, fòdero *m.*, (electric wire) canaliżżazióne *f.* — of a centre-board, pozzo della deriva.
Casino; casíno *m.*
Cask; bótte *f.*, baríle *m.* Outer —, doppio fusto.
Casket; scrigno *m.*, astúccio *m.*
Caspian; cáspio.
Casque; casco *m.*
Cassation; cassazióne *f.*
Cassava; cassáva *f.*
Cassia; cássia *f.*
Cassock; sottána *f.*, abito lungo.
Cassowary; caṡuário *m.*
Cast; 1. gètto *m.*; maschera fatta dopo la morte, tinta o riflesso p.e. di malinconia; gesso (statua); distribuzione delle parti o compagnia teatrale; deposito di un lombrico; minugia da pesca (l' ultimo tratto della lenza fatto di minugia). — of the lead, getto di scandaglio. — of the dice, colpo di dadi. Have a — in the eye, esser guercio. A peculiar — of countenance,

un' aria particolare. A good natured — of face, un' aria di benevolenza.

2. gettare, lanciare, buttare, precipitare; sommare, addizionare; fóndere, colare. Be — in a lawsuit, perder lite. Be — for the part of Hamlet, esserti distribuita la parte di Amleto.

— a shoe, perdere un ferro, sferrarsi. — anchor, ancorare, gettar l' ancora. The die is —, il dado è gettato. — discredit, gettar discredito. — one's eyes on, dare uno sguardo a. — your eyes towards the sun, volgete gli sguardi verso il sole. — the fault on, riversar la colpa su. — its horns, perder le corna (cervo). — their leaves, perder le foglie (alberi). — lots, tirare a sorte. — its skin, its shell, cambiar di pelle (biscia), spogliarsi del suo guscio (gambero). — a statue in bronze, colare una statua in bronzo. — in one's teeth, rinfacciare. He was constantly -ing it in her teeth, non faceva altro che rinfacciarle la stessa cosa.

Cast about, pensare, stare a riflettere, cercare qua e là. — about to see how, studiare il modo di. — aside, rigettare, ributtare, metter nei rifiuti. — away, rigettare; prodigare, sciupare, sperperare; sbandare, allontanare (crucci). Be — away, far naufragio, fallire. — back, rigettare. — down, gettare in basso; abbáttere, deprímere, afflíggere; abbassare (occhi). — forth, gettar fuori, eṡalare (puzzo). — in, includere nella sommazione, dare per soprammercato. — off, lasciar andare, abbandonare, scuotere (giogo), liberarsi di, sbarazzarsi di, congedare senza cerimonia; (*mar.*) diṡormeggiare, mollare; (*print.*) valutare il numero delle pagine, delle linee, di un manoscitto riprodotto in istampa. — — clothes, vecchi abiti. — on, avviare (calza). — out, scacciare, rigettare, scartare. — up, sommare, calcolare; eṡalare (puzzo); vomitare; rigettare sulla spiaggia; costruire alla meglio. — upon, metter a carico di.

Castalian; — fount, fonte di Castalia.

Castanets; castagnétte *f. pl.*

Castaway; náufrago *m.*, nave perduta, *fig.*, rèprobo *m.*

Caste; casta *f.* Lose —, cadere dal proprio ceto.

Castellated; merlato, che ha bastioni e torri.

Caster; chi somma ecc., *see* Cast. Good —, bravo a sommare, o a gettare una mosca artificiale.

Castigat-e, -ion; gastig-are, -o *m.*

Castil-e, -ian; Castígli-a *f.*, -áno.

Casting; gètto *m.*, pezzo fuso. Engine —, pezzo fuso per macchina. -net; giácchio *m.*, ritrécine *m.* -vote, -voice; voto decisivo di un presidente.

Cast iron; ghiṡa *f.*

Castle; castèllo *m.*; ròcco *m.*; arroccare. -s in the air, castelli in aria.

Castor; 1. pepaiòla *f.*, ampollína *f.* 2. rotèlla. 3. Cástore. 4. -oil; olio di ricino. — plant, ricino medicinale.

Castr-ate, -ation; -are, -azióne *f.*

Casual; -e. -ly; a caso. -ness; caṡualità *f.* -ty; diṡgrazia *f.*, in *pl.* pèrdite *f.* List of -ties, lista di morti e feriti.

Casuist, -ical, -ically, -ry; -a *m.*, -ico, -icaménte, -ica *f.*

Cat; gatto *m.*; (*mar.*) capóne *m.* To —, caponare; (gergo) vomitare. Rain -s and dogs, piovere a ciel rotto.

Catachresis; catacrèṡi *f.*, metafora ardita.

Cata-clysm; -cliṡmo *m.* -comb; -cómba *f.* -falque; -falco *m.* -lan; -láno. -lepsy; -lessía *f.* -leptic; -lèttico.

Catalogue; catálogo *m.*, elènco *m.*; catalogare.

Catalonia, -n; Cata-lógna *f.*, -láno.

Catalpa; catalpa *m.* or *f.*

Catal-ysis, -ytic; -iṡi *f.*, -ittico.

Catameni-a, -al; -e *f. pl.*, -ále.

Cata-mite; cinèdo *m.* -mount; pantèra *f.*, gatto selvatico, puma *m.*

Catanian; catanése.

Cata-plasm; -plasma *m.* -pult; -pulta *f.*

Cataract; cateratta *f.*, cascata *f.* — in the eye, cataratta *f.* Operation for —, operazione per abbassare una cataratta.

Catarrh, -al; catarr-o *m.*, -ále *or* -óso.

Catastro-phe, -phic; -fe *f.*, -fico.

Catcall; fischiétto *m.*

Catch; 1. présa *f.*, bottíno *m.*, cattura *f.*, retata *f.*, pescata *f.* No great —, successo molto dubbioso. 2. uncíno *m.*, scattíno *m.*, piegatèllo *m.*, nasèllo *m.*, monachétto *m.*, nottolíno *m.*, spagnolétta *f.* 3. ritornèllo *m.* 4. inganno *m.*, tráppola *f.* 5. — in one's breath, singhiózzo *m.*

6. cògliere, prèndere, pigliare, pescare, rilevare, riparare, acchiappare, afferrare, accalappiare, prender cogl' inganni, buscare, catturare, raggiúngere, metter in mezzo, ingannare, colpire (vista), sorprèndere. Be caught, esser preso, attaccarsi. There are not many fish caught in the Arno, in Arno si pescano pochi pesci. He has caught a sturgeon, egli ha pescato uno storione. They have caught nothing, non han preso nulla. My finger got caught by the door, m' è rimasto un dito a contrasto tra la porta e il battente. — it, buscarne, buscarsi delle belle, averla

buona. — a train, arrivare in tempo per prender il treno. I caught the 4.45, ho preso il treno delle 4.45. I only just caught the train, ci mancò poco che non prendessi il treno. — rain, prender la pioggia, prender l' acqua piovana e conservarla. Be caught in the rain, esser sorpreso dalla pioggia. — the point, capire l' essenziale. — fire, prender fuoco, accèndersi. — cold, infreddare, prender un' infreddatura. — a slight cold, prender un' infreddagione. — hold of, afferrare, impugnare.
Catch at, afferrare avidamente, cercare di afferrare, di prendere. A drowning man will — at a straw, un naufrago s' attacca a' rasoi. — **on**, venire in voga, diventar popolare. — **out**, beccare, scoprire sul fatto, prender in trappola. Al " cricket " vale metter fuori il " batsman " prendendo una palla fatta salire in aria da lui prima che questa tocchi terra. — **up**, raggiúngere, arrivare.
Catching; attaccatíccio, contagióso.
Catchment-area; sistema idrografico.
Catchpenny; di scrittorucolo.
Catchword; richiámo *m.*, parola d' ordine, scíbolet *m.*
Cat-davit; grua dell' ancora.
Catech-ise, -iser, -ism, -ist, -umen; -iżżare, -iżżatóre *m.*, -iṡmo *m.*, -ista *m.*, catecúmeno *m.*
Categor-ical, -ically, -y; -ico, -icaménte, -ía *f.*
Caten-a; successióne *f.* **-ary**; -ário.
Cater, -er, -ess; provved-ére, -itóre *m.*, -itrice *f.*
Caterpillar; bruco di farfalla.
Caterwaul; rimiagolare, miagolare.
Cates; delicatézze *f. pl.*
Catgut; corda di minugia.
Cathay; Catái *m.*
Cathar-sis, -tic; catar-sía *f.*, -tico.
Cathead; grua di capone.
Cathedral; duòmo *m.*, cattedrále *f.*
Catherine; Caterína. **-wheel**; girándola *f.*
Catheter, -isation, -ise; catèter-o *m.*, -iṡmo *m.*, -iżżare.
Cathode; catòdo *m.*
Catholic, -ise, -ism, -ity; cattòlic-o, render -o, -iṡmo *m.*, -ità *f.*
Catkin; gatto *m.*, gattíno *m.*, aménto *m.*
Catlike; come un gatto.
Catmint; menta de' gatti.
Cat-o'-nine-tails; frusta a nove sferzini.
Cat's cradle; ripiglíno *m.*
Cat's eye; occhio di gatto, bellòcchio *m.*
Cat's meat; cibo pel gatto.
Cat's paw; 1. strumento poco volontario. 2. (*mar.*) breżżolína *f.*
Cat's tail; 1. aménto *m.* 2. sala *f.* —-grass, erba timotèa, codolína *f.*
Cat's thyme; timo de' gatti, gattária *f.*
Catsup; salsa di funghi.
Cattle; bestiame grosso; armenti *m. pl.* **-dealer**; mercante di bestiame. **-plague**; peste bovina. **-ranch**; tenuta da buoi. **-run**; parco da buoi, pascolo per bestiame. **-shed**; cascína *f.*, stalla del bestiame, tettóia *f.* **-show**; esposizione dei bovini. **-truck**; vagone per bestiame.
Cattleya; cattlèia *f.*
Caucas-ian, -us; caucaṡ-ico, -o *m.*
Caucus; riunione di partito.
Caud-al, -ate; -ale, -ato.
Caudle; vino caldo zuccherato.
Caught; *vem.* di Catch.
Caul; cúffia *f.*
Cauldron; caldáia *f.*
Cauliflower; cavolfióre *m.*
Caulk; calafatare. **-er**; calafáto *m.* **-ing**; calafatággio *m.* — iron, ferro da calafatare.
Caus-al; -ale. **-ation**; il cagionare, nesso di cause. **-e**; cáuṡa *f.*, cagióne *f.*, motívo *m.*, luògo *m.*; procèsso *m.*, lite *f.*; partíto *m.*, interesse comune. To —, cagionare, esser causa di, cauṡare, provocare, portare, far nascere, produrre. She -d him to do it, ella lo fece farlo, lo fece far così. For the sake of the —, per riguardo alla causa, per gli interessi della causa comune. — of the poor, causa dei poveri. **-eless**; senza causa. **-elessly**; senza motivo. **-elessness**; mancanza di causa. **-er**; autóre *m.* **-erie**; ciárla *f.* **-eway**; terrapièno *m.*, diga *f.*, sterrato *m.*
Caustic, -ally, -ity; -o, -aménte, -ità *f.* Stick of —, pezzo di pietra infernale. — curve, cáustica *f.*
Cauter-isation, -ise, -y; -iżżazióne *f.*, -iżżare, -io *m.*
Caution; cautèla *f.*, avvertiménto *m.* You are a —! siete un bell' originale, un orrore. To —, avvertire, prevenire, fare accorto. — beforehand, premunire. **-ary**; di premunizione, d' avvertimento. **-money**; cauzióne *f.*
Cautious, -ly; cáut-o, -aménte.
Cavalcade; cavalcata *f.*
Cavalier; cavalière *m.*, partigiano di Carlo I; brusco, alterígio, diṡdegnóso. **-ly**; scortesemente, in modo brusco ecc.
Cavalry; cavallería *f.*
Cave; gròtta *f.*, cavèrna *f.*, spelónca *f.*, antro *m.*; fazione politica. — **in**, scassare; cèdere, incavarsi, abbandonare la lotta. **-dwellers**; abitatori di caverne.

Caveat; opposizione legale, notizia di non doversi procedere in qualsiasi affare senza avviso a chi vi è interessato; dichiarazione d' invenzione (negli Stati Uniti). Enter a —, registrare un' opposizione legale, *fig.* fare una ammonizione qualunque.
Cavendish; tabacco in tavolette.
Cavern, -ous; -a *f.*, -óso.
Caviare; caviále *m.*
Cavil; cavillo *m.*; cavillare, criticare o litigare con cavilli. **-ler**; cavillatóre *m.* **-ling**; sofistico, cavillóso.
Cavity; cavità *f.*, buco *m.*
Cavort; saltellare.
Cavy; cávia *m.*
Caw; grido (di corvo); gracchiare.
Cayenne; Caiènna *f.* — pepper, pepe di Caienna.
Cayman; caimáno *m.*, alligatóre *m.*
Cease; cessare, desistere da, tralasciare. — that nonsense, finitela con quelle grullerie. **-less**; incessante, continuo. **-lessly**; senza pausa, senza tregua.
Cedar; cédro *m.*
Cede; cèdere.
Cedilla; cediglia *f.*
Cee-spring; molla ad arco.
Ceil; soffittare. **-ing**; soffitto *m.*, vòlta *f.*
Celandine; celidònia *f.* Lesser —, favagèllo *m.*
Celebes; Cèlebi *f. pl.*
Celebr-ant, -ate, -ated, -ation; -ante *m.*, -are, -e, -azióne *f.*
Celeriac; apio navone.
Celerity; celerità *f.*, prestézza *f.*
Celery; ápio *m.*, sèdano *m.*
Celestial, -ly; -e, -ménte.
Celib-acy, -ate; -ato *m.*, cèlibe *m.*
Cell; 1. cella *f.*, céllula *f.*, alvèolo *m.* 2. (*electr.*) eleménto *m.* Dry —, pila a secco. 3. (*mar.*) — of the double bottom of a ship, cellétta *f.*
Cellar; cantína *f.*, cánova *f.* **-age**; cantíne *f. pl.*, magażżinággio *m.* **-er**; camarlingo *m.* **-et**; cassa da liquori. **-man**; cantinière (di un mercante di vino).
Cellul-ar, -oid, -ose; -are, -òide *f.*, -ósa *f.*
Celt; Cèlto *m.*, coltello pre-istorico. **-ic**; cèltico.
Cement; ceménto *m.*; cementare, assodare, saldare. **-ing**; cementatòrio.
Cemetery; cimitèrio *m.*
Ceno-bite; -bíta *m.* **-taph**; -táfio *m.*
Censer; turíbolo *m.*, incensière *m.*
Censor; censóre *m.*, crítico *m.* **-ious**; -io. **-iously**; da censore. **-iousness**; severità *f.* **-ship**; censorato *m.*, censura *f.*
Censurable; censurábile, biaśimévole.
Censure; censur-a *f.*, -are; biaśim-o *m.*, -are.
Census; cènso *m.*, censiménto *m.*
Cent; 1. cènto *m.* Per —, pro cento. 2. sòldo *m.* He has not got a red —, non ha il valsente di un quattrino.
Centau-r; -ro *m.* **-ry**; -èa *f.*
Centenar-ian; -io *m.* **-y**; -io *m.*
Centennial; che ricorre ogni cent' anni.
Centering; cèntina *f.*
Centesimal; -e.
Centi-grade, -gramme, -litre, -metre; -grado, -gramma *m.*, -litro *m.*, -metro *m.*
Cent-ime; -èśimo *m.* **-ipede**; -ogambe *m.*
Centr-al; -ále. **-alisation**; accentraménto *m.* **-alise**; accentrare. **-alising**; accentratóre. **-ally**; -alménte.
Centre; cèntro *m.*; concentrare, collegare. Dead —, punto morto. Wheel —, stella di razze. — of a channel or fairway, mediána *f.*
Centre-bit; succhièllo *m.* **-board**; deriva centrale, chiglia di deriva. **-piece**; trionfo da tavola.
Centri-fugal, -petal; -fugo, -peto.
Centumvir-ate, -i; -ato *m.*, -i *m. pl.*
Centuplic-ate; -ato, -are.
Century; sècolo *m.*, cent' anni.
Cephal-ic, -opoda; cefál-ico, -òpodi *m. pl.*
Cephalonian; cefalònico.
Cera-mic; -mico. **-stes**; -sta *f.*
Cerat-e; -o *m.*
Cerberus; Cèrbero *m.*
Cere-al; -ále. **-bral**; -brále.
Cere-cloth, -ment; tela da morto.
Ceremon-ial, -ious, -iously, -y; -iále, -ióso, -iosaménte, -ia *f.* Without -y, senza complimenti.
Ceres; Cèrere *f.*
Certain; sicuro, cèrto, fisso. A — man, un tale. A — amount, parécchio. — people, cèrti, alcuni. **-ly**; sicuraménte, certaménte. **-ty**; sicurézza *f.*, cosa certa, certézza *f.*, il certo.
Certificate; féde *f.*, certificáto *m.*, attestato *m.*, colláudo *m.* — of inspection of a ship's engines or hull, perízia di visita. — of registry of a ship, atto di nazionalità.
Certify; certificare, attestare.
Certiorari; scritto di trasferimento alla Corte Superiore.
Certitude; certézza *f.*
Ceru-lean; -leo. **-men**; -me *m.*
Cervical; *id.*
Cess; contribuzióne *f.*, tassa *f.*
Cess-ation; -azióne *f.* **-ion**; -ióne *f.*
Cess-pool; pozzo nero, bottíno *m.*
Cestui-que-trust; beneficiário *m.*
Ces-tus; -to *m.* **-ura**; *id.*
Cetace-a, -an; -i *m. pl.*, -o.
Cevennes; le Cevènne.
Ceylon; Ceilàn *m.* Of —, cingalése.

Chaeronea; Cheronèa *f.*
Chafe; fregare, stropicciare, logorare; irritarsi, riscaldarsi.
Chaff; pagliòla *f.*, pula *f.*, lòppa *f.*; paglia trinciata; mottéggio *m.*, bèffa *f.* canzonatura *f.*; canzonare, ŝbeffare, beffeggiare, motteggiare. In —, per ischerzo.
Chaff-cutter; trinciapáglia *m.*, falcione a ruota, falce a gramola.
Chaffer; mercanteggiare, stiracchiare, contrattare.
Chaffinch; fringuèllo *m.*
Chafing; fregaménto *m.* **-dish**; scaldavivande *m.*
Chagrin; dispiacere *m.* **-ed**; rattristato.
Chain; caténa *f.*, misura di circa 20 metri, concatenaménto *m.*, sèguito *m.*, sèrie *f.*; incatenare. **-plates**; landre *f. pl.* **-shot**; bombe incatenate. **-stitch**; punto a catenella.
Chair; 1. sèggiola *f.*, sèdia *f.*, sèggio *m.*; cáttedra *f.*; cuscinetto di rotaia; portantina *f.* 2. —! all' ordine! Appeal to the —, appellarsi al presidente. 3. portar in trionfo. 4. Mr A. in the —, sotto la presidenza del Signor A. Leave the —, levar la seduta. 5. Arm —, sedia a bracciuoli. Bath —, carrozzella da malato, poltrona girante. Easy —, seggiolone *m.*, poltrona a sdraio. Deck —, Long —, ciŝlónga *f.*, greppína *f.* Windsor —, sedia di legno. Cane-seated —, sedia a sederino di canne. Rush-bottomed —, sedia impagliata. Folding —, sedia a sgabello pieghevole. Rocking —, dondolóna *f.* Carrying —, bússola *f.* Wicker —, sedia di vimini.
Chair-bed; sedia ad uso letto. **-maker**; seggioláio *m.* **-man**; presidènte *m.* **-manship**; presidènza *f.* **-mender**; rimpagliatóre *m.*
Chaise; calèsse *m.*
Chalcedony; calcedònia *f.*
Chaldee; caldáico.
Chaldron; misura di 13 ettolitri.
Chalet; cascína *f.*, villíno *m.*
Chalice; cálice *m.*, còppa *f.*, tazza *f.*
Chalk; 1. calcare bianco. For drawing, créta *f.* For a black board, gèsso *m.* Blue —, lapis turchino. French —, talco *m.* — out, segnare con gesso, *fig.* ŝbozzare. By a long — (gergo), grandeménte, mólto, vieppiù. 2. pastèllo *m.* 3. (al biliardo) bianco *m.*, gèsso *m.* **-iness**; carattere cretoso, gessóso. **-y**; cretóso, gessóso.
Challenge; sfida *f.*, cartello di sfida, provocazióne *f.*; sfidare, provocare; contestare; rifiutare (giurato); fermare col Chi va là? **-r**; sfidatóre *m.*
Chalybeate; calibeáto, ferruginóso.
Chamber; cámera *f.*, stanza *f.*, gabinétto *m.* Air —, camera d' aria. Compressed air — of a torpedo, serbatoio d' aria compressa. **-maid**; camerièra *f.* **-pot**; orinále *m.*
Chamberlain; camarlingo *m.*
Chameleon; camaleónte *m.*
Chamfer; scanalare, augnare.
Chamois; camòscio *m.* **-leather**; pelle di camoscio.
Champ; ródere, masticare.
Champagne; 1. la Sciampagna. 2. lo sciampagna.
Champaign; pianura *f.*; apèrto, raso.
Champion; campióne *m.*, difensóre *m.*; difèndere, sostenere la parte di. Lady —, campionéssa *f.* **-ship**; campionato *m.*
Chance; caŝo *m.*, ventura *f.*, sòrte *f.*, probabilità *f.*; occaŝióne *f.*, opportunità *f.*; caŝuále, fortúito; accadére, avvenire, darsi il caso, trovarsi per caso; arrischiare. By —, per caso. Never by any —, mai e poi mai. There is no earthly —, non c' è nessuna probabilità. Fortune has given you many -s, la fortuna vi ha offerto molte occasioni. The doctrine of -s, la dottrina delle probabilità. If ever he got the — of it, se mai gliene capitasse l' occasione. If he should — to go, se per caso andasse. Even —, probabilità pari. It is about an even — whether I get through or not, le probabilità sono presso a poco pari che io riesca o no. Stand a good — of success, aver molte probabilità di successo. Take one's —, prendere il rischio. Have an eye to the main —, guardare il proprio interesse. **-acquaintance**; conoscenza fortuita. **-comer**; sopravveniènte *m.* **-hit**, **-stroke**; caŝo *m.*, colpo del caso.
Chancel; còro *m.* **-lor**; cancellière *m.* Lord —, gran cancelliere. **-lorship**; cancellierato *m.*
Chancery; cancellería *f.*
Chancre; ulcera sifilitica.
Chancy; aẑẑardóso, incèrto.
Chandelier; lampadário *m.*, candelábro *m.*
Change; 1. cambiaménto *m.*, alterazióne *f.*, vicissitudine *f.*, vicènda *f.* Go away for a —, andare in campagna per un cambiamento d' aria. — of position, diŝlocazióne *f.*, spostaménto *m.* 2. rèsto *m.* Give —, rifare il resto. Small —, spíccioli *m. pl.* 3. variazione nella suoneria delle campane. Ring the -s, parlare in varii modi dicendo sempre la stessa cosa. 4. A —, *i.e.* spare set of, una muta di.
5. mutare, permutare, cambiare,

scambiare, convertire, cangiare, alterare. — the sheets, mutar le lenzuola. — one's clothes, mutarsi i panni, cambiare gli abiti. — one's mind, mutar la sua opinione o intenzione, cambiar d' avviso.

Change-ability, **-able**; variábile, incostante, cangiante. **-ableness**; mutabilità *f.*, mutevolézza *f.*, incostanza *f.* **-ably**; in modo incostante, instabilménte. **-less**; immutábile. **-ling**; bambino sostituito dalle fate, bambinuccio *m.*

Channel; canále *m.*, *fig.* via *f.*, mèżżo *m.* English —, la Manica. Irish —, il mare d' Irlanda. St George's —, il canale di San Giorgio. In mid —, a mezzo canale. To —, solcare.

Chansonette; canzonétta *f.*

Chant; canto fermo; cantare. **-er**; cantóre *m.* **-erelle**; canterèllo *m.*, prunèllo *m.* **-icleer**; gallo *m.* **-ry**; cappèlla *f.*

Cha-os; caos *m.* **-otic**; confuṡo.

Chaotically; senza nessun' ordine.

Chap; 1. coso *m.* Little —, caríno *m.* 2. screpolatura *f.*, crepatura *f.* To —, screpolare. 3. **-s**; mascèlle *f. pl.*

Chaparral; macchia *f.*, prunéto *m.*

Chape; puntale del fodero della sciabola.

Chapel; cappèlla *f.*, chieṡétta *f.* — of ease, chiesetta succursale. Lady —, cappella della Madonna.

Chaperon; guardiana *f.*; accompagnare.

Chaplain, **-cy**; cappellan-o *m.*, -ato *m.*

Chaplet; coróna *f.*, rosário *m.*, ghirlanda *f.*

Chapman; merciaiuolo ambulante.

Chapped; screpolato, fésso.

Chapter; capítolo *m.* — of accidents, capitolo d' avvenimenti. Trust to the — of accidents, affidarsi alla ventura. **-house**; capítolo *m.*

Char; 1. salmaríno *m.* 2. carboniżżare, bruciacchiare.

Char-à-banc; carrozzone a panche trasversali.

Character; caráttere *m.*, naturále *m.*, índole *f.*, tipo *m.*, ségno *m.*, lèttera *f.*; certificato *m.*, benservíto *m.*; parte *f.*, personaggio *m.* **-isation**; il caratteriżżare. **-ise**; segnare, caratteriżżare, appiccare il carattere di. **-istic**, **-istically**; caratteristic-o, -aménte. -istics of the economic condition, sintomi dello stato economico. **-less**; mancante di carattere.

Charade; sciaráda *f.*

Charcoal; carbóne *m.*, carboncino per disegnare. **-burner**, **-dealer**; carbonaio *m.*

Chare; Go out charing, fare i servizii a giornata.

Charge; 1. cárico *m.*, cárica *f.*, sòma *f.* 2. comandaménto *m.* 3. cárico *m.*, accuṡa *f.*, cónto *m.* 4. incárico *m.*, incombènza *f.* Be in — of, dirígere, essere incaricato di. 5. prèzzo *m.* Customary —, prezzo solito, onorario usuale. 6. -s, recápiti (gli effetti ed i documenti relativi). 7. -s, bambini (affidati a una bambinaia). 8. lettera circolare vescovile. 9. custòdia *f.*, guárdia *f.* Doctor in —, medico di guardia. 10. diritto ipotecario, atto ipotecario. 11. At my -s, a spesa mia.

12. caricare (fucile, bottiglia di Leida ecc.) 13. andare all' assalto. 14. caricare (il nemico). 15. — down, arrivare di carriera. 16. prescrívere, ordinare. 17. affidare, incaricare, incombenzare. 18. imputare a, incolpare, accuṡare. 19. — with the cost of, metter a conto di. — for, metter in conto o in fattura. He -s a guinea a visit, si fa pagare una ghinea la visita.

Chargeable; imputábile, imponíbile, accuṡábile. This item is not — to him, questo capo non è da portarsi al conto suo. — to the parish, a spesa del comune. To what parish is he —? quale comune è responsabile del suo mantenimento?

Chargé d'affaires; incaricato di affari diplomatici.

Charger; cavallo di battaglia.

Charily; parcaménte.

Chariot; carro *m.* **-eer**; conduttore di carro. **-race**; corsa di carri.

Charit-able; caritatévole, limoṡinière. — endowment, ente morale. **-ableness**; caritatevolézza *f.*, benevolènza *f.* **-ably**; caritatevolménte, amorevolménte. **-y**; carità *f.*, opera pia, elemòsina *f.* — school, scuola di beneficenza. Sister of —, suora della carità. — begins at home, il primo prossimo è sè stesso.

Charivari; scampanacciata *f.*

Charlatan, **-ry**; ciarlatán-o *m.*, -ería *f.*

Charles; Carlo.

Charlock; senapa salvatica o de' campi.

Charlotte; Carlòtta. Apple —, marmellata di mele. Russian —, zuppa inglese.

Charm; incanto *m.*, fáscino *m.*, vaghézza *f.*, piacevolézza *f.*; vézzo *m.*; incantare, invaghire, ammaliare, affascinare. — away, scongiurare. The actor -ed the audience, l' attore incantò gli spettatori. -ed life, vita incantata. **-er**; incant-atóre *m.*, -atrice *f.*, mag-o *m.*, -a *f.* **-ing**; incantévole, ammaliante, affascinante, vezzóso, piacevolissimo. **-ingly**; in modo incantevole ecc.

Charnel-house; ossário *m.*

Charon; Carónte.

Charpie; faldèlla *f.*, fila *f. pl.*, filacce *f. pl.*
Charred; ridotto in carbone.
Chart; carta marina. Badly -ed, con carte difettose, mancante di carte marine. **-room**; camera delle carte, camerino di veglia.
Charter; patènte *m.*, statúto *m.*, carta costituzionale; noleggiare. -ed libertine, libertino privilegiato. **-party**; contratto di noleggio.
Chartist; partigiano dello statuto popolare, "People's Charter," del 1838.
Chartreuse; liquore della Certosa.
Charwoman; operaia giornante.
Chary; grétto, cauto, poco disposto (a far qualche cosa), con poca voglia.
Charybdis; Cariddi *f.*
Chase; 1. cáccia *f.* 2. forèsta *f.* 3. scanalatura *f.* 4. telaio *m.* 5. inseguire. 6. scacciare. 7. ceśellare, incastrare.
Chaser; Submarine —, motoscafo antisommergibile.
Chaser-plane; aeropiano da caccia. **-seaplane**; idrovolante da caccia.
Chasing; ceśellatura *f.* **-tool**; ceśèllo *m.*
Chasm; abisso *m.*, vorágine *f.*, báratro *m.*, vuòto *m.*
Chasse; bicchierino alcoolico.
Chasseur; cacciatóre *m.*
Chast-e; casto, purgato, castigato. **-ely**; castaménte. **-en**; castigare, corrèggere. **-ener**; castigatóre *m.* **-isable**; castigábile, che merita punizione. **-ise**; castigare, punire. **-isement**; castígo *m.*, punizióne *f.* **-ity**; castità *f.*
Chasuble; pianéta *f.*
Chat; ciarl-a *f.*, -are; *see* Chatter.
Chatelaine; catenella per ciondoli; moglie di un barone feodale.
Chattels; beni mobili, effètti *m. pl.*
Chatter; ciarla *f.*, parlantína *f.*, cicaléccio *m.*, chiácchiera *f.*, chiacchierío *m.*; ciarlare, chiacchierare, ciaramellare, cicalare, garrire (uccelli), strídere (denti), báttere (denti). **-box**, **-er**; chiacchieróne *m.*, ciarlièro *m.*, ciarlóne *m.* **-ing**; chiácchiera *f.*
Chatt-iness, **-y**; garrul-ità *f.*, -o, loquacità *f.*, -e.
Chauffeur; meccánico *m.*, conducènte *m.*, conduttóre *m.*
Chauvinist; patriotta fanatico.
Chaw; masticare. **-bacon**; villanzóne *m.*
Cheap; vile (prezzo), a buon mercato, poco costoso, poco caro, a buon patto. Very —, a vil prezzo, a buon prezzo. Get off —, averla a buon mercato. Really —, a vero buon mercato. Hold —, far poco caso di, tener in poco conto. **-en**; ridurre in prezzo, diminuire il prezzo di, rinviliare. **-er**; più a buon mercato, a miglior mercato. **-est**; il meno caro. **-jack**; **mercante ambulante**. **-ly**; a buon mercato, a buon prezzo, per poco. **-ness**; basso prezzo, i bassi prezzi.
Cheat; imbroglióne *m.*, baro *m.*, truffatóre *m.*, scroccóne *m.*, giuntatóre *m.*; giunteria *f.*, truffa *f.*; ingannare, truffare, barare, frodare, gabbare, defraudare. — the workman of his pay, truffar la mercede all' operaio. **-ing**; giunteria *f.*, truffa *f.*, fròde *f.* **-ingly**; con frode.
Check; 1. fréno *m.*, ritégno *m.*, arrèsto *m.*, impediménto *m.*, contròllo *m.*; bollettino di bagaglio; (for re-admission) contromarca *f.*; scacco al re; tela quadrettata. — trousers, calzoni a dadini. 2. arrestare, ritenére, frenare, moderare; controllare, verificare, riscontrare; dare scacco a. 3. Hold oneself in —, dominarsi, reprímersi.
Check-er; riscontratóre *m.*, controllóre *m.*, verificatore delle merci portate in un opificio. **-ing**; riscóntro *m.* **-mate**; scacco matto. **-rail**; controrotaia *f.* **-string**; cordone per far fermare il cocchiere. **-taker**; ricevitore di biglietti e contromarche, bigliettáio *m.*
Cheek; guáncia *f.*, gòta *f.*; còscia *f.* (di camino o strettoio); *fig.* impudènza *f.* ecc. *See* Cheeky. Have the — to, aver la faccia tosta di. To —, esser impudente a. **-bone**; żígomo *m.* **-strap**; śguancia *f.* **-y** (gergo); impudènte, ardíto, sfrontato, insolentuccio.
Cheep; pigolare. **-er**; pulcíno *m.*
Cheer; appláuśo *m.*, urrà *m.*; trattaménto *m.*, távola *f.* To —, rallegrare, incoraggiare; applaudire, gridare evviva. — up, rincorare. — up! animo! coraggio! Be of good —, prender coraggio. **-ing**; degli evviva, acclamazióne *f.*, appláuśi *m. pl.*; rallegrante, incoraggiante, consolante. Great -ing, applauso strepitoso. **-ful**; gaio, contènto, lièto. **-fully**; gaiaménte, lietaménte, allegraménte, di buon umore. **-fulness**; gaiézza *f.*, allegrézza *f.* **-ily**; *see* Cheerfully. **-less**; triste. **-lessness**; tristézza *f.* **-y**; giocóndo, allégro, ridènte, di umore gaio.
Cheese; (large) formággio *m.*, (small) cácio *m.* **-cake**; tortellétta *f.*, pasta reale. **-mite**; acaro del cacio. **-monger**; formaggiáio *m.* **-paring**; parsimonia meschina.
Cheesy; caseóso, simile al formaggio.
Cheetah; guepardo *m.*
Chef d'œuvre; capolavóro *m.*
Chemical, **-ly**, **-s**; chímic-o, -aménte, composizioni -he.
Chemis-e, **-ette**; camíci-a *f.*, -òla *f.*

Chemist; chímico *m.*, droghière *m.*, farmacista *m.* **-ry**; chímica *f.*
Chenille; cinìglia *f.*
Cheque; scècche *m.*, chèque *m.*, mandato *m.*, assegno bancario. Blank —, scecche firmato in bianco. Crossed —, scecche barrato. — to order, scecche all' ordine. Open —, scecche scoperto. **-book**; libretto degli assegni.
Chequered; screziato, a scacchi. — in black and white, a scacchi neri e bianchi. — career, carriera piena d' incidenti buoni e cattivi.
Cherish; tener caro, conservare sempre, ossia fedelmente, nell' intimo del cuore, pietosamente, piamente. — ill-will, conservare sempre il rancore. — the memory of, tener cara la memoria di.
Cheroot; sigaro spuntato, sigaro di Manilla.
Cherry; ciliègia *f.* Wild —, vísciola *f.* **-brandy**; ciliegie nell' acquavite. **-coloured**; color ciliegia. **-laurel**; lauro ceraso. **-orchard**; ciliegéto *m.* **-stone**; nocciolo di ciliegia. **-tree**; cilìègio *m.*, vísciolo *m.*
Chersonese; Chersonèṡo *f.*, penìṡola *f.*
Chert; specie di roccia silicea.
Cherub, -ic; -íno *m.*, di -ino.
Chervil; cerfòglio *m.*
Chess; scacchi *m. pl.* Game of —, partita di scacchi. **-board**; scacchière *m.* **-man**; pèzzo *m.* **-player**; giocatore di scacchi. **-tournament**; concorso di giocatori di scacchi.
Chest; cassa *f.*, scrigno *m.*, forzière *m.*; casso *m.*, toráce *m.*, pètto *m.* — of drawers, cassettóne *m.*, comò *m.* Iron —, cassa forte. **-ed**; Broad —, pettoruto. Narrow —, stretto di petto.
Chestnut; castágna *f.*, marróne *m.*; (gergo) storiella vecchia. Horse —, marrone d' India. **-coloured**; castagno, color castagna. **-tree**; castágno *m.* Horse —, ippocastáno *m.*, castagno d' India.
Cheval-glass; psiche *f.*
Chevalier; cavalière *m.*
Chevaux-de-frise; cavalli di Frisia.
Cheviot-cloth, -wool; stoffa, lana d' agnello di Scozia.
Chevron; capriòlo *m.*; gallóne *m.*
Chew; masticare. — tobacco, ciccare. — the cud, ruminare, rimasticare il cibo.
Chicane; cavillo *m.*, rigíro *m.*
Chicanery; sofisticheria *f.*, trufferia *f.*
Chick; pulcíno *m.*, pollastro *m.* **-enhearted**; pauróso. **-en-pox**; morviglióne *m.* **-pea**; céce *m.* **-weed**; centónchio *m.*
Chicory; cicorèa *f.*
Chid; *rem.* di Chide.
Chid-e; riprèndere, rimproverare. **-ingly**; brontolando.
Chief; primo, sómmo, principále; capo *m.* The — advantage, il maggior vantaggio. — town, la capitale, il capoluogo. **-ly**; principalménte, per la maggior parte. **-tain**; capo *m.*, capitáno *m.* **-tainess**; capo *m.*, capitáno *m.*
Chiff-chaff; luì *m.*
Chiffonier; stipo *m.*
Chignon; capigliatura raggomitolata sulla nuca, nodo di capelli rialzati.
Chilblain; gelóne *m.*
Child; fanciull-o *m.*, -a *f.*, fígli-o *m.*, -a *f.*, bambín-o *m.*, -a *f.* From a —, sino dall' infanzia, dalla culla. With —, incinta. Past — bearing, troppo vecchia per aver figlio. **-birth**; parto *m.* **-hood**; infánzia *f.*, fanciullézza *f.* **-ish**; fanciullésco, puerile. **-ishly**; da fanciullo, bambinescaménte. **-ishness**; fanciullággine *f.* **-less**; senza figli. **-like**; fanciullésco, bambinésco.
Chili, -an; Chil-ì *m.*, -iáno.
Chill; fréddo, freddura *f.*, ghiacciato; freddare, raffreddare, agghiacciare. Cold -s, brívidi *m. pl.*, ribrezzi di febbre. Take off the —, fare intiepidire. It -s my blood when I think of, il sangue mi si ghiaccia nelle vene quando penso a. **-ed**; gelato. — (iron), indurito. **-ing** (of steel); tempra a vetro.
Chillies; gusci del pepe della Caienna.
Chill-iness; freddura *f.*; freddézza *f.*, maniere fredde. **-ing**; ghiacciante, glaciále. **-ingly**; in modo freddo. **-y**; freddolóso, frésco, suscettibile al freddo.
Chiltern Hundreds; To apply for the ——, dimettersi da deputato alla Camera dei Comuni. Chiedere di esser nominato intendente della circoscrizione dei Chiltern Hundreds, benchè tale carica sia attualmente una semplice finzione legale, equivale a chiedere un ufficio di nomina regia, incompatibile quindi con la funzione parlamentare se non sia riconfermata da un' elezione suppletiva.
Chimb; caprúggine *f.*
Chime; scampanío *m.*, cariglióne *m.*; suonare. — in, far coro, esprimere la stessa opinione. — with, accordare con.
Chimer-a, -ical; -a *f.*, -ico.
Chiming-clock; orologio a cariglione.
Chimney; gola del camino, camíno *m.* Lamp —, scartòccio *m.* **-board**; cappa di camino. **-corner**; canto del camino. **-glass**; caminièra *f.* **-ornaments**; guarnitura del camino. **-piece**; caminetto *m.*, cornice del camino, rivestimento del camino. **-pot**; tubo di latta o terra

cotta alla cima del camino. **-sweep**; spazzacamíno *m.* **-top**; rocca di camino.
Chimonanthus; calicanto del Giappone.
Chimpanzee; scimpanzè *m.*
Chin; ménto *m.* Double —, doppio mento.
China; porcellána *f.*, stovíglie *f. pl.*; Cina *f.* **-aster**; astro della Cina. **-shop**; negozio di porcellana.
Chinchilla; cincilla *f.*
Chin-cloth; bavaglio *m.*
Chine; schièna *f.*
Chinese; cinése. — white, bianchétto *m.*
Chink; 1. fessura *f.*, fésso *m.*, crepáccio *m.*, crepatura *f.* 2. tintinnío *m.*; tintinnare.
Chin-strap; sottogóla *m.*
Chintz; indiána *f.*, tela dipinta.
Chip; schéggia *f.*, trúciolo *m.*; scantonatura *f.*; truciolare, scantonare; scheggiare, ṡbriciolare. — in, interpórsi, frappórsi. Be a — of the old block, rassomigliare al padre. Potato -s, patate fritte.
Chipmunk; scoiattolo americano.
Chippy; malaticcio per aver bevuto.
Chiro-podist; pedicúre *m.* **-ptera**; -tteri *m. pl.*
Chirp, Chirrup; cinguettare, pigolare, garrire, piare. **-ing**; cinguettío *m.*, pigolío *m.* **-y**; allégro.
Chisel; scalpèllo *m.*, ceṡèllo *m.*, súbbia *f.*; scalpellare, ceṡellare, intagliare; (gergo) ingann-o *m.*, -are.
Chit; 1. bambina impertinente. 2. bigliétto *m.* (nelle Indie).
Chit-chat; ciarla *f.*, cicalío *m.*
Chitterlings; budèlla *f. pl.*, minúgia *f.*
Chivalr-ous, -ously, -ousness; cavallerésco, -caménte, modi -chi.
Chivalry; cortesia cavalleresca, cavallería *f.*
Chive; cipollína *f.*
Chivy; cacciare, scacciare, inseguire.
Chlor-al, -ide, -odyne, -oform, -ophyll, -otic; clor-álio *m.*, -uro *m.*, -odínio *m.*, -ofòrmio *m.*, -oformiżżare, -ofilla *f.*, -òtico.
Chock; céppo *m.*, tòppo *m.* — **full**, pieno zeppo.
Chocolate; cioccolata *f.* **-cream**; cioccolatino alla crema. **-maker**; cioccolatière *m.* **-pot**; cioccolattièra *f.*
Choice; scélta *f.*, elezióne *f.*; squiṡíto, scélto, raro, elètto. — spirit, ingegno eletto. Hobson's —, scelta forzata per esservi una sola cosa. **-ness**; rarità *f.*
Choir, -boy; còr-o *m.*, -ista *m.*
Choke; fieno del carciofo; suffocare, strozzare, turare, otturare, ostruire, ingorgare. Choking (of carburettor), insudiciaménto *m.* **-bore**; canna a gola strozzata. **-damp**; aria viziata dall' acido carbonico. **-r**; cravatta ampia. **-tube**; ugello per aria.
Choky; suffocante; (gergo) gattabuia *f.*
Chol-agogue; colagògo *m.* **-er**; stizza *f.* **-era**; colèra *f.* — patient, coleróso. Summer —, colerino *m.* **-eraic**; coleróso. **-eric**; collèrico.
Choose; scégliere, elèggere. Not to —, non intendere. — rather, preferire, amar meglio. — out, far scelta di. **-r**; scegli-tóre *m.*, -trice *f.* Beggars cannot be -s, quando si prende a prestito non si sceglie.
Chop; 1. tagliata *f.*; costolétta (di castrato), braciòla (di porco); tagliare, spaccare (legna). — down, abbáttere (coll' ascia), tagliare. — off, troncare, mozzare. — out, scolpire alla meglio. — short, ṡmozzicare. — up, ṡminuzzare. 2. cambiare (vento), scambiare. — and change, cambiar e ricambiar proposito. — logic, argomentare sofisticamente. 3. -s of the Channel, gola della Manica.
Chop-fallen; abbattuto, rattristato. **-house**; trattoría *f.* **-per**; coltelláccio *m.*, mannáia *f.* **-ping-block**; céppo *m.* **-py sea**; marétta *f.* **-stick**; bastoncino per mangiare alla cinese.
Chor-agus, -al; cor-ifèo *m.*, -ále.
Chord; còrda *f.*, accòrdo *m.*; sottésa *f.* **-ee**; incordazióne *f.*
Chor-ea, -iambic, -ister, -oid, -us; cor-èa *f.*, -iambo *m.*, -ista *m.*, -òide *f.*, -o *m.*
Chores; piccoli lavori domestici.
Chose; *rem.* di Choose.
Chough; gracchio corallino.
Chouse; trufferia *f.*; truffare.
Chow-chow; cibo alla cinese.
Chowder; pesce bollito con biscotti.
Chrism; crèṡima *f.*
Christ; Cristo. **-en**; batteżżare. **-endom**; cristianità *f.* **-ian**; cristiáno. — burial, sepoltura religiosa. **-ianise**; cristianiżżare. **-ianity**; cristianèṡimo *m.* **-mas**; Natale *m.*, festa di Natale, pasqua di Ceppo. Bit of —, pezzo di agrifoglio. — box, strènna *f.*, céppo *m.* — carol, cantica di Natale. — day, giorno di Natale, festa di Natale. — holidays, vacanze di Natale. — rose, erba nocca, rosa di Ceppo, elleboro nero. — tide, tempo di Natale. — tree, albero di Natale.
Chrom-ate, -atic; crom-ato *m.*, -atico.
Chromolithograph; cromolitografía *f.*
Chromotype; cromòtipo *m.*
Chron-ic, -ically, -icle, -icler, -ograph, -ography, -ological, -ologically, -ologist, -ology, -ometer, -ometric, -ometry, -oscope; cròn-ico, -icaménte, -aca *f.*,

-ista *m.*, -ògrafo *m.*, -ografía *f.*, -ològico, -ologicaménte, -òlogo *m.*, -ología *f.*, -òmetro *m.*, -omètrico, -ometría *f.*, -òscopo *m.* Chronometer error, stato assoluto del cronometro.

Chrys-alis; crišálide *f.*, aurèlia *f.* **-anthemum**; crišantémo *m.* **-olite**; crišolito *m.* **-oprase**; crišopázio *m.*

Chub; cèfalo *m.*

Chubby; paffúto, grassòccio.

Chuck; accarezzare (sotto il mento); gettare, lanciare. — out, scacciare. — up, abbandonare, rinunziare. **-er out**; chi ha l' incarico di metter fuori una persona noiosa.

Chuckle; riso breve; ridere dolcemente, gongolare, rider sotto sotto. **-headed**; balórdo.

Chum; cameráta *m.*, compáre *m.* To —, far camerata, esser grandi amici. **-my**; sociévole.

Chump, Chunk; trónco *m.*, nodèllo *m.*, pèzzo *m.*, tèsta *f.* Off his —, fuor di senno.

Chupatty; specie di torta indiana.

Church; chièša *f.*, tempio protestante; i membri di una congregazione; ecclesiastico; benedire dopo il parto. **-goer, -going**; devòto. **-man**; cattolico anglicano riformato. **-rate**; tassa per mantenere una chiesa. **-service**; servizio religioso, ufficio divino; libro degli uffici divini. **-warden**; 1. specie di assessore rappresantante gl' interessi dei parrocchiani nella chiesa. 2. pipa lunga di argilla. **-woman**; cattolica anglicana riformata. **-y**; chiešastro, bacchettóne. **-yard**; chiuso intorno alla chiesa.

Churl; villanzóne *m.*, żoticóne *m.* **-ish**; búrbero, aváro, arcigno. **-ishly**; da burbero ecc. **-ishness**; maniere burbere ecc.

Churn; zángola *f.* To —, agitare la panna nella zangola, fare il burro. — up, agitare violentemente, rimescolare, rimenare. **-ing**; quantità di burro fatto ad una volta.

Chut; esclamazione impaziente.

Chute; cascata artificiale.

Chutnee; condimento di manghe pepato.

Chy-le, -me; chi-lo *m.*, -mo *m.*

Cicada, Cicala; cicála *f.*

Cicatr-isation, -ise, -ix; -iżżazióne *f.*, -iżżare, -íce *f.*

Ciceron-e, -ian; -e *m.*, -iáno.

Cider; sidro *m.*

Ci-devant; vècchio, šmésso.

Cigar; sígaro *m.* **-case**; porta-sígari *m.* **-end**; mozzo di sigaro. **-ette**; sigarétta *f.* — paper, carta da sigaretta.

Cigar-holder, cigarette-holder; bocchino da sigaro, da sigaretta.

Cilia; ciglia vibrátili. **-ry**; cigliare.

Ciliated epithelium; epitelio vibratile.

Cilice; cilício *m.*

Cimmerian; cimèrio.

Cinchona; china *f.*

Cincture; cintura *f.*

Cinder; resto di carbon fossile carbonizzato. Burnt to a —, carboniżżato. **-bank**; monte di scoria. **-s**; resto del fuoco, scòria *f.*, cénere *f.*, brace *f.*

Cinderella; Cenerèntola. — dance, ballo che finisce a mezzanotte.

Cinder-pan; cenerácciolo *m.* **-sifter**; crivello da cenere. **-y**; tutto scoria.

Cinema, Cinematograph; cinematògrafo *m.*

Cinerar-ia, -y; cenerár-ia *f.*, -io.

Cingalese; cingalése.

Cinna-bar; cinábro *m.* **-mon**; cannèlla *f.*

Cinquefoil; cinquefòglio *m.*

Cipher; cifra *f.*, żèro *m.*; conteggiare, calcolare.

Cippus; cippo *m.*

Circassian; circasso.

Circle; cèrchio *m.*, círcolo *m.*; circondare, accerchiare. Inner — railway, strada ferrata di cintura interiore. In the highest -s, fra le sfere più altolocate. Great —, circolo massimo. To — round, fare un giro intorno a.

Circlet; cerchiétto *m.*, anèllo *m.*

Circuit; giro *m.*, circúito *m.*, contórno *m.*, cinta *f.*; circoscrizióne *f.*, circondário *m.* Go on —, fare il giro delle assise. **-ous**; indirètto, tortuóso. Very — route, via tutt' altra che diretta, via molto indiretta. **-ously**; per via indiretta, per un giro di parole.

Circul-ar; circolare *f.* — letter of credit, lettera di credito circolare. **-arise**; inviare circolari a. **-ate**; circolare, far circolare, dar corso a, diffóndere. -ating decimal, decimale periodica. -ating library, biblioteca circolante. -ating medium, circolazióne *f.* **-ation**; circolazióne *f.*, valóri in circolazione, córso *m.*; diffušióne *f.*, tiratura *f.* (giornale). The Daily Mail has a — of... copies, il Daily Mail tira...copie giornalmente, ha una tiratura di...copie.

Circum-ambient; ambiènte. **-bendibus**; ambági *f. pl.* **-cise**; circoncídere. **-cision**; circoncišióne *f.* **-ference**; circonferènza *f.* **-ferential**; presso la circonferenza. **-flex**; circonflésso. **-jacent**; circonvicíno, circostante. **-locution**; circonlocuzióne *f.*, giro di parole. **-navigate**; navigare intorno. **-navigation, -navigator**; circonnaviga-zióne *f.*, -tóre *m.* **-polar**; circompolare. **-scribe**; circoscrívere; ristríngere, limitare.

-scription; limitazióne *f*. **-spect**, **-spection**; circospè-tto, -zióne *f*. **-spectly**; con circospezione.

Circumstan-ce; circostanza *f*., ragguáglio *m*., particolare *m*., condizióne *f*. In good -s, benestante. As far as my -s will permit, per quanto i miei mezzi lo permetteranno. **-ced**; posto. — as he was, vista la situazione dove si trovava. **-tial**; circostanziale. — evidence, le prove circostanziali, secondarie o indirette. — details, particolari circostanziali. **-tially**; con tutti i particolari. **-tiate**; addurre le prove particolareggiate.

Circumvallation; circonvallaziòne *f*.

Circumvent; circonvenire, girare, raggirare.

Circus; circo *m*.

Cirrus; cirro *m*.

Cisalpine; ciśalpíno.

Cistercian; cisterzènse.

Cistern; cisterna *f*., serbatóio *m*.

Cistus; cisto *m*.

Citadel; cittadèlla *f*.

Cit-ation, -e; -azióne *f*., -are.

Cithara; cítara *f*.

Cithern; cétra *f*.

Citizen; cittadíno *m*. Fellow —, concittadíno *m*. **-ship**; cittadinanza *f*.

Citr-ate; -ato *m*. **-ic**; -ico. **-on**; cédro *m*.

City; città *f*. As *adj*., municipále.

Civet; żibétto *m*. **-cat**; żibétto *m*.

Civic; cívico.

Civil; cortése; civíle. — engineer, ingegnere civile. — list, lista civile, ufficiali pagati dal tesoro pubblico. — servant, ufficiale civile. — service, servizio civile, burocrazía.

Civil-ian; borghése. **-isation**; -iżżazione *f*., civiltà *f*.; incivilíménto *m*. **-ise**; -iżżare, incivilire. **-ising**; -iżżatóre. **-ity**; corteśía *f*., gentilézza *f*. **-ly**; corteseménte, con gentilezza.

Clack; schioccare, far schioccare. **-ing**; cicaléccio *m*. **-valve**; valvola ad animella.

Clad; *rem*. di Clothe.

Claim; pretensióne *f*., pretésa *f*., reclámo *m*.; diritto *m*., titolo *m*. Mining —, terreno minerario appropriato sia lavorato o no. To —, reclamare, eśigere, pretendere a, arrogarsi, attribuirsi, richièdere. **-ant**; pretendènte *m*., chiedènte *m*.

Clairvoyan-ce, -t; chiaroveggèn-za *f*., -te *m*.

Clam; ostrica americana.

Clamber; gita fra le rocce; farsi avanti con difficoltà, arrampicarsi, salire aiutandosi colle mani e coi piedi. — over, scavalcare. — up, arrampicarsi su per. *See* Climb.

Clamm-iness; stato pastoso ecc., *see* **-y**. **-y**; pastóso, mollíccio, appiccicóso.

Clam-orous; clamoróso, brióso, strepitóso, chiassóso. **-orously**; clamorosaménte ecc. **-orousness**; un fare clamoroso ecc. **-our**; clamóre *m*., brio *m*., strèpito *m*., chiasso *m*.; far chiasso, vociare, strepitare. — against, abbaiare a. — for, chiedere strepitosamente o a gridate, strepitare per avere.

Clamp; rampóne *m*., strettóio *m*., sbarra di ferro, caténa *f*.; assicurare con rampone ecc. Screw —, strettoio a vite. **-nails**; chiodi a grande testa.

Clan; casata *f*., clan *m*., insieme di gente scozzese dello stesso nome e di medesima stirpe.

Clandestin-e, -ely; -o, -aménte.

Clang; suono metallico e risonante; strepitare con suono metallico, tintinnare. **-orous**; risonante con suono metallico. **-our**; risonanza strillante.

Clank; suono metallico ma sordo; far tale suono.

Clannish; disposto all' amicizia con chi è dello stesso "clan." **-ness**; siffatta disposizione.

Clansman; membro di un "clan."

Clap; battimáno *m*.; scoppio di tuono; gonorrèa *f*., scólo *m*. To —, batter le mani in applauso. — the hands, batter le mani. — into prison, gettare in prigione, mandare in gattabuia. — on, mettere, aggiungere, imporre. He -ped his hand upon the wound, mise subito la mano sulla ferita. — spurs to one's horse, spronare il cavallo. The actor was heartily -ped, l' attore fu calorosamente applaudito. — eyes upon, incontrare cogli occhi. **-board**; asse *f*. **-bread**; stiacciata di farina d' avena. **-net**; rete per uccellare. **-per**; applauditóre *m*.; battente di mulino; batácchio *m*., martello di una porta. **-perclaw**; rabbuffare. **-ping**; battiménto delle mani, appláuśo *m*. **-trap**; discorso senza sugo per esser applaudito dal volgo.

Claque; gente pagata per applaudire, risòtto *m*. **-ur**; persona così pagata.

Clare; suora dell' ordine di S. Chiara.

Claret; bordò *m*. **-cup**; bevanda di acqua gazzosa e bordò. **-jug**; brocca da vino.

Clar-ify; chiarificare. **-ion**; trombétta *f*. **-ionet**; clarinétto *m*. **-ity**; chiarézza *f*. **-y**; schiarèa *f*.

Clash; còzzo *m*., urto *m*.; cozzarsi, urtarsi, non accordarsi. **-ing**; contrasto *m*., oppośizióne *f*.

Clasp; fermáglio *m.*; cernièra *f.*; amplèsso *m.*, strétta *f.*; abbracciare, avviticchiare, serrare, stríngere. **-knife**; coltello a cricco o a scatto. **-nail**; chiodo a testa speronata.

Class; classe *f.*, órdine *m.*, cèto *m.*; classare. Middle -es, ceto medio. Upper middle -es, grossa borghesia. Open a French —, aprire una classe di francese. **-ic, -ical**; -ico. **-ification, -ify**; classific-azióne *f.*, -are. **-man**; chi si è guadagnato una distinzione agli esami universitarii.

Clatter; chiasso *m.*, schiamazzo *m.*; fare chiasso o schiamazzo, strepitare, risuonare.

Clause; cláuṡola *f.*, parágrafo *m.*, artícolo *m.* Saving —, clausola di riserva.

Claustral; claustrále.

Clavecin; clavicémbalo *m.*

Claver; ciarl-a *f.*, -are.

Clavicle; clavícola *f.*

Claw; artíglio *m.*, únghia *f.*, branca *f.* Of a crab, chèla *f.* Of a lobster, pinza *f.* To —, aggraffare, graffiare. — off (*mar.*), guadagnare il largo. **-hammer**; martello a granchio o a penna fessa.

Clay; argilla *f.*, créta *f.*, terra argillosa. Fire —, argilla refrattaria. Potter's —, terra da stoviglie. **-ey**; cretáceo. **-pipe**; pipa di terra o di argilla. **-soil**; terreno argilloso.

Claymore; spadone scozzese.

Clean; 1. pulito, nètto, lindo, puro, schiètto, liscio, tèrso, móndo. 2. affatto, interaménte, del tutto, nettaménte. A — cut wound, ferita senza lacerazione. He jumped — over it, lo saltò tutto. Get — off, cavarsela pulita, levarsene al pulito. — limbed, colle membra ben fatte. — shaven, ṡbarbuto; colla testa rasa. Shaved —, colla barba fatta di fresco. 3. pulire, nettare, mondare, purgare, ṡgrassare (stoffa). — a fish, cavarne le interiora. — out, depurare. — up, metter a pulito, ripulire, rimetter in assetto, levar le immondizie. **-er**; pulitóre *m.* **-ing**; ripulitura *f.* — rod, bacchettóne *m.* **-liness**; abitudini di pulizia. **-ly**; 1. amatore della pulizia. 2. da pulito, nettaménte, senza correzioni (scritto). **-ness**; pulitézza *f.*, purità *f.*, limpidézza *f.* **-se**; purificare, pulire. **-sing**; purificazióne *f.*

Clear; 1. chiaro, límpido, distinto, nitido di carnagione, trasparènte, seréno. 2. nètto, scévro (di biasimo, errori), eṡènte. — of all deductions, except income tax, esente di qualsiasi diffalco, meno l' imposta sulla rendita. 3. cèrto, evidènte, manifèsto, indiscutíbile. I am quite — about it, ne sono ben convinto. 4. perspicáce (ingegno). 5. libero (di ingombro). 6. In the —; Half a metre wide in the —, di un mezzo metro di larghezza interna.

7. Give a — account, spiegare chiaramente. 8. All —, tutto pronto; (after an air-raid) tregua! 9. It is a — case, è evidente, il fatto sta chiaro. 10. — cut features, fattezze marcate. 11. A — day, (i) giorno ad atmosfera trasparente. (ii) giorno intero. (iii) giorno disimpegnato, in cui si è libero. 12. — as daylight, chiaro come la luce del sole. 13. — estate, proprietà libera da ipoteche. 14. — of; (*a*) tirarsi di, ṡbarazzarsi di. Keep, Steer — of, evitare, scansare, sfuggire. (*b*) (*mar.*) in franchia di. — of the boom, in franchia dell' ostruzione. 15. — reputation, riputazione senza macchia. 16. Rise —, spiccarsi. The Matterhorn rises — above all the surrounding peaks, il Cervino si spicca al disopra di ogni vetta all' intorno. 17. — sight, (i) vista chiara. (ii) veduta ininterrotta. 18. Leave the way —, preparare, aprire la via, lasciar la via libera.

To —; (19) chiarire (liquido), chiarirsi. 20. (*mar.*) diṡimpegnare (cavo), nettare (paranco). 21. rasserenarsi (cielo), spianarsi (la fronte). 22. ṡbarazzare, liberare, ṡvincolare. 23. avere un guadagno netto di. 24. passare, attraversare (saltando). 25. assòlvere, eṡonerare, dichiarare innocente. — oneself, mostrarsi innocente. 26. ṡdoganare. 27. ritirare, levare. All lots to be -ed within two days, tutti i capi da esser sgombrati fra due giorni. 28. diboscare. 29. far la levata (a buca da lettere). 30. aprire (strada per).

31. — away, (i) ṡgomberare. (ii) sparecchiare. 32. — for (*mar.*), partire per. — for action, porsi in assetto di combattimento. 33. — off, (i) sbarazzarsi di (debiti). — off the debts of a deceased estate, appurare un patrimonio. (ii) andarsene. (iii) The rain -ed off, cessò di piovere. 34. — out, vuotare, ṡgomberare; scacciare, espèllere, fare sparire; evacuare (ascesso); andarsene, ṡvignarsela. — out of the camp, abbandonare il campo. 35. — up, (i) rischiarirsi, rassenerarsi (tempo). (ii) metter in chiaro, spiegare, rassettare.

Clearance; diṡbrígo *m.*, ṡgombro *m.*; patente doganale. — of a machine (the space within which it is dangerous), spazio nocivo.

Clear-headed; intelligènte, che ha lo spirito acuto.

Clearing; 1. radura *f.* 2. operazione di compensazione. **-banker**; socio della stanza di compensazione. **-department**; uffizio delle compensazioni. **-house**; stanza di compensazione.

Clear-ly; chiaraménte, evidenteménte, in modo schietto. — true, palesemente vero. **-ness**; chiarézza *f.*, nettézza *f.*, trasparènza *f.* **-sighted**; perspicáce. **-sightedness**; perspicácia *f.*, discerniménto *m.* **-starcher**; lavandaia di fino. **-toned**; dal tono chiaro.

Cleat; castagnòla *f.*

Cleav-age; sfaldatura *f.* **-e**; 1. fèndere, spaccare. 2. attaccarsi, appiccicarsi. **-er**; coltellaccio *m.*, mannaia *f.* **-ers**; attaccavèsti *m.*

Cleek; bastone a testa di ferro, nel "golf."

Clef; chiave *f.*

Cleft; spaccatura *f.*, fessura *f.*

Cleft-palate; palato fesso o forcato.

Clematis; vitalba *f.*, clemátide *f.*

Clemency; clemènza *f.*, mitèzza *f.*

Clench; strìngere. Tightly -ed, stretto stretto.

Clepsydra; cléssidra *f.*

Clerestory; navata superiore (la parte superiore della navata centrale d' una chiesa, le cui finestre si aprono al di sopra delle navate laterali).

Clergy; cléro *m.* **-man**; chiérico *m.*, ecclesiastico *m.*, prète *m.*

Cleric, -al; -ále. **-ally**; -alménte. **-alism**; -aliṡmo *m.*

Clerk; commésso *m.*, contábile *m.*, scriváno *m.*, scritturále *m.*, copista *m.*, impiegato *m.*, giovane di studio; segretario municipale, protocollista *m.* Articled —, praticante presso un avvocato. Head —, capo ufficio, primo commesso. Junior —, secondo scritturale. **-ly**; da impiegato. **-ship**; segretariato *m.*, posto d' impiegato o di scrivano.

Clever; ábile; capace, dèstro, ingegnoso, dotato d' ingegno, spiritóso. — artisan, operaio abile, destro. — man, uomo abile. — review, critica ingegnosa. — device, mezzo ingegnoso. Play at who is most —, giuocare di abilità. Infernally —, coll' abilità del diavolo. **-ish**; piuttosto abile ecc. **-ly**; abilménte, destraménte. **-ness**; abilità *f.*, destrézza *f.*, mèżżi *m. pl.*

Clew; bugna *f.* — up, imbrogliare.

Clew-garnet; cáricascòtte *m.* **-line**; imbròglio *m.*

Cliché; stereòtipo *m.*

Click; suono di scatto, schiòcco *m.*, piccolo rumore secco. To —, strepitare dolcemente, chiudersi con un tic.

Click-er; impaginatóre *m.*; tagliacuòio *m.* **-ing**; tic-tac *m.*

Client, -èle; -e *m.*, -èla *f.*

Cliff; costa dirupata, balza *f.*, luogo scosceso, precipízio *m.*

Climacteric; climatèrico.

Clim-ate, -atic; -a *m.*, -atico.

Climax; cólmo *m.*, bella conclusione, il più bello, apogèo *m.*

Climb; salíta *f.*; salire, arrampicare, ascèndere. — over, scalare, scavalcare. — down, scéndere, farsi giù, *fig.* umiliarsi, rimpiccolirsi, ridurre le sue pretese. — up, salire. **-able**; salíbile. **-er**; chi fa ascensioni, alpinista *m.*; pianta rampicante.

Clime; regióne *f.*, cièlo *m.*

Clinch; ribadire, strìngere. **-er**; argomento irrefragabile. — build (*mar.*), costruzione a labbro. **-ing**; ribadiménto *m.*

Cling; attaccarsi, aggrapparsi, avviticchiarsi, abbrancarsi. **-stone**; durácine.

Clinic, -al; -a *f.*, -o.

Clink; suono metallico, tin-tin *m.*; tintinnare, cozzarsi con un tin-tin; far tintinnare.

Clinker; rosticcio del ferro, scòria *f.*; (gergo) bellissimo colpo.

Clinometer; ecclímetro *m.*

Clip; 1. fermáglio *m.*, ritenitóre *m.* 2. risultato del tosare. The — this year was very good, la tosatura quest' anno era assai produttiva. 3. toṡare, toṡolare. 4. raccorciare, accorciare. 5. ritagliare, bucare (biglietto). 6. diramare. 7. mangiare la metà (delle sue parole). 8. abbracciare strettamente, serrare. 9. -ped coin, moneta tosata. **-per**; veliero di forma slanciata, clipper *m.* **-pings**; ritagli *m. pl.*

Cliqu-e; cricca *f.*, combríccola *f.*, consortería *f.* **-ish**; da cricca. **-ism**; tendenza verso le cricche.

Cloaca; *id.*

Cloak; mantèllo *m.*, pastráno *m.*, feraiòlo *m.*, cappa *f.*, tabarro *m.*; *fig.* vélo *m.*, máschera *f.*; velare, mascherare, coprire, nascóndere. **-room**; conségna *f.*, vestiário *m.*

Clock; pèndola *f.*, orològio *m.*; fióre *m.*, mándorla *f.* (di calze). Cuckoo —, cúculo *m.* What's o' —? che ora è? It is two o' —, sono le due. One o' —, il tocco. **-case**; cassa d' una pendola. **-maker**; orologiáio *m.* **-wise**; secondo il senso della lancetta dell' orologio. **-work**; meccanismo d' orologio.

Clod; zòlla *f.* **-hopper**; villáno *m.*, tánghero *m.*, contadíno *m.*

Clog; 1. zòccolo *m.*, calòscia *f.* 2. intòppo *m.*, imbarazzo *m.*; inceppare, ingombrare. **-ging**; che ostruisce, ingombrante.

Cloisonné; lavoro in smalto con divisioni metalliche.

Cloist-er; chiòstro *m.* **-ered**; chiuso in un chiostro. **-ral**; claustrale.

Close; 1. fine *f.*, conclušióne *f.* 2. recinto *m.*, chiuso *m.*

3. vicino, contiguo. — to the ground, a fior di terra. 4. pesante, afóso. 5. assiduo, scrupulóso, minuzióso, eṡatto, mássimo, estrèmo, stringato, conciṡo. 6. aváro, strétto, abbottonato, contegnóso, riservato. 7. — combat, il battersi corpo a corpo. 8. (traduzione) fedele, esatta. 9. — time for partridges, stagione del risparmio delle pernici.

10. chiúdere, fermare, metter fine a, saldare (conto). — in, cíngere, assiepare. — up, rinchiúdere, serrare, turare; cicatriżżare. — with, prender corpo a corpo; accettare, accordarsi con. — a ship, avvicinarsi ad una nave.

11. prèsso, accanto, accòsto, raṡènte, di vicino. — by, d' accosto, di qui a pochi passi. — by here, qui d' accosto.

Close-cropped; coi capelli corti. **-fisted**; aváro, spilórcio, *see* Close (6). **-fitting**; attillato, che segue bene le pieghe della persona. **-hauled**; (*mar.*) stretto al vento.

Closely; strettaménte, da vicino, eṡattaménte, attentaménte, (corrispondere) a puntino. — related, prossimo di parentela.

Closeness; riservatézza *f.*; spilorcería *f.*; solidità *f.*; prossimità *f.*, contiguità *f.*; fedeltà *f.*; eṡattézza *f.*; afa *f.*, pesantézza *f.*

Close-stool; seggétta *f.*

Closet; camerino *m.*, gabinétto *m.*, armádio *m.* **-ed**; rinchiuso.

Clos-ing; chiusura *f.*; ultimo, finále, conclušívo. — price, prezzo di chiusura. **-ure**; chiusura *f.*

Clot; grumo *m.*; biòccolo *m.*; raggrumarsi, accagliarsi. **-ted cream**, crema montata o ripresa, *see* Devonshire cream.

Cloth; panno *m.*, téla *f.*, tessuto *m.*, stòffa *f.*; tovåglia *f.*; *fig.* professióne *f.*, sottána *f.* The —, il clero. Bound in —, legato in tela. Broad —, panno nero fino. Cotton —, tela di cotone. Long —, tela di cotone bianco. Oil —, tela incerata. Packing —, tela da imballaggio. Table —, tovåglia *f.*, tappeto da tavola. Twilled —, stoffa a spina. Lay the —, metter la tovaglia, apparecchiare. Take away the —, levar la tovaglia.

Clothe; vestire, rivestire.

Clothes; vestíti *m. pl.*, ábiti *m. pl.*, vestiménta *f. pl.* Bed —, lenzuòla *f. pl.* Cast off —, abiti che non si portano più, spògli *m. pl.*, scarti *m. pl.* Long —, vestito lungo da bambino. Mens', Womens' —, abiti da uomo, vestiti da donna. Small —, pantalóni *m. pl.* Suit of —, abito completo, abbigliamento completo. Old —, abiti vecchi. Old — man, rigattière *m.*

Clothes-basket, -bag; cesta o sacco dei panni sudici. **-brush**; spazzola da panni. **-horse**; cavallétto *m.*, buttalà *m.* **-line**; corda per tendere la biancheria. **-peg**; portamantèllo *m.*, grúccia *f.* **-pin**; morsettina per fissare i panni molli sulla corda, caviglia spaccata. **-press**; armadio con torchio, guardaròba *f.*, deposito di vestiti. **-wringer**; macchina per torcere i panni molli.

Cloth-ier; pannaiòlo *m.* Tailor and —, mercante sarto. Second-hand —, rigattière *m.* **-ing**; vestíti *m. pl.* **-worker**; operaio di teleria.

Clotty; grumóso.

Cloud; núvola *f.* Storm —, or of locusts, dust etc., nuvolo *m.* In a jewel, macchia *f.* Under a —, sospètto, mal veduto, screditato. To —, annuvolare, *fig.* rattristare, offuscare. — over, rannuvolare. **-burst**; acquazzóne *m.* **-ed**; oscurato. **-ily**; oscuraménte. **-iness**; oscurità *f.*, nuvolosità *f.* **-less**; senza nuvole. **-let**; nuvolétta *f.* **-y**; copèrto, nuvolóso; tórbido.

Clout; pèzza *f.*, stráccio *m.*; scapaccióne *m.* To —, báttere. **-nail**; bullettóna *f.*

Clove; 1. *pret.* di Cleave. 2. garòfano *m.*; spicchio d' aglio. **-n**; *part.* di Cleave. — footed, dal piede pesso. — hoof, piede biforcuto (accennando al diavolo). **-pink**; garofano coltivato.

Clover; trifòglio *m.* Common red —, trifoglio pratense. Dutch, White —, trifoglio bianco. Live in —, stare come un papa. Find oneself in —, trovarsi come un pesce nell' acqua.

Clown; tánghero *m.*, pagliaccio *m.* **-ish**; zòtico, da tanghero, grossoláno. **-ishly**; rozzaménte. **-ishness**; grossolanità *f.*

Cloy; satollare, saziare, stuccare. **-ed**; ristucco.

Club; 1. randèllo *m.*, clava *f.*, bastóne *m.*, mazza *f.* 2. círcolo *m.*, casino *m.*, club *m.* 3. at cards, fióri *f.* 4. battere colla mazza. 5. — together, fare una borsa, unirsi. 6. — a musket, rivoltare il fucile, adoperandolo a guisa di randello. **-bable**; sociévole, compagnóne. **-bed**; nodoso all' estremità, clavifórme. **-footed**; dal piede corto. **-haul** (*mar.*); girar di bordo in prora affondando l' ancora. **-house**; domicilio di un club, circolo *m.*, casino *m.* **-law**; 1. legge del più forte. 2. legge da club. **-man**; membro di un club. -moss; licopòdio *m.* **-room**; sala di un circolo. **-rush**; scirpo *m.*

Cluck, -ing; chiocci-are, -o *m.*

Clue; indicazióne *f.*, bándolo *m.*, guida *f.*, indízio *m.*

Clump; blòcco *m.*, gruppo *m.* — on the head, capata *f.* **-boot**; stivalóne *m.*

Clums-ily; in modo malaccorto ecc. **-iness**; malaccortézza *f.*, goffaggine *f.* **-y**; malaccòrto, gòffo, ṡversato, biṡlacco, grossoláno, maldèstro, malestróso.

Clung; *rem.* di Cling.

Cluster; gráppolo *m.*, gruppo *m.*, sciame (d' apí); raggrupparsi. -ed columns, raggruppamento di pilastri.

Clutch; présa *f.*, strétta *f.* In the -es of, fra gli artigli di. — of eggs, covata *f.* Of a motor, innèsto *m.* Put in the —, innestare. To —, impugnare, agguantare. — at, dar della mano a, tentare di aggrappare, afferrarsi a. -casing; bussola dell' innesto. **-plate**; bacino d' innesto, coppa della frizione. **-shaft**; asse di trascinamento.

Clutter; confusione strepitosa.

Clyster; clistère *m.*, lavativo *m.*

Co.; *raccorc.* di Company.

Coach; carròzza *f.*, vagóne *m.*, diligènza *f.*; ripetitóre *m.*; ammaestrare, imboccare, fare ripetizione; andare o viaggiare in carrozza. — and six, carrozza a sei cavalli. **-box**; cassétta *f.* **-door**; sportèllo *m.* **-horse**; cavallo da tiro. **-house**; riméssa *f.* **-maker**; carrozzière *m.* **-man**; cocchière *m.*

Coadjutor; collaboratóre *m.*, collèga *m.*, coadiutóre *m.*

Coagul-ability, -able, -ate, -ation, -ative or **-atory**; -abilità *f.*, -ábile, -are, -azióne *f.*, -ativo. **-um**; -o *m.*, grumo *m.*

Coal; carbon fossile. Brown —, ligníte *f.* Screened —, carbone grigliato. Unscreened —, carbone senza grigliatura. To —, prender carbone, rifornirsi di carbone. Carry -s to Newcastle, portar nottole ad Atene.

Coal-area, -basin or **-field**; bacino carbonifero. **-bed**; strato di carbone. **-box, -bunker**; carbonile *m.* **-cellar, -cupboard, -hole**; carbonaia *f.* **-fish**; gado carbonario. **-formation**; formazione carbonifera. **-gas**; gas di carbone. **-heaver, -porter**; facchino carbonario. **-ing**; imbarco di carbone. — station, stazione con deposito di carbone, porto di rifornimento. **-measures, -seams**; strati carboniferi. **-merchant**; mercante di carbone. **-mine, -pit**; miniera di carbone. **-miner**; minatore di carbone. **-scuttle**; secchio o recipiente da carbone. **-tar**; catrame dal carbone, catrame minerale. **-tit**; cinciallegra mora. **-trimmer**; carbonaio *m.* **-truck**; vagone da carbone.

Coalesce; unirsi. -nce; -nza *f.* **-nt**; -nte.

Coalition; coalizióne *f.*, blòcco *m.* **-ist**; membro d' una coalizione.

Coaming; mastra *f.* Hatchway —, mastra o filare di boccaporto.

Coaptation; adattamento reciproco.

Coarse; grossolano, różżo, rúvido, ṡgarbato, triviale. — food, cibo grosso. — grained, a fibra grossolana, a grani grossi. — looking, di aspetto volgare. — sheets, lenzuola di tela grossolana. **-ly**; in modo grossolano ecc. **-ness**; grossolanità *f.* ecc.

Coast; còsta *f.*, costièra *f.*, lido *m.*; costeggiare; scendere a ruota libera. **-al**; costièro. **-er**; bastimento costiero, cabottière *m.* **-guard**; guardacòste *m.*, guardia finanziaria. — ship, nave guardacosta. **-ing-pilot**; pilota costiere. **-ing-trade**; cabotággio *m.* **-line**; littorale *m.* **-wise**; lungo la costa.

Coat; ábito *m.*, giubba *f.* Dress —, abito da sera, abito a coda di rondine, giubba *f.* Short dress —, marsína *f.* Frock —, abito di società, frac *m.* Great —, Over —, Top —, soprábito *m.*, pálton *m.* Light over —, sopraggiubba *f.* Animal's —, peláme *m.*, mantèllo *m.* — of arms, arme gentilizia, stèmma *m.* — of the eye-ball, tunica *f.* — of paint, mano di colore. — of mail, cotta di maglie. Turn one's —, cambiar partito.

To —, rivestire, ricoprire, spalmare, intonacare. -ed tongue, lingua patinosa.

Coat-ee; giacca a falde corte. **-ing**; intònaco *m.*, strato *m.*, mano *f.*; pátina *f.*; panno *m.* **-peg, -stand**; porta-abiti *m.*, attaccapanni *m.*

Coati; násua *f.*

Coax; accarezzare, blandire, persuadere con moine. **-ing**; moíne *f. pl.*, luṡinghe *f. pl.* **-ingly**; con aria allettante o accarezzante.

Cob; cavallòtto *m.*; composizione di paglia ed argilla per murare; spiga di granturco; staffilare (le natiche).

Cobalt; cobalto *m.*

Cobble; ciòttolo *m.*; barchetta da pesca; rattoppare, rabberciare. **-r**; ciabattíno *m.*

Coblenz; Coblènza *f.*

Cob-nut; nocciòlo coltivato.

Cobra; cobra-di-cappello *f.*, vipera dagli occhiali.

Coburg; Coburgo *m.*

Cob-web; ragnatél-a *f.*, -o *m.*
Coc-a, -aine; -a *f.*, -aína *f.*
Cocculus indicus; galla di Levante.
Coccy-geal, -x; coccig-èo, -e *m.*
Cochin-china, -eal; Cocin-cína *f.*, -íglia *f.*
Cock; 1. gallo *m.* — of the walk, primo della compagnia, gallo della cecca. — and bull story, fandònia *f.*, panzána *f.*, storiella ridicola. 2. bica o mucchio di fieno, covóne *m.* 3. rubinétto *m.*, chiave *f.*, chiavétta *f.* 4. cane di fucile. At full —, a tutto punto. At half —, a mezzo punto. To full —, armare il cane, *see* Half-cock. 5. maschio. 6. primo. 7. To — the eye, ammiccare. To — hay, raccogliere il fieno in biche, abbicare.
Cock-ade; coccarda *f.* **-a-doodle-doo**; chicchericchì *m.* **-a-hoop**; trionfante, lieto di sè stesso. **-aigne**; Cuccagna *f.* **-atoo**; kakatúa *m.* **-atrice**; baṡilisco *m.* **-boat**; piccolo battello. **-chafer**; scarafággio *m.*, maggiolíno *m.* **-crow**; gallicínio *m.*, canto del gallo. At —, all' alba. **-ed**; armato (fucile); ammucchiato (fieno). — hat, cappello a due punte. Knock into a — hat, sconfiggere completamente. — on one side, spostato.
Cocker; cane pince. — up, trattar delicatamente. **-el**; gallétto *m.* **-ing**; cure delicate.
Cocket; polizza doganale.
Cock-eye; a sghembo, a storto. **-eyed**; guèrcio.
Cock-fight; combattimento di galli. **-horse**; cavalluccio di legno. A-cock-horse, a cavallo.
Cockily; presuntuosaménte, arditaménte.
Cockle; 1. cárdio *m.*, góngola *f.*, tellina a cuore. 2. -s of the heart, lo stesso cuore. 3. raggrinzarsi, accartocciarsi. 4. Corn —, loglio nero, gettaióne *m.*
Cock-loft; soláio *m.*, soffitta *f.*
Cockney; londinése; babbèo *m.*, gónżo *m.* **-fied**; foggiato in una maniera goffa, balorda. **-ism**; modo volgare di parlare, il parlare della piccola borghesia londinese.
Cockpit; arena di combattimento di galli; ricovero dei feriti in un combattimento navale. — of a boat, cassero di poppa. Of an aeroplane, carlinga *f.*, berlinga *f.*
Cockroach; scarafággio *m.*, blatta *f.*
Cockscomb; cresta di gallo.
Cocksfoot grass; erba mazzolina.
Cockshy; tiro *m.*, sassata *f.*
Cock-sure; sicurissimo.
Cocksy, Cocky; preṡuntuóso, borióso.
Cock-tail; bicchieríno *m.*
Cockyleekie; minestra di pollo bollito con porri.
Cocoa; bevanda fatta dei semi del cacao. **-nut**; noce di cocco. **-palm**; còcco *m.*
Cocoon; bòzzolo *m.* **-ery**; frasca *f.*
Cod; merluzzo *m.*; this is properly the hake, but the term has been extended to the cod, which is not a Mediterranean fish.
Coddle; trattar con delicatezza, vezzeggiare, carezzare. — oneself, crogiolarsi.
Code; còdice *m.*
Cod-fishery; pesca del merluzzo.
Codger; bonòmo *m.*, fantòccio *m.*
Codicil; codicillo *m.*
Codify; compilare un codice, sistemare.
Co-director; co-amministratóre *m.*
Codlin; una varietà di mela da cuocere.
Codlin-grub; baco-gianni *m.*
Codliver-oil; olio di fegato di merluzzo.
Coefficient; coefficiènte *m.*
Coequal; uguále.
Coerc-e; costríngere, coartare, reprímere. **-ible**; coercíbile. **-ion**; forza maggiore, giocofòrza *f.*, coartazióne *f.*, coercizióne *f.* **-ive**; coercitivo. **-ively**; per forza maggiore.
Co-eval; -èvo. **-executor**; -eṡecutóre *m.* **-exist**; -eṡistere. **-existence**; -eṡistènza *f.* **-existent**; -eṡistènte. **-extensive**; Be —, coestèndersi. His zeal was — with his life, il suo zelo fu di pari durata alla sua vita.
Coffee; caffè *m.* **-bean**; bacca di caffè. **-cup**; tazza da caffè, chícchera *f.* **-grounds**; féccia di caffè. **-grower**; proprietario di una piantagione di caffè. **-house**; caffè *m.*, trattoría *f.* — keeper, ristoratóre *m.*, caffettière *m.* **-mill**; macinino da caffè. **-plant**; albero del caffè. **-plantation**; luogo piantato di caffè. **-pot**; caffettièra *f.*, stagnína *f.* **-room**; salotto d' albergo. **-service**; servizio da caffè.
Coffer; cassa *f.*, còfano *m.* **-dam**; cassóne *m.*
Coffin; bara *f.*, cassa *f.*
Cog; dènte *m.*; dentare.
Cogen-cy; fòrza *f.* **-t**; potènte, incalzante. **-tly**; con molta forza.
Cogged; dentato.
Cogit-ate, -ation, -ative; medit-are, -azióne *f.*, -atívo. After much -ation, dopo lungo pensare.
Cognac; cognàc *m.*
Cognisable; conoscíbile, percepíbile; di competenza (di), che entra nelle attribuzioni (di). — by the court of appeal, di competenza della corte di appello.
Cogn-isance; conoscènza *f.* **-isant**; informato. **-ition**; -izióne *f.* **-omen**; -óme *m.*
Cogwheel; ruòta dentata.

Cohabit, -ation; coabit-are, -azióne *f.*
Co-heir; coerède *m.* **-heiress**; coereditièra *f.*
Cohere; aderire insieme. **-nce**; coerènza *f.* **-nt**; coerènte, conseguènte. **-ntly**; in modo coerente.
Coherer; radioconduttóre *m.*
Cohes-ion; coeśióne *f.* **-ive**; attaccaticcio, appiccicóso, aderènte.
Cohort; coòrte *f.*
Coif; cuffia *f.* **-ed**; coperta con cuffia. **-fure**; acconciatura del capo, pettinatura *f.*
Coign; — of vantage, posto di vantaggio.
Coil; 1. ròtolo *m.*, adúglia *f.*, ruòta (di cavo). 2. (*electr.*) bobína *f.*, rocchétto *m.*, spirále *m.* Field —, rocchetto del magnete. Self-induction —, rocchetto di auto-induzione, rocchetto graduato. 3. ravvòlgere, adugliare, ripiegare, attortigliare.
Coin; monéta *f.*; monetare, báttere, coniare; inventare, fabbricare. **-age**; monetazióne *f.*, monetággio *m.* Condition of the —, lo stato della circolazione.
Coincid-e; coincídere, combinarsi. — with the view of, accordarsi con. **-ence**; -ènza *f.*, combinazióne *f.* **-ent**; -ènte. **-ently with**; contemporaneamente con.
Coiner; falso monetario; inventóre *m.*
Coir; borra di coco. **-rope**; borasso *m.*
Coition; còito *m.*
Coke; còk *m.*
Col; góla tra' monti.
Colander; colatóio *m.*
Colchicum; còlchico *m.*
Cold; fréddo *m.*; raffreddóre *m.*, infreddatura *f.* As *adj.*, fréddo, gèlido. Catch —, raffreddarsi, buscarsi o beccarsi un raffreddore. Leave out in the —, trascurare, piantare. — in the head, reuma di testa. Be —, aver freddo; far freddo. Grow —, raffreddarsi. — wind, vento fresco. — manner, maniera fredda, frigida, riservata. — reception, accoglienza fredda. — style, stile senz' anima. In — blood, con sangue freddo, a sangue freddo. **-blooded**; insensíbile, flemmático, fréddo. **-cream**; colcrèm *m.* **-ish**; piuttosto freddo, freddiccio. **-ly**; freddaménte, con indifferenza. **-ness**; freddézza *f.*, mancanza di anima.
Cole; cávolo *m.*
Coleoptera; coleòtteri *m. pl.*
Colic; còlica *f.* **-ky**; còlico.
Collabora-te, -tion, -tor; -re, -zióne *f.*, -tóre *m.*
Collaps-e; cròllo *m.*, rovína *f.*, crollare, sfasciarsi; śgonfiarsi. **-ible**; pieghévole.
Collar; colláre *m.*, collétto *m.*, bávero *m.*, collarétto *m.* Starched —, solíno *m.* To —, prendere al collare, impugnare, afferrare. **-bone**; clavícola *f.*
Collat-e; confrontare, fare riscontro. **-eral**; -erále, sussidiario. — security, qualunque cosa che garantisce il pagamento di un debito. **-erally**; per via indiretta, sussidiariaménte. **-ion**; 1. merènda *f.* 2. riscóntro *m.*
Colleague; collèga *m.*, sòcio *m.*
Collect; 1. collètta *f.* 2. raccògliere, riunire, compilare, far raccolta di; riscuòtere. **-ing clerk**, commesso riscotitore. — oneself, riavérsi. **-ed**; raccòlto, padrone di sè. **-edly**; con calma. **-edness**; calma *f.*, posatézza *f.* **-ible**; riscottíbile. **-ion**; collezióne *f.*, raccòlta *f.*, riunióne *f.*; incasso *m.*, riscossióne *f.*; quèstua *f.*, collètta *f.*, levata di lettere, incètta *f.* **-ive**; collettívo, aggregato. — action, azione in comune. **-ively**; collettivaménte, nell' insieme. **-ivism, -ivist**; collettiv-iśmo, -ista *m.* **-or**; raccoglitóre *m.*, compilatóre *m.*, eśattóre *m.*, collettóre *m.*, ricevitóre *m.* **-'s** office, ricevitoría *f.* **-orship**; ricevitoría *f.*
Colleg-e; collègio *m.*, convitto *m.*, licèo *m.*, seminario *m.*, accadèmia *f.* **-er**; membro d' un collegio, collegiále *m.* **-ian**; collegiále. **-iate**; collegiato.
Collet; castóne *m.*
Collide; urtarsi, abbordarsi.
Collie; cane scozzese da pecora.
Collier; minatore di carbon fossile; bastimento carboniero. **-y**; miniera di carbon fossile.
Collim-ate, -ation; -are, -azióne *f.*
Collision; colliśióne *f.*, urto *m.*, abbórdo *m.*, abbordággio *m.*, investiménto *m.*
Colloca-te, -tion; -re, -zióne *f.*
Collodion; collòdio *m.*
Collop; braciòla *f.*, fétta *f.*
Colloqu-ial; familiare. **-ialism**; espressione del discorso familiare. **-ially**; familiarménte, senza troppo pensare. **-y**; collòquio *m.*, il parlare insieme.
Collu-de, -sion, -sive, -sively; -dere, -śióne *f.*, -śivo, -śivaménte.
Collyrium; collírio *m.*
Colocynth; coloquíntide *f.*
Cologne; Colònia *f.*
Colon; 1. due punti. 2. còlon *m.*
Colon-el; -nèllo *m.* **-elcy**; grado di -nello. **-ial**; -iále. **-ise**; -iżżare. **-iser**; -ist -iżżatóre *m.*, abitante di una colònia. **-nade**; -nata *f.* **-y**; -ia *f.*
Colophony; colofònia *f.*
Coloss-al, -eum, -us; -ále, -èo *m.*, -o *m.*
Colossian; colossése.
Colour; 1. colóre *m.*, coloríto *m.* (Of the complexion) carnagióne *f.* 2. bandièra

f. 3. pretèsto *m.*, apparènza *f.*, colóre *m.* 4. colorare, colorire, tíngere, annerire (pipa). 5. arrossire.
6. Change —, cangiar colore. Come off with flying -s, vincerla splendidamente. Come out in one's true -s, mostrare il suo vero carattere. Desert one's -s, abbandonare gli amici. Fast —, colore inalterabile. Fight under false -s, combattere sotto bandiera falsa. Fly British -s, battere bandiera britannica. Hang out false -s, metter fuori bandiera falsa. High —, carnagione vivissima. Lose —, impallidire. Off —, malatíccio. Paint in bright -s, dipingere a colori vivi. Person of —, négro *m.* Show one's -s, scoprirsi. Stick to one's -s, aderire ai suoi principii.

Colour-able; speciòso, apparènte. **-ably**; speciosaménte, plausibilménte. **-blind**; incapace di distinguere colori. **-blindness**; discromatossía *f.*, daltonismo *m.* **-box**; scatola o cassetta di colori. **-ed**; color-ato, -ito; négro. **-ing**; coloraménto *m.*, carnagióne *f.* **-ist**; colorista *m.* **-less**; senza colore. **-man**; negoziante di colori. **-sergeant**; sergente porta-bandièra. **-wash**; intonacare in colore.

Colporteur; merciaiòlo ambulante di libri religiosi.

Colt; pulédro *m.* **-'s foot**; fárfaro *m.*

Columbia, -n; Colòmbi-a, -áno.

Columbine; aquilègia *f.*

Column; colónna *f.*, pilastro *m.* **-ar**; foggiato a colonna.

Colza oil; olio di colza.

Com-a, -atose; còm-a *f.*, -atóso.

Comb; pèttine *m.*, cardo *m.*, scardasso *m.*, striglia *f.* Cock's —, cresta di gallo. Honey —, favo *m.* To —, pettinare, cardare, scardassare, strigliare. Large-toothed —, pettine rado. Small-toothed —, pettine fitto. To — one's hair, pettinarsi la testa.

Combat; combattiménto *m.*, tenzóne *m.*; combáttere, lottare o contendere contro. **-ant**; combattènte *m.* **-ive**; battaglièro, pugnàce.

Comb-case; pettinièra *f.*

Combin-ation; -azióne *f.*, léga *f.*, alleanza *f.* **-e**; -are, unire.

Comb-maker; pettináio *m.*

Combust-ibility, -ible, -ion; -ibilità *f.*, -íbile; abbruciábile; combustióne *f.*

Come; venire, arrivare, presentarsi. They have —, sono giunti. How -s it that? come è venuto che, come succede che? — and look, — and take, venire a vedere, prendere. — what may, avvenga ciò che voglia. It has — crooked, si è fatto storto. The butter -s, il burro si fa. — well out of it, cavarsi bene, torsi bene, da un affare. — to details, entrare nei dettagli, venire ai particolari. — to no good, — to grief, finir male. — in handy, capitar a proposito. — to a happy ending, finir bene, finir in un' allegra conclusione. — it strong, dare o dire troppo. Now I — to think of it, adesso che ci penso sopra. He came to my terms, egli accettò le mie condizioni. — off victorious, uscirne vittorioso. — off a loser, finir con perderla. It all -s to this, tutto si riduce a questo. — into view, farsi vedere, presentarsi agli occhi. If nothing — in the way, se non sopravviene nulla. — to want, esser ridotto alla miseria.

Come about; 1. accadére. 2. virar di bordo.

Come across; 1. incontrare, abbáttersi in. 2. traversare, venire attraverso.

Come after; seguire, succèdere a; inseguire; attaccare.

Come again; tornare, ritornare, riaccadére, presentarsi di nuovo.

Come against; urtarsi in; trovarsi opposto a.

Come along; venirsene. — —! avanti! sbrigatevi! — — with me, accompagnarmi.

Come asunder; staccarsi.

Come at; assalire.

Come away; 1. ritirarsi, allontanarsi, venir via. 2. staccarsi, separarsi.

Come back; rivenire, tornare indietro, ritornare.

Come before; esser giudicato da. — — the court, comparire in tribunale.

Come by; 1. passare, passare davanti o per. 2. arrivare per. 3. acquistare. — — one's death, trovar la morte.

Come down; 1. scéndere; ribassare, far ribasso, scontare. — — again, ridiscéndere, ritornar giù. — — in the world, perder la sua posizione nel mondo. 2. *See* Come-down.

Come down upon; piombare su; lavare il capo a. They came — — him for a thousand francs, gli fecero pagare mille lire.

Come down with; depórre, metter in tavola, lasciar cadere (pugno).

Come for; venir a cercare o prendere.

Come forth; *see* Come out.

Come forward; presentarsi, mettersi avanti, avanzarsi.

Come in; 1. entrare, introdursi. — —! avanti! — — useful, esser utile. 2. diventare di moda. 3. assumere il potere, entrare in ufficio. 4. rientrare, volgersi all' indentro. 5. arrèndersi, acconsen-

tire, dichiararsi contento. 6. (marea) salire. 7. far parte, prender parte.
Come in for; aver una parte di. — — — a shower, toccarsi un' acquata. — — — a good dressing, buscarne delle belle. — — — a legacy, ereditare un lascito.
Come into; venire in (mente); ereditare.
Come near; avvicinarsi. We came near losing, poco mancò che non la si perdesse.
Come next; 1. arrivare o accadere poi. 2. succedere il primo. 3. porsi accanto a.
Come of; 1. provenire da, risultare da. 2. discendere da, esser figlio di.
Come off; 1. cadere dalla sella. 2. staccarsi, distaccarsi; cadére (foglie). — — in flakes, sfaldarsi. 3. aver o prender luogo, avvenire. — — well, riuscir bene, aver un bel successo. — — badly, riuscir male, non aver successo. 4. — — duty, esser libero di servizio. — — one's post, lasciar il suo posto. 5. — — with the loss of, cavarsela con la perdita di. 6. mettersi in mare. A boat came off to meet us, una barchetta si mise in mare per venirci incontro. 7. diśincagliarsi.
Come on; 1. sopravvenire, accadére, arrivare. 2. avanzarsi, progredire, far progressi. 3. It is coming on to-day, se ne tratterà o occuperà oggi. 4. — —! avanti! śbrigatevi! suvvía! corággio!
Come opportunely; venire in taglio.
Come out; 1. uscire. 2. comparire, divulgarsi, scoprirsi, manifestarsi. As came out afterwards, come si seppe poi. 3. esser pubblicato. 4. spiccare, risaltare. 5. venir presentata in società. 6. staccarsi. 7. sparire (macchia). 8. metter le foglie (alberi), śbocciare (fiori).
Come out again; uscire ecc. di nuovo, ritornare (eruzione).
Come out with; venir fuori con.
Come over; 1. passare, attraversare. 2. trasferirsi; diśertare. 3. abbindolare con moine.
Come past; passare, passare davanti.
Come round; 1. girare, far il giro di. 2. venir intorno a. 3. *fig.* circonvenire, imbrogliare. 4. venire a fare una visita. 5. acconsentire, decidersi a consentire. 6. ristabilirsi, rimettersi in salute. 7. riprendere o ricuperare i sensi, riavérsi.
Come to; 1. *see* Come round (7). 2. ammontare a, costare. 3. Be — —, esser ridotto a. 4. elevarsi a. 5. It -s to this, il risultato è questo, insomma sta così. — — nothing, finire in nulla. — — oneself, ritornare in sè.
Come together; riunirsi.
Come up; 1. comparire, sopravvenire, preśentarsi. 2. salire. 3. avanzarsi, farsi vicino. 4. spuntare, créscere, germogliare.
Come up to; abbordare; esser uguale a; giungere all' altezza di.
Come up with; raggiúngere.
Come upon; 1. sopraggiúngere, trovare, imbattersi in, abbattersi in. 2. attaccare. 3. He will — — me for payment, mi reclamerà il pagamento. Fear came upon him, il timore lo prese.
Comedian; commediante *m.*, còmico *m.*, còmica *f.*
Comedo; pustolettina annerita.
Come-down; umiliazióne *f.*, abbassaménto *m.*
Comedy; commèdia *f.*
Comel-iness, -y; bell-ézza *f.*, -o.
Comer; venuto *m.* New —, nuovo venuto. All -s, chichessía, chiunque capiti.
Comestible; commestíbile.
Comet, -ary; comét-a *m.*, -ario.
Comfit; confétto *m.*
Comfort; confòrto *m.*, alleviaménto *m.*, incorraggiaménto *m.*, agiatézza *f.*, benèssere *m.*, agi *m. pl.*, comodità *f.*; confortare, racconsolare, sollevare, consolare. My greatest —, la mia più grande consolazione. Live in —, vivere comodamente, fra gli agi. -s; i comodi confortativi.
Comfortable; confortévole, alleviativo, consolante, agiato; còmodo, gradévole. Be —, star bene, trovarsi bene. Make oneself —, fare il suo comodo. — apartment, stanza comoda. — life, vita comoda, agiata. — circumstances, agiatézza. — quarters, trattamento da amico, ritrovo piacevole, lauta imbandigione. Look —, aver aria felice, contenta, agiata. **-ness**; benèssere *m.*, agiatézza *f.*
Comfortably; comodaménte, a suo comodo, a suo bell' agio. — dressed, vestito comodamente, o ad agio. — off, agiato.
Comforter; 1. consolatóre *m.* 2. ciarpa *f.*; (in America) copripiedi ovattato per il letto.
Comforting; riconfortante, incoraggiante, consolante.
Comfortless; incòmodo, squállido, diśagióso. **-ly**; poco comodamente. **-ness**; deśolazióne *f.*, squallidézza *f.*
Comfrey; consòlida *f.*
Comic, -al; còmico, ridícolo. **-ality**; natura comica, biżżarría *f.*, stranézza *f.*, singolarità *f.* **-ally**; -aménte. **-alness**; *see* Comicality.

Coming; 1. venuta *f.*, arrivo *m.*; assunzióne *f.* (al trono). 2. pròssimo, venturo, sovrastante. — autumn, l' autunno prossimo.
Coming-on; l' avvicinarsi.
Comitia; comizi *m. pl.*
Comity; corteśía *f.*, civiltà *f.* — of nations, cortesia internazionale.
Comma; vírgola *f.* Inverted **-s**, virgolette marginali. Put between inverted -s, mettere fra virgolette marginali. **-bacillus**; bacillo-virgola *m.*
Command; comando *m.*, ingiunzióne *f.*, órdine *m.*; padronanza *f.* Word of —, voce di comando. **-s** of fashion, le esigenze della moda. At your —, a vostra disposizione. Under —, (nave) manovrábile. To —, comandare, ingiúngere, dominare, disporre di. — a view of the arena over the top of, dominare la vista dell' agone al di sopra di. **-ant**; comandante *m.* **-eer**; prender possesso di per uso militare. **-er**; capitáno *m.*, capo *m.*, comandante *m.* — in chief, comandante in capo. **-ing**; dominante. — presence, aspetto imponente. — position, posizione dominante. **-ingly**; da chi domina. **-ment**; comandaménto *m.* **-o**; forza di truppe irregolari.
Commemora-te, -tion, -tive; -re, -zióne *f.*, -tivo.
Commence; *see* Begin.
Commend; commendare, lodare; confidare, raccomandare. **-able, -ably**; commendévol-e, -ménte. **-ation**; elògio *m.*, lòde *f.* **-atory**; di raccomandazione.
Commensur-ability, -able; -abilità *f.*, -ábile. **-ate**; proporzionato. **-ately**; al pari (di).
Comment, -ary, -ator; -o *m.*, -are; -ário *m.*, -atóre *m.*
Commerc-e, -ial, -ially; -io *m.*, -iále, -ialménte. -ial traveller, commesso viaggiatore. **-ialism**; spirito mercantile o mercanteggiante.
Comminator-y; -io.
Commingle; mescolare.
Comminuted; comminutívo.
Commisera-te, -tion; -re, -zióne *f.*
Commissariat; intendenza militare.
Commissary; amministratóre *m.* **-general**; capo dell' intendenza.
Commission; 1. commissióne *f.* 2. sensería *f.*, provvigióne *f.* 3. grado d' ufficiale. 4. Put in —, armare (vascello di guerra). Be in the — of the peace, esser magistrato. 5. incaricare, autoriżżare. **-agency**; casa di commissione. **-agent**; commissionário *m.* **-er**; commissário *m.* — of police, capo di polizia. **-ership**; commissariato *m.*
Commissure; commessura *f.*
Commit; 1. comméttere (delitto). 2. affidare, consegnare. — to memory, imparare a memoria. 3. mandare (in prigione). 4. — oneself, (*a*) impegnarsi (mettendo la mano a qualche cosa); (*b*) comprométtersi. 5. mandare (progetto di legge) a un comitato, mandare (imputato) alle Assise. **-ment**; 1. impégno *m.* 2. imprigionaménto *m.* **-tal**; 1. mandato d' arresto. 2. rinvio ad un comitato. **-tee**; 1. comitato *m.* 2. curatore d' un mentecatto. — man, membro d' un comitato. **-ter**; autóre *m.*
Commode; seggétta *f.*, canteráno *m.*
Commod-ious; còmodo, conveniènte. **-iously**; comodaménte. **-iousness**; conveniènza *f.*, comodità *f.* **-ity**; derrata *f.*, mèrce *f.*
Commodore; capo di divisione, commodòro *m.*
Common; 1. comúne, ordinario, volgare, frequènte; cattivo, da strapazzo. — sense, buon senso. We have nothing in —, *fig.* non c' è nessuna simpatia fra noi. — council, — councillor, consiglio, consigliere (municipale). — law, diritto consuetudinario, legge comune. — law man, chi è versato nel diritto comune. — looking, di aspetto meschino, triviále. — measure, divisore comune. — people, il basso popolo. At the — rate, alla tassa ordinaria. — Prayer, liturgia della Chiesa anglicana. — soldier, — seaman, soldato, marinaio semplice. — talk, voce pubblica. — time, (music) tempo ordinario. 2. terra o pascola comunale; landa *f.*, brughièra *f.* Right of —, diritto di pastura.
Common-able; tenuto in comune. **-alty**; plèbe *f.*, pòpolo *m.* **-er**; 1. chi non è nobile, borghése *m.* 2. chi ha diritto consuetudinario sulle terre comunali. **-ly**; comuneménte. **-ness**; l' esser comune, frequènza *f.* **-place**; volgare, ordinario, banále; luogo comune. A — conversation, un discorso qualunque. — book, album *m.*, raccolta di luoghi comuni. **-s**; víveri *m. pl.* Short —, tavola magra. House of —, Camera dei Comuni. **-weal**; bene pubblico. **-wealth**; lo Stato.
Commotion; scommoviménto *m.*, trambusto *m.*, emozióne *f.*, agitazióne *f.*
Commun-al; comunále. **-e**; comúne *m.*, but in historical writing *f.*, *e.g.* La Comune di Parigi nel 1871. To —, conferire, intrattenersi (con Dio). **-ard**; comunardo.
Communic-ability, -able, -ant; comunicabilità, -ábile, -ante *m.* or *f.* **-ate**; 1. comunicare, far sapere; aver corrispondenza, dare in. 2. comunicarsi.

-ation; comunicazióne *f.* **-s**, viabilità *f. pl.* — **trenches**, camminaménti *m. pl.* **-ative**; comunicatívo. **-ativeness**; voglia di parlare. **-ating**; l' intrattenersi.

Communion; comunióne *f.* **-service**; ufficio della comunione. **-table**; altáre *m.*

Commun-ism, -ist, -ity; comun-išmo *m.*, -ista *m.*, -ità *f.*

Commut-able, -ation; -ábile, -azióne *f.*

Commutator; collettóre *m.* Aereal or horizontal —, collettore piano. Radial or vertical —, collettore cilindrico.

Commute; commutare.

Compact; 1. patto *m.*, convenzióne *f.* 2. fitto, compatto. 3. collegare, consolidare, unire. **-ly**; solidaménte, fittaménte.

Companion; 1. compagn-o *m.*, -a *f.*, camerata *m.* 2. osteriggio *m.*, tuga *f.*, scala reale. **-able**; compagnóne. **-ship**; compagnía *f.* **-way**; scala di cabina.

Company; compagnía *f.*, società *f.* Ship's —, equipággio *m.* In — (*mar.*), di conserva. Limited liability —, società anonima. To part —, separarsi.

Compar-able; -ábile, pareggiábile. **-ative**; -atívo. **-atively**; -ativaménte. **-e**; -are, paragonare; confrontare. Beyond —, oltre ogni comparazione. **-ing**; il -are ecc. **-ison**; comparazióne *f.*, paragóne *m.*, confrónto *m.*, il comparare ecc. In — with, a petto di, in confronto a, al paragone di, riguardo a, rispetto a.

Compartment; scompartiménto *m.*, riparto *m.*, compartiménto *m.* Division of a hull into watertight -s, compartimentizióne *f.*

Compass; 1. bússola *f.* Mariner's —, bussola di bordo. **-card**; rosa dei venti, rosa della bussola, fiore del mondo.

Italian points of the compass are as follows, the letters in Italian being respectively: T., Tramonto; O., Ostro; M., Mezzodì, *or* (between North and West) Maestro; L., Levante, *or* (between South and West) Libeccio; P., Ponente; G., Greco; S., Scirocco; q., quarto, corresponding to the English "by"; thus T.q.G. is Tramontano quarto Greco; L.q.S., Levante quarto Scirocco; O.q.L., Ostro quarto Libeccio; L.q.P., Libeccio quarto Ponente; M.T., Maestro Tramontano; M.q.S., Mezzodì quarto Scirocco.

North	Tramontano
N. by E.	T.q.G.
N.N.E.	G.T.
N.E. by N.	G.q.T.
N.E.	Greco
N.E. by E.	G.q.L.
E.N.E.	G.L.
E. by N.	L.q.G.
East	Levante
E. by S.	L.q.S.
E.S.E.	S.L.
S.E. by E.	S.q.L.
S.E.	Scirocco
S.E. by S.	S.q.O. or S.q.M.
S.S.E.	O.S. or M.S.
S. by E.	O.q.S. or M.q.S.
South	Ostro or Mezzodi
S. by W.	O.q.L.
S.S.W.	O.L. or M.L.
S.W. by S.	L.q.O. or L.q.M.
S.W.	Libeccio
S.W. by W.	L.q.P.
W.S.W.	P.L.
W. by S.	P.q.L.
West	Ponente
W. by N.	P.q.M.
W.N.W.	P.M.
N.W. by W.	M.q.P.
N.W.	Maestro
N.W. by N.	M.q.T.
N.N.W.	M.T.
N. by W.	T.q.M.

Compass; 2. giro *m.*, cérchio *m.*, circúito *m.*, límiti *m. pl.* 3. portata *f.* 4. Pair of -es, sèste *f. pl.*, compasso *m.* 5. macchinare, ottenére, cómpiere. — **about**, circondare. — **in**, rinchiúdere, rinserrare. **-able**; da ottenersi.

Compassion; -e *f.* **-ate**; -ato, pietóso; compatire, impietosirsi di, commiserare. **-ately**; con -e, con pietà.

Compatib-ility, -le; -ilità *f.*, -ile. **-ly**; in conformità.

Comp-atriot; -atriòtta *m.* **-eer**; pari *m.*

Compel; costríngere, forzare, far forza a, obbligare. **-lable**; che può esser costretto.

Compendi-ous; -óso. **-ously**; -osaménte. **-um**; -o *m.*, sunto *m.*, sommário *m.*

Compensa-te, -ting or **-tory, -tion**; -re, -tóre, -zióne *f.*, risarc-ire, -ènte, -iménto *m.*

Compet-e; concórrere, gareggiare. — **with**, far concorrenza a, rivaleggiare, fare un ridosso a. **-ence, -ency**; competènza *f.*, capácità *f.* Have a —, avere una sufficenza, il necessario. He has a modest —, ha tanto da vivere. **-ent**; -ènte, idòneo, ábile, capace. **-ition**; gara *f.*, concórso *m.*, concorrènza *f.*, ridòsso *m.* **-itive**; a concorrenza. — **examination**, concórso *m.*, esame di concorrenza. **-itively**; in concorrenza. **-itor**; rivále *m.*; concorrènte *m.*, competitóre *m.*

Compil-ation; **-e, -er**; -azióne *f.*, -are, -atóre *m.*, -atrice *f.*

Complacen-cy; compiacènza *f.*, contentézza *f.*, piacére *m.* **-t**; compiacènte. **-tly**; con compiacenza.

Complain; lagnarsi, dolérsi, lamentarsi. **-ant**; querelante *m*. **-er**; piagnucolóne *m*. **-ingly**; da chi si lagna ecc. **-t**; 1. lagnanza *f*., doglianza *f*., laménto *m*., querèla *f*. Lodge a —, querelarsi. 2. male *m*., malattía *f*.

Complaisan-ce; compiacènza *f*., condiscendènza *f*. **-t**; compiacènte, chi condiscende volentieri.

Complement; -o *m*. Have full —, esserci tutto, non mancar nulla. Make up the — of, completare. Ship's —, equipággio *m*. **-al**, **-ary**; -are.

Complet-e; -o, al colmo, pieno. — silence, silenzio perfetto. To —, finire, cómpiere, dar l' ultima mano, portare a fine. My happiness is —, la mia felicità è al colmo. — fool, pazzo da legare. A — work, un lavoro completo, *i.e.* with no part missing. My work is —, il mio lavoro è compiuto, *i.e.* finished. **-ely**; per bene, completaménte, in sommo grado. **-eness**; l' esser completo, perfezióne *f*., pienézza *f*. **-ing**; compiménto *m*. **-ion**; compiménto *m*., adempiménto *m*., il portare a fine.

Complex; totalità *f*., complèsso *m*.; complicato, imbrogliato, avviluppato, complèsso.

Complexion; carnagióne *f*., colorito *m*.; *fig*. aspètto *m*., apparènza *f*. **-ed**; Ruddy —, di carnagione viva.

Complexity; complessità *f*., complicazióne *f*., malagevolézza *f*.

Complian-ce; il condiscendere, sottomissióne *f*., ubbidiènza *f*. In —, confórme, accondiscendendo a. He was all —, ha voluto far tutto ciò che si desiderasse. **-t**; compiacènte, arrendévole, dòcile. **-tly**; in modo compiacente ecc.

Complic-ate; -are, imbrogliare. **-ation**; -azióne *f*. **-ated**; *see* Complex. **-ity**; -ità *f*.

Compliment; -o *m*. With the -s of the season, auguri di Natale (di capo d' anno, di compleanno). To —, far -i, complimentare. Pay one's -s, fare gli omaggi. **-ary**; -ario, che esprime approvazione, o riguardo. — ticket, biglietto di favore. **-er**; persona complimentosa.

Compline; compietà *f*.

Complot; congiúra *f*.

Compluvi-um; -o *m*.

Comply; condiscéndere, sottométtersi, conformarsi. — with, soddisfare, prestarsi a, cómpiere, piegarsi (all' umore di), aderire a.

Compo; miscela per imbiancare.

Compos-e; compórre; calmare; aggiustare (interessi opposti). **-ed**; compósto, calmo, tranquillo. **-edly**; con fare pacato, con aria posata. **-er**; compositóre *m*.; autóre *m*., maéstro *m*. **-ing-stick**; compositóio *m*. **-itae**; compóste *f*. *pl*. **-ite**; compósto (numero, candela), compòsito (fiore, ordine di architettura). **-ition**; -izióne *f*., concordato coi creditori, componiménto *m*. **-itor**; compositóre *m*. **-t**; concíme *m*. **-ure**; calma *f*., tranquillità *f*., compostézza *f*. Recover —, riprender il sangue freddo.

Compote; composto di frutta, frutta conservate nello sciroppo.

Compound; 1. compósto, misto, compòsito. — engine, plate, macchina, piastra composita. — word, fracture, leaf, ratio; parola, frattura, foglia, proporzione compósta. — flower, motion, microscope, stem; fiore, movimento, microscopio, stelo compósto. — interest, interesse composto, rifrutto *m*. 2. compórre, conciliare, combinare. — with one's creditors, fare un concordato coi creditori. — with one's conscience, transigere colla propria coscienza. — a felony, farsi complice di un ladro a patto di restituzione del furto. 3. — house-holder, -er, pigionale che conviene col proprietario che questo si carichi delle tasse comunali riscuotendo un fitto inclusivo. 4. (in India) recinto *m*., villíno *m*., coi annessi e connessi.

Comprehen-d; comprèndere, capire, contenére, inchiúdere. **-sibility**, **-sible**, **-sibly**; comprensibil-ità *f*., -e, -ménte. **-sion**; comprensíva *f*., comprensióne *f*., comprendònio *m*. **-sive**, **-sively**; comprensi-vo, -vaménte. **-siveness**; estensióne *f*.

Compress; comprèssa *f*., piumacciòlo *m*.; comprímere. **-ed**; comprèsso, condensato. — lips, labbra serrate. **-ibility**, **-ible**, **-ion**, **-ive**, **-or**; -ibilità *f*., -íbile, -ióne *f*., -ívo, -óre *m*.

Comprise; inclúdere.

Compromise; 1. transazióne *f*., accomodaménto *m*., temperaménto *m*., soluzione di compromesso, mezzo termine; transígere, discendere a patti o a concessione, aggiustare con una concessione. 2. comprométtere.

Compuls-ion; spinta forzata, fòrza *f*., coercizióne *f*. Under the — of, costretto da. Apply —, usare la forza. **-orily**; per forza. **-ory**; forzato, obbligatòrio, coattívo, coercitívo. Be —, esser giocoforza.

Compunct-ion; compunzióne *f*., rimòrso *m*. **-ious**; compunto.

Comput-able, **-ation**, **-e**, **-er**; -ábile, -o *m*., -are, -atóre *m*.

Comrade; camerata *m*. **-ship**; amicízia *f*.
Con; 1. — over, studiare, imparare a mente. 2. governare. -ning tower, torretta di comando. 3. Pros and -s, i pro e i contro.
Concaten-ation; -azióne *f*.
Concav-e, -ity; -o, -ità *f*.
Conceal, -able, -ment; nascónd-ere, -íbile, -iménto *m*. In -ment, nascósto.
Concede; concèdere.
Conceit; bòria *f*., vanità boriosa, vana gloria; concètto *m*. **-ed**; vanitóso, vanèšio, borióso. — ass, borióne *m*., egoista *m*. **-edly**; vanitosaménte.
Conceiv-ability, -able, -ably, -e; concepibilità *f*., -ibile, -ibilménte, -ire, crédere.
Concentr-ate, -ation, -ative, -atively, -ic; -are, -azióne *f*., -ativo, in modo -ativo, -ico.
Concept, -ion; concètto *m*., concezióne *f*.
Concern; affáre *m*., faccènda *f*.; negòzio *m*.; ansietà *f*. It is no — of mine, io non ci entro per nulla. To —, concèrnere, interessare, riguardare; importare a. Be -ed about, inquietarsi per o sul conto di, essere afflitto per. Be -ed in, ingerirsi in, mischiarsi in. -ed with, attinente a. **-ing**; circa, riguardo, intorno a, su.
Concert; concèrto *m*., accòrdo *m*.; concertare. -ed arrangement, concertato *m*. **-piece**; pezzo d' opera. **-pitch**; Hardly up to —, alquanto al disotto della circostanza, o di quel che si doveva. **-room**; sala da concerto.
Concertina; *id*.
Concession, -aire; -e *f*., cessionário *m*.
Conch-shell; conchíglia *f*.
Concierge; portináio *m*.
Concilia-te, -tion, -tor, -tory; -re, -zióne *f*., -tóre *m*., -tivo.
Concise; concišo, succinto, brève, stringato. **-ly**; concišaménte, stringato. **-ness**; concišióne *f*., l' esser conciso ecc.
Conclave; concláve *m*.
Conclude; 1. conclúdere, terminare. 2. dedurre, conclúdere, trarre una conclusione. 3. determinare, deliberare.
Conclus-ion, -ive, -ively, -iveness; -ióne *f*., -ívo, -ivaménte, carattere -ivo.
Concoct; metter insieme, ordire, macchinare, trovare. **-ion**; mescolanza *f*.
Concomitant; -e. **-ly**; congiuntaménte.
Concord; concòrdia *f*., accòrdo *m*., concordanza *f*. To —, accordarsi.
Concordance; 1. concordanza *f*. 2. indice alfabetico delle voci della Bibbia o altro.
Concord-ant, -antly, -at; -ante, in modo -ante, -ato *m*.
Concourse: affluènza *f*. concórso *m*.
Concret-e; calcestrutto *m*., calcistruzzo *m*., šmalto *m*.; concrèto; cementare con calcistruzzo. **-ely**; concretaménte. **-ion**; concrezióne *f*. **-ionary**; concrezionario. **-ive**; -ívo.
Concubin-e; -a *f*.
Concupiscen-ce; -za *f*.
Concur; aderire, esser d' accordo, accondiscéndere (a), concórrere, unirsi, accordarsi. **-rence**; adešióne *f*., assentiménto *m*.; l' incontrarsi, accòrdo *m*. **-rent**; concorrènte. **-rently**; concorrenteménte, insième, in unione, di pari passo.
Concuss; scuotere il cervello a. **-ion**; scòssa *f*., urto *m*., commozione cerebrale.
Condemn; condannare, dichiarare confiscato, dichiarare inservibile. -ed cell, cellula dei condannati a morte. **-able**; condannábile. **-ation**; condanna *f*. **-atory**; condannatòrio.
Condens-ability, -able, -ation, -e; -abilità *f*., -ábile, -azióne *f*., -are. -ing engine, macchina a condensazione.
Condescen-d; abbassarsi, accondiscéndere, degnarsi, compiacérsi. **-ding**; di facile abbordo, buòno, compiacènte, condiscendènte. **-dingly**; corteseménte, compiacenteménte. **-sion**; compiacènza *f*., degnazióne *f*., affabilità *f*., condiscendenza verso un inferiore.
Condign; meritato, condégno.
Condiment; -o *m*., companático *m*.
Condition; condizióne *f*., qualità *f*., stato *m*., stato civile, grado *m*., patto *m*. -s of sale, cartella d' incanto. On — that, purchè, dato che. Wine and beer are both excellent drinks on — that they are not abused, tanto il vino come la birra sono bevande eccellenti a non abusarne. **-al**; condizionále, condizionato. **-ally**; condizionataménte, condizionalménte. **-ed**; limitato, soggetto a condizioni.
Condole; condolérsi, far le condoglianze. **-nce**; condoglianza *f*.
Condon-ation, -e; -azióne *f*., -are.
Condor; condóre *m*.
Conduce; contribuire, menare.
Conducive; giovévole, tale da promuovere.
Conduct; condótta *f*., amministrazióne *f*., gestióne *f*.; condurre, menare, regolare, dirígere (orchestra), trašméttere (elettricità), trattare (affare). **-ion**; conduzióne *f*. **-ive**; conduttóre. **-or**; conduttóre (elettr.) *m*.; direttóre *m*. Lightning —, parafúlmine *m*.
Cond-uit; condótto *m*. **-yle**; còndilo *m*.
Cone; 1. còno *m*. Signal —, pirámide *f*. Cone pointing upwards (downwards)

piramide vertice in alto (basso) 2. Pine —, pina *f*.
Confabula-te, -tion; -re, -zióne.
Conf-ection; -ezióne *f*. **-ectioner**; confetturière *m*. **-ectionery**; confetturería *f*., pasticcería *f*. **-ederacy, -ederation**; léga *f*., confederazióne *f*. **-ederate**; -ederato *m*., sòcio *m*., cómplice *m*.; allearsi insieme.
Confer; 1. conferire, dare, accordare. 2. conferire, consultarsi. **-ence**; conferènza *f*., consultazióne *f*., consulto *m*., sessióne *f*.
Conferva; confèrva *f*.
Confess, -ion, -ional, -or, -orship; -are, -ióne *f*., -ionále, -óre *m*., -orato *m*. **-edly**; apertaménte, per la sua propria confessione, per propria ammissione.
Confid-ant; -ènte *m*. **-e**; confidare, fidarsi. — in, contare su. **-ence**; fidúcia *f*., confidènza *f*., sicurézza *f*., baldanza *f*. — trick, truffa per abusata fiducia. **-ent**; sicuro, confidènte. — talker, parlatore baldanzoso. **-ential**; confidenziále, da esser tenuto segreto. **-entially**; confidenzialménte. **-ently**; con sicurezza, senza paura, arditaménte. **-ing**; poco sospettoso. **-ingly**; senza sospetto, da chi non sospetta nulla.
Configura-tion; -zióne *f*.
Confine; limitare, ristríngere; imprigionare. On the -s of, al confine di. Have the bowels -d, esser stitico. Be -d to the house, non uscire più di casa. -d to bed, obbligato a letto. Be -d, partorire. About to be -d, sopra parto.
Confinement; imprigionaménto *m*. Solitary —, reclusione cellularia. Life of —, vita ritirata. Of a woman, puerpèrio *m*. She had a bad —, ha avuto un cattivo puerperio. She is expecting her — in August, deve partorire d' agosto. — to barracks, conségna *f*. Under —, agli arresti. Rigorous —, arresti di rigore.
Confirm; confermare, rafforzare, omologare. **-ation**; conférma *f*.; by the bishop, crèšima *f*. **-ative, -atory**; confermatívo. **-ed**; inveterato, compíto. — vice, vizio incallito nelle ossa. — liar, bugiardo matricolato. — drunkard, ubriacóne *m*.
Confisc-ate; -are. **-ation**; -a *f*. Liable to -ation, -ábile. **-atory**; da -atore.
Conflagration; conflagrazióne *f*., incèndio *m*.
Conflict; conflitto *m*., lòtta *f*.; trovarsi in contraddizione, non accordarsi. **-ing**; contrario, oppósto.
Confluen-ce; -za *f*. **-t**; -te.
Conform; -are, -arsi. **-able**; -e. **-ably**; -e, d' accòrdo. **-ation**; -azióne *f*. **-ity**; -ità *f*.
Confound; confóndere, scompigliare, imbrogliare. Be -ed, stupefarsi. — him! che il diavolo lo porti! — rats with water-rats, confondere i topi con i topi d' acqua. **-ed**; maledétto. — fool, sciocconaccio *m*. **-edly**; maledettaménte.
Confr-aternity; -aternità *f*. **-ère**; -atèllo *m*. **-ont**; affrontare. Be -ed with, trovarsi di faccia a.
Confus-e; dišordinare, sconcertare; *see* Confound. **-ed**; imbrogliato, poco chiaro, confušo. **-edly**; alla rinfusa. **-ion**; -ióne *f*., scompíglio *m*.; imbarazzo *m*., ónta *f*. Put to —, švergognare, render confuso.
Confut-able, -ation, -e; -ábile, -azióne *f*., -are.
Congé; congèdo *m*.
Conge-al, -lation; congel-are, -azióne *f*.
Congener; congènere.
Congenial; confacènte, geniále, simpático. Be —, andarti a genio. **-ity**; simpatía *f*., il confarsi.
Congenital; congènito. **-ly**; — deformed, nato deforme.
Conger-eel; gróngo *m*.
Congeries; congèrie *f*.
Congest, -ion; -ionare, -ióne *f*.
Conglomer-ate; -ato *m*., -are. **-ation**; -azióne *f*.
Conglutin-ate; -are.
Congo; Of the —, congolése.
Congratulat-e; felicitare, congratularsi con, rallegrarsi con. I — you, mi congratulo con lei, mi rallegro tanto tanto con voi. **-ion**; congratulazióne *f*., felicitazióne *f*., mirallégro *m*. Give him my -s, gli dia il mirallegro da parte mia. We received many -s, abbiamo ricevuto mirallegri a iosa da tutti. **-ory**; -òrio.
Congregat-e; congregare, riunirsi, affollarsi. **-ion**; congregazióne *f*., i fedeli. **-ional**; — church, chiesa indipendente. **-ionalism**; sistema ecclesiastico di chiese indipendenti.
Congress; -o *m*. **-ional**; — debates, discussioni nel Congress. **-man**; membro del Congress negli Stati Uniti.
Congru-ent, -ous; -ènte, -o. **-ity**; -ità. **-ously**; -aménte.
Con-ic, -ical; -ico. **-ifer, -iferous**; -ífero. **-irostral**; -iròstro.
Conjectur-able, -al, -ally, -e; congetturábile, -ále, per via di -a, -a *f*. To -e, congetturare.
Conjoi-n, -nt, -ntly; congiún-gere, -to, -taménte.
Conjug-al, -ally, -ate, -ation; coniug-ále, -alménte; -ato, -are; -azióne *f*.

Conjunc-t; *see* Conjoint. **-tion**; congiunzióne *f.*, -giménto (planetario).

Conjur-ation; scongiúro *m.* **-e**; scongiurare, fare il prestigiatore. — away, eśorcizzare. — up, evocare. **-er**; prestidigitatóre *m.* **-ing**; giuochi di bussolòtti; prestidigitazióne *f.* — trick, giuoco di prestigio.

Connat-e; -o.

Connect; connèttere, collegare, unire, congiúngere, accoppiare. **-ed**; unito, connèsso, congiunto, in relazione (con). Be — with, riferirsi a, aver che fare a. — sentence, frase ben composta, che può stare, di seguito. Well —, ben imparentato, congiunto con persone da bene. **-edly**; di seguito. **-ing**; d' unione, di comunicazione. — rod, bièlla *f.*, asta di connessione. — plug, spina di collegamento. — link, vincolo d' unione, legáme *m.*

Connection; connessióne *f.*, nèsso *m.*, collegaménto *m.*, unióne *f.*, congiunzióne *f.*, legáme *m.*, relazióne *f.*, rappòrto *m.*; correspondenza di treni; clientèla *f.*; parènte *m.*, congiunto *m.*, parentado *m.* Break off -s, rompere relazioni. Keep up -s, mantenere rapporti.

Connective tissue; tessuto connettivo.

Conniv-ance; connivènza *f.* **-e**; esser connivènte, chiuder gli occhi a.

Connoisseur; conoscitóre *m.*, bongustaio *m.*

Connote; voler dire per via secondaria, implicare.

Connubial; coniugále.

Conquer; víncere, víncerla, conquistare, domare. **-able**; domábile. **-or**; conquistatóre *m.*

Conquest; conquista *f.*, soggiogaménto *m.*

Consanguin-eous, -ity; -eo, -ità *f.*

Conscien-ce; cosciènza *f.* In all —, in coscienza santa. For — sake, in buona coscienza, per la coscienza. **-celess**; senza coscienza. **-tious, -tiously**; coscienzos-o, -aménte.

Conscious; cónscio, consapévole. I am not — of having said it, non so di averlo detto. Be — of a fault, aver la coscienza di una colpa. **-ly**; consapevolménte, sciènteménte, con piena conoscenza. **-ness**; cosciènza *f.*, conoscènza *f.*, consapevolézza *f.* Recover —, riaver conoscenza, tornare in sè.

Conscript, -ion; coscr-itto *m.*, -zióne *f.* **-army**; esercito di leva.

Consecr-ate, -ation; consacr-are, -azióne *f.*

Consecutiv-e; -o. **-ely**; di seguito.

Consensus; consènso *m.*

Consent; consentiménto *m.*, consènso *m.*, accòrdo *m.*, annuènza *f.*; consentire, annuire, acconsentire, condiscéndere, accondiscéndere. — to, accettare. Silence gives —, chi tace acconsente. With one —, di comune accordo.

Consentan-eous; -eo, consenziènte.

Consentient; d' accordo.

Consenting; che consente. — party, partecipe volonteroso.

Consequen-ce; conseguènza *f.*; impor tanza *f.*, rilièvo *m.* Of no —, da nulla. In — of, per ragione di. **-t**; conseguènte, risultante, susseguènte. **-tial**; borióso, arrogante; richiesto dalla logica, conseguente da sè. **-tially**; con aria d' importanza. **-tly**; perciò, per conseguenza.

Conserv-able; -ábile. **-ancy, -ancy board**; giunta incaricata del mantenimento di un fiume ecc. **-ation**; -azióne *f.* **-ative**; -atívo, -atóre *m.* The — party, il partito -atore. **-atively**; senza esagerazione. **-ator**; -atóre *m.*, membro di una giunta conservatrice. **-atory**; -atòrio *m.*, sèrra *f.* **-e**; **-a** *f.*, confettura *f.*; conservare.

Consider; considerare, pensare a, stimare, tener conto di, giudicare. He was -ed selfish, passava per egoista. — as an insult, ritenere come un' ingiuria. **-able**; considerévole, notévole, rilevante, degno di riguardo, abbastanza grande. **-ably**; un buon pezzo, grandeménte. **-ate**; simpático, che ha riguardo, delicato. **-ately**; con simpatia, con premura. **-ateness**; premúra *f.*, sollecitudine *f.*, delicatézza *f.* **-ation**; -azióne *f.*, riguardi *m. pl.*; motívo *m.*, compènso *m.*, prèzzo *m.*; importanza *f.*, prègio *m.* Take into —, tener conto di. In — of, in vista di.

Consign; consegnare, affidare, depórre. **-ee**; consegnatário *m.* **-ment**; conségna *f.*, spedizióne *f.*; roba spedita, pacco *m.*, invio mercantile.

Consist; consístere, accordarsi, constare. — in, consistere di. — of, esser composto di, comprèndere. **-ence**; consistenza, solidità. **-ency**; coerènza *f.*, conformità con sè stesso. **-ent**; coerènte, consentaneo, consonante, stábile, conforme con sè stesso. Not —, contrario, poco consistente. **-ently**; coerenteménte, in modo conforme o consentaneo. To act —, agire da uomo coerente. **-ory**; concistòrio *m.*

Consol-able, -ation, -atory, -e, -er; -ábile, -azióne *f.*, confòrto *m.*, -atòrio, -are, -atóre *m.*

Console-table; mènsola *f.*, consòlle *m.*

Consolid-ate, -ation; -are, -azióne *f.*

Consols; rendita consolidata.

Consommé; consumè *m.*
Consonant; -e *f.* As *adj.*, *see* Consistent.
Consort; -e *m.* or *f.*, compagno *m.*, sòcio *m.* To — with, bazzicare, associarsi **a.** In —, di conserva, in compagnia.
Conspectus; vista generale, sinòssi *f.*
Conspicuous; cospicuo, vistóso. Be —, dar nell' occhio, risaltare. **-ly**; eminenteménte, in modo cospicuo. **-ness**; cospicuità *f.*
Conspir-acy, **-ator**, **-e**; congiúr-a *f.*, -atóre *m.*, -are; cospir-azióne *f.*, -atóre *m.*, -are. **-ing**; unèndosi, lavoranti insieme.
Constable; guardia di pubblica sicurezza, carabinière *m.*, gendarme *m.*, poliziòtto *m.* Special —, guardia volontaria. Chief —, commessario di polizia. — of the Tower, governatore della Torre di Londra. High —, conestábile *m.*
Constabulary; carabinièri *m. pl.*
Constance; Costanza.
Constan-cy; costanza *f.*, perseveranza *f.*, fedeltà *f.*, fermézza *f.* **-t**; costante, férmo, continuo, ripetuto, fedéle, stésso. Keep the water at a — height, mantenere l' acqua ad un livello costante, ad uno stesso livello. **-tly**; continuaménte, ognóra. Increase —, andar sempre crescendo.
Constantinople; Costantinòpoli *f.*
Constellation; costellazióne *f.*
Consternation; costernazióne *f.* Look of —, aria costernata. In —, costernato.
Constipat-e; costipare. **-ed**; stítico. **-ion**; stitichézza *f.*, costipazióne *f.*
Constitu-ency; circoscrizione elettorale. **-ent**; costituènte, integrale. **-ents**; collegio elettorale, elettóri *m. pl.*
Constitut-e; costituire, stabilire. **-ion**; costituzióne *f.*, statuto *m.*, legge fondamentale. **-ional**; costituzionále. As *sb.*, passeggiata igiènica. **-ionally**; per temperamento; per via costituzionale.
Constrain; costríngere, obbligare. **-ed**; impacciato. **-edly**; con impaccio. **-t**; fòrza *f.*, costringiménto *m.*, impaccio *m.*
Constrict; restríngere, stríngere, serrare, comprímere. **-ion**; costringiménto *m.* **-ive**; costrittívo. **-or**; costrittóre *m.*
Constring-e, **-ent**; restr-íngere, -ittívo.
Construct; costruire, fabbricare. — a new system, inventare un sistema nuovo. **-ion**; costruzióne *f.*, fàbbrica *f.*; interpretazióne *f.* Put a good — upon, interpretare in bene. Bear this —, permettere questa interpretazione. **-ional**; — damage, danno alla fabbrica. Of — importance, importante per l' ossatura della fabbrica. **-ionally**; riguardo la costruzione. — at fault, difettoso nella costruzione. **-ive**; 1. costruttóre. — statesmanship, forza da uomo di stato costruttrice. 2. induttívo, implicato. **-ively**; per via d' interpretazione, per via indiretta, per induzione. **-iveness**; facoltà costruttiva. **-or**; costruttóre *m.*, chi costruisce.
Construe; interpretare, spiegare, tradurre.
Consubstantial; consustanziàle.
Consul, **-ar**; cònsol-e *m.*, -are. **-ate** (modern), **-ship** (ancient); consolato *m.*
Consult; consultare. — one's own ease, prendersi cura dei proprii comodi. — one's inclination, seguire la sua voglia.
Consult-a; giunta superiore. **-ant**; medico consultante. **-ation**; (ordinary) consulta *f.*, (professional) consulto *m.* **-ative**; consultivo. **-ing-room**; consulta *f.*, sala delle consultazioni.
Consum-able, **-e**, **-er**; -ábile, -ere *or* -are, -atóre *m.* **-able** stores, oggetti di consumo. To **-e** wastefully, sprecare. **-ing**; ardènte.
Consummat-e; 1. finíto, provètto, sómmo, eşimio, matricolato, consumato. — fool, sciocconaccio *m.* With — ease, senza la minima difficoltà. 2. cómpiere, portare a fine, consumare (matrimonio). **-ion**; compiménto *m.*, consumazióne *f.* — of all things, fine del mondo.
Consumpt-ion; 1. consumo *m.*, consumazióne *f.*, consunzióne *f.* 2. tişi *f.* Pulmonary —, etişía *f.* **-ive**; tíşico.
Contact; contatto *m.* **-breaker**; interruttóre *m.*
Contagi-on; -o *m.* **-ous**; -óso. **-ousness**; infettività *f.* **-um**; -o *m.*
Contain; contenére, comprèndere. — oneself, contenérsi. — one's anger, reprimere la sua rabbia. **-er**; contenènte *m.*
Contamin-ate; -are. **-ation**; -azióne *f.*, contagio *m.*
Contango; ripòrto *m.*
Contemn; sprezzare.
Contempl-ate; -are; avere in animo, divişare. **-ation**; -azióne *f.* **-ative**; -atívo. **-atively**; da chi sta a pensare. **-ativeness**; umore -ativo.
Contempor-aneous, **-ary**; -áneo, coèvo. **-aneously**; -aneaménte.
Contempt; 1. sprèzzo *m.*, disprègio *or* disprèzzo *m.*, sprezzaménto *m.* Bring into —, mettere in discredito, porre in non cale, far cadere nel disprezzo. Hold up to —, scornare. 2. contumácia *f.*, dişobbediènza *f.* **-ible**; sprezzábile, spregévole. **-ibleness**; bassézza *f.*, abbiezióne *f.* **-ibly**; bassaménte, indegnaménte. **-uous**; sprezzante, şdegnóso.

-uously; con aria di sdegno o scherno, con disdegno, ṡdegnosaménte.

Contend; contèndere, contrastare, disputare. **-ing**; rivále.

Content; pago, soddisfatto, contènto; appagare, contentare. Easily -ed, di facile contentamento. -ed with oneself, soddisfatto di sè stesso. **-edly**; senza lagnarsi, con soddisfazione. **-edness**; disposizione tranquilla, contentézza *f.*

Content-ion; contenzióne *f.*, contésa *f.* **-ious**; contenzióso, biṡbètico, contrastábile. **-iously**; in modo contenzioso ecc. **-iousness**; umore rissoso, carattere bisbetico.

Contentment; contentézza *f.*, soddisfazióne *f.*

Contents; contenuto *m.*, indice di materie. — of, quanto esiste in. Its —, ciò che contiene.

Conterminous; confinante.

Contest; contésa *f.*, lòtta *f.*; contestare, disputare, contèndere. -ed election, elezione contrastata, combattuta, elezione in cui vi è più di una lista, battaglia elettorale. To — the seat, 1. mettere in campo un candidato, una lista. 2. portarsi candidato, porre la propria candidatura. **-ation**; il disputare.

Context; contèsto *m.*

Contigu-ity; -ità *f.* **-ous**; -o. **-ously**; da vicino.

Continen-ce; -za *f.* **-t**; -te. As *sb.*, -te *m.* **-tal**; -tále. **-tly**; con moderazione.

Contingen-cy; -za *f.*, eventualità *f.* **-t**; -te. As *sb.*, -te *m.* **-tly**; — upon, a patto che.

Continu-al; incessante, continuo, ripetuto. **-ally**; incessanteménte ecc. **-ance**; durata *f.*, ripetizione continua. — of fine weather, continuazione del bel tempo. **-ation**; -azióne *f.*, séguito *m.*, prolungaménto *m.* **-e**; -are, durare, proseguire, prolungare. **-ous**; ininterrótto, continuo. **-ously**; senza interruzione.

Contor-t, -tion, -tionist; -cere, -ṡióne *f.*, -sionista *m.*

Contour; contórno *m.* **-lines**; linee isometriche.

Contraband; contrabbando *m.*

Contract; patto *m.*, contratto *m.*, accòlto *m.*, appalto *m.*; contrarre, restríngere; rientrare, raccorciarsi; prendere o esser affetto da malattia. — for, accollare, appaltare. — to, impegnarsi di. — bad habits, prender abitudini cattive. -edness; ristrettézza *f.* **-ile**; contráttile. **-ility**; contrattilità *f.* **-ion**; contrazióne *f.*, raccorciaménto *m.* **-or**; accollatário *m.*, impresário *m.*, fornitóre *m.*, intrapprenditóre *m.*

Contradict; contradire, contrappórsi a. **-ion**; contradizióne *f.* **-ious**; cavillóso, biṡbètico. **-iousness**; spirito di contradizione. **-orily, -ory**; contradittoriaménte, -o.

Contradistinction; oppoṡizióne *f.*, contrasto *m.*

Contraindicat-e, -ion; controindic-are, -azióne *f.*

Contralto; contralto *m.*

Contraption; congégno *m.*

Contrar-iety; -ietà *f.* **-iness**; malumóre *m.* **-iwise**; all' invèrso, invéce. **-y**; -io, oppósto. Quite the —, tutto al contrario.

Contrast; -o *m.*; -are, far -o. Be in striking —, contrastare a far colpo.

Contraven-e, -er, -tion; contravven-ire, -tóre *m.*, -zióne *f.*

Contretemps; contrattèmpo *m.*

Contribut-e; contribuire. — to, scrivere per. — fifty guineas, contribuire con cinquanta ghinee. A fair amount of rest -s to health, il riposo giusto conferisce alla salute. **-ion**; contribuzióne *f.*, articolo in un giornale. **-ive, -ory**; contributívo. **-or**; contribuènte *m.*, collaboratóre *m.*

Contrit-e, -ely, -ion; -o, da -o, contrizióne *f.*

Contriv-ance; congégno *m.*, spediènte *m.* **-e**; inventare, metter insieme; trovar mezzo (di) riuscire (a), pervenire (a). **-er**; autóre *m.*, inventóre *m.*

Control; contròllo *m.*, regolazióne *f.*, fréno *m.*, autorità *f.*; raffrenare, reprímere, dirígere, dominare, regolare, padroneggiare, governare. -led price, calmière *m.* — oneself, contenérsi. **-lable**; controllábile, frenábile. **-ler**; controllóre *m.*, capo ragionière, padróne *m.*; (*electr.*) regolatóre *m.*, leva di comando.

Controvers-ial; polèmico, di controversia. **-ialist**; controversista *m.* **-ially**; in modo polemico. **-y**; controvèrsia *f.*

Controvert; controvèrtere, contestare.

Contumac-ious; -e. **-iously**; da -e. -iousness, -y; contumácia *f.*

Contumel-ious, -iously, -y; -ióso, da -ióso, -ia *f.*

Contus-ed, -ion; -o, -ióne *f.*

Conundrum; indovinèllo *m.*

Convalesce, -nce, -nt; -re, -nza, -nte. To —, send away for -nce, mandare a convalescersi, a ricuperare salute. **-nt** ward, infermería *f.*

Conven-able, -e, -er; convoc-ábile, -are, -atóre *m.*, adun-ábile, -are, -atóre *m.*

Convenien-ce; conveniènza *f.*, comodità *f.* Street —, luogo comodo. At your —, a vostro comodo o bell' agio. **-t**; conveniènte, opportuno, convenévole, còmodo. — house, casa raccolta. If

—, se vi aggrada. **-tly**; convenienteménte ecc., a propoṡito.
Convent; monastero di monache.
Conventicle; adunanza religiosa all' aria aperta, conciliábolo *m*. Traitors' —, conventícola *f*.
Convention, -al, -alism, -ality, -ally; convenzión-e *f*., -ále, -aliṡmo *m*., -alità *f*., -ménte.
Conventual; monacále, da monaca.
Converg-e, -ence, -ent; -ere, -ènza *f*., -ènte.
Convers-ant; versato (in), pratico (di). **-ation**; collòquio *m*., conversazióne *f*., discórso *m*. **-ationalist**; Good —, buon parlatóre. **-e**; 1. collòquio *m*., conversazióne *f*. 2. convèrso, oppósto. 3. conversare, discórrere. — with, frequentare, esser familiare con. **-ely**; per converso. **-ion**; conversióne *f*., (*electr*.) trasformazióne *f*.
Convert; convertíto *m*., neòfito *m*.; convertire; traṡmutare, trasformare. **-er**; convertitóre *m*. **-ibility, -ible**; -ibilità *f*., -íbile. **-ibly**; indifferenteménte.
Convex, -ity; convèss-o, -ità *f*.
Convey; trasportare; dare, esprímere, implicare (idee); traṡlatare, trasferire. **-ance**; 1. traspòrto *m*., mezzo di trasporto, vettura *f*. 2. cessióne *f*. Deed of — atto traslatívo. **-ancer**; notaio *m*.
Convict; forzato *m*., recluṡo *m*.; giudicar rèo, condannare, dichiarar colpévole. Be -ed of a blunder, esser colto in fallo. **-establishment**; bagno *m*., ergástolo *m*., recluṡòrio *m*. **-ion**; condanna *f*.; convinciménto *m*., convinzióne *f*. Carry —, convíncere, portare con sè la prova della cosa.
Convinc-e; convíncere, capacitare, persuadére, appagare. **-ible**; -íbile. **-ing**; convincènte, soddisfacènte. **-ingly**; in modo convincente. **-ingness**; persuaṡiva *f*.
Convivial; gioviále, festévole. **-ity**; allegría *f*., giovalità *f*. **-ly**; da uomo gioviale.
Convo-cation, -ke; -cazióne *f*., -care.
Convol-ution; pièga *f*. **-vulus**; vilúcchio *m*.
Convoy; convòglio *m*., scòrta *f*.; scortare, convogliare. — of munitions, carréggio di munizioni.
Convuls-e; cagionare convulsioni, render convulso. Be -ed, tremare (di rabbia), contòrcersi (di riso). **-ion**; -ióne *f*. **-ive**; -ívo. **-ively**; -ivaménte.
Cony; coníglio *m*.
Coo; tubare.
Cooee; voce di chiamata in Australia.
Cook; cuòc-o *m*., -a *f*.; cucinare, cuòcere, far cuocere cibi; preparare, apprestare; *fig*. falsificare, alterare. Head —, capo cuoco. — up, rifríggere, cuocere un' altra volta, *fig*. inventare. Sea —, cuoco di bordo. **-ed**; còtto, pronto per andare in tavola. Decently —, preparato decentemente. **-ery**; cuccína *f*., arte culinaria. — book, manuale di cucina. **-ing**; cocitura *f*. — apple, mela da cucinare. — stove, fornello di cucina. **-shop**; rosticcería *f*. **-'s mate**; sottocuòco *m*.
Cool; 1. frésco. It is getting —, si mette al fresco. 2. fréddo, calmo, diṡinvòlto, preṡuntuóso. — reception, ricevimento freddo. 3. rinfrescare, raffreddare, intiepidirsi, raffreddarsi; scemare (zelo). **-er**; vaso refrigerante, cantimplòra *f*.
Coolie; lavorante indígeno.
Cool-ish; alquanto fresco. **-ly**; senz' altro, con disinvoltura, spudorataménte, di proposito deliberato. **-ness**; frescura *f*., freschézza *f*.; indifferènza *f*., mancanza di amore.
Coomb; vallata in sul pendio d' una montagna.
Coon; *raccorc*. di Raccoon. Gone —, persona rovinata.
Coop; stia *f*., polláio *m*. — up, chiudere in gabbia, rinchiúdere.
Cooper; bottáio *m*. **-age**; officina bottai.
Co-operat-e, -ion, -ive, -or; co-opera-re, -zióne *f*., -tívo, -tóre *m*.
Co-opt; eleggere membro d' un comitato coi suffragi dei membri attuali. **-ion**; siffatta elezione. Casual vacancies on the committee are filled by —, i posti vacanti accidentalmente si riempiono dal comitato stesso.
Co-ordina-te; -ta *f*., -re. **-tion**; -zióne *f*.
Coot; fòlaga *f*.
Cop (gergo); arrestare; colpire.
Copaiva; coppáiba *f*.
Copal; copále *f*.
Co-parcener, Co-partner; sòcio *m*., consòcio *m*. **-partnership**; associazióne *f*., compartecipazióne *f*.
Cope; cappuccio *m*., pianéta *f*. — with, tener testa a, maneggiare, lottare contro a forze uguali.
Copeck; copècco *m*.
Copenhagen; Copenága, Copenághen *f*.
Coper; Horse —, mercante di cavalli.
Copernican; copernicáno.
Copier; copista *m*.
Coping; comígnolo *m*., cólmo *m*., coronaménto *m*.
Copious, -ly, -ness; copi-óso, -osaménte, -a *f*., ricchézza *f*., abbondanza *f*.
Copper; 1. rame *m*. — for washing, caldaia *f*. 2. (gergo) birro *m*. 3. Engraving on —, stampa in rame.

Copperas; copparòṡa *f.*
Copper-bottomed; a fodera di rame. **-beech**; faggio rosso. **-coloured**; color rame. **-founder**; fonditore di rame. **-plate**; incisione in rame — hand-writing, calligrafia da incisione in rame. **-s**; sòldi *m. pl.*, spíccioli *m. pl.* **-sheathing**; fodera di rame. **-smith**; calderaio *m.*, ramaio *m.* **-wire**; filo di rame.
Coppice; boschétto *m.*
Copra; nocciolo secco del cocco.
Coprolite; coprolite *f.*
Copse; boschétto *m.* **-wood**; frascáme *m.*
Copt, -ic; Còpto *m.*, còpto.
Copul-a; -a *f.* **-ate, -ation**; accoppiarsi, -aménto *m.* **-ative**; -atívo.
Copy; 1. còpia *f.*, eṡempláre *m.*, modèllo *m.*; originále *m.* Fair —, bella copia, o a pulito. Rough —, brutta copia. True —, copia conforme. Make a fair —, mettere al pulito, copiare a buono. To —, copiare; eseguire l' esempio di. — out, trascrivere. 2. manoscritto *m.*
Copy-book; quadèrno *m.*, quintèrno *m.* **-hold**; proprietà soggetta a diritto speciale, conforme a certe costumanze fissi; proprietà soggetta a censo. **-holder**; siffatto proprietario. **-ing-ink**; inchiostro copiativo. **-ing-machine**; copialèttere *m.* **-ist**; scriváno *m.*, copista *m.* **-right**; diritto d' autore, proprietà letteraria. The — has expired, l' opera è caduta nel dominio pubblico.
Coquett-e; civétt-a *f.*, -are. **-ish**; da civetta, civettuòlo. **-ishly**; civettescaménte. **-ishness**; civettería *f.*
Coracle; barchettína *f.*
Coral; corallo *m.*; corallíno. Baby's —, sonaglio di corallo. **-fishery**; pesca di corallo. **-reef**; banco di corallo.
Corbel; modiglióne *m.*
Cord; còrda *f.*, cordoncíno *m.*; legare con corde. **-age**; cordáme *m.* **-elier**; Franciscáno *m.*
Cordial; -e; bevanda stimolante. **-ity**; -ità *f.* **-ly**; -ménte.
Cordilleras; le Cordigliere.
Cordon; cordóne *m.*
Corduroy; velluto di cotone a costole, frustagno *m.*
Core; tórso *m.*, ánima *f.*, radice d' un fignolo; levare il torso delle mele. — of an armature, áncora *f.*
Co-religionist; correligionário *m.*
Coreopsis; coreòpside *f.*
Co-respondent; convenuto (in divorzio).
Coriander; coriándolo *m.*
Corinth, -ian; Corin-to *m.*, -zio.
Corium; còrion *m.*
Cork; súghero *m.*, tappo *m.*, turácciolo *m.*; turare, tappare. — up, chiudere con turacciolo. **-age**; ciò che fa pagare l' albergatore da chi porta il suo vino con sè. **-cutter**; fabbricante di turaccioli di sughero. **-ed**; che sente il sughero. **-jacket**; corsetto di sughero. **-leg**; gamba di sughero. **-sole**; suola di sughero. **-screw**; cavatappi *m.*, cavaturácciolí *m.* — stair-case, scala a chiocciola. **-tree**; querce da sughero, súghero *m.*
Cormorant; marangóne *m.*, cormoráno *m.*
Corn; grano *m.*, granáglie *f. pl.*, cereáli *m. pl.*, biáda *f.* Indian —, granturco *m.* — crops, cereáli *m. pl.* — on the foot, callo *m.*, lupíno *m.* Soft —, occhio di pernice. **-bin**; cassa da grano. **-cockle**; loglio nero. **-crake**; re di quaglie. **-cutter**; pedicure *m.*, callista *m.* **-dealer**; granaiòlo *m.*, negoziante di granaglie. **-drill**; seminatóio *m.*
Cornea; còrnea *f.*
Corned; — beef, carne di bue salata, in iscatola.
Cornel; còrniolo *m.*
Cornelian; còrniola *f.*
Corner; canto *m.*, cantuccio *m.*, ángolo *m.*, cantóne *m.*, cantonata *f.* All the -s of the earth, tutti gli angoli della terra. — of the table, punta del tavolino. — of the eye, canto dell' occhio, *fig.* coda dell' occhio. To —, 1. incettare, far incetta di. 2. metter nell' imbarazzo. Put in the —, metter in penitenza (bambino). Round the —, alla voltata della strada. Cut off a —, scorciare la via, prender una scorciatoia. Done in a —, fatto di soppiatto. Turn the —, passar il più peggio. **-ed**; messo alle strette. **-house**; casa d' angolo. **-seat**; posto nel canto. **-stone**; pietra di cantone, *fig.* fondaménto *m.*, baṡe *f.* **-wise**; diagonalménte.
Cornet; cornétta *f.* **-cy**; grado di cornetta.
Corn-exchange; mercato di grano. **-factor**; granaiòlo *m.* **-field**; campo di grano. **-flag**; giággiolo *m.* **-flour**; fiore o farina di granturco. **-flower**; fioralíso *m.* **-growing**; produzione di grano.
Cornice; cornicióne *m.*
Cornish; di Cornovaglia. — boiler, caldaia cilindrica. — language, lingua della Cornòvaglia.
Corn-land; terra da grano. **-laws**; leggi riguardo l' importo del grano. **-loft**; granáio *m.* **-market**; mercato o piazza del grano. **-measure**; misura per granaglie. **-merchant**; mercante o negoziante in grani. **-mill**; mulíno *m.* **-poppy**; roṡolaccio *m.* **-rent**; fitto pagato in grano. **-salad**; favétte *f. pl.*

Cornucopia; cornucòpia *f.*
Cornwall; Cornováglia *f.*
Corn-weevil; punteruòlo *m.*
Coroll-a; -a *f.* **-ary**; -ário *m.*
Coron-a; -a *f.* **-ation**; incoronazióne *f.*
Coronach; nènia *f.*
Coroner; chi fa inchiesta giudiziaria nei casi di morte sospetta.
Coronet; corona di un nobile.
Coronilla; coronilla *f.*
Corpor-al; caporále *m.*; corporále *m.*; corpòreo. **-ate**; incorporato. **-ation**; -azióne *f.*, ente morale o giuridico; (*scherz.*) pancióne *m.* **-eal**; -eo. **-eally**; corporalménte.
Corps; corpo *m.*
Corpse; cadávere *m.*, mòrto *m.*
Corpulen-ce; -za *f.* **-t**; -to.
Corpus; fóndo *m.*, capitale di un patrimonio. **-Christi**; Corpus Domini.
Corpusc-le, -ule; -olo *m.* **-ular**; -olare.
Corral; luogo chiuso per bestiame.
Correct; corrétto, giusto, aggiustato, nella regola, inappuntábile, ammòdo. Is it — to say? è ben detto il dire? To —, corrèggere, gastigare. **-ion**; correzióne *f.*, emendazióne *f.*, gastígo *m.*, riprensióne *f.* Under —, con rispetto, salvo errori. House of —, casa di correzione. **-ional**; correzionále. **-ive**; correttívo. **-ly**; correttaménte. **-ness**; correttézza *f.*, giustézza *f.* **-or**; correttóre *m.*
Correlat-e; metter in giusta relazione. **-ed**; congiunto, affine, in rapporto reciproco. **-ion**; correlazióne *f.* **-ive**; correlatívo.
Correspond; corrispóndere, aver proporzione, confarsi, rispóndere, riferirsi, accordarsi. — to, combinare con. The copy does not — to the original, la copia non combina coll' originale. Of trains, coincídere. **-ence**; corrispondènza *f.* Of trains, coincidènza *f.* **-ent**; corrispondènte *m.* **-ing**; corrispettívo, corrispondènte. **-ingly**; in modo corrispondente.
Corresponsive; pronto a rispondere, a contraccambiare, a riamare ecc.
Corridor; corridóio *m.*, ándito *m.*
Corrigible; correggíbile.
Corrobor-ant, -ate, -ation; conferm-ante, -are, -azióne *f.*
Corro-de, -sion, -sive, -sively, -siveness; -dere, -śióne *f.*, -śívo, in modo -sivo, carattere -sivo.
Corruga-te, -tion; -re, -zióne *f.* **-ted iron**, latta corrugata. **-ted plate**, lamiera ondulata.
Corrupt; corrótto; infrollito; corrómpere. **-er**; corruttóre *m.* **-ibility, -ible**; corrutt-ibilità *f.*, -íbile. **-ion**; corruzióne *f.* **-ly**; corrottaménte. **-ness**; corruttèla *f.*
Corsage; giubbétto *m.*
Corsair; corsáro *m.*
Corselet; corsalétto *m.*
Corset; busto *m.*, fascétta *f.* **-maker**; bustaia *f.*, fascettaia *f.*
Corsican; còrso.
Cortège; cortèo *m.*, cortéggio *m.*
Cort-ex, -ical; cort-éccia *f.*, -icále.
Corundum; corindóne *m.*
Corusc-ate, -ation; balen-are, -aménto *m.*
Corvée; 1. lavoro gratuito dovuto al signore feodale. 2. seccatura *f.*
Corvette; corvétta *f.*
Coryphaeus; corifèo *m.*
Cos lettuce; lattuga romana.
Cosignatory; cofirmatário *m.*
Cosily; a tutt' agio, a suo bell' agio.
Cosine; coséno *m.*
Cosmetic; cośmètico.
Cosm-ic, -ogony, -opolitan, -orama; -ico, -ogonía *f.*, -opolíta *m.*, -opolítico, -orama *m.*
Cossack; Cośacco *m.*
Cosset; vezzeggiare.
Cost; prèzzo *m.*, còsto *m.*; costare. — what it may, ad ogni costo, avvenga che può. To his —, a sue spese. Prime —, prezzo della produzione. At immense —, con spese immense.
Cost-al; -ále. **-ermonger**; fruttivéndolo *m.*, rivendúgliolo *m.*, barullo *m.* **-free**; esente da spese. **-ive**; costipato, stítico. **-iveness**; costipazióne *f.*, stitichézza *f.* **-liness**; sontuosità *f.*, carattere costoso. **-ly**; sontuóso, ricco, costóso. **-price**; prezzo d' acquisto o di fattura.
Costs; spese processuali. He won his action with —, vinse la causa ed ebbe le spese; ebbe sentenza favorevole e le spese processuali.
Costum-e; costume *m.*, vestíto *m.*, vestiário *m.* **-ier**; vestiarista *m.*
Cosy; 1. copriteièra *m.* 2. piacévole, confortábile. — corner, cantuccio dove crogiolarsi. — sleep, sonnerèllo *m.* — chat, un po' di chiacchierina.
Cot; 1. culla *f.*, (*mar.*) branda *f.* 2. capanna *f.*, abituro *m.*
Coterie; cricca *f.*, consortería *f.*
Cothurnus; coturno *m.*
Cotillon; cotigliòn *m.*
Cotoneaster; cotognastro *m.*
Cotrustee; cofidecommessário *m.*
Cottage; casúpola *f.*, capanna *f.*, casa contadinesca. **-boy, -girl**; contadinèll-o *m.*, -a *f.* **-piano**; pianoforte ritto. **-r**; contadíno *m.*
Cottar; contadino scozzese.
Cotter; biétta *f.*, zéppa *f.*, chiavétta *f.*

Cottian Alps; alpi còzzie.
Cotton; cotóne *m.* Sewing —, filo di Scozia, fili cucirini. To — with, affezionarsi con, farsi amico di.
Cotton-ade; cotonína *f.* **-cloth**; tela di cotone. **-fabric**; tessuto di cotone. **-factory**; cotonifício *m.* **-famine**; mancanza assoluta di cotone. **-gin**; macchina per isgranellare il cotone. **-goods**; merci di cotone, cotoneríe *f. pl.*, telerie di cotone. **-grass**; pennacchio rotondo. **-mill**; filatura di cotone. **-plant**; pianta da cotone, cotone erbaceo. **-print**; indiana *f.* **-spinning**; filatura del cotone, cotonifício *m.* **-stuff**; bambagína *f.*, cotonína *f.* **-thistle**; cardo scardiccio. **-thread**; filo di cotone. **-trade**; commercio del cotone. **-tree**; albero del cotone. **-waste**; stoppaccio *m.*, borra, o cascame (di cotone), cotone di rifiuto. **-weed**; piede di gatto, gnafálio *m.* **-wool**; bambagia di cotone, ovatta *f.*
Cotyledon; cotilèdone *m.*
Couch; lètto *m.*, canapè *m.*; tenersi acquattato; esprímere, redígere. -ed in these terms, così scritto o concetto. To —, mettere in resta (lancia); abbassare (cataratta nell' occhio).
Couch-grass; gramigna *f.*, dente canino.
Cougar; coguáro *m.*, puma *m.*
Cough; tósse *f.* Whooping —, tosse canina. To —, tossire.
Could; *rem.* e *cond.* di Can.
Coulisse; quinta *f.*
Couloir; borro pieno di neve.
Coulter; cóltro *m.*
Council; consíglio *m.* Privy —, consiglio di stato. Cabinet —, consiglio dei ministri. Common —, consiglio municipale. **-chamber**; sala del consiglio.
Councillor; consiglière *m.*
Counsel; consíglio *m.*, raccomandazióne *f.*; avvocato *m.* To —, consigliare. — **against**, sconsigliare. Keep one's own —, tacere ciò che si sa. **-lor**; consiglière *m.*
Count; 1. cónte *m.* 2. cónto *m.*, cálcolo *m.* 3. capo d' accusa. To —, contare, computare, annoverare, fare i conti. — out; 1. spiegare contando il numero dei pezzi. 2. sciogliere un' adunanza per mancanza del numero di membri richiesto della legge dopo fattane l' enumerazione. A — out, siffatto scioglimento. To — for little, aver poca importanza. — over, fare un conto di. — up, contare esattaménte, fare il totale di. — upon, far assegnamento sopra. — in, inclúdere (contando). — as my friend, considerare come mio amico. — him a good man, ritenerlo un uomo bono. — the cost, tener conto di quel che costerà. Each item -s, ogni parte ha un valore da farne conto.
Countable; numerábile, che si può contare.
Countenance; vólto *m.*, viṡo *m.*, sembiante *m.*, ária *f.*; favóre *m.*, appòggio *m.*, tolleranza *f.*; tollerare, far buon viso a. Put out of —, sconcertare, confóndere. Give — to, favorire. His — fell, allungò il muso. A swarthy —, un' abbronzita figura.
Counter; calcolatóre *m.*, contatóre *m.*; banco *m.*; gettóne *m.*; petto di cavallo; (*mar.*) volta di poppa. As *prep.*, all' opposto, cóntro. Run — to, opporsi a, andar contro a.
Counter-act; neutraliżżare, contrariare, attraversare. **-action**; antagoniṡmo *m.* **-active**; che ostacola, contrasta. **-agent**; ciò che contraria. **-attack**; reazióne *f.* **-attraction**; attrazione di altro genere, in altra direzione. **-balance**; controbilanciare, contrappesare. **-blast**; rispósta *f.*, controcólpo *m.* **-change**; recriminazióne *f.*, contraccuṡa *f.* **-charm**; contrammalía *f.* **-cheer**; approvazione del partito opposto. Cheers and — cheers, approvazioni dalle due parti. **-claim**; domanda riconvenzionale; chiedere riconvenzionalmente. **-current**; controcorrènte *f.* **-drain**; contraffòsso *m.* **-draw**; ricalcare. **-drawing**; calco *m.* **-evidence**; contropròve *f. pl.* **-feit**; contraffazióne *f.*; contraffatto, simulato, falso; contraffare, fíngere. **-feiter**; contraffattóre *m.* **-feiting**; contraffazióne *f.* **-foil**; matríce *f.* **-indicate**, **-indication**; contro-indic-are, -azióne *f.* **-irritant**; rivulsívo *m.* **-irritation**; azione rivulsiva. **-jumper**; galoppíno *m.*, commesso di negozio. **-mand**; contromandare, contrordinare. **-march**; contromarci-a, -are. **-mark**; contromarca *f.* **-mine**; contromin-a *f.*, -are. **-motion**; controproposizióne *f.* **-movement**; movimento nella direzione opposta. **-order**; *see* Countermand. **-pane**; soppraccopèrta *f.*, piumino *m.*, strofinaccio *m.*, coperta trapunta di parata. **-part**; controscritta *f.*, copia *f.* **-petition**; contropetizióne *f.*; far una contropetizione. **-plea**; rèplica *f.* **-point**; contrappunto *m.* **-poise**; contrappéso *m.* **-pressure**; contropressióne *f.* **-project**; controprogètto *m.* **-proof**; contropròva *f.* **-proposal**; controproposizióne *f.* **-revolution**; controrivoluzióne *f.* **-scarp**; controscarpa *f.* **-seal**; controsigillare. **-sign**; contraparòla *f.*, parola d' ordine; contrassegnare, controfirmare. **-signal**; contrassegnale *m.* **-signature**; controfirma *f.* **-sink**; ac-

cecare, scavare, incastrare, śvaśare. **-sunk head**, capocchia accecata. **-statement**; rapporto o dichiarazione della parte opposta. **-stroke**; rispósta *f.*, contraccólpo *m.* **-vail**; *see* Counterbalance. **-weight**; contrappéso *m.* **-work**; contrariare.

Countess; contéssa *f.*

Counting-house; banco *m.*, cassa *f.* **—** sundries, articoli di cancelleria.

Countless; innumerábile.

Countrified; da rustico.

Country; paéśe *m.*, contráda *f.*, regióne *f.*, campagna *f.*, província *f.*, pátria *f.*; rústico, campagnòlo. **-box**; casíno *m.*, villino di campagna. **-bred**; allevato in campagna. **-cousin**; cugino campagnuolo. **-dance**; contraddanza inglese. **-doctor**; medico di campagna. **-folk**; gente di campagna, contadini. **-gentleman**; signore o gentiluomo di provincia, signore che sta in campagna. **-girl**; contadinèlla *f.* **-house**; villa, casa campestre. **-life**; vita campestre. **-man**; contadíno *m.*, paeśáno *m.* Fellow **—**, compaeśáno *m.*, compatriòtta *m.* **-manners**; maniere di provincia. **-parson**; prete di campagna. **-place**; piccola città. **-police**; guardie campestri. **-seat**; castèllo *m.*, casa grandiosa in campagna. **-squire**; *see* Country gentleman. **-town**; città di provincia. **-trip**; scampagnata *f.*

County; contèa *f.* **-court**; tribunale di prima istanza per le liti di poca importanza. **-family**; famiglia signorile con vasta tenuta, sia nobile o no. **-hall**; palazzo del governo provinciale, municipio (a Londra). **-rate**; tassa per le spese provinciali. **-sessions**; assise giudiziarie al capoluogo di una contea. **-town**; capoluogo di provincia.

Coup; cólpo *m.* **-d'etat**; colpo di stato.

Coupé; carrozza a due posti.

Coupl-e; còppia *f.*; accoppiare, (ferrovia) attaccare. **-et**; stròfa *f.*, strofétta *f.*, dístico *m.* **-ing**; giunto *m.*, accoppiaménto *m.* **—** box, manicòtto *m.*

Coupon; cèdola *f.*, cupóne *m.*, tagliando *m.*

Courage; corággio *m.*, baldanza *f.*, bravúra *f.* **-ous**; coraggióso, baldanzóso. Be **—** enough to, aver cuore, bastar l' animo per. **-ously**; coraggiosaménte, senza lasciarsi impaurire.

Courier; corrière *m.*

Courland; Curlándia. Of **—**, curlandése.

Course; 1. córsa *f.*, córso *m.*, carrièra *f.*, órdine *m.*, via *f.*, partíto *m.*, modo di vivere. In due **—**, nell' ordine dovuto. Give free **—** to, dare sfogo a. In the **—** of the day, durante il corso della giornata. The **—** of his reign, la durata del suo regno. The **—** he was pursuing, quel che stava compiendo. Consider the **—** to be pursued, riflettere al modo di regolarsi. Take another **—**, cambiare tenore di vita, fare attrimenti. Ill -s, vita disordinata. Draw into ill -s, trascinare nel disordine. It is our usual **—**, è nostra consuetudine. The safe **—**, la buona via. Run three times round the **—**, far tre giri di pista. Let things take their **—**, lasciar andar l' acqua alla china. 2. Of **—**, naturalménte, si capisce, s' intende, ben inteso. That is so, of **—**, ciò va da sè. Matter of **—**, cosa naturale. 3. portata *f.*, servizio a tavola. The meal consisted of three -s, il pranzo consisteva di tre portate. 4. fila di pietre, strato orizzontale. 5. (*mar.*) rótta *f.* On opposite -s, con rotte opposte, prua contro prua. 6. in *pl.*, vele basse. 7. -s, (*med.*) mèstrui *m. pl.* 8. To **—**, córrere (lepra).

Courser; corsière *m.*, destrière *m.* **-plover**; corriere biondo.

Coursing; caccia alla lepre coi levrieri.

Court; córte *f.*, tribunále *m.*; cortíle *m.*; corteggiare. Lawn tennis **—**, campo da lawn tennis. Pay **—** to, far la corte a. **—** failure, andare in cerca dell' insuccesso. Back **—**, cortile di dietro. Front **—**, cortile davanti. Inner **—**, cortile interno. **-card**; carta figurata, figura *f.* **-dress**; abito da corte. **-house**; áula *f.* **-guide**; libro degli indirizzi delle persone da bene. **-plaster**; drappo inglese.

Court-eous; cortéśe. **—** reader, lettore gentile. **-eously**; corteśeménte. **-esan**; cortigiana *f.* **-esy**; corteśía *f.* **-ier**; cortigiáno *m.*, gentiluomo di corte. **-liness**; modi cortesi, aria distinta. **-ly**; di maniere scelte, distinto, elegante. **-martial**; consiglio di guerra. **-ship**; corteggiaménto *m.* During my **—**, mentre facevo la corte.

Cousin; cugín-o *m.*, -a *f.* **-ly**; da cugino. **-ship**; parentela di cugino.

Cove; 1. vòlta *f.* 2. cala *f.* 3. (gergo) còso *m.* **-d**; voltato.

Covenant; contratto *m.*, stipulazióne *f.*, patto *m.*, convenzióne *f.*; lega religiosa; obbligarsi, impegnarsi. **-er**; membro del "Covenant" in Iscozia del 1638.

Covent-Garden; nome d' un mercato di erbaggi ecc., d' una piazza, e d' un teatro a Londra.

Coventry; Send to **—**, scansare come se fosse lebbroso, boicottare.

Cover; 1. copèrchio *m.*, fòdera *f.*, copèrta *f.*, copertura *f.*; copertína (di libro); gualdrappa; capsula di protezione o di chiusura. Baize —, panno *m*. Outer —, contraccopèrta. Tyre —, copertóne *m*. Plain, Studded tyre —, copertone liscio, chiodato. — of a balloon, involúcro *m*. 2. invòlto *m*., busta *f*. 3. riparo *m*. Under —, al coperto. 4. tappéto da tavola. 5. posata *f*. 6. mácchia *f*., *see* Covert. 7. garanzia per affare di Borsa, valori depositi in garanzia. Loan with a ten per cent. —, prestito garantito col dieci per cento al di là del valore.

8. coprire. — up, ricoprire. — in, munire di un riparo, metter il tetto a. — with confusion, riempire di confusione. 9. nascóndere. His apparent joy -ed great distress, la sua gioia apparente nascondeva un grande affanno. 10. — with a revolver, puntare un revolver a. 11. pagare. A shilling will — the cost, con uno scellino si pagheranno le spese. 12. That horse will — twenty miles in two hours, quel cavallo può fare venti miglia fra due ore. 13. comprèndere, provvedere a. 14. montare (stallone). 15. assicurare. 16. -ing note, (i) polizza provvisoria di assicurazione intanto che si prepara la polizza di regola. (ii) lettera che si accompagna ad un pacco.

Covered way; galleria *f*., andito coperto.

Covering; copertura *f*., *see* Cover; vestiti *m. pl.* Of an aeroplane, intelatura *f*.

Coverlet; coperta da letto, còpripièdi *m*. Eiderdown —, piumíno *m*.

Covert; macchia da selvaggina (specialmente per fagiani), bòsco *m*., boschétto *m*.; nascósto, insidióso. **-ly**; di nascosto.

Coverture; stato civile di matrimonio. During her —, durante la vita del marito.

Covet; brameggiare, agognare. **-ous**; bramóso, ávido, voglióso. **-ously**; con bramosia, con occhi ingordi. **-ousness**; bramosía *f*., vizio del bramare.

Covey; branco *m*., stórmo *f*. (di pernici).

Cow; vacca *f*., mucca *f*.; intimorire. **-calf**; vitello femmina.

Coward; codardo *m*. **-ice**, **-liness**; vigliaccheria *f*., codardía *f*. **-ly**; vigliacco.

Cow-berry; conquefòglia d' acqua. **-boy**; vaccáro *m*., búttero *m*. **-catcher**; scóparotáie *m*. **-doctor**; veterinario bovino.

Cower; rannicchiarsi, rabbassarsi, star mogio mogio.

Cow-herd; vaccáio *m*. **-hide**; pelle di vacca. **-house**; vaccheria *f*. **-keeper**; vaccáio *m*.

Cowl; cappúccio *m*., fumaiòlo *m*., manica a vento. **-ed**; incappucciato.

Cowman; vaccaio *m*.

Co-worker; collaboratóre *m*.

Cow-parsley; panace di montagna. **-parsnip**; pánace *m*., sedano de' prati. **-pox**; vaccíno *m*. **-ry**; conchigliamoneta *f*., cauris *m*. **-slip**; primavera gialla a mazzetti. **-wheat**; fiamma de' campi.

Coxcomb; vanèsio *m*., zerbinòtto *m*., frustíno *m*.

Coxswain; padróne *m*., timonière *m*. (di una imbarcazione).

Coy; ritróso, schivo. **-ly**; con ritrosia, con soggezione. **-ness**; ritrosia timida.

Coyote; sciacallo del Messico.

Cozen; metter in mezzo, gabbare.

Crab; granchio *m*.; melo salvatico, mela salvatica; verricello portabile, molinello portatile. Catch a — (in rowing), pigliare un granchio. To —, avvilire, sparlare contro, screditare. **-bed**; duro, aspro, arcigno. — writing, scritturaccia *f*. **-louse**; piáttola *f*.

Crack; spaccatura *f*., spacco *m*., crèpa *f*., fessura *f*., pélo *m*., screpolatura *f*.; (gergo) famóso, di prima forza. To —, spaccare, screpolare, incrinare; far chioccare (dita), fare schioccare (frusta); andar a male, perder la sua forza; cambiare (voce); rómpere (noce, specchio). — a bottle of wine, sturare una bottiglia di vino. — a joke, lanciare un motto arguto. — up, lodare sommamente, portar in palma di mano. Be -ed, fèndersi, rómpersi, spezzarsi, screpolarsi. **-brained**, **-ed**; scervellato, pazzerèllo.

Crack-er; biscottíno *m*., croccante *m*.; salterèllo *m*., castagnòla *f*., rażżettíno *m*.; bugiétta *f*., bugiòla *f*. **-le**; scoppiettare, scricchiare, crepitare, scricchiolare. **-ling**; scoppiettío *m*.; pelle croccante di porchetto arrostito. **-nel**; specie di biscotto leggerissimo. **-sman**; ladro con effrazione.

Cracow; Cracòvia *f*. Of —, cracoviáno.

Cradle; culla *f*.; archétto *m*.; letto del varo, invaśatura *f*.; imbráca *f*., (*mar.*) balzo *m*. From the —, sin da bambino. -d in the belief, educato da bambino a credere. **-scythe**; falce a rastrello.

Craft; arte *f*., mestière *m*.; astúzia *f*., furbería *f*.; navíglio *m*., barca *f*., nave *f*. The —, fratellanza della frammassoneria. **-ily**; con astuzia ecc. **-iness**; scaltrézza *f*. ecc. **-sman**; artéfice *m*., artigiáno *m*. **-y**; scaltro, fino, astuto, furbo, ábile.

Crag; ròccia *f*., scoglio appuntato. **-gy**; roccióso, scoscéso. **-martin**; rondine montana.

Crake; schiribilla *f.*, téccola *f.*, voltolíno *m.* Corn —, re di quaglie.
Cram; 1. riempire, rimpinzare. — in, ficcar dentro. — up, imparare rapidamente. — for an examination, preparare alla lesta per un esame. 2. (gergo) bugía *f.* **-mer**; chi insegna per gli esami, ripetitóre *m.*, insegnante privato. **-ming**; rimpinzaménto *m.*, studii indigesti, istruzione per gli esami.
Cramp; crampo *m.*, granchio *m.* I have got — in my legs, ho preso i granchi nelle gambe. To —, intralciare (gli sforzi), impastoiare (la mente); assicurare con ramponi. **-frame**; sergente da falegname. **-iron**; arpione di ferro, grámpia *f.*
Cranberry; mortella di padule.
Crane; 1. gru *f.*, grue *f.*, damigèlla *f.*; spinger vanti (la testa). 2. mancína *f.*, gru, grua *f.* Revolving —, grua girevole. Travelling —, ponte girevole. **-fly**; típula *f.* **-'s bill**; geránio *m.*
Crani-al, -ology, -um; -ale, -ología *f.*, -o *m.*
Crank; manovèlla *f.*, manúbrio *m.*, gómito *m.*; uomo ghiribizzoso, a cervello storto, fantastico; poco stabile (nave). **-axle**; asse piegato ad angolo. **-iness**; instabilità *f.* **-shaft**; albero (o asse) a manovella o a gomito. **-y**; pazzerèllo, visionário, instábile.
Cranny; fessura *f.*
Crape; créspo *m.*, velo nero.
Crapulous; crapulóne.
Crash; rovína *f.*, fracasso *m.*, caduta rumorosa o fragorosa, crac *m.*; urtare con fracasso, rovinare a terra fracassandosi, precipitare (aeroplano).
Crasis; craši *f.*
Crass, -ly, -ness; -o, -aménte, -ézza *f.*
Crate; césta *f.*, panière *m.*
Crater; cratère *m.*
Craunch; šgretolare.
Cravat; cravatta *f.*
Crav-e; chièdere, implorare. — for, bramare. **-en**; vigliacco. **-ing**; šmánia *f.*, brama *f.*
Crawl; strisciare, andar carponi. — along by the wall, strisciare il muro. — upon, rampicare su. — about the room, trascinarsi per la camera. Be -ing with, brulicare, formicolare (di).
Crayfish; gámbero fluviale.
Crayon; matíta *f.*, pastèllo *m.*, lapis *m.* **-drawing**; disegno a creta.
Craz-e; šmánia. **-ed**; pazzo. **-ily**; insensataménte. **-iness**; pazzía *f.*, insensatézza *f.* **-y**; 1. pazzerèllo, demènte. Half —, babbèo. 2. decrèpito, mezzo rovinato, bišlacco.
Creak; scricchiolata *f.* Shoe with a —, scarpa collo scricchio. To —, scricchiolare, cigolare. **-ing**; scricchiolío *m.* **-y**; che scrícchiola, cigolante. — hinges, cardini che cígolano.
Cream; panna *f.*, fiore di latte, crèma *f.* Whipped —, panna montata. — of the joke, il bello della farsa. — of society, fiore della società. — of tartar, cremore di tartaro. Chocolate —, cioccolatino alla crema. **-cake**; berlingòzzo *m.* **-cheese**; formaggio di crema. **-coloured**; color crema. **-ery**; lattería *f.* **-ice**; gelato alla crema. **-jug**; vasetto da panna. **-laid**; (carta) liscia, lucida, porcellana. **-sauce**; salsa di farina e latte. **-tart, -tartlet**; torta, tortellata, alla crema. **-y**; come la crema, simile alla crema.
Crease; grinza *f.*, piègа *f.*; spiegazzare.
Creasote; creošòto *m.*
Creat-e; creare, far nascere, produrre. **-ion**; creazióne *f.*, l' universo. The brute —, la specie animale. **-ive**; crea-tívo, -tóre. — genius, spirito inventivo. **-or**; creatóre *m.* **-ure**; creatura *f.* Poor —, povera donna, povera bestia. Ugly —, besti-accia *f.*, -óne *m.* Tell me the -'s name, dimmi il nome di quest' individuo.
Crèche; asilo infantile.
Cred-ence; credènza *f.* **-entials**; -enziáli *m. pl.* **-ibility**; -ibilità *f.* **-ible**; -íbile. **-ibly**; -ibilménte. I am — informed, mi si dice, e sarà vero.
Credit; credènza *f.*, féde *f.*, crédito *m.* Debit and —, dare e avere. To —, crédere. — with, Give — for, accreditare. — with a thousand francs, accreditare di mille lire. Bring into —, metter in onore, accreditare; includere nell' attivo. Do — to, far onore a. Take — for, farsi onore di. I gave him — for more sense, lo credevo più assennato. I give him — for his self-denial and for his good intentions, gli fo giustizia della sua abnegazione di sè stesso e gli tengo conto delle sue buone intenzioni. I give him — for learning, gli riconosco un bel sapere. Circular letter of —, lettera di credito circolare, credenziale circolare.
Credit-able; degno di lode, che fa onore a. **-ably**; con onore, in modo da farsi onore. **-or**; -óre *m.*
Credul-ity, -ous, -ously; -ità *f.*, -o, con -ità.
Creed; crédo *m.*; credènza *f.*, professione di fede.
Creek; cala *f.*, calanca *f.*; fiumicíno *m.*
Creel; paniere da pesca.
Creep; strisciare, insinuarsi. — on, farsi avanti, avanzarsi, lentamente. — out,

strigarsi, uscire senza rumore. — down, in, up, scendere, entrare, salire senza rumore. — up, arrampicarsi su, avvicinarsi striscione. Make one's flesh —, far venire la pelle d' oca. Give one the -s, far venire i brividi, il formicolio. **-er**; rampicante *m.*, pianta rampicante. **-y**; da incanto, da far venire i brividi.
Cremat-e, -ion, -or, -orium; crem-are, -azióne *f.*, -atóio *m.*, -atòrio.
Cren-ate; -ato. **-ellated**; merlato.
Creole; crèol-o *m.*, -a *f.*
Creosote; creoṡòto *m.*
Crepit-ate, -ation; -are, -azióne *f.*
Crepusc-ular; -olare.
Crescent; meżżaluna *f.*; crescente. **-ic**; lunato, in foggia di mezzaluna.
Cress; crescióne *m.* Garden —, crescione de' giardini. Water —, crescione d' acqua.
Cresset; fanále *m.*, torcière *m.*
Crest; crésta *f.*, ciuffo *m.*, cimièro *m.*, insegna araldica. **-ed**; crestuto, con ciuffo. **-fallen**; abbattuto, scoraggiato.
Cretaceous; cretáceo.
Cret-an, -e; cret-ése, -a.
Cretin, -ism, -ous; -o *m.*, -iṡmo *m.*, di apparenza cretina.
Crevasse; crepáccio *m.*
Crevice; crepácciolo *m.*, *see* Crack.
Crew; equipággio *m.*, personále *m.*, ciurma *f.* Of a gun, armaménto *m.*
Crewel; filo ritorto da ricamo. **-work**; ricámo *m.*, lavoro di ricamo.
Crib; lettíno *m.*; mangiatóia *f.*; (gergo) traduzióne *f.*; ingabbiare; carpire, derubare, copiare da nascosto in un esame. He was caught -bing, fu sorpreso mentre copiava. **-biter**; cavallo che morde le mangiatoia.
Cribbage; sorta di giuoco in due alle carte.
Crick; crampo *m.* — in the neck, torcicòllo *m.*
Cricket; 1. grillo *m.*, cavallétta *f.* 2. cricket *m.* It is not —, non è giuoco leale.
Cri-ed; *rem.* di Cry. **-er**; banditóre *m.*
Crime; delitto *m.*, reato *m.* — committed on board, reato avvenuto a bordo.
Crimean; di Crimèa.
Crim-inal; delinquènte *m.*, delittuóso. — law, diritto penale. — conversation, adultèrio *m.* **-inality**; -inalità *f.* **-inally**; -inalménte. **-inate**; incriminare.
Crimp; 1. chi arruola per frode o forza; proprietario di un' osteria bassissima. 2. increspare, arricciare.
Crimping-iron; ferro da arricciare.
Crimson; chèrmiṡi *m.*; chermiṡíno, ròṡa; arrossire fortemente.
Cring-e; umiliarsi servilmente, inchinarsi a terra, strisciarsi. — to, leccare gli stivali a, adulare bassamente. **-ingly**; in modo servile.
Cringle; (*mar.*) brancarèllo *m.*
Crinkl-e; ruga *f.*; corrugare, attortigliare. **-ing**; attortigliaménto *m.* **-y**; corrugato, increspato.
Crinoline; crinolína *f.*
Crippl-e; storpiato *m.*, zòppo *m.*; sciancato *m.*; storpiare, paraliżżare le forze di. Become a —, azzoppire. **-ed**; (ship) avariato. **-ing**; che reca danno a, che rende zoppo.
Crisis; criṡi *f.*
Crisp; durétto, croccante. — air, aria freschetta, friżżante. — curls, ricci crespi. — writing, scrittura nitida, spiccata, che ha dello spirito. **-ly**; con arguzia, schiettaménte, nettaménte. **-ness**; freschézza *f.*, lucidità di spirito, croccante *m.*, un non so che di croccante, argúzia *f.*
Criss-cross; cróce *f.* — brickwork, mattonato a spinapesce.
Criterion; critèrio *m.*
Critic, -al, -ally, -ism; -o *m.*, -o, -aménte, -a *f.* **-ise**; -are, censurare.
Croak; gracidare, gracchiare. **-er**; gracchiatóre *m.*, geremía *m.* **-ing**; geremíade *f.*, geremiata *f.* **-y**; rauco, piagnucolóne.
Croat, -ian; croáto. **-ia**; Croázia *f.*
Crochet; crocè *m.* **-hook**; ago tòrto, uncinétto *m.*
Crock; bròcca *f.*, terrína *f.*; *fig.* vecchione usato, còccio *m.* **-ery**; vaṡellame *m.*, stoviglieria *f.*, cocci *m. pl.*
Crocket; ornamento a fiorami agli angoli di una guglia.
Crocodil-e; coccodrillo *m.* **-ian**; del coccodrillo.
Crocus; cròco.
Croesus; Crèṡo.
Croft; poderétto *m.* **-er**; fittaiolo piccino.
Cromlech; cromlech *m.*, monumento druidico.
Cron-e; vecchiáccia *f.* **-y**; compáre *m.*, comáre *f.*
Crook; uncíno *m.*, bastone da pastore, pastorále *m.*, curvatura *f.*, piègа *f.*; persona poco da fidarsene. He is a bit of a —, non gli si deve troppo fidare. By hook or by —, o di riffi o di raffi. **-back**; gòbba *f.* **-backed**; gòbbo.
Crooked; curvo, adunco, ṡbièco, stòrto, diffórme, di traverso, pervèrso, indirétto, poco onesto. You have drawn this line —, questa linea l' avete tirata di sghembo. — path, via tortuosa. **-ly**; in modo curvo ecc. **-ness**; forma

adunca, natura tortuosa, difformità *f.*, perversità *f.*, obliquità *f.*

Crook-kneed; colle gambe a iccasse.

Croon; canterellare, canticchiare.

Crop; 1. mèsse *f.*, raccòlta *f.* Growing **-s**, raccolte in erba. After —, seconda raccolta. Catch —, raccolta intermediaria, avventizia. Green -s, foraggi *m. pl.* 2. gózzo *m.* 3. Hunting —, specie di fusto con cappio, frustino da caccia. 4. toṡare, rapare, mozzare (coda, orecchi). 5. coltivare. 6. mangiare (l' erba), cibarsi di. 7. — out, far affioramento. — up, sórgere, sopravvenire, sopraggiúngere.

Croquet; *croquet m.*

Croquette; polpettína *f.*, crocchétta *f.*

Crore; dieci milioni (di rupie).

Crosier; pastorále *m.*

Cross; 1. cróce *f.* Southern —, Croce del Sud. 2. incrociamento tra animali di diverse razze. 3. impermalíto, búrbero. — answer, risposta brusca. Get very —, impermalirsi assai, rimanerci molto male. 4. traversare, attraversare. — oneself, farsi il segno della croce. — one's legs, accavalcare le gambe. The two streets — each other, le due vie s' incrociano. The lines — each other, le linee s' incrocicchiano. 5. barrare (scecche). 6. opporsi a, attraversare i disegni di, impedire, ṡventare, intralciare. 7. — off, — out, cancellare, dar di frego a. — over, passare, passar dall' altra parte di.

Cross-action; riconvenzióne *f.* **-bar**; travèrsa *f.*, ṡbarra *f.* **-bearer**; crocífero *m.* **-bill**; crocière *m.* **-bones**; due ossa in croce. **-bow**; balèstra *f.* **-breed**; meticcio *m.* **-breeding**; incrociaménto *m.* **-country**; attraverso i campi. **-currents**; incontri di correnti opposte. — of opinion, un incrociarsi di opinioni diverse. **-cut**; scorciatóia *f.* — saw, sega a due mani. **-examination**; controeṡame *m.*, interrogatòrio *m.* **-examine**; interrogare e rinterrogare, interrogare strettamente, minutamente. **-fertilisation**; fertiliżżiazione incrociata. **-fire**; fuoco incrociato. **-grained**; rúvido, biṡbètico. **-hatch**, **-hatching**; tratteggi-are, -aménto *m.* **-ing**; 1. incrociaménto *m.*, incrociatura *f.* 2. l' incrocicchiarsi (delle fibre di una stoffa ecc.). 3. — place, traversata *f.*, passággio *m.* Overhead —, soprapassággio *m.*, passarèlla *f.* Level —, passaggio a livello, a raso; incrociamento a livello, incrocio della strada carrozzabile colla ferrata. — sweeper, spazzíno *m.* **-legged**; colle gambe incrociate. **-ly**; di mal umore, di mal occhio, burberaménte. Speak — to, dire una parola storta a. To answer —, rispondere attraverso. **-ness**; cattivería *f.*, irritazióne *f.*, malagrázia *f.* **-patch**; borbottóna *f.* **-piece**; travèrsa *f.*, traversíno *m.* **-purposes**; imbrògli *m. pl.* Be at —, fraintendersi per equivoco, esserci un qui pro quo riguardo l' argomento di cui si parla. **-question**; *see* Cross-examine. **-reference**; rimando *m.*, richiámo *m.* **-road**; via traversa, crocevía *m.* or *f.* **-roads**; crocícchio *m.* **-sea**; mare incrociato. **-stitch**; punto incrociato. **-street**; via trasversale. **-trees**; crocétte *f. pl.*; *e.g.* Main top-gallant cross-trees, crocette dell' albero di velaccio di maestra. **-wind**; vento contrario, vento di traverso. **-wise**; in croce. **-wort**; spigènia *f.*

Crotch; forchétta *f.*, (*mar.*) forcáccio *m.*

Crotchet; ghiribiżżo *m.*, grillo *m.*, ubbía *f.*; semimínima *f.* **-y**; ghiribiżżóso, capricciόso, che ha delle ubbie.

Croton oil; olio di Crotone.

Crouch; rannicchiarsi, accovacciarsi, accoccolarsi.

Croup; crup *m.*; groppóne *m.*

Croupier; *croupier m.*, chi tiene il bianco.

Crow; 1. còrvo. Carrion —, cornacchia nera. Hoodie —, Royston —, cornacchia bigia, dal mantello *or* palombina, mustacchia nera, corvo palombino. As the — flies, a volo d' uccello. 2. canto (di gallo). 3. cantare, far chicchiricchì, *fig.* ringalluzzirsi, millantarsi, vantarsi. 4. **-'s feet**; rughe sotto gli occhi.

Crowbar; pinza *f.*, piè di porco.

Crowd; fòlla *f.*, calca *f.*; affollarsi, accalcarsi. — in, entrare in folla, in massa. — into, ficcar dentro (un ammasso di cose), spinger dentro, ammucchiare dentro. Be -ed out, non poter entrare per la calca. — up, ingombrare. — sails, spiegar tutte le vele, far sforzo di vele. **-ed**; serrato, pigiato, affollato, pieno zeppo.

Crow-foot; ranúncolo *m.*

Crowing; canto di gallo, *fig.* millantería *f.*

Crown; coróna *f.*; scudo *m.* (6 lire); cólmo *m.*, cima *f.*; cocúzzolo *m.* (di cappello); crocièra *f.* (dell' ancora). — of the causeway, parte media della via. — of an arch, vòlta *f.*, parte superiore. To —, coronare, incoronare; colmare, compire. His efforts were -ed with success, i suoi sforzi furono coronati da un buon successo.

Crown-glass; vetro da finestre. **-imperial**; giglio regio. **-ing**; incoronazióne *f.* — mercy, grazia suprema. **-lands**;

terre demaniali. **-officers**; procura del re. **-prince**; principe imperiale o ereditario, erede del trono. **-prosecution**; processo penale. **-witnesses**; testimonii d' accusa.
Crow-quill; penna di cornacchia.
Crucial; decišívo, sevèro.
Crucible; crogiuòlo *m.*
Cruciferae; crocífere *f. pl.*
Crucif-ied, -ier, -ix, -ixion; crocifiss-o, -óre *m.*, -o *m.*, -ióne *f.* **-orm**; a croce. **-y**; crocifíggere.
Crud-e; -o, gréggio. **— notion**, nozione imperfetta o rozza, progetto informe. **-ely**; crudaménte, senza la dovuta preparazione. **-eness, -ity**; -ézza *f.*, -ità *f.*
Cruel, -ly, -ty; crudèl-e, -ménte, -tà *f.*
Cruet; ampollína *f.* **-stand**; olièra *f.*, ampollièra *f.*, portampòlle *m.*
Cruis-e; crocièra *f.* **-er**; incrociatóre *m.*
Cruising-station; regione di crociera.
Crumb; bríciola *f.*, midólla *f.*, mollíca *f.* **-brush**; spazzola per le briciole. **-cloth**; tovaglia sotto la tavola per raccogliere le briciole.
Crumbl-e; šminuzzare, tritare; šbriciolarsi, šgretolarsi, rómpersi, sfasciarsi; crollare; ridursi in polvere. **-y**; disposto a sfasciarsi ecc.
Crummy; midollóso.
Crump (gergo); cólpo *m.*; colpire.
Crumpet; specie di panino morbido.
Crumpl-e; šgualcire, spiegazzare. **-ed, -y**; raggrinzato, tutto gualcito.
Crunch; šgretolare, schiacciare.
Crupper; pošolino *m.*, sottocóda *m.*; gròppa *f.* **-strap**; groppièra *f.*
Crural; crurále.
Crusad-e; crociata *f.* **-er**; crociato *m.*
Cruse; giara *f.*, fiála *f.*
Crush; sèrra *f.*, rèssa *f.*; schiacciare, spiaccicare, schiantare; tritare, pestare (zucchero); *fig.* annientare. **-ed** (by the weight of years) acciaccato. **— in**, acciaccare (cappello); cacciar dentro alla meglio. **-er**; risposta da annientare; apparecchio che schiaccia ecc.; (for olives) frantóio *m.* **-hat**; gibus *m.*
Crushing-machine; šminuzzatrice *f.* **-mill**; schiacciatóio *m.*, frantoio a cilindri.
Crust; cròsta *f.*, cortéccia *f.*; incrostare. Kissing —, orliccio di pane. **-acean**; crostáceo *m.* **-ed**; incrostato. **-ily**; aspraménte ecc. **-iness**; carattere duro. **-y**; búrbero, aspro, arcigno.
Crutch; gruccia *f.*, stampèlla *f.*
Cry; grido *m.*; pianto *m.*; gridare, esclamare; piángere, piagnucolare, lagrimare, lamentarsi. In full —, in piena corsa dietro la volpe. -ing shame, cosa assai vergognosa. **— down**, screditare. **— for**, implorare, chièdere (con lagrime). **— off**, rinunciare a, non volerne più. **— out**, gridare forte, ad alta voce. **— to**, invocare. **— up**, ešaltare, portar al cielo.
Crypt; critta *f.* **-ic**; occulto, misterióso. **-ically**; occultaménte. **-ogam**; crittògama *f.* **-ogamous**; crittògamo.
Crystal, -line, -lisable, -lisation, -lise -lography; cristall-o *m.*, -ino, -iżżábile, -iżżazióne *f.*, -iżżare, -ografía *f.*
C-spring; molla ad arco.
Cub; leoncèllo *m.*, -a *f.*, orsácchio *m.*, -a *f.*, volpacchiòtto *m.*, -a *f.*, tigròtto *m.*, -a *f.* Wolf —, lupacchiòtto *m.* She — —, un lupacchiotto femmina. **-s**; píccoli *m. pl.*
Cub-e; -o *m.* **-root**; radice -ica. **-ic**; -ico. **— capacity**, -atura *f.*
Cubicle; camerèlla *f.*
Cubit; cúbito *m.*
Cuckoo; cúculo *m.* **-flower**; 1. billéri *m. pl.*, cardamína *f.* 2. fiore del cuculo. **-pint**; erba saetta, gíchero *m.* **-spit**; bava prodotta dall' afrofora (insetto).
Cucumber; cetriòlo.
Cud; Chew the —, ruminare.
Cudbear; oricèllo *m.*
Cuddle; accarezzare, crogiolarsi. **-some**; che ama le carezze.
Cuddy; casòtto *m.*, pagliuolo di prora, camera di un' imbarcazione.
Cudgel; randèllo *m.*, bácchio *m.*; bastonare. **— one's brains**, lambiccarsi il cervello.
Cue; stécca *f.*; suggeriménto *m.*, imbeccata *f.*, parola d' ordine. **-ist**; giocatóre di biliardo. **-rack**; pòrtastécche *m.* **-tip**; cuóio *m.*, disco di cuoio.
Cuff; 1. paramáno *m.*, polsíno *m.*, manichíno *m.* 2. pugno *m.*, schiaffo *m.*, pacca *f.*, manrovèscio *m.*; schiaffeggiare, dar pugni a.
Cuirass, -ier; corazz-a *f.*, -ière *m.*
Cuisine; cucína *f.*
Cul de sac; vicolo cieco, angipòrto *m.*
Culin-ary; -ário.
Cull; cògliere, scégliere.
Culmin-ate; arrivare al colmo. **-ation**; arrivo al colmo.
Culpab-ility, -le, -leness, -ly; colpevolézza *f.*, -e, l' esser biasimevole, colpevolménte.
Culprit; rèo *m.*, colpévole *m.*
Cult; culto *m.*
Cultiv-able, -ate, -ation, -ator; coltivábile, -are, -azióne *f.*, -atóre *m.*
Cultur-al; che spetta alla coltura. **-e**; coltúra *f.* **-ed**; cólto. **-eless**; incólto.
Culverin; colubrína *f.*
Culvert; condotto sotterraneo; bótte *f.*
Cumb-er; ingombrare. **-ersome, -rous**; ingombrante, incòmodo, šguaiato.

-rously; in modo incomodo, śguaiatamènte.
Cummerbund; cintura di stoffa.
Cummin; comíno *m*.
Cumulativ-e, -ely; -o, -amènte.
Cumulus; cúmulo *m*.
Cunarder; vapore della linea Cunard.
Cuneiform; -e.
Cunning; scaltrézza *f*., finézza *f*.; scaltro, fino, accòrto. **-ly**; scaltraménte ecc.
Cup; tazza *f*., còppa *f*., bussolòtto *m*., cálice *m*. In one's -s, ubbriáco. There's many a slip 'twixt the — and the lip, tra il dire ed in fare c' è di mezzo il mare. To —, attaccar le ventose. **-and-ball**; giuoco di *bilboquet*. **-bearer**; coppière *m*. **-board**; armádio *m*. — love, amore interessato.
Cupel, -lation; coppèll-a *f*., -are, -azióne *f*.
Cupful; tazza piena.
Cupid; Cupído *m*. **-ity**; -ità *f*., avidità *f*.
Cup-ola; cúpola *f*. **-ping-glass**; ventósa *f*. **-shaped**; a forma di tazza.
Cur; canucciaccio *m*., bòtolo *m*.
Curab-ility, -le, -leness; curábil-e, -ità *f*., guaríbil-e, -ità *f*.
Cur-açoa; -assò *m*. **-acy**; cura *f*., vicariato *m*. **-are**; -áro *m*. **-ate**; -ato *m*. **-ative**; -atívo. **-ator**; -atóre *m*., custòde *m*., conservatóre *m*. **-atorship**; ufficio di -atore ecc.
Curb; fréno *m*.; barbazzále *m*.; giarda *f*.; frenare, moderare.
Curd; latte rappreso. Pressed -s, giuncata *f*. **-le**; cagliare, rappigliarsi. **-y**; grumóso, coagulato.
Cure; cura *f*., guarigióne *f*.; guarire, risanare, rimediare; salare, marinare. **-r**; chi guarisce ecc.
Cur-é; párroco *m*. **-few**; coprifuòco *m*. **-ia**; *id*., cancelleria papale. **-io**; *see* -iosity.
Curiosit-y; -à *f*. **-ies**; rarità *f*. *pl*.
Curious; curióso, singolare, strano. **-ly**; curiosaménte, in modo curioso, con curiosità. **-ness**; natura curiosa ecc.
Curl; riccio *m*., ricciòlo *m*.; curva *f*., piegatura *f*.; arricciare, inanellare, attorcigliare, intralciare, ripiegare. Have one's hair -ed, farsi arricciare i capelli. — **up**, aggrovigliarsi, ripiegarsi. — up the lips, increspare le labbra, stringersi le labbra.
Curl-er; giocatore di "curling." **-ew**; chiurlo maggiore. **-iness**; disposizione a ripiegarsi. **-ing**; 1. arricciaménto *m*. — tongs, ferro per arricciare i capelli. 2. specie di bocce sul ghiaccio, gioco invernale degli Scozzesi. — stone, pietra usata in siffatto gioco. **-paper**; diavolino dei capelli. **-y**; ricciuto. — headed, dalla testa ricciuta, riccioluto.
Curmudgeon; spilórcio *m*.
Currant; 1. ribes *m*. Black, Red, White —, ribes nero, rosso, bianco. Glass of — syrup, un ribes. **-bush**; ribes *m*. **-jelly**; gelatina, o conserva, di ribes. 2. uva di Corinto, żibibbo *m*., uva passa. **-bun, -loaf**; focaccia, pane, ad uve passe.
Currency; córso *m*.; circolazióne *f*. Paper —, moneta cartacea, carta monetata, circulazione di carta monetata. Obtain — (rumour), propagarsi, divulgarsi, farsi strada. — Acts, leggi sulla circulazione.
Current; 1. córso *m*. 2. corrènte *f*. Pass —, aver corso. — money, moneta corrente. — report, dicería *f*., ciò che si dice. The — folly, la follia del giorno. — month, year, mese, anno, corrente. **-ly**; comuneménte, correnteménte.
Curricle; biròccio *m*.
Curriculum; córso *m*.
Curried; all' indiana.
Currier; conciatóre *m*.
Currish; ringhióso, cagnésco, da bestia. **-ly**; da cagnaccio ringhioso. **-ness**; umore dispettoso, spirito ringhioso.
Curry; 1. cári *m*., riso o altro all' indiana. 2. strigliare, conciare. — favour with, cattivarsi il favore di. **-comb**; stríglia *f*. **-powder**; cári *m*., sorta di spezie indiana composta.
Curse; maledizióne *f*., imprecazióne *f*.; malía *f*.; maledire, bestemmiare. **-d, -dly**; maledétt-o, -aménte. **-ing**; maledizióne *f*., il maledire.
Cursive; corsívo.
Cursor-ily; di corsa, alla lesta. **-y**; frettolóso. Give a — reading to, dar una scorsa a.
Curst; — temper, carattere scontroso.
Curt; córto, reciśo, sécco.
Curtail; raccorciare, restríngere, troncare, diminuire. **-ment**; raccorciaménto *m*., ecc.
Curtain; cortína *f*., tènda *f*.; cortina fra due bastioni; sipário *m*., telóne *m*. Fire —, sipario di sicurezza. **-band**; laccio di tenda. **-fire**; fuoco di sbarramento. **-lecture**; ramanżina fatta al marito in letto. **-pole, -rod**; portatènde *m*. **-rest**; bracciuòlo di tenda.
Curt-ilage; cortile di dietro, annessi e connessi. **-ly**; reciśaménte, senza cerimonie. **-ness**; modi corti, brevi, recisi. **-sey**; inchino di riverenza; fare una riverenza.
Curule; *id*.
Curv-ature; -atura *f*. **-e**; -a *f*.; piegare, incurvare. **-et**; capriòla *f*.; corvettare. **-ilinear**; -ilíneo.
Cushat; palómbo *m*., colómbo *m*.

Cushion; cuscíno *m.*, cuscinétto *m.*; mattonèlla *f.* **-ed**; con cuscini. **-y**; sòffice, come un cuscino.
Cusp; corno (di luna), punto di regresso, punta *f.* **-idate**; -idale, -idato, acuminato.
Cuss (gergo); personcína *f.* **-edness** (gergo); perversità *f.*
Custard; crema dolce (composta di uova, zucchero ecc.). **-apple**; anóna americana.
Custod-ian; **-e** *m.*, conservatóre *m.*, guardiáno *m.* **-y**; -ia *f.*, guardia *f.* In —, in prigione. Take into —, arrestare. In safe —, in luogo sicuro.
Custom; costume *m.*, costumanza *f.*, uṡo *m.*, uṡanza *f.*, abitúdine *f.*, consuetúdine *f.* **-arily**; abitualménte ecc. **-ary**; abituále, comune, uṡuale, d' uso. **-er**; avventóre *m.*, cliènte *m.*, compratóre *m.* Ugly —, bestia d' aspetto formidabile, bestiaccia *f.* Circle of -s, clientèla *f.* **-house**; dogána *f.* — officer, doganière *m.* **-s**; gabèlla *f.*, impósta *f.*, dázio *m.*, balzèllo *m.* Collector of —, ricevitore della dogana. Pass through the —, ṡdoganare. — officer, doganière *m.*
Cut; 1. táglio *m.*, tacca *f.*, sfrégio *m.*, cólpo *m.*, ferita *f.*; pèzzo *m.*, fétta *f.*; intáglio *m.*, inciṡióne *f.*; fòggia *f.*; l' alzare; frecciata *f.* A — on the finger, un taglio al dito. Coat of fashionable —, abito dal taglio elegante. 2. tagliare, púngere, sferzare, trinciare, castrare, intaccare (tovaglia), alzare (carte), metter (denti), falciare, scolpire. 3. toglier il saluto a, scansare, lasciar là, non parlar più a. 4. — adrift, abbandonare. — oneself adrift, allontanarsi. — along, filare, scappare. — away, risecare. — down, abbáttere, sciabolare, risecare (spese). — to the heart, ferire al cuore. — off, tagliare, amputare; diṡeredare; interrómpere, chiudere la comunicazione; intercettare la ritirata di; iṡolare, separare; ṡvignarsela. — open, *see* Open. — out, valvola di sicurezza fusibile; tagliare, foggiare, separare; soppiantare. — out for, bene adatto per. — to pieces, fare a pezzi. — to the quick, offèndere, ferire al vivo. — and run, báttersela. — short, tagliar corto, troncare, interrómpere, tagliar la parola a. — and thrust, colpire di taglio e di stocco. — up, dissecare, frastagliare, tagliare a pezzi, anatomiżżare; abbáttere; affliggere. — up rough, andare in collera. — up small, ṡminuzzare, tagliuzzare. — the waves, fendere le onde.
Cut-aneous; -áneo. **-e** (gergo); astuto, fino. **-eness** (gergo); astúzia *f.*, finézza *f.* **-icle**; pellícola *f.* **-icular**; dell' epidermide. **-lass**; coltellaccio *m.*
Cutler, -y; coltell-inaio *m.*, -ería *f.*
Cutlet; costolétta (di castrato), braciòla (di porco).
Cut-purse; borsaiuòlo *m.* **-ter**; tagliatóre *m.*; cótter *m.*, scialuppa *f.* **-throat**; assassíno *m.*, brigante *m.*
Cutting; 1. táglio *m.*, ritáglio *m.*; inciṡióne *f.* 2. barbatèlla *f.*, piantóne *m.*, germóglio *m.* 3. scavo *m.*, fòssa *f.* Railway —, trincea ferroviaria. 4. pungènte, mordáce; taglìènte. **-ly**; in modo pungente ecc.
Cuttle-fish; calamáro *m.*, séppia *f.*
Cutty; pipa corta.
Cutwater; tagliamáre *m.*
Cyanide; cianúro *m.*
Cyclades; le Cícladi.
Cyclamen; ciclamíno *m.*
Cycl-e; ciclo *m.*, córso *m.*; biciclétta *f.*; montare a bicicletta. **-ic, -ist, -oid, -oidal**; cícl-ico, -ista *m.*, -òide *f.*, -oidále. **-ometer**; indicatore chilometrico. **-one, -onic**; cicl-óne *m.*, -ònico. **-opaedia**; enciclopedía *f.* **-opean**; ciclòpico. **-ops**; ciclòpe *m.* **-orama**; ciclorama *m.*
Cygnet; cignétto *m.*
Cylinder; cilíndro *m.* Gas —, bómbola *f.* **-face**; specchio dí cilindro. **-watch**; cilíndro *m.*
Cylindrical; cilíndrico.
Cyma; cimáṡa *f.*
Cymbal; cémbalo *m.*, piatto *m.* **-player**; piattista *m.*
Cyme; infiorescenza terminale.
Cymr-ic; chímrico. **-y**; gli abitanti celtici del paese di Galles.
Cynic, -al, -ally, -ism; cinic-o *m.*, -o, -aménte, -iṡmo *m.*
Cynosure; punto di mira o di attrazione.
Cyp-her; *see* Cipher. **-ress**; ciprèsso *m.* — grove, cipressaia *f.* **-riot**; Ciprìòta *m.*; ciprigno, cipriòtto. **-rus**; Cipro *m.*
Cyrus; Ciro.
Cyst; ciste *f.* **-ic**; cistico.
Cyther-a, -ean; Cèrigo, di Cèrigo.
Cytisus; cítiṡo *m.*
Czar, -ina; zar *m.*, zarína *f.* **-ewitch**; principe ereditario di Russia.
Czech; czéco (*pronunz.* zéco).

D

D; *pronunz.* Di.
'd; sincopazione di Had o Would.
Dab; 1. un po' di mota o altro molliccio. A — of mud, della mota, del fango, una pillacchera, della poltiglia. 2. botta *f.*, colpo leggiero. 3. (gergo) furbacchione *m.*, espèrto *m.*, prático *m.* 4. pianuzza passera (pesce), patarachion *m.* 5. picchiettare. You — it on with a sponge, lo si applica a colpi leggieri di una spugna.
Dabble; ṡguazzare, dimenare le mani o i piedi nell' acqua, frugar nell' acqua; affaccendarsi come dilettante p.e. nella politica, speculare un poco sulla Borsa. **-r**; abborracciône *m.*, dilettante *m.*, guastamestièri *m.*
Dabchick; tuffétto *m.*
Dace; specie di lasca.
Dachshund; bassòtto *m.*
Dacian; dácio.
Dacoit; grassatore delle Indie, maṡnadièro *m.* **-y**; brigantággio *m.*
Dactyl, -ic; dáttil-o *m.*, -ico.
Dad, Daddy; babbo *m.*
Daddy-long-legs; típula *f.*
Dado; dado *m.*
Daffodil; narcíso falso.
Daft; matto, forsennato.
Dagger; pugnále *m.*, stilétto *m.*, daga *f.*; (printed) cróce *f.* At -s drawn, in aperta nemicízia.
Daggle; imbrattare, infangarsi.
Dago (Stati Uniti); di nascita italiana o spagnuola.
Dahabea; barca nilotica.
Dahlia; giorgína *f.*
Daily; giornalièro, quotidiano; giornalménte.
Daint-ily; delicataménte. **-iness**; schifiltà *f.*, delicatézza *f.*, squiṡitézza *f.* **-y**; delicato, squiṡíto, grazióso, schizzinóso, affettato. — hand, manína *f.* As *sb.*, leccornía *f.*
Dairy; lattería *f.*, cascína *f* **-maid**; lattáia *f.* **-man**; lattière *m.*
Dais; 1. impalcatura *f.*, palco *m.* 2. baldacchíno *m.*
Daisy; margheritína *f.*, pratolína *f.*
Dak; (nelle Indie) valigia della posta; trasporto in portantina.
Dale; vallata *f.* **-sman**; valligiáno *m.*
Dall-iance; amoreggiaménto *m.* **-y**; amoreggiare; tardare, perder tempo.
Dalmat-ia; Dalmázia *f.* **-ian**; Dálmata *m.*; dalmázio, dálmata. **-ic**; dalmática *f.*
Dam; 1. diga *f.*, barrággio *m.*, chiusa *f.*; arginare, chiudere con diga, ostruire. 2. madre *f.*
Damag-e; danno *m.*, guasto *m.*, avaría *f.*; male *m.*, tòrto *m.*; danneggiare, recar danno a, guastare, avariare. Give -es, aggiudicare danni ed interessi. **-eable**; suscettibile di danno. **-ed**; malcóncio. **-ing**; comprometttènte, nocívo.
Damas-cene; -céno. **-cus**; -co *m.* — rose, rosa -china. — sword, -chína *f.* **-k**; -co, -cato. **-keen**; -chinare. **-keened**; -chino. **-keening**; -chinería *f.* **-k-weaver, -k-worker**; chi fabbrica biancheria operata a fiorami. **-k-work**; lavoro a fiorami. **-sin**; -chétto *m.*
Dame; dama *f.*, dònna *f.*, signóra *f.*
Damn; dannare; fischiare (commedia). — it, maledetto! — you, ti porti il diavolo! I don't care a —, me n' infischio. **-able**; maledétto, eṡecrábile, da meritar l' inferno. **-ably**; maledettaménte. **-ation**; dannazióne *f.* **-ed**; maledétto. **-ify**; danneggiare, recar un danno processabile. **-ing**; condannatòrio.
Damp; 1. umidétto, mòlle. — weather, tempo umido. To —, inumidire, *fig.* scoraggiare; amortiżżare. 2. Fire —, gas tonante, *grisou m.* Choke —, gas irrespirábile. **-er**; 1. registro *m.*, serranda del camino; guastafèste *m.*; sordíno *m.*, ṡmòrzo *m.*; (*electr.*) amortiżżatóre *m.* — plate, paratóia *f.*, serrándola *f.* 2. pane senza lievito. **-ish**; mollíccio. **-ness**; umidità *f.*, mollíccio *m.*, mollume *m.*
Damsel; damigèlla *f.*, zittèlla *f.*
Damson; prugna di Damasco. **-cheese**; conserva di prugne di Damasco. **-tree**; prugno di Damasco.
Danaid; danáide *f.*
Dance; ballo *m.*, danza *f.*; ballare, danzare. — up and down, dondolare. — attendance upon, aspettare il piacere di, far anticamera a. — in, entrare salterellando. Square —, contraddanza. Country —, contraddanza all' inglese. **-r**; ballerino *m.*, -a *f.*, ballatóre *m.*, -trice *f.*
Dance-music; musica ballabile.
Dancing-girl (in the East); baiadèra *f.* **-master**; maestro di ballo. **-party**; festa da ballo. **-room**; sala da ballo. **-shoe**; scarpa da ballo.
Dandelion; dente di leone.
Dander; Put his — up, far crucciarsi, far arrabbiarsi.

Dand-ified; affettato. **-le**; dondolare, ninnare, accarezzare. **-ruff**; fórfora *f.* **-y**; elegante *m.*, zerbino *m.*, bellimbusto *m.* — brush, spazzola di setole di balena. **-yism**; eleganza affettata.
Dane; Danése *m.*
Danewort; èbbio *m.*
Danger, -ous; ríschi-o *m.*, -óso, ciment-o, -óso, perícol-o *m.*, -óso. Be in —, pericolare. **-ously**; in modo pericoloso. — near, troppo vicino. — ill, wounded, pericolosamente malato, ferito.
Dangl-e; ciondolare, penżolare, spenżolare, star penzoloni. — after, far il cascamorto dietro a. — round drinking bars, esser sempre in giro per le osterie. **-er**; cicisbèo *m.*, ciondolóne *m.* **-es**; ciόndoli *m. pl.* **-ing**; penżolóni, ciondolóni.
Daniel; Danièle.
Danish; danèse.
Dank; umidíccio, mollíccio.
Dantesque; dantésco.
Dantzig; Dánzica *f.*
Danub-e, -ian; -io *m.*, -iáno.
Daphne; dafne *f.*
Dapper; lindo, śvèlto.
Dapple-d; leardo, pomellato. **-grey**; chiazzato di grigio.
Darbies (gergo); manétte *f. pl.*
Dardanelles; i Dardanèlli.
Dare; ośare, avventurarsi, non peritarsi; sfidare. I — say, oso dire, credo bene. I — say it is, sarà. **-devil**; rompicòllo *m.*, temerario, ardíto.
Daring; audáce; coraggio *m.*, audácia *f.* **-ly**; arditaménte, con audacia.
Darius; Dário.
Dark; oscuro, buio, fósco, bruno; cupo, triste, sinistro. After —, dopo l' imbrunire, a notte calata. In the —, alle tenebre, all' oscuro; alla cieca. Grow —, oscurarsi, farsi scuro o notte. Keep —, tener segreto o nascosto. Keep in the —, *fig.* non lasciar sapere, tener in ignoranza. — lantern, lanterna cieca. — blue (green, red etc.), azzurro (verde, rosso ecc.) cupo, bruno o scuro. — purple, color porpora carico. — brown, color marrone bruno.
Dark-en; oscurare, abbrunire, abbuiare, offuscare, *fig.* annuvolare (viso). **-ey**; négro *m.* **-eyed, -haired**; dagli occhi, capelli neri. **-ish**; brunétto, alquanto o piuttosto buio. **-ly**; oscuraménte. **-ness**; buio *m.*, oscurità *f.*, tènebre *f. pl.*
Darling; caríno. Such a —, tanto caro.
Darn;amméndo *m.*; rammendare, accomodar (calze). — to strengthen a weak place, passatura *f.* **-ing needle**, ago da rammendare.
Darnel; lòglio *m.*
Darner; rammenda-tóre *m.*, -trice *f.*
Dart; dardo *m.*, giavellòtto *m.*; śguizzo *m.*; lanciare, scagliare, precipitarsi, ślanciarsi. — off, scappar via, pigliare la rincorsa.
Dartford warbler; magnanína *f.*
Darwinian; darviniáno.
Dash; ímpeto *m.*, fóga *f.*; guizzo *m.*, ślancio *m.*; lineétta *f.*, stanghétta *f.*; tantíno *m.*; lanciare, gettare; precipitarsi; rifrángersi. Cut a —, far gran figura (per breve tempo). — of the pen, tratto di penna, pennata *f.* — away, — off, scappar via. — down, — to the ground, gettar a terra con violenza. — off (verses), improvviśare, scrivere alla lesta; abbozzare in fretta. — up, arrivare di carriera. — out, uscire di slancio. — into, irrompere in. — to pieces, spezzare, schiantare. His hopes were -ed, le sue speranze si trovarono distrutte. — water over, spruzzare con acqua. I'm -ed! diamine! At one —, d' un colpo, tutto improvvisaménte. In mathematics *a'* is read "*a* indice."
Dash-board; parafango *m.* **-er**; persona elegante, attillata. **-ing**; focóso, ardíto. **-ingly**; pomposaménte.
Dastard; codardo *m.*, pusillánime *m.*, vigliacco *m.* **-ly**; cattivissimo, vile, sprezzábile.
Data; dati *m. pl.*
Date; 1. data; datare. Out of —, non più in uso o valido, invecchiato. Up to —, modèrno, d' attualità, secondo l' uso d' oggi. Bill at long, short —, cambiale a lunga, breve, scadenza. **-stamp**; timbro della posta. 2. dàttero *m.* **-palm**; palmo da datteri.
Dativ-e; -o.
Datum; dato *m.*
Daub; imbratto *m.*, scarabòcchio *m.*; imbrattare, scarabocchiare, impiastrare. **-er**; imbrattatéle *m.*
Daughter; fíglia, fíglio femmina. Step —, figliastra *f.* God —, figliòccia *f.* Grand —, nípote *f.* Great-grand —, pronípote *f.* **-in-law**; nuòra *f.* **-ly**; filiále.
Daunt; arrestare per paura, intimidire. Be -ed, non voler agire per paura, scoraggiarsi. **-less**; impávido. **-lessly**; intrepidaménte. **-lessness**; intrepidézza *f.*
Dauphin, -é; delfín-o *m.*, -ato *m.*
Davenport; segretário *m.*, scrittoio con cassettini.
Davit; grua *f.*
Daw; grácchia *f.*, cornácchia *f.*
Dawdle; gingillare, cincischiare, metter

tempo in mezzo, ciondolare. — over, menar per le lunghe. Don't —, ṡbrigatevi. **-r**; gingillóne *m.*, perditèmpo *m.*

Dawk; *see* Dak.

Dawn; alba *f.*; spuntare, albeggiare. At —, allo spuntar del giorno. Early —, i primi albóri.

Day; giórno *m.*, giornata *f.*, època *f.* As *adj.*, giornalièro. Giorno refers to time, Giornata to what takes place, *e.g.* Some fine — (at some future date), un bel giorno. A fine — (fine weather), una bella giornata. Every — passes well when one is at work, tutte le giornate passano bene quando si lavora. Waste a —, perder una giornata. Long summer's —, giornata lunga d' estate. The whole blessed —, tutta la santa giornata. Black —, giornata nera. The seven -s of Creation, le sette giornate della Creazione. In -s like these, a giorni come questi.

This — week, oggi a otto. This — fortnight, oggi a quindici. Next —, l' indomani. Following —, giorno appresso. — by —, ogni giorno. By —, a giorno. — after —, ogni giorno che Dio manda in terra. — after to-morrow, poṡdománi, dopodománi. The — before yesterday, avantièri. The other —, poco fa, l' altro giorno. Every other —, ogni altro giorno, ogni due giorni. From — to —, di giorno in giorno. In the -s of old, anticaménte. To this —, fino al giorno d' oggi. In his -s, a suo tempo. Gain, Lose the —, vincerla, perderla. On his —, quando sta in vena, in gamba. All — long, durante tutto il giorno. In open —, in pieno giorno. In the -s of our fathers, ai tempi dei nostri antenati. One —, one of these -s, uno di questi giorni. Strenuous —, giorno difficile. Working —, giorno di lavoro. The — after the battle, l' indomani della battaglia. Live from — to —, vivere alla giornata. Two francs a —, due lire al giorno. What is the — of the month? quanti ne abbiamo del mese?

Day-boarder; mezzo convittore. **-book**; libro giornale. **-break**; spuntare del giorno. At —, al far del giorno. **-dream**; sogno di giorno, vaneggiaménto *m.* **-labourer**; giornalière *m.* **-light**; giorno chiaro, luce di giorno. **-lily**; emerocalle *f.* **-scholar**; scolare esterno. **-time**; giórno *m.*

Daze; abbagliare. **-d**; impazzíto, stordíto, abbacinato.

Dazzle; abbagliare. **-paint**; mascherare con striscie. **-painting**; pitturazione in varii colori.

Dazzlingly; in modo abbagliante.

Deacon, -ess, -ship; diácon-o *m.*, -éssa *f.*, -ato *m.*

Dead; mòrto, cupo (sonno), matto (colore). In the — of night, of winter, nel silenzio della notte, nel fitto dell' inverno. — alive, mezzo morto. — beat, sfiníto, spossato affatto. — branches, seccumi *m. pl.* — centre, punto morto, — certainty, sicurezza assoluta. — drunk, briaco marcio. — heat, corsa morta, indecisa o nulla. — hedge, siepe di frasche secche. — language, lingua morta. — letter, lettera morta. — letter office, ufficio lettere in giacenza. — level, pianura *f.* On a — level, al pari perfetto. The road is a — level all the way, la strada è tutta in pianura. — loss, perdita completa. — march, marcia fúnebre. — point, punto morto. — reckoning, via stimata. — Sea, Mare morto. — season, stagione morta. — set, attacco insistente. — shot, tiratore sicurissimo. — stand, fermata davanti ad una barriera insuperabile, inazione completa. — wall, muro cieco. — water, 1. acqua stagnante. 2. rèmora *f.* — weight, peso morto. — work, scavi per facilitare l' estrazione del minerale. As *adv.*, it may be translated by a superlative, — straight, direttissimo, — close, vicinissimo.

Dead-en; attutire, ammorzare, amortiżżare. **-eye**; bigòtta *f.* **-head**; chi ha biglietto gratuito. **-house**; camera mortuaria. **-light**; coperchio di protezione, corazza *f.* **-liness**; natura mortale, velenosità *f.*, accuratezza di mira. **-lock**; incaglio *m.*, situazione impossibile o senza uscita, imbroglio inestricabile. Matters were at a complete —, non si poteva far niente affatto. **-ly**; mortále, fatále, implacábile, mortífero, velenóso, a morte, senza fallo (mira). **-ness**; apatía *f.*, torpóre *m.*, scipitézza *f.*, mancanza di vitalità. **-nettle**; órtiga morta, lámio *m.*

Deaf; sórdo. — and dumb, sordomuto. Turn a — ear, fare il sordo. **-en**; assordare. **-ness**; sordità *f.*

Deal; 1. quantità *f.* A great —, good —, mólto, assai. Pass a good — of time in, passare buona parte della giornata a. 2. abéte *m.* **-board**; tavola di abete. **-box**; cassa di legno di abete, cassa d' abete. 3. affáre *m.*, negòzio *m.*, partíto *m.*, patto *m.*, scámbio *m.* Do a —, far partito. 4. il dare (carte). It is your —, tocca a voi a dare le carte. Whose — is it? A chi tocca?

5. dare, vibrare (colpo). 6. trafficare, commerciare. — at, servirsi o fornirsi

da. — in, far il commercio di. — out, distribuire, ripartire. — with, trattare, maneggiare, dare attenzione a occuparsi di, farsi responsabile di, ragionare di, tener conto di. Easy to — with, facile negli affari, poco difficile. Have to — with, aver da fare con.

Deal-er; 1. negoziante *m.*, mercante *m.* Wholesale, Retail —, commerciante all' ingrosso, al minuto. Double —, furfante *m.* 2. chi dà le carte. **-ing**; modo di agire o comportarsi. Double —, doppiézza *f.*, truffería *f.*; ṡleale. Fair, Plain —, leále, franco. **-ings**; rapporti *m. pl.* Underhand —, brighe *f. pl.*, pratiche poco oneste.

Dean; decáno *m.* **-ery**; decanato *m.*

Dear; caro; costóso, caro. — me! povero me! che mai! **-est**; dilétto. **-ly**; caro, caraménte, teneraménte. **-ness**; carézza *f.*

Dearth; mancanza *f.*, carestía *f.*

Deary; dilétto *m.*, caríno *m.*

Death; mòrte *f.*, (statistically) decèsso *m.* Certificate of —, fede di decesso, estratto mortuario. Be burnt to —, morire bruciato. Bleed to —, morire dissanguato, per perdita di sangue. Be in at the —, assistere alla morte. Catch one's — of cold, raffreddarsi mortalmente. At -'s door, vicinissimo alla tomba. Drink oneself to —, bere sino a morirne. Frighten to —, far morire di paura. Put to —, metter a morte.

Death-bed; letto di morte. **-blow**; colpo mortale. **-less**; immortále. **-like**; cadavèrico. **-ly**; come la morte. **-rate**; proporzione di decessi. **-rattle**; rántolo *m.* **-'s head moth**; sfinge *f.* **-struggle**; agonia della morte. **-warrant**; mandato di morte. **-watch**; oriolo della morte (specie di anobio). **-wound**; ferita mortale.

Debacle; rovína *f.*, sfacèlo *m.*

Debar; vietare, esclúdere.

Debark; ṡbarcare.

Debas-e; alterare, degradare. **-ement**; alterazióne *f.* **-ing**; degradante.

Debat-able; discutíbile, disputábile. **-e**; dibattiménto *m.*, dísputa *f.*; dibáttere, discútere. — with oneself, stare a pensare, dibattere fra sè. **-er**; argomentatóre *m.* He is no orator but a very good —, non è punto oratore ma è argomentatore bravissimo.

Debating-society; società oratoria, circolo di dibattimenti.

Debauch; gozzovíglia *f.*; corrómpere. **-ed**; debosciato. **-ee**; libertíno *m.*, díscolo *m.*, ubbriacóne *m.*, crapulóne *m.* **-er**; corruttóre *m.* **-ery**; crápula *f.*, dissolutézza *f.*, stravizzo *m.*

Debenture; obbligazióne *f.* **-holder**; proprietario o portatore di obbligazioni. **-stock**; capitale in obbligazioni, capitale obbligazionario; è generalmente assicurato per via ipotecaria. — holder, comproprietario di siffatto fondo.

Debilit-ate; indebolire, debilitare, ṡnervare. **-y**; debolézza *f.*, fiacchézza *f.*

Debit; débito *m.*, addebitare, portare a debito di.

Debonair; bonário.

Debouch; ṡboccare.

Debris; rimasúgli *m. pl.*, rottáme *m.* capirótti *m. pl.*, frantúmi *m. pl.*, avanzi *m. pl.*

Debt; débito *m.*, òbbligo *m.* Action for —, processo per farsi pagare un debito. Book —, debito su conto aperto, *see* Book. Floating —, debito fluttuante. National —, debito pubblico, fondi pubblici. In —, indebitato. Be in —, aver debiti. Loaded with —, oberato. Contract -s, fare, contrarre debiti. Settle a —, saldare un debito. Plunge into —, ingolfarsi nei debiti. Get into —, indebitarsi. Get out of —, ṡdebitarsi. Head over ears in —, pieno di debiti. He is a thousand francs in my —, avanzo mille lire da lui. His debts come to about a hundred thousand francs, può esser debitore di un cento mila lire. **-or**; debitóre *m.*

Début; l' eṡordire, debutto *m.* **-ante**; eṡordiènte *f.*

Decad-e; -e *f.* **-ence**; -ènza *f.* **-ent**; -ènte.

Deca-gon; -gono *m.* **-logue**; -logo *m.*

Decamp; ritrarsi, ṡgomberare, levar le tende o il campo, ṡvignarsela.

Decant; decantare, travaṡare. **-er**; caraffa *f.*, bòccia *f.* Cut glass —, caraffa faccettata.

Decapit-ate, **-ation**; -are, -azióne *f.*; decoll-are, -azióne *f.*

Decapod; decápodo *m.*

Decay; sfacèlo *m.*, decadiménto *m.*, deperiménto *m.*; corrómpersi, guastarsi, decompórre, cariarsi (dente), marcire, imputridire, decadére, deperire, crollare, rovinarsi, sciuparsi; *see* Decompose. **-ing**; che si guasta ecc.

Decease; decèsso *m.* **-d**; defunto.

Deceit; inganno *m.*, fròde *f.*, soperchiería *f.* **-ful**; fallace, ingannévole, illuṡòrio, pèrfido, menzognèro. **-fully**; con inganno, perfidaménte. **-fulness**; falsità *f.*, duplicità *f.*, carattere finto.

Deceiv-able; ingannábile. **-e**; ingannare, abbindolare, illúdere, metter in mezzo. Be -ed, ṡbagliarsi. **-er**; ingannatóre *m.*

December; dicèmbre *m.*

Decemvir; -o *m.* **-ate**; -ato *m.*

Decency; decènza *f.*, le buone creanze.

Decenn-ial; -ále. **-ium**; -io *m.*

Decent; -e, da cristiano, onèsto, convenévole, decoróso, passábile, discréto. A — hat, cappello onesto. — fellow, uomo come si deve. — dancer, ballatore passabile. — fortune, fortuna discreta. **-ish**; abbastanza buono. **-ly**; decenteménte, non troppo male.

Decentr-alisation, -alise; -aménto *m.*, -are.

Decept-ion; inganno. **-ive**; ingannévole; *see* Deceit, Deceitful.

Dechristianise; scristianiżżare.

Decid-e; decíd-ere, -ersi, deliberare; dichiarare (tribunale), stabilire, determinare, regolare. To — questions, definire questioni. That -ed him to go, ciò lo decise ad andare. That incident -ed my future career, quel fatto decise del mio avvenire. I have -ed on my plans for the future, ho deciso circa ai miei progetti futuri. **-ed**; deciṡo, risoluto, chiaro, da non isbagliarsene. **-edly**; in modo risoluto, chiaraménte, segnataménte. It is — colder, fa assai più freddo. The patient is — better, il malato ha migliorato segnataménte. **-er**; deciṡóre *m.*, árbitro *m.* **-uous**; -uo.

Decima-l; -le. **-l-point**; punto o virgola -le. **-lly, -te, -tion**; -lménte, -re, -zióne *f.*

Decipher, -able, -ment; decifr-are, -ábile, -aménto *m.*

Decisi-on, -ve, -vely, -veness; -óne *f.*, -vo, -vaménte, carattere -vo.

Deck; pónte *m.*, copèrta *f.* Awning —, coperta di manovra. Flush —, ponte raso. Gun —, ponte di batteria. Hurricane —, ponte di passeggiata. Lower —, ponte secondo. Main —, ponte di coperta, ponte scoperto. Middle —, corridóio *m.*, ponte di corridoio. Orlop —, coperta inferiore, coperta libera. Quarter —, cássero *m.* Shelter —, ponte di riparo. Spar —, contraccopèrta *f.* Upper —, ponte di coperta. Below —, sotto coperta. On —, in coperta. To —, rivestire, ornare. **-cargo**; carico di coperta. **-chair**; ciṡlónga *f.*, sedia da bastimento. **-ed**; munito di ponte. **-hand**; marinaio comune. **-house**; tuga *f.* **-load**; carico di coperta. **-passenger**; passeggiere di coperta.

Declaim; declamare, concionare.

Declama-tion, -tory; -zióne *f.*, -tòrio.

Declar-able; da doversi dichiarare. **-ant**; dichiarante *m.*, attestante *m.* **-ation**; dichiarazióne *f.*, proclamazióne *f.* **-atory**; dichiaratívo.

Declare; dichiarare, annunziare, proclamare. I —! questa poi! ci mancherebbe anche questa! **-d**; apèrto, confessato. **-r**; dichiaratóre *m.*

Declension; declinazióne *f.*

Declin-able; -ábile. **-ation**; -azióne *f.*, decadiménto *m.* **-e**; scésa *f.*, declívio *m.*; decadiménto *m.*, decadènza *f.*, il cadere; ribasso *m.*; diminuzióne *f.*; maraṡmo *m.*, consunzióne *f.* To -e, inclinarsi, abbassarsi; rifiutare, schivare; declinare; deperire in salute. **-ing**; declinante, in ribasso. In his — years, negli ultimi suoi anni.

Declivity; declívio *m.*, china *f.*, pendío *m.*

Decoction; decòtto *m.*

Decoll-ation; -azióne *f.*

Decompos-able; decomponíbile. **-e**; decompórre. **-ition**; decomposizióne *f.*, putrefazióne *f.*; *see* Decay.

Decor-ate, -ation, -ative, -ator, -ous, -ously; -are, -azióne *f.*, -atívo, -atóre *m.*, -óso, -osaménte; *see* Decent.

Decorticat-e, -ion; scortic-are, -aménto *m.*

Decorum; decòro *m.*, decènza *f.*

Decoy; allettaménto *m.*, zimbèllo *m.*, ésca *f.*; tésa *f.*, paretáio *m.*; allettare, adescare, sedurre. **-bird**; allettaiòlo *m.* **-duck**; anatra di zimbello.

Decreas-e; diminuzióne *f.*, scemaménto *m.*; diminuire, scemare. **-ing**; decrescènte. **-ingly**; di meno in meno.

Decree; decrét-o *m.*, -are.

Decrement; decresciménto *m.*

Decrepit, -ude; -o, -ézza *f.*

Decretals; decretáli *m. pl.*

Decr-ier; denigratóre *m.* **-y**; denigrare, metter in disprezzo, sparlare contro, screditare.

Decuss-ation; -azióne *f.*

Dedic-ate, -ation, -atory; -are, -a *f.*, -atòrio.

Deduc-e, -ible; ded-urre, -ucíbile.

Deduct; sottrarre, dedurre. **-ion**; deduzióne *f.*, diffalco *m.* **-ive, -ively**; deduttív-o, -aménte.

Deed; 1. fatto *m.*, azióne *f.* In very —, davverissimo. **-s**; gèsta *f. pl.* 2. atto *m.*

Deem; stimare, giudicare.

Deep; profóndo, fóndo; cupo, scaltro, impenetrábile; grave (sonno, lutto). As *sb.*, alto mare, abisso *m.* Two, three, etc. —, in due, tre ecc. file. Be ten feet —, aver dieci piedi di profondità. — blue (green etc.), turchino scuro o bruno, *see* Dark. — laid, abilmente o scaltramente ordito, formato con arte profonda. — set eyes, occhi profondamente incassati. **-en**; approfondire; render più cupo o carico (colore); aumentare. We -ed the well, si approfondì il pozzo. **-ly**; profondaménte. — rooted, profondamente radicato. — felt, profondamente sentito.

Deer; Fallow —, dáino *m*. Red —, cèrvo *m*. Roe —, capriòlo *m*. **-hound**; cane segugio a pelo ruvido. **-hunt**; caccia di daini. **-park**; recinto da daini. **-stalker**; cacciatore di daini all' agguato.
Deface; sfigurare, guastare, scancellare. **-ment**; sfiguraménto *m*.
Defalcat-e; truffare, rubacchiare. **-ion**; truffa *f*., malversazióne *f*., rubería *f*.
Defam-ation, -atory, -e, -er; diffamazióne *f*., -atòrio, -are, -atóre *m*.
Default; difétto *m*., mancanza *f*. Judgment by —, condanna in contumacia. **-er**; reo di sottrazione o di malversazione di fondi, debitore moroso, chi manca al dovere, contumáce *m*., puníto *m*.
Defeasance; annullaménto *m*.
Defeat; sconfitta *f*., rótta *f*.; sconfíggere, víncere, ṡventare, frustrare.
Defecat-e, -ion; defec-are, -azióne *f*.
Defect; difétto *m*., vízio *m*. **-ion**; defezióne *f*. **-ive, -iveness**; difettós-o, -ità *f*.
Defence; difésa *f*. **-less**; indiféso. **-lessness**; stato indiféso, mancanza di protezione.
Defend; difèndere. **-ant**; convenuto *m*., citato *m*. **-er**; difensóre *m*.
Defens-ible, -ive, -ively; difend-íbile, -sívo, -sivaménte.
Defer; deferire, differire, prorogare; sottométtersi. **-ence**; -ènza *f*., ossèquio *m*., rispétto *m*. **-ential**; ossequènte, ossequióso, rispettóso. **-red**; — pay, paga da riscuotersi dopo finito il servizio, stipendio (*spec*. soldo militare), pagabile alla conclusione della ferma. — shares, azioni non privilegiati, ai detentori delle quali si liquidano interessi quando tutte le altre categorie di azionisti sono state soddisfatte.
Defian-ce; sfida *f*. In — of, ad onta di, a dispetto di. **-t**; ardíto, provocante. — air, aria di sfida. **-tly**; con un tono di sfida, da chi sfida.
Deficien-cy; difétto *m*., mancanza *f*., deficènza *f*. **-t**; deficènte, mancante. Be — in, mancare di. Mentally —, mentecatto. **-tly**; insufficenteménte.
Deficit; *deficit* *m*., ṡbilancio *m*., diṡavanzo *m*.
Defier; sfidatóre *m*.
Defile; 1. góla *f*., passo stretto, strétta *f*.; sfilare. 2. lordare, insudiciare, imbrattare, macchiare, insoẓẓare. **-ment**; lordura *f*., imbratto *m*., mácchia *f*. **-r**; chi lorda ecc.
Defin-able, -e, -ite, -itely, -iteness, -ition, -itive, -itively; -ábile, -ire, -íto, -itaménte, carattere -ito, -izióne *f*., -itívo, -itivaménte.
Deflagra-te, -tion, -tor; -re, -zióne *f*., -tóre *m*.
Deflat-e, -ion; ṡgonfi-are, -aménto *m*.
Deflect, -ion; devi-are, -azióne *f*.; deriv-are, -azióne *f*.
Deflower; deflorare.
Deforest; diboscare.
Deform; deformare, sfigurare. **-ation** -azióne *f*. **-ed**; defórme. **-ity**; deformità *f*.
Defraud, -er; defraud-are, -atóre *m*. frod-are, -atóre *m*., truff-are, -atóre *m*.
Defray; — the expenses, provvedere alle spese, coprir le spese, compensare.
Deft; lèsto, ábile, dèstro. **-ly**; lestaménte ecc. **-ness**; lestézza *f*., abilità *f*., destrézza *f*.
Defunct; defunto, fu.
Defy; sfidare, opporsi a con buona riuscita, riuscire ad affrontare.
Degener-acy; -azióne *f*., tralignaménto *m*. **-ate**; -are, -ato, tralignare. **-ately**; da -ato.
Deglutition; deglutizióne *f*.
Degrad-ation; -azióne *f*. **-e**; -are, avvilire, abbrutire. **-ed**; vile, meschíno, basso, imbrutíto. **-ing**; -ante, che abbassa, avvilisce.
Degree; grado *m*., stato *m*., condizióne *f*.; láurea *f*. By -s, gradataménte, mano a mano, a poco a poco. In some —, fino ad un certo punto. To a great —, mólto, assai. Of high, low —, di alta, bassa condizione.
Dehiscent; deiscènte.
Dehydrate; estrarre l' acqua da un composto idrato.
Deif-ication, -y; -icazióne *f*., -icare.
Deign; degnarsi, accondiscéndere.
Deis-m, -t, -tic; -mo *m*., -ta *m*., -tico.
Deject-a; deiezióne *f*. **-ed**; abbattuto, di umore triste. **-edly**; con aria abbattuta. **-ion**; abbattiménto *m*.
Delay; indúgio *m*., ritardo *m*.; indugiare, ritardare, differire, trattenére. Be -ed, far tardi.
Delect-able, -ably, -ation; dilett-évole, -evolménte, -azióne *f*.
Delega-te, -tion; -re, -to *m*., -zióne *f*.
Delet-e; spègnere, cancellare. **-erious**; -èrio, nocívo. **-eriousness**; carattere -erio. **-ion**; scancellatura *f*., il levare.
Delft; maiòlica *f*.
Delian; dèlio.
Deliberat-e; -o, lènto; deliberare. **-ely**; -aménte, appósta, di proposto deliberato. **-eness**; ponderatézza *f*. **-ion**; deliberazióne *f*. **-ive**; -ívo, deliberante.
Delic-acy; -atézza *f*., leccornía *f*., ghiottornía *f*. **-ate**; -ato, squiṡíto; cagionévole. **-ately**; -ataménte. **-ious**; delizióso, squiṡíto, gustosissimo. **-iously**;

deliziosaménte ecc. **-iousness**; squiṡitézza *f.*, il delizioso, delízia *f.*

Delight; delízia *f.*, piacére *m.*, contentézza *f.*; dilettare, piacere a, far la delizia di. — **in**, compiacersi di, dilettarsi di. **-ed**; felicissimo, arcicontènto, lietissimo. **-ful**; delizióso, gratissimo, incantévole. **-fully**; deliziosaménte, con piacere. **-fulness**; amenità *f.*, incanto *m.*

Delinea-te, -tion; -re, il -re.

Delinquen-cy, -t; -za *f.*, -te *m.*; reato *m.*, rèo *m.*

Deliquesce, -nce, -nt; subire -nza, -nza *f.*, -nte.

Delir-ious; -ante. **Be —**, -are. **-iously**; da -ante. **-iousness, -ium**; -io *m.*

Deliver; liberare; ṡgravare; consegnare, recapitare, riméttere; dare, vibrare (colpo); pronunziare, liberarsi di. **Be -ed**, partorire, ṡgravarsi. — **over, up**, traṡméttere, abbandonare. **-able**; da consegnarsi. **-ance**; liberazióne *f.*, discórso *m.* **-er**; liberatóre *m.* **-y**; liberazióne *f.*; conségna *f.*, distribuzione di lettere; modo di parlare; lo ṡgravarsi. **Take —**, prender la consegna. — **order**, ordine di consegna. **Immediate —**, consegna pronta.

Dell; vallétta *f.*

Delphi, -an; Dèlf-o, -ico.

Delta; dèlta *m.*

Delud-able; ingann-ábile. **-e**; -ere, ingannare. **-er**; ingannatóre *m.*, seduttóre *m.*

Deluge; dilúvio *m.*; inondare.

Delus-ion; -ióne *f.*, inganno *m.*, illuṡióne. **-ive**; illuṡòrio, ingannatóre. **-ively**; illuṡoriaménte. **-iveness**; carattere illusorio ecc. **-ory**; *see* -ive.

Delve; vangare, *fig.* frugare, scandagliare.

Demagnetis-ation, -e; ṡmagnetiżżazióne *f.*, -are, togliere la calamitazióne.

Demagog-ic, -ue; -ico, -o *m.*

Demand; domanda *f.*, richièsta *f.*, pretésa *f.* **Supply and —**, offerta e richiesta. **On —**, a presentazione. **In great —**, molto richiesto. **To —**, 1. eṡígere, richièdere. 2. domandare. **-able**; eṡigíbile, riscuotíbile per diritto.

Demarc-ation; -azióne *f.*

Demean oneself; comportarsi.

Demeanour; contégno *m.*, portaménto *m.*

Demen-ted, -tia; -te, -za *f.*

Demerit; demèrito *m.*, cólpa *f.*

Demesne; demánio *m.*

Demi-; semi-, mèżżo-, mi-.

Demi-god; semidío *m.* **-s**, semidèi *m. pl.* **-john**; damigiána *f.* **-monde**; società equivoca. **-relief**; meżżorilièvo *m.*

Demis-able; legábile, trasferíbile. **-e**; 1. decèsso *m.* 2. legare per testamento.

Demobilis-ation, -e; ṡband-aménto *m.* -are.

Democra-cy, -t, -tic, -tically, -tise; -zía *f.*, -tico *m.*, -tico, -ticaménte, -tiżżare.

Demogra-phy; -fía *f.*

Demoiselle crane; gru della Numidia.

Demol-ish, -isher, -ition; -ire, -itóre *m.*, -izióne *f.*

Demon; demònio *m.*

Demonet-isation, -ise; -iżżazióne *f.*, -iżżare.

Demoniac; indemoniato *m.* **-al**; da demonio. **-ally**; da indemoniato.

Demonstr-ability, -able; dimostrabilità *f.*, -e. **-ably**; siccome si potrebbe dimostrare. **-ate**; dimostrare (logicamente). **-ation**; dimostrazióne *f.* (sia logica o in piazza). **-ative**; 1. (in logic) dimostrativo. 2. pronto a far vedere ciò che si pensa. **-atively**; incontestabilménte. **-ativeness**; temperamento aperto, pronto, vivace. **-ator**; 1. dimostratóre *m.* 2. dimostrante *m.* (in piazza). 3. insegnante di anatomia.

Demoral-isation, -ise, -ising; diṡorganiżżaménto *m.*, -are, che -a (moralmente). **The troops were profoundly -ised**, il morale delle truppe era divenuto cattivissimo.

Demulcent; emollіènte.

Demur; non voler accettare o acconsentire. **He -red to this**, rifiutò tale proposta. **He -red to going there under the circumstances**, rifiutò di andarvi nelle attuali circostanze.

Demure; modestíno, posato, contegnóso, sèrio. **Look very —**, far la gattamorta.

Demurrage; **Payment for —**, compenso per controstallie. **-days**; giorni di controstallíe.

Demurrer; eccezione perentoria.

Demy; 1. formato di carta circa 57 centimetri su 44, negli Stati Uniti 55 su 40. 2. borsista di Magdalen College, Oxford.

Den; tana *f.*; (in a menagerie) gábbia *f.* — **of thieves**, spelonca di ladri. **That city is only a — of thieves**, quella città non è che una cava di ladri.

Denationalis-ation, -e; lo ṡnazionaliżżare, il togliere la nazionalità.

Denaturalise; ṡnaturare.

Dengue; la febbre dengue.

Deni-able; negábile, contestábile. **-al**; rinnegazióne *f.*, diniègo *m.*, rifiúto *m.* **-er**; chi nega.

Denizen; cittadíno *m.*, abitante *m.*

Denomin-ate; chiamare, nominare. **-ation**; -azióne *f.*, sètta *f.* **-ational**; confessionále. — **teaching**, istruzione religiosa secondo la confessione dei genitori. **-ationalism**; siffatto sistema.

-ationalist; chi ne è fautore. **-ationally**; secondo la setta. **-ative**, **-ator**; -atívo, -atóre *m*.
Denote; denotare, significare.
Dénouement; sciogliménto *m*.
Denounc-e, **-er**; denunzi-are, -atóre *m*.
Dens-e; -o, spésso, fitto, fólto; *fig*. stúpido, ottuśo, crasso. **-ely**; -aménte, spessaménte, fittaménte. **-eness**, **-ity**; densità *f*., spessézza *f*.
Dent; fitta *f*., intacc-atura *f*., -are, ammacc-atura *f*., -are.
Dent-al; -ále. — consonant, -ále *f*. **-ate**; -ato. **-iculated**; -icolato. **-ifrice**; -ifrízio *m*. **-il**; -èllo *m*. **-ine**; -ína *f*. **-irostral**; -iròstro. **-ist**; -ista *m*. **-istry**; arte del dentista. **-ition**; -izióne *f*. **-ure**; -atura artificiale.
Denud-ation, **-e**; -azióne *f*., -are.
Denunci-ation, **-atory**; -azióne *f*., -atòrio.
Deny; negare, śmentire. — oneself, rinunziare a, privarsi di, far meno di; rinunziare ai proprii piaceri o astenersene. — oneself to visitors, far dire di non esser in casa. I — it, non ne convengo. I do not — it, non dico di no.
Deodara; cedro deodara.
Deodoris-ation, **-e**, **-er**; deodor-azióne *f*., -are, -ante *m*., diśodorante *m*.
Deoxid-ation, **-ise**; diśossid-azióne *f*., -are.
Depart; partire, andársene, scostarsi. **-ed**; il trapassato. **-ment**; dipartiménto *m*., scompartiménto *m*.; ramo (di scienza ecc.); dicastèro *m*., riparto *m*., competènza *f*. It is hardly in my —, non lo tengo di mia competenza. **-mental**; dipartimentále. **-ure**; partènza *f*., dipartíta *f*., mancanza (al dovere), infrazióne (agli ordini). Take one's —, prender congedo.
Depasture; pasturare.
Depauper-isation, **-ise**; -iżżaménto *m*., -are.
Depend; dipèndere, fidarsi, fare assegnamento. — on, dipendere da, contare su, fidarsi di. — upon it, credetemi. He is to be -ed upon, si può aver fiducia in lui. That -s, secóndo, secondo i casi. **-able**; sicuro, fido. **-ence**; dipendènza *f*., l' esser dipendente da altri; succursale di un albergo. **-ency**; territorio dipendente, dipendènza *f*.; capo di dipendenza. **-ent**; dipendènte. Be —, *see* Depend. **-ing**; Still —, sempre indeciso.
Depict; dipíngere, descrívere.
Depila-tion, **-tory**; -zióne *f*., -tòrio.
Deplet-e; scemare il numero o il contento di. **-ion**; lo scemare, l' esser scemato.
Deplor-able; -évole. **-ably**; -evolménte. **-e**; -are, rimpiángere, compiángere.
Deploy, **-ment**; spieg-are, -aménto *m*.
Depolari-sation, **-se**; -żżazióne *f*., -żżare.
Depon-e; depórre. **-ent**; testimònio *m*., deponènte (verbo).
Depopulat-e, **-ion**; spopola-re, -zióne *f*.
Deport; portar fuori del paese. **-ation**; siffatto portamento, bando (di un forestiero).
Deportment; contégno *m*., condótta *f*., portaménto *m*.
Depos-e; depórre, testificare; detroniżżare. **-it**; 1. depòśito *m*. — receipt, ricevuta di deposito. To —, depośitare, consegnare, collocare; depórre, posare. 2. caparra *f*. Pay the —, dare la caparra. 3. pośatura *f*., depòśito *m*., fondigliòlo di vino. **-itary**; -itário *m*. **-ition**; -izióne *f*. (dal trono). -s, testimonianza *f*. **-itor**; deponènte *m*., depośitante *m*. -'s book, libretto della cassa di risparmio. **-itory**; depòśito *m*., magażżíno *m*.
Depôt; 1. stazione militare. 2. (Stati Uniti) negòzio *m*., magażżíno *m*.; stazione ferroviaria.
Deprav-e; -are. **-ity**; -azióne *f*., malvagità *f*.
Depreca-te, **-ting**, **-tingly**, **-tion**; -re, -tòrio, -tivaménte, -zióne *f*.
Depreci-ate; deprezzare, rinviliare; far poco conto di, screditare. **-ation**; deprezzaménto *m*., scadimento di valore o di prezzo, rinvílio *m*. **-ative**; deprezzante.
Depred-ation; -azióne *f*.
Depress; abbassare, deprímere, rattristare, scoraggiare. **-ing**; rattristante. **-ingly**; in modo scoraggiante. **-ion**; depressióne *f*. (animo, terreno), abbattiménto *m*., scoraggiaménto *m*. **-or**; -óre.
Depriv-ation; privazióne *f*.; destituzióne *f*., pèrdita *f*. **-e**; privare, spogliare; sospendere a divinis, interdire l' esercizio del ministero a un prete.
Depth; profondità *f*., altézza *f*., fóndo *m*., abisso *m*.; caduta *f*. (vela). — of winter, of night, cuore dell' inverno, della notte. — of colour, vigore di colorimento. Out of, In one's —, troppo profondo, non troppo profondo per toccare il fondo. Be out of one's —, non poter toccar fondo; *fig*. trovarsi impacciato.
Deput-ation; -azióne *f*., delegazióne *f*. **-e**; -are, delegare. **-y**; -ato *m*., delegato *m*., supplènte, sostituto. By —, per procura. As prefix, vice-, *e.g.* Deputy-chairman, vice-presidente.
Derail; deragliare. Be -ed, uscir dalle rotaie. **-ment**; deragliaménto *m*.
Derange; sconcertare, scompigliare, diśordinare. **-d**; demènte, matto. Be —, aver la sua ragione alterata.
Derby; corsa del Derby presso Epsom.

Derbyshire neck; gózzo *m.*
Derelict; abbandonato. As *sb.*, relitto *m.*, scafo alla deriva. **-ion**; negligènza (del dovere).
Deri-de; -dere, farsi beffe di. **-der**; -śóre *m.*, beffatóre *m.* **-sion**; -śióne *f.*, schérno *m.* **-sive, -sory**; -śòrio, beffardo. **-sively**; con -sione.
Deriv-able; -abile. **-ation**; -azióne *f.* **-ational**; secondo la -azione. **-ative**; -ato, secondário. **-atively**; per via -ativa. **-e**; -are, cavare, ottenére, raccògliere, trarre (profitto).
Derma; dèrma *m.*
Dermoskeleton; scheletro esterno.
Derog-ate, -ation, -atory; -are, -a *f.*, -atòrio. Be -atory to, intaccare.
Derrick; gru *f.*, albero di carico, biga *f.* **-stays**; tiranti dell' albero di carico.
Derringer; pistola corta.
Dervish; dèrvis *m.*
Descant; discórrere.
Descend; scéndere, trarre origine, discéndere; abbassarsi, avvilirsi. **-ants**; pòsteri *m. pl.*
Descent; scésa, pendío *m.*; discendènza *f.*, nascíta *f.*, lignággio *m.*; scorrería *f.* — from the Cross, deposizione dalla Croce.
Describ-able, -e; descriv-íbile, -ere.
Descript-ion; descrizióne *f.*, connotati *m. pl.*; gènere *m.* **-ive**; descrittívo.
Descry; scoprire, scòrgere.
Desecrat-e, -ion; profana-re, -ménto *m.*
Desert; 1. deśèrto *m.*; deśèrto, deśolato, diśabitato. 2. mèrito *m.* **-s**; quel che si merita. 3. diśertare. -ed spot, luogo appartato. — to the enemy, passare al nemico. **-er**; diśertóre *m.* **-ion**; diśerzióne *f.*, abbandóno *m.*
Deserv-e; meritare, esser degno di. **-edly**; mèritaménte. **-ing**; benemèrito, meritévole, dégno.
Deshabille; abito di camera.
Desiccat-e, -ive; dissecc-are, -atívo.
Desideratum; cosa desiderata.
Design; diśégno *m.*, piano *m.*; progétto *m.*, propòśito *m.*, scòpo *m.*, intenzióne *f.*; diśegnare, architettare, fare il disegno di; proporsi, diviśare, aver intenzione. It was not even -ed to seem to come from you, non c' era neppure l' intenzione di far credere che venisse da te.
Design-ate; -ato; destinare, nominare, prescégliere. **-ed**; fatto apposta per, fatto a fine di, intenzionále. **-edly**; a bella posta, con intenzione. **-er**; diśegna-tóre *m.*, -trice *f.* **-ing**; intrigante, malintenzionato.
Desin-ence; -ènza *f.*
Desir-ability; vantaggio, l' esser desiderabile. **-able**; deśiderábile, vantaggióso. **-ably**; vantaggiosaménte, in modo desiderabile. **-e**; deśidèrio *m.*, vòglia *f.*, brama *f.*, richièsta *f.* At his —, dietro la sua domanda. Passionate —, śmánia *f.* To —, aver voglia, volére, bramare, deśiderare; chiedere a, pregare, ordinare, comandare. **-ous**; deśideróso, vago, bramóso. Passionately —, śmanióso.
Desist, -ence; -ere; il desistere.
Desk; leggío *m.*, scrittóio *m.*, scrivanía *f.*, banco da scuola.
Desolat-e; -o; deśolare, devastare. **-ely**; da sconsolato. **-ing**; rovinóso, distruttívo, distruggitore. **-ion**; deśolazióne *f.*, miśèria *f.*; sconsolazióne *f.*
Despair; disper-azióne *f.*, -are. In —, Despairing, disperato. **-ingly**; disperataménte.
Despatch; invío *m.*, dispaccio *m.*, diśbrigo *m.*; premura *f.*, speditézza *f.* Use —, spicciarsi. To —, inviare, spedire, mandare, diśbrigare; uccídere, dare il colpo di grazia a. **-boat**; avviśo *m.* **-box**; cassétta per le comunicazioni ufficiali.
Desperado; bravacciòne *m.*
Desperat-e; disperato, furióso, accaníto, indiavolato. **-ely**; estremaménte, folleménte, a corpo morto. **-ion**; disperazióne *f.*, accaniménto *m.* In —, messo alle strette.
Despicabl-e; sprezzábile. **-eness**; l' esser sprezzabile. **-y**; in modo sprezzabile.
Despis-able; spregévole. **-e**; sprezzare, śdegnare, disprezzare.
Despite; malgrado, ad onta di, a dispetto di.
Despoil, -er; spogli-are, -atóre *m.*
Despond; scoraggiarsi, lasciarsi abbattere. **-ency**; l' accasciarsi, scoraggiaménto *m.*, abbattiménto *m.* **-ent**; scoraggiato, abbattuto. **-ing**; scorato, diśanimato, accasciato. **-ingly**; da scorato, da chi non ha più speranza.
Despot, -ic, -ically, -ism; -a *m.*, -ico, -icaménte, -iśmo *m.*
Desquamat-e, -ion; squama-rsi, -zióne *f.*
Dessert; frutta *f.* At —, alla frutta. **-apple**; mela da mangiarsi in natura. **-knife**; coltello da frutta. **-service**; servizio da frutta. **-spoon**; cucchiaio da dolce. — and fork, posata da frutta. -ful, cucchiaiata di cucchiaio da dolce.
Destin-ation, -e; -azióne *f.*, -are. **-ed**; fatále. **-y**; destíno *m.*, sòrte *f.*, fato *m.* Man of —, uomo fatale.
Destitut-e; privo, sprovveduto; indigènte. **-ion**; indigènza *f.*
Destroy; distrúggere, rovinare. **-er**; distruttóre *m.*, rovinatóre *m.*; cacciatorpedinière *m.*

Destroying-angel; l' angelo che distruggeva.
Destruct-ible; distruttíbile. **-ion**; distruzióne *f.*, rovína *f.* **-ionist**; chi vuol tutto distruggere. **-ive**; distruttívo. **-ively**; in modo distruttivo, nocívo. **-or**; fornace per bruciare i rifiuti.
Desu-dation; -dazióne *f.*
Desuetude; diṡuṡo *m.*
Desultor-ily; senza metodo. **-iness**; sconnessióne *f.*, mancanza di metodo. **-y**; sconnèsso, a sbalzi.
Detach; 1. staccare, separare. Come -ed, diṡunirsi. 2. (*mil.*) distaccare. — some troops, mandare un distaccamento. 3. distògliere (dal proprio lavoro). **-able**; ṡmontábile. **-ed**; iṡolato. — villa, villino isolato. **-ment**; 1. diṡgregazióne *f.* 2. astrazióne *f.*, distacco dal mondo. 3. (*mil.*) distaccaménto *m.*
Detail; 1. dettáglio *m.*, particolarità *f.* **-s**; particolari. A man of —, chi cura i più minuti particolari. 2. (*mil.*) distaccaménto *m.* 3. particoleggiare, raccontar punto a punto. On receipt of -ed specifications prices will be quoted c.i.f. your port, offerte con notazioni franco vostro porto vengono sottoposte dopo aver ricevuto vostra specializzazione dettagliata. 4. (*mil.*) distaccare.
Detain; trattenére, ritenére, tenere in custodia, arrestare, rattenére. **-er**; ritenitóre *m.*
Detect, -ion; scop-rire, -èrta *f.* **-ive**; agente della polizia segreta. **-or**; scopritóre *m.*; (wireless) rivelatóre *m.*, cimoscòpio *m.*
Detent; scattíno *m.*
Detention; detenzióne *f.*, prigionía *f.*, recluṡióne *f.*, tratteniménto *m.*, fermata *f.* House of —, reclusòrio *m.*
Deter; stornare, distògliere, decidere contro. I was -red from speaking by the fear of doing more harm than good, mi astenni dal parlare per paura di far male piuttosto che bene.
Detergent; detersívo.
Deteriora-te; -re, -rsi. **-tion**; -zióne *f.*
Determina-ble, -nt, -te, -tion; -bile, -nte, -to, -zióne *f.*
Determine; 1. risòlvere, determinare, decídersi, deliberare. 2. decídere, indurre. 3. metter fine a, sciògliere. 4. fissare, stabilire (ora). **-d**; accanito (combattimento), risoluto. **-dly**; risolutaménte.
Deterrent; che trattiene dal delitto per paura. — punishment, pena trattenitrice.
Detersive; detersívo.
Detest, -able, -ably, -ation; -are, -ábile, -abilménte, -azióne *f.* **-ation of**, abbominazione per. **Hold in -ation**, aver in orrore. **-ably** clever, dotato d' un ingegno orribile, indiavolato.
Dethrone, -ment; detroniżż-are, -azióne *f.*
Detonat-e; scoppiare, far scoppiare. **-ing**; fulminante. **-ion**; detonazióne *f.* **-or**; esplodènte *m.*
Detour; rigirata *f.*, giro *m.*
Detract; detrarre, tògliere, derogare a. **-ion**; calúnnia *f.* **-or**; calunniatóre *m.*, diffamatóre *m.*
Detrain; sbarcare dal treno.
Detriment; -o *m.*, danno *m.*, pèrdita *f.* **-al**; nocívo, dannóso, pregiudiziévole. **-ally**; in modo nocivo ecc.
Detritus; detríto *m.*
Deuce; 1. due *m.* **-ace**; uno e due. **-s**; doppio due. 2. diámine *m.*, diávolo *m.* What the — is this? che diamine è questo? How the —, come mai. **-d, -dly**; diabolicaménte.
Deuteronomy; il Deuteronòmio.
Deutzia; deúzia *f.*
Devasta-te, -ting, -tion; -re, -tóre, -zióne *f.*
Develop; ṡviluppar-e, -si, ṡvòlgersi, dar sfogo a, far aumentarsi, spiegare. — the greatest efficiency, spiegare la massima efficenza. **-er**; ṡviluppatóre *m.* (operatore fotografico). **-ing**; che si sviluppa, svolge ecc., lo sviluppare ecc. **-ment**; ṡviluppo *m.*, evoluzióne *f.* **-mental**; spettante allo sviluppo. **-mentally**; riguardo lo svilupparsi.
Devia-te, -tion; -re, -zióne *f.*
Device; 1. spediènte *m.*, mèżżo *m.* 2. diviṡa *f.*, stèmma *m.*
Devil; diávolo *m.*, demònio *m.* Printer's —, apprendista stampatore. She —, diavoléssa *f.* Play the — with, mandare all' aria, metter sottosopra. Go to the —, andarsene in malora. In cooking, to —, fare un arrosto con pepe e spezie. To — for, facchinare per un altro. **-ish, -ishly**; diabolic-o, -aménte. -ish glad, lietissimo. **-may-care**; non curante. — look, aria di me n' infischio. **-ment, -ry**; diavolería *f.* **-'s coach horse**; grillo diavolone. **-'s tattoo**; il tamburare sulla tavola colle dita.
Devious; deviato, errante, tortuóso. **-ly**; per traverso, per vie deviate ecc.
Devis-able; immaginábile; legábile. **-e**; legato *m.*, láscito *m.*; immáginare, inventare; legare per testamento. **-ee**; legatário *m.*
Devitalise; privare di vitalità.
Devoid; privo, vuòto, sprovvisto.
Devolution; devoluzióne *f*

Devolve; devòlversi; traśmettere, far passare ad altri. — upon, spettare a, toccare a.
Devon-ian; -iáno. **-shire cream**; panna riscaldata ed inzuccherata.
Devot-e; dedicare, dare, consacrare. **-ed**; devòto, dèdito. — love, amore passionato. **-edly**; senza limite, sommaménte. **-edness**; devozióne *f.* **-ee**; divòto *m.*, bigòtto *m.* — of, dedito a. **-s**, fedéli *m. pl.* **-ion**; devozióne *f.*, premura *f.*, omággio *m.* In *pl.*, preghière *f. pl.* **-ional**; pio. — attitude, posizione di preghiera. **-ionally**; — inclined, disposto a dir le preghiere.
Devour; divorare. **-ing**; voráce.
Devout; pio, devòto. **-ly**; con divozione, sinceraménte, con aria devota. **-ness**; pietà, l' esser devoto.
Dew; rugiáda *f.*, guazza *f.* **-berry**; specie di mora. **-claw**; sprόne *m.* **-drop**; goccia di rugiada. **-lap**; giogáia *f.* **-point**; punto di rugiada, temperatura della condensazione del vapore atmosferico in rugiada. **-y**; rugiadóso.
Dext-erity; destrézza *f.*, abilità *f.*, accortézza *f.* **-erous**; dèstro, ábile, accòrto. **-erously**; destraménte ecc.
Dey; deì *m.*
Dhooly; lettíga *f.*
Dhow; nave negriera araba.
Dhurra; miglio indiano.
Diabet-es, -ic; -e *m.*, -ico.
Diabolic-al, -ally; -o, -aménte.
Diachylon; diachílo *m.*
Dia-conal; -conále. **-dem**; -dèma *m.*
Diaeresis; dièreśi *f.*
Diagnos-e; far la diágnośi. **-is**; -i *f.* **-tic**; -tico.
Diagonal, -ly; -e, -ménte.
Diagram; -ma *m.*, grafico *m.* **-matic**; fatto a -ma. **-matically**; per modo di -ma.
Dial; Sun —, meridiána *f.*, orologio solare. Of a watch, quadrante *m.*, disco *m.* Deflection —, disco graduato per deviazione. Range —, disco graduato per elevazione.
Dialect, -ic, -ical, -ics; dialétt-o *m.*, -ále, -ico, -ica *f.*
Dialogue; diálogo *m.*
Dialysis; diáliśi *f.*
Diamet-er, -rical, -rically; diámetr-o *m.*, -ále, -alménte.
Diamond; diamante *m.* At cards, quadri *f.* As a mark or figure, lośanga *f.*, rómbo *m.* — cut —, risponder per le rime. **-cutter**; diamantáio *m.* **-dust**; polvere di diamante. **-edition**; edizione diamante. **-merchant**; mercante di diamanti. **-ring**; anello di brillanti. **-shaped**; romboidále, ammandorlato.
Dianthus; dianto *m.*
Diapason; diápaśon *m.*
Diaper; pezza di bambino; biancheria damascata. To —, damascare.
Dia-phanous; -fano. **-phoretic**; -forètico. **-phragm**; -framma *m.* **-rist**; -rista *m.* **-rrhoea**; -rrèa *f.* **-ry**; diário *m.* **-stase**; -staśía *f.* **-stole**; -stole *f.* **-thesis**; -teśi *f.* **-tribe**; -tríba *f.*
Dib; aliòsso *m.* **-s** (gergo); danari *m. pl.*
Dibble; cavícchio *m.*, piòlo *m.*
Dichotomy; dichotomía *f.*
Dice-box; bòssolo da dadi.
Dic-er, -ing; giocatore di dadi, il giocare.
Dick; *raccorc.* di Richard.
Dickens; diámine.
Dickey, Dicky (gergo); sedia di dietro di una carrozza di lusso per lo staffiere; camiciuòla d' uomo; uccellétto *m.* As *adj.*, mal agiato, poco stabile.
Dicky-bird; uccellíno *m.*
Dictate; dettáme *m.*, ispirazióne *f.* To —, dettare. **-s**; dettati *m. pl.*, precétti *m. pl.*, règole *f. pl.*
Dictation; dettatura *f.*; órdini *m. pl.*, comandaménto *m.* Write from —, scrivere sotto dettato.
Dictat-or, -orial, -orially, -orship; dittatóre *m.*, -òrio, -oriaménte, -ura *f.*
Diction; dizióne *f.* **-ary**; dizionário *m.*, vocabolário *m.* Pocket —, dizionario tascabile.
Dictum; détto *m.*, dettato *m.*
Didactic; didattico.
Diddle; sconcertare, metter in mezzo. — out of, rubare di, scroccare di, bollare di, carpire a.
Die; 1. dado *m.*, cubo *m.* 2. cònio *m.*, fórma *f.* 3. morire, trapassare. — away, dileguarsi, assopirsi, abbonacciarsi (stizza). — off, out, sparire, śvanire, spègnersi, estínguersi, scomparire, cadere nell' oblio. — for, sacrificare la vita per. — game, morire senza paura. Be dying to, morire dal desiderio di. — hard, lottare a lungo colla morte. The last word died into an inaudible murmur, l' ultima parola morì in un mormorio inarticolato.
Die-sinker; inciśore di conii.
Diet; 1. vitto *m.*, nutrimento giornaliere, regíme *m.*, dièta *f.* Milk —, dieta a latte. Strict —, una stretta dieta. To —, stare a dieta, seguire un regime. 2. assemblèa *f.*, dièta *f.* **-ary**; regíme *m.*, dièta *f.* **-etic**; dietètico. **-etics**; dietètica *f.*
Differ; differire, esser diverso, non esser d' accordo. — in opinion from, non esser del parere di. I — from you, non sono del vostro avviso. **-ence**; diffèrenza *f.*, diversità *f.*; divérbio *m.*, divário *m.*, questióne *f.*, contrasto *m.*

Pay the —, pagare un supplemento, Make no —, non far nulla, non importare. **-ences**; vertènze *f. pl.* **-ent**; differènte, divèrso, altro. Look —, mutar specie, prender aria diversa, aver aria diversa o altra. Quite — from what I expected, tutt' altro da quel che io credevo. They are as — as day and night, ci corre, quanto dal bianco al nero. **-entia**; carattere essenziale. **-ential**; -enziále. **-entiate**; -enziare, ottenere il coefficente differenziale; specializzare. **-entiation**; il -enziare. **-ently**; -enteménte, diversaménte.

Difficult; diffícile, malagévole. — to please, difficoltóso, fastidióso, lunático. **-y**; difficoltà *f.*, péna *f.*, impíccio *m.* In —, in frangenti, nelle strette, imbarazzato. With —, difficilménte. With great —, a mala pena.

Diffiden-ce, -t, -tly; -za *f.*, -te, -teménte.

Diffr-action; -azióne *f.*

Diffuse; diffuso, che ha troppe parole, verbóso, poco netto; diffóndere. The vase of roses -d a pleasant scent through the room. Le rose del vaso emanavano un grato profumo per tutta la stanza. **-ly**; diffusaménte, prolissaménte. **-ness**; verbosità, stile diffuso, prolissità *f.*

Diffus-ibility, -ible, -ion, -ive; -ibilità *f.*, -íbile, -ióne *f.*, -ívo. **-iveness**; abbondanza di parole o altro.

Dig; vangata *f.*, colpo di vanga. — in the ribs, puntata alle costole. To —, vangare, scavare. — down four feet, scavare la terra fino alla profondità di quattro piedi. — down to, scavare finchè non si trovasse. — into, far penetrar dentro a, *fig.* far penetrare nella mente a. — out, cavar fuori vangando, estrarre colla vanga, *fig.* far ritornare (ufficiale giubilato). — up, cavare dalla terra, dissotterrare, raccògliere (patate). — over, up, divellere, rovesciare, dissodare, pastinare (colla vanga, col pastino), rimovere (la gleba). He dug his claws well in, fece proprio penetrare le unghie. — oneself in, trincerarsi (soldati).

Digamma; digamma *m.*

Digest; digèsto *m.*; digerire. **-er**; pèntola (del Papin). **-ibility, -ible**; diger-ibilità *f.*, -íbile. **-ion, -ive**; digest-ióne *f.*, -ívo.

Digger; vangatóre *m.*, scavatóre *m.* Gold —, minatóre d' oro. Grave —, beccamòrto *m.* Steam —, macchina vangatrice.

Digging; vangatura *f.* **-s**; minière d' oro; (gergo) camere *f. pl.*, dímora *f.*

Dight; abbigliato.

Digit; cifra *f.* **-al**; delle dita. **-alis**; -ale *m.*

Dign-ified; -itóso, imponènte, maestóso. **-ify**; onorare, render degno. **-ified by**, insignito di. **-itary**; -itario *m.* **-ity**; -ità *f.*

Digress; digredire, divagare. **-ion**; -ióne *f.*, divagaménto *m.* **-ive**; -ívo.

Dijon; Digióne *f.*

Dike; diga *f.*, fòsso *m.* At Venice, murazzo *m.*

Dilapidat-ed; in cattivo stato, lógoro, crollante. **-ion**; deperiménto *m.* **-ions**; spese di restauro, p.e. dopo la morte del benefiziato.

Dilata-bility; -bilità *f.* **-ble**; -bile. **-tion**; -zióne *f.*

Dilat-e; 1. -are. 2. discorrere a lungo, tirare in lungo.

Dilator-ily; lentaménte, tardivaménte. **-iness**; lentézza *f.* **-y**; lènto, tardívo. Be —, metter tempo in mezzo, tardare. — plea, eccezione dilatoria.

Dil-emma; -èmma *m.* **-ettante**; *id.* **-ettantism**; -ettantismo *m.*

Diligen-ce, -t, -tly; -za *f.*, -te, -teménte.

Dill; anéto *m.*

Dilly-dally; gingillarsi.

Dilu-ent; -ènte *m.* **-te**; -íto, stemperato, annacquato; **-ire**, stemperare, allungare. **-tion**; stemperaménto *m.*, soluzione allungata.

Diluv-ial; -iále, -iáno. **-ium**; deposito -iano.

Dim; oscuro, débole, appannato, annebbiato, indistinto; render oscuro, debole ecc., oscurare, appannare.

Dime; la decima parte del dollaro.

Dime-nsion; -nsióne *f.* **-ter**; dímetro *m.*

Dimin-ish; -uire, sminuire, impiccolire, scemare. **-ishingly**; in modo o grado -uente. **-ution**; -uzióne *f.* **-utive**; -utívo, stentato, esile. **-utiveness**; l' esser -utivo, stentatézza *f.*, esilita *f.*

Dim-issory; -issòrio. **-ity**; cotoncíno *m.* **-ly**; indistintaménte. **-mish**; alquanto oscuro. **-ness**; l' esser oscuro ecc., *see* Dim. **-orphism**; -orfismo *m.* **-orphous**; -òrfo.

Dimpl-e; fossétta *f.*, pozzétta *f.* **-ed**; a fossette, increspato (mare). **-y**; tutto fossette.

Din; baccáno *m.* — into, ripetere e poi ripetere a.

Dine; pranzare, desinare; dar pranzo a, bastare per pranzo a. **-r**; commensále *m.*, convitato *m.* — out, chi pranza fuori.

Ding; *see* Din into. **-dong**; din-din.

Dinghy; battello a remi.

Ding-ily; oscurataménte. **-iness**; oscuratézza *f.*, l' esser scolorato ecc., *see*

Dingy. **-le**; vallétta *f.* **-o**; cane salvatico dell' Australia. **-y**; scolorato, ṡbiadíto, sudiciòtto, scuro.

Dining; il desinare, il pranzare. **-car**; vagone ristorante. **-hall**; refettòrio *m.* **-room**; sala da pranzo. **-rooms**; trattoría *f.*

Dinner; pranzo *m.*, il desinare. — is on the table, il pranzo è servito. Three course —, pranzo di tre portate. **-bell**; campana del pranzo. **-less**; senza pranzo, senza mangiare. **-lift**; calapranzi *m.* **-napkin**; salviétta da tavola. **-party**; convíto *m.*, convitati *m. pl.*, pranzo *m.*, commensáli *m. pl.* **-service**; servizio da tavola. **-table**; tavola da pranzo. Sit at the, star seduto a desco. **-waggon**; portavivande *m.* **-wine**; vino da pasto. After —, vino scelto.

Dinornis; dinórne *m.*

Dint; 1. *See* Dent. 2. By — of, a forza di. By — of great efforts, in virtù di grandi sforzi. By — of great perseverance, batti, picchia e mena.

Dioces-an, -e; -ano, diòceṡi *f.*

Dioecious; diòico.

Dionys-us, -ia, -ian; Dioní-ṡo, -ṡie *f. pl.*, -ṡio.

Dio-ptric; diò-ttrico. **-rama**; -ráma *m.*

Dioxide; biòssido *m.*

Dip; túffo *m.*, tuffata *f.*, inclinazione dell' ago magnetico; candela di sego; depressióne (dell' orizzonte); tuffare, immèrgere, intíngere (penna nel calamaio). — into, frugacchiare, leggicchiare, sfogliare (libro). — the ensign, abbassare la bandiera per salutare.

Diphther-ia, -itic; difter-íte *f.*, -ico.

Diphthong; dittòngo *m.*

Diploma; *id.*, patènte *m.*

Diploma-cy; -zía *f.* **-tic**; -tico. **-tically**; -ticaménte. **-tist**; -tico *m.*

Dipper; ramaiòlo *m.*, méstolo *m.*; merlo acquatico.

Dipping-needle; ago d' inclinazione.

Dipsoman-ia, -iac; -ía *f.*, -e *m.*

Diptera; dítteri *m. pl.*

Dire; terríbile, crudèle, orrèndo.

Direct; dirétto; difilato; dirígere, indirizzare, rivòlgere, insegnare, additare. — the course to starboard, port, accostare a dritta, sinistra.

Direction; direzióne *f.*, vèrso *m.*; nórma *f.*, règola *f.*, órdine *m.*, istruzióne *f.*; indirizzo *m.*, recápito *m.*, sopraccarta *f.*, soprascritta *f.*; govèrno *m.*, manéggio *m.*, amministrazióne *f.* — of flow (*electr.*), senso della corrente. In one — only (*mechan.*), unilaterále. -s; nórme *f. pl.*, dispoṡitíve *f. pl.* Sailing —, direttive di navigazione.

Direct-ional, -ive; dirigènte, direttívo, direttóre. **-ly**; direttaménte; tòsto, súbito; appena che, subito che; apertaménte, senza ambiguità. **-ness**; l' esser diretto. **-or**; direttóre *m.*, gerènte *m.*, consiglière *m.* Board of -s, consiglio d' amministrazione. Managing —, amministratore delegato. **-orate**; direttorato *m.* **-orial**; direttoriále. **-orship**; amministrazióne *f.*, ufficio di direttore. **-ory**; il Direttorio in Francia nel 1795. Post Office —, indicatore di recapiti postali, indicatore postale. **-ress, -rix**; direttrice *f.*

Direful; *see* Dire. **-ly**; terribilménte, dolorosissimaménte. **-ness**; orróre *m.*, spaventevolézza *f.*

Dirge; trenodía *f.*, treno o canto funebre.

Dirk; daga *f.*, pugnále *m.*, stile *m.*

Dirt; sudiciume *m.*, sożżura *f.*, sporcízia *f.*; materiale grezzo di una miniera. All over —, coperto di fango. **-ily**; sporcaménte ecc. **-iness**; sporchería *f.*, sucidézza *f.*, oscenità *f.*, bassézza *f.* **-y**; spòrco, súdicio, súcido, infangato; oscèno, ṡboccato; basso, sòrdido, sóżżo; sporcare, infangare, lordare, bruttare.

Dis-, *prefix*; di-, dis- *or* s-. As prefix to an adjective it may often be translated by Poco; Disinclined, poco disposto.

Disability; incapacità *f.*, inabilità *f.*

Disable; render incapace, inabilitare; ṡmontare (cannone). **-d**; fuori servizio, mutilato (uomo).

Disabuse; diṡingannare.

Disaccustom; diṡabituare.

Disadvantag-e; ṡvantaggio *m.*, scápito *m.*; pregiudicare, esser dannoso a. **-eous, -eously**; sfavorévol-e, -ménte *f.*, ṡvantaggiós-o, -aménte, dannós-o; -aménte. **-eousness**; l' esser svantaggioso ecc.

Disaffect-ed; malcontènto, maldispósto. **-edness, -ion**; diṡaffezióne *f.*, malcontènto *m.*

Disagree; discordare, non essere o andare d' accordo, contrastare. — with, far male allo stomaco di, non andare a, nuocere a. **-able**; spiacévole, ṡgradévole, ṡgradíto; contrário, importuno, seccante; offensivo, ripugnante; brontolóne. **-ableness**; malumóre *m.*, l' esser spiacevole ecc. **-ably**; spiacevolménte ecc. **-ment**; diṡaccòrdo *m.*, dissènso *m.*

Disallow; non ammèttere, non approvare, rigettare, vietare. **-ance**; diṡapprovazióne *f.*, il non ammettere ecc.

Disappear; sparire, ṡvanire, scomparire. **-ance**; sparizióne *f.*, scomparsa *f.*, scomparizióne *f.* **-ing**; a scomparsa.

Disappoint; delúdere, diṡingannare, frustrare, mandare a vuoto, ṡventare, mancar di parola, mortificare, sorprendere spiacevolmente, mancare ad un appuntamento. Be -ed, rimaner mortificato, deluso ecc. **-ingly**; in modo poco soddisfacente. The legacy was — small, la scarsezza del lascito destò un certo diṡinganno. **-ment**; diṡilluṡióne *f.*, deluṡióne *f.*, speranza delusa, disinganno spiacévole, contrattèmpo *m.*, contrarietà *f.*, diṡdétta *f.*

Disappro-bation, -val; -vazióne *f.* **-ve**; -vare. **-vingly**; con -vazione.

Disarm, -ament; diṡ-armare, -armo *m.*

Disarrange, -ment; scompigli-are, -o *m.*, sconcert-are, -ménto *m.*

Disarray; diṡórdine *m.*

Disartic-ulate, -ulation; -olare, -olazióne *f.*

Disassocia-te, -tion; -re, -zióne *f.*

Disast-er; -ro *m.*, sinistro *m.* **-rous**; -róso. **-rously**; -rosaménte.

Disavow, -al; sconfess-are, -azióne *f.*

Disband, -ment; ṡband-are, -ménto *m.*

Dis-bar; scancellare dall' albo degli avvocati. **-belief, -believer**; incredul-ità *f.*, -o *m.*, miscredènte *m.* **-believe**; non credere. **-burden**; scaricare, ṡgravare. — oneself to, aprirsi a. **-burse, -bursement**; ṡbors-are, -ménto *m.*

Disc; disco *m.*

Discard; scartare, rigettare, gettar via. As *sb.*, scarto *m.*

Discern; -ere. **-ible**; -íbile. **-ing**; oculato, avveduto. **-ingly**; avvedutaménte, da avveduto, con discernimento. **-ment**; -iménto, avvediménto *m.*

Discharge; 1. scáric-a *f.*, -o *m.*, sparo *m.* **-pipe**; tubo di scarica. 2. scólo *m.*, ṡbócco *m.*, uscíta *f.* 3. scárico *m.*, quittanza *f.*, ricevuta *f.* 4. pagaménto *m.* 5. adempiménto *m.* 6. congèdo *m.* 7. assoluzióne *f.*, liberazióne *f.*, scarceraménto *m.* 8. riabilitazióne (di fallito). 9. fede di congedo, certificato di condotta. 10. scaricare, sparare. 11. scolare, uscire. 12. pagare, saldare. 13. congedare, licenziare, cassare, mandar via. 14. levare (ipoteca). 15. adempire, spedire, diṡimpegnare. 16. lanciare, gettare. 17. suppurare.

Disciple; discépolo *m.*, seguáce *m.*, allièvo *m.*

Disciplin-arian; maestro o ufficiale severo. **-ary**; -are. **-e**; -a *f.*

Disclaim, -er; sconfess-are, -ióne *f.*, ripudi-are, -azióne *f.*

Disclos-e; metter a scoperto, paleṡare, lasciar vedere o sapere, rivelare. **-ure**; rivelazióne *f.*, il metter a scoperto ecc.

Discol-our, -oration; scolor-are, -ménto *m.*

Discomfit, -ure; sconf-íggere, -itta *f.*

Discomfort; sconfòrto *m.*, diṡágio *m.*, inquietare.

Discommode; scomodare.

Discommon; convertire (terreno comunale) ad uso privato; proibire (da parte dell' autorità universitaria) ad un negoziante il commercio cogli studenti.

Discompos-e, -ure; sconvòlg-ere, -iménto *m.*, perturb-are, -ménto *m.*

Discon-cert; -certare. **-nect**; sconnèttere. **-nection**; sconnessióne *f.* **-solate, -solately**; sconsolat-o, -ménte. **-content, -contented, -contentedly**; scontent-ézza *f.*, -o, da -o.

Discontinu-ance; interruzióne *f.*, il cessare, lo sméttere. **-e**; ṡméttere, cessare, interrómpere. **-ity, -ous**; -ità *f.*, -o. **-ously**; con interruzioni.

Discord; discòrdia *f.*, diṡaccòrdo *m.* **-ancy, -ance**; discordanza *f.* **-ant**; -e, -ante. **-antly**; in modo -ante.

Discount; scónto *m.*, ribasso *m.* At a —, poco stimato; al disotto della pari. Rate of —, tasso di sconto. To —, scontare. **-ing** department, ufficio sconti.

Discountenance; diṡapprovare, veder di mal occhio.

Discounter; scontatóre *m.* Bill —, scontista.

Discourage, -ment; scoraggi-are, -ménto *m.*

Disc-ourse; discórso *m.*, ragionaménto *m.*; discórrere, ragionare. **-ourteous, -ourteously, -ourteousness, -ourtesy**; scort-éṡe, -eṡeménte, l' esser -ese, -eṡía *f.*

Discover; scoprire, accòrgersi, far vedere o sapere. **-able, -er, -y**; scopr-íbile, -itóre *m.*, scopèrta *f.*

Discredit; scrédito *m.*; screditare, non credere. **-able**; diṡonèsto, diṡonorévole, vergognóso. **-ably**; diṡonestaménte, in modo disonorante.

Discreet; prudènte, savio, circospètto. Be —, metter o aver giudizio. **-ly**; prudenteménte ecc. **-ness**; l' esser prudente ecc.

Discrepancy; discrepanza *f.*, diṡaccòrdo *m.*

Discrete; discréto, separato.

Discre-tion, -tionary; -ezióne *f.*, -ezionále.

Discriminat-e; distínguere, far conto delle piccole differenza. **-ing**; giudizióso. — judge, giudice illuminato, ottimo conoscitore. **-ion**; discerniménto *m.*, attenzione alle piccole dissomiglianze.

Discrown; scoronare.

Discursive; non bene coordinato, poco preciso. **-ly**; alla larga. **-ness**; il parlare alla larga.

Discuss; discútere, ragionare, dibáttere. **-ion**; -ióne *f.*, ragionaménto *m.*, dibattiménto *m.*
Disdain; ṡdégno *m.*, diṡdégno *m.*; ṡdegnare, sprezzare, rifiutare con disdegno. **-ful**; ṡdegnóso, sprezzante, arrogante. **-fully**; ṡdegnosaménte ecc. **-fulness**; arroganza *f.*, l' essere sdegnoso ecc.
Disease; malattía *f.*, male *m.* Potato —, malattia di patate. **-d**; ammalato, malsano, infètto.
Disembar-cation, -k; ṡbarc-o *m.*, -are.
Disembarrass; ṡbarazzare. **-ment**; diṡinvoltura *f.*, liberazióne *f.*
Disembodied; — spirits, spèttri *m. pl.*, spiriti de' trapassati.
Disembogue; ṡboccare.
Disembowel; ṡbudellare.
Disenchant; diṡincantare, romper l' illusione di. **-ment**; disilluṡióne *f.*, diṡincanto *m.*
Disen-cumber; ṡbarazzare. **-dow**; spogliare. **-dowment**; spogliaménto *m.*
Disengage; diṡinnestare, diṡingranare. **-d**; libero. **-ment**; diṡinnestaménto *m.*, ecc.
Disentail; sgravare dalla sostituzione, cambiandosi il proprietario vitalizio in proprietario assoluto.
Disentangle; strigare, diṡimpacciare, sciògliere, ṡbrogliare. **-ment**; lo strigare, ecc.
Disentitle; privare del diritto (di).
Disestablish; non riconoscere più (da parte dello Stato). **-ment**; il non riconoscer più.
Disfavour; sfavóre *m.*; sfavorire.
Disfigure; render brutto, guastare, diṡadornare, deturpare. **-ment**; guasto *m.*, deturpaménto *m.* There will be very little —, non vi rimarrà che un piccolissimo difetto, una piccolissima deformazione.
Disforest; diboscare.
Disfranchise; togliere il voto a. **-ment**; perdita del voto.
Disgorge; restituire ciò che non è suo, rilasciarne possesso.
Disgrace; ónta *f.*, vergógna *f.*, obbròbrio *m.*, diṡonóre *m.* In — with, in disgrazia di. To —, diṡonorare, far onta a, coprire d' infamia. **-ful**; vergognóso, ontóso, infáme, diṡonèsto. **-fully**; in modo vergognoso ecc. **-fulness**; carattere vergognoso ecc.
Disguise; travestiménto *m.*, ṡviṡaménto *m.*; travestire, ṡviṡare; dissimulare.
Disgust; diṡgusto *m.*, ṡvogliatézza *f.*, schifo *m.*, fastídio *m.*, náuṡea *f.*; diṡgustare, spiacere assai, stufare, fare schifo a, stomacare. **-ed**; infastidíto, stufo, ristucco. **-edly**; con aria infastidita ecc.
-ing; stomachévole, laido, schifóso, nauṡeabóndo, nauṡeante, da disgustare ecc. **-ingly**; in modo o in grado stomachévole ecc.
Dish; piatto *m.*, scodèlla *f.*, terrína *f.*; pietanza *f.*, vivanda *f.* — of a wheel, conicità *f.* — up, servire. To — (gergo), mandare a vuoto le aspettazioni di, truffare, far cilecca a. **-cloth**; strofinaccio *m.* **-cover**; copripiatti *m.* **-warmer**; scaldavivande *m.* **-water**; lavatura *f.*
Dishabille; abito di camera.
Dishearten; scoraggiare, abbáttere.
Dishevelled; coi capelli disordinati, rabbuffati.
Dishful; scodellata *f.*, piatto pieno.
Dishonest; malvagio, diṡonèsto, fraudolènto, ladronésco. Be —, rubacchiare, aver le dita lunghe. **-ly**; diṡonestaménte, per fatiche ladre. **-y**; rubería *f.*, improbità *f.*, ladronería *f.*
Dishonour; diṡonóre *m.*, vergògna *f.*; gettar l' onta su, macchiare il buon nome di, diṡonorarlo; rifiutare di pagare (scècche, cambiale). The cheque was -ed, lo scecche venne rifiutato dalla banca.
Dishonourabl-e; diṡonorévole, vergognóso, diṡonèsto, ṡleále. **-eness**; l' esser diṡonorevole ecc. **-y**; poco onestamente, in modo ontoso.
Dishorn; scornare.
Disillusion; -e *f.*
Disinclin-ation; ripugnanza *f.*, ṡvogliatézza *f.*, contraggènio *m.* **-e**; ṡnamorare, ṡvogliare, render avverso. **-ed**; poco disposto.
Disinfect, -ant, -ion, -or; diṡinfett-are, -ante *m.*, diṡinfezióne *f.*, chi disinfetta.
Disingenuous; falso, ṡleále, poco schiétto. **-ly**; poco schiettamente. **-ness**; ṡlealtà *f.*, mancanza di franchezza.
Disinherit; diṡeredare.
Disintegra-te, -tion; -re, -zióne *f.*
Disinter; dissotterrare, eṡumare.
Disinterested, -ly, -ness; diṡinteressato, -ataménte, -e *m.*
Disinterment; dissotterraménto *m.*, eṡumazióne *f.*
Disjoin; diṡgiungere, diṡunire.
Disjointed, -ly; sconnèss-o, -aménte.
Disjunctive; diṡgiuntivo.
Disk; disco *m.*
Dislike; avversióne *f.*, ripugnanza *f.*, antipatía *f.*; vedere di mal occhio, non avere in grazia, diṡamare. I —, mi spiace, non voglio bene a, non mi va, non mi garba. Take a — to, prendere in antipatia o in uggia.
Dislocat-e; ṡlogarsi, spostare, stracollarsi. **-ion**; ṡlogatura *f.*, lussazióne *f.*

Dislodg-e; scacciare, śloggiare, spostare. **-ment**; śloggiaménto *m.*, spostaménto *m.*

Disloyal, -ly, -ty; śleál-e, -ménte, -tà *f.*

Dismal; lúgubre, triste, tètro, funèsto, uggióso. **-ly**; lugubreménte ecc. **-ness**; aspetto lugubre ecc.

Dis-mantle; śmantellare, diśarmare, disfare, śmontare. **-mast**; diśalberare. **-masted**; diśalberato, rasato.

Dis-may; spavent-o *m.*, -are; śgomént-o *m.*, -are. **-member, -memberment**; śmembr-are, -aménto *m.*

Dismiss; licenziare, destituire, rilasciare, mandar via, metter da parte. **-al**; congèdo *m.*, dimissióne *f.*, licenziaménto *m.*, sfratto *m.* **-ory**; di congedo.

Dismount; scendere da cavallo; śmontare o scavalcare (cannone).

Disobedien-ce, -t, -tly; diśobbediȅn-za *f.* -te, -teménte.

Disobey; diśobbedire.

Disoblig-e; far dispiacere a, usare scortesia a. **-ing**; diśobbligante, incivíle. **-ingly**; senza garbo. **-ingness**; scortesía *f.*

Disorder; diśórdine *m.*, śregolatézza *f.*, dissèsto *m.*; malattía *f.*, male *m.*; diśordinare, scompigliare. **-ly**; in disordine, mal regolato.

Disorgan-isation, -ise; -iżżazióne *f.*, -iżżare.

Disown; sconfessare, dichiarar non esser suo, rinnegare, ripudiare.

Disparag-e; screditare, denigrare, detrarre da. **-ement**; scrédito *m.*, sprezzaménto *m.*, sprègio *m.* Without — to you, senza menomare il merito vostro. **-er**; denigratóre *m.*, chi scredita ecc. **-ingly**; con disprezzo, da chi vuol screditare ecc.

Dispar-ate, -ity; -ato, -ità *f.*

Dispassionate, -ly; spassionat-o, -aménte.

Dispatch; *see* Despatch.

Dispel; scacciare, dissipare.

Dispens-ary; farmacía *f.* **-ation**; dispènsa *f.*; sistema religiosa, legge religiosa. **-e**; somministrare. — with, fare a meno di, destituire, congedare. — from, dispensare da, scusare da. -ing power, diritto di grazia o di scusa. **-er**; -atóre *m.*; farmacista *m.*

Dispeople; spopolare.

Dispers-al; -ióne *f.* **-e**; dissipare, dispèrgere, dispèrdere, spárgere. **-ion**; -ióne *f.*, disperdiménto *m.* **-ive**; -ívo.

Dispirit; scoraggiare, abbáttere.

Displace; spostare, congedare. **-ment**; spostaménto *m.*, destituzióne *f.*; diślocaménto *m.* (di una nave).

Display; spettácolo *m.*, móstra *f.*, sfòggio *m.*, pómpa *f.*; mostrare, far vedere, spiegare, sciorinare, far pompa di.

Displeas-e; dispiacére, far spiacere a, scontentare, śgradire, stizzire. **-ing**; spiacènte, disgustóso, poco accettabile. **-ingly**; in modo spiacente ecc. **-ure**; spiacére *m.*, scontentézza *f.*, stizza *f.*

Disport oneself; divertirsi.

Dispos-able; disponíbile, che è a disposizione. **-al**; dispośizióne *f.* At the — of, agli ordini di, al piacere di, al beneplacito di. He had at his —, gli stava in facoltà. **-e**; dispórre, inclinare. — of, disfarsi di, véndere, eśitare, spacciare, collocare (biglietti); determinare (l' affare). **-er**; padróne *m.*, árbitro *m.* **-ition**; -izióne *f.*, naturále *m.*, índole *f.* Legal —, dispósto *m.*

Dispossess; spossessare, spogliare.

Disprais-e; biáśimo *m.* **-ingly**; con biasimo.

Dispr-oof; confutazióne *f.* **-oportion, -oportionate, -oportionately**; sproporzión-e *f.*, -ato, -ataménte. **-ovable**; confutábile. **-ove**; confutare, far apparire la falsità di.

Disput-able; -ábile. **-ant**; -ante *m.* or *f.* **-atious**; cavillóso. **-e**; -a *f.* To —, -are, contestare, contrastare, contrapporsi a.

Disqualif-ication; incapacità *f.*, cagione d' inabilità. **-y**; render incapace o inabile, dichiarare inabile.

Disquiet; inquiet-údine *f.*, -are.

Disquisi-tion; -zióne *f.*

Disregard; sprèzzo *m.*, noncuranza *f.*; sprezzare, non far caso di.

Disrelish; diśamóre *m.*; avere a schifo.

Disrepair; cattivo stato, sfacèlo *m.*

Disreput-able; screditábile, diśonèsto. **-ably**; in modo screditabile ecc. **-e**; scrédito *m.*, cattiva riputazione.

Disrespect, -ful; irriverèn-za *f.*, -te, poco rispettoso. **-fully**; senza rispetto.

Disrobe; śvestire.

Disrupt; rómpere, spezzare, ridurre a pezzi. **-ion**; rottura *f.*, la separazione nella chiesa scozzese nel 1843. **-ive**; rompènte.

Dissatisf-action; spiacére *m.*, scontentézza *f.* **-ied**; poco soddisfatto.

Dissect; dissecare, anatomiżżare. -ing knife, scalpèllo *m.* **-ion, -or**; dissezióne *f.*, -ttóre *m.*

Dissemble, -r; dissimul-are, -atóre *m.*

Dissemina-te, -tion, -tive, -tor; -re, -zióne *f.*, che -a, -atóre *m.*

Dissension; -e *f.*, dissidio *m.*

Dissent; dissènso *m.*, dissidènza *f.*; l' insieme dei corpi religiosi non anglicani. To —, dissentire, non esser del medesimo parere. **-er**; cristiano non cattolico. **-ing, -ient**; dissenziènte.

Dis-sertation; -sertazióne *f*. **-service**; servizio pregiudicévole. **-sever**; scevrare, diṡunire. **-severance**; separazióne *f*.
Dissid-ence, -ent; -ènza *f*., -ènte.
Dissim-ilar; -ile. **-ilarity**; dissomiglianza *f*. **-ilation**; -ilazióne *f*. **-ulate**; -ulare. **-ulation**; -ulazióne *f*.
Dissip-ate; -are. **-ated**; -ato, dileguato, scialacquatóre; dissoluto. **-ation**; -azióne *f*., vita sregolata, vita allegra.
Dissoci-ate, -ation; -are, -azióne *f*.
Dissolut-e, -ely, -eness; -o, -aménte, -ézza *f*. **-ion**; dissoluzióne *f*., scioglimento *m*.; mòrte *f*.
Dissolv-ability; solubilità. **-able**; solúbile. **-e**; -ere, sciògliere; sciògliersi. **-ed**; disciòlto, sciòlto. **-ing views**; vedute dileguantisi della lanterna magica.
Dissonan-ce, -t; -za *f*., -te.
Dissua-de; -dére, sconsigliare. **-sion**; -ṡióne *f*. **-sive**; -ṡívo.
Dissyllab-ic, -le; dissíll-abo, -abo *m*.
Distaff; rócca *f*., conòcchia *f*.
Distal; — end, capo più lontano, più distante dal centro.
Distance; distanza *f*., lontananza *f*., intervallo *m*. Middle —, meżżo *m*., mezza parte. Keep one's —, portar o usar rispetto; conservare la distanza dal capofila. — traversed (*mar*.), percórso *m*. At a —, da lontano. To —, oltrepassare.
Distant; distante, lontáno, remòto, discòsto; riṡervato, contegnóso, pieno d' alterigia. Three hundred metres —, a trecento metri di distanza. **-ly**; da lontano ecc.
Distaste; ṡvogliatézza *f*., ripugnanza *f*., antipatía *f*. Take a — for, prender a noia o a fastidio. **-ful**; ripugnante, fastidióso, spiacévole. **-fulness**; l' esser spiacevole, natura schifosa.
Distemper; tèmpera *f*., intònaco *m*.; cimurro *m*., malattía *f*. Paint in —, dipingere a tempera. To —, intonacare.
Distend; rigonfiare.
Distens-ibility, -ible; estens-ibilità, -íbile. **-ion**; rigonfiaménto *m*.
Distich; dístico *m*.
Distil, -late, -lation, -ler, -lery; distill-are, -ato *m*., -azióne *f*., -atóre *m*., -ería *f*.
Distinct; distinto, chiaro, nétto, spiccato; differenziato, differènte.
Distinction; distinzióne *f*., differènza *f*., diversità *f*., segno differenziante; separazióne *f*., divisióne; ségno di distinzione. Without —, promiscuaménte, senza far distinzione. Man of —, persona distinta. Guests of —, ospiti di riguardo. People of little —, gente di minor conto.
Distinct-ive; distintívo. **-ively**; secondo la natura d' una cosa. — marked, segnato secondo la sua natura. **-iveness**; l' esser distintivo. **-ly**; chiaraménte, nettaménte; segnataménte, senza dubbio, di gran lunga. **-ness**; chiarézza *f*., nettézza *f*., preciṡióne *f*.
Distinguish; distínguere. — oneself, segnalarsi. **-able**; distinguíbile. **-ably**; percettibilménte. **-ed**; distinto, segnalato, insigne. **-ing mark**; contrasségno *m*., caratterística *f*.
Distort; stòrcere, sformare, sfigurare. **-edly**; stortaménte. **-ion**; storsióne *f*. contorsióne *f*.
Distract; distrarre, distògliere; ṡvagare; impazzare. **-ed**; impazzíto, pazzo, forsennato. **-edly**; da impazzito, perdutaménte. **-ion**; distrazióne *f*., divertiménto *m*.; pazzía *f*., follía *f*.
Distrain; sequestrare i beni d' un affittuario. — upon, confiscare, staggire, sequestrare i beni di. **-t**; sequèstro *m*., staggiménto *m*.
Distraught; *see* Distracted.
Distress; miṡèria *f*., angòscia *f*., angustía *f*., perícolo *m*.; sequèstro *m*.; afflíggere, angustiare. Levy a —, sequestrare. **-ed**; angosciato, ridotto in miseria; bisognóso. **-ful**; infelice, miṡero. **-fully**; miṡeraménte; crudelménte. **-ing**; penóso, doloróso. Be —, far pietà, esser pietà.
Distrib-utable; da -uirsi, ripartíbile. **-ute**; -uire, ripartire. **-uter**; -utóre *m*. **-ution**; -uzióne *f*., ripart-iménto *m*., -izióne *f*. -o *m*. **-utive, -utively**; -utívo, -utivaménte.
District; distrétto *m*., quartière *m*., circondário *m*. **-office, -school**; uffizio o scuola distrettuale o di circondario.
Distringas; ordine di staggimento.
Distrust; sospètto *m*., diffidènza *f*.; diffidare di, sospettare, dubitare di. **-ful**; diffidènte, dubbióso. **-fully, -ingly**; con diffidenza. **-fulness**; costituzione sospettosa.
Disturb; disturbare, incomodare, inquietare, sconcertare, interrómpere. Be -ed, inquietarsi. **-ance**; disturbo *m*., sommòssa *f*., diṡórdine *m*., sconvolgiménto *m*., perturbaménto *m*. **-er**; perturbatóre *m*.
Disu-nion; diṡunióne *f*., diṡgiunzióne *f*. **-nite**; diṡunire, diṡgiúngere. **-se**; diṡuṡo *m*.; non usare più. **-sed**; non più in uso, diṡuṡato.
Ditch; fòssa *f*., fòsso *m*. **-er**; chi scava fossi.
Dithyramb, -ic; ditiramb-o *m*., -ico.

Dittany; díttamo *m.*

Ditt-o; détto. **-y**; canzóne *m.*

Di-uretic; -urètico. **-urnal**; -urno, giornalière. **-vagation**; -vagazióne *f.* **-van**; -váno *m.* **-varicate**; biforcarsi.

Dive; tuffarsi, immèrgersi, *fig.* andare a fondo di una cosa, approfondire. Of an aeroplane, piombare. **-r**; tuffatóre *m.*, palombaro *m.*, marangóne *m.*

Diverg-e, -ence, -ent, -ingly; -ere, -ènza *f.*, -ènte, in modo -ente.

Divers; divèrsi, parécchi.

Divers-e; -o, disparato. **-ely**; -aménte. **-ification**; -ificazióne *f.* **-ified**; ṡvariato, vario. **-ify**; ṡvariare, introdurre varietà in (un argomento ò discorso). **-ion**; -ióne *f.*, deviazióne *f.*; distrazióne *f.*, divertiménto *m.*, passatèmpo *m.* To effect a —, distogliere l' attenzione del nimico.

Divert; ṡviare, stornare; distrarre, divertire, trastullare. **-ing**; divertènte. **-ingly**; in modo divertente.

Divest; spogliare, ṡvestire. — of, privare di. — oneself of, rinunciare.

Divid-e; spartiacque *m.*; -ere, diṡunire, separare, diṡgiúngere; spartire, distribuire; andare al voto. Be -ed, esser discordi, non esser d' accordo. **-edly**; separataménte, da diṡuniti. **-end**; -èndo *m.* — warrant, cedola di -endo. **-er**; chi -e, diviṡóre *m.*

Divin-ation; -azióne *f.* **-e**; -o. As *sb.*, teòlogo *m.* To —, indovinare, presentire. **-ely**; -aménte. **-er**; mago *m.*, indovíno *m.*

Diving-apparatus; apparecchio da palombaro. **-bell**; campana da palombaro. **-dress**; scafandro *m.*

Divining-rod; bacchetta divinatoria.

Divin-ity; -ità *f.*

Divis-ibility, -ible; -ibilità *f.*, -íbile.

Division; -e *f.*, spartiménto *m.*, discòrdia *f.*; vóto *m.*, votazione per appello nominale o per voto espresso. On a —, votando. Without a —, senza votazione. Electoral —, sezione elettorale.

Divis-ional, -or; -ionále, -óre *m.*

Divorce; divòrzio *m.*, divorziare. **-court**; tribunale di cause matrimoniali. **-e**; divorziato *m.* **-r**; divorziante *m.*

Divot; piallaccio di terra.

Divulg-e, -ence; divolg-are, -azióne *f.* **-er**; rivelatóre *m.*

Dizz-ily; in modo vertiginoso.

Dizz-iness; vertígine *f.*, stordiménto *m.*, capogiro *m.* **-y**; vertiginóso, stordíto. He turned —, lo prese il capogiro.

Do; 1. fare, cómpiere, comméttere. The person who did the murder, chi ha commesso l' assassinio. Have done! finitela! Person who does the cleaning, persona incaricata del pulimento. What is to be done now? Che si ha da fare ora? Consider what is to be done, riflettere sul da farsi. What can be done? Che rimedio c' è? — what I would, per quanto potessi fare. Have something to —, esserci qualche cosa da doversene occupare. Get something to —, trovar qualche occupazione. Have something (nothing) to — with it, entrarci per qualche cosa (per niente), avervi (non avervi) da fare. This has nothing to — with it, ciò non ci entra per nulla. I have nothing to — with him, non mi associo con lui.

2. bastare, fare al caso. That will —, basta così, va bene così. He would — perfectly, egli farebbe proprio al caso. To-morrow will —, c' è tempo fino a domani. I will make it —, me ne contenterò. Does it —? È soddisfacente? Ne è contenta Lei? 3. convenire, esser convenevole. That man would — for me, quell' uomo mi converrebbe. It does not — to be seen there, non conviene esser veduto in quel luogo. *See below*, Do for (3). 4. eṡeguire, ṡbrigare, rèndere (servizio), medicare (piaga), fare il necessario a, pulire (camera). I will come and — you in two minutes, vengo a sbrigarvi in due minuti. 5. Well (Under) done meat, carne ben cotta (non troppo cotta). 6. metter a mezzo, truffare, ingannare, *see* Cheat. 7. stare (di salute). How — you —? come state? 8. visitare le curiosità di una città. Rome cannot be done in a week, non si può veder Roma in sette giorni. 9. — to death, metter a morte. He was done to death, gli venne fatto in modo che ne morì. — with, *see* Done.

☞ Do, Did, used as signs of another verb or as expressing emphasis are not said in Italian: I do not think, non credo. I do think, penso io. What *did* he say? che mai ha detto? I do, he does, you don't etc., are generally expressible by Sì or by repeating the verb: Do you like tea? Yes, I do, vi piace il tè? Sì, mi piace. You do not know what he means, but I do, voi non capite ciò che vuol dire, ma io sì Do be quiet, ma volete esser tranquillo? Doesn't he look ill? nevvero che ha cera cattiva? So do I, e così io.

As expressing an emphatic question Does may sometimes be translated by Forse, or by O, or Mai. Does my hand shake? trema forse la mia mano? Did he think? O che credeva? Does a stranger ever come? non viene mai uno straniero? I thought as he did, io la pensava come lui. I do love her, io l' amo di cuore. Come to-morrow, do, venite domani, ve ne prego. Make haste, do! fate presto, capite! Well, that's done, ecco fatto il becco all' oca.

Do away with; abolire, fare sparire. — — — holidays, levare le vacanze.

Do by; comportarsi verso, trattare.

Do for; 1. rovinare, uccídere. Done for, bell' e spacciato, finíto. 2. prender cura di, provvedere a' bisogni di. 3. andare a, convenire a, esser soddisfacente a. It does not — — me, non mi va a genio, non mi piace. *See* Do (2).

Do good; recar bene, esser utile.

Do one's hair; pettinarsi. Have one's hair done, farsi pettinare, farsi acconciare i capelli.

Do harm; recar male, esser nocivo.

Do out of; scroccare di, *see* Cheat.

Do over with; ricoprire con.

Do up; 1. rimetter a nuovo. 2. imballare, avvòlgere. 3. Done up, rótto, šlombato, rifiníto.

Do well; 1. riuscir bene. 2. attecchire. 3. star sempre meglio (ferita, malato).

Do with; utiližžare; contentarsi di. I could — — more, vorrei averne ancora, se ne avessi di più! What have you done with it? 1. Dove l' avete messo? 2. come l' avete adoperato? — — oneself, occuparsi.

Do without; fare a meno di, contentarsi senza.

Doat; *see* Dote.

Docil-e, -ity; -e, -ità *f.*

Dock; 1. rómice *m.*, erba pazienza. 2. bacíno *m.*, dársena *f.*; banco degli imputati o dei rei. Dry —, Graving —, bacino di carenaggio. Floating —, bacino galleggiante. To —, put in —, far entrare nel bacino, *fig.* fare raccomodare. 3. mozzare, šmozzicare.

Dock-charges; spese di dock. **-company**; compagnia di dock. **-er**; facchino di porto. **-et**; listíno *m.*, etichétta *f.*, cèdola *f.* **-gate**; porta di bacino. **-warrant**; buono di dock. **-yard**; cantière *m.*, squèro *m.*, arsenale marittimo.

Doctor; dottóre *m.*, mèdico *m.*; curare, medicare; alterare, adulterare. **-ing**; medicína *f.*; falsificazióne *f.*

Doctrin-aire, -al, -ally, -e; dottrin-ário *m.*, -ále, -alménte, -a *f.*

Document; -o *m.*, scritto *m.* **-ary**; -ále, scritto. **-ed**; -ato.

Dodder; cúscuta *f.* **-ing**; tremolante.

Dodec-agon, -ahedron; -ágono *m.*, -aèdro *m.*

Dodg-e; 1. giro *m.*, rigíro *m.*, bindolería *f.*, giuòco *m.*, modo d' agire, artifízio *m.*, stratagèmma *m.*, tiro *m.*, sotterfúgio *m.*, gherminèlla *f.* 2. schivare, scappar via. — aside, balzar di fianco. 3. arrivar a fare, trovar modo di fare, rigirare. **-er**; furbo *m.*, raggiratóre *m.*, mèrlo *m.*, bíndolo *m.* **-ily**; furbaménte ecc., *see* Dodgy. **-iness**; scaltrézza ecc., *see* Dodgy. **-y**; scattro, furbo, ábile, dèstro, da bindolo.

Doe; dáina *f.* **-rabbit**; un coniglio femmina.

Doer; autóre *m.* — of it, chi l' ha fatto.

Doe-skin; pelle di daina.

Doff; levarsi, tògliersi.

Dog; 1. cane *m.* To —, seguire, pedinare, spiare. Hunting —, bracco *m.* Lap —, cagnolíno da signora, mops *m.* Setter —, can da ferma. Watch —, can da guardia. Retriever —, cane *retriever*. 2. -s (andirons), alári *m. pl.* 3. Sad —, buona lana matricolata. Sly —, furbacchióne *m.* Sea —, lupo di mare. Go to the -s, andare in malora. Live a -'s life, viver peggio di un cane.

Dog-ape; una scímmia maschia. **-biscuit**; biscotto da cani. **-box**; cassetta di un vagone ferroviario per un cane. **-cart**; biroccíno *m.* **-collar**; collare da cane. **-days**; giorni canicolari.

Doge; *id.*

Dog-fancier; mercante di cani. **-fish**; pesce cane. **-fox**; una volpe maschia. **-ged**; accaníto, ostinato. **-gedly**; accanitaménte ecc. **-gedness**; caparbietà *f.*, ostinatézza *f.* **-gerel**; maccherònico, poesia maccheronica. **-gish**; cagnésco. **-grass**; gramigna *f.* **-kennel**; caníle *m.* **-latin**; latino maccheronico.

Dogm-a, -atic, -atically, -atise, -atism; dòmm-a *m.*, -atico, -aticaménte, -atižžare, -atišmo *m.*

Dog-rose; rosa canina, rosa di macchia. **-'s bane**; acònito *m.* **-'s ear**; orécchio *m.*; fare un orecchio a, accartocciare. **-shores**; scontri di scalo da varare, puntelli dei lomboli. **-show**; esposizione di cani. **-skin**; pelle di cane. **-'s mercury**; mercorèlla *f.* **-star**; canícola *f.* **-tired**; spossato, stanco a più non posso. **-violet**; viòla canina. **-wood**; còrniolo *m.* — berry, còrniola *f.*

Doily; salviettína *f.*

Doings; fatti *m. pl.*

Doldrums; le spiagge presso all' equatore dove non tira vento; *fig.* tristézza *f.*

Dole; elemòšina *f.* — out, distribuire in piccole porzioni.

Doleful; lúgubre. **-ly**; lugubreménte. **-ness**; tristézza *f.*

Doll; bámbola *f.*, fantòccio *m.* **-ar**; dòllaro *m.* **-op**; pallottola pastosa. **-y**;

1. tasso *m.* (specie di martello). 2. porcellétto *m.* 3. *See* Doll.
Dolm-an; dòlman *m.* **-en**; -ènno *m.*
Dolomit-es, -ic; -i *f. pl.*, -ico.
Dolor-ous, -ously, -ousness; -óso, -osaménte, -e *m.*
Dolphin; delfíno *m.*
Dolt; minchióne *m.*, grullo *m.*
Domain; domínio *m.*
Dome; cúpola *f.* **-d**; munito di cupola.
Domesday; *see* Doomsday.
Domestic; -o, casalingo; sèrvo *m.* — service, servizio domestico. **-ally**; in famiglia. **-ate**; addomesticare. **-ation**; addomesticaménto *m.* **-ity**; dimestichézza *f.*
Domett; stoffa di lana e cotone.
Domicil-e; -io *m.* **-ed**; -iato. **-iary**; -iare. — visit, perquisizione domiciliare.
Domin-ant; -ante. **-ate**; -are, regolare, governare. **-ation**; -azióne *f.* **-eer**; spadroneggiare, signoreggiare. **-eering**; altièro, spavaldo. **-ical**; domenicále (lettera). **-ican**; domenicáno *m.* **-ie**; maestruccio (in Iscozia). **-ion**; -io *m.*, impèro *m.* **-s**, terre *f. pl.*, territòrii *m. pl.*
Domin-o; -ò *or* dòmino *m.* **-oes**; -ò *or* dòmino *m.* Box of ivory —, un dominò d' avorio. Game of —, partita di dominò. To win the game, fare dominò.
Don; 1. Tánai. 2. insegnante di un collegio. 3. indossare, méttersi.
Don-ation; dóno *m.* **-ative**; -atívo *m.*
Done; *part.* di Do. —! volentièri! accettato! In cooking, còtto. — with, finito, non più in uso. Have you — with it? ne avete finito l' uso? questa cosa non vi importa più nulla? permesso? Have you — with me? non avete più bisogno di me? non vi posso esser più utile?
Don-ee; donatário *m.* **-jon**; torrióne *m.*
Donkey; ásino *m.*, ciuco *m.* **-driver**; ciucaio *m.* **-engine**; cavallíno *m.*, piccolo cavallo.
Don-nish; pedantésco. **-or**; donatóre *m.*
Do-nothing; pèrdigiórno *m.*, fannullóne *m.*
Don't; *raccorc.* di Do not.
Doodling; sciòcco.
Doom; sorte funesta, morte funesta. Crack of —, fine del mondo. To —, destinare fatalmente. **-sday**; giorno di giudizio universale. — book, catasto fatto da Guglielmo il Conquistatore.
Door; pòrta *f.*, úscio *m.*, ingrèsso *m.* Carriage —, sportèllo *m.* Next — to, accanto, vicinissimo; la casa attigua. He is next — to an idiot, gli manca pochissimo di esser mentecatto. In **-s**, déntro, a casa. Out of -s, fuóri, all' aperto. Turn out of -s, metter alla porta. It will lie at your —, la colpa sarà vostra. Folding —, porta a due battenti. Looking-glass —, porta a specchio. Street —, porta di strada. **-bell**; campanello della porta. **-curtain**; portièra *f.* **-frame**; intelaiatura della porta. **-handle**; impugnatura della porta, grúccio *m.* **-keeper**; portináio *m.*, portière *m.* **-knob**; pomo di porta. **-mat**; puliscipièdi *m.* **-nail**; borchia del martello. **-plate**; placca della porta. **-porter**; *see* -keeper. **-post**; stípite *m.* **-step**; gradino della porta, lastra davanti alla porta. **-way**; vano della porta. Low —, portoncína *f.* Under that —, sotto quella porta. **-weight**; pietríno *m.*, marmíno *m.*
Dope; sugna *f.*; grasso per le ali dei velivoli. To —, stupefare con un narcotico.
Dor-beetle; geotrúpe *m.*
Dordogne; Dordógna *f.*
Dor-ian, -ic; dòrico. **-mant**; giacènte, inattívo. **-mer-window**; abbaíno *m.* **-mitory**; -mitòrio *m.* **-mouse**; ghiro *m.*, moscardíno *m.* **-onicum**; -ònico *m.* **-sal**; -sále.
Dory; pesce San Pietro.
Dose; dòṡ-e, -are.
Dosser; peżżènte ricoverato in un dormitorio pubblico.
Dot; punto *m.*; fanciullétt-o *m.*, -a *f.*; fare un punto, punteggiare.
Dot-age; rimbambiménto *m.* In his —, rimbambíto. **-ard**; vecchio rimbambito. **-e**; rimbambire. — upon, amare perdutamente, follemente. **-ingly**; folleménte. **-terel**; piviere minore o tortolino. **-ty** (gergo); mezzo imbecille. Go —, rimbecillire.
Double; dóppio. Make a stroke by a — (billiards), fare un colpo di ristorno. Of a hare, ṡvoltata *f.*, gánghero *m.* At the —, a passo di corsa. Of flowers, doppio, a fiori doppi. — daffodil, narciso a fiori doppi. — bed, letto da due persone. — Dutch, gergo incomprensibile. Bend —, Fold —, piegare (foglio) in due. Bent —, (vecchio) piegato in due. — dealing, duplicità *f.*, ṡlealtà *f.*, ipocriṡía *f.* — eagle, moneta di venti dollari; aquila bicipite. — entry, scrittura doppia. — first, duplice laurea. — Gloucester, formaggio Gloucester di qualità superiore. — meaning, senso equivoco.
To —, doppiare, raddoppiare, duplicare; fare un ganghero (lepre); geminare; andare al passo di corsa. — down, fare un piego o un orecchio a, ripiegare. — lock, serrare a due chiavi.

— up, avvòlgere; fare piegarsi in due. -d up, rannicchiato.

Double-acting; a doppio effetto. **-barelled**; a due canne. **-bass**; controbasso *m.* **-bearing**; che frutta due volte all' anno. **-bedded**; (camera) a due letti. **-bottomed**; a doppio fondo. **-breasted**; a doppio petto. **-dyed**; (furfante) di tre cotte. **-edged**; a due tagli. **-faced**; furbo, ipòcrita. **-fronted**; a due facciate. **-handed**; (spada) da due mani. **-headed**; con due teste; bicípite. **-hearted**; falso. **-minded**; falso, simulato, da non fidarsene. **-quick**; (marcia) a passo raddoppiato. **-tongued**; falso.

Doubl-et; farsétto *m.*; paio *m.*, doppióne *m.*, paríglia *f.* At dice, doppio uno, doppio due, doppio tre ecc. **-ing**; raddoppiaménto *m.*, ripiegatura *f.* **-oon**; doppióne *or* doblóne *m.* **-y**; doppiaménte, due volte, il doppio.

Doubt; dúbbio *m.*, incertézza *f.*; dubitare, stare in dubbio. No —, senza dubbio, nessun dubbio, non c' è che dire. I — his being willing; il caso è che voglia. **-er**; chi dubita, scèttico *m.* **-ful**; dúbbio, dubbióso, incèrto, sospètto. **-fully**; con sospetto, dubbiaménte. **-fulness**; incertézza *f.* **-ingly**; da chi dubita, con diffidenza. **-less**; indubitaménte.

Douceur; máncia *f.*

Douche; dóccia *f.*

Dough; pasta *f.*, intriso *m.* **-nut**; tortèllo *m.* **-tily, -tiness, -ty**; valor-osaménte, -e *m.*, -óso. **-y**; pastóso.

Douse; tuffare; gettar (acqua) su.

Dove; piccióne *m.*, colómba *f.*, tórtora *f.* **-cot**; colombáia *f.* **-tail**; coda di rondine; incastrare o addentellare a coda di rondine.

Dover; Straits of —, passo di Calè.

Dowager; vedova nobile.

Dowd-ily, -iness, -y; sciatt-aménte, modi -i; -o, male in arnese.

Dowel; pèrnio *m.*, cavíglia *f.* To —, unire con caviglie. **-ling**; calettatura a caviglie.

Dower; dòte *f.*; dotare. **-less**; senza dote.

Dowlas; tela rozza di Doulas.

Down; 1. piumíno *m.*, lanúgine *f.*, pelúria *f.*, peli matti. 2. collina erbosa. The Downs, le Dune. 3. giù, in basso, abbasso, a terra, per terra. 4. lungo, giù per. — the river, giù lungo il fiume. — the ranks, lungo le righe. — stream, secondo la corrente, a seconda della corrente. 5. in stato di depressione, in minor mole, a basso prezzo. 6. registrato, col nome sulla lista. 7. cessato (vento), tramontato (sole), collo scafo al di sotto dell' orizzonte (nave, hull down). 8. — to, sino a. — from, sino da, da, a partire da. — to the last sixpence, agli ultimi spiccioli. — to here, sino qua, fin qui. — to there, sino là, fino laggiù. 9. Up and —, su e giù, in lungo ed in largo. He eyed me up and —, mi squadrò da capo a piedi. He merely paced up and — the room, non faceva che andar su e giù per la stanza. The ups and -s of life, le vicissitudini della vita. 10. — in the mouth, — upon one's luck, scoraggiato. 11. — with the tyrant! abbasso il tiranno! Have a — upon, prender in uggia, in antipatia, gridare contro. 12. — east (Stati Uniti), nella Nuova Inghilterra. 13. To —, víncere, abbáttere, buttare a terra.

Break —, crollare, far crollare, diròmpere ecc., *see* Break. **Bring** —, far cadere, abbassare, atterrare, annientare, umiliare, fiaccare. — — the house, entusiasmare l' uditorio. **Cast** —, gettare a terra. **Come** —, scéndere. — — to this, avvilirsi fin lì. Of price, scemare. **Cough** —, far tacere a furia di tossire. **Cry** —, gridare la croce addosso, *see* Decry. **Go** —, scéndere; *fig.* passare, trovar accettazione. **Lie** —, coricarsi, mettersi a terra. **Look** —, abbassare gli occhi. **Pay** —, pagare in contanti. **Run** —, vilipèndere, sparlare di, denigrare; investire; colare a picco; sgocciolare; arrestarsi per non esser stato caricato; scoprir l' origine di (falso rumore). — — the coast, costeggiare la terra. — — to, fare una scappata a, far una breve visita a. Be rather — —, trovarsi malaticcio. **Sit** —, mettersi a sedere, accomodarsi. **Talk** —, víncere, ridurre a silenzio, a forza di parlare. **Write** —, stender per iscritto. — **it** —, farne un appunto.

Down-cast; abbattuto, accasciato, sbigottíto. **-draught**; corrente d' aria all' ingiù. **-easter**; (Stati Uniti) chi sta "down east," cioè nella Nuova Inghilterra. **-fall**; caduta *f.* **-haul**; caricabbasso *m.* **-hill**; discésa *f.*, declívio *m.*; giù per la scesa, in discesa, a vantaggio. **-iness**; l' esser lanuginoso. **-line**; binario di partenza dalla stazione capolinea. **-pour**; acquazzóne *m.* **-right**; franco, schiétto; affatto, davvéro; senza complimenti. — scoundrel, birbante di tre cotte. — failure, fiasco bello e buono. **-rightness**; franchézza *f.*, schiettézza *f.* **-stairs**; al pian terreno; giù per le scale. **-stroke**; tratto di penna in giù. **-trodden**; oppresso, tiranneggiato. **-ward**; scendènte, declíve, all' ingiù. **-wards**; al-

l' ingiù. From the third —, dal terzo ingiù.
Downy; lanuginóso.
Dowry; dòte *f.*
Doxology; dossología *f.*
Doyley; salviettína *f.*
Doze; sonnellíno *m.*; sonnecchiare, assopirsi.
Dozen; dozzína *f.*
Dr; *raccorc.* di Doctor o di Debtor.
Drab; sudicióna *f.*, donna di mala vita; grigio giallastro, marrone sbiadito.
Drachm; dramma *m.*
Dracon-ian; -iàno, severo assai.
Draft; tratta *f.*; pescagióne *f.*; distaccamento di truppe. To —, stèndere, abbozzare, redígere. **-paper**; carta da protocollo. **-sman**; redattóre *m.*, estensóre *m.* Parliamentary —, compositore parlamentare, chi stende i progetti di legge.
Drag; scarpa *f.*, zòccolo *m.*; impediménto *m.*, ṡvantaggio *m.*; uncíno *m.*, gráffio *m.*; carrozzone a quattro cavalli; strascico della voce; erpice pesante. His debts were a great — upon his career, i suoi debiti gli furono assai pregiudiziali alla carriera. To —, trascinare, tirare; dragare, esplorare con una draga, rastellare il fondo (di un fiume ecc.). — **along**, trascinare dopo di sè. — **down**, far discendere per forza. — **from**, strappare da. — **in**, far entrare forzatamente. — **out**, strappar fuori; prolungare a lungo. — the anchors, arare colle ancore. **-chain**; catena da razzare le ruote.
Draggle; strascicare. **-tailed**; sciatto.
Drag-net; réte da stráscico.
Dragoma-n; -nno *m.*
Dragon; -e *m.*; dragontèa *f.* **-fly**; libèllula *f.*, cavalòcchio *m.* **-nade**; -ata *f.*
Dragoon; dragóne *m.*; far sottomettersi ai decreti colla violenza.
Drag-sail; draga *f.*, ancora galleggiante.
Drain; fógna *f.*, fòssa *f.*, gorèllo *m.*, scólo *m.*, scolatóio *m.*, *fig.* eṡauriménto *m.*; far scolare, fognare, prosciugare; vuotare (coppa). — **off**, lasciar trascorrer l' acqua di roba molle, stare a prosciugarsi. Set to — off, metter a prosciugarsi, a scolare. **-able**; prosciugábile. **-age**; scólo *m.*, fognatura *f.*, drenággio *m.* **-cock** (*mar.*), robinetto di scarico. **-ing-board**; scolapiatti *m.* **-pipe**; tubo di scolo. **-tile**; (cylindrical) tubo di terracotta, (semicircular) doccióne *m.* **-trap**; valvola di fogna.
Drake; ánatra maschio.
Dram; dramma *m.*, bicchieríno *m.*
Dram-a, -atic, -atically, -atisation, -atise, -atist; dramm-a *m.*, -atico, -aticaménte, il -atizzare, -atiżżare, -aturgo *m.*, autore -atico.
Drank; *rem.* di Drink.
Drap-e; panneggiare, coprire di panni. **-er**; pannaiòlo *m.*, mercante di stoffe. **-'s shop**, negozio di stoffe, panni. **-ery**; panneggiaménto *m.*; (silk) drappería *f.*
Drastic; fòrte, potènte, violénto, vigoróso. — purge, purgante drastico. **-ally**; forteménte ecc.
Drat; al diavolo con! che vada in malora! — it! maledetto!
Draught; tirággio *m.*; sórso *m.*, bíbita *f.*, bevanda *f.*; corrente d' aria, riscóntro *m.*; pescagióne *f.*, pescággio *m.*, immersióne *f.* The — was unbearable, il riscontro era insopportabile. Black —, purgante *m.* **-beer**; birra dal barile. **-board**; tavolière *m.* **-horse**; cavallo da tiro. **-iness**; prevalenza di correnti d' aria. **-s**; il giuoco di dama. **-y**; con forte riscontro, tutto correnti d' aria.
Drave; Drava *f.*
Draw; tirare, attirare, trarre, estrarre; portare (vela); diṡegnare, fare (ritratto); estrarre (numeri al lotto); schiodare; ṡbudellare; redígere, stèndere; riscuòtere (paga, denari); pescare (nave); esser pari (giocando). — **aside**, trarre in disparte; aprire (tendina). — **away**, rimuòvere, ritirare, stornare. — **back**, indietreggiare, ritirare, fare un passo indietro, retrocèdere. — **down**, abbassare, far discendere, attirare. — **forth**, far uscir fuori. — **in**, ritirare, raccorciarsi (giorni). — **into**, indurre a. — **off**, ritirare, stornare, distrarre, estrarre. — **on**, attirare, indurre. Time is -ing on, il tempo passa. — a bill on, tirare una cambiale, trarre, su. — — one's imagination, ricorrere alla propria immaginazione. — **out**, cavar fuori, farsi pagare (deposito bancario), levare, strappare, estrarre, eccitare, provocare. — — **of**, far confessare, far ammettere a, togliere da. — **over**, cattivare, guadagnare alla sua parte. — **round**, mettersi intorno (al focolare). — **together**, riaccostare, far accostare, riunire. — **up**, tirar insù; redígere, stèndere, compilare; fermarsi (carrozza). — oneself —, raddrizzarsi.
Draw-back; scápito *m.*, ṡvantaggio *m.*, inconveniènte *m.*; restituzione di dazio a chi riesporta. **-bar**; biella d' accoppiamento. **-bridge**; ponte levatoio. **-ee**; trattario *m.* **-er**; tiratóre *m.*; cassétto *m.*, cassettíno *m.*; traènte *m.* Chest of -s, cassettóne *m.*, comò *m.* **-ers**; mutande *f. pl.*, (child's) calzoncini *m. pl.* Bathing —, mutandíne *f. pl.*

Drawing; 1. delineaménto *m.*, diśégno *m.*, il diśegnare. Chalk —, pastèllo *m.* Rough —, abbòzzo *m.* 2. estrazióne *f.* (lotto). **-s**; ricevute *f. pl.*, riscossioni (dei socii d' un' azienda). **-account**; conto corrente alla scoperta, credito scoperto. **-board**; tavola da disegno. **-master**; maestro di disegno. **-paper**; carta da disegno. Block of —, Drawing-block, lastra fatta di parecchie foglie di carta da disegno riunite dagli orli. **-pen**; tiralinee *m.* **-pin**; puntina da disegno. **-room**; salòtto *m.*; ricevimento dalla regina. Hold a —, ricévere.

Drawl; pronunzia strascicante; strascicare. **-ingly**; con voce strascicante.

Drawn; indeciśo, (spada) nuda.

Draw-net; tramáglio *m.*, rete a strascino. **-sheet**; toppóne *m.*, coltríno *m.* **-string**; filo da guaina.

Dray; carro *m.*, carrettóne *m.* **-horse**, cavallo da traino. **-man**; carrettière *m.*

Dread; terróre *m.*, spavénto *m.*; terríbile, temíbile; temére, tremare a, aver gran paura di. **-ful**; orríbile, spaventévole. **-fully**; orribilménte ecc. **-fulness**; orróre *m.*

Dream; sógn-o *m.*, -are; abbacare, fantasticare. **-er**; sognatóre *m.*, visionário *m.* **-ily**; come in sogno. **-iness**; disposizione visionaria. **-land**; paese dei sogni. **-less**; senza sogni. **-y**; da chi sogna.

Drear-ily; tristaménte, lugubreménte. **-iness**; tristézza *f.*, tetrággine *f.* **-y**; triste, lúgubre, tètro, uggióso, brullo.

Dredge; draga *f.*, tramáglio *m.*, cavafango *m.*; pescare col tramaglio; infarinare (l' arrosto); dragare. **-r**; bargagno *m.*, cavafango *m.*, draga *f.*

Dregs; fèccia *f.* Drain the cup of misery to the —, bere il calice sino alla feccia.

Drench; purga *f.* (bestiame); bagnare, inondare.

Dresden; Drèśda *f.*

Dress; ábito *m.*, vestíto *m.*, abbigliaménto *m.*, vèste *f.*; vestire, abbigliare; ornare, condire, guarnire, potare (vigna), conciare (pietra), śbużżare (pollo), pulire (pesce), medicare (ferita); (*mil.*) allineare; paveśare (nave). -ed (stone), cóncio. In full —, in gran toeletta o tenuta. To — down, lavare il capo a, śgridare. — up, camuffarsi. **-boots**; stivaletti verniciati. **-circle**; prima galleria. **-coat**; giubba *f.*, abito da sera. **-jacket**; giubbetto da sera, marsína *f.*

Dresser; 1. Good, Bad —, chi si veste bene, goffamente. 2. Hospital —, medico assistente. 3. Kitchen —, scaffale di cucina.

Dressing; il vestire, acconciatura *f.*, concíme *m.*, salsa *f.*, condiménto *m.*, medicatura *f.* **-bag**; sacco coll' occorrente per la toeletta. **-case**; cassetta o astuccio da toeletta. **-glass**; specchio da toeletta. **-gown**; veste di camera, vestaglia *f.* **-jacket**; camicíno *m.* **-room**; gabinetto da toeletta. **-s**; fasce (di ferita). **-table**; tavola da toeletta.

Dress-maker; sarta *f.*

Dressy; ricercato nel vestirsi, ażżimato.

Drew; *rem.* di Draw.

Dribble; stillare, śgocciolare, far bava; al calcio, spingere poco a poco la palla coi piedi, correndole dietro da vicino.

Driblet; pezzettíno *m.* Pay in -s, pagare a rate piccolissime.

Dried; *rem.* di Dry; sécco, disseccato.

Drift; mira *f.*, tendènza *f.*, significato generale; (*mar.*) deriva *f.*; (air-ship) scarròccio *m.*; falda di neve, mucchio di sabbia; materia trasportata dagli antichi ghiacciai, ammasso ghiacciale; (ship-builder's) punzóne *m.*; (mine) galleríа *f.* As *adj.*, portatíccio. To —, derivare, scadére. **-wood**; legna galleggianti.

Drill; 1. succhièllo *m.*, trivèllo *m.*, trápano *m.*; (*agric.*) sólco *m.*, pòrca *f.*; seminatrice *f.*; (*mil.*) eśercízio *m.* To —, forare; seminare per solco; eśercitare, far manovrare, insegnar gli esercizi a. 2. tela di lino pesante. **-hall**; locale per l' esercitazione. **-sergeant**; sergente istruttore.

Drily; seccaménte, asciuttaménte.

Drink; bevanda *f.*, bíbita *f.*, beveraggio *m.*; bére. — off, bere in una volta. — up, bere tutto. — to, bere alla salute di. **-able**; potábile. **-er**; bevitóre *m.*, bevitrice *f.*, ubriacón-e *m.*, -a *f.* **-ing**; il bere. A — person, persona che beve molto. — fountain, fontana pubblica. — horn, corno da bere. — song, canzone bacchico. — water, acqua potabile.

Drip; stillaménto *m.*, stillicídio *m.*, grondatura *f.*; stillare, gèmere, śgocciolare, śgrondare. Under the — of the roof, sottoposto all' acqua grondante dal tetto. **-ping**; stillicídio *m.*, gemitío *m.*; sugo colato dall' arrosto. — pan, ghiótta *f.* — wet, bagnato fradicio, tutto bagnato.

Drive; 1. scarrozzata *f.*, passeggiata in carrozza, trottata *f.* Go for a —, fare una trottata. 2. Via o strada carrozzabile di una villa. Winding —, strada carrozzabile tortuosa. 3. colpo gagliardo al "cricket"; il primo colpo nel giocare un buco al "golf." 4. *fig*. sfòrzo. It is nothing but a — the whole time, non è che un continuo arrabattarsi. 5. (In a mechanism), meccaniśmo di trasmissione spinta *f*. Forward —, impulso *m*. Belt —, comando a cinghia. Chain —, guida a catena. Direct —, presa diretta. 6. spíngere, costríngere; conficcare, cacciare (nella mente); stríngere (un mercato), fare (un commercio); far marciare (macchina); báttere (neve); scavare (galleria). — away, scacciare; partire in carrozza. — back, respíngere; ritornare in carrozza. — by, passare in carrozza. — home, — in, conficcare, piantare, inculcare, incalzare (un argomento). — off, *see* — away. — on, continuare la passeggiata, procedere sulla sua strada. — on! avanti! — out, espèllere, cacciar fuori. — out of his mind, — mad, far impazzire. — over, investire; venire o andare a fare una visita in carrozza. — through, attraversare in carrozza. — to, recarsi in carrozza a. — up, arrivare in carrozza. 7. guidare (carrozza, cavallo). 8. Be driving at, mirare a, aver nella mente. What are you driving at? a che cosa mirate? che avete in mente? 9. Let — at, sparare contro; *fig*., dirgliene delle belle.

Drivel; bava *f*., *fig*. sciocchézza *f*., scioccággine *f*. To —, far bava, *fig*. vaneggiare. **-ler**; scioccóne *m*., imbecille *m*. **-ling**; stúpido, fatuo. You — idiot! la bestia che sei!

Driver; 1. cocchière *m*., (fly) vetturíno *m*. 2. il più lungo dei bastoni dal "golf." 3. macchinista (di locomotiva).

Driving; — rain, snow, pioggia, neve, in raffiche. — mist, nebbia portata qua e là dal vento. **-axle**; albero motore. **-chain**; catena di trasmissione.

Drizzl-e; acquerúgiola *f*., acquétta *f*., pioggerèlla *f*.; piovigginare, spruzzare. **-ing**, **-y**; piovigginóso.

Droll; còmico, da far ridere, lèpido, buffo, singolare, originále. **-ery**; modi scherzevoli, buffonería *f*., lażżi *m*. *pl*.

Dromedar-y; -io *m*.

Dron-e; 1. fuco *m*., pecchióne *m*., ape maschio, *fig*. infingardóne *m*., pigróne *m*. 2. ronżío *m*., bordóne falso; ronżare. **-ing**; ronżío *m*.

Droop; illanguidire, lasciar cadere la testa, non attecchire, cominciare ad appassirsi; far pendere. **-ing**; piegato in giù, *fig*. languido, languènte, flòscio.

Drop; 1. góccia *f*., gócciolo *m*., stilla *f*., gocciolína *f*. -s of perspiration on his forehead, sudore che gl' imperlava la fronte. 2. (*mar*.) altézza *f*. (di vela). 3. ribasso *m*., caduta *f*. 4. pendente d' orecchino. 5. pastiglia inzuccherata. 6. cadére, cascare; lasciar cadere, lasciar andare, abbandonare, metter da bando. 7. — astern, andare indietro, rimanere indietro. — down, scéndere (fiume) con la corrente, calare con la corrente. — in, entrare all' improvvisa. — off, cadére; scemare, venire in decadenza; addormentarsi; morire. — on, trovare per caso; (gergo) śgridare, lavare il capo a. — out, andare in disuso; uscir dalle file, non poter più marciare, perder i suoi diritti (come membro d' una società operaia ecc.). — through, non eseguirsi. 8. — anchor, gettar l' ancora. — a curtsey, fare una riverenza. — a foal, figliare, metter a luce un puledro. — in the letter-box, impostare. — a line, scriver due righe. — a parcel, lasciare, deporre, un pacco. — tears, versare lagrime.

Drop-bolt; chiavarda d' arresto. **-let**; gocciolína. **-ping-glass**; cóntagócce *m*. **-pings**; fatta *f*., stèrco *m*., stallático *m*. **-scene**; tendone dipinto del proscenio.

Drops-ical, **-y**; idròpi-co, -śía *f*.

Dross; lòppi *m*. *pl*., scòria *f*., schiuma di ferro, *fig*. rifiuto *m*.

Drought; siccità *f*. **-iness**; secchézza *f*. **-y**; sécco.

Drove; 1. branco *m*., mandra *f*. 2. *rem*. di Drive.

Drover; mandriáno *m*., bováro *m*.

Drown; annegare; soffocare (grida).

Drows-ily, **-y**; sonnacchios-aménte, -o. **-iness**; sonnolènza *f*., assopitaménto *m*.

Drub; spianare le costura a, bastonare. **-bing**; bastonatura *f*.

Drudge; facchín-o *m*., -a *f*.; śgobbare. **-ry**; lavoro ingrato, fatica ingrata.

Drug; dròga *f*.; medicare, dare un narcotico a, sofisticare con droghe. A — in the market, merce difficile a vendersi per esserci una sovrabbondanza. **-ged**; addormentato con un narcotico. **-get**; droghétto *m*., bigèllo *m*. **-gist**; droghière *m*.

Druid; drúid-o *m*. **-ess**; -a *f*., -èssa *f*. **-ic**; -ico.

Drum; tambúro *m*., tímpano (dell' orecchio); serata *f*. Big —, gran cassa. — out, scacciare a suono di tamburo. **-head**; pelle di tamburo. **-mer**; tamburíno *m*. **-ming**; rullo di tamburo. **-stick**; bacchétta di tamburo; stinco di pollo (cotto).

Drunk; ubriáco, briáco, *fig*. èbbro. Dead —, briaco marcio, briaco fradicio. Get —, ubriacarsi, pigliar la monna. Make —, imbriacare. — as a lord, cotto com' una monna. — with delight, ebbro di gioia. -ard; ubriacóne *m.*, beóne *m.* -en; da ubriaco. — frolic, scappata d' ebbrezza. -enness; ubriachézza *f.*, ebbrézza *f.*

Drupe; drupa *f.*

Dry; sécco, asciutto; assetato, sitibóndo; insípido, uggióso, poco interessante. — land, terra ferma. High and —, in secco. To —, asciugare, essiccare. — up, inaridire. Be — at low water, restare a secco colle acque basse. — wine, vino secco. — manner, modi freddi. — style, stile secco.

Dryad; dríade *f.*

Dry-cell (*electr.*); pila secca. **-dock**; bacino da carenaggio. **-eyed**; senza lagrime. **-goods**; mercerie *f. pl.*, stoffe *f. pl.*

Drying; il seccare, asciugaménto *m.*; seccatívo, essiccante. **-line**; stenditóio *m.* **-place**; scaldatóio *m.* **-ground**, **-yard**; seccatóio *m.*, tenditóio *m.*

Dryly; seccaménte, asciuttaménte.

Dryness; secchézza *f.*, siccità *f.*

Dry-nurse; bambinaia *f.*, bália *f.* **-pile** (*electr.*); pila a secco. **-point**; ago da incisione, siffatto lavoro. **-rot**; carie nel legname, tarlo del legno. **-salter**; negoziante di droghe. **-shod**; a piedi asciutti.

Dual; 1. (*gram.*) numero duale. 2. dóppio. — control, controllo dualistico, controllo di due potenze, meccanismi ecc. **-ism**; -iṡmo *m.* **-ity**; l' esser doppio.

Dub; rivestire del titolo di, creare cavaliere. **-bing**; grasso da stivali. **-iety**; dúbbio *m.* **-ious**; incèrto, dubbióso, dúbbio, equívoco. **-iously**; dubbiosaménte.

Dublin; Dublíno *f.*

Duc-al; -ále. **-ally**; da duca. **-at**; -ato *m.* **-hess**; -hèssa *f.* **-hy**; -ato *m.*

Duck; 1. ánitra o ánatra *f.* 2. tralíccio *m.*, olonétta *f.*, tela cruda per tende. 3. Play at -s and drakes, fare a rimbalzelli. Make -s and drakes of, sciupare, sperperare. 4. tuffare, sommèrgere, far dare un tuffo nell' acqua. 5. abbassare il capo, abbassarsi. 6. Lame — (gergo di Borsa), fallíto. **-gun**; spingarda *f.* **-ing**; immersione involontaria, tuffo *m.* **-ling**; anatròccolo *m.*, anitròtto *m.* **-pond**; pozzánghera *f.* **-'s egg**; al "cricket," niente *m.* **-s**; calzoni bianchi. **-weed**; lente palustre. **-y**; coricíno mio, caríno.

Duct; condótto *m.*, tubo *m.*, canále *m.*

Ductil-e, **-ity**; dúttil-e, -ità *f.*

Dud; 1. cosa inoperosa, bomba che cade senza scoppiare. 2. **-s**; abiti vecchi, cénci *m. pl.*

Dudgeon; ṡdégno *m.* In high —, arrabbiato.

Due; débito, dovúto, giusto; scaduto, scadíbile. — at, che dovrebbe arrivare il tanto del mese tanto, alle tante ore. — to an oversight, dovuto ad una svista. In — form, nella debita forma. In — course, a suo tempo. When —, alla scadenza. Give the devil his —, esser giusti anche col diavolo. — north, direttamente dal nord (vento). **-s**; diritti *m. pl.*, dázio *m.*, gabèlle *f. pl.*

Duel; duèll-o *m.*, -are. Fight a —, battersi in duello. **-list**; duellista *m.*

Duenna; donna attempata.

Duet; duétto *m.*

Duff; pasticcio di farina bollito; polvere di carbon fossile. To — it (gergo), fare fiasco. **-er**; minchióne *m.*, sciòcco *m.*, acciarpóne *m.*, stúpido *m.*; moneta cattiva.

Dug; 1. póppa *f.* 2. *rem.* di Dig.

Dugong; dugóngo *m.*, specie di vacca marina.

Dug-out; ricóvero *m.*

Duke, **-dom**; duc-a *m.*, -ato *m.*

Dulcet; dólce, melodióso.

Dulcimer; tímpano *m.*

Dull; poco risonante, ṡmòrto, senza risonanza; scipíto, pesante, uggióso; fósco, scuro; ottuṡo (tagliente), ṡmussato, nebbióso (cielo, tempo), débole (luce), appannato (vetro), lánguido (umore), duro (d' orecchio); senza spirito, poco intelligente, èbete. Get —, perder il filo (rasoio), ottúndersi (scure). Feel —, annoiarsi. Be —, rallentarsi (commercio). Make —, render insensibile, stupido; offuscare; ammorzare, spuntare, rintuzzare. **-ard**; balórdo *m.* **-y**; stupidaménte, in maniera uggiosa.

Dulness; mancanza di spirito, pesantézza *f.*, l' esser uggioso ecc.; *see* Dull.

Dulse; alga mangiabile.

Duly; debitaménte.

Dumb; muto. Strike —, render muto dalla sorpresa. **-bells**; manubrii ginnastici. **-crambo**; sciarada in mimica. **-founded**; stordíto, intontíto. Be —, allibire. **-ly**; a bocca chiusa. **-ness**; mutiṡmo *m.* **-show**; mímica *f.*, pantomíma *f.* **-waiter**; scaffalétto *m.*, servitore di legno.

Dummy; muto *m.*, manichino per abiti, fantòccio *m.*; at cards, mòrto. Double —, giuoco di "whist" a due morti. As *adj.*, finto, falso.

Dump; ammasso *m.*, collezióne *f.*, riunióne . To —, buttar giù, vendere a prezzo assai basso, a prezzo di rifiuto, scaricare. Not to care a —,

infischiarsene. **-ing**; scaricatura *f.*; ṡmercio a basso prezzo, al di sotto del costo. — ground; scárico *m.*
Dumpling; gnòcco *m.*, topíno *m.* Apple —, pasticcio con dentro una mela. Meat —, polpétta *f.*
Dumps; In the —, triste, malincònico.
Dumpy; piccolo e grasso.
Dun; 1. creditore importuno. To —, chiedere importunamente a. 2. rossíccio. 3. sorta di mosca artificiale per la pesca.
Dunce; scolare stupido, babbuasso *m.*
Dunderheaded; balórdo.
Dune; duna *f.*
Dung; stèrco *m.*, letáme *m.*, bovína *f.*, stábbio *m.*; concimare. Patch of —, méta *f.* **-beetle**; geotrupe stercorario, scarabèo *m.* **-fly**; moscon d' oro, lucilia *f.* **-fork**; forcóne *m.* **-hill**; letamáio *m.*
Dungeon; prigione sotterranea, segréta *f.*
Dunkirk; Duncherche *m.*
Dunlin; piovanello pancia-rossa.
Dunnage; contrapagliuòlo *m.*
Dunning; importunità *f.*
Dunnock; passera frattaiuòla.
Duodecim-al, -o; -ále, in-dodicèṡimo.
Duoden-al, -um; -ále, -o *m.*
Dup-e; gónżo *m.*, vittima d' un inganno; ingannare, gabbare, abbindolare. **-eable**; chi si lascia ingannare ecc.
Duplex; dóppio. **-lamp**; lampada a lucignolo doppio.
Duplic-ate; dóppio, -ato. To —, -are. **-ation**; -azióne *f.* **-ity**; -ità *f.*, doppiézza *f.*
Dur-ability; -evolézza *f.* **-able**; -évole, -aturo. **-ably**; in modo duraturo. **-ance**; prigionía *f.* **-ation**; -ata *f.*
Durbar; sala di udienza, ricevimento *m.*
Duress; forza maggiore, pressióne *f.*
During; durante, per. — his life, vita durante. — this time, in quel mentre. — his absence, intanto che era stato assente. — the last two or three days, in quegli ultimi due o tre giorni. — so many years, per tanti anni.
Durra; miglio indiano.
Durst; *rem.* di Dare.
Dusk; crepúscolo *m.* At —, sull' imbrunire, al far della notte. **-ily**; con tendenza al bruno. **-iness**; oscurità, color bruno. **-y**; bruno, nerastro.
Dust; pólvere *f.*; spolverare. **-bin**; cassetta della spazzatura. **-brush**; scopétta *f.*, spázzola *f.* **-cart**; carretta delle immondizie. **-cloak, -coat**; spolverína *f.* **-er**; strofináccio *m.*, canaváccio *m.* **-heap**; monticello d' immondizie, di rifiuti. **-hole**; immondezzáio *m.* **-ing-sheet**; tela parapolvere per coprire i mobili d' una camera. **-man**; spazzíno *m.*, spazzaturáio *m.*, ceneráio *m.* **-pan**; paletta della spazzatura, porta-spazzature *m.* **-screen**; parapólvere *m.* **-shot**; migliaròla *f.* **-y**; polveróso.
Dutch; olandése. — auction, specie di vendita all' incanto all' inversa. — clover, trifoglio bianco. — courage, coraggio d' ubriachezza. — oven, forno portátile, da mettersi innanzi ad un fuoco aperto. **-man**; Olandése *m.*
Dutiable; soggetto a dazio.
Dutiful; ubbidiènte, ossequióso, rispettóso, filiále, sommésso. **-ly**; da ubbidiente ecc.
Duty; dovére *m.*; funzióne *f.*, uffízio *m.*; tassa *f.*, gabèlla, dázio *m.*, impósta *f.*, diritto *m.* Excise duties, dazi di consumo. Off —, libero. On —, di guardia, di servizio, in funzione, consegnato. — free, eṡènte da tassa.
Duumvir, -ate; -o *m.*, -ato *m.*
Dux; capoclasse *m.*
Dwarf; nano *m.*; rimpiccolire. — wall, muro basso. **-ish**; da nano, piccíno.
Dwell; dimorare, abitare, stare. — upon, insistere sopra, diffondersi su. **-er**; abitante *m.* **-ing**; abitazióne *f.* — place, dímora *f.*
Dwina; Duína *f.*
Dwindle; diminuire, scemare. — away, sfumare, dileguarsi.
Dwt; simbolo per Pennyweight, 1·417 grammi.
Dyak; malese dell' isola di Borneo.
Dye; tinta *f.*, colóre *m.*, sfumatura *f.*; tíngere, colorare. **-ing**; tintura *f.*, il tingere. **-r**; tintóre *m.* **-'s weed**, ginestra de' tintori. **-stuff**; materia tintoria. **-works**; tintòria *f.*
Dying; morènte, moribóndo; spènto; che perisce. His — words, le sue estreme parole. I am — to hear, muoio dalla voglia di sentire.
Dyke; diga *f.*, árgine *m.*, fòsso *m.*
Dynam-ic, -ics, -ite, -iter; dinám-ico, -ica *f.*, -íte *f.*, -itardo *m.* **-o**; macchina dinamo-elettrica, dínamo *f.*
Dynast-ic, -y; dinast-ico, -ía *f.*
Dysenter-ic, -y; dissentèr-ico, -ía *f.*
Dyspep-sia, -tic; dispep-sía, -tico.
Dyspnoea; dispnèa *f.*

E

E; *pronunz.* I.

Each; ciascuno, ciascheduno. — other, l' un l' altro, gli uni gli altri. Love — other, amarsi. On — side, dalle due parti, da parte e d' altra, dalle due bande. On — side of, di qua e di là di. At — other's houses, a casa dell' uno o dell' altro. — one to pay for his own dinner, a bocca e borsa. Eat — other, divorarsi fra loro. Hate — other, odiarsi a vicenda.

Eager; ávido, ardènte, desideróso, premuróso, impaziènte, appassionato. **-ly**; avidaménte ecc.; (ascoltare) con tanto d' orecchi, con premura. **-ness**; ardóre *m.*, avidità *f.*, impaziènza *f.*, ṡmánia *f.*

Eagle; áquila *f.* **-owl**; duca cornuto. **-t**; aquilòtto *m.*

Ear; orécchio *m.*; of corn, spiga *f.* I am all -s, sono tutto orecchi. Pull your house about your -s, farvi crollare la casa intorno. Quick —, orecchio fino. Turn a deaf — to, rifiutar di ascoltare. Over head and -s, fin sopra i capelli. Prick up the -s, stare ad orecchi tesi, drizzare gli orecchi.

Ear-ache; dolore all' orecchio, male del cosso.

Earing; (*mar.*) borósa *f.*

Earl; conte *m.* **-dom**; grado di conte.

Earl-ier; più presto, più vecchio. The engagement made some time —, l' impegno preso tempo addietro. Ten days —, dieci giorni indietro. Not — than, non prima di. **-iest**; il primo, il più presto, il più vecchio. **-iness**; precocità *f.*, l' esser presto. **-y**; primo, primaticcio, pròssimo; prèsto, prima, di buon' ora, per tempo. Very —, per tempissimo. As — as possible, al più presto possibile, quanto prima. In the — morning, al far del giorno, di buon mattino. — in the winter, nei primi giorni dell' inverno. Very — in the war, ai primi giorni della guerra. In — spring, al principio della primavera. — history, passata istoria. — return, pronto ritorno. — riser, mattinièro. — times, tempi antichi.

Earmark; contrassegnare.

Earn; guadagnare, acquistare, meritare. **-er**; chi guadagna la vita.

Earnest; 1. studióso, sèrio, premuróso. In good —, per davvero, molto sul serio. 2. caparra *f.* **-ly**; seriaménte, dal cuore, con calore, con fervore. **-ness**; serietà *f.*, żèlo *m.*, diligènza *f.*

Earnings; salário *m.*, guadagno *m.*

Ear-piercing; che strazia, che buca l' orecchio.

Earring; orecchíno *m.*, búccola *f.*, bottoncíno *m.*, campanèlla *f.*

Ear-shell; orecchiále *m.*

Earshot; Within —, a portata d' orecchio.

Earth; tèrra *f.*, terréno *m.*, suòlo *m.*; tana di volpe. — up, coprire di terra. **-born**; terrèstre. **-en**; di terra cotta. — pan, terrína *f.* **-enware**; maiòlica *f.*; terráglie *f. pl.*, vaṡelláme *m.* As *adj.*, di terra cotta, di terra, di porcellana. **-iness**; sapore di terra. **-liness**; mondanità *f.* **-ly**; mondáno. Of no — use, tutt' affatto inutile. **-nut**; noce di terra. **-quake**; terremòto *m.* **-ward**; verso terra, all' in giù. **-work**; lavoro di terra, opera esterna, terrapièno *m.*, stèrro *m.* **-worm**; lombríco *m.* **-y**; tèrreo, terróso.

Ear-trumpet; cornetto acustico.

Earwig; fòrbice *f.*, forfécchia *f.*

Ease; facilità *f.*, naturalézza *f.*, diṡinvoltura *f.*, sollièvo *m.*, agiatézza *f.*, alleviamènto *m.* At —, tranquillo, in riposo. At his —, diṡinvòlto, spigliato. Be at —, star comodo. Set at —, rassicurare, levar d' impaccio. Stand at —! riposo! To stand at —, stare al riposo. Ill at —, inquièto. Live at —, vivere, stare nell' agiatezza. To —, sollevare, alleviare, ṡgravare, alleggerire; allentare, mollare (cavi). — off, — down, filare. — oneself, andar di corpo.

Easel; cavallétto *m.*

Easement; servitù *f.*

Easi-ly; facilménte ecc., senza fatica, senza difficoltà; *see* Easy. **-ness**; agevolézza *f.*; *see* Ease. — of belief, facilità a credere.

East; èst *m.*, oriènte *m.*, levante *m.* In the —, al levante. — wind, levante *m.*, vento d' est. The —, l' Oriente. — Indies, le Indie orientali.

Easter; Pasqua di resurrezione. — day, giorno di Pasqua. Monday etc. before —, lunedì ecc., santo. — eve, sabato santo. — week, settimana di Pasqua. — holidays, vacanze pasquali. **-ly**; dall' est, di levante. **-n**; orientále. **-nmost**; più a levante.

Easy; fácile, agévole, naturále, diṡinvòlto, spigliato, còmodo, compiacènte, abbondante (danaro), scorrènte, fluènte. (In rowing) —! fermate! — all! fermata! In — circumstances, benestante. Make —, calmare, rassicurare, facilitare. Make oneself — (by taking off one's coat etc.), mettersi in libertà. It is — to say, fa presto a dire. Take things —, prender il mondo per il suo verso. — of digestion, facilmente digeribile. As *sb.*, An —, una fermata. **-chair**; poltróna *f.*, poltrona a sdraio. **-going**; còmodo, che prende le cose con comodo, poco energetico, di naturale pigro.

Eat; mangiare, *intr.* cibarsi. — breakfast, far colazione. It -s like, ha il sapore di. — one's words, disdirsi, confessare la falsità di ciò che si è detto. — away, corródere, consumare. — out of a plate, mangiare in un piatto. — up, ingoiare, mangiarsi. — his head off in the stable, costar forte mentre non serve a nulla. They have -en me out of house and home, mi hanno divorato casa e focolare. — one's heart out, consumarsi d' inedia. **-able**; commestíbile, mangiábile. -s, víveri *m. pl.*; cibi *m. pl.* **-er**; mangiatóre *m.* Poor —, mangiatore mediocre. **-ing**; il mangiare. — apple, mela da tavola, da mangiarsi cruda. — house, trattoría *f.* — house keeper, trattóre *m.*

Eau-de-Cologne; acqua di Colonia.

Eaves; grondáia *f.* **-dropper**; ascoltatore di nascosto. **-dropping**; l' ascoltare alla segreta.

Ebb; riflusso *m.* — tide, marea calante. At the —, a bassa marea. At a low —, *fig.*, in basso stato. To —, rifluire, scemare, declinare, abbassarsi.

Eblis; il diavolo dei musulmani.

Ebony; èbano *m.*

Ebullition; ebollizióne *f.*

Eccentric, -ally, -ity; -o, -aménte, -icità *f.* **-ities**; stravaganze *f. pl.*

Ecclesiast-es, -ic, -ical, -ically; -e *m.*, -ico *m.*, -ico, -icaménte.

Echelon; scaglión-e *m.*, -are.

Echinus; riccio di mare.

Echo; èco *m.*; echeggiare, fare eco.

Eclat; splendóre *m.*, riuscita splendida.

Eclectic; -o, eclétto. **-ism**; ecletticismo *m.*

Eclipse; ecliss-i *f.*, -are.

Ecl-iptic; -íttica *f.*

Eclogue; ègloga *f.*

Econom-ic; -ico. **-ical**; -ico, -o, frugále. **-ically**; -icaménte, con frugalità. **-ics**; -ica *f.* **-ise**; -iżżare. **-iser**; persona frugale. **-ist**; -ista *m.* **-y**; -ía *f.*

Ecsta-sy, -tic, -tically; èsta-si *f.*, -tico, -ticaménte. Go into -sies, andare in visibilio.

Ecumenic-al; -o.

Eczem-a; ecżèma *f.* **-atous**; di eczema.

Eddy; vòrtice *m.*, górgo *m.*, risúcchio *m.*; far moto vorticoso.

Edelweiss; edelváis *m.*

Edentat-e, -a; ṡdentat-o, -i *m. pl.*

Edge; filo *m.*, táglio *m.*; órlo *m.*, limitare *m.*, spónda *f.*; orlare. Give an — to, affilare. Set the teeth on —, allegare i denti. Take off the —, rintuzzare. — away, allontanarsi poco a poco. — one's way through, infilare, insinuarsi per. — up to, avvicinarsi di soppiatto a. **-tool**; strumento tagliente. **-wise**; per ritto, per taglio, da canto.

Edging; órlo *m.*, frángia *f.*

Ed-ible; mangiábile, edúle. **-ict**; -itto *m.*, decréto *m.* **-ification**; -ificazióne *f.* **-ifice**; -ifízio *m.* **-ify**; -icare. **-ile**; -íle *m.* **-ileship**; -ilitá *f.*

Edinburgh; Edimburgo *f.*

Edit; redígere, pubblicare. **-ion**; edizióne *f.* **-or**; redattóre *m.*, editóre *m.* -'s office, redazióne *f.* **-orial**; di editore, del redattore. — staff, redazióne *f.* **-orship**; posizione, dovere, funzioni di un editore, un redattore.

Educ-ate; in manners, educare; in knowledge, istruire. **-ation**; educazióne *f.*, istruzióne *f.* **-ational**; -atóre, di educazione. **-ationalist**; chi si occupa della teoria dell' educazione. **-ationally**; dal punto di vista educatore. **-ator**; -atóre *m.*

Educe; trarre in luce.

Eel; anguilla *f.*, cèca *f.* **-pot**; nassa *f.* **-spear**; fiòcina *f.*

E'en; *raccorc.* di Even.

Eerie; incantato, da strega, da fata.

Effac-e; fare sparire. **-eable**; da annientarsi, cancellábile. **-ement**; cancellatura *f.* Self —, il sopprimersi.

Effect; effétto *m.*, risultato *m.* In —, effettivaménte. A request to that —, una richiesta analoga. The signal comes into — upon the flag being hoisted, il segnale è esecutivo all' alzata della bandiera. From the -s of, per l' azione di. **-ive, -ively**; effettív-o, -aménte. **-iveness**; effettualità *f.* **-s**; bèni *m. pl.*, ròba *f.* **-ual**; effettuále. **-ually**; affatto, del tutto.

Effemina-cy, -te, -tely; -tézza *f.*, -to, -taménte.

Effervesc-e; bollire, esser in -enza, spumare. **-ence**; -ènza *f.* **-ent**; -ènte.

Effete; stèrile, indebolíto, stracco. **-ness**; l' esser logoro, esausto, finito.

Efficac-ious, -iously, -y; -e, -eménte, -ia *f.*

Efficien-cy, -t, -tly; -za *f.*, -te, -teménte.

Effigy; effígie *f.*

Effloreseen-ce, -t; -za *f.*, -te.

Efflu-ent; -ènte; scólo *m.* **-vium**; **-vio** *m.* -x, -xion; efflusso *m.*

Effort; sfòrzo *m.*, tentatívo *m.*

Effrontery; sfrontatézza *f.*, sfacciatággine *f.*
Effulgen-ce, -t; splendóre *m.*, risplendènte.
Effusi-on, -ve, -vely, -veness; -óne *f.*, -vo, -vaménte, l' esser -vo.
Eft; piccola salamandra, tritóne *m.*
Egg; uòvo *m.* Bad —, uovo guasto. To — on, incitare, istigare. Hard, Soft boiled -s, uova sode, al latte. Buttered -s, uova strapazzate. White of —, chiaro dell' uovo. **-cup**; ovaiòlo *m.* **-flip**; specie di zabaione. **-shaped**; ovifórme. **-shell**; guscio d' ovo. **-slice**; schiumaiòla *f.* **-spoon**; cucchiaíno da uova.
Egger; Oak — moth, falena delle querce.
Egis; ègida *f.*
Eglantine; rosa canina.
Egois-m, -t, -tic, -tically; -mo *m.*, -ta *m.*, -tico, -ticaménte.
Egotis-m, -t, -tic, -tically; -mo *m.*, -ta *m.*, -tico, -ticaménte.
Egregious; matricolato, madornále. — rascal, arcibriccóne *m.* **-ly**; assai, cospicuaménte. **-ness**; enormità *f.*
Egress; uscíta *f.*, via d' uscita.
Egret; pennacchio *m.*; garzétta *f.*
Egypt, -ian; Egitto, egiziáno. **-ologist, -ology**; egitt-òlogo *m.*, -ología *f.*
Eh? come? ebbene?
Eider-down; piumíno *m.* **-duck**; anatra edredone, eider *m.*
Eight; otto; equipaggio di otto rematori. He rowed in the Oxford —, fece parte dell' otto-remi di Oxford. **-een**; diciotto. **-eenth**; diciottèṡimo, decimottávo. **-fold**; òttuplo. **-h**; ottávo; l' ottava parte. **-hly**; in ottavo luogo. **-ies**; gli ottanta. **-ieth**; ottantèṡimo. **-y**; ottanta. Nearly, About —, un' ottantina, qualche ottantina. About — years old, sull' ottantina.
Either; o; quel che vorresti. — way, in ogni modo, sia per questa via o per quella. Is it better to go to New Zealand by Suez or by Panama? You can go — way. Gli è meglio di andare alla Nova Zelanda per il canale di Suez o per quel di Panama? Si può andare tanto per l' una che per l' altra via. — A or B, tanto l' A quanto il B. — of them, o l' uno o l' altro di loro. In — case, in entrambi i casi. Nor he —, neanche lui. Before — spoke, prima che nessuno dei due parlasse. — conclusion was exasperating, entrambe queste conclusioni erano esasperanti. This did not succeed —, nemmeno questo gli riuscì. On — side of, di qua e di là di.
Ejaculat-e, -ion; esclam-are, -azióne *f.* **-ory**; — prayer, giaculatòria *f.*
Eject; gettar fuori, spossessare, espèllere. **-ion**; eiezióne *f.*, espulsióne *f.* **-or**; espulsóre *m.*, estrattóre *m.*
Eke; anche. To — out, supplire a, prolungare, guadagnarsi a stento.
Elabor-ate; -are, ṡviluppare. **-ately**; in modo -ato. **-ateness**; accuratézza *f.*, cura meticolosa. **-ation**; -azióne *f.*
Élan; ardóre *m.*, ṡlancio *m.*
Eland; alce del Capo.
Elapse; trascórrere.
Elastic; -o — band, fascia elastica o di gomma. — conscience, conscienza larga, elastica. **-ally, -ity**; -aménte, -ità *f.*
Elat-e; eṡaltare, insuperbire. **-ed**; inorgoglíto, eṡaltato. **-ion**; eṡaltazióne *f.*, albagía *f.*
Elb-a; Élba *f.* **-e**; Élba *f.*
Elbow; gómito *m.*, pièga *f.*; dar gomitate. — one's way, farsi strada a forza di gomitate. Out at -s, in dissesto, alle strette. **-rest**; appoggiatóio *m.*, manòpola *f.* **-room**; ágio *m.*, spázio *m.*
Elder; 1. sambúco *m.* 2. anziáno *m.*; maggióre, antenato. — branch of the family, ramo primogenito. **-berry**; bacca di sambuco.
Elderly; attempato, in là cogli anni.
Eldest; maggióre, primogènito.
Elect; elétto, scélto; elígere, scégliere. **-ion**; elezióne *f.*, scélta *f.* — agent, agente elettorale. **-ioneering**; il brigare per i voti, manovre elettorali. **-ive**; elettívo.
Elector, -al, -ate; elettór-e *m.*, -ále, -áto *m.*
Electri-c, -cally, -cian, -city, -fiable, -fication, -fy, -fying; elèttri-co, -caménte, elèttrotècnico *m.*, elettri-cità *f.*, -żżábile, -żżazióne *f.*, -żżare, -żżante.
Electro-; in compounds, elettro- as in the following: elettro-biòscopo *m.*, -calamíta *f.* (electromagnet), -chímica *f.*, -chímico, -cuzióne *f.*, -dinámica *f.*, -dinámico, -òforo *m.*, -òliṡi *f.*, -olítico, -òlito *m.*, -magnète *m.*, -magnètico, -magnetiṡmo *m.*, -metallurgía *f.*, -òmetro *m.*, -motóre *m.*, -negatívo, -poṡitívo, -scòpio *m.*, -stática *f.*, -stático, -tipía *f.* (photographic electrotype).
Electrode; elettròdo *m.*
Electro-engraving; elettro-inciṡióne *f.*, galvanotipía *f.* **-gilding**; doratura a corrente elettrica.
Electrolier; lampadario a luce elettrica.
Electro-metallurgy; galvanoplástica *f.* **-plated**; inargentato (a corrente elettrica). **-plating**; galvanoplástica *f.* **-therapeutics**; elettroterapèutica *f.*
Eleemosynary; elemoṡinário.
Elegan-ce, -t, -tly; -za *f.*, -te, -teménte.
Eleg-iac, -y; -íaco, -ía *f.*

Element; -o *m*. In one's —, nella sua beva. **-al**; fondamentále. **-ary**; -are. — schools, scuole elementari. **-s**; rudiménti *m. pl.*

Elephant; elefante *m*. **-driver**; conduttore di elefanti. **-iasis**, **-ine**; elefantíaṡi *f.*, -íno.

Eleusinian; eleuṡíno.

Elevat-e; alzare, raffinare, eṡaltare, eccitare, elevare. **-ed** (by drink); eṡilarato, alterato. **-ion**; 1. elevazióne *f.*, rialzo *m.*, altézza *f.* 2. promozióne *f.* 3. l' alzare. — of the Host, elevazione dell' ostia. **-or**; ascensóre *m*. Grain —, elevatore di grano.

Eleven; undici. He played in the Oxford —, fu tra i rappresentanti di Oxford nel giuoco del "cricket." **-th**; undècimo, undicèṡimo, decimo primo.

Elf; fata *f.*, sílfide *f.*, èlfo *m.*, gnòmo *m.* **-child**; bambino sostituito dalle fate. **-in**; follétto *m.*

Elicit; far uscire, cavare.

Elide; elídere.

Eligib-ility, **-le**; eleggíbil-e, -ità *f.*

Elimina-te, **-tion**; -re, -zióne *f.*

El-is; Èlide *f.* **-ision**; -iṡióne *f.* **-ite**; fióre *m*. **-ixir**; -iṡìr *m.*

Elizabethan; del tempo d' Elisabetta.

Elk; alce *m.*

Ell; áuna *f.*

Ellips-e, **-is**, **-oid**; elliss-e *f.*, -i *f.*, -òide *f.*

Elliptic, **-al**, **-ally**; ellittic-o, -o, -aménte.

Elm, **-plantation**; ólm-o *m.*, -éto *m.*

Elocution; elocuzióne *f.* **-ist**; chi s' intende d' elocuzione.

Elongat-e, **-ion**; allunga-re, -ménto *m.*

Elope, **-ment**; fuggire, fuga *f.*

Eloquen-ce, **-t**, **-tly**; -za *f.*, -te, -teménte.

Else; altro; altriménti. Anybody —, qualunque altro, qualunque altra persona. Anything —, qualunque altra cosa. Anything —? e poi? e altro? c' è di più? Everything —, tutto fuori di questo, tutt' altra cosa. Everywhere —, in ogni altro luogo, in ogni altro dove. Nobody —, nessun altro, nessuno fuori di lui. Nothing —, niente (o nulla) altro, niente di altro, niente di più. Nowhere —, in nessun altro luogo. Or —, altriménti, senza di che. Somebody —, qualche altro, qualche altra persona. Somewhere —, in qualche altro luogo, altróve. What —? qual' altra cosa? qual altro? qual di più? che di più? Whatever —, qualunque altra cosa, qualunque altro. Wherever —, dovunque altro, in qualunque altro luogo. Wherever —? in che altro luogo mai? Who —? chi fuori di lui? Whoever —, chiunque altro. **-where**, altróve, in altra parte.

Elucida-te, **-tion**; -re, -zióne *f.*

Elu-de; -dere. **-sive**; fuggévole, ingannévole, difficile a prendere.

Elysian; elíṡo.

Elysium; Elíṡio *m*. The *Élysée*, l' Elíṡo. *Champs Élysées*, i Campi Elíṡi.

Elytra; elítre *f. pl.*

Elzevir; elżevíro.

'em; ellissi per Them.

Emaci-ate; -are, dimagrare, estenuare. **-ated**; magrissimo. **-ation**; -aménto *m.*, dimagraménto *m.*

Emana-te, **-tion**; -re, -zióne *f.*

Emancipa-te, **-tion**, **-tor**; -re, -zióne *f.*, -tóre *m.*

Emascula-te; castrare, ṡnervare.

Embalm, **-ing**; imbalsam-are, -azióne *f.*

Embank; arginare, ciglionare, terrapienare. **-ment**; terrapièno *m.*, árgine *m.*, alzata *f.*, rialto *m.*; l' arginare. Thames —, banchina lungo il Tamigi. At Florence, lungarno *m*. At Rome, ripétta *f*. At Venice, fondamenta *f. pl.*, riva *f.*

Embarcation; imbarco *m.*

Embargo; divieto d' uscita da un porto; *fig.* proibizione da un andare qualunque.

Embark; imbarca-re, -rsi; impegnarsi (in un' impresa).

Embarrass; imbarazzare, impicciare. **-ed**; corto a denaro. **-ment**; imbarazzo *m.*, impaccio *m.*

Embassy; ambasciata *f.*

Embay; chiudere in una baia.

Embed; incastonare, posare, piantare.

Embellish, **-ment**; abbell-ire, -iménto *m.*

Embers; céneri *f. pl.*

Embezzle; rubare, prevaricare, malversare. **-ment**; rubería *f.*, appropriazióne indebita, peculato *m.*, malversazióne *f.*

Embitter; inasprire, render amaro, amareggiare.

Emblazon; blaṡonare.

Emblem, **-atic**; -a *m.*, -atico.

Embod-iment, **-y**; incorpora-ménto *m.*, -re.

Embogue; ṡboccare.

Embolden; incoraggiare.

Embol-ism, **-us**; -iṡmo *m.*, -o *m.*

Embonpoint; grassézza *f.*

Emboss; lavorare di rilievo. **-ed**; coperto di bozze.

Embouchure; ṡbócco *m.*

Embowered; all' ombra di una pergola.

Embrace; abbraccia-ménto *m.*, -re.

Embranchment; diramazióne *f.*, bivio *m.*

Embr-asure; strombatura *f.*, vano (di finestra), cannonièra *f.* **-ocation**; -ocazióne *f.*

Embroider, **-er**, **-y**; ricam-are, -atrice *f.*, -o *m.*

Embr-oil; imbrogliare, guastare la pace tra. **-ed** in a discussion with, trascinato in un battibecco con. **-oilment**; guasto *m.*, malumóre *m.* **-ue**; intrídere, imbrattare. **-yo**, **-yology**, **-yonic**; embri-óne *m.*, -ología *f.*, -onále.
Emend, **-ation**; -are, -azióne *f.*
Emerald; śmeraldo *m.*
Emerg-e; -ere. **-ence**; apparizióne *f.* **-ency**; -ènza *f.* — tool, utensile di riserva. **-ent**; manifestandosi.
Emery; śmeríglio *m.* **-paper**; carta smeriglio.
Emetic; -o *m.*, -o.
Emigra-nt, **-te**, **-tion**; -nte *m.*, -re, -zióne *f.*
Eminen-ce, **-t**, **-tly**; -za *f.*, -te, -teménte.
Emir; emíro *m.*
Em-issary; -issario *m.*, condotto scaricatore. **-ission**; -issióne *f.* **-it**; eméttere, eśalare. **-met**; formíca *f.* **-ollient**; -olliènte, lenitívo. **-olument**; -oluménto *m.*
Emotion; emozióne *f.*, affètto *m.*, commozióne *f.*, moto dell' anima. **-al**; — girl, ragazza impressionábile. — book, libro emozionante.
Emp-anel; costituire. **-eror**; imperatóre *m.*
Empha-sis; ènfaśi *f.* **-sise**; incalzare su, appoggiare su, pronunziare con enfasi. **-tic**, **-tically**; enfatic-o, -aménte.
Emphysema; enfisèma *m.*
Empire; impèro *m.*
Empiri-c, **-cal**, **-cally**; -co *m.*, -co, -caménte.
Emplacement; appostaménto *m.*, piazzuòla *f.*, postazióne *f.* Sham —, postazione finta.
Employ; impiegare, uśare, adoperare, valersi di. — oneself, occuparsi, adoperarsi. In my —, in mio servizio, al mio servizio. **-able**; impiegábile ecc. **-ee**; impiegato *m.* **-er**; padróne *m.*, principále *m.*, imprenditóre *m.* **-ment**; lavóro *m.*, incárico *m.*, occupazióne *f.* Out of —, senz' impiego, diśoccupato.
Emp-orium; -òrio *m.* **-ower**; autoriżżare. **-ress**; imperatrice *f.*
Emptier; che contiene meno.
Empt-iness; vacuità *f.*, l' esser vuoto. **-y**; vuòto, vano. — handed, a mani vuote, colle mani in mano.
Empyrean; empíreo *m.*
Emu; ému *m.*
Emul-ate, **-ation**, **-ous**; -are, -azióne *f.*, -o. **-ously**; a gara.
Emulsion; -e *f.*
Emunctory; emuntòrio.
Enable; far capace, abilitare, metter in grado. Be -d, esser in grado.
Enact; fare (legge). **-ment**; statuto *m.*
Enamel; śmalto *m.*, (face) cosmètico *m.*; śmaltare. **-ling**; śmaltatura *f.*
Enamoured; innamorato. Be — **of**, esser appassionato per.
Encamp, **-ment**; accamp-arsi, -aménto *m.*
Encase; rinchiúdere.
Encash, **-ment**; incass-are; -aménto *m.*
Encaustic; -o. — tile, quadretto verniciato.
Enceinte; incinta.
Enchant, **-er**, **-ing**, **-ingly**, **-ment**, **-ress**; incant-are, -atóre *m.*, -évole, -evolménte, -o *or* -èśimo *m.*, -atrice *f.*
Enchase; incastrare, ceśellare.
En-circle; circondare, cíngare. **-clasp**; abbracciare. **-clitic**; -clitico *m.*
Enclos-e; inchiúdere, acclúdere, compiegare, avvòlgere; assiepare. **-ure**; chiuso *m.*, recinto *m.*; acclúśa *f.*
Encomi-astic, **-um**; -ástico, -o *m.*
Encompass; circondare.
Encore; bis; bissare.
Encounter; incóntro *m.*, scóntro *m.*, avviśáglia *f.*, zuffa *f.*, còzzo *m.*, urto *m.*; incontrare, affrontare, córrere (pericoli).
Encourag-e; incoragg-iare, -ire, inanimare. **-ement**; incoragg-iaménto *m.*, -iménto *m.* She gave no — to his advances, non fece buon viso al suo corteggiamento. **-ing**; incoraggiante. This was not very —, ciò non fece nascere nessuna grande speranza. **-ingly**; in modo incoraggiante.
Encroach; farsi troppo vicino, esser importuno. — upon, abuśare (di), uśurpare, invádere, intaccare (lido), estendersi sopra. He -ed upon my plot, estese le sue operazioni sul terreno mio. **-ment**; uśurpazióne *f.*, invaśióne *f.*
Encumb-er; ingombrare; gravare di ipoteca. **-ered**; imbarazzato, ingombrato, sovraccárico. **-rance**; ingómbro *m.*, cárico *m.* **-rancer**; creditore ipotecario.
Encyclical; oncíclic-a *f.*, -o.
Encyclopaed-ia, **-ic**, **-ist**; enciclop-edía *f.*, -èdico, -edista *m.*
Encysted; racchiuso in una cisti.
End; 1. fine *fem.*, capo *m.*, estremità *f.*, tèrmine *m.* At an —, eśauríto, finíto, passato. At the — of his resources, nel limite delle sue risorse. In the —, alla fine, finalménte, in fin dei conti, alla lunga. To the —, sino alla fine. To the bitter —, sino alla fine delle fini. On —, ritto, rizzato. It is enough to make one's hair stand on —, c' è da far rizzare i capelli. Upper —, estremità superiore. Upper — of the table, capo superiore della tavola. From — to —, da capo al fondo. From one — to the

other, da un' estremità all' altra. To the -s of the earth, To the — of Europe, fino in capo al mondo, all' Europa. The — of the world, la fine del mondo. At the — of the year, month etc., a capo dell' anno, del mese ecc. At the — of a year, month etc., passato un anno, un mese ecc. East, West —, quartiere orientale, occidentale. 2 risultato *m.*, effétto *m.*

3. fine *masc.*, scòpo *m.*, mira *f.* To the — that, a fin che, or as one word, affinchè. **-s**; interèssi *m. pl.* For his own —, a scopo dei proprii interessi.

4. finire, metter fine a, terminare, cessare. To — it, troncarla. The conclusions with which it -s, le conclusioni a cui mette capo. It will — in my going to Rome, finirò coll' andare a Roma. — well, badly, riuscire bene, male. — in smoke, sfumare, andare in fumo.

5. Begin at the —, cominciar dalla fine. Begin at the wrong —, cominciar a rovescio. Make both -s meet, coprir le spese. Come to an —, giungere alla fine, esser esaurito. Come to a bad —, finir male, far cattiva fine. Draw to an —, avvicinarsi, o avviarsi, alla fine. Get hold of the wrong — of the stick, intender la cosa a rovescio. Make an — of it, Put an — to it, farla finita, venirne a fine. Make an — of him, ucciderlo. There is an — of the matter, tutto è detto, non se ne parli più. No — of, un' infinità di. No — of a swell, persona di prima importanza. There is no — to it, non finisce mai. I told you no — of times, ve l' ho detto più e più volte.

Endanger; arrischiare.

Endear; affezionare, render caro. **-ment**; carézza *f.*, amorevolézza.

Endeavour; sfòrzo *m.*, tentatívo *m.*; cercare, sforzarsi, tentare.

Endemi-c; -co.

Ending; fine *f.*, deŝinènza *f.*

Endive; indívia *f.*

Endless; senza fine, interminábile, illimitato. — chain, catena continua. — screw, vite perpetua. **-ly**; eternaménte. **-ness**; interminabilità *f.*

Endogen; pianta endògene.

Endorse; scrivere sul rovescio, attergare; sottoscriver a, appoggiare; girare. — over to, girare in favore di. **-ment**; girata *f.* **-r**; girante *m.*

Endosmose; endòŝmoŝi *f.*

Endow; dotare. -ed school, scuola che è costituita in ente morale. **-ment**; dotazióne *f.*, dono. Natural -s, dòti naturali. Charitable — (institution), ente morale o giuridico.

Endur-able; sopportábile. **-ance**; paziènza *f.*, tolleranza *f.*, forza di resistenza, il mantenersi fermo. **-e**; sopportare; durare. **-ing, -ingly**; durévol-e, -ménte.

Endways; per il capo, in modo da far vedere, entrare ecc., il capo. Knock —, arrovesciare il cervello a.

Eneid; enèide *f.*

Enema; clistère *m.*, serviziále *m.*

Enemy; nimíco.

Energ-etic; -ico, dotato d' -ía. **-etically**; -icaménte. **-y**; -ía *f.*, fòrza *f.*

Enervat-e, -ion; ŝnerv-are, -atézza *f.*

Enfeebl-e; indebolire, debilitare, ŝnervare. **-ing**; ŝnervante, debilitante. **-ement**; indeboliménto *m.* ecc.

Enfilade; infilare.

Enfold; avvòlgere, stríngere.

Enforce; metter in vigore, far osservare, far ubbidire. -d absence, assenza forzata. **-able**; che si può porre in effetto, far eseguire. **-ment**; esecuzione rigorosa.

Enfranchise; affrancare; conferire il diritto elettorale a, dare il voto a. **-ment**; affrancaménto *m.*, dono del voto.

Engadine; Engadína *f.*

Engage; impegnare, assoldare; fissare (serva), prender a servizio, ingaggiare; prendere (camera) anticipatamente, assicurarsi; attaccare; incastrare; attrarre, cattivarsi (attenzione); fidanzarsi, promettersi in matrimonio. **-d**; fidanzato, promésso; occupato. Be —, non trovarsi libero. Be — upon, occuparsi di, stare attorno a.

Engagement; impégno *m.*, òbbligo *m.*; fidanzaménto *m.*, promessa di matrimonio; combattiménto *m.*, avviŝáglia *f.* Have an —, essersi promesso, avere un fissato, esser occupato. **-ring**; anello di fidanzamento, anello benedetto.

Engaging; attraènte, seducènte, simpático. **-ly**; in modo insinuante.

Engender; far nascere, generare.

Engine; mácchina *f.*, locomotíva *f.* Expansion —, macchina ad espansione. With the -s stopped, con le macchine ferme. Alternating —, macchina alternativa. Compound —, macchina a doppia espansione. Internal combustion —, motore a scoppio. **-driver**; macchinista *m.*

Engineer; ingegnère *m.*, macchinista *m.* Assistant —, sottocapo macchinista. Government —, ingegnere di ponti e strade. The — corps, il gènio. Electric —, ingegnere elettrotecnico, elettricista *m.* Railway —, ingegnere ferroviario. To —, concertare, congegnare, metter insieme, macchinare. **-ing**; ingegnería *f.* — skill, talento di ingegnere.

Engine-guard; scoparotaie *m.* **-house**; locale di una macchina, capannone per locomotive. **-room**; camera, spazio o locale delle macchine. **-trouble**; cattivo funzionamento del motore. **-turn, -turning**; rabesc-are, -aménto *m.*
England; Inghilterra *f.*
English; inglése. — Channel, La Manica. — ways and tricks, inglešume *m.* **-woman**; donna inglese.
Engorgement; ripienézza *f.*
Engraft, **-ing**; innest-are, **-aménto** *m.*
Engrav-e; incídere, scolpire, intagliare (gemme). **-er**; incišóre *m.* **-ing**; incišióne *f.*, intáglio *m.*, stampa *f.* Old —, vecchia stampa. Copper plate —, incisione in taglio dolce.
Engross; occupare tutto, occupare tutta l' attenzione di, assorbire; far copia pulita di un atto legale; monopoližžare. Be -ed in conversation, esser assorbito in conversazione. **-ment**; copia autentica.
Engulf; ingolfare, ingoiare. Be -ed, inabissarsi, ingolfarsi.
Enhance; aumentare, far risaltare. **-ment**; auménto *m.*, rincaro *m.*, rialzo *m.*
Enigm-a, -atic, -atically; enimm-a *m.*, -atico, -aticaménte.
Enisled; posto come isola.
Enjoin; ingiúngere, imporre a.
Enjoy; godére, gioire. — the use of, avere il possesso o l' uso di. — oneself, divertirsi, rallegrarsi, godérsela, darsi buon tempo, spassarsela, patullarsi. — perfect health, godere di un' ottima salute. — the king's favour, godere il favore del re. — the play, divertirsi allo spettacolo. I have -ed it hugely, mi vi son divertito moltissimo. **-able**; amèno, gradévole. **-ably**; con piacere. **-ment**; godiménto *m.*, soddisfazióne *f.*; ušo *m.*
Enkindle; eccitare, *see* Kindle.
Enlace; allacciare, abbracciare.
Enlarge; ingrandire, allargare; stèndersi, dilatarsi. -ment; ingrandiménto *m.*
Enlighten; rischiarare, istruire. **-ment**; lumi *m. pl.*, sapére *m.* For my —, per mia norma. — of the world, chiarificazione degli spiriti.
Enlist, -ment; arruol-are, -aménto *m.*, ingaggi-are, -o *m.*
Enliven; animare, vivificare, rallegrare. -ing; ešilarante, gaio.
Enmesh; intralciare.
Enmity; inimicízia *f.*, ostilità *f.*
Ennoble; nobilitare, elevare.
Ennui; nòia *f.*, seccatura *f.*, affanni *m. pl.*
Enorm-ity, -ous, -ously; -ità *f.*, -e, -eménte.
Enough; abbastanza, bastanteménte; il necessario, sufficènza *f.*, il bastevole. Be —, bastare. It is — to drive one mad, è da farsi impazzire. — of, sufficènte. — of this! bisogna lasciar ciò. Quite —, più di quel che basterebbe.
Enounce; proclamare, *see* Enunciate.
Enquir-e; domandare, fare ricerche. — of, chiedere a, domandare a, informarsi presso. — about, farsi informare di, prender informažioni di. — after, chieder notizie di, domandar della salute di. — for, domandare, domandar di vedere; ricercare, cercare di trovare. -er; chieditóre *m.*, curióso *m.*, ricercatóre *m.*, chi vuole informazione, domanda ecc. -ing; scrutatóre, curióso. -ingly; curiosaménte, con isguardo scrutatore, da chi vuole informarsi. Look — at, interrogare con lo sguardo. -y; inchièsta *f.*, interrogazióne *f.*, domanda *f.*, indágine *f.*; appuramento di fatti. Without —, senza informarsi. On —, dopo debite ricerche.
Enrage; irritare, far arrabbiare. -d; furióso, furibóndo.
Enrapture; empire o colmare di gioia, estašiare. Be -d, andare in visibilio.
Enrich, -ment; locupletare, arricch-ire, -iménto *m.* The church is -ed with frescoes, la chiesa è abbellita di affreschi.
Enrobe; rivestire.
Enroll; arrolare, registrare.
Enrolment; iscrizióne *f.*, arrolaménto *m.*
Ensanguine; insanguinare.
Ensconce; rimpiattare.
Ensemble; insième *m.*
Enshrine; deporre in un luogo santo, rinchiudere in un reliquario, *fig.* conservare come cosa santa.
Enshroud; avvolgere in un lenzuolo.
Ensign; bandièra *f.*, inségna *f.* White —, bandiera della flotta inglese (bianca coll' *Union Jack* in un canto).
Ensil-age; erbaggio riposto in una fossa. -e; riporre sotto pressione.
Enslave; ridurre in servitù, assoggettare. -ment; assoggettaménto *m.*
Ensnare; accalappiare, insidiare, prendere in trappola, *fig.* attirare in un tranello. Be -d, cader nelle insidie.
Ensu-e; seguire, risultare, derivare. — upon, seguire dopo. -ing; seguènte, successívo.
Ensure; far certo, far sì che una cosa succeda certamente.
Entablature; trabeazióne *f.*
Entail; 1. sostituzióne *f.*; sostituire. Bar the —, annullare la sostituzione. 2. *fig.* cagionare, portar con sè, far nascere. -ed property, maiorasco *m.*
Entangle; aggrovigliolare, arruffare, avviluppare, imbrogliare, impigliare. -ment impiccio *m.*, confušióne *f.*, arruffío *m.*

— of barbed wire, reticolato di fil di ferro spinato, reticolato di sbarramento.
Entente; intésa *f.*
Enter; entrare, inscrívere, registrare, portare (sul conto di). — into, prender parte. — into possession, prender possesso. — into a contract, stipolare un contratto. — upon, intraprèndere, intavolare. -ing; *see* Entry.
Enterpris-e; imprésa *f.* -ing; audace, intraprendènte, pieno d' iniziativa.
Entertain; ospitare, trattare, convitare, ricévere; divertire; accògliere, ammèttere, o nutrire (idea); avere, concepire (dubbio). — at dinner, trattenere a pranzo. -er; òspite *m.*, anfitrióne *m.*; persona che si occupa del divertire, chi fa il mestiere di divertire. -ing; piacévole, divertènte. -ingly; piacevolménte ecc. -ment; banchétto *m.*, trattenimènto *m.*, accogliènza *f.*, ricevimènto *m.*; passatèmpo *m.*, divertimènto *m.*, spettácolo *m.*
Enthral; fare schiavo. -led by, devoto o dedito a. -ment; il ridurre a schiavitù.
Enthrone; metter sul tròno, intronizzare. -ment; intronizzazióne *f.*
Enthusias-m; entuśiaśmo *m.* Fill with —, entuśiaśmare. -t, -tic, -tically; entuśiaśt-a *m.*, -ico, -icaménte.
Entic-e; sedurre, allettare. -ement; fáscino *m.*, allettaménto *m.* -ing; seducènte, attraènte. -ingly; in modo seducente.
Entire; intéro. -ly; interaménte, tutto, bensì. -ty; interézza *f.*
Entitle; intitolare; qualificare, dar diritto.
Entity; entità *f.*
Entomb, -ment; seppelli-re, -ménto *m.*
Entomolog-ical, -ist, -y; -ico, -o *m.*, -ía *f.*
Entourage; ambiènte *m.*, seguáci *m. pl.*
Entozo-on, -a; entozò-on *m.*, -òi *m. pl.*
Entr'acte; musica d' intermezzo.
Entrails; vísceri *m. pl.*, interióra *f. pl.*
Entrain, -ment; imbarc-are, -o *m.*
Entrance; 1. ingrèsso *m.* — to a channel, bocca; to a boom, porta dell' ostruzione. 2. estaśiare. -d; catalèttico. Be —, estaśiarsi. -fee; entratura *f.* -hall; sala d' ingresso.
Entrancing; affascinante, incantévole.
Entrap; prender in trappola. Be -ped into saying, esser indotto con raggiri, con inganni, a dire.
Entreat, -y; supplic-are, -a *f.*
Entrée; 1. ingrèsso *m.*, diritto d' ingresso. 2. primo piatto, piatto di mezzo, intermèzzo *m.* -dish; scodèlla per gl' intermezzi.
Entremets; antipasto *m.*, seconda portata.
Entrench, -ment; trincer-are, -aménto *m.*
Entrepôt; empòrio *m.*
Entresol; mezzanino *m.*
Entry; ingrèsso *m.*, entrata *f.*, accèsso *m.*; scrittura *f.*, partíta *f.*; iscrizióne *f.*
Entwine; intrecciare, attorcigliare.
Enucleate; levare il nucleo.
Enumer-ate; -are, annoverare. -ation; -azióne *f.* -ator; -atóre *m.*
Enunciat-e, -ion; enunzi-are, -azióne *f.*
Envelop; avviluppare, circondare.
Envelope; busta *f.*, invòlto *m.*, invòlucro *m.*
Envenom; avvelenare.
Envi-able, -ous, -ousness, -ously; invidiábile, -óso, l' esser -oso, -osaménte.
Environ; circondare. -ment; circostanze *f. pl.*, ambiènte *m.* -s; i dintorni.
Envoi; licènza *f.*
Envoy; inviáto *m.*, legáto *m.*, delegáto *m.*
Envy; invídia *f.*, gelosía *f.*; portar invidia a, invidiare.
Enwrap; avvòlgere.
Enwreath; inghirlandare.
Eolian; eòlico.
Epaulet; spallína *f.*
Épergne; triónfo da tavola.
Ephemer-a, -al; effímer-a *f.*, -o.
Ephes-ian, -us; efèśio, efeśíno; Èfeśo *f.*
Eph-od; èfod *m.* -or; èforo *m.*
Epic; -o. — poetry, èpica *f.*
Epicur-e, -ean; -o *m.*, -èo.
Epidem-ic; -ía *f.*, -ico.
Epi-dermis; -dèrmide *f.* -glottis; -glòttide *f.*
Epigram, -matic, -matically, -matist; -ma *m.*, -matic-o, -maticaménte, -mista *m.*
Epilep-sy; epilessía *f.*, mal caduco. -tic; epilèttico. — fit, accesso d' epilessia.
Epi-logue; -logo *m.* -phany; -fanía *f.*, Befána *f.* -rot; -ròta *m.* -rus; -ro *m.*
Episcop-acy; -ato *m.* -al; -ále, vescovíle. -alian; chi favoreggia il governo episcopale della Chiesa. -ate; vescováto *m.*
Epi-sode; -śòdio *m.* -staxis; -stassi *f.* -stle; epístola *f.* -stolary; -stoláre. -taph; -táffio *m.* -thalamium; -talámio *m.* -thet; epíteto *m.* -tome; epítome *m.*, sunto *m.* -tomise; -tomare, riassúmere, far sunto di. -tomiser; chi epítoma ecc. -zootic; -żoòtico.
Epoch; època *f.* -making; segnante un' epoca, importantissimo.
Epo-de; -do *m.* -pee; -pèa *f.* -s; èpica *f.*
Epsom salts; sal d' Inghilterra.
Equab-ility; placidézza *f.* -le; fácile, unifórme (movimento), plácido (umore). -ly; uniformeménte.
Equal; uguále, pari; imparziále (legge). — to, capace di. — to the occasion, pari alla necessità, capace di far tutto ciò che occorreva. The way he worked was by no means — to the occasion, la

sua attività di lavoro era ben lontana dall' esser pari al bisogno. To —, agguagliare, esser uguale ecc. To reckon —, equiparare. **-isation**; pareggiaménto *m.*, perequazióne *f.* **-ise**; pareggiare, conguagliare. **-ity**; ugualità *f.*, uguaglianza *f.*, parità *f.* **-ly**; ugualménte, pariménte.

Equanimit-y; -à *f.*

Equa-te; porre in -zione. **-tion**; -zióne *f.* **-tor**; -tóre *m.* **-torial**; -toriále.

Eque-rry; cavallerizzo *m.* **-strian**; cavalière *m.*; equèstre. **-strianism**; equitazióne *f.*

Equi-angular, -distant, -lateral, -librium; -angolare, -distante, -latero, -librio *m.*

Equin-e; -o. **-octial**; -oziále. **-ox**; -òzio *m.*

Equip; allestire, fornire, armare, corredare. **-age**; -ággio *m.* **-ment**; allestiménto *m.*, armaménto *m.*, corrèdo *m.*

Equip-oise; equìlibrio. **-ollent**; -ollènte.

Equit-able; èquo. **-ably**; equaménte. **-ation**; -azióne *f.* **-y**; -à *f.*

Equivalen-ce, -t; -za *f.*, -te.

Equivo-cal; equívoco, sospètto, ambíguo. **-cally**; ambiguaménte, equivocaménte. **-cate**; nasconder il vero con equivoci. **-cation**; menzógna *f.*, finta *f.*, il dire ciò che letteralmente può esser vero, ma in sostanza è falso, tergiversazióne *f.* **-cator**; chi dice siffatte bugie.

Era; *id.*

Eradica-ble, -te, -tion; śradicá-bile, -re, -zióne *f.*, estirpá-bile, -re, -ménto *m.*

Eras-able; cancellábile. **-e**; cancellare, radiare, raschiare, dar di frego a. **-er**; raschíno *m.*, lapis di gomma, gomma da radere, grattíno *m.* **-ure**; cancellatura *f.*, fréga *f.*

Ere; prima di. He ought to have been here — this, avrebbe dovuto esser qui prima d' adesso. — long, fra breve, frappòco.

Erect; dritto, ritto, in piedi, con la testa alta; erígere, costruire, inalzare. **-ile**; erèttile. **-ion**; erezióne *f.*; edifízio *m.* **-ness**; posizione dritta. **-or**; erettóre *m.*

Eremit-e; -a *m.*

Erewhile; già, d' altri tempi.

Erfurt; Erfórdia *f.*

Ergot; granospróne *m.*

Ermine; ermellíno *m.*

Erode; ródere.

Eros-ion, -ive; eroś-ióne *f.*, -ívo.

Erotic, -ally; -o, -aménte.

Err; śbagliare, śviare, errare.

Errand; messággio *m.*, commissióne *f.* **-boy**; fattoríno *m.*, galoppíno *m.*

Errant; ramingo, giròvago. Knight —, cavaliere errante.

Erratic; -o, errante. — block, masso erratico. **-ally**; senza ordine, irregolarménte.

Err-ing; fuorviato, traviato. **-oneous**; -òneo. **-oneously**; -oneaménte. **-oneousness**; falsità. **-or**; -óre *m.*, śbáglio *m.* — in elevation (artillery), spostamento verticale.

Erse; èrso.

Erst; tempo fa, prima.

Eructation; rutto *m.*, eruttazióne *f.*

Erudit-e, -ely, -ion; -o, -aménte, erudizióne *f.*

Erupt, -ion, -ive; eru-ttare, -zióne *f.*, -ttívo.

Erysipel-as, -atous; riśípol-a, -óso.

Escalade; scalata *f.*, scalare.

Escalator; scala semovente.

Escapade; scappata *f.*, corbellería *f.*

Escape; fuga *f.*, scappata *f.*, evaśióne *f.*, scampo *m.*, apparecchio di salvataggio; scampare, fuggire, sfuggire, schivare, scappare, salvarsi, rifugiarsi. — of air, sfógo *m.* Have a narrow —, scapparla appena, per miracolo. — one's memory, sfuggire alla memoria. — from prison, evádere. He narrowly -d being killed, poco gli mancò che non fosse ucciso. This word -d him, questo gli scappò dalle labbra. This word -d his notice, questa parola gli sfuggì.

Es-capement; scappaménto *m.* **-carpment**; scarpa *f.*, érta *f.* **-chatology**; escatología *f.*

Escheat; confisca dei beni di un defunto per mancanza di erede; cadere siffattamente in confisca.

Eschew; evitare, astenersi da.

Escort; scòrta *f.*, scortare, accompagnare.

Es-critoire; scrittóio *m.* **-culent**; -culènto. **-curial**; -coriále *m.* **-cutcheon**; stèmma *m.*, scudo *m.*

Esoteric, -ally; -o, -aménte.

Esp-alier; spallièra *f.* **-arto**; sparto *m.*

Especial; speciále, particolare, singolare. **-ly**; specialménte, massime, specie, segnataménte, sopra tutto. Or a superlative may be used, — strange, singolarissimo.

Espieglerie; malizia *f.*, burla *f.*

Esp-ionage; spionággio *m.* **-lanade**; spianata, marina. **-ousal**; spośalízio *m.*, adozióne *f.* **-ouse**; spośare, *fig.* abbracciare.

Esprit de corps; spirito di corpo.

Espy; scòrgere.

Esq.; *raccorc.* di Esquire, Signore.

Esquimaux; eschimése.

Essay; śággio *m.*, pròva *f.*; sfòrzo *m.*, tentatívo *m.*; tentare, cercare. **-ist**; autore di saggi.

Essen-ce; -e. **-tial, -tiality, -tially**; -za *f.*, -o, -ziale, -zialità *f.*, -zialménte.

Establish; stabilire, constatare, dimostrare. **-ed**; invalso. — Church, Chiesa nazionale. — custom, consuetudine fissa. **-ment**; stabiliménto *m.*, Chiesa nazionale; casa (signorile), piede di casa.
Estafette; staffétta *f.*
Estate; proprietà *f.*, tèrre *f. pl.* Real, Personal —, beni immobili, mobili. Of a deceased person, fortuna *f.* Of a bankrupt, attívo *m.* The three -s of the realm, i tre stati del regno, cioè il re, i lords, i comuni. Fourth —, il quarto stato, cioè la stampa. Man's —, età virile. **-agent**; fattóre *m.*, intendènte *m.*; agente di beni stabili. **-duties**; imposte sulle successioni. **-office**; intendènza *f.*
Esteem; stima *f.*, cónto *m.* In high —, molto stimato. To —, stimare. Hold in high —, stimare altamente.
Esthetic; estètico.
Estim-able; stimábile. **-ate**; apprezzaménto *m.*, stima *f.*, conto o calcolo approssimativo, estimazióne *f.*, èstimo *m.*; preventívo *m.*, conto preventivo. **-s**, bilancio preventivo dello Stato. To —, stimare, apprezzare, valutare, calcolare, computare. **-ated**; previsto, preventívo. **-ation**; *see* Esteem, Estimate.
Esthonian; estoniáno.
Estop; preclúdere (per ragioni personali o speciali). **-pel**; eccezione perentoria.
Estovers; legna per uso di chi le taglia.
Estrange; alienare, far disamare, diṡaffezionare. Become -d, non esser più amici. **-ment**; diṡamóre *m.*, raffreddamento di amicizia.
Estuar-y; -io *m.*
Etc.; eccètera, ecc.
Etch; incidere all' acqua forte. **-er**; acquafortista *m.* **-ing**; incisióne all' acqua forte. — needle, bulíno *m.*
Etern-al, -ally, -ity; -o, -aménte, -ità *f.*
Ether, -eal; èter-e, -eo. **-ealise**; raffinare in sommo grado, spiritualiżżare. **-ise**; eteriżżare.
Ethic-al, -ally, -s; ètic-o, -aménte, **-a** *f.*
Ethiopia, -n; Etiòpia *f.*, etíope.
Ethn-ic, -ography, -ologist, -ology; ètnico, -ografía *f.*, -òlogo *m.*, -ología *f.*
Eti-ology; -ología *f.* **-quette**; -chétta *f.*
Etna; apparecchio scaldatore a spirito.
Etruscan; etrusco.
Étui; astúccio *m.*
Etymolog-ical, -ically, -ist, -y; etimològico, -icaménte, -o *m.*, -ía *f.*
Eucalyptus; eucalitto *m.*
Eucharist, -ic; eucarist-ía *f.*, **-ico.**
Euclid, -ian; Euclíd-e, -ico.
Eugenic, -s; eugenètic-o, -a *f.*
Eulog-ist, -istic, -ise, -iser, -y; elog-ista *m.*, -istico, -iare, -iatóre *m.*, elògio *m.*
Eu-nuch; -núco *m.*
Euonymus; evònimo *m.*
Euphem-ism, -istic, -istically, -y; eufemiṡmo *m.*, -istico, -isticaménte, -ía *f.*
Euphon-ic, -ious, -iously, -y; eufòn-ico, -ico, -icaménte, -ía *f.*
Euph-orbia, -rates; euf-òrbia *f.*, -ráte *m.*
Euphuism; ampollosità *f.*
Eu-ropean; -ropèo. **-xine**; -ṡíno. **-thanasia**; -tanáṡia *f.*
Evacu-ate, -ation; -are, -azióne *f.*
Evade; scansare, sottrarsi di.
Evaluat-e; calcolare il valore di. **-ion**; siffatta calcolazione.
Evanescen-ce; il dileguarsi presto. **-t**; che sparisce subito, fuggitívo. **-tly**; fuggitivaménte, in maniera passeggera.
Evangel-ical, -ically, -isation, -ise, -ist; -ico, -icaménte, -iżżazióne *f.*, -iżżare, -ista *m.*
Evapora-ble, -te, -tion, -tive, -tor; evaporábile, -are, -aménto *m.* *or* -azióne *f.*, -tívo, -tóre *m.*; in a more general or figurative sense, ṡvapor-ábile, -are ecc.
Evasi-on, -ve, -vely; -óne *f.*, -vo, -vaménte.
Eve; 1. vigília *f.* 2. Èva.
Even; 1. uguále, uníto, piano, pari. — with, a livello di, al pari con. Be — with, vendicarsi di, render la pariglia a, pareggiare i conti con. 2. anche, anco, fino, persíno, pure, foss' anche. Not —, nemméno, neanche, neppúre. — though, quand' anche. — so, appunto, precisaménte; sia pure. 3. appianare, agguagliare. — up, alzare il più basso al livello del più alto. — down, diminuire questo all' altezza di quello. **-handed**; imparziále.
Evening; séra *f.*, serata *f.* In the —, di sera. This —, staséra. To-morrow —, domani sera. Good —, buona sera. **-dress**; vestito o abito da sera. **-party**; serata *f.*, riceviménto *m.*
Even-ly; ugualménte, uniformeménte, imparzialménte. **-minded**; d' umor uguale, con spirito sereno. **-mindedness**; tranquillità di spirito. **-ness**; ugualità *f.*, l' esser uguale ecc.
Event; avveniménto *m.*, caṡo *m.*, fatto *m.*, evènto *m.*; èsito *m.*, risultato *m.* At all -s, sia pure, in ogni caso, comunque sia.
Even-tempered; plácido, di carattere calmo.
Event-ful; avventuróso, pieno d' incidenti, di avvenimenti. **-ual**; finále, definitívo. The — result was, il risultato che si verificò era questo. **-uality**; contingènza *f.* In this —, se accadesse questo. Doubtful —, eventualità *f.* **-ually**; alla fin delle fini, nel risultato

che si verificò, compiuta ogni cosa, alla conclusione di tutto. **-uate**; riuscire a, risultare. It -d in this, la conclusione era questa.

Ever; mai, sempre. For —, per sempre. Italy for —! evviva l' Italia! — after, 1. d' allora in poi. 2. dal tempo che. — since, 1. da quel tempo in qua. 2. dal tempo che, da che, fin da quando. since seven o'clock, fin dalle sette. — since last summer, fin dall' estate scorsa. — so much, molto ma molto. — and anon, da tanto in tanto. Be it — so small, per quanto sia piccolo. Be they — so rich, per quanto siano ricchi.

Ever-green; sempreverde. **-lasting**; 1. semprevíva *f.*, perpetuíni *m. pl.* 2. sempitèrno. — pea, pisèllo dei siepi. **-lastingly**; senza mai fermarsi, eternaménte. **-more**; For —, eternaménte. They kept — repeating, non si stancarono mai di ripetere.

Ever-sion, -t; rovesci-aménto *m.*, -are.

Every; ógni, tutto. Any and —, ogni e qualunque. — day, ogni giorno. — day occurrence, incidente d' ogni giorno. — fortnight, ogni quindici giorni. — minute, ogni poco, ogni tanto. — moment, ogni momento, ogni tantino. — other day, ogni altro giorno, un giorno sì, l' altro no. — other man you meet is..., tra ogni coppia che s' incontra, uno è.... — third year, ogni terz' anno. — three years, ogni tre anni. — time that you go, ogni qualvolta si va, ogni volta che si va. In — way, sotto ogni rispetto. — week-day, nei giorni feriali.

Every-body, -one; ognuno, tutti. — says so, tutti lo dicono. — who, chiunque. **-thing**; ogni cosa. — that had happened, tutto quanto era successo. Beyond —, oltre ogni dire. **-where**; da per tutto, per ogni dove, in ogni luogo.

Evict; evíncere, spossessare. **-ion**; evizióne *f.*

Eviden-ce; testimonianza *f.*, pròva *f.* Circumstantial —, prove circonstanziali. — given in court, deposizione in tribunale. To give —, depórre. Abundant —, evidenza. There is abundant —, è provato ad evidenza. Be much in —, esser cospicuo, spiccante. Turn king's —, rivelare i proprii complici. **-ced**; provato, dimostrato. **-t**; -te, chiaro. **-tial**; Of no — value, senza valore come prova. **-tly**; -teménte.

Evil; male *m.*, calamità *f.*; cattívo, malvágio, pervèrso. — spirit, demonio *m.* — eye, malòcchio *m.*, iettatura *f.* **-disposed**; malintenzionato. **-doer**; malfattóre *m.* **-looking**; di apparenza trista. **-ly**; male. **-minded**; mal disposto, con mente bassa. **-speaking**; maldicènza *f.*; mal dicente.

Ev-ince; mostrare, lasciar vedere. **-iscerate**; sviscerare. **-ocation**; -ocazióne *f.* **-oke**; -ocare.

Evol-ute, -ution, -utional, -utionism, -utionist; -uta *f.*, -uzióne *f.*, -uzionario, -uzionismo *m.*, -uzionista *m.*

Evolve; svòlgere. He -d it out of his own imagination, l' inventò di sana pianta.

Evulsion; -e *f.*

Ewe; pècora *f.* **-lamb**; agnèlla *f.*

Ewer; bròcca *f.*

Ex-; smésso, già; *see* Ex-king.

Exacerbat-e, -ion; esacerb-are, -azióne *f.*

Exact; esatto; esígere, estòrcere. **-ing**; duro, faticóso; esigènte. **-ion**; esazióne *f.*, estorsióne *f.*, angheria *f.* **-itude**; esattézza *f.* **-ly**; esattaménte, giusto, appunto, affatto. **-ness**; esattézza *f.*, precisióne *f.*

Exaggerat-e, -ion; esager-are, -azióne *f.*

Exalt; esaltere, innalzare, portar al cielo. **-ation**; esaltazióne. **-ed**; alto, esagerato, decantato.

Examin-ation; esame *m.*, interrogatòrio *m.* Of a ship's hull or engines, perízia *f.* **-e**; esaminare, interrogare, visitare, perquisire. — into, scrutare. **-ee**; esaminando *m.* **-er**; esaminatóre *m.*

Example; esèmpio *m.*, modèllo *m.*, esempláre *m.*

Exarch, -ate; esarc-a *m.*, -ato *m.*

Exasperat-e, -ion; esasper-are, -azióne *f.*

Excavat-e; scavare. **-ion**; scavo *m.*, stèrro *m.* **-or**; scavatóre *m.*

Exceed; eccèdere, oltrepassare. **-ingly**; eccessivaménte, mólto, stra- as in Strabene, Stracontento ecc.

Excel; primeggiare; superare, sorpassare.

Excellen-ce, -t; eccellèn-za *f.*, -te, ottimo. **-tly**; eccellenteménte, benissimo.

Except; eccètto, fuorche, tranne, fuor di, all' infuori di, salvo che, senonchè; eccettuare. **-ion**; eccezióne *f.* Take —, trovar a ridire, aversi a male, mostrarsi malcontento di, metter in questione. **-ionable**; criticábile, riprensíbile. **-ional**; eccezionále, insòlito. **-ionally**; eccezionalménte.

Excerpt; brano *m.*, squarcio *m.*, estratto *m.*

Excess; eccedènza *f.*, stravizzo *m.*, eccèsso *m.* — profits, ultra-profitti *m. pl.*, sopra-profitti *m. pl.* **-ive, -ively**; eccessív-o, -aménte.

Exchange; cámbio *m.*, scambio *m.*, pèrmuta *f.*, baratto *m.*; scambiare, barattare, permutare. Telephone —, centralíno telefonico. Stock —, Borsa. Coal —, stanza dei negozianti del carbon fossile. A bill of —, una cambiale. Foreign bill of —, divisa *f.* The European -s, le divise europee. Rate of —, tassa del cambio. **-able**, **-ability**; cambiábil-e, -ità *f.*, permutábil-e, -ità *f.* **-office**; cambio-monéta *m.*, cambia-valute *m.*

Exchequer; tesoro nazionale. Chancellor of the —, Cancelliere dello Scacchiere. **-bill**; bono dello Scacchiere.

Excis-able; daziábile, gabellábile. **-e**; 1. imposte dirette, dazio consumo, tassa sulle bibite. 2. recídere, resecare, scancellare, tagliare via, troncare. **-eman**; impiegato della Regia, stimatore dei dazi di consumo. **-ion**; recišióne *f.*, lo scancellare, estirpazióne *f.*

Excit-ability, **-able**, **-ant**; eccit-abilità *f.*, -ábile, -ante *m.* **-e**; eccitare, destare, stimolare, aizzare, concitare; suscitare. — the indignation of, movere a sdegno. **-ed**; fremènte. **-ement**; eccitaménto *m.*, stímolo *m.*, agitazióne *f.*, emozióne *f.* **-er**; istigatóre *m.*, provocatóre *m.*

Excl-aim; esclamare, gridare. **-amation**; esclamazióne *f.* Point of —, punto d' esclamazione. **-amatory**; esclamatívo.

Exclu-de, **-sion**, **-sive**, **-sively**, **-siveness**; esclú-dere, -šióne *f.*, -šívo, -šivaménte, -šivišmo *m.*, o -šività *f.* An exclusive club, un circolo esclusívo.

Excogitat-e, **-ion**; escogit-are, -azióne *f.*

Excommunicat-e, **-ion**; scomunic-are, -a *f.*

Excoriat-e, **-ion**; escori-are, -azióne *f.*

Excrement, **-al** or **-itious**; escremént-o *m.*, -izio.

Excrescen-ce; escrescènza *f.* **-t**; che forma una escrescenza, soprammésso.

Excret-a; escreménti *m. pl.* **-e**; operare l' escrezione, secèrnere. **-ion**; escrezióne *f.* **-ory**; escret-óre, -òrio.

Excruciating; crucciante, dolorosissimo. **-ly**; in modo crucciante ecc. — funny, comico a più non posso.

Exculpat-e; scolpare. **-ion**; discólpa *f.* **-ory**; apologètico, giustificatòrio.

Excurs-ion; scorrería *f.*, escursióne *f.*, gita *f.* — train, treno di piacere. **-ionist**; escursionista *m.* **-ive**; digressívo. **-ively**; con molte digressioni. **-us**; dissertazióne *f.*

Excus-able; perdon-ábile, scušábile. **-ableness**; scušabilità *f.* **-ably**; scušabilménte, non senza scusa. **-e**; scuša *f.*, giustificazióne *f.* To —, scušare, perdonare. — oneself, chiedere scusa. To — one's action, giustificarsi.

Execr-able; ešecrábile, ešóso. **-ably**; ešecrabilménte. **-ate**; ešecrare. **-ation**; ešecrazióne *f.*

Execut-ant; ešecu-tóre *m.*, -trice *f.* **-e**; ešeguire, cómpiere, effettuare; giustiziare; firmare colle debite formalità. — the transfer, fare il trapasso. **-ion**; ešecuzióne *f.* Put into —, dare esecuzione a, mandare in esecuzione. There have not been any -s for a long time, è un pezzo che non hanno più luogo esecuzioni per mano del carnefice. Judicial —, esecuzione giudiziaria, sequestro e vendita de' beni di chi è in fallo. The idea might be good but the — is poor, l' idea sarebbe buona ma l' esecuzione è cattìva. Put in an —, sequestrare. Do good —, riuscire efficace. Carry into —, tradurre in atto. **-ioner**; giustizière *m.*, bòia *m.* **-ive**; ešecutívo. — authority, ešecutòria *f.* **-or**; esecutóre testamentario. **-orial**; spettante ad un esecutore. **-orship**; carica, uffizio, dovere, d' esecutore. **-rix**; ešecutrice *f.*

Exege-sis, **-tical**; ešèg-eši, -ètico.

Exempl-ar, **-arily**, **-ariness**, **-ary**, **-ification**, **-ify**; ešèmp-io *m.*, -larménte, -larità *f.*, -lare, -lificazióne *f.*, -lificare.

Exempt; ešènte; ešentare, ešonerare. **-ion**; ešenzióne *f.*

Exequies; ešèquie *f. pl.*

Exercis-able; ešercitábile. **-e**; ušo *m.*, ešercízio *m.*, dovére *m.*, cómpito *m.*, lavóro *m.*, téma *m.*, esercitazione pratica. Course of -s, raccolta di temi. Taking —, il darsi moto. Signalling —, esercitazione di segnalazione. Gun —, esercitazione di cannone. Firing —, esercitazione a fuoco. To —, ešercitare, far valere; inquietare; far prender aria, dar moto a, far manovrare (soldati). — book (*mil.*), quaderno di doveri.

Exert; adoperare, metter in uso, valersi di. — oneself, sforzarsi, ingegnarsi. **-ion**; sfòrzo *m.*, ešercízio *m.*, ušo *m.*

Exfoliat-e, **-ion**; sfald-arsi, -atura *f.*

Exhal-ation, **-e**; ešal-azione *f.*, -are.

Exhaust; scappaménto *m.* Of a motor engine, bariletto di scappamento, camera di scarico. Open —, scappamento libero. To —, ešaurire, aspirare, fare il vuoto. — oneself, spossarsi. **-er**; aspiratóre *m.* **-ible**; ešauríbile. **-ing**; ešauriènte. **-ion**; ešauriménto *m.*, impoveriménto *m.*; aspirazióne *f.* **-ive**; complèto. Make — enquiries, far le richieste dappertutto. **-ively**; a fondo. **-less**; inešauribile. **-pipe**; tubo di sfogo. **-valve**; valvola di scarico.

Exhibit; documénto *m.*, ešíbita *f.*; ešibíre, esprímere, far pompa di, metter in mostra, mostrare, dare rappresentazioni, somministrare (droghe). **-ion**; espošizióne *f.*, spettácolo *m.*; pensióne

f., bórsa *f.* **-ioner**; borsista *m.* **-or**; espoṡitóre *m.*
Exhilarat-e, -ion; eṡilar-are, -aménto *m.*, ilarità *f.*
Exhort, -ation; eṡort-are, -azióne *f.*
Exhum-ation, -e; eṡum-azióne, -are.
Exigen-cy, -t; eṡigèn-za *f.*, -te.
Exigible; eṡigíbile.
Exigu-ity, -ous; eṡigu-ità *f.*, -o.
Exile; eṡílio *m.*, bando *m.*; èṡule *m.*, fuoruscíto *m.*; eṡiliare.
Exist, -ence; eṡíst-ere, -ènza *f.*, sussíst-ere, -ènza *f.* **-ing**; vigènte.
Exit; uscíta *f.*
Ex-king; re smésso. Similarly, Birro smesso, Gesuita smesso, Monaca smessa ecc.
Exodus; èsodo *m.*
Exonerat-e, -ion; eṡonera-re, -zióne *f.*
Exorbitant, -ly; eṡorbitante, -ménte.
Exorcis-e, -er, -m; eṡorci-żżare, -sta *m.*, -ṡmo *m.*
Exordium; esòrdio *m.*
Exosmose; eṡòṡmoṡi *f.*
Exot-eric, -ic; eṡot-èrico, -ico.
Expan-d; espándere, ṡviluppare, dilatare. **-se**; estensióne *f.*, distésa *f.* **-sibility, -sible, -sion, -sive, -sively, -siveness**; espans-ibilità *f.*, -íbile, -sióne *f.*, -sívo, -sivaménte, -sività *f.*, carattere -sivo.
Expatiat-e; distèndersi, parlare per disteso. **-ion**; discorso lungo.
Expatriat-e, -ion; spatria-re, -ménto *m.*
Expect; aspettare, attèndersi, ripromét-tersi, crédere. Do you — to get it? credi che lo abbia? Be -ed to, esser tenuto di. It was to be -ed, era d' aspettarsi.
Expectan-cy, -t, -tly; aspett-atíva *f.*, -ante, da chi aspetta.
Expectation; aspettazióne *f.*, aspettatíva *f.*, previṡióne *f.*, speranza *f.* Beyond my -s, al di là delle mie speranze. Contrary to —, contro ogni previsione. — of life, vita probabile.
Expectora-nt; espettorante *m.* **-te**; espettorare, spurgarsi. **-tion**; espettorazióne *f.*, spurgo *m.*
Expedi-ency; convenevolézza *f.*, vantággio *m.*, conveniènza *f.* **-ent**; spediènte *m.*, mèżżo *m.*, mezzo termine; conveniènte, vantaggióso, a proposito. **-te**; facilitare, ṡbrigare, spinger avanti. **-tion**; spedizióne *f.*; speditézza *f.* **-tionary**; spedizionario. British — force, forza spedizionaria britannica. **-tious**; spedíto, ṡbrigatívo. **-tiously**; speditaménte, ṡbrigativaménte.
Expel; espèllere, scacciare.
Expend; spèndere, ṡborsare. **-iture**; spésa *f.*, ṡbórso *m.*, dispèndio *m.*
Expens-e; spésa *f.*, còsto *m.*, dispèndio *m.* Working -s, oneri d' esercizio. **-ive**; costóso, dispendióso. **-ively**; costosaménte ecc. **-iveness**; l' esser costoso ecc.
Experience; esperiènza *f.*; provare. **-d**; sperimentato, espèrto.
Experiment; esperiènza *f.*, speriménto *m.*, pròva *f.*; esperimentare. **-al**; sperimentále. **-alist, -er**; sperimentatóre *m.* **-ally**; sperimentalménte.
Expert, -ly; espèrt-o, -aménte tècnico. **-ness**; destrézza *f.*, abilità *f.*
Expia-ble, -te, -tion, -tor; espi-ábile, -are, -azióne *f.*, -atóre *m.*
Expir-ation; 1. scadènza *f.*, tèrmine *m.* 2. espirazióne *f.* **-e**; scadére; spirare; morire. **-y**; scadènza *f.*, fine *f.*
Explain; spieg-are. — away, spiegare in modo da ridurre a nulla. **-able**; -ábile. **-er**; espoṡitóre *m.*, chi spiega.
Explan-ation; spiegazióne *f.*, schiariménto *m.* Have an — with him, venire ad una spiegazione con lui. — of an order or regulation, aggiornaménto *m.* **-atory**; esplicatívo.
Expletive; bestémmia *f.*, giurraddío *m.*
Explic-able, -ation; esplic-ábile, -azióne *f.* **-it, -itly**; esplícit-o, -aménte. **-itness**; chiarézza *f.*, franchézza *f.*
Explode; scoppiare, esplòdere; fare scoppiare o saltare; screditare, dimostrare la falsità di.
Exploit; bel fatto. To —, sfruttare, trar partito da. **-able**; utiliżżábile. **-ation**; sfruttaménto *m.*, utiliżżazióne *f.* **-s**; gesta *f. pl.*
Explor-able, -ation, -atory, -e, -er; esplor-ábile, -azióne *f.*, -atóre, -are, -atóre *m.*, -atrice *f.* To -e, *fig.* scandagliare.
Explosi-on, -ve, -vely, -veness; esploṡ-ióne *f.*, -ívo, -ivaménte, -ività *f.* High -ve, alto esplosivo.
Exponent; esponènte *m.*; espoṡitóre *m.* **-ial**; esponenziále.
Export, -able, -ation, -er; esport-azióne *f.*, -are, -ábile, -azióne *f.*, -atóre *m.* By export houses, per tramite di case esportatrici. **-s**; merce esportata.
Expos-e; espórre, lasciare (bambino) in abbandono; ṡvelare, ṡmascherare, metter a luce. **-é, -ition**; espoṡizione *f.*, schiariménto *m.* **-itor**; espoṡitóre *m.*, intèrprete *m.* **-itory**; espoṡitívo.
Expostulat-e; far vive rimostranze, lagnarsi fortemente. **-ion**; rimostranza forte.
Exposure; ṡmascheraménto *m.*, l' essere esposto, lo stare esposto (alle intemperie, al freddo ecc.). Short, Long —, l' esporre una lastra fotografica per breve, lungo, tempo. Die of —, morire degli stenti, per esser stato esposto al

tempo. With a southern —, esposto al mezzogiorno.

Expound; spiegare, interpretare, espórre.

Express; 1. esprèsso *m.*, corriere espresso. 2. esprèsso, esplícito, chiaro, formále; direttissimo (treno). 3. esprímere. As he -ed it, a suo dire. **-ible**; esprimíbile. **-ion**; espressióne *f.*, locuzióne *f.*; ṡguardo *m.*, modo di guardare. Faculty of —, espressíva *f.* This picture is the — of his genius, questo quadro è la manifestazione del suo genio. **-ionless**; senza vita, senz' anima, apático. **-ive**; espressívo, vivo, che interpreta bene il pensiero ed il sentimento. **-ively**; in termini chiari e proprii, con efficacia d' espressione. **-iveness**; forza o vigore di espressione, espressíva *f.* **-ly**; appunto, appòsta, espressaménte. **-man**; impiegato al trasporto dei pacchi per espresso. **-rifle**; fucile da caccia grossa.

Expropriat-e, -ion; espropri-are, -azióne *f.*

Exp-ulsion; espulsióne *f.* **-ulsive**; espulsívo. **-unction**; cancellatura *f.* **-unge**; espúngere, radiare. **-urgate, -urgation**; espurg-are, -azióne *f.*

Exquisite; squiṡíto, bellissimo. An —, un elegante. — pain, dolore acutissimo. **-ly**; squiṡitaménte, ottimaménte. **-ness**; squiṡitézza *f.*

Extant; ancora esistente.

Extempor-aneous, -ary; estemporáneo. **-e**; ex tempore, a braccia. **-ise**; improvviṡare.

Extend; estèndere, stèndere, allargare, dilatare, prolungare, prorogare (l' epoca del pagamento), dare estensione (al, commercio); estèndersi, giúngere. In an -ed sense, estensivaménte.

Extens-ible; estensíbile. **-ion**; estensióne *f.*, prolungazióne *f.*, prolungaménto *m.* — of time for payment of a debt, proroga di un debito. **-ive**; vasto, estéso. **-ively**; grandeménte, largaménte, assai, mólto. **-iveness**; estensióne *f.*

Extent; estensióne *f.*; grado, punto. To a certain —, fino ad un certo punto. To a great —, in gran parte. To its full —, in tutta la sua estensione. To such an —, a tal punto. To the — of, fino a. To that —, fin là. To what —? fin dove?

Extenuat-e, -ion; attenu-are, -azióne *f.*

Exterior, -ly; esteriór-e, -eménte; estèrno, dall' esterno.

Exterminat-e, -ion, -or; stermin-are, -azióne *f.*, -atóre *m.*

External, -ly; estèrn-o, -aménte.

Externals; esteriorità *f.*

Extinct; spènto, estinto. **-ion**; estinzióne *f.*

Extinguish; estínguere, spègnere; ammortiżżare. **-able**; estinguíbile. **-er**; spengitóio *m.*

Extirpat-e, -ion; estirp-are, -azióne *f.* spègnere, spengiménto *m.*

Extol; lodare, portare al cielo.

Extort, -ion; estòr-cere, -sióne *f.* **-ionate**; eṡorbitante, che è una estorsione. **-ionately**; rapaceménte. **-ioner**; chi estorce.

Extra; supplementáre, di più, in oltre, di giunta. No -s, tutto compreso. — charge, suppleménto *m.*, extra *m.* — price, aumento di prezzo. — horse, cavallo di rinforzo. — postage, soprattassa postale. — set of, muta di..., da ricambio. — stamp, francobollo addizionale. — weight, eccedènte *m.* — work, lavoro in più del solito.

Extract, -ion, -ive, -or; estr-atto *m.*, -azióne *f.*, -attívo *m.*, -attóre *m.* Cartridge -or, levacáriche *m.*, estrattore di bossoli. Of humble -ion, di origine popolana.

Extradit-e; consegnare per estradizione. **-ion**; estradizióne *f.*

Extra-judicial, -judicially; stragiudiziál-e, -ménte.

Extra-mundane; al di sopra di questo mondo.

Extra-mural; fuori le mura.

Extraneous, -ly; estráne-o, -aménte.

Extraordinar-ily, -y; straordinari-aménte, -o.

Extra-parochial; di nessuna parrocchia. **-professional**; fuori del dovere professionale. **-provincial**; al di là della provincia. **-territorial**; esente della giurisdizione territoriale.

Extravagan-ce; prodigalità *f.*, stravaganza *f.*, spese inutili. **-t**; pròdigo, spenderéccio, stravagante. **-tly**; prodigaménte, stravaganteménte. **-za**; opera musicale bizzarra, stravaganza *f.*

Extravasat-e, -ion; stravaṡa-re, -ménto *m.*

Extrem-e, -ely, -ity; estrèm-o, -aménte, -ità *f.*, miṡèria *f.* -es meet, gli estremi si toccano. Go to -es, andar troppo in là, troppo oltre, fino all' estremo. Carry everything to -es, portar tutto all' estremo. Driven to -ities, portato agli estremi. **-ist**; partigiano di metodi estremi, intranṡigènte *m.*, bolscevista *m.*

Extricat-e; distrigare, ṡbrogliare. — one self, cavarsi, ṡbarazzarsi. **-ion**; liberazióne *f.*, il distrigare.

Extrinsic, -ally; estrínsec-o, -aménte.

Extru-de, -sion; esp-èllere, -ulsióne *f.*

Exuberan-ce, -t, -tly; eṡuberan-za *f.*, **-te**, -teménte.

Exud-ation, -e; trașud-ménto *m.*, -are.
Exult, -ation, -ingly; eșult-are, -anza *f.*, con -anza.
Exuviae; spòglie *f. pl.*
Eye; 1. òcchio *m.* With my own -s, coi miei propri occhi. By —, a occhio, a vista d' occhio. Bad —, occhio malato. Have a bad —, aver male a un occhio. Good —, vista acuta. Have a very correct —, avere il compasso nell' occhio. Poor —, vista poco acuta. Have an — to, sorvegliare, star attento a. Keep an — upon, non perder di vista. In the -s of, all' opinione di. In my -s, ai miei occhi. Under the — of, sotto l' osservazione di, sorvegliato di, in piena vista di. Have in one's —, mirare a. 2. cruna dell' ago. 3. (bud) gèmma *f.*, bottóne *m.* 4. (of a hook and —), gangherèlla *f.*, magliétta *f.*
Accustom one's — to the darkness, far l' occhio al buio, all' oscurità. With an — to his own advantage, tenendo d' occhio o di vista i suoi propri interessi. All my — (gergo), tutto fandonie. Be all -s, prestar ogni attenzione. Lie before my -s, star sotto i miei occhi. Have before my -s, aver davanti agli occhi. Corner of the —, coda dell' occhio. Cry one's -s out, piangere da guastarsi la vista. With dry -s, a occhio secco. Throw dust in one's -s, gettar della polvere negli occhi. Evil —, malòcchio *m.* -s front! fissi! Make -s at, far l' occhietto a, far l' occhio di triglia a. Mind your — (gergo)! bada! With the naked —, a occhio nudo. Open a person's -s, far aprire gli occhi a qualcuno. Make him open his -s, cagionargli meraviglia. With his -s open, a occhi aperti. Have a place in the public —, occupare un posto nell' attenzione pubblica. As far as the — can reach, a perdita d' occhio. See — to — with, aver la stessa opinione che, esser di perfetto accordo con. See with half an —, veder senza difficoltà, veder a mezz' occhio. Strike the —, batter all' occhio. Wind's —, cigliatura, letto, occhio o spiga del vento. In the wind's —, contro al vento.
To —, guardare, occhieggiare, șbirciare, adocchiare. He -d me up and down, mi squadrò da capo a piedi.
Eye-ball; globo dell' occhio, bulbo oculare. **-bolt**; caviglia ad occhielli. **-bright**; eufráșia *f.* **-brow**; cíglio *m.*, sopraccíglio *m.* Raise the -s, inarcare le ciglia. **-doctor**; medico oculista. **-glass**; occhialétto *m.* **-lash**; ciglio delle palpebre. -es, (in Tuscany) lappole *f. pl.* **-let hole**; occhièllo *m.* **-lid**; palpèbra *f.* **-opener**; ciò che fa apparir la verità. **-piece**; oculare *m.* **-service**; servizio reso soltanto sotto l' occhio del padrone. **-shade**; tendína *f.* **-sight**; vista *f.*, vișióne *f.* **-sore**; cosa che offende l' occhio o la vista. **-tooth**; dente canino. **-wash**; lozione per gli occhi. **-witness**; testimonio oculare.
Eyot; ișolòtto *m.*
Eyrie; nido d' uccello da preda.

F

F; *pronunz.* Eff.
Fable; fávola *f.*, finzióne *f.* To tell -s, favoleggiare. **-d**; favolóso, immaginato.
Fabric; fábbrica *f.*; tessuto *m.*, stòffa *f.*; for an aeroplane, intelatura. Knitted -s, lavori a maglia. **-ate**; produrre, fabbricare; inventare, congegnare. **-ation**; fabbricazióne *f.*
Fabulous, -ly, -ness; favolós-o, -aménte, -ità *f.*
Façade; facciata *f.*, frónte *f.*
Face; faccia *f.*, vișo *m.*, vólto *m.*; șmòrfia *f.*; sfrontatézza *f.*, sfacciatággine *f.*; quadrante d' orologio; diritto di stoffa; aria *f.*, céra *f.*; spècchio di cilindro o valvola. — to —, fronte a fronte. Before the — of, sotto gli occhi di. Long —, viso allungato. Put a good — upon, far buon viso a. Say it to his —, dirglielo sul muso, a viso aperto. With a very long —, col muso lungo un braccio. On his —, — downwards, boccóni. Make -s, tirar smorfie, far le boccacce, i versacci. Make a — at, fare una smusata a. Put a new — on, cangiar l' aspetto di. Set one's — against, opporsi risolutamente a. Show one's —, comparire, farsi vedere.
To —, far faccia a, essere in faccia a, affrontare, mettersi faccia a faccia a; metter le mostre (ad un abito); coprire, rivestire. — about, fare un mezzo giro. — south, essere esposto a mezzodì. — out, sostenere senza vergogna. Right, Left —! a destra! a sinistra!
Face-ache; nevralgia facciale. **-card**; figura *f.* **-cloth**; panno mortuario. **-r**; difficoltà tanto inaspettata quanto seria. **-t**; faccétta *f.*
Faceti-ae; mottéggi *m. pl.* **-ous, -ously**; facèt-o, -aménte. **-ousness**; umore scherzevole.

Facetted; faccettato.
Facial; facciále.
Facil-e; facilmente persuaso, pronto nel discorrere, facile nel parlare. **-itate**; -itare, render agevole. **-ity**; -ità *f.*, diṡinvoltura *f.* **-ities**; mezzi opportuni, facilità *f. pl.*
Facing; rovescio (di manica), rivòlta *f.*, rivestiménto di muro. As *adv.*, di faccia a, di fronte a. **-s**; rivolta.
Facsimile; fassímile *m.*
Fact; fatto *m.*, verità *f.* In —, infatti, difatti, insómma, in realtà, invéro, da fatto. In point of —, per dir vero. The — is, il fatto si è, fatto è.
Facti-on, -ous, -ously; fazió-ne *f.*, -so, -saménte.
Factitious, -ly; fattízi-o, -aménte.
Factor (in all senses); fattóre. **-ship**; fattoría *f.* **-y**; fábbrica *f.*, opifício *m.*, officína *f.*, filatura *f.*; fattoria nell' Oriente. Cotton, Silk, Wool —, cotonifício *m.*, setifício *m.*, lanifício *m.* — cotton, cotone greggia. — hand, opra in un opificio.
Fac-totum; fattòtum *m.* **-ultative**; -oltatívo. **-ulty**; -oltà *f.*
Fad; grillo *m.*, baco *m.*, ṡmánia *f.*, tícchio *m.*, ubbía *f.* **-dist, -dy**; fantastico, pieno di ubbie, grilli ecc.
Fad-e; appassire, languire, ṡbiadire, scolorire, andar dileguandosi, dissiparsi. **-ed**; ṡbiadíto, scoloríto, appassíto, passo. **-ing**; morènte. In the — light of a winter afternoon, nella luce morente d' un pomeriggio d' inverno.
Faec-al; fecále. **-es**; fècce *f. pl.*
Fag; lavoro ingrato, fatíca *f.*; faticarsi, ṡgobbare. In certe scuole inglesi c' è una vecchia usanza che sottomette ogni scolare delle classi inferiori agli ordini di uno scolare di classe superiore; questo si chiama "fag-master," e quello "fag." To —, dare ordine a. — for, stare agli ordini di.
Fag-end; pezzo stracco, rifiúto *m.*, capo scorcio. At the — of a long day, alla fine d' una lunga giornata di fatica. **-ged, -ged out**; rifiníto, stracco. **-ging**; l' essere un "fag," il fare i servizii richiesti dal suo "fag-master"; lo ṡgobbare. **-master**; *see* Fag.
Faggot; fascína *f.*, fastèllo *m.*, fáscio *m.* To —, affastellare. **-vote**; voto di chi è ammesso al suffragio in grazia di fittizie trasmissioni di proprietà (forma di broglio).
Fail; mancare, mancar di parola a, non riuscire, far fiasco; fallire, far difetto, far bancarotta. In the -ing light, alla luce fioca. — of effect, mancare di adempire lo scopo prefisso. My heart -s me, mi sento venir meno. He never -ed to notice, non mancava mai di notare. He -ed at it, ciò non gli riuscì. Without —, senza fallo. **-ing**; difètto *m.*, il debole, cólpa *f.*; as *prep.*, in mancanza di. **-ure**; insuccèsso *m.*, fiasco *m.*, deluṡióne *f.*; falliménto *m.*, bancarótta *f.* His — to capture the thief, la sua mancata cattura del ladro.
Fain; volentièri; a giocoforza. With this he was — to be content, con questo bisognava contentarsi. — to, inclinato a. I would — be, vorrei essere.
Faint; débole, fiacco, fiòco, liève. Feel —, sentirsi venir meno. To —, — away, venir meno, ṡvenire, tramortire; perdere il coraggio. A —, uno sveniménto. Dead —, svenimento completo. — from fatigue, spossato dalla fatica. **-hearted, -heartedly, -heartedness**; pusillánim-e, -eménte, -ità *f.* **-ing-fit**; delíquio *m.*, ṡveniménto *m.* **-ly**; debolménte, con voce fioca. He was — heard to say, lo si udì appena dire. **-ness**; debolézza *f.*, senso di indebolimento di chi sta per svenire, fiacchézza *f.* — of the colouring, pallidezza del colorito.
Fair; 1. fièra *f.* 2. bèllo, grazióso, vago; bióndo, chiaro; favorévole (vento); passábile, ragionévole, abbastanza buono; giusto, imparziále, onèsto. Bid —, prométtere, far sperare, lasciar aspettare. It bids — to succeed, tutto fa sperare che riesca. He bids — to succeed, tutto lascia sperare che gli riesca. Make a — copy, mettere al pulito. — dealing, commercio onesto. — field, libero spazio, libero campo. — means, mezzi leali. Play —, giocare lealmente. — sex, il bel sesso. — and square, rettaménte, onestaménte. Be in a — way, esser ben avviato, esser in grado di.
Fair-complexioned; dalla carnagione bianca. **-dealing**; leále, franco. **-haired**; dalla capigliatura bionda. **-ing**; fièra *f.*, regalo di fiera. **-ish**; non troppo cattivo. — amount, quantità piuttosto considerevole. **-leader** (*mar.*); passacavo *m.*, bocca di tonneggio. **-ly**; 1. così così, abbastanza bene, non troppo male. 2. onestaménte, secondo le regole, schiettaménte. 3. addirittura. **-minded**; dall' animo giusto, imparziále. **-ness**; lealtà *f.*, probità *f.*, l' esser bello ecc., *see* Fair (2). In — to, per esser giusto a. **-seeming**; che appare bello, giusto ecc. **-spoken**; cortese nel parlare, affábile. Too — for me, troppo sdolcinato per me. **-weather friend**; amico del bel tempo.
Fairy; fata *f.*; fatato, da fata. **-land**; paese delle fate. **-tale**; novella delle fate.

Faith, -ful, -fully, -fulness; féd-e *f.*, -éle, -elménte, -eltà *f.* -less, -lessly, -lessness; pèrfid-o, -aménte, -ia, śleál-e, -ménte, -tà *f.*

Fake; 1. adúglia *f.* 2. contraffazióne *f.*, mobile, moneta ecc. contraffatta o composta. To —, fatturare (vino), contraffare, dare apparenza migliore di quello che è.

Fakir; fachíro *m.*

Fal-bala; falpalà *m.* **-chion**; falcióne *m.* **-con**; -cóne *m.* **-coner**; falconière *m.* **-conry**; falconería *f.* **-dstool**; faldistòro *m.*

Fall; caduta *f.*, cascata *f.*; ribasso *m.*; atterramento di alberi; autunno *m.*; abbassaménto *m.*, cadènza *f.*, decadènza *f.*, rovína *f.*; (of a rope) tirante *m.* To —, cadére, cascare, báttere (luce), piòvere; diminuire, abbassarsi; śboccare, versarsi, méttere. — **asleep**, addormentarsi. — **astern**, indietreggiare. — **away**, dimagrare; apostatare; staccarsi. — **back**, ricadére, indietreggiare. — **back upon**, aver ricorso a, rivòlgersi a. — **behind**, restare o rimanére in dietro. — **down**, cadere a terra, prosternarsi. — **due**, scadére. — **foul of**, abbordare, *fig.* incollerirsi contro di, ingiuriare. — **in**, mettersi nei ranghi; crollare, sfasciarsi; scadére. The leases will have fallen in by 1928, gli affitti saranno scaduti prima del 1928. A lapsed legacy falls into the residue, un lascito che è diventato nullo cade nei beni residuali. A reversion falls in to me upon the death of A.B., mi scade una riversione alla morte di A.B. — **in love**, innamorarsi. — **in with**, imbattersi in. — **in with the view of**, accordarsi con. — **into**, mettere in, imboccare in. — **off**, staccarsi da, cascare da; cadére; diminuire, scemare, peggiorare; śmagrire, dimagrare; (*mar.*) abbrivare. — **out**, accadére; disgustarsi l' uno con l' altro, venire a parole. — **out of**, cadere da. — **over**, inciampare in, cader sopra; inclinarsi, ripiegarsi dalla cima. — **a prey to**, cader vittima, preda, a. — **short**, mancare, non corrispondere, a; risultar corto. — **through**, andare a monte, non compiersi. — **to**, cominciare a, mettersi a; toccare a; mettersi a mangiare. — **under**, esser soggetto a, cader sotto, appartenere a; incórrere. — **upon**, gettarsi su, piombare su; toccare a, esser a carico di, investire (raggi di luce).

Fallac-ious, -iously, -iousness; -e, -eménte, -ia *f.* **-y**; fallácia *f.*, illuśióne *f.*, sofiśma *m.*

Fallib-ility, -le; -ilità *f.*, -ile.

Falling; cadènte. — **away**, — **back**, ricaduta *f.*, indietreggiaménto *m.* — **in**, frana (di terreno), terminazione (d' affitto). — **off**, diminuzióne *f.* *See* Fall.

Fallow; maggés-e, -are. **-deer**; dáino *m.*

False; falso, pèrfido, postíccio. — **bottom**, doppio fondo, controfóndo *m.* — **keel**, controchíglia *f.* — **key**, contracchiáve *f.* Play —, fare un brutto tiro.

False-hood; menzógna *f.* **-ly**; falsaménte. **-ness**; falsità *f.*, perfídia *f.* **-tto**; falsétto *m.*

Fals-ifiable; -ificábile. **-ification**; -ificazióne *f.* **-ifier**; -ificatóre *m.*, falsário *m.* **-ify**; 1. (expectation) non avverare. Be -ified, non verificarsi. 2. (document) falsificare, contraffare. **-ity**; -ità *f.*

Falter; eśitare, titubare, parlare con trepidazione. **-ing**; balbúzie *f.* In a — voice, con voce interrotta da timore, vergogna ecc. **-ingly**; con trepidazione.

Fam-e; fama *f.* **-ed**; rinomato.

Familiar; familiáre, íntimo. — **spirit**, follétto *m.*, spirito di Pitone. Become —, prender confidenza. Make oneself — with, familiarizzarsi con, impratichirsi in. **-ise**; -iżżare, avvezzare. **-ity**; -ità *f.*, buona intelligenza. Tone of —, tono confidenziale. **-ly**; -ménte.

Family; famíglia *f.*, casato *m.* In the — way, incinta. Property that came into the —, patrimonio venuto in casa. **-bible**; grande bibbia di famiglia. **-man**; uomo casalingo, padre di familia. **-medicine**; medicina domestica. **-tree**; albero genealogico.

Fam-ine; carestía *f.*, fame *f.* **-ish**; affamare. **-ishing, -ished**; famèlico.

Famous; famóso, famigerato, rinomato. **-ly**; benissimo. Get on —, far grandissimi progressi.

Fan; ventáglio *m.*, ventilatóre *m.*; far vento su, soffiare in. — **oneself**, rinfrescarsi la faccia, farsi vento. The Romans had slaves to — them, i Romani tenevano degli schiavi per farsi far vento.

Fanat-ic, -ical, -icism; -ico, -icaménte, -iśmo *m.*

Fanci-ed; immaginato, immaginário. **-er**; amatóre *m.*, dilettante *m.*, allevatóre *m.*, venditore di uccelli, cani, conigli ecc. **-ful, -fully**; fantastic-o, capricciós-o, biżżarr-o, -aménte. **-fulness**; fantasticaggine *f.*

Fancy; fantaśía *f.*, ghiribiżżo *m.*, gusto *m.*, immaginazióne *f.* To —, persuadérsi, immaginarsi, aver voglia di, aver gusto per. Have most — for, predilígere. Take a — to, invaghirsi di, prender simpatia per. I took a — to visit, mi prese la fantasia di vedere

A person who follows his — has to pay for it, chi fa di sua testa paga di sua borsa. — ball, ballo in costume. — biscuits, pasticcíni *m. pl.* — bazaar, vendita di oggetti di fantasia. — dress, abito da maschera. — goods, articoli di lusso. — price, prezzo esagerato. — shop, negozio di articoli di fantasia. — soap, sapone per toeletta. — stationer, — stationery, cartolaio, cartoleria, di lusso. — store, magazzino di articoli di fantasia. — work, ricamo *m.*, lavoro di fantasia.

Fane; tèmpio *m.*, delúbro *m.*

Fanfar-e, -onade; -a *f.*, -onata *f.*

Fang; dènte *m.*, zanna *f.*; artíglio *m.*

Fan-light; lunétta *f.* **-maker, -painter**; ventagliaio *m.*

Fanny; Checca.

Fan-palm; palma di S. Pier Martire.

Fan-tailed; con coda a ventaglio.

Fantas-ia, -tic, -tically, -y; -ía *f.*, **-tico**, -ticaménte, -ía *f.*

Far; lungi. — more, molto più, assai più. — better, viepiù meglio. — worse, viepiù peggio. — off, lontano, discòsto, distante. Not — off, non molto discosto da qui. — and away, di lunga mano. By —, di gran lunga. Go so — as to say, andar tant' oltre da dire, arrivare a dire. Go too —, inoltrarsi troppo. Too —, troppo inoltre. He had no idea that matters had gone so —, non aveva idea che le cose fossero tanto innanzi. So — as, In so — as, per quanto. So — as it goes, per quanto vale. So — as that goes, in quanto a ciò. From — off, da lontano. — from it, tutt' altro, niente di simile. — from finding it easy, trovandolo tutt' altro che facile. — from strong, tutt' altro che robusto. Very — from likely, al di là del possibile. How —? fin a qual punto? How — is it to? quanto c' è da qui a? How — must it go? fin dove deve andare. So —, fin là, fin qui. So —, so good, fin qui va bene. So — as I can tell, per quel tanto ch' io possa congetturare. So — as I know, per quel ch' io sappia. — and wide, in ogni direzione. — be it from me to say, Dio me ne guardi da dire. Few and — between, che accade di rado. — gone, 1. vicino alla morte. 2. più che mezzo ubbriaco. 3. innamorato cotto. — on, molto avanzato. — on in years, molto avanti cogli anni. — on, — advanced, molto avanzato (canchero ecc.). It did not go — enough to be serious, non è andato a tal punto da esser una cosa seria. To send the ball — enough to reach the green, mandar la palla ad una distanza che bastasse per giungere sul prato. Mind you send the ball — enough! badate a mandar la palla fin dove basta! — down in the sea, nelle profondità del mare. Very — from being perfect, molto lontano dall' essere perfetto. — inferior to the pattern, molto inferiore al modello.

Farc-e; farsa *f.* Mere —, pura farsa. Utter —, brutta farsa. **-eur**; buffóne *m.*, capamèno *m.* **-ical, -icality, -ically**; ridícol-o, -ággine *f.*, in modo -o, burlésc-o, l' esser -o, -aménte.

Farc-ied; che ha la morva. **-y**; mòrva *f.*, farcíno *m.*, cimurro *m.*

Fare; 1. vitto *m.*, víveri *m. pl.* Good, Poor —, tavola buona, magra. 2. prezzo di corsa *f.*, pòsta *f.*, tassa *f.*; on a ship, prezzo di passaggio. 3. stare o trovarsi (di salute), passarla. We -d very well, si stava benissimo a mangiare ed a bere.

Farewell; commiato *m.* As *adv.*, addio. Say — to, congedare. *See* Good-bye.

Far-famed; cèlebre. **-fetched**; ricercato, poco naturale, leccato.

Farinace-ous; -o.

Farm; tenúta *f.*, podére *m.*, massería *f.*; affittare, prender in affitto o in appalto; coltivare. She -s out her baby for another woman to beg with, affitta il suo bambino ad una altra donna per chieder l' elemosina.

Farm-bailiff; fattóre *m.* **-'s house**, fattoría *f.* **-buildings**; cascine ed altre costruzioni coloniche. **-er**; fittaiuòlo *m.*, affittaiuòlo *m.* (both meaning tenant-farmer), coltivatóre *m.*, colòno *m.* agricoltóre *m.*; of a Government monopoly or contract, appaltatóre *m.* Gentleman —, proprietario coltivatore. I guessed him to be a well-to-do —, lo giudicai un colono benestante. **-ery** fattoría *f.* **-house**; casa colonica, massería *f.* (an important group of farm buildings). **-ing**; l' agricoltura. High —, gran coltura. **-servant**; contadino giornaliero. **-yard**; corte pel pollame e bestiame, corte di rimessa, cortíle *m.* aia della fattoria.

Farrago; farrágine *f.*

Far-reaching; di lunga portata, che ha influenza a grande distanza o per lungo tempo.

Farrier; fabbro ferraio.

Farrow; figliare.

Far-seeing; lungi-veggènte. **-sighted** previdènte.

Farther; più lontano, più oltre, più in là più al di là, olterióre, di più, in oltre A few steps — on, di lì a pochi passi At the — end, all' altra estremità. Th

— end of the room, l' angolo più lontano della camera. Until — orders, fino a nuovo ordine. A — reason exists, vi esiste ancora un' altra ragione. We took no — notice, non ci facemmo più attenzione. Without paying — attention to him, senza occuparsene più oltre. All — resistance was impossible, ogni ulteriore resistenza era impossibile.

Farthest; il più lontano.

Farthing; quattríno *m.*

Far-west; gli Stati Uniti al di là del Mississípi.

Fasces; fasci *m. pl.*

Fascia; *id.*, aponevròṡi *f.*

Fascinat-e; affascinare. **-ingly**; in modo affascinante. **-ion**; fascíno *m.*

Fascine; fascína *f.*

Fash; annoiare, sturbare.

Fashion; mòda *f.*, uṡanza *f.*, manièra *f.*, guiṡa *f.*, fòggia *f.* In French —, alla francese. People of —, gente distinta, alla moda. Out of —, fuor di moda. To —, formare, foggiare, fare. **-able**; alla moda, di moda. **-ableness**; eleganza, l' esser alla moda. **-ably**; alla moda. **-book**; figuríno *m.* **-er**; chi forma. **-pieces**; alette da poppa. **-plate**; stampa di vestiti alla moda.

Fast; 1. rápido, velóce, cèlere (treno). My watch is five minutes —, il mio orologio è innanzi cinque minuti. 2. scostumato; di facili costumi. — girl, ragazza sciolta. 3. fermo, serrato, fòrte (colore), ormeggiato. Make — to, dare volta, attaccare, a. Play — and loose, fare a tira e molla. — asleep, in un sonno profondo, profondamente addormentato. Hold —, tener fermo. — friend, amico d' oro. 4. digiúno *m.* — day, giorno magro. To —, digiunare. 5. rapidaménte ecc., *see above.* To rain —, piovere fitto fitto, dirottamente. Not so —! attenzione! vediamo un po'!

Fasten; attaccare, legare, allacciare, serrare, ṡbarrare, appiccarsi. — back, assicurare. — on, attaccarsi, appigliarsi, gettar (la colpa) su. — one's eyes upon, fissare. It -s at the neck, lo si chiude al collo. **-er**, **-ing**; fermaglio *m.*, legáme *m.*; spagnolétta *f.*; chiusura *f.*

Fastidious; schizzinóso, difficile, schifiltóso. **-ly**; da schizzinoso. **-ness**; sussiègo *m.*, schifiltà *f.*

Fasting; digiúno *m.*, il digiunare.

Fastness; 1. scioltézza *f.* 2. luogo forte.

Fat; grasso, pingue, gròsso; fèrtile, ricco, ingrassare.

Fatal; mortále. **-ism**, **-ist**, **-istic**, **-ity**; -iṡmo *m.*, -ista *m.*, -istico, -ità *f.* **-ly**; mortalménte.

Fate; fato *m.*, Parca *f.*, sòrte *f.*, destíno *m.* As sure as —, certissimo, certo quanto la morte. **-d**; destinato, fatalmente destinato. **-ful**; fatále.

Fat-head; stúpido.

Father; padre. To —, allevare da padre, *fig.* assumere la responsabilità di. — upon, attribuire a, accusare della paternità di. **-confessor**; direttore spirituale. **-hood**; paternità *f.* **-land**; pátria *f.*, paese nativo. **-less**; òrfano di padre. **-liness**; bontà paterna. **-ly**; da padre.

Fathom; braccio *m.* (1·829 metri). To —, scandagliare, *fig.* penetrare, divinare. **-less**; senza fondo. **-line**; scandáglio *m.* **-s**; braccia *f. pl.*

Fatigu-e; fatíca *f.*, stanchézza *f.*; affaticare, stancare. **-e-duty**; lavoro di fatica. **-ing**; faticóso. **-e-party**; drappello di lavoratori.

Fat-ling; bestia giovane ingrassata. **-ness**; grassézza *f.*, pinguèdine *f.* **-ten**; ingrassare. **-tening**; ingrassaménto *m.* **-tiness**; adiposità *f.* **-uity**; -uità *f.* **-uous**; -uo. **-witted**; imbecille, melènso. **-ty**; adipóso.

Fauces; fáuci *f. pl.*

Faucet; cannèlla *f.*

Faugh! oibò!

Fault; erróre *m.*, cólpa *f.*, vizio *m.*, difètto *m.*, (games) fallo *m.*, (geology) spostaménto. Find —, gettar biasimo. Good-natured to a —, di buon cuore anche all' eccesso. Be at —, perder la traccia, non saper che fare. **-finder**; censóre *m.*, crítico *m.*, chi censura volontieri, si diletta nel biasimare. **-finding**; il censurare, il gettar biasimo. **-ily**; non bene, imperfettaménte, non come si dovrebbe. **-iness**; l' esser difettoso, mancanza di merito. **-less**; irreprensíbile, dove non si ha nulla da ridire. **-lessly**; a perfezione, senza errore. **-lessness**; perfezióne *f.*, l' esser senza colpa. **-y**; difettóso, con molti errori, biaṡimévole.

Faun; fáuno *m.* **-a**; fáuna *f.*

Favour; favóre *m.*, grázia *f.*; (business letter) gradíta *f.*, stimata *f.*, pregiata *f.*; (wedding) fiòcco *m.*, colori *m. pl.* I beg to acknowledge receipt of your — of the 10th inst., ho l' onore di accusare ricevuta della vostra pregiata del 10 corr. As a —, per piacere. To —, favorire; rassomigliare, tenere di. By the — of, coll' aiuto di, col permesso di. Be in — with, esser nelle grazie di. Be in — generally, esser accetto generalmente, andare accetto. Curry — with, ricercare la benevolenza di, insinuarsi nelle grazie di. In the expectation of -s to come, in attesa di benevolenze future. Give us the — of your company, farci il piacere della vostra compagnia. Will you — me with the sight of? mi potete permettere di vedere?

Favour-able; propízio, favorévole, benevolènte. **-ableness**; natura favorevole, l' esser propizio ecc. **-ably**; favorevolménte, con favore. — **known**, conosciuto come persona da bene, come cosa utile. **-ed**; appoggiato, considerato con benevolenza. Well, Ill —, bello, brutto di persona. **-ing**; favorévole, incoraggiante. **-ite**; favorít-o *m.*, -a *f.*, beniamíno *m.*; favoríto, predilétto. Cambridge are the -s, quelli di Cambridge sono i più favoriti. General —, molto amato. **-itism**; favoritismo.

Fawn; cerbiatto *m.* Drop her —, figliare. — **upon**, accarezzare, lusingare, strisciarsi a. **-coloured**; color fulvo. **-er**; lusingatóre *m.*, piaggiatóre *m.* **-ing**; strisciante. **-ingly**; in modo accarezzante, servilménte.

Fay; fata *f.*

Fealty; fedeltà *f.*

Fear; paúra *f.*, téma *f.*, timóre *m.* Vain —, ubbía *f.* To —, temére, aver paura. There is no — of, non corre rischio che. **-ful**; spaventévole; pauróso. **-fully**; terribilménte; timidaménte. **-fulness**; spaventevolézza; timidézza *f.* **-less**; senza paura, intrèpido. **-lessly**; senza paura, coraggiosaménte. **-lessness**; intrepidézza *f.*

Feasib-ility, -le; practicabil-ità *f.*, -e, fattíbile.

Feast; banchétto *m.*, convíto *m.*; fèsta *f.*; banchettare; festeggiare, regalare. — **upon**, fare una gran mangiata di. — **the eyes upon**, festeggiare gli occhi con. **-er**; banchettante *m.*, convitato *m.* **-ing**; il mangiar bene.

Feat; fatto straordinario.

Feather; pénna *f.*, piuma *f.*; coprire di penne, impennare; (in rowing) spalare. Birds of a —, *fig.* le persone dello stesso genere. A — in one's cap, una cosa da vantarsene. **-bed**; letto di piume. **-boarding**; *see* Weatherboards. **-cushion**; piumíno *m.* **-dresser**; piumaio *m.* **-duster**; spazzolino di penne, pennácchio *m.* **-ed**; pennuto, ornato di piume, che ha le penne. **-edge**; ugnatura *f.* **-less**; impiume. **-weight**; peso leggerissimo. **-y**; piumóso.

Featly; destraménte.

Feature; lineaménto *m.* Characteristic —, caratteristica *f.* Prominent — (of an entertainment), nota caratteristica. Hard -d, dal viso duro. **-less**; infórme; senza incidente notevole. **-s**; fattézze *f. pl.*, sembianze *f. pl.*, tratti *m. pl.*, fisionomía *f.* — of a country, configurazione d' un paese.

Febri-fuge; febbrífugo *m.* **-le**; febbríle.

February; febbráio *m.*

Feckless; senza spirito, fannullóne.

Fecula; fècola *f.*

Fecund-ate, -ation, -ity; fecond-are -azióne *f.*, -ità *f.*

Fed; *rem.* di Feed. — **up**, stufo.

Federa-l, -lism, -list; -le, -lismo *m.*, -lista *m.*

Federa-te, -tion, -tive; confedera-re, -to -zióne *f.*, -tívo.

Fee; 1. onorário *m.*, tassa *f.*, compènso *m.* To —, far l' invito (ad un avvocato) pagare, rimunerare. **-s**; competènze *f. pl.* 2. To own the —, esser proprietario assoluto. — **simple**, proprietà libera.

Feeble; débole, fiacco, fiévole. Grow — affievolirsi. **-minded**; fallito di mente semplicióne, mentecatto. **-ness**; debolézza *f.*, infermità *f.*

Feebly; debolménte.

Feed; cibo *m.*, páscolo *m.*, (for a horse) avèna *f.*; dar da mangiare, alimentare pascolare. **-ing bottle**, poppatóio *m.* **-cock**; robinetto d' alimentazione. **-er**; alimentatóre *m.* **-pipe, -pump**; tubo tromba, d' alimentazione. **-tank**; serbatoio d' alimentazione.

Feel; tasto *m.*, tatto *m.*; tastare, sentire sentirsi, provare, avere in cuore Imagine how he felt, pensate come fosse rimasto. — **for**, commuòversi per cercare a tastoni. — **warm**, aver caldo **-er**; anténna *f.*, tentácolo *m.*; ciò che si dice o si far per saggiare l' opinione pubblica. By way of a —, per tastare il terreno. **-ing**; tasto *m.*, tatto *m.* sènso *m.*, sentiménto *m.*, sensazióne *f.* sensibilità *f.*, simpatía *f.* Strong — profondo sentimento. **-ingly**; sentitaménte, con simpatía.

Feet; *pl.* di Foot.

Feign; fíngere, simulare. **-ing**; simulazióne *f.*

Feint; finta *f.*, attacco finto.

Feldspar; feldispáto *m.*

Felicit-ate; -are. **-ation**; -azióne *f.* **-ous**; ben concepito. **-ously**; con dei bei modi, molto a proposito. **-y**; -à *f.*

Felin-e; -o.

Fell; 1. *rem.* di Fall. 2. feróce, fèllo 3. abbáttere. 4. collina rocciosa.

Fellah; fellà *m.*

Fell-er; abbattitóre *m.*, taglialégna *m.* **-ing**; taglio *m.*

Fellow; 1. compagno *m.*, sòcio *m.*, uòmo *m.*, collèga *m.*, mèmbro *m.*, aggregato *m.*, *see* Fellowship; símile *m.*, pari *m.* Your **-s**, i vostri pari. You **-s**, voi altri.

These shoes are not -s, queste scarpe non sono appaiate. 2. personaggio *m.*, còso *m.*, mascalzóne *m.*, gióvane *m.*, ragazzo *m.* My dear —, caro mio. Little bit of a —, omiciáttolo *m.* Good —, buon diavolo. Poor —, poverétto *m.* Young —, giovanòtto *m.* Worthless —, cattivo soggetto, mascalzóne *m.*

Fellow-christian; correligionista *m.*, cristiano come sè stesso. **-citizen**; concittadíno *m.* **-citizenship**; concittadinanza *f.* **-councillor**; collega al consiglio. **-country-man, -woman**; compatriòtta *m.* or *f.* **-country-men, -women**; compatriòtt-i *m. pl.*, -e *f. pl.*, connazionál-e, *pl.* -i, of either sex. **-creature**; un suo simile, consímile *m.*, cristiáno *m.* **-feeling**; simpatía *f.* **-labourer**; compagno di lavoro. **-man**; *see* -creature. **-member**; confratèllo *m.* **-mortal**; *see* -man. **-passenger, -prisoner**; compagno di viaggio, di prigione. **-servant**; compagno, camerata, di servizio. **-soldier**; commilitóne *m.*, compagno d' armi. **-sportsman**; collega di sport. **-student**; condiscépolo, collega di studii. **-subject**; suddito al pari di sè stesso. **-sufferer**; compagno di sfortuna. **-townsman**; conterráneo *m.*, conterrazzáno *m.* **-traveller**; compagno di viaggio. **-worker**; collèga *m.* **-workman**; chi lavoro con noi.

Fellowship; società *f.*, consòrzio *m.* To obtain the — of the College of Physicians, esser aggregato alla facoltà medica, esser assunto socio della Associazione dei dottori. He got a — at Oxford, venne aggregato "Fellow" ad un collegio a Oxford. I "Fellows" sono le persone ascritte al corpo governativo di un collegio, con diritto ad una parte delle rendite. Give the right hand of —, riconoscere come amico e collega. Join in — with, associarsi a.

Felly; gavèllo *m.*

Felon; malfattóre *m.* **-ious**; malvágio, criminóso, delittuóso. **-iously**; in modo delittuoso. **-iousness**; l' esser un delitto grave. **-y**; offesa al codice penale, delitto grave.

Felspar; *see* Feldspar.

Felt; 1. *rem.* di Feel. 2. feltro; feltrare, coprire di feltro. **-ing**; feltratura *f.*

Felucca; felúca *f.*

Female; femminíle, fémmina. — screw, vite femmina. The — rhinoceros, il rinosceronte femmina.

Feminine; femminíno.

Fem-oral, -ur; -orále, -ore *m.*

Fen; marèmma *f.*, pantáno *m.*

Fence; 1. sièpe *f.*, steccato *m.*, chiudènda *f.*, stecconata *f.*, ripáro *m.*, palizzata *f.*; assiepare, riparare, difèndere. — in, — about, ricíngere, circondare. 2. (gergo) ricevitore di refurtiva. 3. tirar di scherma. — with the question, menar per le lunghe, usar sotterfugi. **-r**; schermitóre *m.* Good —, bravo schermitore; cavallo che salta bene gli ostacoli.

Fencing; 1. *see* Fence (1). 2. schérma *f.* **-master, -match, -school**; maestro, assalto, scuola di scherma. **-mask**; maschera da scherma.

Fend; — for oneself, fare da sè. — off, parare, riparare. **-er**; paracénere *m.*, parafuòco *m.*; parabórdo *m.*, guardalato *m.*

Fennel; finòcchio *m.* **-flower**; nigèlla *f.*

Fenny; paludóso.

Fenugreek; fieno greco.

Ferment; ferménto *m.*; fermentare, ribollire. **-ation**; -azióne *f.*, lièvito *m.*

Fern; félce *f.* Male —, felce maschia. Lady —, felce femmina. Polypody —, felce quercina. Tree —, felce arborescente. **-ery**; felcét-a *f.*, -o *m.* **-y**; pieno o coperto di felci.

Feroc-ious, -iously, -ity; **-e, -eménte,** -ità *f.*

Ferrara; Of —, ferrarése.

Ferret; furétto *m.*; prendere i conigli col furetto. — out, strappare (un segreto) con destrezza, scovare.

Ferruginous; ferrugíneo.

Ferrule; ghièra *f.*

Ferry; tragitto *m.* — across, tragittare. **-boat**; barchétta *f.*, battèllo *m.*, navalèstro *m.* **-man**; battellière *m.*, navalèstro *m.* **-rope**; dráglia *f.*

Fertil-e, -isation, -ise, -ity; -e, -iżżazióne *f.*, -iżżare, -ità *f.*

Ferv-ency; -óre *m.* **-ent**; -ido, -oróso. **-ently**; -idaménte, -orosaménte. **-id**; -ido, vivo. **-idly**; -idaménte, vivaménte. **-our**; -óre *m.*

Fescue; palèo *m.* Hard —, paleo alpino.

Festa, Festal; *see* Festival.

Fester; piaga marciosa; andare in suppurazione, impostemire. **-ing**; marcióso.

Festiv-al; fèsta *f.* **-e**; -o, allégro. **-ely**; gaiaménte, allegraménte. **-ity**; -ità *f.*, allegría *f.*

Festoon; festóne *m.*, ornare di festoni.

Fetch; andare a prendere, portare, ottenére (prezzo), mandare (sospiro). — and carry, portar qua e là. — away, portar via. — back, riportare. — in, portar dentro. — out, tirar fuori, portar fuori. — up, portare insù; giúngere, fermarsi.

Fetching; che fa impressione viva, affascinante, impressionante.

Fête; *see* Festival.

Fet-id; -ido. **-ish**; -iccio *m.* **-lock**; garétto *m.*, barbétta *f.* **-or**; -óre *m.*
Fetter; caténa *f.*, fèrro *m.*; incatenare, inceppare.
Fettle; órdine *m.*, stato di preparazione.
Feud; querèla *f.*, rissa *f.* **-al**, **-alism**, **-ally**, **-atory**; -ále, -aliśmo *m.*, con sistema -ale, -atário.
Feuilleton, **-ist**; appendíc-e *f.*, -ista *m.*
Fever; fèbbre *f.* Be in a —, aver la febbre, esser molto agitato. **-few**; matricále *m.* **-ish**; febbricitante. — haste, impatience, fretta, impazienza, febbrile. **-ishly**; — anxious, febbrilmente ansioso. **-ishness**; sintomi febbrili. **-patient**; febbricitante *m.* or *f.*
Few; pòco, scarso. A —, alquanti, parécchi. A good —, un buon numero. — men, pochi uomini. The —, la minoranza. **-er**; più scarso. The — the better, quanto meno, tanto meglio; meno si è, meglio è. **-est**; il più scarso possibile. To say in the — possible words, dire in quante meno parole sia possibile.
Fez; *id.*
Fiancé; fidanzato *m.*, promesso sposo.
Fi-asco; *id.* **-at**; comando *m.*
Fib; fandònia *f.*, fanfalúca *f.*, fròttola *f.* Downright —, frottola bella e buona. To —, dir bugie, dirne delle grosse. Tell -s, piantare, ficcare, o vendere, carote, dare ad intendere quel che non è. **-ber**; śballóne *m.*, mentitóre *m.* **-bing**; il mentire.
Fibr-e, **-eless**, **-iform**, **-il**, **-in**, **-oid**, **-ous**; -a *f.*, senza -e, -ifórme, -illo *m.*, -ína *f.*, -òide, -óso. -e of wood, tiglio *m.*
Fichu; fisciù *m.*
Fickle, **-ness**; incostan-te, -za *f.*, leggèr-o, -ézza *f.*, mutábil-e, -ità *f.*
Fict-ile; fíttile. **-ion**; finzióne *f.* Work of —, romanzo *m.* **-ional**; che si occupa di romanzi. **-itious**; fittízio. **-itiously**; in modo fittizio, falsaménte. **-itiousness**; l' esser fittizio.
Fid; chiave di un albero, caviglia per impiombare. To —, metter in chiave.
Fiddle; 1. violíno *m.*; sonare il violino. Play second —, aver una parte di poca importanza. 2. gingillarsi, tentennare, non decidersi. — about with, giocolarsi di, far sembiante di occuparsi di, prendere e lasciare per poi riprendere, non voler lasciare. 3. -s (on shipboard); passeríni *m. pl.*, cordóni *m. pl.*
Fiddle-bow; archétto *m.* **-de-dee**; *see* -sticks. **-faddle**; sciocchézze *f. pl.*, bagatèlle *f. pl.* **-r**; violinista *m.* **-stick**; archétto *m.* **-sticks**! eh via! frottole! cuccù! **-string**; corda di violino.
Fiddling; 1. il sonare il violino. 2. — affair, affare futile, fastidioso, senza importanza.
Fidelity; fedeltà *f.*
Fidget; agitazióne *f.*; persona irrequieta. To —, dimenarsi, agitarsi, śgambettare, muoversi irrequietaménte. **-iness**; irrequietézza *f.* **-y**; irrequièto, impaziènte, che non può star fermo o esser tranquillo.
Fie! oibò!
Fief; fèudo *m.*
Field; 1. campo *m.*, prato *m.* 2. numero dei cacciatori alla caccia della volpe, l' insieme dei cavalli alle corse. To lay on the —, scommettere contro uno o più dei cavalli alle corse. 3. To —, stare al campo, *see* Fieldsman. Take the —, scendere in campo. 4. — of battle, of action, campo di battaglia, d' azione. — of ice, banco di ghiaccio. — of operations, scacchière *m.* — of view, campo di visione.
Field-allowance; soprassoldo per servizio campale. **-artillery**; artiglieria di campagna. **-day**; giorno di manovra, *fig.* giorno di grande attività. **-er**; *see* -sman. **-fare**; tordéla *f.*, gażżína *f.* **-glass**; cannocchiale da campo. **-hospital**; ospedale da campo. **-marshal**; generale d' esercito. **-mouse**; topo campagnuolo. **-practice**; esercizio nella tattica militare. **-preacher**; predicatore all' aperto. **-sman**; al "cricket," chi sta al campo per prender la palla colpita dal "batsman." **-sports**; esercizii o giuochi all' aria aperta. **-train**; equipaggio dell' artiglieria da campagna. **-works**; lavori difensivi della campagna.
Fiend; demònio *m.* **-ish**, **-ishly**; diabòlic-o, -aménte. **-ishness**; malignità o crudeltà diabolica. **-like**; come un demonio, satánico.
Fierc-e, **-ely**, **-eness**; feróc-e, -eménte, -ità *f.*, fièr-o, -aménte, -ézza *f.*, gagliard-o, -aménte, -ézza *f.* -e fire, fuoco strepitoso.
Fier-iness; ardóre *m.*, fóga *f.*, calóre *m.*, irascibilità *f.* **-y**; di fuoco, ardènte, impetuóso, focóso. The eye of a condor is bright — red, l' occhio del condoro è rosso carmino fuoco.
Fife; píffero *m.*, ottavíno *m.* **-r**; píffero *m.*
Fifteen, **-th**; quíndic-i, -èśimo.
Fifth; quinta *f.*, quinto. **-ly**; in quinto luogo.
Fift-ieth, **-y**; cinquant-èśimo, -a. Set of fifty, cinquantína *f.*
Fig; fico *m.* In full — (gergo), in abito di gala.
Fight; combattiménto *m.*, lòtta *f.*, contésa *f.* Sham —, finto combattimento.

In the thick of the —, nel fitto della mischia. To —, combáttere, ażżuffarsi, fare a pugni, báttersi, lottare. — shy of, scansare, non voler incontrare. -er; combattènte *m.* -ing; battaglièro.
Figment; invenzióne *f.*
Fig-tree; fìco *m.*
Figurativ-e, -ely; -o, -aménte.
Figure; 1. figúra *f.*, fórma *f.*, aspètto *m.* — of speech, traśláto *m.*, metáfora *f.* 2. cifra *f.* 3. prézzo *m.* 4. persóna *f.*, personále *m.* Woman with a good — but plain features, donna bella di fusto ma brutta nel viso. 5. Solid —, un solido. Well knit —, figura ben tagliata, ben foggiata. Spare —, figura sparuta. 6. To —, figurare, formare. 7. simbo liżżare. 8. — well, make a good —, far figura, esser cospicuo. — in, prender parte a. — out, — up, calcolare. 9. What a — you have made of yourself, come ti sei infagottato. -d; fiorato, con disegni. — silk, seta a disegni. — stuff, tessuto a figure.
Figure-head; poléna *f.*, *fig.* capo o capitano di sola apparenza.
Figwort; scrofolária *f.*
Fiji; le isole Figi.
Filament, -ous; -o *m.*, -óso.
Filbert; avellána *f.*, nocciola coltivata.
Filch; involare, derubare.
File; lima *f.*; lista *f.*, incartaménto *m.*, filza *f.*, fáscio *m.*; fila *f.*; at chess, règolo *m.* To —, limare, dar la lima a; infilzare (in un ferro appuntato). — past, sfilare. — a declaration, petition etc., presentare una dichiarazione, petizione ecc. (ad un tribunale o corpo legislativo). -cutter; fabbricante di lime.
Filial, -ly; -e, -ménte.
Filiation; affigliazióne *f.*
Filibuster; filibustière *m.*, piráta *m.* -ing; da filibustiere; il fare da pirata.
Filigree; filagrána *f.*
Filings; limatura *f.*
Fill; il bastevole, sufficènza *f.*, riempire, coprire (carica), colmare, gonfiare (vele). The boat -ed and went down, il battello si riempì ed affondò. — out, aggrandire. — a shell, caricare un proietto. — up, impiegare (tempo). The name was not -ed up on the paper, il nome non si trovò sulla carta. -ed with, pieno di, riempito di. -er; chi riempie.
Fillet; banda *f.*, striscia *f.*; filetto di bue; listèllo *m.*
Filling; riempitura *f.*, riempitívo *m.*, trama di tessuto.
Fillip; stímolo *m.*
Fillister-plane; sponderòla *f.*
Filly; pulédra *f.*
Film; pellícola *f.*, vélo *m.* -y; albugíneo, come una pellicola.
Filter; filtro *m.*; filtrare. -ing; filtrazióne *f.* — tank, depuratòrio *m.* -paper; carta da filtrare, carta emporetica.
Filth; sporcízia *f.*, sożżura *f.*, immondízie *f. pl.* -ily; sozzaménte, cattivissimaménte. — dirty, sudicissimo. -iness; lordura *f.* -y; spòrco, sóżżo, lúrido, láido.
Filtra-te, -tion; -to *m.*, -zióne *f.*
Fin; pinna *f.*, alétta *f.* (velivolo).
Finable; soggetto a multa.
Final; -e, definitívo. — hope, ultima speranza. -e; -e *m.* -ity; -ità *f.*, concluśióne *f.* There is no — about it, non viene mai ad una conclusione. -ly; finalménte.
Financ-e, -ial, -ially, -ier; finanz-a *f.*, -iario, -iariaménte, -ière *m.*
Finch; cardellíno *m.*, fringuèllo *m.*
Find; scopèrta *f.*; trovare, scoprire, rintracciare, sorprèndere (in fallo), eméttere (sentenza), dichiarare (colpevole, innocente). — in, provvedere con, fornire di. — oneself, vivere e vestirsi alle proprie spese. All found, tutto incluso, a tutta paga, inclusa ogni spesa. — out, scoprire, sorprèndere, indovinare, appurare. — fault, criticare, biaśimare, appórre. -er; trovatóre *m.* -ing; sentènza *f.*, verdétto *m.*
Fine; 1. ammènda *f.*, multa *f.*; punire con una multa, infliggere una multa a. Be -d, buscarsi una multa, incorrere in una multa. Be liable to a —, cascare in una multa. 2. bèllo, ben fatto, grande, bravo, superióre. — arts, belle arti. 3. fino (panno). 4. chiarire (vino). — down, assottigliare, raffinare. 5. As *adj.* the word may often be translated by an augmentative or superlative; — chance, occasioncíona. — big girl, ragazzotta bella. — big man, uomo grandissimo.
Fine-draw; rammendare in modo che non si veda la rottura del tessuto, rammendare in fino, delicatamente. -drawn; sottilissima (distinzione), artifiziato. -grained; a fino grano. -ly; bellaménte, bene, delicataménte. -ness; titolo (di una lega), grado di finezza; l' esser bello, grande ecc. -r; *see* Refiner. -ry; frónżoli *m. pl.*, lusso *m.* -spun; fino (filato).
Finesse; finézza *f.*, sottigliézza *f.*; agire con sotterfugi; (alle carte) giocare con finezza. I — the queen, fo finezza colla donna.
Finger; dito *m.* -s, dita *f. pl.*; maneggiare, tastare, (*mus.*) tasteggiare. Fore —, índice *m.* Middle —, medio *m.*

Ring —, anulare *m.* Little —, mígnolo *m.* At one's -s' ends, sulle punte delle dita. Have a — in the pie, aver le mani in pasta. **-alphabet**; alfabeto per i sordomuti. **-board**; tastièra *f.* **-bowl, -glass**; sciacquabócca *m.* **-breadth**; larghezza di un dito. **-mark**; ditata *f.* **-nail**; únghia *f.* **-plate**; placca perchè una porta non si insudiciasse da ditate. **-post**; palo indicatore. **-reading**; modo di leggere per i ciechi. **-stall**; ditále *m.*

Fin-ial; vertice ornamentale. **-ical**; affettato. **-ically**; con voce affettata, in modo prezioso. **-ikin**; minuzióso, fastidióso, che si occupa di inezie. **-ings**; còlla *f.*

Finish; finitézza *f.*, ultimi tocchi, compiménto *m.* Fight to a —, combattere a oltranza. To —, finire, terminare, dar l' ultima mano a, dare il colpo di grazia a, abbattere completamente. To — speaking, finire di parlare. **-ed**; compíto, perfètto, raffinato; fatto. **-er**; chi dà l' ultima mano, gli ultimi tocchi ad un lavoro. **-ing**; che finisce, perfeziona, compisce. — stroke, ultimo colpo. — school, scuola dove l' istruzione, o l' educazione, si completa. — coat, ultimo tratto di pittura.

Finisterre; Finistèrre *m.*

Finite, -ness; limit-ato, l' esser -ato.

Finland, Finnish, Finn; Finlánd-ia *f.*, -ése *or* fínnico, Finno *m.*

Finny; pinnuto.

Fiord; fiórdo *m.*

Fir; abéte *m.* **-cone**; pina *f.*

Fire; fuòco *m.*, incèndio *m.*; tiro *m.* With — and sword, con il ferro e con il fuoco. Accurate —, tiro preciso. Concentrated —, tiro a cono. Cross —, tiro incrociato. Feeble —, tiro scarso. Grazing —, tiro rasente. Harassing —, tiro di molestia. Heavy —, tiro intenso. Irregular —, tiro sregolato. Low-angle —, tiro rasente. Practice —, tiro di prova. Progressive —, tiro cadenzato. Rapid —, tiro accelerato. Ranging —, tiro di sfondo. Weak —, tiro scarso. Well-aimed —, tiro ben aggiustato. Well-directed —, tiro regolato. Wild —, tiro disordinato. Cone of —, fascio della traiettoria. — ahead, tiro in caccia. — astern, tiro in ritirata.

To be on —, essere in fuoco. Catch —, prender fuoco. Lay the —, preparare il fuoco. Set on —, metter fuoco a, appiccare il fuoco a. Out of the frying-pan into the —, dalla padella nella brace.

To —, infiammare, far fuoco, tirare, cauteriżżare (cavallo). — at, — on sparare contro, tirare su. — away, 1. continuare a far fuoco. 2. sparare. They fired away all their ammunition, esaurirono tutte le loro munizioni col far fuoco. — out (gergo), scacciare. — up, arrabbiarsi.

Fire-alarm; allarme di fuoco. **-arm**; arme da fuoco. **-ball**; globo di fuoco. **-balloon**; mongolfièra *f.* **-bar**; barròtto *m.*, sbarra della graticola. **-bars**; gratícola *f.* **-box**; focolare di locomotiva, camera del fuoco. **-brand**; tizzóne *m.*, legno ardente, *fig.* chi eccita le passioni altrui. **-brick**; mattone refrattario. **-bridge**; altáre *m.* **-brigade**; i pompièri (at Rome, vigili), corpo dei pompieri. **-bucket**; secchio per incendio. **-clay**; argilla apira. **-control officer**; primo direttore del tiro. **-crested wren**; fiorrancíno *m.* **-damp**; gas esplosivo delle miniere. **-dog**; aláre *m.* **-eater**; fanfaróne *m.*, ṡbravazzóne *m.* **-d**; incoraggiato, animato. **-engine**; pompa per incendio. **-escape**; apparecchio di salvataggio per incendio. **-fly**; lúcciola *f.*, lampíride *f.* **-grate**; grata del focolare. **-guard**; parafuòco *m.*, caminièra *f.* **-hose**; manichétta *f.*, tubo da getto.

Firing; sparo *m.*, il far fuoco, fucilata *f.*, cannonata *f.*; cauteriżżazióne *f.*; legna da ardere. **-exercise**; esercitazione di tiro. **-party**; distaccamento incaricato di sparare a salve sopra una tomba, o di fucilare un condannato. **-tools**' riávoli *m. pl.*

Fire-insurance; assicurazione contro l' incendio. **-irons**; ferri o arnesi del focolare. **-light**; luce del fuoco. **-lighter**; accendifuòco *m.* **-ladder**; scala di salvataggio. **-main**; tubo, o collettore, da incendio. **-man**; 1. pompière *m.* 2. fochista *m.* **-office**; compagnia di assicurazione contro il fuoco. **-place**; focolare *m.*, camíno *m.* **-plug**; chiavetta di un tubo da incendio. **-policy**; polizza d' assicurazione contro l' incendio. **-proof**; a prova di fuoco. **-raising**; delitto d' incendiario. **-screen**; parafuòco *m.* **-ship**; brulòtto *m.* **-shovel**; paletta da fuoco. **-side**; focolare *m.*, cantuccio del focolare. **-station**; posta dei pompieri. **-stations**; (*mar.*) ruolo d' allarme. **-tongs**; mòlle *f. pl.* **-wood**; legna da ardere. **-works**; fuochi artifiziali, topi matti. **-worship**; culto del fuoco. **-worshipper**; adoratore del fuoco.

Firkin; barilétto *m.*

Firm; 1. ditta *f.*, casa commerciale. 2. férmo, saldo, stábile, risoluto. **-ament**; -aménto *m.* **-an**; -àno *m.* **-ly**; fermaménte ecc., con fermezza. **-ness**; ferméżza *f.*, l' esser fermo ecc.

First; primo. The very —, giusto il primo. As *adv.*, prima, da prima. At —, sulle prime, da prima. At — blush, in sulle prime. — of all, prima di tutto. From the —, fin dalla prima volta, fin da principio. From the day when I — found him, fin da quando la prima volta lo trovai. At — hand, di prima mano. — aid, il primo soccorso. It is all right after the — step, il difficile sta nel cominciare. — floor, primo piano. — fruits, primízie *f. pl.* — mate, primo tenente, scriváno *m.*, secondo di bordo. **-begotten, -born**; primogènito. **-class**; di prima qualità, eccellènte. **-rate**; *see* First class.

Firstly; primieraménte, in primo luogo.

Firth; gólfo *m.*, estuário *m.*

Fiscal; fiscále.

Fish; 1. pésce *m.* 2. físcia *f.*, gettóne *m.* 3. Queer — (gergo), persona strana. I have other — to fry, ho ben altro per il capo. 4. pescare, *see* Catch (6); (*mar.*) rinforzare, lapazzare (albero); attraversare (l' ancora). — for seals, cacciare la foca; — for whales, pescare la balena. — for trout, pescar le trote. — for compliments, cercare di ottenere dei complimenti. — out, tirare o cavare fuori, scoprire (segreto). I managed to — out, arrivai a sapere. — up, pescare.

Fish-ball, -cake; polpetta di pesce. **-bone**; rèsta *f.*, lisca *f.* **-culture**; piscicoltura *f.* **-curer**; salatóre *m.*, affumicatóre *m.* (di pesci). **-erman**; pescatóre *m.* **-ery**; pésca *f.* Herring, Mackerel, Pilchard —, pesca delle aringhe, dello sgombro, delle sardelle. — laws, legge sulla pesca. **-gig**; fiòcina *f.* **-hawker**; pescivéndolo *m.* **-hook**; amo *m.*

Fishing; pésca *f.* **-boat**; barca da pesca. **-ground**; luogo da pescare. **-line**; lènza *f.* **-net**; rete da pesca. **-port**; porto di pescatori. **-products**; prodotti della pesca. **-rod**; canna da pesca. **-smack**; barca peschereccia. **-tackle**; attrezzi pescherecci.

Fish-kettle; pesciaiòla *f.* **-knife**; coltello da pesce. **-ladder**; congegno perchè il pesce possa ascendere una cascata. **-market**; mercato del pesce, pescheria *f.* **-monger**; pesciaiòlo *m.* **-plate**; coprigiunto *m.* **-pond**; viváio *m.*, peschièra *f.* **-sauce**; salsa pel pesce. **-slice**; cucchiaione pel pesce. **-spear**; fiòcina *f.* **-wife**; pescivéndola *f.*

Fishy; di pesce; sospètto.

Fiss-ile; *id.* **-ion**; spaccaménto *m.* **-iparous**; -íparo. **-iped**; -ípede. **-ure**; fessura *f.* **-ured**; screpolato, fésso.

Fist; pugno *m.* Clenched —, pugno chiuso. **-icuffs**; combattimento a pugni. **-s**; pugna *f. pl.* or pugni *m. pl.*

Fistul-a, -ous; fistol-a, -óso.

Fit; 1. accèsso *m.*, attacco *m.*, convulsióne *f.* 2. umóre *m.* In a — of absence, per distrazione. — of generosity, generosità insolita. When the — takes him, quando gli viene l' umore, o gli salta il ticchio. By -s and starts, a sbalzi. It comes by -s and starts, se ne hanno degli scatti. Apoplectic —, accidènte *m.* — of temper, collera subitanea. In a — of temper, sopr' animo. Cold —, brívido *m.* 3. atto, accóncio idòneo, capáce, buono (a), convenévole, dégno; ammaestrato e pronto per le corse. — to eat, buono da mangiare. Be —, esser adatto. Make —, metter in grado, preparare, adattare. 4. accomodare, aggiustare. 5. star bene, andar bene, calzare; addirsi, convenire. 6. — out, preparare, fornire del necessario, equipaggiare, provvedére, corredare. armare (nave). — up, ammobigliare, allestire.

Fitful; incèrto, irregolare. **-ly**; a salti. **-ness**: incostanza *f.*, irregolarità *f.*

Fit-ly; ammòdo, convenevolménte. **-ness**; acconcézza *f.*, convenïènza *f.*, l' esser atto ecc., *see* Fit (3). — for a voyage, idoneità per un viaggio. The — of things, la convenienza delle cose. **-ted**; adatto, *see* Fit (3). **-ter**; aggiustatóre *m.*, congegnatóre *m.*, montatore di macchine. — out, armatóre *m.* **-ting**; convenévole, dicévole. — out, allestiménto *m.*, armaménto *m.*, equipaggiaménto *m.* **-tingly**; convenevolménte. **-tings**; accessòrii *m. pl.*, mòbili *m. pl.*, arrèdi *m. pl.*, forniménti *m. pl.*

Five; cinque. Double —, at dominoes, china *f.* **-fold**; quíntuplo. **-s**; giuòco della palla al muro.

Fix; difficoltà *f.*, situazione senza uscita; fissare; (negli Stati Uniti) assettare, metter in ordine. — up, stabilire, determinare. — on, decidersi per. **-ation**; fissazióne *f.* **-ed**; fisso, cèrto. — idea, fissazióne *f.* **-edly**; fissaménte, fisso. **-ity**; stabilità *f.*, l' esser fisso. **-ture**; chi, o che, non si muove, non sen va. **-tures**; fissati (alle corse); mobili fissi nelle pareti.

Fizgig; ražžo *m.*

Fizz; (gergo) sciampagna *m.* or *f.* To —, fischiare, sibilare, *see* Frizzle. **-le**; *see* Fizz. — out, andare in aria, dileguarsi.

Flabbergasted; šbalordito, rintronato.

Flabb-ily, -iness, -y; flosc-iaménte, -ézza *f.*, -io, móscio, vizzo, méncio.

Flaccid, -ly, -ity; flosc-io, -iaménte, -ézza *f.*, mòll-e, -eménte, -ézza *f.*

Flag; 1. bandièra *f*. — of truce, bandiera parlamentaria. To hoist the —, issare la bandiera. Strike the —, ammainare la bandiera per arrendersi. Dip the —, abbassare la bandiera per salutare. **-captain**; comandante di bandiera. **-lieutenant**; aiutante di bandiera. **-officer**; ufficiale ammiraglio. **-ship**; nave ammiraglia. 2. Yellow — (water iris), ácoro falso. 3. lastra *f*. 4. rallentarsi, illanguidire.

Flagell-ant, -ation; -ante *m*., -azióne *f*.

Flageolet; zúfolo *m*.

Flagging; 1. avvizziménto *m*.; lánguido. 2. selciato di lastre.

Flagitious, -ly, -ness; scellerat-o, -aménte, -ézza *f*.

Flag-lily; giaggiòlo *m*.

Flagon; boccétta *f*., fiasco *m*.

Flagran-cy; enormità *f*. **-t**; -te. **-tly**; in modo -te.

Flagstaff; asta, o albero, di bandiera.

Flagstone; lastra di pietra.

Flail; coreggiato *m*., tríbolo *m*.

Flair; percezióne acuta.

Flak-e; scaglia *f*., fiòcco *m*., lámina *f*., falda (di neve). — off, squamare, sfaldarsi. **-e-white**; biacca *f*. **-y**; a scaglie, laminóso.

Flambeau; fiáccola *f*.

Flamboyant; gotico roccoccò, stile d' architettura in Francia nel quattrocento e cinque cento.

Flame; fiamma *f*., vampa *f*.; avvampare, fiammeggiare. **-coloured**; color fuoco. **-thrower**; lancia-fiamme *m*.

Flam-en; -ine *m*. **-ingo**; fenicòttero *m*.

Flanders; Fiandra *f*.

Flaneur; girandolóne *m*.

Flange; flángia *f*., bríglia *f*., risalto *m*. Of a tyre, tallóne *m*.

Flank; fianco *m*.; fiancheggiare.

Flannel; flanèlla *f*. **-ette**; flanella di cotone. **-led**; vestito di flanella.

Flap; falda *f*., pistagna *f*., ribalta *f*., tesa di cappello, quartiere di sella, estremità dell' orecchio; colpo d' ala. To —, aleggiare, battere (le ali), śventolare; insaccare (vela), śbáttere. **-doodle**; sciocchézze *f*. *pl*. **-eared**; orecchiuto, dalle orecchie lunghe, penzoloni. **-per** (gergo); ragazza sedicenne o giù di lì. **-ping**; báttito *m*., battiménto *m*.

Flare; fiammata *f*., vampa *f*.; fiaccolare, fiammeggiare, sfavillare, sfolgorare. — up, avvampare, divampare, *fig*. montare in collera.

Flaring; sfavillante, sfarzóso.

Flash; lampo *m*., baléno *m*.; lampeggiare, balenare, sfolgorare, sfavillare. — across one's mind, balenare alla mente. — in the pan, tentativo abortito. **-ing** light, lume intermittente, a splendori, a gruppi di splendore. **-ing** eyes, occhi fiammeggianti. **-ily**; in modo chiassoso. **-point**; grado di infiammabilità. **-y**; chiassóso, vistóso ma senza sugo.

Flask; fiaschétta *f*. Florence —, bottiglia rotonda a collo stretto.

Flat; 1. appartaménto *m*. 2. semplicióne *m*. 3. pianura *f*., basso fondo. 4. bimmòlle *m*. 5. piatto, piano; languido (commercio); insípido, scipíto; stonato; śmorzato (colore). — denial, negazione netta. — lie, menzogna bella e buona. — trajectory, traiettoria tesa o radente. Give a — denial, negare o ricusare nettamente, dire un no bello e tondo. Fall —, *fig*. uscir male, non riuscire. Lay —, appianare. Lie —, giacere orizzontalmente, stare senza rughe. Lie — on the ground, stendersi per terra. Sing —, stonare. On the —, di piatto.

Flat-bottomed; a fondo piano. — boat, chiatta. **-fish**; pesce schiacciato. **-iron**; ferro da stirare, liscia *f*. **-ly**; nettaménte. **-ness**; pianézza *f*. **-nosed**; camúśo. **-race**; corsa piana. **-ten**; appianare, schiacciare. — out, schiantare.

Flatter; luśingare, adulare. **-er**; adulatóre *m*. **-ing**; luśinghièro, luśinghévole. **-ingly**; con luśinghe. **-y**; luśinga *f*.

Flattish; piuttosto piano.

Flatulen-ce, -t; -za *f*., -to.

Flat-us; -o *m*. **-wise**; di piatto.

Flaunt; far pompa di, sfoggiare, pavoneggiarsi. **-ing**; sfarzóso.

Flavour; sapóre *m*., gusto *m*. Have a — of, sapere di. To —, profumare, condire. **-ing**; condiménto *m*. **-less**; senza sapore, senza sale.

Flaw; difètto *m*., tacca *f*. **-less**; senza difetto, specchiato. **-lessly**; d' un modo senza macchia, senza far fallo.

Flax; lino *m*. **-en, -en-haired**; bióndo. **-mill**; filatoio di lino.

Flay, -er, -ing; scortic-are, -atóre *m*., -aménto *m*.

Flea; pulce *f*. **-bane**; erba da pulci. **-bite**; morso di pulce, *fig*. bagatèlla *f*.

Fleam; fiamma *f*.

Fleck; sprazzo *m*.; macchiétt-a *f*., -are.

Fled; *rem*. di Flee.

Fledge; coprir di penne. **-d**; pennato, piumato. Be -d, impiumarsi. **-ling**; uccello giovane, uccellíno *m*.

Flee; fuggire, scappare, scansare. — to, rifugiarsi presso.

Fleec-e; vèllo *m*. To —, *fig*. tośare, scorticare. Golden —, tośóne d' oro. **-y**; lanuto, vellóso, biancheggiante (nuvola).

Fleer; bèffa *f.*
Fleet; 1. flòtta, marína, armata navale. — in being, flotta attiva. 2. rápido, velóce, lesto di piede. **-ing**; passeggèro. **-ness**; lestézza *f.*
Flem-ing, **-ish**; Fiammingo.
Flesh; carne *f.*, pólpa *f.*; uṡare (arme) in battaglia. **-brush**; spazzola di frizione. **-coloured**; color carne. **-eating**; carnívoro. **-fly**; mosca carnina. **-hook**; gancio *m.* **-less**; macilènto. **-ly**; carnále. **-pot**; marmitta *f.* **-wound**; ferita non penetrante. **-y**; carnóso, paffuto, polputo.
Fleur-de-lis; fiordalíṡo *m.*
Flew; *rem.* di Fly.
Flex; piegare. **-ibility**; pieghevolézza *f.* **-ible**; pieghévole, arrendévole, flessíbile. **-ion**; flessióne *f.* **-or**; flessóre.
Flibbertigibbet; frúgol-o *m.*, -a *f.*
Flick; colpo leggero; toccar collo scudiscio, pizzicottare. — off, scuòtere di scatto, toglier via (mosca) con una leggera frustata.
Flicker; guizzo *m.*; guizzare, agitarsi, tremolare, vacillare.
Flier; che vola, volante *m.*, aeronáuta *m.*
Flight; fuga *f.*, vólo *m.*, volata *f.*; stórmo *m.*; scala *f.*, branca di scala, gradinata *f.* **-iness**; leggerézza *f.*, storditézza *f.* **-y**; leggèro, poco stabile, incostante. — person, cervello balzano.
Flims-ily; alla leggera. **-iness**; leggerézza *f.*, tenuità *f.* **-y**; frívolo, fiacco, débole, poco sodo. As *sb.*, copia di una lettera sulla carta velina.
Flinch; ritirarsi per dolore o per paura. Without -ing, senza scuotersi.
Fling; gètto *m.* In full —, a tutto andare. Have a — at; 1. far qualche tentativo di ottenere. 2. lanciare un frizzo a. To —, gettare, lanciare, scagliare. — away, rigettare, buttar via, non voler valersi di. — off, rispíngere, ṡbarazzarsi di, gettar via. — on one's clothes, vestirsi di fretta. — open, aprire rapidamente. — round the neck, gettar (le braccia) al collo. — out, profferire, dire senza riflettere; gettar fuori. — up, rigettare sulla costa.
Flint; sélce *f.*, ciòttolo *m.*, pietra focaia. **-glass**; cristallo di rocca, vetro di rocca. **-implements**; utensili dell' età di pietra. **-y**; silíceo. — hearted, spietato.
Flip; biscottíno *m.*, buffétto *m.*; dare un biscottino a. **-flop**; suono di passi regolari.
Flippan-cy; impertinènza *f.* **-t**; linguacciuto, petulante, diṡinvòlto. **-tly**; in modo impertinente, molto leggermente.
Flipper; natatóia *f.*
Flirt; civettuòla *f.*; civettare, amoreggiare. **-ation**; civettería *f.*, amoreggiaménto *m.*
Flit; ṡvolazzare, *see* Flutter; andarsene, ṡloggiare. Visions -ted before him, delle visioni gli passarono rapidamente davanti agli occhi.
Flitch; lardèllo *m.*, costereccio di porco.
Flitting; ṡloggiaménto *m.*
Float; súghero *m.* (da pesca), pala di ruota idraulica, cazzuola da muratore; galleggiare, stare a galla; lanciare (impresa mercantile). -ing debt, debito fluttuante. -ing charge, atto ipotecario contingente. Fleecy clouds were -ing across the sky, si rincorrevano delle nuvole soffici per il cielo. A silvery laugh -ed down to me, un riso argentino mi venne agli orecchi. — down the stream, trasportarsi giù la corrente, lasciarsi trasportare dalla corrente. — off, diṡincaglia-re, -rsi.
Flocculent; fioccóso.
Flock; grégge *m.*, stórno *m.*, mandra *f.*; fiocco di lana, bórra *f.* To —, affollarsi, concórrere. **-bed**; letto di borra. **-paper**; carta da muro ruvida.
Floe; campo di ghiaccio.
Flog; frustare, sferzare, staffilare. **-ging**; flagellazióne *f.*, staffilata *f.*
Flood; pièna *f.*, dilúvio *m.*; inondare, allagare. — of tears, torrente di lagrime. -s of ink, torrenti d' inchiostro. -ed out, costretto a fuggire dall' acqua. **-gate**; cateratta *f.*, chiusa *f.* **-ing**; allagaménto *m.*; scarica di sangue nell' utero. **-mark**; limite, linea o segno dell' alta marea. **-tide**; flusso *m.*, marea montante.
Floor; paviménto *m.*, suòlo *m.*, tavolato *m.*, impiantíto *m.*; piano; impiantire; atterrare; *fig.* sconcertare. Ground —, pianterréno. Top —, piano superiore. On the same —, allo stesso livello, alla pari. That argument -ed me, a quella ragione dovetti tacere. **-cloth**; tela incerata. **-ing**; assíto. — timbers (*mar.*), madièri *m. pl.*
Flop; cascata di roba molle, floscia o soffice. — down, gettare o gettarsi giù scompigliatamente, alla rinfusa. — about, sguazzare. Fall down with a —, cadere con un tonfo sordo come d' un cuscino. **-py**; poco fermo, di poca consistenza, che sta per cascare.
Flor-a, **-al**; -a *f.*, -ále.
Floren-ce, **-tine**; Firènze *f.*, fiorentíno.
Flor-escence; fioritura *f.* **-et**; flòsculo *m.* **-iculture**; floricultúra *f.* **-id**; fiorito, flòrido. **-idness**; stile fiorito. **-in**; fiorino *m.* **-ist**; fiorista *m.*
Floss; piumíno *m.*, bórra *f.* **-silk**; fiorétto *m.*, filaticcio *m.*, bavèlla *f.*

Flotilla; flottiglia *f.*
Flotsam and jetsam; relitti di mare, rottami gallegianti.
Flounce; balza *f.*, pièga *f.*, falpalà *m.* **-d**; guernito di falpalà.
Flounder; 1. passeríno *m.* 2. dimenarsi, dibáttersi, impappinarsi, imbrogliarsi.
Flour; farina *f.*, fior di farina. **-bin**; mádia *f.*
Flourish; paraffa *f.*, tratto di penna, ghirigòro *m.*, fiore di parlare; (music) fioritura *f.*, fanfaronata *f.*, trombata *f.* To —, fiorire; agitare, fare il mulinello (con la spada). — of trumpets, trombonata *f.*, strombettata *f.*
Flour-mill; mulíno *m.* **-y**; farinóso, infarinato.
Flout; mottéggio *m.*; motteggiare, schernire, burlarsi di, rigettare con ischerno.
Flow; corrènte *f.*, scólo *m.*, flusso *m.*, marea montante; scórrere, colare, fluire. — of spirits, gaiézza *f.*, allegría *f.* Inordinate — of talk, profluvio di parole. — away, scappare. — back, rifluire. — by (time), trascórrere. — in, affluire. — over, traboccare.
Flower; fióre *m.* **-bearing**; a fiori. **-bed**; aiuòla *f.* **-bud**; gèmma *f.* **-ed**; fioríto, ricamato a fiori. **-et**; fiorellíno *m.* **-girl**; fioraia *f.* **-grower**; fioricultóre *m.* **-iness**; l' esser fiorito ecc., *see* Flowery. **-ing**; da fiori. — ash, orniѐllo *m.* — rush, bútomo *m.* **-painter**; fiorista *m.* **-piece**; quadro di fiori. **-pot**; vaso da fiori. **-show**; esposizione di fiori. **-stalk**; pedúncolo *m.* **-stand**; canestra da fiori, portaváṡi *m.* **-y**; fioríto, flòrido; pieno di fiori.
Flowing; corrènte, scorrévole, volúbile, (marea) montante.
Flown; *part.* di Fly.
Fluctuat-e, -ion; fluttuare, oscillare; fluttuazióne *f.*
Flue; gola di camino, condotto di fumo.
Fluen-cy; speditézza *f.* **-t**; scorrévole, copióso, fácile, facóndo. Become —, sfranchirsi. **-tly**; correnteménte, speditaménte.
Fluff; bórra. -ed out, (uccello) con le piume arruffate. **-iness**; pelosità *f.* **-y**; piumóso, cotonóso, pelóso.
Fluid, -ity; -o, -ità *f.*, -ézza *f.*
Fluk-e; scazzata *f.* (vulgar term), successo non preveduto; marra *f.* (ancora); códa *f.* (balena); bísciola *f.*, linguáttola *f.* (parassito della pecora). To —, ottenere dei successi accidentali. **-y**; riuscita fortuita, riuscito bene a caso, a forza di accidenti.
Flummery; frónżoli *m. pl.*, complimento scempiato, sciocchézza *f.*
Flung; *rem.* di Fling.
Flunkey; lacchè *m.*, servitóre *m.* **-ism**; servilità bassa.
Fluor-spar; spato fluore.
Flurry; trambusto *m.*; scompigliare. Death —, dibattiménto *m.* (di balena morente).
Flush; rossóre *m.*, accesso di sangue, accensióne *f.*; (cards) flusso *m.*, flussi *or* frussi *f.* As *adj.*, ben munito. — with, a livello di, a fiore di. To —, animare, eccitare, árrossire; levare (selvaggina). **-ed**; rosso; eṡaltato.
Flushing; Flessinga *f.*
Fluster; agitazióne *f.*, perturbazióne *f.*; agitare, perturbare.
Flut-e; fláuto *m.* **-e-player**; flautista *m.* **-ing**; scanalatura *f.*
Flutter; báttito d' ali, agitazióne *f.*; diṡordinare, turbare; ṡvolazzare, volteggiare, aleggiare. -ing pulse, polso debole e irregolare.
Flux; flusso *m.*; fondènte *m.*
Fly; mósca *f.*; vettura *f.*; sparato dei calzoni; volare, alzarsi in volo; fuggire; (gergo) accivettato. — a flag, battere una bandiera. — **about**, ṡvolazzare. — **apart**, spezzarsi, separarsi ad un tratto. — **at**, assalire, avventarsi su. Let — at him, dirgliene un sacco ed una sporta. — **away**, pigliare il volo. — **back**, rivolare; ritirarsi presto. — **by**, passare rapidamente. — **down**, discendere rapidissimaménte. — **from**, sottrarsi di. — **into** a rage, entrare in furia, andar su tutte le furie, indiavolarsi. — **off**, fuggire, scappare, partire in gran fretta. — **open**, aprirsi di scatto, spalancarsi. — **up**, montare a volo.
Fly-blown; infetto di cacchioni. Be —, avere i cacchioni. **-book**; libretto per mosche artifiziali. **-catcher**; chiappamósche *m.*, bália *f.* **-driver**; vetturíno *m.*, cocchière *m.* **-fishing**; pesca con mosche artifiziali. **-flap**; cacciamósche *m.*
Flying; il volare; volante. To shoot —, tirare a volo a. **-boat**; idrovolante *m.* **-colours**; bandiere spiegate. With —, con onore. **-column**; colonna leggiera. **-fish**; pesce volante.
Fly-leaf; foglietto di guardia. **-paper**; carta insetticida, moschicida. **-sheet**; carta volante, stampíglia *f.* **-wheel**; volante *m.*
Foal; pulédr-o *m.*, -a *f.*; figliare.
Foam; schiuma *f.*, spuma *f.*, bava *f.*; spumare (sciampagna), spumeggiare (torrente), biancheggiare di spuma. He -ed with rage, la sua bocca dava bava per la rabbia.

Fob; taschino da orologio. — it off upon as, spacciare per.
Foc-al, -us; -ále, -o *m.*, mettere a -o.
Fodder; forággio *m.*
Foe, Foeman; nemíco *m.*
Foet-al, -us; fet-ále, -o *m.*
Fog; nébbia *f.*; guaíme *m.* To —, annebbiare. Yorkshire —, sagginella salvatica. **-bank**; banco di nebbia. **-bell**; campana da nebbia. **-bound**; fermo per nebbia. **-bow**; arco di nebbia. **-horn**; corno da nebbia. **-signal**; segnale da nebbia.
Fogg-ily; indistintaménte. **-iness**; nebbiosità *f.* **-y**; nebbióso.
Fogy; Old —, vecchiòtto *m.*
Foible; débole *m.*; tícchio *m.*
Foil; fòglia *f.*; fiorétto *m.*; ṡventare, mandare all' aria.
Foist; far passare per genuino, spacciare.
Fold; pièga *f.*, ripiegatura *f.*; pecoríle *m.*, ovíle *m.* Ten —, dieci volte. Two — etc., dóppio, triplice, quádruplo, quíntuplo, séstuplo, séttuplo, òttuplo, nove volte; *or*, due, tre, quattro ecc., volte. Many —, moltéplice. Hundred —, cento doppi, cèntuplo. To —, piegare, ripiegare, stríngere (nelle braccia), congiúngere (le mani), incrociare (le braccia); stabbiare. — up, avvòlgere.
Folding; pieghévole, piegante. **-bed**; letto pieghevole. **-chair**; sedia piegatoia o a libro. **-door**; porta a due battenti.
Foliage; fogliame *m.*, frappa *f.*
Foliated; lamellare, in fogli.
Folio; in-fòglio *m.*
Folk; gènte *f.* **-lore**; tradizioni popolari.
Follic-le, -ular; -olo *m.*, -olare.
Follow; seguire, seguitare, inseguire, susseguire, andar dietro a, tener dietro a; risultare; eṡercitare. Whence it -s, donde ne consegue. — each other, rincórrersi. — close, seguire da presso, incalzare. — on, succèdere, andare in successione. — suit, giocare una carta dello stesso seme. — up, approfittare (del suo vantaggio).
Follower; seguáce *m.*; innamorato *m.*
Following; seguènte, successívo. — day, giorno appresso. — morning, il mattino di poi, la mattina dopo.
Follow-my-leader; specie di giuoco fanciullesco.
Folly; sciocchézza *f.*, follía *f.*, balordággine *f.*
Foment, -ation; -are, -a *f. pl.*
Fond; vago, invaghíto, appassionato di *or* per. Be — of, voler bene a; dilettarsi di, prender gusto a. Be too — of, pensar troppo a. Become — of, invaghirsi di, affezionarsi a. **-le**; accarezzare, vezzeggiare. **-ly**; teneraménte. He — imagined, credeva senza ragione, senza esserci fondamento. **-ness**; tenerézza *f.*, gusto *m.*, inclinazióne *f.*, predilezióne *f.*
Font; fónte *m.* In sense of source Fonte is *fem.*
Fontanel; fontanèlla *f.*
Food; cibo *m.*, mangiare *m.*, víveri *m. pl.* **-less**; senza cibo.
Fool; 1. scioccóne *m.*, scémpio *m.*, scimuníto *m.*, insensato *m.* April —, pesce d' aprile. 2. frutta schiacciate con crema. 3. gabbare. 4. Play the —, matteggiare, pazzeggiare, buffoneggiare. Play the — with, — away, scialacquare, buttar via. Play the — with a gun, baloccarsi con uno schioppo. Don't play the — with me! non prendersi gioco con me! Make a — of, portare pel naso.
Fool-ery; sciocchézza *f. pl.*, grullággine *f.*, inèzia *f.*, baggianata *f.*, báie *f. pl.* **-hardiness, -hardy**; temer-ità *f.*, -ário.
Foolish; imprudènte, fòlle, pazzerèllo, spensierato. **-ly**; imprudenteménte, da spensierato, insensataménte, senza pensare.
Fool's-cap; scettro della follia. **-cap paper**; carta ministro, carta formato protocollo.
Foot; piède o piè *m.*, zampa *f.*; fantería *f.* Of a tree, hill etc., piede. At the — of the page, ai piedi della pagina, in calce alla pagina. At the — of the stairs, appiè della scala. Put one's — in it, farne una grossa. — of the table, capo inferiore della tavola. — and mouth disease, stomatite epizootica. Be on —, stare organizzandosi. It is dirty under —, le strade sono infangate. To — it, Go on —, andare a piedi. Set on —, metter in piedi, avviare.
Foot-ball; pallone per il giuoco di calcio, lo stesso giuoco. **-baller**; giocatore al calcio. **-bath**; bagno da' piedi, pedilúvio *m.* **-board**; poṡapièdi *m.*, marciapièdi *m.* **-boy**; pággio *m.* **-bridge**; passatóio *m.*, ponte da pedone, ponticèllo *m.* **-fall**; passo *m.* **-hill**; -s of the Alps, prealpi *f. pl.* **-hold**; punto d' appoggio, presa, pel piede. **-ing**; posto per il piede, baṡe *f.*, imbaṡaménto *m.*, fondaménto *m.* Be all on a — of equality, essere tutti al pari. Pay one's —, pagar la matricola o la sbicchierata ai nuovi colleghi. Miss one's —, metter il piè in fallo. **-lights**; lumi della ribalta. **-man**; sèrvo *m.*, servitóre *m.*, staffière *m.* **-mark**; orma d' un piede. **-note**; nota al disotto del testo. **-pad**; grassatóre *m.* **-passenger**; pedóne *m.* **-path**; sentiero per pedoni, viuzza *f.*, marciapièdi

m. **-plate**; pianerottolo di una locomotiva. **-post**; corriere a piedi. **-pound**; lavoro dell' elevare una libbra all' altezza di un piede in un secondo. **-print**; impronta d' un piede. **-rest**; pòggiapiedi *m.*, canapeíno *m.* **-race**; corsa a piedi. **-rope**; marciapiède *m.* **-rot**; marcio degli ovini, ulcera al piede d' una pecora. **-rule**; règolo *m.*, quadrèllo *m.* (della lunghezza d' un piede). **-scraper**; puliscipièdi *m.* **-soldier**; fantaccíno *m.*, soldato della fanteria. **-sore**; coi piedi laceri, che ha male ai piedi. **-step**; passo *m.*, pedata *f.*, tráccia *f.*, vestígio *m.* **-stool**; panchétto *m.*, poṡapièdi *m.*, ṡgabèllo *m.* **-warmer**; scaldapièdi *m.* **-way**; *see* Footpath. **-wiper**; puliscipièdi *m.* **-wear**; calzatura *f.*

Footless; senza piede.

Fop; bellimbusto *m.*, vanerèllo *m.* **-pery**; attillatézza *f.* **-pish**; attillato, aẓẓimato. **-pishly**; affettataménte. **-pishness**; modi di bellimbusto.

For; 1. poichè, perchè, imperocchè. 2. per, per cagione di; durante; malgrado. As —, quanto a. But —, senza di. — aught I know, per quanto ne sappia io. — shame! oibò! — and against, pro e contro. As — the rest, del resto. — sake of, per amor di. — listening, per aver ascoltato. I have been doing it — years past, sono già solito farlo da molti anni. Substitute the copy — the original, sostituire la copia all' originale. — myself, quanto a me. See — yourself, guardate da voi. — all that, nonostante ciò. Jump — joy, saltare di gioia. O! — better times, ma vengano tempi migliori!

Forage; foraggi-o *m.*, -are. **-cap**; berretto di bassa tenuta. **-r**; foraggière *m.*

Foramen; foráme *m.*

Forasmuch as; giacchè, visto chè.

Foray; scorrería *f.*

Forbade; *rem.* di Forbid.

Forbear; fare a meno di, astenérsi, non volere. **-ance**; pazièṅza *f.*, tolleranza *f.* **-ing**; indulgènte, paziènte. **-ingly**; con indulgenza.

Forbid; proibire, vietare, interdire, impedire. **-ding**; ributtante, ripugnante, spiacévole, antipático.

Force; fòrza *f.*, potènza *f.*, violènza *f.*; gruppo di soldati, distaccaménto *m.* Land, Sea -s, forze di terra, navali. — of habit, forza dell' abitudine. By main —, a viva forza. In —, vigènte, in vigore. Come into —, andare in esecuzione, entrare in vigore. Put into —, rendere esecutivo. Lifting —, (aeronautic) forza ascensionale. To —, forzare, sforzare, costríngere, obbligare, aprire con forza; far crescere con mezzi artificiali, maturare in serra. **-d**; sforzato, *e.g.* Verso, Nota, Poesia, Musica, Colorito, Situazione, Attitudine, Sorriso sforzato. — by hunger, sforzato dalla fame. — peaces, pesche di serra.

Force away, cacciare, allontanare a forza. — **back**, respíngere, far indietreggiare forzatamente. — **down**, far discendere a forza. — **from**, strappare, estorcere da. — **in**, conficcare. — **on**, obbligare a prendere. — **oneself on**, imporsi a. — **open**, sconficcare. — **the pace**, forzare il passo. **We -d our way through**, ci aprimmo un passaggio colla forza.

Forceful; poderóso. **-ly**; da poderoso.

Forcemeat; ripièno *m.* **-ball**; polpétta *f.*

Forceps; fòrcipe *m.*

Forc-ible; fòrte, potènte, enèrgico, vibrato. **-ibly**; forteménte, per forza, con molta forza. **-ing**; coltivazione a calore artificiale. — **house**, serra calda. — **pit**, letamaio con vetrata.

Ford; guado *m.*; guadare. **-able**; guadábile.

Fore; d' innanzi, d' avanti, di prua, di trinchetto. **-and-aft**; áurico. **-arm**; avambráccio *m.* **-bears**; antenati *m. pl.* **-bode**; preṡagire. **-cabin**; cabina di prua. **-cast**; prevediménto *m.* Weather —, previsione del tempo. To —, prevedére, predire. **-castle**; castello di prua. **-close**; prender possesso di un bene ipotecato. **-closure**; esercizio di diritto ipotecario. **-court**; anticórte *f.* **-doom**; predestinare. **-end**; parte anteriore. **-fathers**; antenati *m. pl.* **-finger**; índice *m.* **-foot**; piede d' avanti. **-go**; rinunciare a, far di meno di. **-going**; precedènte. **-gone**; (decisione) già fatta. **-ground**; primo piano d' un quadro. **-hand**; — stroke (lawn tennis), colpo da destra a sinistra. **-head**; frónte *f.* **-hold**; stiva di prua.

Foreign; stranièro, forestièro; èstero; *fig.*, estráneo, alièno. **-er**; stranièro *m.*, forestière *m.* **-office**; ministero degli affari esteri.

Fore-know; aver conoscenza dell' avvenire. **-knowing**, **-knowledge**; prescièn-te, -za *f.* **-land**; promontòrio *m.* **-leg**; gamba anteriore. **-lock**; ciuffo frontale. Take time by the —, esser previdente. **-man**; capo *m.*, capomastro *m.*, capolavorante *m.* Printer's —, proto. **-mast**; albero di trinchetto. **-mentioned**; suddétto. **-most**; primo. **-noon**; mattinata *f.*

Forensic; forènse.

Fore-ordain; preordinare. **-part**; parte anteriore. **-paw**; zampa anteriore

-peak; estremità prodiera della stiva, gavone di prua. **-runner**; precursóre *m.* **-sail**; trinchétto *m.* **-see**; prevedére. **-shadow**; far presentire, far prevedere; simboleggiare. **-shore**; spiággia *f.*, lido *m.* (propriamente tra alta e bassa marea). **-shorten**, **-shortening**; racciorci-are, -aménto *m.* **-sight**; 1. previśióne *f.*, prevediménto *m.*, antiveggènza *f.* 2. miríno *m.* **-skin**; prepúzio *m.*

Forest; bòsco *m.*, forèsta *f.*, sélva *f.* **-er**; abitante di bosco, guardabòschi *m.*, taglialégna *m.* **-laws**; codice forestale. **-ry**; selvicultura *f.* **-tree**; albero di alto fusto.

Forestall; prevenire, anticipare.

Fore-stay; straglio di trinchetto.

Fore-taste; pregustaménto *m.* Have a — of, pregustare. **-tell**; predire. **-teller**; profèta *m.* **-thought**; previdènza *f.*, provvidènza *f.* To exercise —, pensare all' avvenire. **-token**; preśagire. **-top**; coffa di trinchetto. **-top-gallant-mast**; alberetto di velaccio. **-top-gallant-sail**; velaccio di trinchetto. **-top-mast**; albero di parrocchetto. **-warn**; prevenire, avvertire avanti. **-ed is fore-armed**, uomo avvisato è mezzo salvato. **-went**; *rem.* di Forego. **-wheel**; ruota d' avanti. **-woman**; maestra, prima lavorante. **-word**; prefazióne *f.*

Forfeit; multa *f.*, péna *f.*, pégno *m.*, penitènza *f.* Pay the —, pagare il fio. As *adj.*, confiscato. To —, perdere per sequestrazione; demeritare, privarsi di. **-ure**; confiscazióne *f.*, pèrdita *f.*

Forfend; Heaven —! Dio ce ne guardi.

Forge; fucína *f.*, ferrièra *f.*; fabbricare, lavorare il ferro; contraffare, falsificare. — ahead, tirare avanti. **-d**; fucinato. **-r**; falsário *m.*, contraffattóre *m.*, falsamonéte *m.* **-ry**; falso *m.*, contraffazióne *f.*, falsificazióne *f.*

Forget; dimenticare, scordare, dimenticarsi; diśimparare. — oneself, lasciarsi traviare, lasciarsi cadere in peccato. Be forgotten, sfuggirsi. **-ful**; scordévole, diméntico, dimenticóne, śmemorato. **-fully**; da chi non vuole ricordarsi. **-fulness**; dimenticanza *f.*, dimenticággine *f.*, negligènza *f.*, śmemoratággine *f.* **-me-not**; non-ti-scordar-di-me *m.*, miośòtide *f.* **-table**; che si può dimenticare.

Forgings; pezzi di fucina.

Forgiv-able; perdonábile. **-e**; perdonare, riméttere (pena), condonare (debito). **-eness**; perdóno *m.* **-ing**; indulgènte, poco vendicativo, disposto al perdono.

Fork; fórca *f.*, forchétta *f.* Hay — (wooden), forca fienaia. Stable —, forcóne *m.* Garden —, bidènte *m.*, tridènte *m.*, forca a quattro (cinque) rebbi. Carving —, forchettóne *m.* — in a road or tree, biforcazióne *f.* To —, inforcare; biforcarsi. — out (gergo), śborsare. **-ed**; forcuto.

Forlorn; śmarríto, abbandonato. **-ly**; da smarrito ecc. **-ness**; tristézza *f.*, deśolazióne *f.*

Form; fórma *f.*, guiśa *f.*, fòggia *f.*; panca *f.*, sedíle *m.*; classe *f.*; covo di lepre; formalità *f.* In due —, in regola. For -'s sake, per modo di dire. Blank —, mòdulo *m.*, stampíglia *f.* Bad —, di cattivo genere. — of prayer, formola di preghiera. To —, formare, creare. — up, mettersi in rango. **-ed**; tagliato (corpo).

Formal; formále, cerimonióso, manieróso, in regola. Purely —, senza sostanza, senza realtà. **-ism**; -iśmo *m.* **-ist**; -ista *m.* **-ity**; -ità *f.* For the sake of —, per onor di lettera. **-ly**; -ménte.

Form-ation; -azióne *f.* **-ative**; -atívo.

Former; 1. primo, antíco, precedènte, primièro, primitívo. The —...the latter, quello...questo, *or* quegli...questi. 2. formatóre *m.* **-ly**; altre volte, già. Not so young as —, non più giovane come un tempo.

Formidab-le, **-leness**, **-ly**; -ile, -ilità *f.*, -ilménte.

Formless; infórme.

Formul-a, **-ary**, **-ate**, **-ation**; fòrmol-a *f.*, -ário *m.*, -are, il -are.

Forsake; abbandonare, desistere da.

Forsooth; per dir vero. And then, —, he must needs go, e poi, ecco che gli bisogna andare.

Forswear; astenersi di, abiurare.

Fort; fòrte *m.*, fortíno *m.* **-e**; fòrte *m.*

Forth; fuóri. And so —, e così via. From that day —, da quel giorno in poi. Put —, metter fuori, valersi (di tutta la sua forza). Go —, andare nel mondo. Set —, espórre. **-coming**; che sta per uscire. Be —, esser là, esser a mano, non mancare. **-right**, **-with**; difilato, subito, incontanénte.

Fortieth; quarantèsim-a parte, -o.

Fortif-iable, **-ication**, **-ier**; -icábile, -icazióne *f.*, -icatóre *m.* **-y**; -icare. To — wine, alcooliżżare il vino. — oneself, armarsi (con ottimi argomenti), incoraggirsi (col pensiero che), corroborarsi.

Fortitude; fortézza *f.*, forza d' animo.

Fortnight; quindici giorni, quindicína *f.* This day —, oggi a quindici, di qui a quindici giorni. **-ly**; quindicinále; ogni quindici giorni.

Fortress; fortézza *f.*, piazza forte.

Fortuit-ous, -ously, -ousness, -y; -o, -aménte, -à *f*.
Fortun-ate; -ato. **-ately**; per buona -a, -ataménte. **-e**; -a *f*., sòrte *f*., caso *m*.; dòte *f*., avére *m*., sostanza *f*., agiatézza *f*. To accumulate a —, accumulare un patrimonio. — hunter, cacciatore di doti. — teller, sortíleg-o *m*., -a *f*., indovín-o *m*., -a *f*. — telling, sortilègio *m*.
Forty; quaranta. He is —, ha quarant' anni. He is over —, ha varcato la quarantina. — winks, sonnellíno *m*.
Forum; fòro *m*.
Forward; innanzi, avanti; precòce, avanzato; presuntuóso, ardíto; primatíccio. You are too — to answer, sei troppo pronto a rispondere. From that time —, da quello (da quel giorno) in poi. — of, a proravia di. To —, spedire; promuòvere, inoltrare. To be -ed, far seguire. Please —, si prega di far seguire. -ing agent, spedizionière *m*. **-er**; mandatóre *m*., speditóre *m*. **-ness**; precocità *f*., audácia *f*. **-s**; avanti. Go backwards and —, andare e venire.
Foss-e; fòsso *m*. **-ick**; frugolare.
Fossil, -ise; -e, -izzare.
Foster; nutrire, sostentare, incoraggiare. **-brother**; fratello di latte. **-father**; bálio *m*. **-ing**; cura *f*., protezióne *f*.; tènero, protettóre. **-mother**; bália *f*. **-sister**; sorella di latte.
Fought; *vem*. di Fight.
Foul; spòrco, súdicio; ingorgato (tubo), imbrogliato (cavo); scóncio, sózzo; contrario (vento); cattívo, burrascóso (tempo). With a — bottom, con carena sporca. A —, (calcio) fallo *m*. By fair means or —, per amore o per forza. Run — of, investire, abbordare per caso, urtarsi contro. To —, sporcare, imbrattare, intorbidare; impegnarsi (áncora). — air, aria infetta, viziata. — breath, alito puzzolento. — dealing, slealtà *f*., disonestà *f*. — deed, azione abominevole. — language, — words, parolacce *f*. *pl*., un brutto parlare, linguaggio disgustevole. — means, mezzi ingiusti, vergognosi. — purpose, fine vergognoso.
Foulard; folàr *m*.
Foul-ly; vergognosamente. **-mouthed, -spoken**; malèdico, maldicènte, dal linguaggio rozzo o triviale. **-ness**; sporcízia *f*., immondézza *f*.
Found; 1. *vem*. di Find. 2. stabilire, metter su, fondare.
Foundation; fondaménto *m*., with *pl*. *f*. fondamenta, base *f*.; fondazióne *f*. **-muslin**; tessuto gommoso che dà consistenza ad un cappello. **-scholar**; borsista *m*. **-scholarship**; bórsa *f*. **-stone**; prima pietra.
Founder; 1. fondatóre *m*. 2. Metal —, fonditóre *m*. 3. andare a picco, affondarsi, colare a picco. 4. **-ed**; (cavallo) storpiato.
Foundling; trovatèllo *m*., espósto *m*. **-hospital**; ospizio dei trovatelli, gl' Innocentini.
Found-ress; fondatrice *f*. **-ry**; fondería *f*.
Fount; sorgènte *f*.; corpo di carattere.
Fountain; fontana *f*., getto d' acqua. **-head**; sorgènte *f*., scaturígine *f*. **-pen**; penna stilografica.
Four; quattro. On all -s, carpóne. On all -s with, *see* All. **-cornered**; quadrangolare. **-fold**; quádruplo. **-footed**; quadrúpede. **-horse**; a quattro cavalli. — team, tiro a quattro. **-oared**; a quattro remi. **-post bed**; letto a colonne o a cielo. **-roomed house**; casa di quattro camere. **-score**; ottanta. **-some**; partita di quattro giocatori. **-square**; quadrato. **-teen**; quattórdici. **-teenth**; quattordicèsimo, decimo quarto. **-th**; quarto. — rate, di quarta classe. **-thly**; in quarto luogo. **-wheeled**; a quattro ruote.
Fowl; póllo *m*.; uccèllo *m*., volátile *m*. **-er**; uccellatóre *m*. **-house**; polláio *m*. **-ing-piece**; fucile da caccia, schiòppo *m*.
Fox; vólpe *f*. Dog —, una volpe maschio. Bitch —, volpe femmina. Sly old —, volpóne *m*. To —, usar astuzie. **-glove**; digitále *f*. **-hound**; bracco *m*. **-hunter**; cacciatore di volpi. **-hunting**; caccia alla volpe. **-iness**; furbería *f*. **-tail grass**; codino di prato, coda di topo minore. **-terrier**; specie di terrier a pelo liscio. **-y**; scaltro.
Foyer; ridótto di un teatro.
Frabbit; bisbètico.
Fracas; fracasso *m*.
Fraction; frazióne *f*. Simple —, frazione ordinaria. A — of the chamber opposed the bill, una piccola parte della Camera si oppose al progetto. **-al**; frazionário. **-ally**; un minimo che.
Fractious; dispettóso, permalóso, piagnucolóne. **-ly**; con dispetto. Cry —, piagnucolare. **-ness**; l' esser dispettoso ecc.
Fracture; (of a bone) frattura *f*. Simple, compound, comminuted —, frattura incomposta, composta, comminutiva. To —, fratturare. — of glass etc., rottura, spezzatura; rómpere, spezzare.
Frag-ile, -ility; -ile, -ilità *f*.
Fragment, -arily, -ariness, -ary; framménto *m*., -ariaménte, un non so che di -ario, -ario. Small fragment

minúzzolo *m.* -s; rottame *m.*, schégge *f. pl.*
Fragran-ce, -t; -za *f.*, -te.
Frail; frale. **-ty**; fralézza *f.*
Frame; Picture —, corníce *f.* Weaving —, telaio *m.*, intelaiatura *f.* — for silkworm breeding, castèllo *m.* The man's —, la persona di quell' uomo. (Umbrella) —, ossatura *f.* Radiator —, corpo di un radiatore. -s of a ship, ordinate *f. pl.*, ossature *f. pl.*, còstole *f. pl.* For flowers, vetrata *f.* Of a wooden house, armatura *f.* — of mind, dispoȿizióne *f.*, umóre *m.* In a right — of mind, ben disposto. To —, formare, costruire; inquadrare, incorniciare; fare (legge); redígere (atto). **-house**; casa di legno. **-maker, -r**; fabbricante di cornici, corniciáio *m.* **-saw**; sega a castello. **-work**; intelaiatura *f.* Of a ship, membratura *f.*
Framing; armatura *f.*, teláio *m.*, castello di una macchina. Deck —, bagliatura di un ponte.
Franc; franco *m.*, lira *f.* **-e**; Francia *f.* **-he-Comté**; Franca Contèa *f.*
Franchise; franchígia *f.*, diritto al voto, voto elettorale, privilègio *m.*
Fran-ciscan; -cescáno. **-gipane**; -gipáne *m.*
Frank; franco, schiètto. **-ly**; francaménte ecc. **-ness**; franchézza *f.*, schiettézza *f.*
Frantic; frenètico, forsennato, pazzo, fuor di sè. **-ally**; freneticaménte ecc.
Fratern-al, -ally, -isation, -ise, -ity; -åle, -alménte, affrattellaménto *m.*; -iżżare, affratellarsi; -ità *f.*, fratellanza *f.*
Fratricid-al; -a. **-e**; -a *m.*, -io *m.*
Fraud; fròde *f.* Pious —, inganno pietoso, inganno a fin di bene.
Fraught with; destinato a recare, accompagnato di, non senza, pieno di.
Fraxinella; frassinèlla *f.*
Fray; 1. combattiménto *m.*, battáglia *f.*, zuffa *f.*, rissa *f.* 2. ragnare. Be -ed out, sfilacciare, logorarsi, sfilaccicarsi.
Frazzle; To a —, completaménte.
Freak; capríccio *m.*, ghiribiżżo *m.*, tícchio *m.* **-ish**; capriccióso, ghiribiżżóso. **-ishly**; capricciosaménte. **-ishness**; capricciosità *f.*
Freckle, -d; lentíggin-e *f.*, -óso.
Frederick; Federígo.
Free; líbero, franco, gratúito (biglietto), eȿènte, diȿinvòlto, familiare. — fight, combattimento generale. — port, porto franco. Make — with, usare senza permesso, valersi di. — from, esente da. — from all blame, incolume da qualunque taccia. — with, prodigo di. — to, aperto a. — of charge, gratis, senza più spesa. — and easy, diȿinvòlto. A — and easy, una riunione sciolta, senza cerimonie. — oneself from, liberarsi da, svincolarsi da. — alongside, lungo bordo. — on board, franco a bordo. To —, set —, liberare, sciògliere, render la libertà a, affrancare, dar esito a, eȿentare.
Free-board; capo di banda. With low —, di basso bordo. **-booter**; filibustière *m.* **-dman**; libèrto *m.* **-dom**; libertà *f.*, eȿenzióne *f.*, scioltézza (di linguaggio), franchígia *f.*, maestranza *f.* **-hand drawing**; il disegnare a mano libera. **-handed**; largo, generóso, liberále. **-hearted**; dal cuore aperto. **-hold**; proprietà fondiaria, proprietà libera. **-holder**; 1. proprietario incondizionato. 2. quello a cui un bene stabile ricadrà alla scadenza di un affitto. **-lance**; cavaliere di ventura, chi non tiene di nessun partito. **-list**; le entrate di favore (teatro). **-liver**; bontempóne *m.* **-living**; vita gaudente, buona tavola. **-ly**; liberaménte, volentièri, gratuitaménte, senza esserci obbligato. **-man**; cittadíno *m.* **-martin**; monna *f.* **-mason, -masonry**; frammason-e *m.*, -ería *f.* **-spoken**; sciòlto, franco, schietto nel parlare. **-stone**; pietra da taglio. **-thinker**; libero pensatore. **-thought**; libertà di pensiero. **-trade**; libero scambio. **-trader**; libero scambista. **-will**; libero arbitrio. Of his own —, di suo buon grado.
Freeze; gelare, congelare, agghiacciare, gelarsi, congelarsi. It is freezing hard, gela forte. — over, coprirsi di ghiaccio.
Freezing; gèlo *m.*, congelazióne *f.* **-machine**; apparecchio congelatore. **-mixture**; miscuglio frigorifero. **-point**; punto di congelazione. **-ly**; It is — cold, fa un freddo da cane.
Freight; nòlo *m.*, noléggio *m.*; cárico *m.*; noleggiare, prender in nolo. **-age**; prezzo di nolo.
French; francése. — beans, fagiolíni *m. pl.* — chalk, gesso per sarti. — honeysuckle, lupinèllo *m.*, edíȿaro *m.* — horn, specie di tromba. — lavender, stecade arabica. — leave, Take — leave, far senza permesso. — marigold, garofano indiano minore. — master, maestro di francese. — partridge, pernice comune. — plum, prugna secca. — polish, vernice all' alcool. — polisher, verniciatore di mobili. — polishing, verniciatura di mobili. — roll, paníno *m.* — white, polvere di steatite. — window, pòrta-finèstra *f.* **-ify**; franceȿare. **-man**; Francése *m.* **-woman**; una Francese.

Frenz-ied; frenètico. **-y**; freneśía *f.*, delírio *m.* *See* Frantic.
Frequen-cy; -za *f.* **-t**; -te; -tare. **-tative**; -tatívo. **-ter**; -tatóre *m.* **-tly**; spesse volte, sovènte.
Fresco; affrésco *m.*
Fresh; frésco, recènte, vivo (colore). — water, acqua dolce. — water fish, pesce di acqua dolce. — supply of goods, nuovo assortimento di mercanzie. — piece, altro pezzo. A — (flood), pièna *f.* Look —, aver aspetto prospero. Feel —, sentirsi rinvigorito, in vigore. — horses, una muta di cavalli. A — hand, un novizio. My horse is —, il mio cavallo non è stanco. **-en**, **-en up**; rinfrescare, rinvigorire, rianimare, ritoccare, ravvivare. The wind has -ed, il vento è rinfrescato, si è aumentato di forza. **-et**; pièna *f.* **-ly**; di fresco, nuovaménte. **-man**; studente del primo anno. **-ness**; freschézza *f.*, vigóre *m.*, vivacità *f.*
Fret; ródere, fregare; intagliare; agitarsi, irritarsi, ródersi (internaménte). **-ful**; scontróso, irritábile, permalóso, nervóso, irrequièto. **-fully**; da scontroso ecc., con irritazione. **-fulness**; l' esser scontroso ecc. **-work**; intaglio *m.*, lavoro di rilievo.
Friab-ility, **-le**; -ilità, -ile.
Friar; frate *m.*, mònaco *m.* Black —, domenicáno *m.* Grey —, francescáno *m.* White —, carmelitáno *m.* Augustinian —, agostiniáno *m.*
Fribble; baloccare.
Friburg; Friburgo *f.*
Frica-ndeau, **-ssee**; -ndò *m.*, -ssèa *f.* **-ssee** of rabbit, conigli alla cacciatora. To -ssee, cuocere in fricassea.
Friction; frizióne *f.*, fregaménto *m.*, attríto *m.*, confricazióne *f.* Initial —, attrito di primo distacco. Sliding, Rolling —, attrito radente, volvente. **-clutch**; sconnettitore a frizione. **-drive**; comando a frizione. **-tube**; cannello d' innesco.
Friday; venerdì *m.* Good —, venerdì santo.
Fried; fritto. **-fish shop**; friggitoría *f.*
Friend; amíc-o *m.*, -a *f.*, partigiáno *m.* Make -s, diventare amici. Make a — of, affezionare. Make -s with, guadagnarsi l' amicizia di. **-less**; senza amici. **-lessness**; desolazióne *f.*, l' esser senza amici. **-liness**; corteśía *f.*, amichevolézza *f.*, benevolènza *f.* **-ly**; gentíle, amichévole. — Islands, Isole degli Amici. — society, società di mutuo soccorso. **-ship**; amicízia *f.*
Friesland; Fríśia *f.* — horse, cavallo friśo. **-er**; Friśo *m.*
Frieze; 1. tela di Frisia, stoffa di lana ricciuta. 2. frégio *m.*
Frigate; fregáta *f.* **-bird**; fregáta *f.*
Fright; spavénto *m.*, terróre *m.* Take —, spaventarsi, (cavallo) ombrare. She is a regular —, è brutta proprio da far paura. **-en**; spaventare, impaurire, intimorire. Be -ed at, spaventarsi di. **-ful**; spaventévole, orríbile. What a — dress, che orrore di vestito. **-fully**; terribilménte. **-fulness**; orróre *m.*, spaventevolézza *f.*
Frigid, **-ity**, **-ly**; frédd-o, -ézza *f.*, -aménte.
Frill; gala *f.*, trina increspata, lattuga *f.*, carta ritagliata; increspare. **-ing**; increspatura *f.*
Fringe; órlo *m.*, **frángia** *f.*; orlare, ornare di frange.
Frippery; roba usata, frónżoli *m. pl.*
Frisk; saltellare, śgambettare. **-et**; fraschétta *f.* **-ily**; in modo vispo ecc. **-iness**; vivacità *f.*, l' esser vispo. **-y**; vispo, inquièto, che tira sgambettate, *fig.* matterèllo.
Frith; braccio di mare.
Fritter; frittèlla *f.* — **away**, spèrdere, scialacquare.
Friuli; Of —, friuláno.
Frivol-ity, **-ous**, **-ously**; **-ézza** *f.*, **-o**, -aménte.
Frizz; arricciare. **-le**; fríggere, grillare, fríggersi. **-led**, **-ly**; (capelli) ricciuti, ricciutelli.
Fro; To and —, qua e là. Going to and —, andirivièni *m.* Motion to and —, moto di va e viene.
Frock; vestína *f.*, tònaca *f.*, sottána *f.*, camicína *f.* **-coat**; abito da società.
Frog; 1. ranòcchi-o *m.*, -a *f.*, rana *f.* 2. afta *f.* 3. alamáro *m.* 4. tuèllo *m.*
Frolic; schérzo *m.*, scappata *f.*, allegría *f.*; matteggiare, far allegria, saltellare. **-some**; scherzévole, pazzerèllo, gaio. **-someness**; gaiézza *f.*, giocondità *f.*
From; da, per, con, sino da, a partire da, che sorge da, per ragione di, a cominciare da. Where are you —? di dove siete? — among, di infra. — under, dal disotto. — within, dal di dentro. — time to time, di quando in quando. — thence, di là. — bad to worse, di male in peggio. — a child, dall' infanzia. He came from my father, egli veniva da parte di mio padre. To sin — ignorance, peccare per ignoranza. He made a supper from the remains of his dinner, si preparò una cena con i resti del pranzo.
Frond; foglia d' una felce.
Front; frónte *f.*, facciata *f.*, il davanti, linea di battaglia o di combattimento, petto di camicia, camiciòla *f.*, pettíno

m., fintíno *m.* (di capelli); primo (rango); far faccia a, affrontare, fronteggiare, essere in faccia a. At the —, al fronte (Fronte in military sense being sometimes masculine), sul luogo di cimento. — box, palco di fronte al palco scenico, palco d' onore. — door, porta d' entrata. Change of —, conversióne *f.* Eyes —! fissi! Show a bold —, far viso ardito, far faccia tosta. In — of, davanti, di faccia a, dinanzi a. — room, camera che dà sulla strada. — tooth, dente di avanti. — view, veduta di fronte.

Frontage; lunghezza della facciata d' un edifizio o di qualunque terreno lungo la strada maestra. Plot with a — of thirty feet, terreno che ha una lunghezza di trenta piedi sulla strada. **-land**; terreno attiguo alla strada maestra. **-r**; frontista *m.*

Frontal; paliòtto *m.*; frontále.

Frontier; frontièra *f.*, confine *m.*; limítrofo, confinante. **-sman**; abitante della frontiera.

Frontignan; Frontignáno *f.*

Fronting; di faccia a.

Frontispiece; illustrazione in capo ad un libro, frontespizio illustrato.

Frontlet; frontále *m.*

Frost; gèlo *m.*, gelata *f.* Hoar —, brina *f.*, brinata *f.* **-bite**; congelaménto *m.* **-bitten**; gelato, attaccato o preso dal gelo, bruciato o guasto dalla brina. **-ed**; imbianchito, inzuccherato. **-ily**; con freddura ghiacciale. **-iness**; freddo acuto. **-nail**; chiodo da ghiaccio. **-shoe**; ferro da ghiaccio. **-y**; ghiacciále.

Froth; spuma *f.*, schiuma *f.* — up, far spumare. **-iness** *fig.*; leggerézza *f.*, vanità *f.*, inettitúdine *f.* **-y**; spumóso, *fig.* frívolo, inètto.

Froust, -iness; tanfo *m.*, odore di aria usata o chiusa, odore di muffa, puzzo di rinchiuso. **-y, frousy**; ammuffíto.

Frown; cipíglio *m.*, aggrottaménto *m.*, viso arcigno; accigliarsi, corrugare le sopracciglia, increspare le ciglia. A — of fortune, un rovescio di fortuna. — at, guardare in cagnesco. — upon, non aver simpatia per, tollerare con mala voglia. **-ing**; búrbero, arcigno, *fig.* minaccióso, tètro. **-ingly**; minacciosaménte, biecaménte.

Frowzy; *see* Froust.

Froze; *rem.* di Freeze.

Frozen; gelato. — ocean, mare glaciale. — in, rinchiuso nel ghiaccio. — out, costretto dal gelo a stare oziosi. — over, gelato, coperto di ghiaccio.

Fructif-ication, -y; frutt-ificazióne *f.*, -are.

Frugal -ity, -ly; -e, -ità *f.*, -ménte.

Frugivor-ous; -o.

Fruit; 1. frutto *m.*; for dessert, frutta *f.* *pl.*, giardinétto *m.* To —, fruttare. 2. *fig.* profitto *m.*, ricavo *m.*, risultato *m.*, quel che è accaduto. Stone —, frutto a nocciuolo. Wall —, frutto di spalliera. **-basket**; cesta da frutta. **-bearing**; fruttífero. **-bud**; gemma fruttifera. **-dish**; fruttièra *f.* **-eating**; fruttívoro. **-erer**; fruttáio *m.* **-ful**; fèrtile, fecóndo. **-fully**; profittevolménte. **-fulness**; fertilità *f.*, fecondità *f.* **-garden**; verżière *m.*, fruttéto *m.* **-grower**; frutticultóre *m.* **-iness**; l' esser vinoso, saporito. **-ion**; fruizióne *f.* **-knife**; coltello inargentato o da frutta. **-less, -lessly**; infruttuós-o, -aménte, senza frutto, inútil-e, -ménte. **-lessness**; l' esser infruttuóso, inutilità *f.* **-market**; mercato delle frutta. **-pie**; torta alle frutta. **-room**; ripostiglio di frutta. **-seller**; fruttivéndolo *m.*, fruttáio *m.* **-shop**; bottega di frutta. **-tree**; albero fruttifero. **-woman**; fruttivéndola *f.* **-y**; vinóso, saporíto.

Frumenty; farinata di grano cotta col latte.

Frump; donnáccia *f.*, donnettáccia *f.*

Frustra-te; -re, ṡventare, mandare a monte. **-tion**; il -re, lo sventare ecc.

Frustum; trónco *m.*, frusto *m.*

Fry; frittura *f.* Small —, pesciolíni *m. pl.* To —, fríggere. **-ing**; frittura *f.* — pan, padèlla *f.*

Fuchsia; fúcsia *f.*

Fuddle; stupidire. **-d**; brillo.

Fudge; fròttole *f. pl.*, falsificare (conto). — a day's work, calcolare a un di presso la posizione della nave.

Fuel; combustíbile *m.*, légna *f. pl.*, carbóni *m. pl.* Liquid —, combustibile liquido.

Fugitive; fuggitívo, passaggèro (pensiero), poco durevole (colore).

Fug-leman; capofíla *m.* **-ue**; fuga *f.*

Fulcrum; punto d' appoggio, fulcro *m.*

Fulfil; cómpiere, adempire, tradurre in atto, effettuare, appagare (voto), realiżżare (speranze). **-ment**; adempiménto *m.*, effettuazióne *f.*, compiménto *m.*

Full; pièno, ripièno, cólmo, sázio, complèto (omnibus), intiero (anno), matura (età). In —, per esteso. To the —, a pieno. — back, (calcio) terzíno *m.* — bound, in rilegatura intera. — butt, 1. (biliardo) steccóne *m.* 2. di tutta carriera. In — canonicals, in gran parato. — cock, At — cock, di tutto punto. — dress, abito di gala, gran tenuta. — face, (ritratto) di fronte, di prospetto. — gallop, gran galoppo. — growth, pieno sviluppo. — length (portrait), figura intera. — moon, plenilúnio *m*. The moon is —, la luna è al colmo. — pay, paga intiera. — pitch, di volata. Throw him a — pitch, lanciargli la palla senza che tocchi terra. — price, prezzo ordinario, senza deduzione. — relief, alto rilievo. — size, grandezza naturale. — steam, a tutto vapore. — sympathy, tutte le simpatie. — tilt, al gran galoppo, senza rallentarsi. — toss, *see* — pitch. As *adv*., mólto, assái, affatto. To —, gualcare, sodare (panno).

Full-blooded; sanguigno. **-blown**; śbocciato, al colmo della bellezza, (professionista) che ha ottenuto la laurea. **-bodied**; che ha corpo (vino). **-er**; gualchière *m*. **-fledged**; con tutte le penne. **-grown**; fatto, grande, pienamente cresciuto. **-ing**; il sodare. — mill, gualchièra *f*. **-ly**; pienaménte tutto. I — believe, credo fermamente.

Fulmin-ate, -ation; -are, -azióne *f*.

Ful-ness; pienézza. In the — of time, nella pienezza de' tempi, alla maturità di ogni cosa. **-some**; stomachévole, śdolcinato. **-somely**; in modo stomachevole ecc.

Fumbl-e; cercare a tastone, tastare goffamente, armeggiare, frugare. **-er**; armeggióne *m*., malaccòrto *m*., persona goffa o inetta. **-ingly**; goffaménte.

Fume; eśalazióne *f*., vapóre *m*.; stizza *f*.; eśalare, fumicare; irritarsi, adirarsi. To — and fret, montar su tutte le furie, śmaniare.

Fumigat-e, -ion; affumic-are, -ménto *m*., suffumic-are, -azióne *f*., suffumígio *m*.

Fum-ing; rutilante. — with rage, bollente di rabbia. **-itory**; fumostèrno *m*.

Fun; divertiménto *m*., giuòchi *m*. *pl*., passatèmpo *m*., bel tempo, cèlia *f*., baia *f*., burla *f*., il ridere. Make — of, beffarsi di, burlarsi di. In —, per scherzo.

Funambulist; funámbolo *m*.

Function; funzióne *f*., uffício *m*.; funzionare. **-al**; funzionále. **-ary**; funzionário *m*. **-less**; senza funzione.

Fund; fóndo *m*., capitále *m*. Public -s, fondi pubblici, rendita dello Stato. Sinking —, capitale d' ammortamento. A — of good sense, un buon fondo di criterio. To —, convertire un debito in una rendita permanente. -ed debt, debito consolidato. **-able**; che si può convertire in rendita. **-ament**; il sedére. **-amental, -amentally**; fondamentál-e, -ménte. **-holder**; proprietario di valori pubblici, *rentier m*. **-us**; fóndo *m*.

Funeral; -e *m*., eśèquie *f*. *pl*., mortòrio *m*. **-pile**; rògo *m*., pira funerea. **-procession**; comitiva funebre. **-service**; ufficio dei morti. Attend the —, assistere alle esequie. As *adj*., funerario.

Funereal; funèreo, lúgubre.

Fung-oid, -ous, -us; -òide, -óso, -o *m*.

Funic-ular; -olare.

Funk (gergo); tremerèlla *f*.; tremare, aver paura; aver paura di. **-y**; pauróso.

Funnel; fumaiòlo *m*., caminièra *f*.; imbúto *m*., pévera *f*.

Funn-ily; in modo divertente ecc. **-y**; divertènte, còmico, buffonésco, biżżarro. — bone, condilo interno dell' omero dove si trova il nervo cubitale. Pain from hitting the — bone, mal della suocera.

Fur; pèlle *f*., pellíccia *f*., pélo *m*., pelàme *m*.; incrostaménto *m*., pátina *f*. **-red**; incrostato, patinóso, caricato.

Furb-elow; falpalà *m*. **-ish**; forbire.

Furi-ous, -ously; -óso, -osaménte.

Furl; ammainare, serrare.

Furlong; stádio *m*. (due cento metri).

Furlough; licènza *f*., congèdo *m*. On —, in congedo. At home on six months' —, a casa con sei mesi di congedo.

Furnace; fornáce *f*., fórno *m*., camera del focolare. Blast —, alto forno.

Furnish; fornire, armare, ammobiliare, equipaggiare, provvedére, allestire, procurare. -ed rooms, stanze mobiliate. **-er**; fornitóre *m*., provveditóre *m*.

Furniture; mobília *f*., arrèdi *m*. *pl*. Piece of —, mòbile *m*. **-dealer**; negoziante di mobili. **-remover**; śgombratóre *m*.

Furr-ed; *see* Fur. **-ier**; pellicciáio *m*.

Furrow; sólco *m*.; solcare.

Furry; con pelo folto, con pelliccia.

Further; inóltre, *see* Farther. To —, avanzare, promuòvere, secondare. **-ance**; avanzaménto *m*. **-more**; oltre a ciò. **-most**; più lontano.

Furthest; più lontano.

Furtiv-e, -ely, -eness; -o, -aménte, modi -i.

Fury; fúria *f*., furóre *m*., rábbia *f*.

Furz-e; ginestrone di Olanda, ginestra inglese. **-y**; coperto di ginestrone.

Fuse; spolétta *f*.; valvola di sicurezza fusibile. Slow —, spoletta a lenta combustione. Time —, spoletta a tempo. To time a —, graduare una spoletta. To —, fóndere, liquefarsi, strúggersi.

Fus-ee; fiammifero schizzante; piramide d' orologio. **-el oil**; olio di fusel. **-elage**; fusolièra *f*. **-ible**; -íbile. — plug, chiodo fusibile, tappo di sicurezza. **-iform**; -ifórme. **-ilier**; fucilière *m*. **-illade**; fucilata *f*. **-ion**; fuśióne *f*.

Fuss; affaccendaménto *m*., chiacchierío *m*., strèpito *m*. What a lot of —! che fichi! In a —, scompigliato. Make a —, menar scalpore, affaccendarsi.

Great —, un gran da fare. Don't — me! non mi dissestare! To —, agitarsi oltre ragione, darsi pena per niente. -er; affannon-e *m.*, -a *f.* -ily; con gran da fare, dišordinataménte, senza calma, con agitazione al di là del necessario. -y; difficoltóso, caśóso, ficóso, che fa strepito per cose da niente.

Fust; rinchiuso *m.*, *see* Froust.

Fustian; fustagno *or* frustagno *m.*

Fustiga-te, -tion; -re, -zióne *f.*

Fust-iness; odore di rinchiuso. **-y**; ammuffíto.

Futil-e, -ity; -e, -ità *f.*

Futtock; scalmo *m.*, staminále *m.* **-shrouds**; rigge *f. pl.*, sartie di rovescio (d' un alberotto).

Futur-e; -o, venturo. In —, per l' avvenire. **-ist**; -ista *m.* **-ity**; -ità *f.*, l' avvenire.

Fuze; spolétta, *see* Fuse.

Fuzz; spruzzáglia *f.* **-y**; ricciuto e aspro.

G

G; *pronunz.* Gi.

Gab; parlantína *f.* Have the gift of the —, saper parlare con brio. **-ble**; cicalío *m.*; cicalare, chiocciare (oca). **-bler**; chiacchieróne *m.*

Gaberdine; gabbáno *m.*, palandrána *f.*

Gabion; gabbióne *m.*

Gable; frontone acuminato. House with seven gables, edifizio con sette frontoni.

Gaby; stòlido *m.*, scioccóne *m.*

Gad; 1. eufemismo per God. 2. — about, girandolare, correr qua e là.

Gad-fly; tafáno *m.* **-wall duck**; canapíglia *f.*

Gae-lic; -lico.

Gaeta; Of —, gaetáno.

Gaff; 1. uncíno *m.*, gráffio *m.*, fiòcina *f.* 2. picco *m.* **-topsail**; controranda *f.*

Gaffer; compáre *m.*

Gag; baváglio *m.*, šbarra *f.*; frizzo improvvisato da un attore; imbavagliare, ridurre a silenzio.

Gage; pégno *m.*

Gai-ety, -ly; gai-ézza *f.*, -aménte.

Gain; guadagno *m.*; guadagnare, conquistare, riportare (vittoria), cattivarsi (affezione), andare avanti (orologio), ottenere (l' ingresso), ottenere (l' intento). — over, allettare, convertire. upon, guadagnar terreno su. He was -ing upon us, egli ci si avvicinava sempre più. **-er**; guadagnatóre *m.* Be the — by, guadagnare a. **-ful**; útile, profícuo. **-say**; dire di no.

Gait; andatura *f.* **-er**; ghétta *f.*, uósa *f.*

Gal-a; *id.* **-antine**; -antína *f.* **-atia**; Galázia *f.* **-atian**; gálato. **-axy**; galássia *f.*

Gale; 1. burrasca *f.*, temporále *m.*, fortuna *f.* 2. Sweet —, miríca *f.*

Gali-cian; -ziáno. **-lean**; -lèo.

Galingale; giunco odoroso.

Gall; 1. fièle *m.* **-nut**; noce di galla. 2. fregare, tormentare, infastidire, púngere.

Gallant; dameríno *m.*; galante, bravo. **-ly**; bravaménte. **-ry**; corággio *m.*, galantería *f.*

Gall-bladder; vescicola del fiele. **-duct**; condotto biliare. **-ed**; scorticato ecc., *see* Gall (2). **-eon**; galeóne *m.*

Gallery; gallería *f.* Open —, lòggia *f.*

Galley; galèra *f.*; cucina a bordo; (printer's) vantággio *m.* **-slave**; galeòtto *m.*

Gall-fly; mosca galla. **-iasse**; galeazza *f.* **-ic**; -ico. **-icism**; -icišmo *m.* **-ing**; irritante, *see* Gall (2). **-ingly**; in modo irritante. **-inule**; pollo sultano. **-iot**; galeòtta *f.* **-ipot**; baráttolo *m.* **-ivant**; andare a zonzo. **-nut**; noce di galla. **-omaniac**; -òmane. **-on**; gallóne *m.* (litri 4·54 nel Regno Unito, litri 3·78 negli Stati Uniti). **-oon**; gallóne *m.*

Gallop; gran galoppo; galoppare. At a hand —, al piccolo galoppo, a galoppo raccorciato. Full —, galoppo a briglia sciolta.

Galloway; — nag, ronżíno *m.*

Gallows; fórca *f.* **-bird**; uomo da forca, roba da forca, fórca *f.*

Gall-stone; calcolo biliare.

Galore; a macca.

Galosh; galòscia *f.*, calòscia *f.*

Galvan-ic, -ise, -ism, -ometer, -oplasty; -ico, -iżżare, -išmo *m.*, -òmetro *m.*, -oplástica *f.* **-ised**; żingato.

Gamble, -r; giuoc-are (per somme forti), -atóre *m.*, -atóra *f.*

Gambling-house, -hell; casino da giocare, bisca *f.*, biscazza *f.*

Gamboge; gómma gótta *f.*

Gambol; šgambettata *f.*, capriòlo *m.*; šgambettare, pazzeggiare, salterellare.

Game; 1. giuòco *m.*, schérzo *m.*, passatèmpo *m.*; partíta *f.* Win, Lose the —, vincere, perdere la partita. Have a — of chess, bridge etc., fare una partita di scacchi, brigge ecc. Make — of, beffarsi di, šbeffare, burlarsi di. 2. caccia *f.*, cacciagióne *f.*, selvaggína *f.* Big —, selvaggina grossa, tale che l' elefante, la tigre ecc. 3. coraggióso, risoluto.

Die —, morire senza sottomettersi senza mostrar paura.
Game-bag; carnière *m*. **-cock**; gallo di combattimento. **-keeper**; guardacáccia *m*., guardabòschi *m*. **-laws**; leggi sulla caccia. **-licence**; licenza di caccia. **-ly**; senza lasciarsi stornare o intimorire, coraggiosaménte. **-ness**; il mantenersi sempre fermo. **-preserve**; caccia proibíta. **-preserver**; chi protegge la selvaggina nelle sue terre. **-some**; scherzóso, allégro. **-ster**; giocatóre *m*.
Gamin; monèllo *m*., birichíno *m*.
Gaming; il giocare, *see* Gamble.
Gammer; comáre *f*.
Gammon; quartiere salato (di porco); fròttole *f. pl.*; abbindolare, gabbare.
Gamp (gergo); 1. vecchiáccia *f*. 2. ombrelláccio *m*.
Gamut; gamma *f*.
Gamy; — flavour, sapore di fagiano.
Gander; una oca maschio.
Gang; banda *f*., fròtta *f*., squadra *f*., cricca *f*.
Ganges; Gange *m*.
Gang-lion; -lio *m*. **-rene, -renous**; cancrèn-a *f*., -óso. **-ue**; ganga *f*. **-way**; ándito *m*., corridóre *m*., passavanti *m*., passerèlla *f*., ponticèllo *m*.
Gannet; sula *f*., corvo di mare bianco.
Gantry; piattaforma per una gru ecc.
Gaol; prigióne *f*. **-bird**; galeòtto *m*., avanzo di patibolo. **-er**; carcerière *m*.
Gap; apertura *f*., buco *m*., lacuna *f*., finestrino (fra' denti). — of a sparking plug, distanza esplosiva. Revolving spark —, scintillatore rotante.
Gap-e; ṡbadigliare, creparsi, spalancarsi. — at, stare a guardare colla bocca aperta. **-ing**; spalancato. With a — wound in its side, col fianco squarciato. **-py**; con molte lacune.
Garage; rimessa per gli automobili.
Garb; vestíto *m*., costume *m*.; vestire, abbigliare.
Garbage; rifiuto *m*., spazzatura *f*., sożżume *m*., lordura *f*.
Garble; alterare, falsificare. **-d** account, racconto maggiormente falso.
Garboard; torèllo *m*. **-strake**; corso di torello.
Garden; giardíno *m*. Vegetable —, òrto *m*. To —, badare al giardino, fare il giardiniere. I have been -ing, mi sono occupato del giardino, ho fatto un po' da giardiniere. **-bed**; aiuòla *f*. **-er**; giardinière *m*., ortoláno *m*. **-knife**; róncolo *m*. **-peas**; piselli ortolani. **-stuff**; ortaggi *m. pl.*
Gar-fish; agúglia *f*. **-ganey teal**; alzávola *f*., marzaiòla *f*. **-gle**; gargar-iṡmo *m*., -iżżare. **-goyle**; grondaia, doccia sporgente scolpita. **-ibaldi**; bluṡétta *f*., camicétta *f*. **-ibaldian**; garibaldíno. **-ish**; sfarzóso, chiassóso, che dà nell' occhio. **-ishly**; in modo sfarzoso ecc. **-ishness**; sfarzo *m*., bellezza troppo vistosa. **-land**; ghirlanda *f*., sèrto *m*.; inghirlandare. **-lic**; áglio *m*. — sauce, agliata *f*. **-ment**; ábito *m*., vestíto *m*., induménto *m*. **-ner**; granáio *m*.; ammassare, raccògliere. **-net**; 1. granato *m*. 2. piccolo paranco di straglio. **-nish**; ornaménto *m*.; contórni *m. pl.*; guarnire, abbellire, parare.
Garnishee; chi è avvertito di un "garnishee order" cioè dello staggimento d' un debito.
Garonne; Garònna *f*.
Garr-et; soláio *m*., soffitta *f*. **-eteer**; poeta che abita una soffitta.
Garrison; guarnigióne *f*.; presidiare. **-town**; città che è sede di guarnigione militare.
Garrotte; strozzare.
Garrul-ity, -ous, -ously; -ità *f*., -o, -aménte.
Garter; legácci-o *m*., -a *f*., -olo *m*.; Giarrettièra (Ordine). — king at arms, capo araldo dell' Ordine della Giarrettiera. **-s**; elástici *m. pl.*
Garth; recinto *m*.
Gas; gas *m*. Lighted with —, illuminato a gas. Exhaust —, gas bruciato. — supporting a balloon, gas portante. Volume of —, quantità di gas. To —, 1. vantarsi, millantarsi; *see* Boast. 2. gassare, sopraffare con gas velenosi, incapacitare con gas.
Gas-bag; sacco da gas. **-bracket**; braccio a gas. **-burner**; becco di gas.
Gascon, -y; Guasc-óne *m*., -ógna *f*. **-ade**; spacconata *f*., millantería *f*.
Gas-coal; carbon fossile che dà il gas da illuminazione. **-cylinder**; bombolo di gas.
Gaselier; lampadario a gas.
Gas-engine; macchina a gas. **-eous**; gasóso. **-fitter**; gassaiuòlo *m*. **-fittings**; apparecchio per l' utilizzazione del gas.
Gash; 1. sfrégio *m*., ṡberlèffe *m*. 2. táglio *m*., *see* Cut. 3. ferita sanguignante. To —, sfregiare, far intaccature, frastagliare.
Gas-holder; gaṡòmetro *m*. **-inlet**; (balloon) manica o manicotto di gonfiamento, manica di caricamento. **-jet**; becco a gas.
Gasket; treccia di canapa, gassétta *f*.
Gas-lamp; lampada a gas. **-main**; tubo stradale per il gas. **-man**; gassaiòlo *m*. **-meter**; contatore o miṡuratore del gas. **-ogene**; gassògeno *m*. **-ometer**; gassòmetro *m*.

Gasp; ansata *f.*, anèlito *m.*; trafelare, ansare. — for breath, far degli sforzi per respirare, mancarti il respiro. At the last —, agli estremi. **-ing**; affanno *m.*, respirazione affannosa.

Gas-pipe; tubo di gas. **-stove**; fornello a gas. **-sy**; pieno di gas, assai gasoso. **-tar**; catrame di carbon fossile. **-tight**; che impedisce qualunque uscita del gas, impermeabile al gas.

Gastr-ic, -onomical; -ico, -onòmico.

Gas-vent; scappamento del gas. **-works**; officina del gas.

Gate; pòrta *f.*, barrièra *f.*, portóne *m.* Barred —, cancèllo *m.* Flood —, cateratta *f.* **-keeper**; guardapòrta *m.*, portinàio *m.* **-money**; totale delle somme pagati all' ingresso di uno spettacolo. **-way**; porta carrozzabile.

Gather; -s, crespe *f. pl.*, pièghe *f. pl.* To —, riunire, radunare; cògliere; desúmere, ricavare; riprèndere (fiato), addensarsi (nuvole), pieghettare (tela); far postema. — oneself together, riunire tutte le sue forze. — from, conchiudere da, giudicare da. — in, far il raccolto di. — strength, rinvigorirsi. They were -ed together for a smoke and a chat, stavano raccolti fumando e chiacchierando. My designs are now -ing to a head, i miei progetti cominciano a maturare. **-er**; raccoglitóre *m.* Tax —, eśattóre *m.*, collettore di tasse. **-ing**; riunióne *f.*; ascèsso *m.*, postèma *f.*

Gauche, -rie; gòff-o, -ézza *f.*

Gaud; ornaménto *m.* **-ily**; fastosaménte ecc. **-iness**; fasto *m.*, splendóre *m.* **-y**; fastóso, sfarzóso, vistóso, spiccante.

Gauffer; stampare col ferro; fare i cannoncini.

Gauge; stazza *f.*, miśura *f.*, nórma *f.*, calíbro *m.*, sággio *m.*; larghézza (di binario). Steam —, manòmetro *m.* To —, assaggiare, miśurare, stazzare. Standard — (railway), a scartamento normale. Narrow —, a scartamento ridotto. **-cock**; rubinetto indicatore.

Gaul; Gallia *f.*, Gallo *m.* **-ish**; gallo.

Gault; galestro argillaceo.

Gaunt; scarno, śmunto.

Gauntlet; guanto di sfida, guanto lungo. Run the —, passar per le picche.

Gauntness; magrézza *f.*

Gauz-e; garża *f.*, vélo *m.* Wire —, tela metallica. **-y**; simile alla garza. With — wings, dalle ali di velo.

Gave; *rem.* di Give.

Gav-ial; -iále *m.* **-otte**; -òtta *f.*

Gawk; cúculo *m.*, *fig.* minchióne *m.* **-y**; gòffo, balòrdo.

Gay; gaio, lièto; galante, licenzióso.

Gaz-e; śguardo *m.*; fissare, mirare, guardare fisso. Gazing stock, zimbèllo *m.* **-elle**; gażżèlla *f.* **-er**; spettatóre *m.* **-ette**; gażżétta *f.*; pubblicare nel giornale ufficiale. **-etteer**; dizionario geografico. **-ogene**; gażògeno *m.*

Gear; apparécchio *m.*, arrèdi *m. pl.*, ròba *f.*, masserízie *f. pl.*, attréżżi *m. pl.*; congégno *m.*, meccaniśmo *m.* Bevel —, ingranaggio conico. Fishing —, attrezzi o ordigni da pesca. Head —, cúffia *f.* Screw —, ingranaggio a vite. In —, ingranato, pronto. Out of —, diśingranato, che non può marciare. — up, Put in —, ingranare, congegnare. **-case**; scatola del cambio di velocità. **-ing**; ingranaggio *m.*

Gee-gee; voce fanciullesca per cavallo.

Gee-up! arri! avanti!

Geese; *pl.* di Goose.

Geisha; danzatrice giapponese.

Gelatin-e, -ous; -a *f.*, -óso.

Geld, -ing; castr-are, -óne *m.*

Gem; gèmma *f.*, giòia *f.* **-sbok**; órice *m.*

Gendarm-e; (French) gendarme *m.*, (Italian) carabinière *m.* **-erie**; (French) -ería *f.*, (Italian) i carabinieri; caserma di gendarmi.

Gender; gènere *m.*

Genealog-ical, -ically, -ist, -y; -ico, -icaménte, -ista *m.*, -ía *f.*

General; 1. -e *m.* Lieutenant —, tenente -e. Major —, maggiore -e. Attorney —, Solicitor —, procuratore regio, procuratore generale. 2. -e, pubblico, comune. — epistle, epistola -e. — practitioner, dottore ordinario. — principle, principio -e. — servant, sèrvo *m.*, fasservízi *m.* — calamity, calamità largamente diffusa, disgrazia pubblica. — remark, osservazione -e. In —, per lo più. In a — way, in linea -e.

General-isable; che si può -iżżare. **-isation**; -iżżazióne *f.* **-ise**; -iżżare. **-ities**; frasi generiche, luoghi comuni. **-ity**; -ità *f.* **-ly**; -ménte. **-ship**; 1. -ato *m.* 2. táttica *f.*, abilità militare.

Gener-ate, -ation, -ative, -ator, -ic, -ically, -osity, -ous, -ously; -are, -azióne *f.*, -ativo, -atóre *m.*, -ico, -icaménte, -osità *f.*, -óso, -osaménte, con -osità.

Gene-sis, -tic; -śi *f.*, -tico.

Genev-a, -ese; Ginévr-a *f.*, -íno.

Geni-al; -ále, simpático. **-ality**; -alità *f.*, buon umore. **-ally**; con -alità, simpaticaménte. **-e**; -o *m.*, demònio *m.* **-tal**, -tále. **-tival**; -tivo. **-tive**; -tivo *m.*

Genius; gènio *m.*, ingégno *m.*, talènto *m.*; spírito *m.*, dèmone *m.*, divinità particolare d' un luogo, o d' una persona.

Geno-a, -ese; Gènov-a, -ése. — territory, Genovesato *m.*

Genteel; elegante, distinto. **-ly**; eleganteménte. **-ness**; distinzióne *f*.
Gentian, -ella; genzian-a *f*., -èlla *f*.
Gentil-e, -ity; -e, -ézza *f*.
Gentle; 1. bruco *m*., larva di moscone. 2. gentíle, dólce, mansuèto, delicato. — slope, comoda salita. — craft, mestiere della pesca. By — means, con le buone. **-folk**; gente educata.
Gentleman; gentiluòmo *m*., signóre *m*. Young —, signoríno *m*. Perfect —, signore compiuto. **-farmer**; proprietario coltivatore. **-like**; da gentiluomo. **-liness**; corteśía *f*., garbatézza *f*., gentilézza *f*. **-ly**; ammòdo, da bene. **-usher**; usciere del palazzo.
Gentl-eness; dolcézza *f*., mansuetúdine *f*., soavità *f*., tenerézza *f*., delicatézza *f*. **-ewoman**; gentildònna *f*., signóra *f*. **-y**; piano, delicataménte, soaveménte, amorevolménte, dolceménte.
Gentry; gente da bene, i possidenti.
Genuflection; genuflessióne *f*.
Genuin-e, -ely, -eness; -o, -aménte, -ità *f*.
Genus; gènere *m*.
Geocentric, -ally; -o, -aménte.
Geode-sy, -tic; -śía *f*., -tico.
Geoffrey; Goffrédo.
Geognos-is, -tic; -ía *f*., -tico.
Geograph-er, -ical, -ically, -y; geògraf-o *m*., -ico, -icaménte, -ía *f*.
Geolog-ical, -ically, -ist, -y; -ico, -icaménte, -o *m*., -ía *f*.
Geomet-er, -rician; geòmetr-a *m*., **-rical, -rically, -ry**; -ico, -icaménte, -ía *f*.
Georg-e; Giórgio. **-ian**; georgiano. **-ic**; geórgica *f*.
Geranium; geránio *m*.
Germ; gèrme *m*., embrióne *m*.
German; tedésco. — silver, lega bianca di rame, panfò *m*.
Germander; camèdrio *m*.
Germane; affine. It is —, non è fuor di proposito.
German-esque; con caratteristiche tedesche. **-ic**; -ico. **-ically**; alla tedesca. **-ise**; -iżżare. **-ism**; idiotismo tedesco **-y**; Germánia *f*.
Germina-te, -tion; -re, -zióne *f*.
Gerrymander; manipolare per secondo fine, rimaneggiare.
Gerund; gerúndio *m*.
Gesta-tion; -zióne *f*.
Gestic-ulate, -ulation; -olare, -olazióne *f* -ulate wildly, annaspare.
Gesture; gèsto *m*., atto *m*.
Get; 1. ottenére, acquistare, procurare, cògliere. Bees — honey from flowers, le api colgono il miele dai fiori. 2. beccarsi, buscarsi, pigliare (un raffreddore). 3. méttersi, pórsi (in qualche luogo). 4. persuadére, fare. To — a thing made, far fare una cosa. He got me to do it, egli mi fece farlo, mi persuase di farlo. He has got to do it, deve farlo, or with more emphasis, gli è forza farlo. 5. To have got, avere. I have got very little money, ho pochissimi quattrini. 6. With an adjective or preposition it is often to be translated by a reflective verb; To — warm, riscaldarsi. — near, farsi vicino, avvicinarsi a. 7. To — oneself, with a verb, farsi. To — oneself laughed at, farsi beffare. 8. To be -ting, cominciare. It is -ting dark, comincia a far bruno. 9. To — (*i.e.* manage to get) riuscire. I got it open at last, alla fine mi riuscì di aprirlo.
Get aboard, imbarcarsi. — **about**, 1. andare qua e là. — — one's business, badare ai suoi affari. — — again, rimettersi in piedi, ritornare alla solita vita. 2. dirsi, divulgarsi. It has got about, si dice. Take care it does not — —, bada che la gente non ne sappia. — **above**, sorpassare. — **across**, traversare, mettersi attraverso. — **afloat**, diśincagliarsi; far galleggiare. — **ahead**, andare innanzi, correre innanzi. — **along**, campare, andare avanti; andarsene. — —! via! — **among**, introdursi fra. — **ashore**, aground, incagliarsi, arrenare. — **at**, giúngere, pervenire a; sedurre, corrómpere. I could not — — him, non mi è riuscito trovarlo. — **away**, scappare, andarsene; assentarsi, lasciare il suo ufficio. — — (from), strappare, tògliere, sottrarre, distaccare (da). — —! vattene pei fatti tuoi! via! — **back**, riavére, ricuperare; rivenire, ritornare. — —! dietro! — **before**, porsi dinanzi; avanzare; anticipare. — **behind**, rimanére indietro, porsi o mettersi dietro; indugiare, perder tempo, esser in ritardo. — **better**, star meglio. — **the** — **of**, aver la superiorità di, víncere. — **beyond**, oltrepassare, andare in là di; superare. That boy has got quite beyond me, quel ragazzaccio si è fatto troppo forte per me. — **by**, passare. — **with child**, ingravidare. — **clear**, liberarsi, diśimpegnarsi. — **down**, scéndere, far scendere, abbáttere, abbassare; mandar giù la gola; metter fra le note. Have you got that down? Avete scritto ciò che ho detto? — **drunk**; ubbriacarsi. — **forward**, farsi avanti, avanzare. — **hold of**, attaccarsi a. The newspapers will — — — it, i giornali ci metteranno la mano. — **in**, entrare, **introdursi in**, mettersi **in**,

cadere in; riscuòtere. — — the way of, fare intoppo a, attraversarsi a, imbarazzare. — into, imbarcarsi in, trovarsi in, prender parte a; contrarre (abitudine). — near, approssimarsi, farsi vicino. — off, partire, salvarsi, scappare, sfuggire; cavarsi, levarsi, togliersi (vestito); scéndere, śmontare; fare assolvere (imputato); scagliare, rigalleggiare. — — well, scapparla bene. She wants to — that girl — (marry her off), vuole levarsi quella ragazza di casa. He got off at last, finalmente gli riuscì ad andarsene, a ritirarsi. — on, salire su, mettersi su, montare; andare avanti, farsi largo, passarsela; indossare. How are you getting on? come state? come vanno gli affari? Getting on in years, attempato, attempatòtto, attempatèllo. — on with, accordarsi con, intendersi con; badare a (lavoro). — out, scéndere; scappare, sottrarsi; cavar fuori, cavar da (impiccio), estrarre, far uscire; preparare, intavolare, pubblicare. — —! via! alla larga! — out of, estòrcere, estrarre da. — — — the way of, manovrare per evitare; far largo a, lasciar libero il passo a. — over, passare, attraversare, passar dall' altra parte di; far traversare; ingannare, abbindolare, ottenere il consenso di con moine o con promesse; consolarsi di; rimettersi, ristabilirsi dopo una malattia o perdita; vincere, superare, girare (difficoltà). — it —, farla finita, non averla più incompiuta. I want to — it —, voglio liberarmene, cavarmela di sullo stomaco. — — to, andare o venire a visitare. — past, passare, persuadere di passare, far passare. — quit of; *see* Get rid of. — ready, preparare, ammannire; prepararsi. — rid of, disfarsi, śbrigarsi, liberarsi di, levarsi d' attorno. — — of one's cold, sgravarsi il petto dal catarro. I got rid of him at last, alla fine me lo son levato di casa. — round, diffóndersi, divulgarsi; rimettersi in salute; girare (difficoltà), *see* Get over; ingannare con lusinghe, colle moine. —t here, giungervi, arrivare. — through, venire a capo di; sopportare; tirare d' imbarazzo; trarsi d' impaccio; passare (agli esami); scialacquare (danari). — to, arrivare a, guadagnare (la riva), raggiúngere. *See above*, Get (4). — to sleep, addormentarsi; far dormire. — together; riunire, raccògliere, ammucchiare; trovarsi insieme, riunirsi. — under, mettersi sotto, ripararsi sotto, rifugiarsi sotto; dominare soggiogare. — up, 1. abbigliaménto *m.*, modo di vestirsi. Queer — —, travestiménto *m.* 2. alzarsi, farsi (burrasca, il mare); imparare a memoria; fare alzarsi; metter in piedi, organiżżare, metter in iscena, inventare (scusa), ordire (trama); dar buona apparenza a (biancheria); dar falso apparenza a, travestire. — oneself —, attillarsi. — oneself — as, vestirsi in modo da rassomigliare; *see* Dress. — upon, salire su; mettersi a parlare di. — well, guarire, rimettersi in salute. — wind, riprender fiato; esser conosciuto, divulgato. — wind of, fiutare. — worse; peggiorare, andar da male in peggio.

Getting; acquisto *m.*

Geum; gèo *m.*

Gewgaw; nínnolo *m.*, cianfruśáglia *f.*

Geyser; gèyser *m.*

Ghastl-iness; orróre *m.*, spaventevolézza *f.* -y; pallidissimo, orrèndo, squállido.

Ghat, Ghaut; catena (anche gola) di montagne in India; scalo per uso dei bagnanti nel Gange.

Ghazi; chi ha combattuto per Islam.

Ghee; specie di burro indiano.

Ghent; Gand. Of —, di Gand, gandavése.

Gherkin; cetriolino marinato.

Ghetto; ghétto *m.*

Ghost; spèttro *m.*, fantaśma *m.* There is not the — of a chance, non c' e neppur un' ombra di probabilità che si riesca. Give up the —, spirare, render l' anima. -like; spettrále. -ly; spirituále. -story; storia dove ci entra qualche spirito di morto.

Ghoul; gula *f.* -ish; da gula.

Ghyll; burróne *m.*

Giant, -ess, -like; gigant-e *m.*, -éssa *f.*, -ésco.

Giaour; giaúrro.

Gib; controchiavétta *f.*

Gibber; barbugliare. -ish; chiaccherio confuso, parole inintelligibili.

Gibb-et; fórca *f.*; impiccare. -ous; -óso.

Gibe; lażżo *m.*, burla mordace; beffarsi (di).

Giblets; frattáglie *f. pl.*, rigáglie *f. pl.*

Gibraltar; Gibiltèrra *f.*

Gidd-ily; storditaménte. -iness; storditézza *f.*, vertígine *f.*, capogíro *m.* -y; stordíto, vertiginóso, trascurato. — headed, scervellato, leggèro. — pate, scioccóne *m.*

Gift; dóno *m.*, regálo *m.* New Year's —, strènna *f.* Deed of —, contratto di donazione. -s *inter vivos*; traśmissioni gratuite mobiliari e immobiliari. Legal —, donazióne *f.* Wedding —, regalo di nozze. In the — of, di nomina di. -ed; dotato. High —, di grande ingegno,

altamente dotato. **-horse**; caval donato.
Gig; 1. baroccíno *m.*, calessíno *m.* 2. iòla *f.*, saettía *f.*, scappavía *m.* 3. fiòcina *f.*
Gigant-ic, -ically; -ésco, -escaménte.
Giggle; risolíno *m.*; ridere per nulla, spensierataménte. **-r**; ridanciáno *m.*
Gild, -er; indor-are, -atóre *m.* **-ing**; doratura *f.*
Gill; bránchia *f.*; alétta (di radiatore) *f.*
Gillie; servitore di caccia in Iscozia.
Gillyflower; garòfano *m.*
Gilt; indoratura *f.*; dorato. **-edged**; dorato sul taglio; sicurissimo (fondo). **-head**; pesce dorato.
Gimbals; bilancieri della bussola.
Gimcrack; gingillo *m.*; cattivèllo, senza sostanza, da non fidarsene.
Gimlet, Gimblet; succhièll-o *m.*, -íno *m.*
Gimp; cordoncíno *m.*, passamáno *m.*
Gin; ginépro *m.*; tráppola *f.*; gru *f.*; donna indigena in Australia. To —, mondare (cotone).
Ginger; żènżero *m.* **-ale, -beer**; gassosa allo zenzero. **-bread**; pan pepato, panfòrte. **-ly**; pian piano. **-nut**; biscottino allo zenzero.
Gingham; cotonina fine; ombrelláccio *m.*
Ginning; mondatura (di cotone).
Gin-palace, -shop; debito di liquori. **-sling**; bevanda di ginepro con zucchero ecc.
Gipsy; zíngaro *m.*
Giraffe; giraffa *f.*
Girandole; doppière *m.*
Gird; cíngere. — **at**, beffarsi di, motteggiare, canzonare. **-er**; trave *f.* Iron —, longarína *f.* — **bridge**, ponte a travate. **-le**; cintura *f.*, cíntola *f.*; cinturare.
Girl; ragazza *f.*, fanciulla *f.*, zittèlla *f.* **-hood**; fanciullézza *f.* **-ish, -ishly**; da ragazza. **-ishness**; ingenuità da ragazza; effeminatézza *f.*
Girond-e; -a *f.* Of the —, -íno.
Girt; cinto.
Girth; misura alla vita; (*mar.*) contorno alla corbâ maestra. Tree six feet in — at five feet from the ground, albero che ha sei piedi di circonferenza a cinque piedi dal suolo. The **-s** are too tight, le cinghie sono troppo strette.
Gist; l' essenziale, il punto principale. The — of it is this, in fondo la cosa sta così.
Give; dare, preŝentare, rèndere; cèdere, piegare; fare (complimenti), proferire (sentenza), méttere (grido), riportare, prestare. **-n** to vanity, dedito alla vanità. It **-s** me a fever, mi fa venire la febbre. I would — all I possess, rinunzierei volontieri a tutto quello che è mio. — **pleasure to**, procurare soddisfazione a. — **a friendly smile to**, fare un sorriso amichevole a. — **account of**, render conto di. — **oneself airs**, far l' importante. — **away**, regalare, far elemosina; condurre (figliola) all' altare. — **oneself** —, tradirsi. — **back**, restituire. — **birth to**, dar la vita a, originare, far nascere. — **a call to**, viŝitare, venire a visitare. — **chase to**, dar la caccia a, inseguire. — **credit**, far credito, prestar credito, prestar fede. — **some days to**, dedicar parecchi giorni a. — **ground**, 1. rinculare. 2. — — **for the belief**, dar luogo a credere, giustificare l' opinione. — **heed**, badare. — **in**, acquietarsi, rinunciare alla lotta. — **in charge**, 1. fare arrestare. 2. incaricare. — **in to**, acconsentire, accomodarsi a, sottomettersi a. — **it against, for**, dar torto, ragione, a. — **judgment**, pronunziare la sentenza. — **notice**, congedarsi. — — **to**, avvertire, far sapere. — — **to quit**, diŝdire l' affitto; licenziare. — **oneself out as**, dirsi; darsi, spacciarsi (per). — **out**, annunziare, far credere; distribuire, rilasciare; eméttere, eŝalare; dare (ordini); esser esaurito. — **over**, cessare, abbandonare. — **up**, abbandonare, rinunziare a, dare nelle mani (di). — **oneself up**, costituirsi (alla polizia). I have had to — — so much, ho dovuto far tanti sacrifizii. They gave up trying to please her, lasciarono ogni tentativo per piacerle. I had almost given you up, cominciavo a credere che non sareste più venuto. — **vent**, dare sfogo. — **way**, cedere il suo posto ad un altro; ritirarsi; accondiscéndere; cominciare a remare. — — **with a will**, vogare a tutta forza.
Giver; dona-tóre *m.*, -trice *f.*
Gizzard; ventriglio *m.*
Glacé; lucida, lustra (seta).
Glaci-al; -ále. **-ation**; il coprire una terra con ghiacciai. **-er**; ghiacciaio *m.*
Glacis; spalto *m.*
Glad; lièto, contènto, felice. Be —, dilettarsi, rallegrarsi. I should be — if you would send, le sarei grato di mandare. **-den**; rallegrare, render felice.
Glade; radura *f.*, viále *m.*
Gladiator, -ial; -e *m.*, -io.
Gladiolus; gladiòlo *m.*, pancacciòlo *m.*
Glad-ly; volentièri. **-ness**; contentézza *f.*, allegrézza *f.*, giúbilo *m.* **-some**; allégro, gaio.
Glairy; víscido.
Glamour; fáscino *m.*, splendore d' incanto.
Glanc-e; ŝguardo *m.*, occhiata *f.* At first —, a prima vista. To —, lanciare uno

sguardo, dare un' occhiata, adocchiare; dire alcune parole alla sfuggita; esser deviato (proiettile). — up, alzare lo sguardo. He -d up from the instrument he was working, egli distolse lo sguardo dallo strumento a cui stava lavorando. **-ing**; obliquo. **-ingly**; obliquaménte, in modo strisciante.

Gland; glándola *f.* **-ered**; che ha il cimurro. **-ers**; cimurro *m.*, mòrva *f.* **-ular**; glandolare.

Glar-e; baglióre *m.*, sguardo feroce. — at, guardare con occhio torvo, ferocemente. **-ing**; abbagliante, vistóso, patènte (errore), che salta agli occhi. **-ingly**; manifestaménte.

Glasgow; Glaṡgóvia *f.*

Glass; vétro *m.*, cristallo *m.*; bicchière *m.*; spècchio *m.* Bell —, campana di vetro. Burning —, vetro ardente. Crown —, vetro di Boemia. Cut —, cristallo tagliato. Dressing —, specchio da toeletta. Drinking —, bicchière *m.* Eye —, occhialíno *m.* Finger —, sciacquabócca *m.* Flint —, cristallo inglese. Ground —, vetro smerigliato. Hand —, specchietto a mano. Looking —, spècchio *m.* Magnifying —, lènte *f.*, lente d' ingrandimento. Musical -es, armònica *f.* Night —, Opera —, binòcolo *m.* Pier —, specchièra *f.* Plate —, cristallo cilindrato, cristallo di Francia. Pocket —, specchietto tascabile. Spy —, cannocchiále *m.* Stained —, vetro dipinto. Water —, silicato di soda solubile. Weather —, baròmetro *m.*

Look at oneself in the —, specchiarsi. Wear -es, portar gli occhiali. Those who live in — houses should not throw stones, chi ha la testa di vetro non vada a battaglia di sassi.

Glass-bead; margheritína *f.* **-blower**; soffiatore di vetro. **-blowing**; soffiatura di vetro. **-bowl**; tazza di cristallo. **-case**; vetrína *f.* **-cutter**; tagliatore di cristallo. **-cutting**; lavorazione del vetro. **-door**; vetrata *f.*, porta ad invetriate. **-founder**; vetráio *m.* **-foundry**, **-furnace**; vetrería *f.* **-frame**; vetrata *f.* **-ful**; bicchiere pieno, bicchierata *f.* **-grinding**; il processo di levigare il vetro. **-house**; vetrería *f.*, sèrra *f.* **-ily**; con occhi vitrei. **-iness**; apparenza vitrea. **-making**; fabbricazione del vetro. **-painting**; pittura su vetro. **-partition**; vetrata *f.* **-ware**; vetreríe *f. pl.*, vetráme *m.* **-works**; vetrería *f.* **-wort**; sálsola *f.* **-y**; vítreo.

Glaucous; glauco.

Glaz-e; verníce *f.*, ṡmalto *m.*, lustro *m.*, lucidézza *f.*; invetriare, inverniciare, dar la vernice, ṡmaltare; candire; cilindrare (stoffa, carta). **-d paper**, carta cilindrata o porcellana; *see* Cream-laid. **-ier**; vetráio *m.* **-ing**; invetriaménto *m.*, inverniciatura *f.*, lustratura *f.*, smalto di porcellana.

Gleam; lucentézza *f.*, barlúme *m.*, rággio *m.* — of hope, barlume di speranza. To —, risplèndere, sfolgorare. — angrily, aver un bagliore di collera. **-ing**; scintillante.

Glean; spigolare, racimolare, raggranellare, *fig.* venire a sapere. **-er**; spigolatóre *m.*, -trice *f.* **-ing**; spigolatura *f.*, racimolatura *f.*

Glebe; podere annesso ad una canonica.

Glee; allegría *f.*, giòia *f.*; composizione vocale d' insieme. **-ful**, **-fully**; allegr-o, -aménte.

Gleet; scolo cronico.

Glen; valle *f.*, vallèa *f.*

Glib; scorrévole, sciòlto. **-ly**; speditaménte, volubilménte. **-ness**; loquacità *f.*, volubilità *f.*

Glide; scórrere, scivolare, ṡdrucciolare.

Glimmer; barlúme *m.*; baluginare, gettar una luce fiocca. **-ing**; luce debole; pallida idea, barlúme *m.* I begin to get a — of your meaning, comincio ad avere qualche barlume di quel che voi intendete dire.

Glimpse; occhiata sfuggevole. Show -s of, lasciar travedere. Catch a — of, vedere alla sfuggita.

Glint; lampo *m.*, scintillaménto *m.*

Glissade; ṡlitt-aménto *m.*, -are; scivolaménto *m.*, -are; ṡdrucciol-aménto *m.*, -are.

Glisten, Glister; brillare, luccicare. **-ing**; lucènte, lúcido, lustro.

Glitter; sfavillío *m.*, lucentézza *f.*; sfavillare, rilúcere, brillare. **-ing**; lucènte, scintillante, sfavillante. **-ingly**; splendidaménte, in modo sfavillante.

Gloaming; crepúscolo *m.*

Gloat; divorare cogli occhi, guardare con crudele piacere, farsi gioia della sventura altrui. They -ed with diabolical glee over his inability, esultavano con gioia infernale della sua incapacità.

Globe; glòbo *m.*, sfèra *f.* Celestial —, sfera celeste. **-flower**; palloncino d' oro. **-thistle**; cardo pallottola. **-trotter**; chi viaggia dappertutto.

Globul-ar, -e; -are, -o *m.*

Gloom; tènebre *f. pl.*, búio *m.* **-ily**; tetraménte, malinconicaménte. **-iness**; tristézza *f.*, umore mesto. **-y**; cupo, fósco, bużżo, balògio, oscuro, rannuvolato. — looking, immuṡíto, rabbuiato.

Glor-ify; -ificare. **-iole**; aurèola *f.* **-ious**; -ióso; *see* Gorgeous. **-iously**; -iosaménte. **-y**; -ia, -iarsi. **-ying**; iattanza *f.*

Gloss; 1. lustro *m.*, lucentézza *f.*, líscio *m.* 2. chiòṡa *f.*; chioṡare. — **over**, trovare scusa per, non accennare alla colpa, al vizio, agli errori di, palliare. **-ary**; -ário *m.* **-iness**; liscio *m.*, l' esser lustro o lucente. **-y**; lustro, lisciò, ripulito, lúcido, lucènte.

Glottis; glòttide *f.*

Glove; guanto *m.* Handle without **-s**, trattare con poco riguardo. **-box**; scatola da guanti. **-d**; inguantato. **-factory**, **-shop**; guantería *f.* **-r**; guantière *m.* **-stretcher**; allarga-guanti *m.*

Glow; rossore d' un fuoco. — **of health**, colorito rosso di chi sta in buona salute. — **of youth**, ardore giovanile. — **of passion**, calóre *m.*, veemènza *f.* — **of colour**, splendore di colore. — **of sunset**, riflessi rossi del cielo al tramonto. To —, rosseggiare, esser infiammato o infuocato, ardere senza fiamma, *fig.* árdere.

Glower; — **at**, guardare con occhi torvi, minaccianti, arcigni, guardare in cagnesco.

Glow-ing; rovènte, infocato, ardènte, fúlgido, rosseggiante, appassionato. **-ingly**; con entusiasmo. **-lamp**; lampada incandescente. **-worm**; lúcciola *f.*, bruco luminoso.

Gloxinia; gloscínia *f.*

Gloz-e; — **over**, *see* Gloss (2). **-ing**; luṡinga *f.*; luṡinghièro.

Glucose; glucòṡio *m.*

Glue; colla forte, colla da falegname; incollare. **-pot**; vaso da colla. **-y**; glutinóso, imbrattato di colla.

Glum; cupo, arcigno, ritróso. **-e**; gluma *f.* **-ly**; in modo cupo ecc. **-ness**; l' esser cupo ecc.

Glut; sovrabbondanza *f.*, eccèsso *m.*; saziare, ingombrare, far rigurgitare (la piazza). — **oneself**, mangiare a crepapelle.

Glut-en, **-inous**; -ine *m.*, -inóso.

Glutton; ghiottóne *m.* **-ous**; golóso, ghiótto. **-ously**; golosaménte ecc. **-y**; ghiottonería *f.*

Glycerine; glicerína *f.*

Gnarled; noderóso.

Gnash; ringhiare, digrignare. **-ing**; rínghio *m.*, stridóre *m.*

Gnat; żanżára *f.*

Gnaw; ródere, roṡicchiare.

Gneiss; gneiss *m.*

Gnom-e; -o *m.*; **-on**; -óne *m.*

Gnostic-ism; -o, -iṡmo *m.*

Gnu; gnu *m.*

Go; vigóre *m.*, spirito. Be all the —, esser di moda dovunque. No —, non possibile. It was no —, non vi fu modo di riuscire. Have a —, far un tentativo, una prova. Have a — at, sperimentarsi a, interessarsi un po' di, assaggiare. The mice have had a — at the cheese, i topi si son preso la loro parte del cacio. Have a good — at it, mangiarne una buona porzione; fare un tentativo serio con esso. A pretty — (gergo), un bell' affare. Little —, esame preliminare a Cambrigge.

To —, andare, camminare; trarre; passare. The people were all -ing to the temple, tutta la gente traeva al tempio. The time for things of this sort is gone, l' ora per tali cose è passata. So report -es, tale è la voce pubblica. How -es the time? che ora fa? How does business — with you? come vanno i vostri affari? My watch is not -ing, il mio orologio non va. As things —, per i tempi che corrono. He was -ing to say, stava in procinto di dire. He is -ing to marry Miss X, deve sposare signorina X. Let —, lasciar andare, lasciar libero, rilasciare. The vessel is -ing ten knots an hour, la nave fila a dieci nodi all' ora. Where does this road — to? dove mena questa via? -ing, -ing, gone! una volta, due volte, aggiudicato! *See also* Gone.

Go about, andare qua e là, girovagare; occuparsi di, mettersi a; virar di bordo. — **after**, seguitare, rincórrere. — **against**, andare contro; esser sfavorevole a, contrario a, contrariare, opporsi a, tornare contro. It -es against the grain for me to believe it, mi ripugna a crederlo. — **ahead**, andare avanti; *fig.* tirar via. — **along**, camminare. — —! su, via! va' via! As we went along, cammin facendo. — — **with**, esser d' accordo con. — **ashore**, ṡbarcare, andare a terra. — **astern**, andare indietro, retrocèdere. — **at**, attaccare; mettersi a. — **away**, andarsene, allontanarsi. — **back**, rinculare, retrocèdere, ritornare, rifare la strada. — — **to**, rimontare a, risalire a. — — **on one's word**, diṡdirsi, ritirare la parola data. — **backwards**, indietreggiare, dare addietro, andare a ritroso. — **before**, precèdere; andare innanzi a, presentarsi a. — **one better**, giocare una carta più forte. Do what I might, he could always — one better, per quanto io sapevo fare, egli era sempre da tanto di metter in campo qualche cosa di più di me. — **beyond**, oltrepassare, andare al di là di. — **blind**, diventar cieco. — **by**, passare; seguire (regola), condursi secondo, regolarsi su. Give the — — **to**, elúdere, scansare, non visitare. — — **land**, **post**, andare per terra, per posta. — to the **dogs**, andar a male. — **down**, scéndere, andare abbasso; decréscere (fiume); tramontare; decadére, declinare, perdere importanza; mettersi (in ginocchio); ṡgonfiare (tumore), scemarsi; calare (marea); andare, colare, a picco; andar giù per la gola; *fig.* passare, esser creduto; trovare accettazione, tollerazione. — **for**, andare a cercare; attaccare, assalire, apostrofare. — — a drive, walk, fare una trottata, passeggiata. — — nothing, non contar nulla. The verdict went for the plaintiff, il querelante guadagnò la sua causa. — **forth**, uscire. — **forward**, andare avanti, a prora; inoltrarsi, avanzare; esser in operazione. Whilst all this was -ing forward, mentre si stava accomodando tutto ciò. Not to let matters — any **further**, non lasciar correre più oltre. — the whole **hog**, andar fin al fondo, prender tutto il rischio, farsi responsabile di tutto. — **ill** with, Things went ill with the business, il negozio non prosperava. Things went ill with him, non aveva fortuna. — **in**, entrare; penetrare. He went in and out at his pleasure, aveva il passaporto libero. — **in for**, intraprendere, fare il commercio di, interessarsi in, abbracciare. — — — a business, entrare in un affare. — — — a scholarship, concorrere ad una borsa di studio. — — — his degree, presentarsi agli esami per una laurea. — — — mathematics, studiare la matematica. — **it**, farla forte, farne delle belle. — —! forza nei garetti! — **lame**, diventare zoppo; zoppicare. — to **law**, litigare. — **mad**, impazzire. — **a mucker** (gergo), capitombolare, perdere forte. — by the **name** of, esser conosciuto sotto il nome di. — **near**, avvicinarsi a; esser sul punto di; correr rischio di. — **off**, partire, andarsene; morire; esplòdere, scoppiare; ṡmerciarsi; perdere freschezza, bellezza ecc.; finire in nulla, dileguarsi in fumo, esser abbandonato (proponimento). — — with, portar via, scappare prendendo con sè. — **on**, continuare, andar sempre avanti, seguitare (a fare). I — — keeping well, seguito a star bene di salute. The world -es — much the same, il mondo è sempre rimasto press' a poco lo stesso. It was evident that a struggle was -ing on in his mind, si vedeva che nella sua mente una lotta si combatteva. A drinker will — — drinking, chi ha bevuto, berrà. — **out**, uscire, andar fuori; spègnersi. — — of his mind, impazzire. My heart went out to him, io provò la più viva simpatia per lui. — **over**, attraversare, passar dall' altra parte di; eṡaminare, percórrere; diṡertare (al nemico). I went over to France, mi son trasportato in Francia. He will probably — — to Rome, credo che finirà cattolico. He will — — the money again to see if it is right, ripasserà il denaro per vedere se torna. — the **pace**, correr la cavallina. — on the **stage**, fare l' attore. — **strong**, esser in buona vena. — **through**, attraversare, percórrere, penetrare, forare; subire, sopportare; venire adottato, andare a buon fine, riuscire (progetto); adémpiere (dovere, formalità). — — the crowd, fender la folla. — — with, cómpiere, portar a buon fine, condurre a buon fine. — **to**, andare a, dirigersi a. — — show, far credere, tendere a dimostrare. — — illustrate, aver l' effetto di illustrare. This -es — what I was saying, ciò ha rapporto con quel che volevo dire. — **under**, sommèrgersi; esser sopraffatto, rovinato; subire, sopportare. — — the name of, esser conosciuto come. — **up**, salire, innalzarsi, risalire, montare; alzarsi in volo (aviatore). — — to a height of, portarsi alla quota di. — — to, farsi vicino a, accostare, abbordare. — — and down, percorrere in tutti i sensi, andar su e giù per. — **upon**, andare su; fondarsi su, appoggiarsi su. There is nothing to — —, non vi è nulla che ci aiuti (a calcolare, stimare, divinare). You cannot — — what he promises, non si può fidare delle sue promesse. You had better not — — what I say, non vi consiglio di contar su quel che io vi dico. The reasons that they went upon, le ragioni sulle quali si fondavano. — **with**, accompagnare; accordarsi, esser d' accordo con, confarsi a. — **well with**, riuscir bene. Things did not — — — him, non gli andò bene, non fece fortuna. — **without**; far senza, far di meno di, passarsi di; contentarsi. — — doing, fare a meno di fare.

Goad; púngolo *m.*; púngere, stimolare.

Goal; tèrmine *m.*, mèta *f.*, scòpo *m.*, fine *m.*; pòrta *f.* Get a —, marcare la porta. The side which scores most -s wins, vince la squadra che marca il maggior numero di porte. **-keeper**; portière *m.* **-posts**; pali della porta.

Goat; bécco *m.*, capro *m.* She —, capra *f.* **-ee**; pizzo *m.* **-herd**; capraio *m.* **-ish**; caprino, **-skin**; pelle caprina. **-'s rue**; ruta delle capre. **-sucker**; succiacapre *m.*, nòttola *f.*

Gob; pèzzo *m.*, boccòne *m.*
Gobble; far glu glu, chiocciare (tacchino). — up, — down, ingoiare. **-r**; mangióne *m.*; tacchíno *m.*
Go-between; mezzáno *m.*
Goblet; tazza *f.*, gòtto *m.*
Goblin; follétto *m.*
Goby; gobióne *m.*, ghiòzzo *m.*
Go-cart; carrúccio *m.*
God; Dio *m.*, Iddío *m.* The -s, gli Dei. — help me, il Cielo me la mandi buona. **-child**; figliòcci-o *m.*, -a *f.* **-dess**; dèa *f.* **-father**; padríno *m.*, compáre *m.* **-forsaken**; sperduto ed isolato (luogo). **-head**; divinità *f.* **-less**; émpio, áteo. **-lessness**; empietà *f.*, il vivere senza Dio. **-like**; rassomigliante agli Dei. **-liness**; pietà *f.*, santità *f.* **-ly**; pio, devoto a Dio. **-mother**; madrína *f.*, comáre *f.* **-'s acre**; campo santo. **-son** figliòccio *m.*
Godsend; bazza *f.*, fortuna o dono assai opportuno. It was a veritable — to him, gli toccò opportunissimo.
Godwit; píttima *f.*
Goer; camminatóre *m.* Be a good —, avere i garetti forti.
Goffer; *see* Gauffer.
Goggles; occhiali per difendere gli occhi.
Going; andatura *f.*; partènza *f.* -s and comings, viavai *m.* -s on, sconcézze *f. pl.*, condotta indegna. *See* Go.
Goitre; gózzo *m.* With a —, gozzuto.
Gold; òro *m.* — Coast, Còsta d' oro. **-beater**; battilòro *m.* **-beater's skin**; buccio *m.*, scacciata *f.* **-dust**; oro in polvere. **-en**; d' oro, áureo, dorato. — age, età dell' oro. — crested wren, règolo *m.* — eagle, aquila *f.*, falcone dorato. — oriole, rigògolo *m.* — pheasant, fagiano dorato. — plover, pivière *m.* — rod, verga d' oro (pianta). **-fields**; terreni auriferi. **-finch**; cardellíno *m.* **-fish**; pesce dorato. **-lace**; gallone d' oro. **-leaf**; fòglia d' oro. **-mine**; minièra d' oro. **-plate**; vasellame dorato. **-point**; punto dove torna meglio trasportare l' oro che comprare una cambiale. **-smith**; oréfice *m.* **-thread**; filo d' oro.
Golf; giuoco in cui vince chi colpisce la palla nella buca col minore numero di colpi. **-er**; giocatore di "golf." **-links**; campo pel "golf."
Goliath; Golía *m.*
Golosh; calòscia *f.*
Gondol-a, -ier; -a *f.*, -ière *m.*
Gone; *part.* di Go. As *adj.*, perduto; guasto, mézzo; aggiudicato (all' incanto). — on, innamorato di. It is all —, è stato tutto consumato. Far —, innamorato cotto. Far — in years, molto attempato.
Gong; tam-tam *m.*, campana cinese.
Good; buòno, bravo, bèllo, fine, dabbène; vantaggióso; genuíno, valido, autèntico, buòno. Three — miles, tre miglia abbondanti. The *morale* of the troops was —, le truppe avevano alto il morale. — judge of, fine intenditore di. — at, capace, atto, per. — for, utile per. — for a thousand francs, solvibile per mille lire. — for another ten years, capace di vivere dieci anni ancora. — for nothing, dappòco.

Phrases: He is as — as married to her, è come se l' avesse sposata. He — — told me, quasi mi disse. — — — continuously, tutto quanto di continuo. — — — gone, si può dir, perduto; per così dire, perduto. — **breeding**, buone creanze. — **caning**, bastonata solenne. — **deal**, assai, gran quantità; *see* Deal. In — **earnest**, in sul serio. Put a — **face** on, far buon viso a. — **fellow**, persona dabbene. — **fellowship**, buona società, bonarietà *f.* For —, definitivaménte. — — and all, per sempre. Be in the — **graces** of, esser benviso, benvisto da. **Keep** —, conservarsi in buono stato, non deperire, non guastarsi. — in **law**, valido secondo la legge. **Make** —, soddisfare un impegno; giustificare, realizzare; mantenere una promessa; riparare un torto, compensare. — **manners**, buone maniere. Have a — **mind** to, aver gran voglia di, esser mezzo disposto a. — **sailor**, chi non soffre mal di mare. In — **spirits**, di buon umore, gaio, lièto. — **thing**, 1. argúzia *f.*, incidente umoristico. 2. It would be a — —, sarebbe bene, utile. — **time**, 1. In — —, a proposito, a tempo, opportunaménte. In very — —, molto presto. 2. It is a — — since I saw him, è un pezzo che non l' ho veduto. It has been talked about for a — —, è un pezzo che se ne parla. That was a — — ago, ciò fu molto tempo indietro. 3. All in — —, ogni cosa a suo tempo. 4. Have a — —, godérsi, *see* Enjoy. 5. Have a — — to wait, esserci un tempo abbastanza lungo, che bisogna aspettare. Do a — turn to, render un servizio a. Say a — word for, parlare in favore di.

As *sb.*, bene. Do — to, far bene a. I never expected any — to come of it, non mi son mai aspettato che qualche cosa di buono ne venisse. Much — may it do you! buon pro vi faccia! It is not much —, non è gran che. **-s**; bèni *m. pl.*, effètti *m. pl.*, mèrci *f. pl.* House hold —, masserízie *f. pl.* Soft —, telería *f.* — carriage, vagone merci. — department, ufficio merci. — manager, capo trasporto di merci. — station, magazzino di deposito. — train, treno merci. By — train, a piccola velocità. As *adv.*, bene, d' accordo, va bene.

Good-bye; addío, a rivedérci. Bid — to, far festa e addio a, congedarsi da. **-day**; buon giorno. **-Friday**; venerdì santo. **-humoured**; gioióso, di buon umore. **-looking**; bèllo, leggiadro. **-ly**; bèllo, fòrte; abbondante. **-man**; marito *m.* **-morning**; buon giorno. **-nature**; bontà *f.*, bonomía *f.*, cortesía *f.*, indole mansueta. **-natured**; di buon cuore, di buona pasta, benigno, cortése, bonário, di naturale compiacente. — attitude, indulgenza (per). **-naturedly**; con bonomia, con compiacenza, in modo benigno ecc. **-ness**; bontà *f.*, virtù *f.*, santità *f.*, pietà *f.*; eccellènza *f.*, buona qualità. All the — of a thing, tutto quel che vi ha di buono in una cosa. Belief in —, fede nel bene. — knows, Dio sa, lo sa il Cielo. — knows why, il perchè vattel' a pesca. **-wife**; patrona di casa. **-will**; 1. buona voglia, buona volontà; benevolènza *f.* 2. diritto d' entratura, clientèla *f.*, avviaménto *m.* **-y**; 1. mònna, sóra. 2. confètto *m.* **-y -y**; molto morale e molto stupido.

Goosander; smergo maggiore.

Goose; òca *f.* Great —, stupidáccio *m.* Tailor's goose, arnese per spianare le costure. **-berry**; (rough) uva spina, (smooth) uva crespina. — bush, grossularia *f.*, ribes uva-spina. **-foot**; chenopòdio *m.* **-grass**; attaccavèsti *m.* **-quill**; penna d' oca. **-skin**; pelle d' oca. **-step**; passo da parata, passo di scuola.

Gordian; gordiáno.

Gore; sangue *m.*; gheróne *m.*; ferire con le corna, trafíggere; tagliare in triangolo.

Gorge; burróne *m.*; góla *f.*; satollare, impinzare, strippare, mangiare a crepapelle.

Gorgeous; sfarzóso, pomposo, ricco. — error, errore palmare. **-ly**; sfarzosaménte ecc. **-ness**; sfarzo *m.*, pómpa *f.*, splendóre *m.*, fasto *m.*

Gorget; gorgièra *f.*

Gor-gon, -illa; -góne *f.*, -illa *f.*

Gormandise; mangiare golosamente. **-r**; golóso *m.*, ghiòtto *m.*

Gorse; ginestróne *m.*, *see* Furze.

Gory; insanguinato.

Gos-hawk; astóre *m.* **-ling**; pápero *m.* **-pel**; vangèlo *m.* **-samer**; filo della Madonna, filamenti di S. Maria. **-sip**; chiácchiere *f. pl.*, pettegolézze *f. pl.*, dicería *f.*; comáre *f.*, pettégola *f.*; pettegolare, chiacchierare. **-soon** (irlandese); ragazzo *m.*

Got; *rem.* di Get.

Goth, -ic; Gòt-o *m.*, -ico. **-land**; Gòzia *f.*

Göttingen; Gottinga *f.*

Gour-d; zucca *f.* **-mand**; ghiòtto *m.* **-met**; buongustaio *m.*

Gout, -y; gótt-a *f.*, -óso.

Govern; -are. **-ess**; istitutrice *f.* Nursery —, maestrína *f.* **-ment**; govèrno *m.*, direzióne *f.*, regíme *m.*, manéggio *m.* **-mental**; governatívo. **-or**; governatóre *m.*, direttóre *m.*, padróne *m.*; regolatóre *m.* (di vapore). **-orship**; direzióne *f.*, direttorato *m.*, posto di governatore.

Gowk; scioccóne *m.*

Gown; gònna *f.*, vèste *f.*, tòga *f.*, żimarra *f.* Night —, abito da notte. Dressing —, veste da camera. Mourning —, abito da lutto. **-sman**; chi indossa la cappa universitaria, studente universitario.

Grab; movimento di scatto per prender una cosa; capra *f.*; giuoco di chi è più lesto ad afferrare certe carte; agguantare, impadronirsi di. **-ber**; chi cerca di prender ciò che non è proprio suo, di prender più di quel che è suo.

Grace; grázia *f.*, favóre *m.* At meals, ringraziaménto *m.* With good —, garbataménte, di buona grazia. With bad —, con mala grazia. To —, onorare, abbellire. Days of —, giorni di respiro. **-ful**; grazióso, leggiádro. **-fully**; graziosaménte, con garbo. **-fulness**; garbatézza *f.* **-less**; sfrontato, śgarbato. **-lessness**; sfrontatézza *f.*, śgarbatézza *f.*

Gracious; grazióso, condiscènte. **-ly**; graziosaménte, gentilménte. **-ness**; bontà *f.*, cortesía *f.*, garbo *m.*

Grad-ation; -azióne *f.* **-e**; **-o** *m.*; -uare. **-ient**; pendènza *f.*, salíta *f.*, china *f.* Good —, dolce pendenza.

Gradu-al; -ále. **-ally**; -alménte, mano a mano, gradataménte. **-ate**; chi ha un grado universitario, laureato *m.*; graduare. **-ation**; -azióne *f.* **-ator**; divisore meccanico.

Graft; 1. innèsto *m.*, inserzióne *f.*; (gergo, Stati Uniti) donativo corrotto; innestare. 2. beccastríno *m.*

Grail; Holy —, calice usato dal Santo Salvatore.

Grain; grano *m.*; grana *f.*, véna *f.*, filo (di legname); marmorizżare, granire. Against the —, *fig.* di mala voglia. It goes against the — for me to do it, lo faccio a malincuore, con animo ripugnante. **-er**; pittore che imita la venatura. **-ing**; imitazione di venatura.

Graminivor-ous; -o.
Gramma-r, **-rian**, **-tical**, **-tically**; -tica *f.*, -rio *m.*, -tico, -ticalménte. Latin grammar, donato *m.*
Gram-me; -ma *f.*, -mo *m.*
Grampus; órca *f.*
Granary; granaio *m.*
Grand; grande, imponènte, supèrbo. — Duke, granduca *m.* — jury, giurì che fa le vici d' una camera d' accuse. — master, gran maéstro *m.*, capo di un Ordine. — seignior, il sultano. — staircase, scalóne *m.*, scala d' onore. — stand, tribuna principale alle corse. **-child**, **-daughter**, **-son**; nipóte *m.* or *f.*, nipotín-o *m.*, -a *f.* **-ee**; grande di Spagna, gransignóre *m.* **-eur**; grandézza *f.*, splendóre *m.*, imponènza *f.* **-father**; nònno *m.*, avo *m.* **-iloquence**, **-iloquent**; -iloquèn-za *f.*, -te. **-iose**; -ióso; ampollóso. **-ly**; grandiosamente, in modo grande ecc. **-mother**; nònna *f.* **-motherly**; da nonna, da avola. **-ness**; *see* Grandeur. **-parents**; nonno e nonna. My —, i miei nonno e nonna. **-sire**; nònno *m.*
Gran-ge; casa colonica. **-ite**; -íto *m.* **-itic**; -itico. **-ivorous**; -ívoro. **-ny**; 1. *raccorc.* di Grandmother. 2. nodo falso.
Grant; concessióne *f.*, dóno *m.*; concèdere, accordare, menar buono, eṡaudire. Take for -ed, ritenere per certo, come concesso. Assuming but not -ing, dato e non concesso. **-ee**; cessionário *m.* **-or**; cedènte *m.*
Granul-ar; -are. **-ate**; -are. **-ations**; -azióni *f. pl.*, cíccioli *m. pl.* **-e**; granèllo *m.*
Grape; uva *f.*, ácino *m.* **-hyacinth**; muscári *m.* **-pip**; ácino *m.*, chicco *m.* **-shot**; mitráglia *f.*, scaglia *f* **-stalk**; raspo *m.* **-stone**; *see* -pip.
Graph; grafía *f.* **-ic**, **-ically**, **-ite**; gráf-ico, -icaménte, -íte *f.*
Grapnel; grappíno *m.*
Grappl-e; afferrare, aggrappare. — with, venire alle prese con; *fig.* maneggiare, prender su di sè. -ing iron, grappíno *m.*
Grasp; afferrare, agguantare, impugnare, aggrapparsi a. — at, tentare di afferrare. — of the hand, stretta di mano. **-ing**; ávido, aváro.
Grass; èrba *f.*, erbaggio *m.* Lay down to —, appratire. Put out to —, metter sull' erba. **-field**; prato *m.* **-grown**; erbóso. **-hopper**; cavallétta *f.*, grillo *m.*, grillétto *m.* **-land**; pratería *f.* **-plot**; tappeto verde, prato *m.* **-snake**; bíscia *f.* **-y**; erbóso.
Grate; focolare *m.*, gríglia *f.*; grattugiare, fregare, raspare. — upon, offendere, straziare (orecchi); stridere (chiglia sulla ghiaia).
Grate-ful; riconoscènte, grato; gradévole, piacévole. **-fully**; con riconoscenza, con gratitudine.
Grater; grattúgia *f.*, raspa *f.*
Gratif-ication; -icazióne *f.*, piacére *m.*; mancia *f.* **-y**; -icare, piacere a, contentare, andare a sangue di. **-ying**; piacévole, dilettévole, grato, gradíto.
Grating; grata *f.*, inferriata *f.*, gratícola *f.*, cancèllo *m.*; aspro, duro. — sound, stridóre *m.*
Gratis; *id.* a ufo.
Gratitude; gratitúdine *f.*, riconoscènza *f.*
Gratuit-ous, **-ously**, **-ousness**; -o, -aménte, -à *f.* **-y**; dono *m.*, mancia *f.*, gratificazióne *f.*, paraguanto *m.*
Gravamen; capo più importante, sostanza *f.*
Grave; 1. tómba *f.*, fòssa *f.*, sepólcro *m.* 2. grave, sèrio. Look —, prender un' aria grave. **-cloth**; lenzuòlo mortuario. **-digger**; becchíno *m.*
Gravel; ghiáia *f.*; (in the bladder) renèlla *f.* To —, coprire di ghiaia; *fig.* sconcertare. **-ly**; ghiaióso. **-pit**; cava di ghiaia. **-walk**; viale inghiaiato.
Grave-ly; graveménte, seriaménte. **-n**; scolpito. **-r**; inciṡóre *m.*, bulíno *m.* **-s**; grassume di sego che si dà per cibo ai cani. **-stone**; lápide *f.* **-yard**; cimitèro *m.*, campo santo.
Grav-id; -ido. **-ing**; ceṡellatura *f.*
Gravit-ate, **-ation**, **-y**; -are, -azióne *f.*, -à *f.*
Gravy; sugo della carne arrostita.
Gray; grígio; *see* Grey.
Grayling; tèmolo *m.*
Graz-e; 1. páscere, far pascolare. 2. sfiorare, raṡentare; scorticatura leggera. **-ier**; allevatóre di bestiame. **-ing**; páscolo *m.*, allevamento di bestiame.
Grease; grasso *m.*, unto *m.*; malandra *f.*; úngere. Spot of —, macchia di grasso. **-cock**; rubinetto untore. **-cup**; ciòtola *f.*, ingrassatóre *m.* **-proof**; che non si macchia col grasso.
Greas-iness; oleosità *f.* **-y**; grasso, unto, oleóso, macchiato di grasso.
Great; grande, magno, lungo (tempo). In — astonishment, altamente sorpreso. Very —, stragrande. — deal, molto, gran quantità. — many, molti. The —, i grandi. — man, uomo illustre, celebre, rinomato, grande. It is no — matter, poco importa. Your opinion will go a — way with him, la vostra opinione sarà di gran peso per lui. — black-backed gull, mugnaiaccio *m.* — Britain, Gran-Bretagna *f.* — bustard otarda *f.* — circle, cerchio massimo. — coat, soprábito *m.* — crested grebe,

svasso maggiore. — northern diver, stròlaga maggiore. — snipe, croccolóne *m.* — spotted woodpecker, picchio maggiore. **-granddaughter, -grandson**; biśnipóte *m.* or *f.* **-grandfather, -grandmother**; biśávol-o *m.*, -a *f.* **-great-grandfather** etc.; arcávol-o *m.*, -a *f.* **-great-great-grandfather** etc.; biśarcavol-o *m.*, -a *f.* **-hearted**; ardíto, animato, fièro. **-ly**; molto, assai, grandeménte, altaménte. **-nephew, -niece**; pronipóte *m.* or *f.* **-ness**; grandézza *f.*

Greaves; 1. gambáli *m. pl.* 2. *see* Graves.

Grebe; colimbo *m.*, śvasso *m.*

Greece; Grècia *f.*, Èllade *f.*

Greed; avidità *f.*, ingordígia *f.* **-ily**; avidaménte ecc. **-iness**; golosità *f.* **-y**; ávido, ingórdo, golóso, ghiòtto.

Greek; grèco, ellènico. — scholar, grecista *m.*

Green; vérde, verdeggiante; poco secco; poco accorto, innocènte, inespèrto. — arbour, frascato *m.* — cloth, tavola da giuoco. — cormorant, marangone col ciuffo. — crops, erbaggi *m. pl.* — frog, raganèlla *f.* — hand, novizio *m.*, inespèrto. — room, ridótto *m.* — sandpiper, piropiro culbianco. — woodpecker, picchio verde. **-ery**; verdura *f.* **-finch**; verdóne *m.* **-gage**; susina verde. **-grocer**; civaiòlo *m.* **-heart**; legno vérde (*Nectandra Rodiaei*). **-horn**; śbarbatèllo *m.* **-house**; sèrra *f.* **-ish**; verdastro, verdágnolo. **-land**; Groenlándia *f.* **-lander**; Groenlandése *m.* **-ness**; verdézza *f.*, ingenuità *f.*, inesperiènza *f.* **-s**; ortaggi *m. pl.*, cávolo *m.* **-sand**; arenaria verde. **-shank**; pantána *f.* **-sward**; tappeto erboso.

Greet; salutare, felicitare, dare il benvenuto a. **-ing**; saluto *m.* The usual -s, i saluti d' uso.

Gregari-ous, -ously, -ousness; -o, -aménte, l' esser -o.

Gregori-an; -áno.

Grenada; Granáta *f.*

Grenad-e; granata *f.* Smoke —, granata fumigena. **-ier**; granatière *m.*

Grew; *rem.* di Grow.

Grey; grígio, bígio. — friar, franciscano *m.* — lag-goose, oca selvatica. — plover, pivierèssa *f.* — sand piper, pivierèssa *f.* **-headed**; dai capelli grigi. — wagtail, strisciaiòla *f.* **-hound**; levrière *m.* **-ish**; grigiastro. **-ness**; color grigio.

Grid, -iron; gratícola *f.*, gratèlla.

Grief; dolóre *m.*, dispiacére *m.*, rammárico *m.*, cordòglio *m.* Come to —, far fiasco, esser perduto.

Griev-ance; tòrto *m.*, danno *m.*, doglianza *f.*, abúśo *m.*, graváme *m.* **-e**; afflíggere, rattristare, accorare; afflíggersi, addolorarsi. **-ous**; doloróso, penóso, grave. **-ously**; graveménte. **-ousness**; enormità *f.*

Griffin; griffóne *m.* **-vulture**; griffóne *m.*

Grig; piccolissima anguilla. Merry as a —, gaio come un grillo.

Grill; gratèlla *f.*; cuocere sulla gratella.

Grilse; salmone giovane.

Grim; tórvo, truce, atróce. **-ace**; śmòrfia *f.* **-alkin**; gattóne *m.* **-e**; sudiciume vecchio; sporcare. **-ly**; in modo torvo ecc. **-ness**; viso arcigno, asprézza *f.* **-y**; súdicio, imbrattato, nerastro.

Grin; sogghígno *m.*; sogghignare, śghignazzare. — from ear to ear, far la bocca fin agli orecchi.

Grind; lavoro poco grato; macinare, tritare, levigare (vetro), affilare (coltello), śmerigliare (valvola, cuscinetto), digrignare (denti), masticare; (gergo) śgobbare. — down, ridurre in polvere, triturare. **-er**; arrotíno *m.*, macinatóre *m.*, molare (dente). **-ing**; macinaménto *m.*; schiacciante, opprimènte. **-stone**; pietra mola, mácine *f.*, mola da arrotare.

Grinn-er; ghignatóre *m.* **-ing**; śghignazzaménto *m.*

Grip; 1. présa *f.*, strétta *f.*, manúbrio *m.*, impugnatura *f.*, modo di impugnare; stringere, afferrare, agguantare. 2. diga o trincea poco profonda.

Gripe; dare la colica a. **-s**; còlica *f.*

Grisette; crestaína *f.*, sartína *f.*

Grisly; spaventévole.

Grisons; The —, i Grigióni.

Grist; fruménto *m.* Bring — to the mill, tirar l' acqua al mulino.

Gristl-e, -y; cartilágin-e *f.*, -óso.

Grit; pietra arenaria, ròccia *f.*; *fig.* risoluzióne *f.*, fermézza *f.* Piece of —, pietruccia *f.* **-tiness**; l' esser renoso ecc. **-ty**; renóso, pieno di pietrucce e rena, che ha grumoli pietrosi.

Grizzl-ed; grigio, brizzolato, grigiastro. **-y**; grigio. — bear, orso americano, orso *grizzly*.

Groan; gèmito *m.*, grugníto *m.*; gèmere, grugnire, brontolare, lamentarsi.

Groats; tritello d' avena.

Grocer; droghière *m.* **-y**; droghe *f. pl.*, generi coloniali. — shop, spezieria *f.*, drogheria *f.*

Grog; specie di poncè, żożża *f.* Glass of —, cicchétto *m.* **-blossoms**; bollicine rosse sul viso di un bevitore. **-gy**; brillo, poco stabile, che sta per sfasciarsi.

Groin; ínguine *m.*, anguinaia *f.* **-ed**; a spigolo.

Grommet; canestrèllo *m.*

Gromwell; miglialsóle *m.*
Groom; stallière *m.*, mozzo di stalla. To —, strigliare. Well -ed, attillato.
Groove; scanalatura *f.*, canale *m.*; scanalare.
Grope; brancolare, andare, o camminare, a tastoni. — **about**, andare a tentoni. — **about for**, cercare a tastoni.
Grosbeak; fruŝóne *m.*
Gross; gròssa *f.*; gròsso, różżo, grossolano, madornále, enórme. **-ly**; in modo grosso ecc. — **deceived**, grossolanamente ingannato. **-ness**; grossézza *f.*, grossolanità *f.*, rożżézza *f.*
Grotesque, **-ly**, **-ness**; grottesc-o, -aménte, carattere grottesco.
Grotto; gròtta *f.*
Ground; tèrra *f.*, terréno *m.*, suòlo *m.*; fóndo *m.*, sfóndo *m.*; fondaménto *m.*, ragióne *f.*, cáuŝa *f.*; porre a terra, metter giù; fondare, baŝare; insegnare i primi elementi; (*mar.*) incagliare, arenare. Gain —, avanzare. Give —, cèdere; dar luogo. Hold, Keep one's —, star fermo, tener duro. Lose —, rinculare, indietreggiare. Without —, senza motivo, senza giustificazione. On the — **that**, adducendo che, colla scusa che.
Ground-ash; rampollo di frassino. **-bait**; esca gettata al fondo. **-colour**; colore di fondo. **-elder**; èbbio *m.* **-floor**; pian terreno. **-game**; lepri e conigli, selvaggina quadrupede. **-ice**; ghiaccio sodo. **-ivy**; edera terrestre. **-landlord**; proprietario del livello sopra uno stabile. **-less**; mal fondato, infondato, senza ragione. **-lessly**; senza ragione. **-lessness**; mancanza di ragione, l' esser infondato. **-nut**; aráchide *f.* **-plan**; piano orizzontale. **-rent**; livèllo *m.*, canóne *m.* **-s**; 1. fondo di caffè, fondíglio *m.*, fèccia *f.* 2. giardíni *m. pl.* **-sel**; senecióne *m.* **-swell**; mare di fondo, mare di leva. **-work**; fondaménti *m. pl.*, baŝe *f.*
Group; gruppo *m.*, cròcchio *m.*; radunare, aggruppare, collegare.
Grouse; gallo di montagna; brontolare.
Grout; rabboccare. **-ing**; malta *f.*
Grove; bòsco *m.*, boschétto *m.*
Grovel; strascicarsi per terra, abbassarsi in modo servile, avvilirsi. **-ler**; un essere strascicante, chi striscia, vile *m.* **-ling**; vile, abbiètto, strisciante.
Grow; créscere, allignare, ŝvilupparsi; far crescere, coltivare; divenire, farsi (serio, gaio ecc.). — **out of**, 1. ŝbarazzarsi di (nel farsi uomo). 2. essere il risultato di. — **to hate the sight of**, finire coll' odiare l' aspetto di. — **big**, ingrandire. — **cold**, raffreddarsi, cominciare a farsi freddo. — **fat**, impinguarsi. — **into**, penetrare colle radici. — **late**, farsi tardi. — **lean**, ŝmagrire. — **light**, schiarire, farsi giorno. — **old**, invecchiare. — **out**, allargarsi. — **poor**, impoverire. — **proud**, insuperbirsi. — **rich**, arricchirsi. — **ugly**, imbruttire. — **up**, farsi grande, venir su. — **upon**, radicarsi in, esser incallito nelle ossa. — **weary**, infastidirsi. — **well**, ristabilirsi, risanarsi.
Grower; produttóre *m.*, coltivatóre *m.*
Growing; crescènte. As *sb.*, coltivazióne *f.*
Growl; brontolío *m.*, grugníto *m.*; brontolare, grugnare, borbottare, ringhiare, rugliare. **-er**; brontolóne *m.*; (gergo) carrozza da nolo a quattro ruote. **-ing**; brontolío *m.*
Grown; *part.* di Grow. — **over with**, coperto di.
Growth; cresciménto *m.*, auménto *m.*; frutto *m.*, raccòlta *f.*, prodótto *m.*; crescènza *f.*, tumóre *m.*, infiorescènza *f.*, muffa *f.*, progrésso *m.*, ŝviluppo *m.* On a ship's bottom, brume *f. pl.*, incrostazioni marine.
Groyne; riparo contra i guasti della marea, paradóre *m.*
Grub; bruco *m.*; (gergo) mangíme *m.* — **up**, ŝradicare. **-by**; sudiciccio, inzaccherato.
Grudg-e; rúggine *f.*, rancóre *m.* Have an old — against, avere il bruco con, avere un' antica ruggine contro. To —, permettere malvolontieri, dare di malavoglia, vedere con dispiacere il successo di. Grudging invitation, invito a mezza bocca. **-ingly**; a malincuore.
Gruel; specie di orzata, polenda d' avena o altro. **-ling**; maltrattaménto *m.*; accanito, ostinato, penóso.
Gruesome; raccapricciante, orrèndo.
Gruff; búrbero, aspro. **-ly**; burberaménte ecc. **-ness**; burbanza *f.*, asprézza *f.*
Grumbl-e; lagnarsi, brontolare. **-er**; brontolóne *m.*, ŝgridatóre *m.*, borbottóne *m.* **-ing**; brontolío *m.*; ringhío *m.*, rómbo *m.*
Grum-met; *see* Grommet. **-ous**; -óso.
Grump-ily; in modo sgarbato ecc. **-iness**; ŝgarbatézza *f.*, malumóre *m.* **-y**; ŝgarbato, permalóso, stizzóso.
Grundy; Mrs —, le bacchettone.
Grunt; grugn-íto *m.*, -ire.
Guadeloupe; Guadalúpa *f.*
Gua-iacum; -íaco *m.* **-naco**; *id.* **-no**; *id.*
Guarant-ee; garanzía *f.*, malleverìa *f.*, garante *m.*; garantire. — **oneself**, mettersi al sicuro. **-or**; mallevadóre *m.*, fideiussóre *m.*
Guard; custòde *m.*, guardia *f.*, preŝídio *m.*; conduttóre *m.*; impugnatura *f.*;

catena d' orologio. To —, custodire, protèggere. Be, Stand, on —, stare in guardia. Be on one's —, stare all' erta. Off one's —, impreparato. Be caught off one's —, esser preso all' improvviso. Horse -s; 1. guardie a cavallo. 2. ministero di guerra. **-boat**; lancia di ronda. **-ed, -edly**; caut-o, -aménte; circospètt-o, -aménte. **-house**; corpo di guardia. **-ian**; custòde *m.*; tutóre *m.*; guardia *f.* **-iron**; scoparotaie *m.* **-room**; corpo di guardia. **-ship**; guardapòrto *m.*, guardacòsta *m.*, nave stazionaria. **-sman**; guardia *f.*, soldato delle guardie. **'s van**; forgone del conduttore.

Guava, -tree; guiáv-a *f.*, -o *m.*

Gudgeon; 1. ghiòżżo *m.* 2. ghiavarda *f.*, pèrno *m.*

Guebre; Guèbro *m.*

Guelder-rose; pallone di maggio. Wild —, sambuco acquatico, rosa di Gueldre. Mealy —, viórno *m.*

Gue-lph; guèlfo. **-rdon**; guiderdóne *m.* **-rilla**; -rríglia *f.*; -rriglièro *m.*, soldato di -rriglia. — warfare, -rriglia *f.*, guerra irregolare.

Guernsey; camiciotto *m.*

Guess; congettura *f.*, stima *f.*, indovinaménto *m.*; congetturare, indovinare, sognarsi, sospettare, intuire, appórsi; crédere, suppórre. **-able**; indovinábile. **-er**; indovinatóre *m.* **-work**; il lavorare nel buio, alla cieca.

Guest; òspite *m.*, invitato *m.*, convitato *m.* Paying —, dozzinante *m.* or *f.* **-room**; sala, camera, degli ospiti.

Guffaw; śghignazzata *f.*

Guidance; direzióne *f.* For your —, per vostro governo. For your information and —, per conoscenza e norma.

Guide; guida *f.*, scòrta *f.*; indicatóre *m.*; guidare, dirígere. **-book**; guida *f.* **-post**; palo indicatore. **-rope**; cavo moderatore.

Guild; maestranza *f.*, consòrzio *m.* **-hall**; palazzo municipale, munićipio *m.*

Guilder; fiorino olandese.

Guile; insídia *f.*, astúzia *f.* **-ful**; insidióso. **-fully**; con astuzia. **-less**; schiètto. **-lessly**; schiettaménte, innocenteménte. **-lessness**; innocenza, l' essere franco, schietto.

Guillemot; úria *f.*

Guillotine; ghigliottín-a *f.*, -are.

Guilt; colpabilità *f.*, reità *f.*, cólpa *f.*, delitto *m.* **-ily**; colpevolménte, criminalménte. **-less, -lessly**; innocènt-e, -eménte. **-y**; rèo, colpévole, delittuóso.

Guinea; 1. ghinèa *f.* 2. Guinèa *f.* **-fowl**; gallina di Faraone. **-pig**; porcellino d' India.

Guise; guiśa *f.* In the — of a man, sotto spoglia umana.

Guitar; chitarra *f.*

Gulch; bórro *m.*

Gules; color rosso.

Gulf; gólfo *m.*; abisso *m.*, vòrtice *m.*

Gull; gabbiàno *m.*, mugnaiáccio *m.*, zafferáno *m.*; minchióne *m.*; minchionare, ingannare.

Gullet; góla *f.*, gorgozzúle *m.*

Gullib-ility; credulità *f.*, simplicità *f.* **-le**; crèdulo, ingannábile.

Gully; bórro *m.*, fòsso *m.*, gòra *f.*

Gulp; sórso *m.*, tratto *m.* Give a —, dare una scossa della gola. To — down, ingozzare, trangugiare, tracannare.

Gum; 1. gómma *f.*; ingommare, attaccare colla gomma. 2. gengíva *f.* **-boil**; enfiagione della gengiva, bottacciuòlo *m.*, epúlide *f.* **-my**; gommóso. **-ption**; tatto *m.*, sénno *m.*, accortézza *f.*, comprendònio *m.*

Gun; fúcile *m.*, schiòppo *m.*; cannóne *m.* Yacht's or other small —, cannoncíno *m.* Field —, cannone da campagna. **-boat**; cannonièra *f.* **-carriage**; affusto *m.* **-cotton**; fulmicotóne *m.* **-deck**; batteríа *f.* **-maker**; armaiòlo *m.* **-metal**; bronżo da bocche di fuoco (una parte di stagno su nove di rame). **-ner**; cannonière *m.*, artiglière *m.* **-nery**; scienza d' artiglieria, manobrio di cannoni. **-ny**; tela d' iuta. — bag, sacco di tela d' iuta. **-port**; portello da cannone. **-powder**; polvere da cannone. **-room**; quadrato dei guardiemarina. **-running**; contrabbando di cannoni. **-shot**; colpo di fucile, fucilata *f.* Within —, a portata di fucile. **-smith**; armaiòlo *m.* **-wale**; capo di banda.

Gurgle; glo-glo *m.*, gorgóglio *m.*; fare glo-glo, gorgogliare.

Gurnard; capóne *m.*

Gush; gètto *m.*, zampillo *m.*, fiòtto *m.*, śgórgo *m.*, effuśióne; śgorgare, schizzare, zampillare. **-ing**; espansívo. **-ingly**; con entuśiaśmo, in modo sentimentale.

Gusset; quaderlétto *m.*, gheróne *m.*

Gust; colpo di vento, sóffio *m.*, ventata *f.*

Gusto; gusto *m.*, piacére *m.*

Gusty; temporalésco, che soffia a raffiche, (luogo) esposto alle raffiche.

Gut; budèllo *m.* (with *f. pl.* -a), intestíno *m.* To —, śventrare, śbudellare; *fig.* saccheggiare, vuotare. The house was -ted, la casa era stata vuotata.

Guttapercha; guttapèrca *f.*

Gutter; grondáia *f.*, fognòlo *m.*, risciácquo *m.*, zanèlla *f.*, rigagnolétto *m.*; scolare (candela).

Guttural, -ly; **-e, -ménte.**

Guy; maschera carnevalesca. **-rope**; ritenuta *f.*
Guzzle; gozzovigliare, *see* Gorge.
Guzzler; crapulóne *m.*, ghiottóne *m.*
Gymnas-ium; ginnáṡio *m.*, palèstra *f.* **-t**, **-tic**; ginnast-a *m.*, -ico.
Gyp (gergo); servo (a Cambrigge).
Gypsum; gèsso *m.*
Gyration; giraménto *m.*, rotazióne *f.*
Gyroscope; giroscòpio *m.*
Gyves; caténe *f. pl.*, fèrri *m. pl.*

H

H; *pronunz.* Étsc'.
Habeas corpus; scritto di far apparire una persona arrestata e di far sapere la cagione dell' arresto.
Haberdasher, **-y**; merc-iáio *m.*, -ería *f.*
Habiliment; abbigliaménto *m.*
Habit; abitúdine *f.*, uṡo *m.*, ábito *m.* — of body, temperaménto *m.*, complessióne *f.* Riding —, amáżżone *f.* Force of —, forza d' abitudine. **-able**; abitábile. **-at**; località. The — of the tiger is in the Indian jungle, la tigre si trova nei canneti indiani. **-ation**; abitazióne *f.*, dímora *f.* **-ed**; vestito. **-ual**; sòlito, abituále. **-ually**; di solito, abitualménte. **-uate**; abituare. — oneself, assuefarsi. **-ude**; *see* Habit. **-ué**; frequentatóre, avventore solito.
Hack; 1. cavalláccio *m.*, brénna *f.*; scrittoruccio mal pagato. 2. frastagliare, tagliuzzare. — one's way through, aprirsi la via a forza di coltellate.
Hackle; stoffa leggera cruda; diliscatoio *m.*; penna del collo di un gallo; specie di mosca per pescare.
Hackney; da nolo. **-ed**; banále.
Haddock; specie di merluzzo (sconosciuta nel Mediterraneo). Dried —, baccalà (del detto pesce).
Hades; l' Inferno.
Haemorrhage; emorragía *f.*
Haft; mánico *m.*
Hag; vecchiáccia *f.* **-gard**; ṡmunto, allampanato, sofferènte. **-gis**; guazzetto di frattaglie. **-gle**; stare a tira tira, contrattare, stiracchiare. — over the workmen's wages, lesinare sulla mercede degli operai. **-iography**; agiografía *f.*
Hague; The —, la Aia.
Ha ha; suono del riso. **Ha-ha**; fosso di cinta, chiusura affondata, salto di lupo.
Hail; 1. grándine *f.*, gragnòla *f.*; grandinare. 2. appèllo *m.*; salutare, chiamare col portavoce, chiamare (carrozza). Where do you — from? donde sei venuto? As *interj.*, salute! ave! — fellow well met, familiare, compagnone allegro. **-shower**; grandinata *f.* **-stone**; chicco di grandine. **-storm**; tempesta di grandine.
Hainault; Analda *f.*
Hair; capéllo *m.*, capigliatura *f.*, crine *m.*, chiòma *f.*, pélo *m.* Do her —, pettinarsi. Not to turn a —, non disturbarsi menomamente. **-brush**; spazzola da capelli. **-cloth**; cilízio *m.* **-dresser**; parrucchière *m.*, pettinatóra *f.* **-dye**; tintura da capelli. **-iness**; pelosità *f.* **-less**; senza capelli. **-line**; lenza di crine, linea sottilissima. **-mattress**; materasso di crine. **-net**; reticella pei capelli. **-oil**; olio profumato. **-pencil**; pennellíno *m.* **-pin**; forcina pei capelli. **-powder**; cípria *f.* **-'s breadth**; By a — —, mancare un pelo. He came within a — — of being killed, mancò un pelo che fosse ucciso. **-shirt**; cilízio *m.* **-sieve**; setáccio *m.* **-splitting**; sottigliézza *f.*, cavillo *m.*; sofisticante. **-y**; pelóso, capelluto, crinito.
Hake; nasèllo *m.*, fico mediterraneo.
Halberd; alabarda *f.*
Halcyon; calmo, seréno.
Hale; 1. robusto, sano. 2. trascinare.
Half; metà *f.*; mèżżo, a metà. Not — so much, nemmeno la metà. Three miles and a —, tre miglia e mezzo. — explored, poco esplorato. — full, quasi pieno. — idly — in curiosity, con un' aria tra l' indifferente e il curioso. — seas over, brillo. **-back**; (calcio) meżżíno *m.* **-bound**; mezzo rilegato. **-breed**; metíccio *m.*, mezzo sangue. **-brother**; fratellastro *m.* **-caste**; di sangue misto. **-cock**; tacca di riposo, tacca del mezzo punto. At —, alla tacca di sicurezza, a riposo, a mezzo punto. **-crown**; mezzo scudo, moneta di tre lire. **-done**; fatto a metà, mezzo cotto. **-dozen**; mezza dozzina. **-hearted**; senza darsi troppa pena, poco energico. Be —, aver poca voglia di riuscire. **-holiday**; mezza festa. **-hour**; mezz' ora. **-length**; (ritratto) dalla vita in su. **-life-size**; di mezza grandezza, a metà del naturale. **-mast**; mezz' asta. Hang the flag —, abbrunare la bandiera. **-measure**; mezza misura. **-moon**; mezza luna. **-mourning**; mezzo lutto. **-pay**; Retire on —, pensionarsi a metà stipendio. **-penny**; sòldo *m.* **-round**;

semicircolare, mezzo tondo. **-sister**; sorellastra *f*. **-speed**; mezza forza. **-tide**; mezza marea. **-truth**; mezza verità. **-way**; a mezza strada, a metà strada. **-witted**; sémplice, cretíno, mentecatto. **-year**, **-yearly**; semèstr-e *m*., -ále, -alménte.

Halibut; la specie più grande dei rombi.

Hall; sala *f*., grande salone; palazzotto in campagna; aula di tribunale. Servants' —, stanza dei domestici. Town —, palazzo municipale, palazzo civico. Entrance —, sala d' entrata.

Halliard; *see* Halyard.

Halloo; olà; grido *m*., gridare.

Hallow; consacrare. **-ed**; santo. **-mas**; ognissanti *m*.

Hallucination; allucinazióne *f*.

Halm; *see* Haulm.

Halo; alóne *m*., glòria *f*., aurèola *f*.

Halt; sòsta *f*., alto *m*., fermata *f*.; fermarsi, fare alto. **-ing place**, tappa *f*. **-er**; capèstro *m*. **-ingly**; zoppicando, con esitazione.

Halve; śmeżżare, ammeżżare.

Halyard; drizza *f*.

Haman; Amáno.

Ham; 1. presciutto *m*. 2. pòplite *m*. 3. Cam.

Hamadryad; amadríade *f*.

Hamburg; Ambúrgo *m*.

Hames; anima di ferro d' un collare.

Hamlet; 1. casále *m*. 2. Amlèto.

Hammer; martèllo *m*., cane di fucile; martellare. — **and tongs**, con grande strepito, a tutta forza. — **away**, perseverare. — **into**, *fig*. ficcare dentro a colpi di martello. Steam —, maglio a vapore. **-cloth**; gualdrappa di parata sul sedile del cocchiere. **-er**, **-man**; fabbro ferraio.

Hammock; amáca *f*., branda *f*.

Hamper; césto *m*., canèstro *m*., panière *m*.; inceppare, intralciare, impicciare. Top —, attrezzatura greve, ingómbro *m*.

Hamster; cricèto *m*.

Hamstring; tendine del garetto. To —, śgarrettare, tagliare il garetto a.

Hand; 1. mano *f*. 2. òpra *f*., operaio *m*., garzone di latteria ecc. 3. palmo *m*. (misura di 10 centimetri). 4. lancetta d' orologio. Hour —, lancetta delle ore. 5. **-s**; personále *m*. (d' un opificio, bastimento ecc.). 6. At cards, mano. 7. scrittura *f*., *see* Handwriting.

Phrases: **At** —, alla mano. **At first** —, di prima mano. **Have at** —, aver pronto. **By** —, per mano, con la mano. **Done by** —, fatto a mano. **Cap in** —, umilmente. **Change -s**, passare ad un altro proprietario. **Clap one's -s**, battere le mani. **Clean -s**; *fig*. coscienza netta, mani nette. **Come to** —, arrivare. **Cool** —, persona che non si confonde facilmente. **Fall into the -s of**, cadere nelle mani di. **Get one's** — **in**, fare la mano a. **Get one's** — **in again**, riabituarsi al giuoco. — **and glove**, strettamente uniti. **Be** — **and glove**, esser due anime in un nocciolo. **Go** — **in** —, andar d' accordo, accompagnarsi, farsi compagnia. **A good** — **at**, buono per. **Hand in** —, colle mani strette l' una in quella dell' altro. **Have a** — **in**, prender parte a, o in. **Have one's** — **in**, essere in vena. **Keep a heavy** — **upon**, trattare con durezza. **With a high** —, con autorità, in modo prepotente, *see* High-handed. **Keep one's** — **in**, tenersi in esercizio. **In** —, 1. in cassa. 2. avviato, in mano. **Well in** —, bene in mano. **Hold in** —, frenare. **Join -s**, darsi la mano, congiungersi. **Take the law into one's own -s**, farsi giustizia da sè. **Lay -s on**, 1. benedire. 2. far man bassa su. **Leading** —, primo operaio, capociurma *m*., capo-squadriglia *m*. **Lend a** —, prestar mano. **Keep a light** — **upon**, trattare con dolcezza. **Live from** — **to mouth**, campare refe refe, alla giornata, stentataménte. **Take what comes next to** —, prender ciò che ti viene alle mani. **Old** —, espèrto. **Be an old** —, esser buon conoscitore. **On** —, in magazzino. **On the one** —, da una parte. **On the other** —, dall' altra parte, d' altra parte, invéce, dall' altro canto, dall' altro partito. **Have a business on** —, occuparsi di un lavoro. **On one's -s**, sotto la sua propria cura o responsabilità. **Have much on one's -s**, aver molto sulle braccia. **Off** —, così su due piedi; *see* Offhand. **-s off!** giù le mani! **Out of** —, presto, speditaménte; śbrigliato, indisciplinato. **Get out of** —, perder la disciplina. — **over** —, a scambia mano. **Play into the opponent's** —, fare il giuoco dell' avversario. **Play into each other's -s**, tenersi di mano, intèndersi. **Poor** —, inespèrto *m*., mano inesperta, poco buono (per). **Set** — **to**, impegnersi in un' intrapresa, sottoscrivere un impegno. **Shake -s with**, stringer la mano a. **Shake -s (with each other)**, stringersi le mani. **Show one's** —, lasciar vedere le proprie **carte**; *fig*. rivelarsi. **By, With, a strong** —, per forza. **Take in** —, intraprèndere, mettersi a, caricarsi di; insegnare la disciplina a, ammaestrare. **Keep a tight** — **over**, tener strettamente sotto mano. **Try one's** —, provarsi. Turn one's — to, mettersi a, occuparsi di. Get the upper —, vincer la mano, ottenere la padronanza. Wash one's -s of, lavarsi le mani di, non intrigarsi di.

To —, pòrgere, consegnare. Will you — me the, mi favorisca il. — **about**, far passare di mano in mano. — **down**, traśméttere. — **in**, riméttere, consegnare; aiutare a entrare (in carrozza). — **over**, riméttere, far la consegna di. — **round**, far circolare, far girare.

Hand-barrow; barèlla *f.* **-bell**; campanello da tavola. **-bill**; annunzio da distribuirsi a mano, avviśo *m.*, affisso *m.* **-book**; manuále *m.*, librétto *m.*, guida *f.* **-breadth**; palmo *m.* **-cart**; carrétto *m.* **-cuff**, manétta *f.* To —, metter le manette a. **-ful**; pugno *m.*, manata *f.*, manípolo *m.*; *fig.* difficoltà *f.* She finds that boy rather a —, quel ragazzaccio le dà molto da fare. **-gallop**; piccolo galoppo. **-glass**; specchio a mano; piccola campana o coperchio di vetro. **-grenade**; granata *f.* **-icap**; handicap *m.*; abbòno *m.*; *fig.* impiccio *m.*, difficoltà *f.* To —, quotare, ripartire i pesi negli handicaps o gli abboni al "golf"; *fig.* impicciare, imbarazzare. — race, corsa differenziale. **-icapper**; handicapper, chi ha l' ufficio di assegnare il carico di ciascun cavallo (al galoppo) o l' abbuono di distanza (al trotto). **-icraft**; mestière *m.*, arte *f.* **-icraftsman**; artigiáno *m.*

Hand-ily; a proposito. **-iness**; destrézza *f.* **-iwork**; fattura *f.*, òpera *f.*

Handkerchief; fazzolétto *m.*, pezzuòla *f.*, (*scherz.*) moccichíno *m.* Neck —, fisciù *m.* — for the head, scialletto pel capo.

Handle; mánico *m.*, manúbrio *m.*, manovèlla *f.*, orécchio *m.*, impugnatura *f.*; *fig.* présa *f.* Starting —, manico d' avviamento. To —, maneggiare, trattare, servirsi di, manovrare (nave). Easily -d, di facile manovrabilità. **-bar**; manúbrio *m.*

Handling; maneggiaménto *m.*, manéggio *m.*, uśo *m.*

Hand-less; mónco, senza mani. **-loom**; telaio da mano. **-maid**; sèrva *f.* **-mill**; mulino a mano. **-organ**; organétto *m.* **-rail**; appoggiatóio *m.*, guidamáno *m.*, guardamáno *m.* **-rest**; bacchétta *f.* **-screen**; paravento o parafuoco portatile.

Handsel; primo uso, prima vendita, caparra *f.*, strènna *f.*; usare per la prima volta; dar la mancia.

Handsome; bèllo, leggiádro, formóso, ben fatto; liberále, generóso. **-ly**; da galantuomo, bène, bellaménte, in modo bello ecc. **-ness**; l' esser bello ecc., bellézza *f.*, leggiadría *f.*

Handspike; manovèlla *f.*

Hand-work; lavoro fatto a mano. **-writing**; mano *f.*, scrittura *f.*, calligrafía *f.* Running —, scrittura corrente. Small —, scrittura piccola. Round —, formatèllo *m.*, rònde *m.*

Handy; alla mano, còmodo, a portata di mano, prónto; dèstro, ábile, che sa un po' di tutto. **-book**; prontuário *m.*, *see* Handbook. **-man**; fasservízi *m.*, chi sa far tutto non troppo male.

Hang; Get the — of, prender la pratica ad una cosa. To —, attaccare, sospèndere; impiccare; chinare o abbassare (testa), lasciar cadere; guarnire, tappezzare, parare; penzolare, dipèndere, esser sospeso. — **about**, gironżare, gironżolare, girottolare, dondolare, star bighelloni. — **back**, eśitare, rimanere lì. — **in doubt**, stare in dubbio. — **loose**, ondeggiare. — **out**, far vedere, inalberare; (gergo) dimorare, stare di casa. — — **to dry**, sospendere all' aria, asolare. — **over**, chinarsi su, pendere sopra, esser sospeso su, minacciare, pesare su. — **together**, esser tutto d' un pezzo, sostenersi vicendevolmente, unirsi insieme. His story does not — —, ciò che dice non consiste con sè stesso.

Hangar; tettóia *f.*, aeròscalo *m.*, capannóne *m.*, aeròdromo *m.*

Hang-dog; da patibolo.

Hang-er; coltelláccio *m.* — **on**, scroccóne *m.* **-ing**; impiccagióne *f.* —**down**, ciondolóni. **-ings**; cortinággio *m.*, parato *m.*, tappezzeríe *f. pl.* **-man**; bòia *m.*

Hank; matassa *f.* **-er**; — after, agognare. **-ering**; bramos-ía *f.*, -o. **-y-panky**; corbelleríe *f. pl.* — tricks, gherminèlle *f. pl.*

Hannibal; Annibale.

Hanover; Annòver. **-ian**; annoverése.

Hans-ard; resoconto ufficiale della Casa dei Comuni. **-eatic**; anseático.

Hansom; specie di calessino.

Hap; caśo *m.* **-hazard**; a caso. **-less**; infelíce. **-lessly**; sfortunataménte. **-ly**; per caso. **-'orth**; *raccorc.* di Halfpennyworth, soldo. **-pen**; accadére, avvenire, darsi, succèdere. — to, toccare a As it may —, secondo il caso. It has -ed, è stato, è accaduto. If you — to meet him, se per combinazione lo incontri. We -ed to meet, ci siamo incontrati per caso. If I — to go, se mi accadrà di andare. Whatever -s, qualunque cosa succeda. — what may, avvenga che può. **-penings**; avveniménti *m. pl.*

Happ-ily; feliceménte, per buona ventura. **-iness**; felicità *f*. **-y**; felice, contènto; favorévole, propízio, fortunato.
Hapsburg; Absburgo. Of —, absburghése.
Harangue; arring-a *f*., -are.
Harass; tormentare, incomodare.
Harbinger; precursóre *m*., forièro *m*.
Harbour; pòrto *m*.; albergare, ricettare. Outer —, avvampòrto *m*. **-master**; capitano del porto.
Hard; duro, aspro, diffícile, rigoróso (inverno), intrèpido (cavaliere), fòrte (gelo), penóso (lavoro). **— of hearing**, duro d' orecchi. As *adv*., a tutta forza. **— by**, qui vicino, presso. Rain —, piovere dirottaménte. Blow —, far gran vento. **— swearing**, spergiuraménto *m*. **— up**, alle strette, al verde. Find it — to, trovarsi impensierito a. It was — for him to believe, stentava a credere. Be — put to it, aver gran pena. Go — with, tornar male per. Hold —, fermarsi. Hold —! basta! **— and fast**, fortemente fissato, incagliata (nave). **— a-lee!** orza tutto! **— a-port**, tutto alla dritta. **— a-starboard**, tutto alla sinistra. **— astern!** indietro a tutte forze! **— a-weather**, poggia alla banda. Helm — over! timone alla banda! *See* Helm.
Hard-bake; caramèlla *f*. **-boiled**; sòdo. **-drinker**; bevitóre *m*. **-earned**; guadagnato con fatica. **-en**; indurire, assodare, indurare. **-ened**; indurito, incrudelito. **-faced**, **-favoured**, **-featured**; dall' aspetto duro, dalle fattezze dure. **-fought**; accaníto. **-handed**; dalle mani incallite dal lavoro. **-headed**; dalla testa quadra, assennato. **-hearted**; dal cuore duro, inumano. **-heartedness**; l' avere il cuore duro, inumanità *f*. **-ihood**; arditézza *f*.; sfrontatézza *f*. **-ily**; arditaménte. **-iness**; robustézza *f*. **-ish**; piuttosto duro. **-ly**; appéna, a stento, stentataménte, duraménte, *see* Harsh. **-mouthed**; duro di bocca. **-ness**; durézza *f*., severità *f*., rigóre *m*. (tempo). **-pressed**; assai imbarazzato, ridotto agli estremi. **-s**; lische *f. pl*. **-ship**; péna *f*., privazióne *f*., ingiustízia *f*. **-ware**; chincáglia *f*., ferrame *m*. **-y**; robusto, fòrte, ardito; (pianta) di piena terra.
Hare; lèpre *f*. Jugged —, guazzetto di lepre. Hunt with the hounds and run with the —, barcamenarsi tra due partiti, salvar capra e cavoli, accendere una candela a Dio e una al diavolo. **-bell**; campánula *f*. **-brained**; scervellato, fuorsennato. **-lip**; labbro leporino.
Harem; árem *m*.
Haricot; guazzétto *m*. **-bean**; fagiòlo *m*.
Hark! ascolta! **— back**, rivenire sui suoi passi.
Harlequin, **-ade**; arlecchín-o *m*., -ata *f*.
Harlot; meretrice *f*.
Harm; danno *m*., male *m*., malóra *f*.; nuòcere, danneggiare, pregiudiziare, far torto a, recar danno a. **-ful**; nocívo, nocévole, dannóso. **-fully**, **-fulness**; nocevol-ménte, -ézza *f*. **-less**; innocuo, inoffensívo, poco dannoso; sano e salvo. **-lessly**; senza far male, senza soffrir niente di male. **-lessness**; innocuità *f*.
Harmon-ic, **-ics**; armòn-ico, -ica *f*. **-ious**; -ico, -ióso. **-iously**, **-iousness**, **-ise**, **-iser**, **-ium**, **-y**; -iosaménte, -ía *f*., -iżżare, chi -iżża, -io *m*., -ía *f*.
Harmost; armósta *m*.
Harness; finiménti *m. pl*., bardatura *f*.; metter i finimenti, bardare, attaccare. **-maker**; sellaio *m*. **-room**; sellería *f*.
Harp; arpa *f*.; suonare l' arpa. **— upon**, ripeter sempre; ritornar sempre. **-ist**; arpista *m*.
Harpoon; fiòcina *f*., rampóne *m*.; ramponare, colpire col rampone. **-er**; ramponière *m*. **-gun**; lancia-rampóne *m*.
Harpsichord; clavicémbalo *m*.
Harpy; arpía *f*.
Harr-idan; vecchiáccia *f*. **-ier**; levrière *m*.; bozzágo *m*., albanèlla *f*. **-iet**; Richétta. **-ow**; érpice *m*.; erpicare; *fig*. straziare. **-owing**; straziante. **-y**; 1. saccheggiare. 2. Arrígo.
Harsh; aspro, rúvido, sevèro, rigoróso. **-ly**; aspraménte ecc. **-ness**; asprézza *f*. ecc.
Hart; cèrvo *m*. **-shorn**; ammoniaca liquida. **-'s tongue**; lingua cervina (felce).
Harum-scarum; stordíto.
Harvest; mèsse *f*., raccòlta *f*.; (hay) fienagióne *f*. To —, raccògliere. **-bug**; lepto autunnale. **-er**; mietitrice *f*. **-home**; festa della mietitura. **-man**; falanzio *m*. (ragno). **-moon**; luna della mietitura. **-mouse**; topo dei campi. **-time**; mietitura *f*.
Hash; guazzétto *m*., ragù *m*.; *fig*. guazzabúglio *m*., mescolanza *f*. To —, śminuzzare, tagliuzzare. Make a — of, impasticciare.
Hashish; ascisc *m*.
Haslet; coratella di maiale.
Hasp; fermaglio d' una toppa, maníglia *f*.
Hassock; cuscíno *m*., inginocchiatóio *m*.
Hast-e; frétta *f*., prestézza *f*. Make —, affrettarsi, far presto. More — less speed, più si affretta e meno si avanza. **-en**; affrettare, far premura, sollecitare.

— up, accorrere in fretta. -ily; frettolosaménte, in fretta. -y; prónto, prèsto, rapido, sollécito, frettolóso; irritábile (umore), irascíbile. — pudding, pappa *f.*, polènta *f.* — tempered, risentito, di indole risentita.

Hat; cappèllo *m.* Sailor —, Straw —, cappello da marinaio, di paglia. Take off one's — to, fare di cappello a. Send round the —, fare una colletta. -s off! giù coi cappelli! -band; nastro di cappello. -box; cappellièra *f.*, scatola da cappello. -brush; setolíno da cappelli.

Hatch; Buttery —, sportello della dispensa; (*mar.*) coperchio di boccaporto, quartière *m.* Under -es, al riparo in stiva. To close the -es, chiudere le boccaporte. To —, 1. covare (pulcini). — mischief, tramar qualche male. Be -ed, nascere, uscire dall' ovo. Don't count your chickens before they are -ed; the Italian form is Non vender la pelle dell' orso prima d' averlo preso. 2. (cross-hatch) tratteggiare, graffiare.

Hatch-el; scardasso *m.*, diliscatóio *m.* -et; accétta *f.* Bury the —, riconciliarsi. -ing; incubazione *f.* -ment; stèmma *m.* -way; boccapòrt-o *m.*, -a *f.*

Hate; òdio *m.*; odiare, avere in odio. Be -d by, esser l' odio di. They — each other heartily, si odiano cordialmente. -ful, -fully, -fulness; odiós-o, -aménte, l' esser -o. Hatefully cruel, crudele al punto di destar l' odio. -r; chi odia.

Hat-peg; fattoríno *m.* -rack, -stand; attaccapanni *m.* -trick; al "cricket," fatto d' un "bowler" che congeda tre giocatori del partito opposto in un solo "over."

Hatred; òdio *m.*, avversióne *f.*

Hatter; cappellaio *m.*

Haught-ily; fieraménte ecc. -iness; fierézza *f.*, alterígia *f.* -y; fièro, altièro, borióso, orgoglióso.

Haul; retata *f.*; tirare, alare, trascinare. — in, ricuperare, tirare indietro. — down, ammainare, caricare abbasso. — up, salpare (ancora). — over the coals, dare una lavata di testa a. -age; lavoro o prezzo della trasportazione, alággio *m.* -ier; rimorchiatóre *m.*

Haulm; stèlo *m.*, stóppia *f.*

Haunch; anca *f.*, quarto *m.*, coscétto *m.*

Haunt; soggiórno *m.*, ritíro *m.*; frequentare, bazzicare, infestare. -ed; infestato dagli spiriti; assediato.

Hautboy; oboè *m.*

Havana; Avána *f.*

Have; avére, tenére, possedére, prèndere (bagno), mangiare (cibo). — something to drink, bere qualche cosa; passare (notte). — made for, far fare per. — from, sapere da. There you — it! ecco! I will not — it, 1. non lo voglio prendere. 2. non lo permetterò. He will — it to be so, sta fermo che la cosa stia così. I am to —, avrò diritto a. I would — it taken, vorrei che se lo prendesse. I will not — you do that, non ti permetterò di far così. We — to contend, bisogna lottare. I — to, devo. — breakfast, far colazione. — dinner, pranzare, far pranzo. — a walk, fare una passeggiata. That work is to be had, quell' opera è da procurarsi.

Have at; piombare su, combattere contro. — away, portar via. — back, farsi restituire, richiamare. — better, I had better lose my money than my life, sarebbe meglio perdere i danari che la vita. You had better get on with the job, fareste meglio ad andare avanti col lavoro. — to deal with, avere affare con. — dealings with doubtful people, avere affari con gente dubbiosa. — down, staccare, far scender (bagaglio). — an eye for locality, sapersi orientare in un luogo sconosciuto. — a go at, *see* Go. — on, 1. indossare, portare, vestirsi. 2. — something on, scommettere qualche danaro. — out, 1. estrarre, far estrarre (dente). 2. far attaccare (cavalli). 3. prender (una cosa) dal suo posto. — it out with, spiegarsi con. We arranged to meet and had it all out satisfactorily, si combinò a trovarsi insieme e si venne ad una spiegazione soddisfacente. — over, avere in più. — rather, preferire. I had rather sing than play, prefirerei cantare piuttosto che suonare, canterei più volentieri che suonerei. — a relapse, avere una ricaduta. He would — it so, lo volle così. — up, 1. citare, intimare di presentarsi. 2. far apportare.

Hav-en; pòrto *m.*, rifúgio *m.* -ersack; bisáccia *f.* -oc; strage *f.*, guasto *m.*, sconquasso *m.* Make — of, rovinare.

Haw; bacca del biancospino. -finch; frosóne *m.* -haw; *see* Ha-ha, and Hum.

Hawk; falco *m.*, sparvière *m.*; sputacchiare. — up, liberare la gola di (tossendo). -er; merciaiòlo ambulante, rivendúgliolo *m.* -ing; la caccia con falconi. -moth; śmerinto *m.* -weed; ierácia *f.*, pelosèlla *f.*

Hawse-holes; cubíe *f. pl.* -r; alzána *f.*, cavo *m.*, gherlíno *m.*, gómena *f.*

Hawthorn; biancospíno *m.*

Hay; fièno *m.* Make —, Be -ing, far fieno. Make — of, *fig.* scompigliare, metter in disordine. Make — while the sun shines, battere il ferro finchè è caldo.

-barn; fienáia *f.* **-cock**; bica *f.*, pósta *f.*, mucchio di fieno. **-cutter**; taglia-fièno *m.* **-fever**; febbre maggiaiuola, catarro estivo. **-field**; prato da falciarsi. **-fork**; forcóne *m.* **-harvest**; fienagióne *f.* **-knife**; trinciafièno *m.* **-loft**; fieníle *m.* **-maker**; chi fa il fieno, macchina per far il fieno. **-making**; fienagióne *f.* **-rick**, **-stack**; pagliáio di fieno, maragnuòla *f.*

Hayti; Áiti *m.*

Hazard; caṡo *m.*, aẓẓardo *m.*, rischio *m.* (Al "golf") terreno imbarazzante. **At all -s**, ad ogni rischio, qualunque cosa succeda. **To —**, arrischiare. **-ous**; rischióso. **-ously**; in modo rischioso. **-ousness**; l' esser rischioso.

Haz-e; nébbia *f.*, bruma *f.*, fóschia *f.*; malmenare, strapazzare. **-el**; nocciòlo *m.* **— copse**, macchia di noccioli. **— nut**, nocciòla *f.* **-eline**; estratto alcoolico dall' *Hamamelis virginica*. **-ily**; poco chiaramente. **-iness**; nebbiosità *f.* **-y**; nebbióso, brumóso; indistinto.

He; égli, lui, quégli, colúi, costui. **-goat**; bécco, *m.*

Head; 1. capo *m.*, tèsta *f.* As regards man, Capo refers more particularly to the top of the head, but the two terms are almost synonymous. As food, the head of a calf or sheep is Testa, of a pig, Capo, but that of a lamb is Testicciòla *f.* Of live animals in general Testa, but of small creatures, birds, and fishes, Capo. Of inanimate objects Testa. In the sense of Principal, Capo, as — keeper, Capocaccia; — warder, Capocarceriere; — cook, Capococo. In sculpture, Testa.

2. spírito *m.*, sénno *m.*, intelligènza *f.* 3. capo *m.*, principále *m.*, rettóre *m.*, direttóre *m.* 4. títolo *m.*, rúbrica *f.*, argoménto *m.* **Under this —**, su questo argomento. 5. (Of a river) sorgènte *f.*, (nail) capòcchia *f.*, (ship) prua *f.*, (shell) ogívo *m.*, (arrow, asparagus) punta *f.*, (celery) piède *m.*, capo *m.*, (cabbage) palla *f.*, (bay) fóndo *m.*, (beer) spuma *f.*, (bridge) testata *f.*, (stairs) cima *f.*, (axe) fèrro *m.* **— of hair**, capigliatura *f.* **— of water**, pressione idraulica.

At so much a —, a tanto per uno, o per testa. **Bring to a —**, portare a termine, far nascere una crisi. **Come into one's —**, venire alla mente. **Come to a —**, far capo (fignolo); raggiungere il colmo. **I have no — for figures**, non sono forte in arimmetica. **From — to foot**, da capo a' piedi. **Get into one's —**, dare al capo, alla testa (vino). **The hit he made has got into his —**, il successo ottenuto gli ha dato alla testa. **— over heels**, a capitombolo. **Carry the — high**, portar la testa alta. **Hold up one's —**, tenersi dritto. **Lay their -s together**, intendersi, far combriccola. **Lose one's —**, eccitarsi, perder la presenza di spirito. **Make — against**, tener testa a, far fronte a. **Make — with**, far dei progressi con. **Off his —**, fuorsennato. **On one's — (gergo)**, molto facilmente. **Out of one's own —**, di sua testa. **Over — and ears in debt, in love**, colmo di debiti, ingolfato nei debiti fino agli orecchi; innamorato cotto. **Set a price, Have a price set, upon his —**, mettergli una taglia, buscarsi una taglia. **Run in one's —**, tornar sempre a mente. **Run one's — against the wall**, fare a' cozzi col muro. **Have a — upon one's shoulders**, aver la testa sul collo, avere il capo con sè, aver buon senso. **He stands — and shoulders above all his contemporaries**, sovrasta da gran lungo a tutti i suoi coetanei. **— of the table**, posto d' onore a tavola, capo superiore della tavola. **I cannot make — or tail of it**, non mi riesce di capirne niente. **-s and tails**, croce e lettera, arme o santi. **Take into one's —**, mettersi in testa, ficcarsi in capo.

To —, condurre, dirígere, capitanare, mettersi alla testa di; sorpassare; intestare (pagina). **— back**, far ritornare sui suoi passi. **— off**, stornare, deviare. **— for the shore**, dirigersi verso la spiaggia.

Head-ache; mal di capo, emicránia *f.* **-band**; bènda *f.* **-dress**, **-gear**; acconciatura del capo. **-er**; **Take a —**, gettarsi nell' acqua a capofitto, far un capitombolo. **-s and stretchers**, mattoni a legamento ed in quadrato. **-foremost**; capovolto, col capo in avanti. **-ing**; intestazióne *f.* **-land**; capo *m.* **-less**; senza testa. **— nail**, punta *f.* **-light (of a car)**; proiettóre *m.*, fanále *m.* **-line**; linea d' intestazione. **-long**; precipitato, a capofitto; sconsiderato. **-man**; capo *m.* **-master**; principále *m.*, rettóre *m.* **-office**; ufficio principale, sede primaria. **-partner**; associato principale. **-piece**; testièra *f.*; comprendònio *m.* **-quarters**; quartiere generale, ufficio centrale, amministrazione centrale. **Divisional —**, comando *m.* **-rest**; appoggiacapo *m.* **-rope**; gratíle *m.* **-sea**; mare in prora. **-ship**; primato *m.*, principato *m.* **-sman**; giustizière *m.* **-stall**; cavézza *f.*, capèstro *m.*, testièra *f.* **-stone**; lápide *f.* **-strong**; testardo. **-way**; abbrivo *m.* **Gather —**, prender abbrivo. **-wind**; vento in prora. **-work**; lavoro mentale. **-wrap**; scialletto pel capo. **-y**; forte.

Heal; guarire, risanare. **-er**; risanatóre *m*. **-ing**; guarigióne *f*., risanaménto *m*.; risanatóre *m*.

Health; salute *f*.; bríndiṡi *m*. Clean bill of —, patente di sanità. Laws of —, leggi igieniche. **-ful**; salúbre, sano. **-fully**; salutarménte. **-ily**; sanaménte, salubreménte. **-iness**; salubrità. **-office**; ufficio sanitario. **-y**; sano, salúbre, salutare, in buona salute.

Heap; múcchio *m*., mónte *m*., ammasso *m*. — up, ammucchiare, ammassare.

Hear; sentire, udire, intèndere, sapére (notizia), aver notizie, eṡaudire. —! —! molto bene! **-er**; uditóre *m*., ascoltatóre *m*. **-ing**; udíto *m*.; udiènza *f*., esame di testimonii. Within —, a portata d' orecchio. Quick of —, coll' orecchio fino. Hard of —, chi ha l' udito grosso. Give a —, dare udienza.

Hear-ken; ascoltare, stare attento, dare retta. **-say**; diceríа *f*. By —, per sentita dire.

Hearse; carro funebre.

Heart; cuòre *m*. With a beating —, con batticuore. At cards, còri *f*. Of a cabbage, lettuce etc., grúmolo *m*. After one's own —, proprio come si vorrebbe, secondo suo gusto. With all my —, di tutto cuore. At —, in fondo, sostanzialménte. Bless my —! perbacco! This sent my — into my boots, quella cosa mi riempì di paura. The bottom of my —, il fondo del mio cuore. Break the —, spezzare il cuore, frangere il cuore. He died of a broken —, morì di crepacuore. His — is full, ha il cuore gonfio. Have greatly at —, aver molto a cuore. Lay to —, non se ne scordare mai, metter bene a mente, riporre nel cuore. Learn, Get by —, imparare a mente, a memoria. His — was in his mouth, aveva il cuore nella bocca. Out of —, scoraggiato. This news set my — at rest, questa notizia mi tranquillizzò. Set the — upon, desiderare ardentemente. — and soul, con tutto cuore, con completa divozione. Take —, prender coraggio. Take to —, 1. dolersi assai di, afflíggersi. 2. riporre nel cuore, nella mente. I advise you to take this warning to —, questo avvertimento ti consiglio a riportelo nel cuore. The — of the town, il centro della città.

Heart-ache; crepacuòre *m*., angòscia *f*. **-breaking**; straziante. **-broken**; col cuore spezzato. **-burn**; bruciore di stomaco. **-burning**; rúggine *f*., risentiménto *m*. **-disease**; malattia di cuore. **-en**; incoraggiare, inanimire. **-felt**; di cuore, sincèro, profondamente sentito.

Hearth; focolare *m*. **-brush**; granatino da camino. **-rug**; tappeto davanti al focolare. **-stone**; 1. pietra del focolare. 2. pietra arenaria.

Heart-ily; cordialménte, profondaménte, di buon appetito, di gusto. **-iness**; cordialità *f*. **-less**; senza cuore, inumáno. **-lessly**; senza cuore, inumanaménte. **-lessness**; insensibilità *f*., mancanza di cuore, inumanità *f*. **-rending**; straziante. **-searching**; esame di sè stesso, esame di coscienza, penetrante (sguardo). **-'s ease**; viola del pensiero, socera e nora. **-sick**; abbattuto, angosciato, accorato. **-stirring**; commovènte, eccitante. **-string**; fibra del cuore. **-whole**; dal cuore libero, diṡamorato. **-wood**; cuore di legno.

Heat; 1. caldo *m*., calóre *m*. Red — calore rosso. Dull red —, caldo ciliegia. White —, caldo bianco. Welding —, caldo bianco sudante. Melting —, calore di fusione. To —, scaldare. — up, riscaldare. -ed discussion, discussione indiavolata. 2. caldura *f*., afa *f*. Sultry —, caldo affannoso. 3. còllera *f*., concitazióne *f*., ardóre *m*. In the — of passion, a sangue caldo. In the — of battle, nel calore della mischia. 4. prova o gara preliminare alle corse. The first —, la prima prova. He won his —, ha vinto la prova. Dead —, corsa morta. **-apoplexy**; colpo di sole. **-spot**; macchia di calore sulla pelle.

Heater; scaldíno *m*., scaldatóre *m*., scaldavivande *m*., calorífero *m*.

Heath; 1. brughièra *f*., landa *f*. 2. érica *f*., scópa *f*.

Heathen, -dom, -ish, -ishly, -ism; pagán-o *m*., -ita *f*., -o, -aménte, -éṡimo *m*.

Heath-er; *see* Heath (2). **-ery**; coperto di scopa. **-y**; come le lande.

Heating; scaldatura *f*., riscaldaménto *m*.; scaldante. **-apparatus**; caloríferο *m*. **-coil**; serpentino di riscaldamento, termoṡifóne *m*.

Heave; azione di sollevare. To —, sollevare; gettare (sospiro). — in sight, comparire. — to, mettersi in panna.

Heaven; cièlo *m*. Thank —! grazie a Dio, al Cielo! For -'s sake, per amor del cielo. **-born**; celèste. **-ly**; celèste, celestiále. **-ward**; verso il cielo.

Heav-ily; pesanteménte, di peso. **-iness**; pesantézza *f*. **-ing**; ondeggiaménto *m*., -ante. **-y**; pesante, péso. — rain, piòggia forte. — cold in the head, infreddatura forte. — sea, mare grosso. — artillery, artiglieria grossa. — calibre, calibro grosso.

Heb-domadal; ebdomadário. **-e**; Èbe *f*. **-raism**; ebraiṡmo *m*. **-raist**; ebraista *m*.

-rew; Ebrèo *m.*, ebráico. -rides; le Èbridi.
Hecat-e; Ècate. -omb; ecatómbe *f.*
Heckle; diliscatóio *m.*; far delle domande imbarazzanti. -r; colui che ne fa.
Hec-la; Ècla *f.* -tare; èttaro *m.* -tic; ètico. -tolitre; ettòlitro *m.* -tor; Èttore; švillaneggiare, malmenare. -toring; spacconata *f.*; spaccóne. -uba; Ècuba.
He'd; *raccorc.* di He had o di He would.
Hedge; sièpe *f.*; chiudènda *f.*; lavorare alle siepi; *fig.* mettersi al sicuro contro le eventualità. It is no use your trying to —, non giova niente il cercare di nasconderti. Quickset —, siepe verde, chiudenda viva. Over -s and ditches, a traverso campi. — in, assiepare, circondare. -bill; roncola a manico lungo. -hog; ríccio *m.*, porcospíno *m.* -hyssop; graziòla *f.* -row; siepáia *f.*, sièpe fitta o folta. -sparrow, -warbler; passera scopaiola.
Heed; attenzióne *f.*; badare a, dar retta a. -ful, -fully, -fulness; attèn-to, -taménte, -zióne *f.* -less; dišattènto, trascurato. -lessly; dišattentaménte ecc., senza cura. -lessness; trascuratézza *f.*
Heehaw; il raglio dell' asino.
Heel; 1. calcagno *m.*, tacco *m.*, tallóne *m.*, piède *m.* (cavallo, albero). 2. rattacconare. 3. — over, dare alla banda, šbandarsi.

At the -s of, alle calcagna di. Come to —, mettersi alle calcagna del padrone (cane); *fig.* stare a dovere. Down at —, col tacco abbassato. Down at -s, *fig.* di apparenza sciatta. Kick one's -s, annoiarsi ad aspettare, stare a bada. Lay by the -s, arrestare, imprigionare. Out at the —, logoro al calcagno. Show a clean pair of -s, Take to one's -s, darla a gambe, fuggire. Trip up the -s of, far inciampare. Turn on one's —, girar sui calcagni senza far complimenti, voltar le spalle a. Turn head over -s, fare i capitondoli.
Heel-piece; aggiunta *f.* -plate; terratura d' un calcio di fucile. -taps; gocciole di vino in fondo a un bicchiere.
Heft; mánico *m.* -y; fòrte.
Heg-emony; egemonía *f.* -ira; egíra *f.*
Heidelberg; Eidelbèrga *f.*
Heifer; giovènca *f.*
Heigh-ho! ahimè! oimè!
Height; altézza *f.*, altura *f.*, cólmo *m.*, cima *f.*; statura *f.* In the — of summer, al colmo dell' estate. About my —, della mia altezza. Just about middle —, appunto di media statura. By his habit of stooping he had lost much of his actual —, l' abitudine di tenersi curvo gli aveva accorciato di un buon palmo di schiena. With reference to aviation or a given level, quota. At a — of a thousand metres, a mille metri di quota.
Heighten; accréscere, fare spiccare, innalzare. -ing; accresciménto *m.*
Heinous, -ly, -ness; enórm-e, -eménte, -ità *f.*
Heir; erède *m.* -ess; ereditièra *f.* -loom; mobile inalienabile.
Held; *rem.* di Hold.
Hel-en; Èlena. -icon; Elicóna *f.* -iograph; eliògrafo, telegrafo ottico. -iostat; eliòstata *m.* -iotrope; vainíglia de' giardini. -ix; èlica *f.*
Hell; infèrno *m.* -cat; stregonaccia *f.* -hound; cane dell' inferno.
Hell-as; Èllade *f.* -ebore; ellèboro *m.* -enic, -enism, -enist, -enistic; ellèn-ico, -išmo *m.*, -ista *m.*, -ístico.
Hellish; infernále, diabòlico. -ly; diabolicaménte. -ness; malizia infernale.
Helm; timóne *m.*, barra *f.* -et; élmo *m.* -sman; timonière *m.*
Helot; ilòta *m.*
Help; aiúto *m.*, soccórso *m.*; sèrv-o *m.*, -a *f.* Give some —, esser utile. To —, aiutare, soccórrere; servire (a tavola). It cannot be -ed, non c' è rimedio. I could not — it, non potevo fare altrimenti. He could not always — betraying more emotion than he cared to show, non riusciva sempre a trattenersi dal mostrarsi più commosso di quanto avrebbe voluto parere. I could not — smiling, sorrisi mio malgrado. I could not — myself, non potevo farne a meno. I shall not go there more than I can —, non vi andrò più del bisogno. I never stay in London longer than I can —, non sto mai a Londra più di quello che non sia neçessario. Give some —, esser utile a qualche cosa. — down, aiutare a scendere. — forward, promuòvere. — over, aiutare a passare.
Help-er; chi aiuta, aiutante *m.*, aiutatóre *m.*, soccori-tóre *m.*, -trice *f.* -ful; soccorrévole, útile, giovévole. -fully; in modo utile. -fulness; aiuto *m.*, l' esser giovevole. -ing; soccorrévole. A — of pudding, del budino. A — of potatoes, una portata di patate. -less; senza risorse, indeféso, chi non sa esser utile, chi ha bisogno di aiuto, senza soccorso. -lessly; senza cercare di aiutarsi. -lessness; debolézza, naturale fiacco. -mate; sòcio *m.*, consòrte *m.* or *f.*
Helter-skelter; alla rinfusa, in fretta.
Helve; mánico *m.*
Helvetian; elvètico.

Hem; 1. órlo *m.*; orlare. **-stitch**; punto a giorno. 2. To — in, circondare, investire, non lasciar luogo per svilupparsi. 3. èhm, *see* Hum.
Hemi-plegia; emiplegía *f.* **-sphere, -spherical**; emisfèr-o *m.*, -ico. **-stich**; emistíchio *m.*
Hem-lock; cicúta *f.* **-orrhage**; emorragía *f.*
Hemp; cánapa *f.* Field of —, canapáia *f.* Dealer in prepared —, canapáio *m.* **-en**; di canapo. — rope, cánapo *m.* **-seed**; semi di canapa.
Hen; gallína *f.*, chiòccia *f.*; femmina degli uccelli. A — robin, un pettirosso femmina.
Henbane; giusquiámo *m.*
Hence; di qua, di qui, quíndi, perciò. Four months —, di qua a quattro mesi. **-forth, -forward**; d' ora innanzi, ormai, in appresso, per l' avvenire.
Henchman; accòlito *m.*, seguáce *m.*
Hen-coop; stia *f.* **-decasyllabic**; endecasíllabo. **-harrier**; albanèlla *f.* **-house**; polláio *m.* **-na**; enné *m.* **-pecked**; malmenato da sua moglie, di cui la moglie porta i calzoni. **-rietta**; Enrichétta, Richétta. **-roost**; posatóio *m.*, polláio *m.* **-ry**; Enrico. **-wife**; donna che si occupa del pollame.
Hepatica; trifoglio epatico.
Heptarchy; ettarchía *f.*
Her; la, lei; di lei, suo.
Herald; araldo *m.*; annunziare, proclamare. **-ic, -ry**; aráldic-o, -a *f.*
Herb, -aceous, -age; èrb-a *f.*, -áceo, -ággio *m.* **-al**; erbário *m.* **-alist, -arium, -ivorous, -orise**; erb-orista *m.*, -ário *m.*, -ívoro, -oriżżare. **-Paris**; uva di volpe.
Herculan-eum, -ean; Ercolan-o *f.*, -o.
Hercule-an, -s; ercúleo, Èrcole.
Hercynian; ercínio.
Herd; (sheep or goats) grégge *m.* *or* grégggia *f.*, (only *fem.* in *pl.*, gregge), (cattle) mandr-a *or* -ia *f.* To —, custodire. — together, associarsi. — with, bazzicare. **-sman**; mandriáno *m.*
Here; qui, qua, di qui, di qua. — below, quaggiù. — he is, eccolo. -'s to you! alla vostra salute! — you are, eccovi servito. — there and everywhere, un po' dappertutto. Neither — nor there, non entra nell' argomento. — goes! pronti! bisogna cominciare. — and there, qua e là. **-abouts**; qui vicino. **-after**; d' ora innanzi; nell' altro mondo. **-at**; su ciò, su questo. **-by**; a ciò, così, con questo mezzo.
Heredit-able; ereditábile. **-ament**; bene stabile. **-arily**; per via ereditaria. **-ary**; ereditario. **-y**; eredità *f.*
Here-in; in questo, qui dentro. **-inafter**; in questo scritto, dopo. **-into**; qui. **-of**; di questo, ne. **-on**; su questo, su ciò, lassù.
Here-siarch, -sy, -tic, -tical, -tically; ereśiarca *m.*, -śía *f.*, -tico *m.*, -tico, -ticaménte.
Here-to; a questo. **-tofore**; finóra, un tempo, altre volte. **-under**; qui sotto. **-unto**; fin qui. **-upon**; su questo, su ciò, in seguito a ciò. **-with**; con ciò, con questo, qui accluso, colla presente.
Heriot; bestia o altro scadente al proprietario di un feudo e alla scelta di questo dopo la morte del proprietario di un "copyhold."
Herit-able, -age; eredit-ábile, -à *f.*
Herm-aphrodite, -es, -etic, -etically; ermafrodíto, -ète, -ètico, -eticaménte.
Hermit; eremíta *m.*, romíto *m.*; da romito, solitario. — crab, paguro bernardo. **-age**; eremitággio *m.*, romitòrio *m.*
Hernia, -l; èrni-a *f.*, -ário.
Hero, -ic, -ically, -ine, -ism; eró-e *m.*, -ico, -icaménte, -ína *f.*, -iśmo *m.*
Herodias; Erodíade.
Heroics; śmargiassate *f. pl.*, rodomontate *f. pl.*
Heron; airóne *m.*, śgarza *f.* **-ry**; luogo dove gli aironi fanno i nidi.
Herpes; èrpete *f.*
Herring; aringa *f.* Red —, aringa affumicata. **-boned**; fatto a lisca di pesce. — stitch, punto incrociato.
Her-s; suo, di lei. **-self**; sè, lei stessa. By —, da sè; sola.
Hesiod; Eśíodo.
Hesita-ncy; irresoluzióne *f.* **-te**; eśitare, rimanere esitante; titubare. **-tingly**; con esitazione. **-tion**; eśitazióne *f.*
Hess-e, -ian; Ássi-a *f.*; -áno.
Hetero-dox, -doxy; etero-dòsso, -dossía *f.* **-geneous, -geneousness**; eterogène-o, -ità *f.*
Hew; tagliare. — down, abbáttere. — into pieces, śminużżare, spezzare. **-er**; talialégna *m.*, spaccalégna *m.*
Hexagon, -al; eśágon-o *m.*, -ale.
Hexameter; eśámetro *m.*
Hey! eh!
Heyday; fòrza *f.*, bei giorni, il più bello.
Hi! olà!
Hiatus; iáto *m.*; lacúna *f.*
Hib-ernate; passar l' inverno in letargo; *fig.* stare disoccupato. **-ernating, -ernation**; ibern-ante, -azióne *f.* **-ernian**; ibèrno. **-iscus**; ibisco *m.*
Hiccough, Hiccup; singhiózzo *m.*, singulto *m.*; singhiozzare.
Hiccupy; singhiozzante.
Hickory; noce bianco americano.
Hid, -den; *rem.*, *part.*, di Hide.

Hidalgo; idalgo *m.*
Hide; 1. pèlle *f.*, cuóio *m.* 2. nascóndere. — and seek, capanniscóndersi *m.*, rimpiattèllo *m.*, rimpiattíno *m.* Hidden from, sconosciuto a. **-bound**; con la pelle strettamente attaccata alla carne; *fig.* immobile nei suoi pregiudizii, ostinato.
Hideous; bruttissimo. He made a — mess of it, ne fece un pasticcio da abbrividirsene. **-ly**; orribilménte. **-ness**; bruttezza schifosa.
Hid-er; chi si nasconde. **-ing**; 1. nascondiménto *m.* 2. legnate *f. pl.*, bastonatura *f.* — place, nascondíglio *m.*, ripostíglio *m.*
Hie; córrere, spicciarsi ad andare.
Hier-arch, **-archical**, **-archy**; gerarc-a *m.*, -hico, -hía *f.* **-oglyphic**, **-oglyphically**, **-oglyphics**; geroglífic-o, -aménte, -i *m. pl.*, girigogoli, *m.pl.* **-ophant**; ierofante *m.*
Higgl-e; fare a contrattare, *see* Haggle. **-edy-piggledy**; a catafascio. **-er**; chi si diletta al contrattare. **-ing**; stiracchío *m.*
High; alto, elevato, importante. — **altar**, altare maggiore. — bailiff, primo ufficiale. — church, la sezione ritualista della chiesa anglicana. — churchman, chi vuole un rituale elaborato. — colour, colore vivo. — Court, alta Corte. — day, fèsta *f.*, giorno di festa. — dress, veste accollata. — and dry, fuori dell' acqua, arrenato. — feeding, nutrimento lauto. — fever, gran febbre, febbre forte o grave. — frequency (*elettr.*), alta frequenza. — hand, mano forte. Ride the — horse, esser arrogante, burbero. — importance, grande importanza. — jinks, allegoria boriosa. Play — jinks, far baldoria. — latitude, alta latitudine. — life, l' alta società. — living, il far buona tavola. — and low, i ricchi e i poveri. — mass, messa cantata. — meat, carne frolla, passata. — and mighty, eṡaltato, arrogante. The Most —, il sommo Dio. On —, nel Cielo. — place, alto luogo, luogo d' onore. Play —, giocare forte, per grossa posta. The play is too — for me, si gioca troppo forte per me. — price, prezzo forte o alto. — priest, gran sacerdote. — relief, alto rilievo. — road, strada maestra. — sea, mare grosso. On the — seas, in alto mare. — service, servizio d' acqua a pressione forte. — speed, grande velocità. Stand —, stare in alto luogo. Stand — in the estimation of, esser molto stimato, altamente stimato, da. — stepper, cavallo che alza bene le zampe. — street, via principale. — tea, tè accompagnato a carne fredda ecc. Be — time, esser già tempo. — treason, lesa maestà. — up, molto alto. — water, marea alta, piena marea. — water mark, limite dell' alta marea. — wind, vento forte.
High-born; di alto lignaggio, di stirpe nobile. **-bred**; educato nell' alta società, nobile. **-class**; di qualità superiore, distinto. **-coloured**; di colore vivo, di carnagione viva. **-crowned**; con cocuzzolo alto. **-falutin**; discorso nella luna o tronfiante. **-flier**; chi vola alto; *fig.* ampollóso. **-flown**; ampollóso, ambizióso. **-flying**; ambizióso. **-handed**; prepotènte, sopraffattóre. He acted in a — manner, fece valere le sue ragioni con la forza, usò soprusi. — proceedings, modo di agire non autorizzato dalla legge, soprusi *m. pl.*, sopraffazioni *f. pl.* **-heeled**; a tacco alto. **-lander**; montanaro *m.* **-lands**; paese montagnoso. Scottish —, le montagne scozzesi, l' Alta Scozia. **-mettled**; focóso. **-minded**; magnánimo, nòbile, di spirito generoso, che non fa mai un' azione bassa. **-necked**; (veste) che copre le spalle e il collo. **-ness**; Altezza *f.* **-pitched**; (voce) strillante, (tetto) a pendenza ripida. **-pressure engine**; macchina a vapore ad alta pressione. **-principled**; di principii elevati. **-souled**; di eletto ingegno. **-sounding**; altisonante. **-spirited**; focóso, fièro, ardíto, animóso. **-toned**; di tono alto. **-way**; strada pubblica. — man, ladro a cavallo, grassatóre *m.* — robbery, grassazióne *f.*
Highest; altissimo, l' altissimo Dio. — offer, maggiore offerta.
Highly; altaménte, fòrte, forteménte, grandeménte. He thinks — of himself, ha un' alta opinione di sè stesso. — coloured, eṡagerato; di colorito vivido. — fed, lautamente nutrito. — gifted, ben dotato. — placed, altolocato. — placed people, gente altolocata, persone altolocate. — nervous state, stato di nervosità eccessiva. — seasoned, piccante. — strung, nervóso. — wrought, fortemente agitato.
Hight; détto, chiamato.
Hilarious, **-ly**, **-ness**; ilar-e, con -ità, -ità *f.*
Hill; collína *f.*, altura *f.* In a reference map, quòta *f.* — 85, quota 85. **-folk**; gente montanara. **-iness**; montuosità *f.* **-ock**; monticèllo, poggiòlo *m.* **-side**; pendio di collina, falda di una collina. **-y**; montuóso, accidentato, diṡuguale. Very — road, strada assai accidentata.
Hilt; élsa *f.* Up to the —, completaménte.

Hilum; ilo *m.*
Him; lo, lui, quèllo, colúi. **-self**; lui stesso, sè stesso, egli medesimo. It is like —, è da pari suo.
Himalaya; Imaláia *f.*
Hind; 1. cèrva *f.*, dáina *f.* 2. contadíno *m.* 3. di dietro, posterióre. **-er**; 1. *see* Hind (3). 2. impedire, intralciare, ritardare, diśaiutare. **-erer**; chi o che impedisce, importúno *m.* **-most**; il più indietro, último. **-oo**; Indù *m.*, indiáno. **-oostanee**; indostáno. **-rance**; ostácolo *m.*, impediménto *m.*, intòppo *m.*, inciampo *m.*
Hinge; cárdine *m.*, cernièra *f.*, gánghero *m.*; scarpa (di una molla). To —, ingangherare; *fig.* dipèndere, volgersi su.
Hinny; bardòtto *m.*
Hint; punto *m.*, cénno *m.*, avvíśo *m.*; accennare, dar cenno, dare ad intendere, parlare a mezz' aria. I -ed at it, ne ho parlato a mezz' aria. I understood what he was -ing at, mi sono inteso a mezz' aria di quel che non ha voluto dire. Take the —, prender l' avviso. — **at**, alludere oscuramente a.
Hinterland; intèrno *m.*, retroterra commerciale.
Hip; 1. anca *f.* Smite — and thigh, vincere completamente, sconquassare. Have him on the —, avere il vantaggio su quello. Catch on the —, sopraffare, dar un colpo efficacissimo a. 2. grattacúlo *m.*, ballerino *m.*, frutto della rosa canina. 3. — — hurrah! evvíva! 4. — hop, hippety hoppety, zoppicando.
Hip-bath; semicúpio *m.* **-bone**; osso dell' anca. **-ped**; stanco, scoraggiato. — roof, tetto a groppa.
Hippo-drome; ippòdromo *m.* **-griff**; ippogrífo *m.* **-phagy**; ippofagía *f.* **-potamus**; ippopòtamo *m.*
Hire; pigióne *f.*, nòlo *m.*, fitto *m.*, affitto *m.*; appigionare, prender a nolo o in affitto, noleggiare. — oneself out, allogarsi. For —, a nolo. -d ruffian, sgherro prezzolato. To — out, dare a nolo. **-ling**; mercenário *m.* **-r**; noleggiatóre *m.* **-system**; il prender una cosa a nolo nello stesso tempo che se la compra a rate.
Hiring; contratto di nolo, di affitto.
Hirsute; irsúto.
His; suo, di lui.
Hiss; físchi-o *m.*, -are; sibil-o *m.*, -are; cigolare. **-ing**; cigolío *m.* (legna al fuoco).
Hist! zitti!
Histology; istología *f.*
Histor-ian, -ic, -ically, -y; stòric-o *m.*, -o, -aménte, stòria *f.*
Hit; cólpo *m.*, percòssa *f.*, urto *m.*, bòtta *f.* Direct —, colpo in pieno. To —, colpire, percuòtere, urtare. She — the side as she came in, la nave urtò la riva arrivando. — it, riuscire, indovinarla. — the mark, cogliere nel segno. — off, imitar bene. — off the runs, al "cricket" fare abbastanza "runs" per vincer la partita. — it off together, accordarsi. — it off, farla proprio come si deve, azzeccarla. — upon, trovare, scoprire. — out, menar colpi arditi, colpire o battersi da bravo. — the nail on the head, colpire proprio nel segno, imbroccare, spiegar la cosa come è.
Hitch; nòdo *m.*, gassa *f.*; *fig.* ostácolo *m.*, intòppo *m.* Half —, mezzo collo. Clove —, nodo parlato semplice. Bowline —, gassa con mezzo parlato. Timber —, gassa a serraglio, nodo d' anguilla. To —, attaccare. — up, alzare, tirar su. All went without a —, la cosa è andata proprio alla liscia, come si sarebbe voluto.
Hither; qua, qui. **-to**; finora, fin qui.
Hitter; chi colpisce. Hard —, chi colpisce forte.
Hive; árnia *f.*, alveáre *m.*, bugno *m.*
Ho! olà! ahi!
Hoar; *see* Hoary. **-frost**; brina *f.*
Hoard; grúzzolo *m.*; fare il gruzzolo. — up, metter a parte, riserbare. **-er**; accumula-tóre *m.*, -trice *f.*, teśoreggiatóre *m.*, -trice *f.* **-ing**; 1. l' accumulare denari. 2. impalancato *m.*, assíto *m.*, travata *f.*
Hoar-iness; canutézza *f.* **-se**; ráuco, fiòco. **-sely**; raucaménte ecc. **-s ness**; raucèdine *f.* **-y**; bianco, canuto, grigio.
Hoax; canzonatura *f.*, mistificazióne *f.*, caròta *f.*; canzonare, mistificare, piantar carote, cuccare, accoccarla a, corbellare. **-er**; chi canzona ecc.
Hob; piastra di ferro accanto al focolare.
Hobble; pastóia *f.*; zoppicare; impastoiare, legare i piede d' un cavallo in modo che zoppica. — along, arrancare.
Hobbledehoy; ragazzaccio goffo.
Hobby; 1. lato debole, passióne *f.*, pazzía *f.*, occupazióne prediletta. 2. barlétta *f.*, lodoláio *m.*, falchétto *m.* **-horse**; giocattolo figurante un cavallo.
Hobgoblin; demoniétto *m.*, follétto *m.*
Hobnail; chiodo grosso da stivale, bullétta *f.* **-ed**; fornito di bullette.
Hobnob; trincare, esser familiare.
Hock; 1. garétto *m.* 2. vino del Reno.
Hockey; giuoco simile al calcio eccetto che la palla si colpisce con un bastone.
Hocus; adulterare, ubbriacare con vino o altro fatturato. **-pocus**; gherminèlle *f. pl.*

Hod; trògolo da calcina, (nel senese) giornèllo *m*.
Hodge; una corruzione di Roger, che vuol dir contadino. -podge; mescolanza di ogni sorta di cibo, guazzabúglio *m*.
Hodman; chi porta il giornello.
Hoe; zappa *f*., zappétta *f*., marra *f*.; zappare. **-r**; zappatóre *m*.
Hog; maiále *m*., pòrco *m*. **-backed**, **-ged**; (strada) a schiena d' asino. **-get**; pecora d' un anno. **-gish**; da porco. **-pen**; porcíle *m*. **-shead**; botte di 238 litri. **-wash**; risciacquatura da' porci. **-weed**; panace erculeo, panacèa *f*.
Hoist; verricèllo *m*., ghia *f*.; issare, inalberare.
Hoity-toity! oibò!
Hold; 1. stiva *f*. 2. présa *f*. Get — of, afferrare, porre la mano a, impugnare; *fig*. insinuarsi nelle confidenze di. Lay — of, attaccarsi a, *see* Lay. To —, tenére, contenére; possedére; celebrare (festa); pensare, ritenére. Held to be a wise man, ritenuto per prudente. 3. —! fermatevi! férma! férmi! alto! 4. — **back**, ritenére, trattenére, tenere per sè; starsene indietro, non averne voglia. — **one's breath**, trattenere il respiro. — **fast**, tenere fermo, bene. — **the field**, esser superiore a tutti, primeggiare, vincerla su qualunque altro. — **forth**, discórrere, perorare. — **good**, star valido, esser buono, star sempre in forza, sempre vero. — **hard**, fermarsi, śméttere. — **in**, rattenére, ritenére. — **innocent**, **guilty**, giudicare innocente, colpevole. — **off**, tener lontano. The rain held off, non c' è stata la pioggia minacciata. — **on**, perseverare, non lasciarsi stornare. — **on to**, attaccarsi a, non lasciarsi staccare da, non voler abbandonare. — **out**, pòrgere (mano); resístere; durare; mantenersi fermo; dare (speranza), offrire (prospettiva). — **over**, riméttere, aggiornare; ritardare la presentazione di (cambiale). — **one's own**, mantenere la propria posizione, non lasciarsi sopraffare, star sulle sue. — **together**, unire, tenere unito, ritenere insieme; stare uniti, non sfasciarsi, star sempre solido. — **true**, *see* Hold good. — **up**, alzare, sollevare, sopportare, sostenére, preśentare, espórre; non piovere, far sempre bel tempo; fermare per rubare, far fermarsi, *fig*. incoraggiare, rallegrare. — **water**, esser a tenuta d' acqua, *fig*. esser solido alla prova. — **with**, esser d' accordo con, esser appigliato al partito di.
Hold-all; tela da imballaggio fornita di coreggiuole forti e lunghe, porta-tutto *m*. **-er**; 1. possessóre *m*. 2. présa *f*., impugnatura *f*., pugnétta *f*. 3. (*mar*.) calière *m*. — **for burning blue lights**, asta per bruciare fumate. 4. In compounds, porta-, as Pen-holder, portapenna *m*., all such compounds being masculine. **-fast**, **-fast nail**; arpióne *m*.
Holding; podére *m*. Small —, poderétto *m*. Extensive —, tenuta *f*. As *adj*., appiccicante (terra argillosa). **-ground** (*mar*.); tenitóre *m*. The roadstead is land-locked but there is no —, because the bottom is hard, l' ancoraggio è protetto, ma non offre buon tenitore, essendo duro il fondo.
Hole; buco *m*., fóro *m*.; buca *f*.; bucare, forare, far blocco, far entrare nella buca al "golf." — **out**, terminare la partita col far cadere la palla nella buca. Every — holed out, la palla essendo entrata di fatto in ogni buca. — **and corner**, segreto, (riunione) tenuta di soppiatto. Put him in a —, porlo in una posizione difficile. I have torn a — in my coat, mi son fatto uno strappo al soprabito.
Holiday; fèsta *f*., giorno festivo; vacanze *f.pl*., giorno di vacanza; festívo. Christmas -s, vacanze di Natale o natalizie. Take a —, fare vacanza. **-makers**; festeggianti. **-task**; compito di vacanza.
Holiness; santità.
Holland; Olanda *f*. Brown —, tela d' Olanda. **-s**; ginepro olandese.
Holloa; grido *m*., *see* Halloo.
Hollow; cavità *f*., depressióne *f*.; cavo, vuòto, infossato, cavernóso. — **out**, scavare. **-cheeked**; dalle gote infossate. **-eyed**; dagli occhi infossati. **-ness**; insincerità *f*., falsità *f*.
Holly; agrifòglio *m*., alloro spinoso.
Hollyhock; malvaròśa *f*., alcèa *f*.
Holm-oak; léccio *m*.
Holo-caust, **-graph**; olo-causto *m*., -grafo *m*.
Holster; fónda *f*.
Holy; santo. — **of Holies**, il *Sancta Sanctorum*. — **orders**, gli ordini sacri. — **water**, acqua benedetta o santa. — **Writ**, la Sacra Scrittura.
Holystone; pietra calcarea; pulire con mattone inglese.
Homage; omággio *m*.
Homburg; Omburgo *m*.
Home; casa *f*., dímora *f*., focolare *m*., domicílio *m*., sède *f*., ricóvero *m*.; casalingo, nostrále, indígeno. At —, a casa, in casa. An at —, un ricevimento. Be at —, ricevere visitatori. Make oneself at —, fare il suo comodo come a casa propria. Is Mr ... at —? Il signor ... è a casa? I feel quite **at** — there, mi

ci sento in famiglia. Famous both at — and abroad, famoso in patria e all' estero. At — with, familiare con. Quite at — with, molto al corrente con. Away from —, fuori di casa. Bring — to, provare. Bring up at —, educare nel seno della famiglia. Come —, rientrare a casa, tornare a casa. Come — to, *fig*. toccare al vivo. They would have eaten me out of house and —, sarebbero vissuti alle mie spalle in modo da rovinarmi. Be deep in — news, star leggendo nel giornale le notizie della patria. Pleasures of —, piaceri di famiglia. Press, Push —, ricacciare dentro. Press a point — to, impressionare vivamente. Strike —, dare un colpo mortale. Give a — thrust, colpire al vivo, ferire gravemente.

Home-bred, -grown; cresciuto in paese, paeśano, del paeśe, nostráno. **-brewed, -made**; fatto in casa. **-circle**; cerchio della famiglia. **-farm**; fattoria situata vicino alla residenza signorile. **-keeping**; che resta in casa, poco girovago. **-less**; senza tetto, chi non ha nè casa nè tetto. **-liness**; naturalézza *f*., semplicità *f*., l' esser bruttina ecc. **-ly**; sémplice, casalingo, ordinário; bruttína, poco bella (ragazza). **-office, -department**; ministero dell' interno. **-r, homing pigeon**; colombo messaggero. **-rule**; autonomía locale. **-ruler**; partigiano dell' "home rule." **-Secretary**; ministro dell' interno. **-sick, -sickness**; nostálg-ico, -ía *f*. **-spun**; tela filata in casa, tela casalinga. **-stead**; casa colònica. **-trade**; commercio interno. **-truths**; delle verità amare. **-ward**; verso casa, verso la patria. **-ward bound**; di ritorno.

Homer, -ic; Omér-o, -ico.

Homicid-al; omicída. **-e**; omicíd-a *m*., -io *m*.

Homily; omelía *f*., śgridata *f*.

Hominy; farinata di gran turco.

Homoeopath, -ic, -ically, -y; omeopátic-o *m*., -o, -aménte, omeopatía *f*.

Homogene-ity, -ous; omogene-ità *f*., -o.

Homo-logous, -nym, -nymous, -nymy; omò-logo, -nimo *m*., -nimo, -nimía *f*.

Hone; còte *f*.

Honest; pròbo, onèsto, leále, giusto, sincèro, franco, (persona) per bene. — truth, pura verità. **-ly**; onestaménte ecc. **-y**; 1. probità *f*. ecc., *see* Honest. 2. lunária *f*.

Honey; mièle *m*.; caríno *m*., coricíno *m*. **-bee**; ape operaria. **-buzzard**; falco pecchiaiolo. **-comb**; favo *m*. — radiator, radiatore a nido d' api. —**tripe**, retícolo *m*. **-dew**; melata *f*. **-ed, honied**; dólce, indolcito. **-moon**; luna di miele. **-suckle**; caprifòglio *m*., madresélva *f*., abbracciabòsco *m*. French —, ediśaro *m*.

Honorar-ium, -y; onorár-io *m*., -io.

Honour; onór-e, -are. Bound in —, obbligato in conscienza. — bright, parola d' onore, senza fallo. **-able**; onorévole. Right —, onorevolissimo. **-ableness**; lealtà *f*., onoratézza *f*. **-ably**; con onore. **-ed**; pieno d' onore. **-s**; onorificènze *f. pl*. Birthday -s, onorificenze per celebrare il genetliaco del monarca.

Hood; cappúccio *m*., cappòtta *f*. Cape cart —, cappotta a doppia estensione in tela. **-ed**; incappucciato. **-ie crow**; cornacchia bigia. **-wink**; bendare gli occhi a, accecare, ingannare.

Hoof; únghia *f*., zòccolo *m*.

Hook; uncíno *m*., gáncio *m*., amo *m*., rampíno *m*.; róncola *f*., pennato *m*.; gánghero *m*., uncinétto *m*. By — or by crook, di ruffa o di raffa. On his own — (gergo), senza esser autorizzato. To —, appiccare, aggraffare, prendere coll' amo. — it (gergo), śvignarsela. **-ed**; adunco, ricurvo. **-nosed**; con naso aquilino.

Hookah; narghilè *m*.

Hoop; cérchio *m*., reggétta *f*.; guardinfante *m*.; accerchiare.

Hoopoe; úpupa *f*., búbbola *f*.

Hoot; ululare; fischiare, far la baia a. **-er** (of a car); sirèna *f*. **-ing**; baiata *f*., fischiata *f*.

Hop; 1. saltèllo *m*.; saltellare (specialmente su un solo piede). 2. lúppolo *m*. **-bine**; stelo di luppolo.

Hope; speranza *f*.; sperare, amare o piacersi credere. **-ful**; pieno di speranza, fiducióso. **-fully**; con speranza. **-fulness**; buona speranza, spirito fiducioso. **-less**; senza speranza, (persona) con cui non c' è nulla da fare. Be —, non esservi nessuna speranza, nessun motivo per sperare. He is a perfectly — fool, manca di giudizio a tal punto che non si può nemmeno pensare ad insegnargli niente di buono. **-lessly**; inestricabilménte, in modo da non potersi nemmeno pensare ad un rimedio. — involved, inestricabilmente avviluppato. **-lessness**; l' esser senza speranza. — of the situation, impossibilità di riuscire, vera disperazione della situazione, l' esser il caso disperato.

Hop-garden; luppolièra *f*. **-per**; 1. tramòggia. 2. *see* Hop-picker. — barge, barca tramoggia. **-picker, -picking**; raccoglitóre, raccolta, di luppoli. **-ping**; 1. il salterellare su un solo piede. 2. *see*

Hop-picking. **-pole**; palo da luppoli. **-scotch**; giuoco fanciullesco dove si saltella sopra delle linee segnate sul lastricato.
Hora-ce, -tian; Orazi-o, -áno.
Horde; òrda *f.*
Horehound; marròbbio *m.*
Horizon, -tal, -tally; orìżżónt-e *m.*, -ále, -alménte.
Horn; còrno *m.* Motor —, cornétta *f.* Of a mine, urtante *m.* **-beam**; cárpino *m.* **-bill**; caláo *m.* **-book**; abbiccì *m.* **-ed**; cornuto. — owl, gufo *m.* **-et**; calabróne *m.* **-pipe**; danza marinaresca. **-y**; còrneo, callóso.
Horoscope; oròscopo *m.*
Horribl-e, -y; orríbil-e, -ménte.
Horr-id; òrrido, orrèndo, brutto. — man, omáccio *m.* **-idly**; orribilménte. **-ify**; spaventare. **-or**; orróre *m.* In —, horrified, inorridito. — **struck**, inorridito, spaventato.
Hors d'œuvres; principii *m. pl.*, antipasti *m. pl.*, rifréddi *m. pl.*
Horse; 1. cavallo *m.* White -s (*mar.*), pecorèlle *f. pl.* 2. cavallétto *m.* Clothes —, buttalà *m.* 3. cavallería *f.*
Horse-artillery; artiglieria a cavallo. **-bean**; fava da foraggio. **-block**; montatóio *m.* **-box**; vagone da cavallo. **-boy**; mozzo di stalla. **-breaker**; scozzóne *m.* **-breeder**; allevatore di cavalli. **-chestnut, -chestnut tree**; castagna, castagno, d' India. **-cloth**; gualdrappa *f.*, groppièra *f.*, coperta da cavallo. **-clothing**; coperte da cavallo. **-d**; fornito di cavalli. **-dealer**; sensále *m.*, cozzóne *m.*, mercante o negoziante di cavalli, cavalláro *m.* **-doctor**; veterinário *m.* **-dung**; stallatico *m.* **-exercise**; equitazióne *f.* **-fair**; fiera di cavalli. **-ferry**; battello passa-cavalli. **-flesh**; carne di cavallo. **-fly**; tafáno *m.* **-guards**; 1. guardie a cavallo. 2. ufficio dello stato maggiore a Londra. **-hair**; crine di cavallo. **-hoe**; zappa da cavallo. **-jobber, -keeper**; chi dà i cavalli in affitto. **-laugh**; risatáccia *f.* **-less**; senza cavallo. **-man**; cavalcatóre *m.*, cavalière *m.*, cavallerizzo *m.* **-manship**; manéggio *m.* **-play**; scherno rozzo, il malmenare per scherzo. **-pond**; abbeveratóio per cavalli, stagno *m.* **-power**; cavallo-vapore, forza in cavalli. — of an engine, potenza di una macchina in cavalli. Electric —, cavallo elettrico. Indicated, Effective, Nominal —, cavallo-vapore indicato, effettivo, nominale. **-race**; corsa di cavalli. **-racing**; corse di cavalli. **-radish**; barbafòrte *f.*, ráfano *m.* **-rug**; coperta da cavallo. **-sense**; senso comune forte. **-shoe**; ferro da cavallo. **-tail**; coda di cavallo campestre. **-trappings**; finiménti *m. pl.* **-whip**; frusta *f.*, sfèrza *f.*, sferzare. **-woman**; amáżżone *f.*
Horsy; amatore di cavalli e delle corse.
Hortatory; eṡortatívo, eṡortatòrio.
Horticultur-al, -e, -ist; orticolt-urále, -ura *f.*, -óre *m.*
Hosanna; oṡanna *m.*
Hose; calza *f.*; tubo di cuoio o altro da pompa, tubo di getto, manichétta *f.* Half —, calzétta *f.* **-union**; bocchettóne *m.*
Hosier; calzettáio *m.* **-y**; maglieríe *f. pl.*, biancheria personale.
Hosp-ice; ospízio *m.* **-itable, -itably**; ospitál-e, -ménte. **-ital**; ospedále *m.* — attendant, nurse, infermièra *f.* — student, spedalíno *m.* **-italler**; cavaliere di Malta. **-odar**; ospodáro *m.*
Host; 1. òspite *m.*, òste *m.* 2. eṡèrcito *m.*, fòlla *f.* 3. òstia *f.*
Host-age; ostággio *m.* **-el, -elry**; ostèllo *m.* **-ess**; ostéssa *f.*, signora ospite. **-ile, -ility**; ostíl-e, -ità *f.* Be -ile to, nimicare.
Hot; caldo, scottante, piccante, ardènte; focóso, veemènte; libidinóso. — cannonade, cannoneggiamento intenso. **-bed**; letto di concime, concimáia *f.*; *fig.* fòmite *m.*, cóvo *m.* **-brained**; di testa calda.
Hotch-potch; mescolanza *f.*, misce *m.*
Hotel; albèrgo *m.* **-keeper**; albergatóre *m.*
Hot-foot; in fretta. **-headed**; di testa calda, ardente. **-house**; serra calda. **-ly**; vivaménte. — pursued, incalzato da presso. **-press**; cilindrare. **-spur**; testa ardente. **-tempered**; di naturale collerico, impetuóso. **-water bottle**; scalda-pièdi *m.*
Hottentot; Ottentòtto *m.*
Hough; *see* Hamstring.
Hound; bracco *m.*, segúgio *m.* To — on, incitare, aizzare.
Hour; óra *f.* Keep good -s, coricarsi presto. **-glass**; oriuolo a polvere. **-hand**; lancetta delle ore. **-ly**; di ora in ora.
Houris; urì *f. pl.*
House; casa *f.*, dímora *f.*, abitazióne *f.*, famíglia *f.*, casato *m.*; cámera *f.* — of Commons, Casa dei Comuni. — of Lords, Casa dei Lord. — of correction, casa di correzione. Country —, villa *f.*, casa di campagna. Public —, ostería *f.* A full —, teatro zeppo, gremito. Town —, casa di città. Bring down the —, ottenere degli applausi frenetici. Keep —, tener casa. Have to keep to the —, esser obbligato a stare in casa. Keep open —, tener corte bandita. — to —

inspection, ispezione di casa in casa. To —, alloggiare, albergare; stallare (bestiame).

House-agent; agente di case. **-boat**; barchetta-capanna *f.* **-breaker**; chi irrompe in casa per rubare; demolitore di case vecchie. **-dog**; cane da guardia. **-flannel**; strofináccio *m.* **-fly**; mosca comune. **-hold**; famiglia *f.*, casa *f.* As *adj.*, domèstico. — goods, mobília *f.* **-holder**; capo di casa. **-keeper**; massáia *f.*, ecònoma *f.*, guardaròba *m.* or *f.* **-keeping**; il dirigere l' azienda domestica. Start —, metter su casa. **-leek**; semprevivo dei tetti. **-less**; senza casa. **-line**; leżżíno *m.*, cordicella di tre toroni. **-maid**; sèrva *f.*, donna di servizio. -'s closet, guardaròba *f.* -'s cupboard, armádio *m.* -'s knee, male alla rotella. **-martin**; rondinèlla *f.*, balestruccio *m.* **-physician**; medico assistente di un ospedale. **-property**; immobiliare *m.* **-room**; I want more — for my family, mi fa bisogno un quartiere più grande per la mia famiglia. **-sparrow**; passera oltremontana. **-steward**; massaio *m.*, maggiordòmo *m.* **-surgeon**; chirurgo assistente di un ospedale. **-top**; tétto *m.* **-warming**; banchetto per inaugurare una casa nuova. **-wife**; massáia *f.*; astuccio per lavori femminili, borsa di riparazioni. **-work**; faccende di casa.

Housing; allòggio *m.*

Hove; *rem.* di Heave.

Hovel; casúpola *f.*, abitúro *m.*

Hover; librarsi sulle ali, star sospeso sulle ali. — round, oziare nella vicinanza di. — between life and death, esser sospeso tra la morte e la vita.

How; come, in che modo. The — and the why, il modo e il perchè. — time flies! come vola il tempo! — long have you been here? quanto tempo siete stato qui? — much longer? quanto altro tempo? — much more, quanto più! quanto altro? — far? quanto lontano? fin dove? — many times? quante volte? It depends upon — it is said, dipende dal modo in cui è detto o vien detto. — do you do? come state? — old are you? quanti anni avete?

Howbeit; tuttavía.

However; per quanto sia, malgrado ciò, tuttavía, però, eppúre, intanto, del resto, nullaméno, cionullaméno; per quanto, comunque. — rich a man may be, he never has enough, per ricco che uno sia non si ha mai abbastanza. — deserving, per quanto meritevole.

Howitzer; òbice *m.*

Howl; url-o *m.*, -are ulul-ato *m.*, -are laménto *m.*, -arsi forte. **-er** (gergo); *see* Huge blunder. **-ing**; lamenti forti. — wind, vento furioso. — mob, folla che strepita, urla.

Howsoever; *see* However.

Hoy; chiatta *f.*

Hoyden; chiassóna *f.*, birichína *f.*

Hub; mòżżo *m.*; *fig.* cèntro *m.*

Hubble-bubble; narghilè *m.*

Hubbub; baccáno *m.*, baraónda *f.*

Hubert; Ubèrto.

Huckaback; sorta di tela grossolana.

Huckster; rivendúgliolo *m.*

Huddle; porre o gettare alla rinfusa. — on, mettersi alla meglio. — together, accalcarsi, stringersi insieme.

Hue; colóre *m.*, tinta *f.* — and cry, gridío *m.*, inseguimento strepitoso, gran fischiata.

Huff; stizza *f.*, malumóre *m.*; metter in malumore; at draughts, soffiare. **-y**; collèrico, impaziènte.

Hug; strétta *f.*; stringere al petto, serrare nelle braccia, abbracciare. — the shore, seguire la costa a breve distanza, rasentare la terra.

Huge; śmiśurato, enórme. — blunder, strafalcióne *m.*, errore palmare, sproposito marchiano.

Hugger-mugger; in disordine.

Hug-h; Ugo. **-uenot**; ugonòtto *m.*

Hulk; pontóne *m.*, carcassa *f.*, nave disarmata. -ing fellow, gran fannullone. **-s**; bagni *m. pl.* Convict —, bagno galleggiante.

Hull; scafo *m.*, còrpo *m.* — down, scafo annegato. The under water —, carèna *f.* To —, forare lo scafo con una cannonata.

Hullabaloo; schiamazzío *m.*

Hullo! olà!

Hum; rómbo *m.*, ronżío *m.*, bruśío *m.*; rombare, ronżare; canterellare, cantare a bassa voce. — and haw, titubare, fare ehm. Make things —, fare andare le cose con spirito.

Human, -e, -ely, -ise, -ist, -itarian, -ity, -kind; umán-o, -o, -aménte, -iżżare, -ista *m.*, -itário, -ità *f.*, il genere -o. **-ly**; — speaking, parlando da uomo.

Humble; úmil-e, -iare. Eat — pie, ingollar bocconi amari. **-bee**; pecchióne *m.*, calabróne *m.* **-ness**; umilità *f.*, portamento umile, modestía *f.*

Humbl-ing; mortificante. **-ingly**; in modo umiliante. **-y**; umilménte.

Humbug; fròttole *f. pl.*, buggerata *f.*, corbellerie *f. pl.*, fandònie *f. pl.*, ciarlatáno *m.*, impostóre *m.*, mistificatóre *m.* To —, ingannare, truffare; non esser serio.

Humdrum; ordinário, senza incidente.

Hum-erus; òmero *m*. **-id, -idity**; úmid-o, -ità *f*. *or* -ézza *f*. **-iliate, -iliation**; umiliare, -iazióne *f*. **-ility**; umiltà *f*.

Humming-bird; colibrì *m*., uccello mosca. **-top**; tròttola *f*.

Hummock; collinétta *f*., monticèllo *m*., poggio *m*. **-y**; (ghiaccio) ammassato in monticelli, (collina) accidentata.

Hum-orous; umorístico, spiritóso, facèto. **-orously**; in modo umoristico ecc. **-our**; umóre *m*., umoriṡmo *m*. In the — for, in vena di, disposto a. Dry —, spirito caustico nelle sole parole. In good, bad —, Out of —, di buono, cattivo, umore. Not in the — to, senza voglia di. Not to feel in the — to, non sentirsi in voglia di. To —, lasciar fare, compiacére a.

Hump; gòbba *f*., rilièvo *m*., protuberanza *f*. Have the — (gergo), sentirsi di mal umore, abbattuto, rattristato. To — (gergo), portar sul dorso. **-backed**; gòbbo. **-ed**; ammucchiato. — up, rannicchiato.

Humph! ehm! olà! espressione di malcontento o d' incredulità.

Humpty-dumpty; personificazione d' un ovo.

Humpy; tutto gobbe o protuberanze, (terreno) ineguale, accidentato.

Humus; umo *m*.

Hun; Unno *m*.

Hunch; pezzo di pane; *see* Hump. To — the shoulders, arrotondare le spalle, affondare o tirare il capo tra le spalle.

Hundred; cènto. As *sb*., centináio *m*., with *pl*. *f*. Many — times, molte centinaia di volte. By -s, a centinaia. It is a — to one that it will rain tomorrow, novantanove per cento domani piove. — and one, centuno. **-fold**; cèntuplo.

Hundredth; centèṡimo. — part, centesima parte. Hundred and first, second etc., Centesimo is compounded with other ordinal numbers, as Centesimo primo, secondo, terzo, or as Centunèṡimo, centoduèṡimo, centotreèṡimo and so on with -èṡimo to 109th, then centodecimo, centundecimo, then again centododicèṡimo (*or* centoduodecimo), centotredicèṡimo ecc. Thus 104th is centoquattrèṡimo, not centesimo quarto. 187th would be cento ottantasettèṡimo, and 5487th cinque mille quattro cento ottantasettèṡimo.

Hundredweight; mezzo quintale, circa 51 chili.

Hung; *rem*. e *part*. di Hang.

Hungar-ian, -y; Ungher-ése *m*., -ía *f*.

Hung-er; fame *f*.; bramare. — after, agognare. **-rily**; ingordaménte, avidaménte, da chi ha gran fame. **-ry**; affamato. Be —, aver fame.

Hunk; pèzzo *m*.; spilórcio *m*.

Hunt; caccia alla volpe; ricérca *f*.; associazione della caccia. The Pytchley —, l' associazione di caccia Pytchley. I had a rare — for my slippers, ho durato molta fatica a trovare le mie pianelle. To —, cacciare, inseguire, andare alla caccia di, dare la caccia a. — after, cercare, andare in traccia di. — down, perseguitare. — for, cercare, andare a caccia di. — out, scoprire (frugando), cavar fuori. — up, andare in cerca di; andare a visitare.

Hunter; cacciatóre *m*.; cavallo di caccia; oriuolo di tasca con doppia cassa, savonétta *f*., cilindro a savonetta. Half —, orologio con cassa trasparente al centro. Fox —, cacciatore della volpe.

Hunting; caccia *f*. **-box**; villino con stalli per cavalli di caccia. **-crop**; frustino da caccia. **-ground**; terreno da caccia. **-watch**; *see* Hunter.

Hunt-ress; cacciatrice *f*. **-sman**; chi dirige i cani da caccia, capocaccia *m*.

Hurdle; graticcio portatile. **-race**; corsa dove si saltano delle barriere.

Hurdy-gurdy; ghirónda *f*.

Hurl; scagliare, scaraventare. — oneself, precipitarsi.

Hurly-burly; tafferúglio *m*.

Hurrah! evviva!

Hurricane; uragáno *m*. **-deck**; ponte di passeggiata o di manovra.

Hurr-ied; frettolóso, precipitato. **-iedly**; in fretta. **-y**; frétta *f*., premúra *f*.; affrettare, sollecitare, precipitare, far presto. Be in a —, aver fretta. — scurry, scompíglio *m*., fretta scompigliata.

Hurt; male *m*., ferita *f*.; conciato male, offéso, ferito; far male a, danneggiare, recar dolore a. He has — his head, si è fatto male alla testa. Be —, rimanere offeso. **-ful, -fully**; nocív-o, -aménte, perniciós-o, -aménte. **-fulness**; carattere nocivo.

Hurtle; risonare nell' aria.

Husband; maríto *m*., spòṡo *m*.; risparmiare, usare con frugalità. **-man**; agricoltóre *m*., contadíno *m*. **-ry**; agricoltura *f*.; frugalità *f*.

Hush; silènzio *m*., calma *f*.; far tacere, calmare. —! zitti! To — up, far passar sotto silenzio, assopire. **-money**; prezzo del silenzio, ṡbruffo *m*.

Hush-a-by; ninna nanna *f*.

Husk; gúscio *m*., ríccio *m*.; ṡgusciare. **-ily, -iness, -y**; fioc-aménte, -hézza *f*., -o.

Huss-ar; ússaro *m*. **-ite**; hussíta *m*.
Hussy; bricconáccia *f*., impertinènte *f*.
Hustings; piattaforma nelle riunioni elettorali.
Hustle; urtacchiare, dare spintoni a, spingere qua e là. **-r**; uomo energico.
Hut; capanna *f*., baracca *f*., casúpola *f*. To —, allogare in baracce.
Hutch; mádia *f*., gábbia *f*., coniglièra *f*.
Hy-acinth; giacinto *m*. **-ades**; le íadi. **-aena**; ièna *f*. **-aline**; ialíno. **-brid, -bridism**; íbrid-o, -iṡmo *m*. **-dra**; idra *f*. **-drangea**; idrangèa *f*. **-drant**; ramo di tubo, idrante *m*. **-drate**; idrúro *m*. **-draulic**; idráulico.
Hydro-; idro-, as in idrocèle *m*., idrodinámica *f*., idrofobía *f*., idrògeno *m*., idròscopo *m*., idrostático ecc.
Hydroplane; idrovolante *m*.
Hygien-e, -ic; igièn-e *f*., -ico.
Hygroscop-e, -ic; igroscòp-io *m*., -ico.
Hymen, -eal, -optera; imèn-e *m*., -èo, -òtteri *m. pl*.
Hymettus; Imétto *m*.
Hymn; inno *m*.; inneggiare. **-al**; raccolta d' inni. **-book**; libro d' inni. **-writer**; innògrafo *m*.
Hyoid; iòide.
Hyper-; iper-, as ipèr-bole *f*., meaning either hyperbola or hyperbole, -bòlico, -bòreo, -critico, -esteṡía (hyperaesthesia), -òssido *m*. (hyperoxide), -trofía *f*., -trofiżżato (hypertrophied).
Hyphen; lineétta *f*., ligatura *f*.
Hypnot-ic, -ise, -ism; ipnot-ico, -iżżare, -iṡmo *m*.
Hypo-; ipo-, as -dèrmico, -fosfíto, -glosso (hypoglossal), -spadía *f*. ecc.
Hypochondri-a, -ac; ipocondr-ía *f*., -íaco.
Hypocri-sy, -te, -tical, -tically; ipocri-ṡía *f*., -ta *m*., -tico, -ticaménte.
Hypoth-ecate; ipotecare. **-ecation**; il sottoporre a ipoteca. **-enuse**; ipotenúṡa *f*. **-esis, -etical, -etically**; ipòte-ṡi *f*., -tico, -ticaménte.
Hyr-ax; iráce *m*. **-canian**; ircáno.
Hyssop; issòpo *m*.
Hyster-ia; isteriṡmo *m*. **-ical**; istèrico, convulso. **-ically**; in modo isterico. **-icalness**; tendenza all' isterismo. **-ics**; pianto isterico.

I

I; *pronunz*. Ai (dittongo); io.
Iambic; giambo *m*., giámbico.
Iberian; ib-èrico *or* -èro; Ibèro *m*.
Ib-ex; stambécco *m*. **-is**; ibi *m*.
Icarian; icarèo.
Ice; ghiáccio *m*.; sorbétto *m*., geláto *m*.; agghiacciare, congelare, metter in ghiaccio; inzuccherare (pasticcierie), coprire di crema inzuccherata. -d lemonade, graníta *f*., gramolata *f*. Lemon —, gelato di limone. Large, Small —, gelato doppio, piccolo. To break the —, *fig*. prendere per il primo la parola, intavolare la discussione. Force a passage through the —, aprirsi un passaggio a forza attraverso il ghiaccio. Put a bottle in —, metter una bottiglia sul ghiaccio.
Ice-age; periodo glaciale. **-anchor**; ancora pei ghiacci. **-axe**; picòzza *f*. **-berg**; montagna di ghiaccio, banchíglia *f*. **-blink**; riflesso di ghiaccio lontano nel cielo. **-boat**; battello a slitta. **-bound**; chiuso dai ghiacci. **-breaker**; rompighiaccio *m*. **-cream**; sorbetto alla panna. **-field, -floe**; campo di ghiaccio. **-house**; ghiacciáia *f*. **-land**; Iṡlanda *f*. — moss, lichene d' Islanda. **-lander, -landic**; iṡland-ése *m*. or *f*., -ése. **-pack**; agglomerazione di campi di ghiaccio. **-pail**; sorbettièra *f*., rinfrescatóio *m*. **-plant**; erba cristallina. **-pudding**; pezzo gelato.
Ichneumon; icn-èumone *or* -eumóne, *m*.
Ichor; ícóre *m*.
Ichthyo-logy, -saurus; ittio-logía *f*., -sauro *m*.
Ici-cle; diacciòlo *m*. **-ly**; assai freddamente. **-ness**; freddo diacciale. **-ng**; giulèbbe *m*. Cake with almond —, dolce guarnito di pasta di mandorle.
Iconoclas-t; -ta *m*.
Ictus; cadènza *f*.
Icy; diacciato, diaccio, gelato. — cold, diaccio marmato. — disposition, naturale senza affezione. — reception, accoglienza freddissima.
Idea; idèa *f*. **-l**; -le *m*.; -le, perfètto. — situation, situazione ineccezionabile.
Ideali-sation, -se, -sm, -st, -stic; -żżazióne *f*., -żżare, -ṡmo, *m*., -sta *m*., -stico.
Ideally; idealménte ecc., *see* Ideal.
Identi-cal, -cally, -fiable, -fication, -fy, -ty; -co, -caménte, -ficábile, -ficazióne *f*.; -ficare, riconoscere; -tà *f*. Identity book, card, libro, foglio, di ricognizione.
Ides; idi *m. pl*.
Idio-cy; idiozía *f*., imbecillità *f*. **-m**; idiòma *m*., -tiṡmo *m*. **-matic**; -matico. **-matically**; -maticaménte. **-pathic**;

-patico. **-syncrasy**; -sincráṡia *f.* **-t**; -ta *m.*, scémo *m.*, cretíno *m.* **-tic**; -tico. **-tically**; da -ta, stupidissimaménte.

Idle; pigro, indolènte, infingardo, ozióso; scioperato, diṡoccupato; inútile. — hours, ore d' ozio. — talk, baie *f. pl.* — threat, minaccia oziosa. Stand —, stare con le mani in mano, consumare tempo oziosamente. **-ness**; pigrízia *f.* ecc., *see* Idle. **-r**; pigro *m.*, poltróne *m.*, infingardo *m.*, sfaccendato *m.*, fannullóne *m.*

Idly; pigraménte, da pigro ecc. *see* Idle. Talk —, dir delle sciocchezze.

Idol; ídolo *m.* **-ater**; idolátra *m.* **-atrous**; idolátro. **-atrously**; da -atra. **-atry**; -atría *f.* **-ise**; amare follemente. **-worship**; culto degli idoli.

Idyll, -ic; idíll-io *m.*, -íaco.

If; se, nel caso che, qualóra, quando, supposto che, anche se.

Ign-eous; ígneo, **-is fatuus**; fuoco fatuo. **-ite**; accèndere, infiammare. **-itible**; accendíbile. **-ition**; accensióne *f.*, ignizióne *f.*

Igno-ble, -bly, -minious, -miniously, -miny; -bile, -bilménte, -minióso, -miniosaménte, -mínia *f.*

Ignor-amus, -ance, -ant, -antly; -antóne *m.*, -anza *f.*, -ante; -anteménte, per ignoranza. Be -ant of, non sapere di, non esser pratico di.

Ignore; passar sotto silenzio, far da chi non ha sentito, non far conto di. The grand jury -d the bill, la camera d' accuse dichiarò non esservi luogo di procedere.

Iguana; *id.*

Ileum; ilèo *or* íleo *m.*

Il-ex; léccio *m.* **-iac**; -íaco. **-iad**; -íade *f.* **-ium**; -io *m.*

Ilk; Of that —, dello stesso nome, cioè che porta lo stesso nome del suo podere.

Ill; male *m.*; malato, ammalato; mala ménte, male, con difficoltà. Fall —, Be taken —, cadere ammalato, ammalarsi. Put an — construction upon, interpretar male. Take —, prender in mala parte. Do an — turn to, nuocere a, macchinare qualche danno a.

Ill-advised; malaccòrto, imprudènte. **-behaved**; screanzato, mal educato. **-bred**; malcreato. **-breeding**; ṡgarbatézza *f.*, mali o cattivi costumi, scostumatézza *f.* **-conditioned**; in cattivo stato, scontróso. **-deed**; misfatto *m.* **-deserved**; poco meritato. **-fated**; malaugurato. **-fitted for**; poco atto a. **-gotten**; malacquistato. **-grounded**; mal fondato. **-health**; salute mal ferma, cagionevolézza *f.*, complessione debole. **-humour**; malumóre *m.* **-judged**; mal avvisato, malaccòrto, poco giudizioso. **-looking**; brutto, da forca. **-mannered**; ṡgarbato, scostumato. **-minded**; malintenzionato. **-nature**; dispètto *m.*, cattivería *f.*, malízia *f.* **-natured**; malvágio, malizióso, cattívo. **-naturedly**; per marcio dispetto, per cattiveria. **-omened**; di cattivo augurio. **-pleased**; scontènto, poco soddisfatto. **-qualified for**; poco atto a. **-shaped**; mal fatto. **-spent**; sciupato, diṡordinato. **-starred**; nato sotto una cattiva stella. **-suited**; diṡdicévole, poco adatto. **-temper**; mal talento, malumóre *m.*, *see* Spite. **-tempered**; collèrico, irritábile, stizzóso. **-timed**; intempestívo. **-treat**; malmenare. **-use**; strapazzare. **-used**; mal menato, trattato male. **-will**; malánimo *m.* Bear — to, avere il tarlo con, il rancore con.

Illegal, -ity, -ly; -e, -ità *f.*, -ménte.

Illegib-ility, -le, -ly; -ilità *f.*, -ile, -ilménte.

Illegitim-acy, -ate, -ately; illegittimità *f.*, -o, -aménte.

Illiberal, -ity, -ly; -e, -ità *f.*, -ménte.

Ill-icit; -écito. **-imitable**; illimitábile.

Illiter-acy, -ate, -ately; analfabetiṡmo *m.*, analfabèta *m.*, analfabèto; illètterato, da illetterato.

Illness; malattía *f.*, male *m.*; malanno *m.*

Illogic-al, -ally; -o, -aménte.

Illude; illúdere.

Illumin-ant; ciò che può dar luce. **-ate**; -are, rischiarare; miniare. **-ation**; -azióne *f.*; miniatura *f.* Festive —, illuminazione di gala. **-ative**; -atívo. **-ator**; miniatóre *m.* **-e**; rischiarare, dar luce a.

Illus-ion, -ive, -ively, -iveness, -ory; -ióne *f.*, -òrio, -oriaménte, carattere -orio, -òrio.

Illustr-ate, -ation, -ative, -ator, -ious; -are, -azióne *f.*, -atívo, -atóre *m.*, -e.

Illyrian; illírico.

Imag-e; immágine *f.*; figurare, rappreṡentare. **-ery**; immágini *f. pl.*, figure poetiche.

Imagin-able, -ary, -ation, -ative, -ativeness, -e; immagin-ábile, -ário, -azióne *f.*, -ativo, -ativa *f.*, -are. **-ings**; fantastichería *f.*

Imaum; imáno *m.*

Imbecil-e, -ely, -ity; -le, da -le, -lità *f.*

Imbibe; imbévere. **-r**; bevitóre *m.*

Imbr-icated; -icato. **-oglio**; *id.* **-ue**; intrídere, imbrattare.

Imbue; instillare, suggerire, far penetrare nella mente. **-d**; possèsso, imbevuto.

Imita-te, -tion, -tive, -tively, -tor; -re, -zióne *f.*, -tívo, in modo -tivo, -tóre *m.*

Immaculate, -ly; immacolat-o, -aménte.

Immanen-ce, -t; -za *f.*, -te.
Immaterial; -e. Be —, non importare.
Immatur-e, -ity; -o, -ità *f.*
Immeasurabl-e, -y; ṡmiṡurato, oltre misura.
Immediat-e; -o. — prospect, imminente prospettiva. **-ely**; -aménte, súbito, sul tamburo, immantinènte, su due piedi.
Immemor-ial; -ábile. **-ially**; da tempo -abile.
Immens-e, -ely, -ity; -o, -aménte, -ità *f.*
Immer-se; -gere, tuffare.
Immigr-ant, -ate, -ation; -ante *m.*, -are, -azióne *f.*
Imminen-ce, -t; -za, -te.
Immobilit-y; -à *f.*
Immoderat-e; -o, ṡmodato. **-ely**; ṡmodataménte.
Immodest, -ly, -y; -o, -aménte, -ía *f.*
Immola-te, -tion; -re, -zióne *f.*
Immoral, -ity, -ly; -e, -ità *f.*, -ménte.
Immortal, -ise, -ity, -ly; -e, -are, -ità, -ménte.
Immovabl-e; immòbile, fisso, férmo. **-y**; fermaménte.
Immun-e, -ity; -e, -ità *f.*
Immure; rinchiúdere.
Immutab-ility, -le, -ly; -ilità *f.*, -ile, -ilménte.
Imp; folletto *m.*, demoniétto *m.*
Impact; urto *m.*, l' incontrarsi.
Impacted; fisso strettamente.
Impair; indebolire. Become -ed, deperire, scemare. **-ment**; diminuzióne *f.*, deterioraménto *m.*
Impale, -ment; impal-are, -atura *f.*
Impalpab-ility, -le; -ilità *f.*, -ile.
Impanel; costituire.
Impart; far sapere a, comunicare, impartire. **-ial, -iality, -ially**; imparziál-e, -ità, -ménte.
Impass-able; -ábile. **-ioned**; passionato, appassionato. **-ive**; -íbile, tòsto. **-ively**; -ibilménte. **-iveness**; -ibilità *f.*
Impatien-ce, -t, -tly; impazièn-za *f.*, -te, -teménte; ṡmani-a *f.*, -óso, -osaménte. With some little impatience, al quanto impazientito. Be impatient, impazient-irsi *or* -arsi.
Impeach; accusare di reato contro lo Stato, denunziare. **-able**; processábile. **-ment**; accuṡa *f.*
Impeccab-ility, -le; -ilità *f.*, -ile.
Imped-e; -ire, ritardare. **-iment**; -iménto *m.*, difficoltà *f.*
Impel; spíngere.
Impending; pròssimo, sovrastante.
Impenetrab-ility, -le, -ly; -ilità *f.*, -ile, -ilménte.
Impeniten-ce, -t, -tly; -za *f.*, -te, -teménte.
Imperativ-e, -ely; -o, -aménte.
Imperceptib-ility, -le, -ly; impercettibilità *f.*, -ile, -ilménte.
Imperfect, -ion, -ly; imperf-ètto, -ezióne *f.*, -ettaménte.
Imperforat-e; -o.
Imperial; imperiále, imperiále *m.* (di carrozza); pizzo *m.* **-ism**; -iṡmo *m.* **-ist**; -ista *m.* **-ly**; -ménte.
Imperil; arrischiare, esporre a pericolo.
Imperious; imperióso, fièro. **-ly**; fieraménte. **-ness**; fierézza *f.*
Imperishabl-e; imperituro. **-eness**; l' esser imperituro. **-y**; d' un modo imperituro.
Impermeab-ility, -le, -ly; -ilità *f.*, -ile, -ilménte.
Imperson-al; -ale. **-ally**; -alménte. **-ate**; personificare, rappreṡentare.
Impertinen-ce, -t, -tly; -za *f.*, -te, -teménte.
Imperturbab-ility, -leness; -ilità *f.* **-le**; -ile. **-ly**; -ilménte.
Impervious, -ness; impermeábil-e, -ità *f.*
Impetu-osity, -ousness; -osità *f.* **-ous, -ously**; -óso, -osaménte. **-s**; ímpeto *m.*, spinta *f.*
Imp-iety; empietà *f.* **-inge**; urtare, colpire, incontrarsi. **-ious, -iously**; émpi-o, -aménte. **-ish**; di folletto.
Implacab-ility, -le, -ly; -ilità *f.*, -ile, -ilménte.
Implant; piantar dentro, far radicare. **-ation**; il piantar dentro ecc.
Implement; arnése *m.*, ordigno *m.* **-s**; attrézzi *m. pl.*, masserízie *f. pl.*
Implic-ate; -are, imbrogliare. Be -ated, prender parte a. **-ation**; l' esser implicato. By —, implicitaménte. With the — that, mentre s' intende che. **-it**; -ito. **-itly**; senz' altro, senza domandar altro, alla cieca.
Implor-e; -are. **-ingly**; supplichevolménte.
Imply; implicare, portar con sè, lasciar implicitamente supporre. Implied promise, tacita promessa.
Impolicy; imprudènza *f.*, l' esser male a proposito.
Impolit-e; ṡgarbato, scortése. **-ely**; ṡgarbataménte ecc. **-ic**; impolítico, imprudènte.
Imponderable; imponderábile.
Import; sènso *m.*, significato *m.* To —, importare. **-able**; -ábile. **-ance**; -anza *f.* Of greater —, di maggior rilievo, momento. **-ant**; -ante; pompóso. **-antly**; con aria d' importanza. **-ation**; -azióne *f.* **-er**; -atóre *m.* **-s**; merce importata.
Importun-ate; insistènte. **-ately**; con insistenza. **-e**; chiedere con insistenza, domandare e ridomandare, far ressa a. **-ity**; insistènza *f.*, richieste continue.

Impos-able; da imporsi. **-e**; impórre. — upon, truffare, gabbare, ingannare. **-ing**; grandióso, imponènte. **-ingly**; maestosaménte. **-ition**; -izióne *f.*; impostura *f.*; impósta *f.*, gabèllo *m.*, balzèllo *m.*; lavoro punitivo, pènso *m.*
Impossib-ility, -le, -ly; -ilità *f.*, -ile, -ilménte.
Impost; tassa *f.*, gabèllo *m.*
Impost-or, -ure; -óre *m.*, -ura *f.*
Impoten-ce, -t, -tly; -za *f.*, -te, -teménte.
Impound; staggire, sequestrare, prender possesso di, rinchiúdere.
Impover-ish, -ishment; -ire, -iménto *m.*
Impracticab-ility, -le, -ly; impraticabilità *f.*, -e, -ménte; inattuabil-ità, -e.
Imprec-ate; -are, invocare. **-ation**; -azióne *f.*, bestémmia *f.*
Impregna-bility, -ble, -bly; inespugnabilità *f.*, -e, -ménte. **-te**; -re. **-tion**; -ménto *m.*
Impresario; *id.*
Imprescriptib-ility, -le, -ly; imprescrittibilità *f.*, -ile, -ilménte.
Impress, Impression; imprónta *f.* To impress, improntare, inculcare, impressionare; arrolare a forza. **-ibility, -ionability**; -ionabilità *f.* **-ible, -ionable**; -ionábile.
Impress-ive; commovènte, che fa impressione, non si dimentica. **-ively**; in modo commovente. **-iveness**; fòrza *f.*, gravità *f.*, carattere commovente. **-ment**; arruolamento a forza.
Imprest; anticipazióne *f.*
Imprimatur; *imprimatur m.*
Imprimis; prima di tutto.
Imprint; imprónta *f.*, nome dello stampatore sul frontespizio; imprímere, incidere nella memoria.
Imprison, -ment; imprigion-are, -aménto *m.*
Improbab-ility, -le, -ly; -ilità *f.*, -ile, -ilménte.
Impromptu; improvviṡato, all' improvviso.
Improp-er; diṡdicévole, sconvenévole, sóncio, impròprio, diverso di quel che abbisogna. **-erly**; in modo disdicevole ecc. **-riator**; possessore d' un benefizio secolarizzato. **-riety**; sconvenevolézza *f.*, improprietà *f.*, cosa disdicevole ecc., l' esser disdicevole ecc.
Improv-able; che si può migliorare. **-e**; migliorare, abbellire, bonificare; profittare di; rialzare (tempo); avanzarsi. — upon, perfezionare. A contrivance which cannot be -d upon, un congegno da non potersi migliorare. It -s upon acquaintance, a conoscerlo piace di più. **-ement**; miglioraménto *m.*
Impruden-ce, -t, -tly; -za *f.*, -te, -teménte.
Impuden-ce, -t, -tly; -za *f.*, -te, -temente; sfrontat-ággine *f.*, -o, -aménte; sfacciat-ággine *f.*, -o, -aménte.
Impugn; impugnare, contrastare.
Impuls-e; spinta *f.*, impulso *m.* **-ive, -ively**; -ivo, -ivaménte.
Impu-nity; -nità *f.* **-re, -rity**; -ro, -rità *f.* **-table**; -tábile. **-tation**; -tazióne *f.*, addébito *m.*, accuṡa *f.* **-te**; -tare.
In; in, déntro, a casa, in casa; in potere. — the mountains, sulle montagne. — the streets, per le strade. — Rome, a Roma. — comparison, a paragone. — his childhood, fin da bambino. The longest road — the country, la più lunga strada del paese. To drive past him — the Corso, passarlo in carrozza sul Corso. — the evening, di sera. — a broken voice, con voce rotta. — ten minutes, fra dieci minuti. — itself, per sè. Wounded — the leg, ferito alla gamba. Wounded — a tumult, ferito in un tumulto. Know all the -s and outs of, conoscere a fondo, tutte le particolarità di. — self defence, per difesa propria. One — ten, uno su dieci. Once — ten times, una volta su dieci. — bands, a frotte. Be — for it, esser dentro, trovarsi dentro, esserci, esser obbligato a prendervi parte. Have one's hand —, essere in vena. — the wrong, dalla parte del torto. — with, famigliare con. — drink, alticcio. Be — great hopes, aver grandi speranze. The tide is —, fa alta marea. Our side is —; 1. i nostri sono al potere. 2. al "cricket," spetta a noi il colpire la palla.
Inabili-ty; -tà *f.*
Inaccessib-ility, -le, -ly; -ilità *f.*, -ile, -ilménte.
Inaccura-cy, -te, -tely; ineṡatt-ézza *f.*, -o, -aménte.
Inacti-on, -vity; inazióne *f.*, inattività *f.* **-ve**; inoperóso, inattívo.
Inadequa-cy, -te, -tely; insufficèn-za *f.*, -te, -teménte.
Inadmissib-ility, -le; inammissibil-ità *f.*, -e.
Inadverten-ce; inavvertènza *f.*, ṡvista *f.* **-t**; inavvertènte, diṡavveduto. **-tly**; inavvertenteménte, per isvista.
Inalienab-ility, -le, -ly; -ilità *f.*, -ile, -ilménte.
Inan-e; vano, fútile, da nulla. **-imate**; -ime, -imato. **-ition**; -izióne *f.* **-ity**; futilità *f.*
Inapplicab-ility, -le; -ilità *f.*, -ile.
Inapposite; poco a proposito.
Inappreciabl-e; trascurábile, di nessun conto. **-y**; non sensibilmente.
Inappropriate; diṡadatto. **-ly**; a torto.

Inapt; inètto, poco abile, poco acconcio. **-itude**; inettitudine *f.*, incapacità *f.*
Inartic-ulate; -olato, indistinto. **-ulately**; -olataménte.
Inasmuch as; dacchè, poichè, dal momento che, inquantochè, siccóme.
Inattent-ion; diṡattenzióne *f.*, ṡbadatággine *f.* **-ive**; diṡattènto, ṡbadato. Be —, fare il dormi. **-ively**; ṡbadataménte.
Inaudibl-e; che non si fa sentire. — murmur, mormorio inarticolato. **-y**; in modo da non esser udito.
Inaugura-l, -te, -tion; -le, -re, -zióne *f.*
Inauspicious; malauguróso, infausto. **-ly**; malaugurataménte.
Inborn; innato.
Incalculabl-e, -y; incalcolábil-e, -ménte.
Incandescen-ce, -t; -za *f.*, -te.
Incantation; incantèsimo *m.*, incanto *m.*
Incapab-ility; inabilità. **-le**; incapace.
Incapacit-ate, -y; inabilit-are, -à *f.*
Incarcera-te, -tion; -re, -ménto *m.*
Incarna-te, -tion; -to, -zióne *f.*
Incautious, -ly, -ness; incaut-o, -aménte, l' esser -o.
Incendiar-ism; delitto d' incendiario, incendio per malvolere. **-y**; incendiário.
Incense; 1. incènso *m.* 2. provocare, fare stizzare.
Incentive; incentívo *m.*, movènte *m.*
Inception; cominciaménto *m.*, principio *m.*
Incertitude; incertézza *f.*
Incessant, -ly; -e, -eménte.
Incest, -uous, -uously; -o *m.*, -uóso, -uosaménte.
Inch; pòllice *m.*, dito (2½ centimetri) *m.* — by —, ad oncia ad oncia. Give him an — he'll take an ell, a dargli un dito prende un palmo. Know every — of the ground, conoscere il terreno a palmo a palmo.
Inchoate; appena cominciato.
Inciden-ce, -t, -tal, -tally; -za *f.*, -te *m.*, -tale, -talménte. The tower of Babel and the -tal confusion of tongues, la torre di Babele, e la respettiva confusione degli idiomi.
Incinera-te, -tion; inceneri-re, -ménto *m.*; (of a corpse) incinerazióne *f.*
Inc-ipient; -ipiènte. **-ise**; -ídere. **-ision**; -iṡióne *f.* **-isive**; -iṡívo, mordènte. **-ively**; in modo -isivo. **-iveness**; qualità mordente. **-isor**; dente incisivo. **-ite**; -itare. **-itement**; -itaménto *m.* **-iter**; -itatóre *m.*
Incivility; scortesía *f.*
Inclemen-cy, -t; -za *f.*, -te.
Inclin-ation; -azióne *f.* **-e**; render disposto, proclive; tirare, esser proclive.
Includ-e; -ere, acclúdere, implicare. **-ing**; compréso.
Inclus-ion; -ióne *f.* **-ive**; — **of**, compréso. As *adv.*, tutto compreso, incluṡíve. From the first chapter to the fourth —, dal primo al quarto capitolo inclusive (o inclusivamente).
Incoercible; incoercíbile.
Incognito; *id.*
Incoheren-ce, -t, -tly; incoerèn-za *f.*, -te, -teménte.
Incombustib-ility, -le; -ilità *f.*, -ile.
Income; rèndita *f.*, rèddito *m.*, provènto *m.*, entrate *f. pl.* Earned —, rendita del proprio lavoro. Unearned —, entrate patrimoniali. **-producing**; redditizio. **-tax**; imposta sul reddito.
Incomer; entrante *m.*
Incommensurab-ility, -le; -ilità *f.*, -ile.
Incommensurat-e, -ely; sproporzionat-o, -aménte.
Incommode; scomodare.
Incomparab-le, -ly; -ile, -ilménte.
Incompatib-ility, -le; -ilità *f.*, -ile.
Incompeten-ce, -t, -ly; -za *f.*, -te, -teménte.
Incomplet-e, -ely, -eness; -o, -aménte, l' esser -o.
Incomprehensib-ility, -le; incomprensibilità *f.*, -ile.
Incompressib ility, -le; -ilità *f.*, -ile.
Inconceivabl-e, -y; inconcepíbil-e, -ménte.
Inconclusive, -ly, -ness; inconcludèn-te, -teménte, natura inconcludente.
Incondensable; non condensabile.
Incongru-ity, -ous, -ously; -ità *f.*, -o, -aménte.
Inconsequen-ce, -t, -ly; inconseguèn-za *f.*, -te, -teménte; incoerèn-za *f.*, -te, -teménte.
Inconsiderab-le; -ile.
Inconsiderate; senza riguardi, poco simpatico. **-ly**; 1. sconsiderataménte. 2. senza riguardi.
Inconsisten-cy, -t, -tly; -za *f.*, -te, -teménte.
Inconsolab-le, -ly; -ile, -ilménte.
Inconspicuous; poco cospicuo, poco rilevato. **-ly**; in modo poco cospicuo ecc. **-ness**; l' esser poco cospicuo ecc.
Inconstan-cy, -t; incostan-za *f.*, -te.
Inconsumab-ility, -le; l' esser -ile, -ile.
Incontestab-le, -ly; -ile, -ilménte.
Incontinen-ce, -t; -za *f.*, -te. **-tly**; diviato, senz' altro incontanente.
Incontrovertib-le, -ly; -ile, -ilménte.
Inconvenien-ce; -te *m.*, disturbo *m.*, incòmodo *m.*; incomodare, impacciare. **-t**; incòmodo, seccante, molèsto, inconveniènte. **-tly**; -teménte, a disagio, male a proposito.
Inconvertib-ility, -le; -ilità *f.*, -ile. Inconvertible paper, carta moneta a corso forzoso.

Incorpor-ate; -ato. To —, -are. **-ation**; -aménto *m.*, -azióne *f.* **-eal**; -eo.
Incorrect, -ly, -ness; scorrètt-o, -aménte, -ézza *f.*; inesatt-o, -aménte, -ézza *f.*
Incorrigib-ility, -le, -ly; -ilità *f.*, -ile, -ilménte.
Incorrupti-bility, -ble, -bly, -on; incorruttibil-ità *f.*, -e, -ménte, -ità *f.*
Increas-able; suscettivo d' aumento. **-e**; auménto *m.*, créscita *f.*, aggiunta *f.*, ingrandiménto *m.*; accréscere, aumentare, ingrandire, ingrossarsi, moltiplicarsi. **-ing**; crescènte. **-ingly**; sempre più, in modo crescente.
Incredib-ility, -le, -ly; -ilità *f.*, -ile, -ilménte.
Incredul-ity, -ous, -ously; -ità *f.*, -o, -aménte.
Increment; -o *m.*, accresciménto *m.*
Incrimin-able, -ate, -ation, -atory; -ábile, -are, -azióne *f.*, -ante.
Incrust, -ation; incrost-are, -aménto *m.*, -atura *f.*, -azióne *f.*
Incub-ate; covare. **-ation**; -azióne *f.* **-ator**; forno per covare, chioccia meccanica. **-us**; -o *m.*
Inculc-ate, -ation; -are, l' -are.
Inculpat-e, -ion, -ory; incolp-are, -azióne *f.*, -atóre.
Incumben-cy; benefízio *m.* **-t**; beneficiario *m.* As *adj.*, incombènte.
Incur; incorrere in, attirarsi addosso, esporsi a, incontrare.
Incurabl-e; inguaríbile. **-y**; incorrigibilménte, in modo incurabile. — in love, innamorato cotto.
Incu-rious; -rióso. **-rsion**; -rsióne *f.*, scorrería *f.* **-rved**; arcuato, lunato, incurvo, curvato in dentro. **-s**; ancúdine *f.*
Indebted; obbligato, indebitato. **-ness**; débiti *m. pl.*, l' esser indebitato.
Indecen-cy, -t, -tly; -za *f.*, -te, -teménte.
Indecipherable; indecifrábile.
Indecis-ion, -ive; -ióne *f.*, -ívo.
Indeclinab-le; -ile.
Indecomposable; indecomponíbile.
Indecorous, -ly; indecorós-o, -aménte.
Indeed; difatti, in verità, a dire il vero, veraménte, davvéro, anzi, invéro, infatto, infatti, già, in sommo grado.
Indefatigab-ility, -le, -ly; infatica-bilità *f.*, -bile, -bilménte.
Indefeasib-ility, -ly; imprescrittib-ilità *f.*, -ilménte ecc., *see* Indefeasible.
Indefeasible; imprescrittíbile, inattaccabile, indistruttibile, che non si può contrastare o scemare.
Indefensib-le, -ly; indifendíbil-e, -mente.
Indefin-able, -ably; -íbile, -ibilménte. **-ite, -itely, -iteness**; -íto, -itaménte, -itézza *f.*
Indel-ibility, -ible, -ibly; -èbilità *f.*, -èbile, -ebilménte. **-icacy, -icate, -icately**; -icatézza *f.*, -icato, -icataménte.
Indemni-fication, -fy, -ty; indenni-żżo *m.*, -żżare, -tà *f.*
Indent; addentellare, intaccare. **-ation**; tacca *f.*, intaccatura *f.* **-ure**; atto *m.*, contratto *m.* To —, collocare.
Independen-ce, -t, -tly; indipendèn-za *f.*, -te, -teménte.
Indescribab-le, -ly; indescrivíbil-e, -ménte.
Indestructib-ility, -le, -ly; indistruttibilità *f.*, -e, -ménte.
Indetermin-able, -ate; -ábile, -ato.
Index; índice *m.*, repertòrio *m.*, esponènte *m.*, lancétta *f.*, ago *m.*, indicazióne *f.* To —, fare un indice. **-finger**; dito indice.
Indiaman; nave per il traffico delle Indie.
Indian; indiáno. — corn, granturco. — file, ad uno ad uno. — hemp, canapína *f.* — ink, inchiostro della Cina. — summer, estate di S. Martino.
India-rubber; gomma elastica.
Indicat-e; indicare, accennare a. **-ion**; ségno *m.*, indízio *m.* **-ive**; -ívo. — of, che indica, che mostra. **-or**; -óre *m.*; manòmetro *m.*
Indict; accuṡare, denunziare. **-able**; processábile. **-ment**; atto d' accusa.
Indies; East, West —, le Indie orientali, occidentali.
Indifferen-ce, -t, -tism, -tly; -za *f.*, -te, -tiṡmo *m.*, -teménte.
Indigen-ce, -t; -za *f.*, -te.
Indigenous; indígeno.
Indigest-ibility, -ible; indeger-ibilità *f.*, -íbile. **-ion**; indigestióne *f.*
Indign-ant; indignato, ṡdegnóso. **-antly**; con indignazione. **-ation**; -azióne *f.* **-ity**; indegnità *f.*
Indigo; índaco *m.* **-plant**; aníle *m.* **-plantation**; terreno dove si coltiva l' indaco.
Indirect, -ly; indirètt-o, -aménte.
Indiscernible; non discernibile.
Indiscipline; mancanza di disciplina.
Indiscoverable; introvábile.
Indiscr-eet, -eetly, -etion; -éto, -etaménte, -ezióne *f.*
Indiscrimin-ate; cieco, senza distinguere. **-ately**; alla cieca, a caso. **-ating**; cieco. **-atingly**; senza le dovute distinzioni.
Indispensab-ility, -le, -ly; -ilità *f.*, -ile -ilménte.
Indispos-e; render -to. **-ed**; 1. -to. 2. malatíccio, indispósto. **-ition**; -izióne *f.*, malattía *f.*
Indisputab-ility, -le, -ly; -ilità *f.*, -ile, -ilménte.
Indissolub-ility, -le, -ly; -ilità *f.*, -ile, -ilménte.

Indistin-ct, -ctly, -ctness; -to, -taménte, l' esser -to. **-guishable, -guishably**; -guíbile, -guibilménte.
Indite; redígere.
Individu-al; -o, -ále. **-alism**; -aliśmo *m.* **-alist, -alistic**; -alista. **-ality**; -alità *f.* **-ally**; -alménte.
Indivisib-ility, -le, -ly; -ilità *f.*, -ile, -ilménte.
Indocil-e, -ity; -e, -ità *f.*
Indo-ctrinate; -ttrinare, addottrinare. **-ctrination**; insegnaménto *m.*
Indo-European; indo-europèo.
Indolen-ce, -t, -ly; -za *f.*, -te, -teménte.
Indomitab-ility, -le, -ly; l' esser indomab-ile, -ile, -ilménte.
Indoor; al coperto, di casa. **-s**; dentro alla casa.
Indorse; attergare, *see* Endorse.
Indubitab-ility; l' esser indubbio. **-le**; -ile, indúbbio. **-ly**; -ilménte, indubbiaménte.
Induce; indurre; portare (a credere); cauśare, cagionare, produrre. -d current, corrente indotta. -d charge, carica indotta.
Induct; insediare. **-ion**; induzióne *f.* **-ive, -ively**; induttív-o, -aménte.
Indulg-e; favorire, esser indulgente a, trattare con indulgenza, compiacére, accarezzare (un' idea). — in, abbandonarsi a, perméttersi. — oneself, amare i proprii comodi. **-ence**; -ènza *f.*, condiscendènza *f.* **-ent**; -ènte. **-ently**; -enteménte.
Indu-rated; -rito. **-s**; Indo *m.*
Industr-ial; -iále, -iante. — home, asilo per ragazzi viziosi. **-ialise**; trasformare in una nazione -iale. **-ialism**; -ialiśmo *m.* **-ially**; -ialménte. **-ious**; -ióso. **-iously**; -iosaménte. **-y**; -ia *f.*
Indwelling; immanènte.
Inebriat-e; ubriàco *m.*, briacóne *m.* — home, asilo per la cura dei briaconi. **-ed**; briáco, inebriato. **-ion**; ebbrézza *f.*
Ineffab-le, -leness, -y; -ile, -ilità, -ilménte.
Ineffaceabl-e, -y; incancellábil-e, -ménte.
Ineffect-ive, -ual; inútil-e, poco effettivo. **-ively, -ually**; senza risultato.
Inefficac-ious, -iously, -y; -e, -eménte, -ia *f.*
Inefficien-cy, -t, -tly; incapac-ità *f.*, -e, inefficaceménte, in modo poco efficace.
Inelastic; senza elasticità. **-ity**; mancanza d' elasticità.
Inelegan-ce, -t, -tly; -za *f.*, -te, -teménte.
Ineligib-ility, -le; -ilità *f.*, -ile.
Inept, -itude, -ly; inètt-o, -ézza *or* -itudine *f.*, -aménte.
Inequality; ineguaglianza *f.*, diśuguaglianza *f.*
Inequitab-le; ingiusto, poco equo. **-ly**; ingiustaménte, poco equamente.
Ineradicab-le; inestirpábile. **-ly**; in modo da non estirparsi.
Inert, -ia, -ly; inèr-te, -zia *f.*, da -te.
In esse; realiżżato, pośitívo.
Inestimab-le, -ly; -ile, -ilménte.
Inevitab-le, -ly; -ile, -ilménte; inelutta-bil-e, -mente.
Inexact, -itude, -ly; ineśatt-o, -ézza *f.*, -amente.
Inexcusab-le, -ly; inescuśábil-e, -ménte.
Inexorab-ility, -le, -ly; ineśorabil-ità *f.*, -ile, -ilménte.
Inexp-ediency, -edient; diśutil-ità *f.*, -e. **-ensive, -ensively, -ensiveness**; poco costoso; senza spender molto, senza grande spesa; l' esser poco costoso. **-erience**; inesperiènza *f.* **-erienced**; inespèrto, senza esperienza. **-ert**; poco esperto. **-ertness**; inettitudine *f.* **-iable**; inespiábile. **-licable, -licably**; inesplicábil-e, -ménte. **-licit**; poco chiaro. **-lorable**; inesplorábile. **-losive**; inesplodíbile. **-ressible**; inesprimíbile. **-ressibles** (gergo); calzóni *m. pl.* **-ressibly**; indescrivibilménte. **-ressive**; poco espressivo. **-ressiveness**; mancanza di espressione. **-ugnable**; inespugnábile.
Inext-ensible; inestensíbile. **-inguishable**; inestinguíbile. **-ricable, -ricably**; inestricábil-e, -ménte.
Infallib-ility, -le, -ly; -ilità *f.* -ile, -ilménte.
Infam-ous, -ously, -y; -e, -eménte, -ia *f.*
Infan-cy; infánzia *f.*, prima età. From his —, fin da bambino. **-t**; bambíno *m.* As *adj.*, infantíle, bambinésco; minorènne. — school, scuola infantile, giardino d' infanzia. In its — stage, in its infancy, nella sua fase prima, alla sua prima età. — lispings, il balbettare bambinesco. **-ticide**; -ticída *m.* or *f.*; -ticídio *m.* **-tile, -tine**; -tíle. **-try**; fantería *f.* — man, fantaccíno *m.*
Infatu-ate; -are. **-ated**; -ato, impazzíto, ispirato da una folle passione.
Infect, -ion, -ious, -iously, -iousness; infettare, -zióne *f.*, -ttivo; -ttivaménte, per infezione; -ttività *f.* Catch the -ion, infettarsi.
Infelic-itous, -itously, -ity; -e, -eménte, -ità *f.*
Infer; inferire, dedurre, desúmere. **-able**; desumíbile. **-ence**; -ènza *f.* **-ential**; deduttívo. **-entially**; per via d' inferenza.
Inferior; -e, secondário, d' inferior lega. **-ity**; -ità *f.* **-ly**; -ménte, in luogo -e.
Inf-ernal, -ernally; -èrno, -ernaménte. **-ertile**; -èrtile. **-ertility**; -ertilità *f.* **-est**; -estare, molestare. **-estation**; -esta-

ménto. **-idel**; -edéle, miscredènte. **-idelity**; -edeltà *f*. **-iltrate**; -iltrarsi in. **-iltration**; -iltraménto *m*.
Infinit-e; -o. **-ely**; -aménte. **-esimal, -esimally**; -èšimo *m*., -ešimále; -ešimalménte. **-ive**; -ívo *m*. **-ude, -y**; -ità *f*.
Infirm, -ary, -ity, -ly; inférm-o, -ería *f*., -ità *f*., poco fermamente.
Infix; infíggere.
Inflame; infiammare.
Inflamm-ability, -able, -ation, -atory; infiamm-abilità *f*., -ábile; -azióne *f*., -atòrio.
Inflat-able; che si può gonfiare. **-e, -ion**; gonfi-are, -aménto *m*.
Inflect; inflèttere; coniugare. **-ion**; inflessióne *f*., coniugazióne *f*. **-ional**; riguardo l' inflessione.
Inflex-ed; incurvato. **-ibility, -ible, -ibly**; inflessib-ilità *f*., -ile, -ilménte.
Inflict; inflíggere, impórre. **-ion**; infliggiménto *m*., péna *f*., piaga *f*., impošizióne *f*.
Inflorescence; infiorescènza *f*.
Influen-ce; -za *f*.; influire su. To — for mischief, influenzare. Have —, aver voce in capitolo. **-tial**; -te, autorévole, potènte. **-tially**; autore volménte, con autorità. —recommended, appoggiato da persone altolocate. **-za**; *id*.
Influx; affluènza *f*.
Inform; -are, avvertire, far sapere. — about, ragguagliare di. — against, deferire un' accusa contro. **-al**; senza cerimonia, fuori delle forme prescritte, irregolare. **-ality**; irregolarità *f*., vizio di forma. **-ally**; senza cerimonia, irregolarménte, in modo non ufficiale. **-ant**; chi informa, chi dà notizie. **-ation**; -azióne *f*., nòva *f*., avvišo *m*., notízia *f*., istruzióne *f*., ragguagli *m*. *pl*.; delazióne *f*. Send on for your —, rimetter per la vostra opportuna conoscenza. **-ative**; -ativo. **-ed**; istruíto. Well —, cólto, chi ha cognizioni estese. **-er**; delatòre *m*.
Infraction; infrazióne *f*., trašgressióne *f*.
Infrequen-cy, -t, -tly; -za *f*., -te, -teménte.
Infringe; trašgredire, infrángere. — a patent, violare un brevetto d' invenzione. **-ment**; trašgrediménto *m*., violazióne (della legge).
Infuriate; infuriare. **-d**; arrabbiato.
Infus-e; infóndere, fare un' infusione; ispirare, comunicare. **-ibility**; -ibilità *f*. **-ible**; -íbile. **-ion**; -ióne *f*. **-oria**; gl' infušòri. **-orian**; -òrio.
Ingathering; raccòlta *f*.
Ingen-ious; ingegnóso, inventívo, ábile, spiritóso. **-iously**; ingegnosaménte, con destrezza, abilménte. **-uity**; ingegnosità *f*., acutezza di mente, inventíva *f*., destrézza *f*. **-uous**; -uo, franco, schiètto. **-uously**; -uaménte ecc. **-uousness**; -uità *f*. ecc.
Ingestion; introduzione (nello stomaco).
Ingle; focolare *m*. **-nook**; camino alla fratina.
Inglori-ous, -ously; -óso, -osaménte.
In-going; entrata *f*. **-got**; vérga *f*.
Ingr-ained; inveterato. **-atiate**; — oneself, ingraziarsi. **-atitude**; -atitúdine *f*., sconoscènza *f*. **-edient**; -ediènte *m*. **-ess**; entrata *f*. **-owing**; — toe-nail, unghia incarnata. **-owth**; l' incarnarsi.
Inguinal; inguinále.
Inhabit, -ant; abit-are, -ante *m*.
Inhal-ation, -e, -er; inal-azióne *f*., -are, apparecchio inalatore.
Inharmonious, -ly; senza armonia.
Inherent, -ly; inerènt-e, -eménte.
Inherit; ereditare. -ed property, beni ereditari, patrimònio *m*. **-ance**; eredità *f*., retággio *m*. **-or**; erède *m*.
Inhibit, -ion, -ory; inib-ire, -izióne *f*., -itòrio.
Inhospita-ble, -bly, -lity; inospit-ále, in modo -ale, -alità *f*.
Inhum-an, -anity, -anly; inumán-o, -ità *f*., -aménte. **-ation**; inumazióne *f*.
Inimical; ostíle, contrario. **-ly**; ostilménte, contrariaménte.
Inimitab-le, -ly; -ile, -ilménte.
Iniquit-ous, -ously, -y; iniqu-o. -aménte, -ità *f*.; scellerat-o, -aménte, -ézza *f*.
Ini-tial; -ziále, primo; porre le -ziali.
Initia-lly, -te, -tion, -tive, -tor, -tory; inizia-lmente, -re, -zióne *f*., -tivo, -tóre *m*., -tóre.
Inject, -ion, -or; inie-ttare, -zióne *f*., -ttóre *m*.
Injudicious; poco giudizioso. **-ly**; in modo poco giudizioso. **-ness**; mancanza di giudizio.
Injunction; 1. ingiunzióne *f*., comando *m*. He received strict -s, gli fu ingiunto severamente. 2. proibizione interlocutoria.
Injur-e; nuocere a, danneggiare, recai danno, offesa, o ingiuria a, far torto a. **-ed**; malcóncio, feríto, sofferènte. **-ious**; nocivo, dannóso, pregiudiziévole. **-iously**; nocivaménte, in modo pregiudiziévole. **-iousness**; carattere nocivo ecc. **-y**; male *m*., tòrto *m*., danno *m*., ingiúria *f*., offésa *f*.
Injustice; ingiustízia *f*. Do — to, far torto a.
Ink; inchiòstro *m*. Indian —, in chiostro di Cina. To —, segnare, sporcare ecc. con dell' inchiostro. **-ing pad**, guancialetto bagnato d' inchiostro da

stampa. — in, mettere in inchiostro, dar l' inchiostro. — one's fingers, insudiciarsi le dita d' inchiostro. **-bottle**; bottiglia per inchiostro. **-iness**; nerezza d' inchiostro.
Inkling; sentóre *m.*, sospètto *m.*
Ink-maker; fabbricante d' inchiostri. **-pot, -stand**; calamaio *m.* **-y**; nero come l' inchiostro, imbrattato d' inchiostro.
Inlaid work; intársio *m.* For an inlaid floor the term used is Fr. *parquet.*
Inl-and; intèrno. **-ay**; intarsiare. **-let**; baia *f.*, insenatura *f.*; in an engine, afflusso *m.*
In-mate; abitatóre *m.*, convittóre *m.*, inquilíno *m.*, dożżinante *m.* **-most**; più interno, più profondo; il fondo di.
Inn; albèrgo *m.*, locanda *f.*, ostería *f.* **-keeper**; albergatóre *m.*, òste *m.*, locandière *m.* **-s of Court**; collegi degli avvocati.
Inn-ate; -ato. **-ately**; per naturale innato. **-er**; interióre. — room, retrostanza *f.* **-ermost**; *see* Inmost. **-ings**; vòlta, turno per colpire la palla al "cricket." The Conservatives seem likely to have a long —, pare che i conservatori stiano un pezzo al potere.
Innocen-ce, -t, -tly; -za *f.*, -te, -teménte. An -t, un mentecatto.
Innocu-ous, -ously, -ousness; -o, -aménte, -ita *f.*
Innova-tion, -tor; -zióne *f.*, -tóre *m.*
Innuendo; voce maliziósa, sottendimento astioso.
Innumerab-le, -ly; -ile, -ilménte.
Innutritious; poco nutritivo.
Inobservance; inosservanza *f.*
Inocul-ate; -are; innestare a occhio. **-ation**; -azióne *f.*
Inod-orous; -òro.
Inoffensiv-e, -ely, -eness; -o, in modo -o, l' esser -o.
Inoperative; inefficáce, senza effetto.
Inopportun-e, -ely, -eness; -o, aménte, -ità *f.*
Inordinate, -ly; eccessív-o, -aménte.
Inorganic, -ally; -o, -aménte.
Inosculat-e, -ion; anastom-are, -òši *f.*
Inoxidisable; non ossidabile.
In-patient; malato ricoverato in un ospedale, degente in un ospedale.
In posse; eventuále.
Inqu-est; inchièsta *f.* **-ietude**; -ietúdine *f.* **-ire, -iry**; *see* Enquire.
Inquisi-tion; -zióne *f.* **-tive**; indiscrèto, curióso, inquišitòrio. **-tively**; indiscretaménte, da curiosaccio. **-tiveness**; curiosità indiscreta. **-tor**; -tóre *m.* Grand —, grande -tore. **-torially**; da -tore.
Inroad; irruzióne *f.*, incursióne *f.* Make an — upon his purse, fargli dei vuoti nella borsa.
Insalubr-ious, -ity; -e, -ità *f.*
Insalutary; malsano.
Insan-e, -ely, -ity; -o, -aménte, -ità *f.*
Insatiab-ility, -le, -ly; insaziabil-ità *f.*, -e, -ménte.
Inscri-be, -ption; -vere, -zióne *f.*
Inscrutab-ility, -le; imperscrutabil-ità *f.*, -e.
Insect; insètto *m.* **-ivorous**; insettívoro. **-powder**; polvere insetticida.
Insecur-e; non sicuro, poco solido. **-ely**; poco fermamente. **-ity**; mancanza di sicurezza, incertézza *f.*
Insensat-e; -o.
Insensib-ility, -le, -ly; -ilità *f.*, -ile, -ilménte.
Inseparab-ility, -le, -ly; -ilità *f.*, -ile, -ilménte.
Insert, -ion; inser-ire, -zióne *f.*, aggiunta *f.*, addizióne *f.* The Times would not — it, il Times non ha voluto stamparlo, accettarlo.
Inset; incíso *m.* **-map**; cartina aggiunta.
Inshore; verso terra.
Inside; l' interno, il di dentro, l' interiore, anima (di tubo), tubo interno (di cannone). — edge, orlo rientrante. — out, a rovescio. Turn — out, metter alla rovescio, rovesciare. He turned the witness — out, fece di modo che il testimonio si contradicesse completamente. — knowledge, conoscenza intima. — passenger, viaggiatore interno. — of a year, fra lo spazio d' un anno. He wants to know too much of the — of everything, vuol ficcare il naso troppo dappertutto. Have the — turn, esser dal lato interno della pista. **-r**; chi ha conoscenze intime e particolari. **-s**; le interiora.
Insidi-ous, -ously, -ousness; -óso, -osaménte, -a *f.*
Insight; vista penetrativa; schiariménto *m.* Gain —, informarsi.
Insignia; inségne *f. pl.*
Insignifican-ce; piccolézza *f.* **-t**; -te.
Insincer-e; finto, falso, šleále, ipòcrita. **-ely**; fintaménte ecc. **-ity**; šlealtà *f.*
Insinua-te; -re, dare ad intendere. — oneself into the favour of, trovar modo di ingraziarsi presso. **-tingly**; in modo -nte. **-tion**; -zióne *f.*
Insipid, -ity, -ly; -o, -ità *f.*, -aménte; scipít-o, -ézza *f.*, -aménte.
Insist; insístere. — on knowing, insister per sapere. — on being told, insister perchè si dicesse. — upon a request, insister in una domanda. **-ence, -ency**; -ènza *f.* **-ent**; -ènte. **-ently**; -enteménte.

Insobriety; intemperanza *f.*
Insolen-ce, -t, -tly; -za *f.*, -te, -teménte.
Insolub-ility, -le; -ilità *f.*, -ile.
Insolven-cy, -t; -za *f.*, -te; insolvibil-ità *f.*, -e.
Insomnia; insònnia *f.*
Insomuch; a tal punto.
Insoucian-ce, -t; indiffèren-za *f.*, -te; trascurat-o, -ézza *f.*
Inspan; attaccare.
Inspect; visitare, esaminare, ispezionare, perquisire, riguardare. **-ion**; visitazione *f.* ecc. — of material, rivisióne *f.*, verifica *f.* — hole, foro di visita **-or**; ispettóre *m.* **-orship**; ispettorato *m.*
Inspir-ation, -atory, -e, -ing; ispirazióne *f.*, -atóre, -are, -atóre.
Inspirit; inanimare, incoraggiare.
Inspissated; addensato.
Instability; instabilità *f.*
Install; insediare, installare. **-ation**; impianto *m.*, instaurazióne *f.*, installazióne *f.*
Instalment; rata *f.*, accónto *m.*
Instan-ce; 1. esèmpio *m.*, caso *m.* 2. istanza *f.*, domanda *f.* At the — of, per domanda di. 3. In the first —, prima. To —, citare, portar l' esempio di. **-t**; istante *m.*, áttimo *m.*; corrènte mese. The 10th inst., il dieci corr. **-taneous**; istantáneo. **-ter, -tly**; súbito, all' istante, di ripente, sul tamburo, sul fatto.
Instead; invéce. — of, in luogo di, al posto di, in vece di; anzichè.
Instep; collo del piede, fiòcca *f.*
Instigat-e, -ion, -or; istiga-re, -zióne *f.*, -tóre *m.*
Instil; instillare.
Instinct; istinto *m.*, intúito *m.*; animato. **-ive, -ively**; istintív-o, -aménte.
Institut-e; istituto *m.*; stabilire, istituire; intentare. — proceedings, muover causa. **-ion**; istituto *m.*, istituzióne *f.*; investitura *f.*
Instruct, -ion, -ional, -ive, -or, -ress; istru-ire, -zióne *f.*, -ttòrio, -ttívo, -ttóre *m.*, -ttrice *f.* **-ions**; avvertiménti *m. pl.*, conségne *f. pl.*, direttíve *f. pl.*, informazióni *f. pl.* General —, direttive di massima.
Instrument; struménto *m.*, arnése *m.*, ordigno *m.*; atto *m.* **-al**; istrumentále, giovévole. Be —, servire, contribuire. **-alist**; sonatóre *m.* **-ality**; mèzzo *m.*, concórso *m.* **-ation**; istrumentazióne *f.*
Insubordinat-e, -ely, -ion; -o, -aménte, insubordinazióne *f.*
Insufferab-le, -ly; insopportábil-e, -ménte.
Insufficien-cy, -t, -tly; -za *f.*, -te, -teménte.
Insula-r, -rity; -re, modi -ri. **-te**; isolare, insulare. **-tion**; isolaménto *m.*; posizione solitaria. **-tor**; isolatóre *m.*

Insult; insulto *m.*, oltrággio *m.*; insultare, oltraggiare. **-ingly**; in modo insultante, oltraggioso.
Insuperab-ility, -le, -ly; -ilità *f.*, -ile, -ilménte.
Insupportab-le, -leness, -ly; insopportábile, -ilità *f.*, -ilménte.
Insuppressible; irrefrenábile, non reprimibile.
Insur-able; assicurábile. **-ance**; assicurazióne *f.* Time —, assicurazione a tempo. Fire, Life — Co., compagnia d' assicurazione contro il fuoco, sulla vita. **-e**; assicurare. **-er**; assicuratóre *m.*
Insur-gent; insórto *m.* **-mountable**; insormontábile. **-rection**; -rezióne *f.*
Insusceptible; insuscettíbile.
Intact; intatto.
Intake; presa d' acqua; bocca d' aspirazione.
Intangib-ility, -le, -ly; -ilità *f.*, -ile, -ilménte.
Integer; numero intero.
Integr-al, -ally, -ate, -ation, -ity; -o, -ále, -alménte, -are, -azióne *f.*, -ità *f.*
Integument; -o *m.*, pèlle *f.*
Intellect, -ual, -ually; intellètt-o *m.*, -uále, -ualménte.
Intelligen-ce; -za *f.*, notízia *f.*, nuòva *f.*, informazióne *f.* — department, riparto informazioni. **-t**; -te. **-tly**; -teménte.
Intelligib-ility, -le, -ly; -ilità *f.*, -ile, -ilménte.
Intempera-nce; -nza *f.* **-te**; -to, -nte, smoderato. **-tely**; -nteménte, -taménte, fuor di misura.
Intend; intèndere, divisare, disegnare, far conto, propórsi; destinare. **-ant**; -ènte *m.* **-ed**; Well —, ben intenzionato, con buona intenzione.
Intens-e; -o, vivo. **-ely**; -aménte, oltre modo. **-ify**; aumentare, render più vivo. **-ity**; -ità *f.*
Intent; 1. intènto *m.* To all -s and purposes, sotto ogni riguardo pratico. 2. intènto, ostinato. — upon, assorto in.
Intention; intenzióne, proponiménto *m.*, divisaménto *m.* **-al**; intenzionále, premeditato, fatto apposta. **-ally**; a bella posta, a bello studio. **-ed**; *see* Intended.
Intently; attentaménte, fisso.
Inter; 1. sotterrare. 2. As prefix, inter- but only in a few cases; *see* Interchangeable, Interplay, Interplanetary, Interstellar etc.
Inter-act; reagire reciprocamente. **-action**; azione reciproca. **-breed, -breeding**; incroci-are, -aménto *m.*, -calate, -calation; -calare, -calazióne *f.* **-cede**;

-cèdere. **-cept**; -cettare, -cezióne *f*. **-cession**; -cessióne *f*. **-cessional**, **-cessory**; d' -cessione. **-cessor**; -cessóre *m*. **-change**; scambio reciproco, scambiare a vicenda. **-changeable**; da sostituirsi l' uno all' altro a piacere. **-changeability**; siffatta capacità. **-changeably**; in modo da potersi sostituire. **-collegiate**; che si riferisce a due o più collegi. **-communicate**; comunicare insieme direttamente. **-communication**; comunicazione reciproca. **-communion**; comunione reciproca. **-costal**; -costále. **-course**; convivènza *f*., ricambio o scambio d' interessi, rappòrti *m. pl*., commèrcio *m*., corrispondènza *f*. Have (social) —, praticare, commerciare, (sexual) uṡare.

Inter-dependence; dipendenza scambievole. **-dict**; -détto *m*., -dire. **-diction**; -dizióne *f*.

Interest; interèsse *m*., frutto *m*., útile *m*., influènza *f*., crédito *m*.; parte *f*., partecipazióne *f*. Compound —, rifrutto *m*., interesse composto. To —, interessare, importare a, avere attinenza a. **-ed** motive, interèsse *m*. **-ing**; interessante. In an — condition, incinta, in stato interessante. **-ingly**; in modo interessante.

Interfer-e; interpórsi, introméttersi, intervenire, mettersi di mezzo, immischiarsi; (optics) interferire. — with, osteggiare, pregiudicare. **-ence**; interpoṡizióne *f*., intervènto *m*.; interferènza *f*. **-er**; ficcanáso *m*. **-ingly**; in modo intrusivo.

Interim; frattèmpo; interíno, provviṡòrio. Ad —, interinalménte. — relief, assistenza provvisoria.

Interior; -e, intèrno. **-ly**; interiorménte.

Interject; interpórre. **-ion**, **-ional**; interiezióne *f*., -ettívo.

Interlace, **-ment**; intreccia-re; -ménto *m*.; tralciaia *f*.

Inter-lard; lardellare. **-leave**; interfogliare. **-line**; interlineare. **-lock**; unire strettamente, unire due congiunture barriere ecc. in modo che questa non si possa aprire senza che quella si chiuda. **-locutory**; -locutòrio. — judgment, interlocuzióne *f*. **-loper**; intruṡo *m*. **-lude**; intermèzzo *m*. **-lunar period**; interlúnio *m*.

Inter-marriage; matrimonio tra persone di diverse nazioni; serie di matrimonii fra due famiglie. **-marry**; far tali matrimonii.

Intermeddl-e; frammischiarsi, mischiarsi indiscretamente. **-er**; ficcanáso *m*., faccendóne *m*., intrigante *m*. **-ing**; l' ingerirsi, ingerènza *f*.

Intermedi-ary; -ario *m*. **-ate**; -o.

Interment; sotterraménto *m*., inumazióne *f*.

Interminab-le, **-ly**; -ile, -ilménte.

Intermingle; frammischiarsi.

Interm-ission; -issióne *f*., trégua *f*. **-it**; discontinuare. **-ittent**; -ittènte. **-ittently**; ad intervalli irregolari. **-ixture**; mescolanza *f*.

Intern; -are. **-al**; -o. **-ally**; -aménte. **-ational**, **-ationally**; internazionál-e, -ménte. **-ecine**; micidiále. **-ment**; l' internare. Their —, l' internargli.

Intern-ode; -òdio *m*. **-uncio**; -únzio *m*.

Intero-ceanic; -ceánico. **-sseous**; -sseo.

Interpella-te, **-tion**; -re, -nza *f*.

Inter-penetrate; compenetrare. **-planetary**; fra i pianeti. **-play**; giuoco reciproco.

Interpola-te, **-tion**, **-tor**; -re, -zióne *f*., -tóre *m*.

Interpo-se; -rre, -rsi, frammètter-e, -si.

Interposi-tion; -zióne *f*., intervènto *m*.

Interpret, **-able**, **-ation**, **-er**, **-ership**; -are, -ábile, -azióne *f*., -e *m*., ufficio d' -e.

Interregn-um; -o *m*.

Interroga-te, **-tion**, **-tive**, **-tively**, **-tor**, **-tory**; -re, -zióne *f*., -tívo, -tivaménte, -tóre *m*., -tòrio *m*.

Interr-upt, **-uptedly**, **-upter**, **-uption**; -ómpere; -ottaménte, con -uzioni; -uttóre *m*., -uzióne *f*.

Interse-ct, **-ction**; -care, -zióne *f*.

Inter-space; -vallo *m*. **-sperse**; spargere qua e là, tempestare. **-stellar**; fra stella e stella. **-stice**, **-stitial**; -stízio *m*., -stiziále.

Inter-tangle; intralciare. **-tropical**; -tropicále. **-twine**; intrecciare.

Interval; intervallo *m*., intermèżżo *m*.

Interven-e; -ire, frappórsi, trascórrere (tempo). **-ing**; -iènte, intermediario, sopravveniènte. **-tion**; -to *m*., -zióne *f*.

Intervertebral; -e.

Interview; abboccaménto *m*., collòquio *m*., intervista *f*.; intervistare. Have an — with, abboccarsi con. **-er**; intervistatóre *m*., conferenzière *m*.

Interweave; intèssere, intralciare.

Intesta-cy; mancanza di testamento, il morire *ab intestato*. **-te**; senza lasciar testamento.

Intestin-al, **-e**; -ále, -o *m*.

Intima-cy; intimità *f*., familiarità *f*. **-te**; íntimo *m*., amico familiare; íntimo. To —, far sapere, dare ad intendere, avviṡare, accennare a. **-tely**; intimaménte, a fondo, da vicino. **-tion**; -avviṡo *m*., intimazióne *f*.

Intimid-ate, **-ation**; -ire, -azióne *f*.

Into; in. Put a leaf — a book, inserire una foglia in un libro. Go — a house, andare in una casa. His house looks — my garden, la sua casa s' apre sul mio giardino.

Intolera-ble, -bly, -nce, -nt; intollerábile, -bilménte, -nza *f.*, -nte.

Intomb, -ment; seppelli-re, -ménto *m.*

Inton-ation, -e; -azióne *f.*, -are.

Intoxica-nt; bevanda ubriacante. **-te**; ubriacare, inebriare. **-tion**; ubriachézza *f.*, ebbrézza (di gioia ecc.).

Intractab-ility, -le, -ly; intrattab-ilità *f.*, -ile, -ilménte.

Intra-dos; -dòsso *m.* **-mural**; *intra muros.*

Intransigen-ce, -t; -za *f.*, -te.

Intransitiv-e, -ely; -o, -aménte.

Intrans-missible; non trasmissibile. **-mutable**; non trasmutabile.

Intrepid, -ity, -ly; -o; -ità *f.*, -ézza *f.*; -aménte.

Intric-acy, -ate, -ately; l' esser -ato, -ato, -ataménte.

Intrig-ue; -o *m.*, trésca *f.*; -are. **-uer**; -ante *m.* **-uing**; -ante, macchinatóre. **-uingly**; con maneggi segreti.

Intrinsic, -ally; -o, -aménte.

Introduc-e; introdurre, preŝentare, far entrare. — one's subject, eŝordire. Be -ed to public notice, farsi conoscere. **-er**; introduttóre *m.*, chi presenta. **-tion**; introduzióne *f.*, eŝordio *m.*, preŝentazióne *f.* **-tory**; introduttívo.

Intro-it; intròito *m.* **-mission**; -missióne *f.* **-spection**; esame di sè stesso.

Intru-de; -dersi. **-der**; -ŝo *m.* **-sion**; -ŝióne *f.*

Intrusiv-e, -ely; -o, -aménte.

Intuiti-on, -ve, -vely; intui-zióne *f.*, -to *m.*; -tivo, -tivaménte.

Inunda-te, -tion; inond-are, -azióne *f.*; allag-are, -aménto *m.*

Inure; abituare. — to the benefit of, servire al vantaggio di. **-d**; avvézzo.

Inutilit-y; -à *f.*

Invad-e, -er; -ere, invaŝóre *m.*

Invalid; 1. malato, inférmo, inválido, cagionévole. 2. non più valido, inválido, nullo, senza effetto. 3. He was -ed home, è stato rinviato in Inghilterra per malattia, era riformato a causa di salute. **-ate**; -are, render nullo. **-ation**; -aménto *m.* **-carriage**; vettura da ammalato. **-chair**; carrozzella da ammalato, poltrona girante. **-ity**; -ità *f.*

Invaluable; impagábile.

Invariab-ility, -le, -ly; -ilità *f.*, -ile, -ilménte.

Inv-asion; -aŝióne *f.* **-ective**; -ettíva *f.* **-eigh**; inveire. **-eigle**; abbindolare, adescare, persuadere con promesse ingannatrici.

Invent; -are, scoprire, fabbricare, pescare. **-ion**; invenzióne *f.*, scopèrta *f.*, ritrovato *m.* **-ive**; -ívo. **-or**; -óre *m.*, ritrovatóre *m.* **-ory**; -ario *m.*, elènco *m.*

Invers-e, -ely, -ion; -o, -aménte, -ióne *f.*

Invert; -ire. **-ed commas**, virgolétte *f. pl.* **-ebrate**; -ebrato. **-edly**; in modo -ito.

Invest; investire, collocare; rivestire; circondare.

Investiga-te, -tion, -tor; -re, -zióne *f.*, -tóre *m.*; rintracci-are, -aménto *m.*, chi -a.

Invest-iture; -itura *f.*

Invest-ment; collocaménto *m.*, investiménto *m.*, impiègo *m.* **-or**; chi ha danari da collocarsi.

Invetera-cy; carattere -to, accanito. **-te**; -to, accaníto. **-tely**; assai.

Invidious; invidióso, odióso, scabróso. In an — position, in una posizione scabrosa. An — distinction, una distinzione che desta invidia. **-ly**; invidiosaménte ecc. **-ness**; odiosità *f.*, l' esser invidioso ecc.

Invigorate; invigorire.

Invincib-ility, -le, -ly; -ilità *f.*, -ile, -ilménte.

Inviolab-ility, -le, -ly; -ilità *f.*, -ile, -ilménte.

Inviolate; inviolato, intatto.

Invisib-ility, -le, -ly; -ilità *f.*, -ile, -ilménte.

Invit-ation, -e; -azióne *f.*, -are. **-ing**; seducènte, attraènte, attrattívo. **-ingly**; in modo seducente ecc. **-ingness**; l' esser allettativo.

Invocation; invocazióne *f.*

Invoice; fattura *f.*

Invoke; invocare.

Involuntar-ily, -y; involontar-iaménte, -io.

Invol-ute; -uta *f.* **-ution**; -uzióne *f.*, involgiménto *m.*

Involve; invòlgere, comprométtere, implicare, cagionare, portare con sè. **-d**; imbrogliato.

Invulnerab-ility, -le, -ly; -ilità *f.*, -ile, -ilménte.

Inward; interióre, intèrno. **-ly**; internaménte, nel suo intimo, fra sè. **-ness**; carattere essenziale, significazione vera. **-s**; verso l' interiore, all' indentro.

Iod-ine, -oform; -io *m.*, -ofòrmio *m.*

Ioni-an; -o. **-c**; -co.

Iota; iòta *m.*, ètte *m.*

Ipecacuan-ha; -a *f.*

Irascib-ility, -le, -ly; -ilità *f.*, -ile, -ilménte.

Irat-e; -o, iróso, incolleríto. **-ely**; -aménte irosaménte.

Ire; stizza *f.* **-ful**; stizzíto, impermalíto. **-fully**; con istizza. **-land**; Irlanda *f.*

Iridescen-ce, -t; -za *f.*, -te

Iridium; irídio *m.*
Iris; íride *f.* Florentine —, giaggiòlo *m.*
Irish; irlandése. **-heath**; scopa d' Irlanda. **-ism**; locuzione irlandese. **-stew**; ragù all' irlandese. **-yew**; tasso d' Irlanda.
Irk; annoiare. **-some**; noióso, penóso. **-someness**; noiosità *f.*
Iron; fèrro *m.* Angle —, ferro d' angolo cantonale. Band —, Hoop —, reggétta *f.* Cast —, ghiša *f.* Malleable —, ghisa malleabile. Pig —, ferráccio *m.*, ghisa di prima fusione. A pig of —, pane di ferro. Sheet —, lamiera di ferro. Scrap —, rottame di ferro. Soldering —, ferro saldatore. To —, stirare. **-bound**; munito di ferro. **-clad**; corazzato. **-er**; stiratóra *f.* **-filings**; limatura di ferro. **-founder**; fonditore in ferro. **-foundry**; *see* Iron-works. **-gate**; cancèllo *m.* **-master**; padrone d' una ferriera. **-mine**; miniera di ferro. **-monger**; negoziante in ferrareccia. **-mongery**; ferraréccia *f.* **-mould**; macchia di ruggine. **-shod**; ferrato. **-works**; magóna *f.*, ferrièra *f.*
Iron-ical, -ically, -y; -ico, -icaménte, -ía *f.*
Iroquois; Irocchése *m.*
Irradia-te, -tion; -re, -zióne *f.*
Irrational, -ity, -ly; irragionévol-e, -ità *f.*, -ménte.
Irreclaimable; incorrigíbile.
Irreconcil-ability, -able, -ably; -iabilità *f.*, -iábile, -iabilménte.
Irrecoverab-le, -ly; irrecuperábil-e, -ménte.
Irred-eemable; -imíbile. **-ucible**; -ucíbile.
Irrefragab-ility, -le, -ly; -ilità *f.*, -ile, -ilménte.
Irrefutab-ility, -le, -ly; -ilità *f.*, -ile, -ilménte.
Irregular, -ity, -ly; irregolar-e, -ità *f.*, -ménte. Irregular fire, tiro sregolato.
Irrelevan-ce, -t, -tly; irrilevan-za *f.*, -te, -teménte. Irrelevant matters, divagaménti *m. pl.*
Irreligio-n, -us, -usly; -ne *f.*, -sità *f.*; -so, -saménte.
Irremediab-le, -ly; irrimediáb-ile, -ilménte.
Irremissib-le, -ly; -ile, -ilménte.
Irremovab-ility, -le, -ly; inamovibilità *f.*, -bile, -bilménte.
Irreparab-ility, -le, -ly; natura -ile, -ile, -ilménte.
Irreprehensib-le, -leness, -ly; irreprensibil-e, -ità *f.*, -ménte.
Irrepressib-le, -ly; irreprimíbil-e, -ménte.
Irreproachab-le, -ly; irreprensíbil-e, -ménte.
Irresistib-le, -leness, -ly; -ile, -ilità *f.*, -ilménte.
Irresolut-e, -ely, -ion; -o, -aménte, -ézza *f.*
Irrespective, -ly; senza riguardo (per).
Irrespirab-le; -ile.
Irresponsib-ility, -le, -ly; irresponsabilità *f.*, -bile, -bilménte.
Irretrievab-le, -leness, -ly; irrimediabile, -bilità *f.*, -bilménte.
Irreveren-ce, -t, -tly; -za *f.*, -te, -teménte.
Irreversible; irremissíbile, irrevocábile; che non può indietreggiare, non invertibile.
Irrevocab-le, -leness, -ly; -ile, -ilità *f.*, -ilménte.
Irriga-te, -tion; -re, -zióne *f.*
Irrita-bility; -bilità. **-ble**; -bile, puntiglióso. **-bly, -nt, -te, -ting, -tingly, -tion**; -bilménte, -nte *m.*, -are, -nte, in modo -nte, -zióne *f.*
Irrupti-on, -ive; irr-uzióne *f.*, -ompènte.
Ischium; cossèndice *m.*, íschio *m.*
Ishmaelite; išmaelíta *m.*
Isinglass; ittiocòlla *f.*, colla di pesce.
Islam; išlamišmo *m.*
Isl-and, -e; íšola *f.* **-ander**; išoláno *m.* **-et**; išolòtto *m.*
Iso-chronous; -crono. **-late**; -lare. **-lation**; -laménto *m.* **-sceles**; -scele. **-thermal**; -tèrmico.
Issu-able; da emettersi. **-e**; uscita *f.*, šbócco *m.*; èšito *m.*, risultato *m.*; distribuzióne *f.*; emissióne *f.*; pubblicazióne *f.*; numero (di giornale), edizióne *f.*; fontanèlla *f.*, cautèrio *m.*; scólo *m.*; pòsteri *m. pl.*, discendènza *f.* At —, in disaccordo. Join —, esser d' altra opinione.
To —, uscire, zampillare, emanare, scaturire; terminare; pubblicare, emèttere, rilasciare.
Issuer; chi pubblica ecc., *see above.*
Isthm-ian, -us; ístm-ico, -o *m.*
Istrian; istriáno.
It; lo, la, egli, ésso, quèllo, tale cosa. — is, è. — is I, son io. — was I whom you met, hai incontrato me. — is you who have done this, sei tu che hai fatto questo. Of —, ne. — is all over, tutto è finito. — is windy, tira vento. — is getting dark, comincia a far buio. — does not matter much, non importa gran che. — is pouring, piove a rovescio. — has struck six, sono sonate le sei. I get nothing by —, non ci guadagno nulla. He insisted on — that, egli sosteneva sempre che. You will find — difficult to deceive him, troverete difficile cosa ingannarlo.
Italian; -o. — warehouse, warehouseman, pizzic-hería *f.*, -ágnolo *m.* **-ise**; -ižžare.
Italic; corsívo. **-ise**; stampare in corsivo.

Itch; rógna *f.*, prurito *m.*, scábbia *f.*; prúdere, pizzicare, *fig.* aver gran voglia di. **-y**; che prude; rognóso.
Item; artícolo *m.*, partita di un conto, partícola *f.*, capo *m.*, còsa *f.*; qualchecòsa, fatto. Important -s of revenue, importanti entrate. Tips are often quite a serious — in a young man's expenditure, le mancie spesso ammontano per un giovane ad un capo di spesa abbastanza rilevante.
Itera-te, -tion; -re, -zióne *f.*
Ithaca, -n; Ítaca, itacése.
Itiner-ant; ambulante. **-ary**; -ário *m.*
Its; suo. **-elf**; sè stesso.
Ivory; avòrio *m.*

J

J; *pronunz.* Gé.
Jabber; gracchiare, ciabare, cicalare, cinguettare, borbottare. **-er**; gracchiatóre *m.*, cicalóne *m.*, cinguettóne *m.* **-ing**; cicalío *m.*, grácchio *m.*, borbottaménto *m.*, borbottío *m.*
Jack; 1. Gianni. 2. girarròsto *m.* 3. cricco *m.* Screw —, martinetto a vite, verricèllo *m.* 4. luccio *m.* 5. at bowls, boccíno *m.*, grillo *m.* 6. at cards, fante *m.* 7. — Ketch, bòia *m.* 8. as *adj.*, máschio.
Jack-a-dandy; damerino *m.*
Jack-al; sciacallo *m.* **-anapes**; sciocchíno *m.* **-ass**; somáro *m.*, *fig.* tánghero *m.*, goffóne *m.* **-boot**; stivalóne *m.* **-daw**; cornácchia *f.*, monácchia *f.*, mulácchia *f.*, corvácchia *f.*, gracchiòla *f.*, mustácchia *f.*
Jacket; giustacuòre *m.*, giacchétta *f.*, camiciòla *f.*, giubbétto *m.* **-ing**; bastonata *f.*
Jack-in-office; impiegato dappoco. **-in-the-box**; saltamartíno *m.* **-in-the-hedge**; alliaria *f.* **-knife**; coltello da tasca di marinaio. **-plane**; pialla da sgrossare. **-snipe**; frullíno *m.*, beccaccino minore. **-stay**; inferitóre *m.*, guida *f.* **-tar**; lupo di mare. **-towel**; bandinèlla *f.*
Jacob; Giacòbbe. **-ean**; dell' epoca di Giacomo I d' Inghilterra. **-in**; giacobíno *m.* **-ite**; giacobíta *m.* **-'s ladder**; scala biscaglina.
Jaconet; giaconétta *f.*
Jade; 1. brénna *f.*; śgualdrina *f.*, briccóna *f.* 2. giado *m.* **-d**; stracco.
Jaffa; Giaffa *f.*
Jag; tacca *f.*, intaccatura *f.*; dente di sega. **-ged**; intaccato, frastagliato.
Jaguar; giaguáro *m.*
Jail; *see* Gaol.
Jakes; cèsso *m.*
Jalap; scialappa *f.*
Jam; 1. confettura *f.*, consèrva *f.* 2. serrare, prèndere, bloccare, arrestare, incagliare (cannone), interrómpere (*telegr.* senza filo). -ming of a valve, puntaménto *m.*
Jamaican; della Giammáica.
Jamb; stípite *m.*
James; Giácomo.
Jane; Giovanna. **-t**; Giovannína.
Jangle; stonatura *f.*, discòrdia *f.*, rumore discordante; leticare.
Jan-issary; gianníżzero *m.* **-itor**; portinaio *m.* **-senism, -senist**; giansenismo *m.*, -sta *m.* **-uary**; gennáio *m.* **-us**; Giano.
Japan, -ese; Giappón-e *m.*, -ése. **-ned**; inverniciato in lacca. **-ner**; verniciatore a lacca.
Japonica; pero del Giappone.
Jar; 1. giara *f.*, vaśo *m.*, bròcca *f.* Leyden —, bottiglia di Leida. 2. urto *m.*, scòssa *f.*; urtare i nervi, dar una scossa a. — upon the ear, colpire l' orecchio con un suono spiacevole. Of colours, non accordarsi.
Jargon; gèrgo *m.*, modo di parlare corrotto o incomprensibile.
Jarring; discordante, dissonante. **-ly**; in modo dissonante.
Jarvey (gergo); cocchière *m.*
Jasmine; *see* Jessamine.
Jasper; diaspro *m.*
Jaundice; itterízia. **-d**; ittèrico, *fig.* gelóso, astióso.
Jaunt; scampagnata *f.*, gita *f.*; girandolare, andar qua e là. **-ily**; leggerménte, gaiaménte. **-y**; gaio, lèpido, attillato.
Jav-a, -anese; Giav-a *f.*, -anése.
Javelin; giavellòtto *m.*
Jaw; 1. mascèlla *f.*, ganascia *f.* Of pincers, morso delle tanaglie. 2. (gergo) cicaléccio *m.*; parlantína *f.*; cicalare, chiacchierare; śgridare. 3. -s of hell, gola dell' inferno. -s of death, braccia della morte. Hold your —! tacete!
Jay; ghiandáia *f.*
Jealous, -ly, -y; gelós-o, -aménte, -ía *f.*
Jean; tralíccio *m.*; Giovanna.
Jeer; burla *f.*, mottéggio *m.*, baia *f.*; burlare, beffarsi di, canzonare. **-ing**; beffardo, canzonatòrio. **-ingly**; in modo beffardo.
Jehovah; Geòva.

Jejun-e, -ely, -eness; scipít-o, -aménte, -ézza *f.* **-um**; digiuno *m.*
Jelly; gelatína *f.*, consèrva *f.*, compósta *f.* Quince —, cotognato *m.* Blackberry —, conserva di more di macchia. Currant —, gelatina di ribes. **-bag**; colabròdo *m.* **-fish**; medúṡa *f.*
Jemmy; grimaldèllo *m.*
Jen-net; ginnétto *m.* **-ny**; macchina filatrice.
Jeopard, -ise; arrischiare. **-y**; perícolo *m.*
Jephthah; Ièfte.
Jer-boa; gèrboa *f.* **-emiad**; geremiata *f.* **-icho**; Gèrico *m.* Go to —! (gergo), andate a farvi benedire.
Jerk; scòssa *f.*, ṡbalzo *m.*, stratta *f.*; scagliare, lanciare a secco, ṡbalzare, ṡbalzellare. By -s, ṡbalzellóni. He -ed it out of my hand, me lo fece saltar di mano. -ed beef, carne di bue seccata al sole.
Jerkin; giaco *m.*, giustacuòre *m.*
Jersey; sottovèste (di lana fina), camiciuòla *f.*
Jerusalem; Gerusalèmme *f.* — artichoke, topinambùr *m.*, tartufo bianco.
Jess; gèto *m.*
Jessamine; gelsomíno *m.*
Jest; schérzo *m.*, cèlia *f.*, burla *f.*, friżżo *m.*; scherzare, motteggiare; *see* Joke. In —, per scherzo. **-er**; burlóne *m.*, capamèno *m.*, buffóne *m.* **-ing**; scherzévole, canzonatòrio. **-ingly**; scherzevolménte.
Jesuit, -ical, -ically; geṡuít-a *m.*, -ico, -icaménte.
Jesus; Geṡù.
Jet; 1. gètto, zaffata, zampillo, becco di gas. 2. gè *m.*, giavazzo *m.*, ambra nera. — black, nero come il gè.
Jet-sam; relitto *m.*, gèttito *m.* **-tison**; gètto *m.*; gettare nel mare, far getto di. **-ty**; scalo *m.*, ṡbarcatóio *m.*, gettata *f.*, banchína *f.*
Jew; Ebrèo *m.* **-baiting**; persecuzione degli Ebrei. **-el**; gioièllo *m.*, giòia *f.* — case, scrigno *m.* **-ish**; ebrèo. **-ry**; gli Ebrei. **-'s harp**; scacciapensièri *m.*
Jib; 1. flòcco *m.* **-boom**; asta del flocco. 2. impennarsi, irritrosire.
Jibe; burla *f.*; beffarsi di.
Jiffy; In a — (gergo), in un batter d' occhio.
Jig; giga *f.*; agitarsi.
Jigger; strumento ausiliario di parecchie specie; per esempio, ponticino al biliardo, paranco a bordo, vela di contromezzana, crivello per separare il minerale dall' acqua. I'm -ed! (gergo), caspita! You be -ed, andate al diavolo. I'll be -ed if you do that, la vedremo, mi opporrò, ci ho da essere io pure.
-flea; zecca d' America. **-mast**; piccolo albero di mezzana.
Jilt; civettuòla *f.*; mancare alla promessa di matrimonio. Be -ed, esser congedato dalla promessa sposa.
Jingle; tintinn-ío *m.*, -are, far risuonare. To — glasses, cozzare i bicchieri.
Jingo; patriotta fanatico. By —! cospetto! per Bacco! **-ism**; patriottismo guerresco.
Jinks; High — (gergo), allegrezza briosa
Job; 1. Giòbbe. 2. lavóro *m.*, impégno *m.* Permanent —, mansióne *f.*; manéggio *m.*, raggíro *m.*, intruglio *m.*; dare o prender in nolo (cavalli e carrozze). By the —, a còttimo. It is a good — that, meno male che. A put-up —, un affare concertato prima. A pretty —, qualchecosa di bello, di buono. **-ber**; negoziante in titoli sulla Borsa. **-master**; chi da a nolo carrozze e cavalli.
Jockey; fantíno *m.*; truffare, gabbare.
Jocose, -ly; giocós-o, -aménte. **-ness**; giovialità *f.*, giocondità *f.*
Jocular, -ly, -ity; *see* Jocose etc.
Jocund; giocóndo, gaio.
Jog; scòssa *f.*; urtare leggerménte, urtare col, o al, gomito. Of a car, ṡballottare. — along, avviarsi, far cammino, trotterellare. Be -ging, andarsene. **-gle**; scuòtere leggermente.
John; Giovanni. **-dory**; pesce S. Pietro. **-ny**; Gianni. — cake, torta di granturco.
Join; congiúngere, unire, associarsi a; collegare, comméttere, raggiúngere, aderire a, esser contiguo a. — in, prender parte a. — the party of, appigliarsi al partito di. — battle, attaccar battaglia. As *sb.*, *see* Joint, Junction. **-er**; falegnáme *m.* **-ery**; lavori di falegname.
Joint; 1. giuntura *f.*, giunto *m.*, unióne *f.*, commessura *f.*, commettitura *f.*, incastratura *f.*; pezzo di carne. Roast —, arròsto *m.* In a reed, nòdo *m.*; internòdio *m.* Out of —, ṡlogato. Universal —, giunto a cardano sferico. To —, tagliare per le giunture. Put out of —, ṡlogare, *fig.* diṡordinare. Put a person's nose out of —, soppiantarlo. 2. aggiunto, uníto, combinato, associato; indiviṡo, comune a due persone o cose. **— account**, partita di più persone. On — —, in compartecipazione. **— author**, collaboratóre *m.* **— command**, comando in comune. Under the — — of, comandato da...in comune. **— effort**, sforzo unito. **— guardian**, cotutóre *m.* **— heir**, coerède *m.* **— owner, — ownership**, compossess-óre *m.*, -ióne *f.* **— property**, proprietà indivisa. **— and**

several, solidále. — signature, firma collettiva. — stock, capitale sociale. — — company, società anonima. — tenant, coinquilíno *m.*, affittuario in comune.

Joint-ly; insième, in compartecipazione. — and severally, collettivamente e individualmente. **-ure**; sopraddote di una donna rimasta vedova.

Joist; corrénte *m.*, travicèllo *m.*

Jok-e; *see* Jest. Worn out —, scherzo frusto. Practical —, burla *f.*, tiro birbone. Sorry —, scherzo brutto o stupido. Standing —, oggetto di riso immancabile. In —, per scherzo, per burla. To —, scherzare, dire facezie. No —, affare serio. That was a — compared with this, in paragone a questa, quella era un niente, una beffa. **-er**; facèto *m.*, burlóne *m.* **-ingly**; per scherzo.

Joll-ification; fèsta *f.*, baldoría *f.* **-ity**; allegrézza *f.* **-y**; gaio, piacévole, espansívo, gioviále. — boat, iòlla *f.* — sell (gergo), un inganno che mai. — good, bellissimo, òttimo.

Jolt; scòssa *f.*, trabalzo *m.*; scuòtere, trabalzare. **-ing**; ṡbalzío *m.*, seguito di sbalzi; che fa dei trabalzoni.

Jonathan; Giònata.

Jonquil; giunchiglia odorosa.

Jor-dan; Giordáno *m.* **-um**; tazzóna *f.*

Jostl-e; urtarsi contro, dar di gomito a. **-ing**; l' urtarsi l' uno contro l' altro.

Jot; ètte *m.* Not a —, neppur per sogno. Do you understand French? Not a —, Lei s' intende in Francese? Non ne so buccicata. — down, prender nota di. **-tings**; appunti *m. pl.*

Journal; giornále *m.*, diário *m.* **-ise**; passare a giornale. **-ism, -ist, -istic**; giornal-iṡmo *m.*, -ista *m.*, -istico.

Journey; viággi-o *m.*, -are.

Journeyman; giornalièro *m.*

Joust; giòstr-a *f.*, -are.

Jovial, -ity, -ly; giovial-e, -ità *f.*, -ménte.

Jowl; guancia *f.* Cheek by —, allato, vicinissimo.

Joy; giòia *f.*, allegrézza *f.*, letízia *f.* **-bells**; campane sonate a festa. **-ful**; gaio, lièto, giulívo. **-fully**; lietaménte, con piacere. **-fulness**; gioia ecc. dello spirito, contentézza *f.* **-less**; triste, uggióso. **-ous**; giocóndo, piacévole, felíce. **-ously**; con molto piacere. **-ousness**; spirito gaio, allegro ecc.

Jubil-ant, -ation, -ee; giubil-ante, -o *m.*, -èo *m.*

Jud-aic, -aise, -aiser, -aism; giud-aico, -aiżżare, -aiżżante *m.*, -aiṡmo *m.*

Judas-tree; albero di Giudea, siliquastro *m.*

Judge; giúdice *m.*, conoscitóre *m.* Be a good —, no —, of, intendersi bene, non intendersi, di. Good — of, fine intenditore di. To —, giudicare. — by appearances, giudicare dall' apparenza. — by, giudicare in base a. **-r**; stimatóre *m.* **-ship**; l' esser giudice.

Judgment; giudízio *m.*, decréto *m.*, sentènza *f.*; sénno *m.*; parére *m.* According to my poor —, secondo il mio poco criterio. His own better —, i migliori suoi ragionamenti. Day of —, giorno del giudizio universale. To obtain —, ottenere un giudizio nel suo favore. To obtain — against, ottenere una sentenza contro. Seat of —, tribunále *m.* Pass —, pronunziare una sentenza. Rise up in — against, farsi accusatore di. To the best of my —, per quanto posso giudicare. Man of good, no, —, uomo di retto giudizio, senza giudizio. **-debt**; debito giudizialmente confermato. **-hall**; sala delle udienze.

Judic-ature, -ial, -ially; giudi-catura *f.*; -ziále, -ziario; -zialménte. **-iary**; giudicatura *f.*

Judicious; giudizióso, assennato, sávio. **-ly**; giudiziosaménte ecc. **-ness**; giudízio *m.*, assennatézza *f.*, saviézza *f.*

Jug; bròcca *f.*, brochétta *f.*, boccále *m.*, mescíacqua *m.*, meżżína *f.* Hot water — of copper, ramíno *m.* **-ged hare**, intingolo di lepre. **-gins** (gergo); scioccóne *m.*

Juggl-e; inganno *m.*, truffa *f.*; giocolare, truffare, fare il prestigiatore. — with words, equivocare. **-er**; giocolière *m.* **-ery, -ing trick**; gioco di mano, gherminèlla *f.* **-ing**; di ciurmeria.

Jugular; giugolare.

Juic-e, -iness, -y; sug-o *m.*, -osità *f.*, -óso.

Ju-jube, -lep; giú-ggiola *f.*, -lèbbe *m.*

Julian; (periodo, anno) giuliáno. — Alps, alpi giulie.

Julienne soup; minestra giardiniera.

July; lúglio *m.*

Jumble; miscúglio *m.*, guazzabúglio *m.*; mescolare, imbrogliare. **-d eggs**, uova strapazzate.

Jump; salto *m.*, sussulto *m.*, ṡbalzo *m.*; saltare, sussultare. — about, esser sempre in moto. — down, saltar in terra. — at an offer, affrettarsi ad accettare un' offerta. — to the conclusion, affrettarsi a concludere. — up, mettersi subito in piedi, balzar da letto o giù da letto, alzarsi subito. With a —, di sbalzo. Flying, High, Long *or* Broad, Running, Standing —, salto di volata, in altezza, in lunghezza, con la corsa, a piedi giunti o a piè pari.

Jump-er; 1. saltatóre *m.* 2. giubbettino da donna. **-ing**; il saltare.

Junct-ion; congiunzióne *f.*, punto di riunione, congiungiménto *m.*; diramazióne *f.* **-ure**; punto *m.*, crişi *f.*, congiuntura *f.*

June; giugno *m.*

Jungle; macchia *f.*, cannéto *m.*, giungla *f.* **-cat**; leopardo dell' America. **-fowl**; megapòdio *m.*, gallo della giungla. **-fever**; febbre tropicale.

Jungly; coperto da canneti.

Junior; cadétto, gióvane, giunióre; assistènte. — **classes**, classi inferiori. — **partner**, socio subordinato. **He is my** —, è più giovane di me. **He is ten years my** —, ha dieci anni di meno di me.

Juniper; ginépro *m.* **-berry**; coccola del ginepro. **-thicket**; ginepraio *m.*

Junk; 1. giunca *f.* 2. gomena vecchia. 3. carne di bue salata.

Junker; nobile tedesco.

Junket; giuncata *f.*, leccornía *f.*; far festa, festeggiare. **-ing**; fèsta *f.*, il festeggiare.

Junta; giunta *f.*

Jur-a; Giura *m.* **-idical, -isdiction, -isprudence, -ist**; giur-ídico, -işdizióne *f.*, -isprudènza *f.*, -ista *m.*

Juror, Juryman; giurato *m.*

Jury; giurì *m.* **-box**; banco dei giurati. **-mast**; albero di fortuna.

Just; 1. giusto, onèsto, corrètto, dovuto. — **dealing**, commercio leale. — **cause**, causa legittima. — **charge**, accusa ben fondata. — **judge**, giudice imparziale.

2. appena, appunto, giustappunto, appuntíno, giusto, immediataménte, fra breve, precişaménte, pròprio, or ora, da poco tempo, novellaménte.

Just about to, sul punto di. — **after him**, subito dopo di lui. — **arrived**, giunto in quel punto. — **as**, proprio quando. — **as much**, altrettanto. — **before**, un momento prima, un istante prima. **They were — beginning**, avevano allora allora cominciato. — **beyond**, appena al di là di. **But** —, appena appena, scarsaménte. — **by here**, proprio qui vicino, vicinissimo. **That will — do**, 1. ciò andrà proprio appuntino. 2. potrà andare così. **Milk — drawn**, latte appena munto. — **enough**, appena, abbastanza. — **at the entrance**, proprio in sul principio, all' entrata. **A child — from the boarding-school**, un fanciullo uscito di fresco dal collegio. **A nosegay — — the garden**, un mazzo di fiori colti di fresco. **The reasons — given**, le ragioni or ora accennate. **Mass is — going to begin**, la messa sta per cominciare. **I was — — to get down**, proprio volevo scendere. **He is — gone out**, è appena uscito. **It is — as good as new**, è tutto come se fosse nuovo. — **to greet me**, solo per salutarmi. **I was — holding it in my hands when it came in two**, lo tenevo per l' appunto in mano, ed ecco che mi si ruppe in due. — **imagine**, immaginiamoci. **That is — like him**, è precisamente lui. **He looks — — a great monkey**, pare proprio uno scimmione. — **now**, or ora, proprio ora; un momento fa, poco dianzi; fra poco. **Only** —, solo. — — **now**, or ora, poco fa, appena. — **outside**, appena di fuori, subito fuori. **With — the right amount of salt**, giusto di sale. **He was — saying**, stava dicendo, appunto in quel momento. **Let us — see**, vediamo un po'. **If they provoke me a little bit further I shall — simply go**, se mi stuzzicano un altro poco, me ne vo e basta. — **so**, già. **It is — —**, è precisamente così. **We are — starting**, stiamo per partire. **I have what will — suit you**, ho da servirla appuntino. — **tell me**, dite mi un poco. — **then**, in quella appunto. **I have only — time**, ho appena appena il tempo. — **in time**, giusto a tempo. **He had been — — — to join**, aveva fatto appunto in tempo a raggiungere. — **to-day**, oggi per l' appunto. — **by way of something to do**, tanto per far qualche cosa. **It is — as well**, è meglio così. — **as I went out**, nel momento stesso in cui uscivo. **A gentleman — — out**, un signore è uscito non è molto. — **when**, proprio quando. **Only — within the walls of the city**, proprio addosso alle mura della città. **He only — keeps — the law**, evita appena la legge.

Just-ice; giustízia *f.*; giúdice *m.* — **of the peace**, giudice della pace. **Lord Chief** —, giudice corrispondente al presidente della Corte d' appello in Italia. **Do — to all**, dare a ciascuno il suo. **Do — to a dinner**, far onore ad un pranzo. **In — to**, per esser giusto a. **-ifiable, -ifiably, -ification, -ificatory, -ifier, -ify**; giustific-ábile, -ataménte, -azióne *f.*, -atívo o -atòrio, -atóre *m.*, -are, autorizzare.

Justly; giustaménte, con ragione.

Jut; spòrgere, aggettare.

Jute; iuta *f.*

Juvenil-e; giovaníle. **-ity**; giovinézza *f.*, puerilità *f.*

Juxtaposition; appoşizióne *f.* **In** — l' uno allato all' altro.

K

K; *pronunz.* Ché.
Kaffir; Caffro. — **corn**, miglio indiano.
Kal-e; cávolo *m.* Sea —, cavolo marino. **-eidoscope**; caleidoscòpio *m.* **-ends**; calènde *f. pl.* **-mia**; cálmia *f.* **-muck**; Calmucco *m.*
Ka-ngaroo; cangúro *m.* **-olin**; caolíno *m.*
Kedge; ancoròtto *m.*
Keel; chíglia *f.* **-son**; paramezzále *m.*
Keen; affilato, aguzzo; penetrante, sottíle; piccante; perspicáce, ávido, furbo; vivo, vívido. **-ly**; acutaménte, assai. **-ness**; ardóre *m.*, avidità *f.*; l' esser affilato ecc.
Keep; 1. torrióne *m.*, ròcca *f.*, arce *f.*, ridótto *m.* 2. manteniménto *m.* 3. tenére, metter in custodia, conservare, tenere riposto, serbare; rimanére, tenérsi; avére, mantenére; trattenére; osservare; custodire.

To — **accounts**, tenere i conti. — **afloat**, stare a galla, galleggiare. — **along**, andar sempre diritto. — **aloof**, tenersi in disparte, tenersi al largo. — **aloof from**, astenersi da. — **apart**, tenere disuniti; vivere disuniti. — **an army**, mantenere un esercito. — **at**, 1. star sempre a. 2. non lasciar tranquillo. 3. tenere a. — **away**, 1. allontanare, tener lontano. 2. stare in disparte, assentarsi, rimanere lontano (da). — **back**, 1. stare sulla riserva, starsene indietro. 2. tacére, nascóndere, dissimulare. 3. reprímere, raffrenare, ritardare. — — **the crowd**, contener la folla. 4. tener indietro, non lasciar avvicinare. — **in barracks**, consegnare in caserma. — **one's bed**, stare nel letto, tenere il letto. — **behind**, tenersi indietro, dietro a. Have enough to — **body and soul together**, avere appena abbastanza di che vivere. — **the books**, tenere, i libri, tenere la contabilità. — **cattle**, far pascolare del bestiame. — **the commands of**, osservare i comandamenti di. — **company with**, aver pratica di, bazzicare, con frequentare. — **control over**, tenere a freno, tenere a segno. — **correspondents abroad**, mantenere dei corrispondenti all' estero. — **one's counsel**, tacere, non lasciar trasparire il vero, nascondere i suoi pensieri. — **one's countenance**, non sconcertarsi, trattenere il riso. — **a course**, seguire una strada. — **from danger**, proteggere contro il pericolo. We wish to — **it dark for the present**, vogliamo che per il momento ciò sia tenuto all' ombra. — **out of debt**, guardarsi dal far debiti. — **from dinner**, impedire di desinare. — **at a distance**, tenersi a distanza. — **down**, tenere in soggezione, tener le spese a basso livello, impedire la moltiplicazione di conigli, comprímere, ritenére, tener a freno, tener in rispetto, moderare; non salire di prezzo, non elevarsi, non crescere. — **employed**, tener occupato, dar del lavoro a. — **an eye upon**, tener d' occhio. — **from falling**, trattenere da una caduta. — **a family**, mantenere una famiglia. — **a festival**, celebrare una festa. — **off the flies**, allontanare, scacciare le mosche. I — **these things for you**, custodisco queste merci per conto vostro — **from**, nascondere da, impedire da. — **oneself from**, astenersi da, trattenersi da, non avvicinarsi a, resistere al desiderio di, contenersi dal. — **a garden**, curare un giardino. — **off the grass**, non pestar l' erba. — **one's ground**, tener fermo, tener duro. — **strict guard**, far buona guardia. — **a horse on hay**, nutrire un cavallo col fieno. — **one's head**, non perder la testa, tener la testa a posto. — **hidden**, tenere riposto. — **at home always**, viver sempre a casa. — **good hours**, rincasarsi presto, rientrare presto. — **house**, mantenere casa. — **in**; 1. raffrenare. 2. proibire di uscire, tener chiuso. 3. stare in casa, rascondersi. 4. — — **clothes**, provvedere del vestire. 5. — — **with**, mantenersi in buona amicizia con. — **the law**, obbedire alla legge. — **lodgers**, tenere dozzinanti. I will not — **you long**, non vi tratterrò a lungo. — **making**, continuare a fare. — **in money**, non lasciar mancare il danaro a. — **off**, 1. non andare su, tenere il largo. 2. tenere a bada. 3. distogliere da, dissuadere da. — **on**, starsene, non cessare, proseguire, andar sempre avanti, non arrestarsi. — **your hat on!** si tenga il cappello! They kept him on out of kindness, lo continuarono nel suo impiego per pietà. — **oneself to oneself**, star sulle sue, tenersi in disparte, star molto da sè. — **to oneself**, tener dentro di sè. — **out**, esclúdere, tener lontano, non lasciar entrare; tenersi lontano, non prender parte, star fuori. — — **of the way**, non mostrarsi, tenersi in disparte. — **the peace**, mantenere la pace, la buona armonia.

— from the rain, preservare dalla pioggia. — out of reach, tener fuor di portata, tenersi a distanza. — a rule, osservare una regola. — a school, tenere una scuola. — in —, proibire agli allievi di uscire dalla scuola. — a secret, conservare un segreto. — oneself shut up, tenersi rinchiuso. — spellbound, far restare incantato. — straight on, camminare sempre diritto. — one's temper, non adirarsi, non incollerirsi, star tranquillo. — thinking, pensar sempre. The watch -s good time, l' orologio va molto bene, funziona regolarmente. — to, 1. limitare a. 2. — — the right, piegarsi a destra, tenersi a destra. 3. tener fermo a, non lasciare. — together, tener riuniti, tener insieme; non separarsi. — in training, mantenere addestrato, in esercizio. — under, tener corto, reprímere, moderare, tener sotto, assoggettare, tener a freno. *See* Keep down. — up, 1. mantenére, sostenére, tener alto. 2. impedire di cadere. 3. continuare, prolungare. 4. conservare, tener vivo. — — the price, mantener alto il prezzo. 5. tenersi in piedi; non tenere il letto; non lasciarsi scoraggiare. — —! suvvia! coraggio! su, andiamo! 6. — — with, mantenersi al livello (dei tempi), avanzarsi col progresso del giorno, conformare il passo a quello del suo compagno; tener viva l' amicizia con; stare in linea (coi concorrenti). — a vow, compiere un voto. — waiting, far aspettare qualcuno, tenere a bada. I was not kept waiting long, non ebbi da attendere molto. — watch, stare in guardia. — well, star sempre bene, conservar la sua salute. The eggs do not — —, le uova non si conservano bene. — — with, mantenere buona relazione con. — within, seguire (ordini), restar (nei limiti). — — call, restar a portata di voce. — — the law, evitare il codice penale. — a woman, mantenere una donna. — one's word, mantenere la sua parola. — in one's wrath, contenere la sua collera.

Keeper; guardiáno *m.*, custòde *m.*; guardacáccia *m.*; passante *m.*; anello accanto all' anello nuziale; áncora (d' un magnete a ferro di cavallo).

Keeping; custòdia *f.*, sorveglianza *f.*; armonía *f.* Be in — with, intonarsi a. In God's —, sotto la protezione di Dio.

Keepsake; ricòrdo *m.*

Keg; barilétto *m.*, caratèllo *m.*

Kelp; soda greggia estratta dal fuco combusto.

Ken; conoscènza *f.* **-nel**; caníle *m.*; rigágnolo *m.*, zanèlla *f.* **-tledge**; ferraccio da zavorra.

Kept; *rem.* di Keep.

Kerb; orlo o gradino del lastricato.

Kerchief; fazzolétto *m.*, fisciù *m.*

Kernel; nocciòlo *m.*, pinòlo *m.*, gheríglio *m.*, *fig.* l' essenziale.

Ker-osene; cheroséno *m.* **-sey**; panno grosso. **-seymere**; caśimíro *m.*

Kestrel; ghéppio *m.*

Ketch; chécchia *f.*

Ketchup; salsa di funghi.

Kettle; calderòtto *m.*, caldaio *m.*, paiòlo *m.* Copper —, ramíno *m.* Tea —, teièra *f.* **-drum**; timballo *m.*

Kex; stelo di cicuta.

Key; chiave *f.*; tasto *m.*; cúneo *m.* Clock —, chiavétta *f.* For telegraphy, tasto manipolatore. Master —, chiave comune. Skeleton —, chiave falsa. **-bit**; ingégno *m.* **-board**; tastièra *f.* **-hole**; buco della serratura. — saw, saracco a punta. **-less**; a remontoàr. **-note**; nota fondamentale, tònica *f.* **-ring**; anello per le chiavi. **-stone**; chiave *f.*

Khan; Can *m.* **-ate**; canato *m.*

Khediv-e; Kedivè *m.* **-ial**; del Kedivè.

Kibe; pedignóne *m.*

Kick; calcio *m.*; tirar calci, dar un colpo di piede; rinculare (fucile). — about, sgambettare. — at, ricalcitrare a. — away, — out, respingere o cacciare con colpi di piede. — off, calcio d' inizio al "football." To — —, dare il calcio d' inizio. — up, fare, provocare. As *sb.*, commozione *f.*, scenata *f.*, chiasso *m.*

Kick-er; che tira calci. **-ing**; il tirar calci. — strap, paracalci *m.* **-shaw**; manicarétto *m.*

Kid; caprétto *m.*, pelle di capretto. To — (gergo), fíngere, corbellare. **-gloves**; guanti di capretto.

Kidnap; portar via, rapire, trafugare.

Kidney; rène *m.*, arnióne *m.*, rognóne *m.*, *fig.* tèmpra *f.*, razza *f.* **-bean**; fagiòlo *m.* **-shaped**; renifórme. **-vetch**; vulnerária *f.*

Kilderkin; barilòtto *m.*

Kill; uccídere, ammazzare, spégnere. Be -ed, rimanere ucciso. **-ing, -ingly funny** (gergo); da far morire di risate.

Kiln; fornáce *f.* **-dried**; seccato al forno.

Kilo-gramme; chilo *m.*, chilogramma *m* **-metre**; chilòmetro *m.*

Kilt; gonnèlla degli Scozzesi.

Kin; parentado *m.* Kith and —, amici e parenti. Next of —, parente prossimo.

Kind; gènere *m.*, sòrta *f.*, spècie *f.*; gentíle, compiacènte, amorévole, buòno, benèvolo. Of that —, di quella fatta.

quel genere. Something of the —, qualche cosa di simile. Nothing of the —, nulla di questo, nulla di simile. The worst — of folly, la peggiore delle sciocchezze. Be so — as to tell me, abbiate la compiacenza di dirmi. The human —, il genere umano. Taxes levied in —, tasse che si pagano in prodotti naturali. An odd — of affair, un curioso affare. In such —, in tal modo. He always speaks with a certain — of scorn or contempt, egli parla sempre con un non so che di sdegno o sprezzo. That is very — of him, ciò è molto gentile da parte sua. — master, padrone indulgente.

Kindergarten; giardino d' infanzia.

Kind-hearted; con cuor d' oro, dotato di buon cuore.

Kindle; accèndere, *fig.* eccitare, destare. — a blush, far salire il rossore al viso.

Kindliness; dolcézza *f.*, amorevolézza *f.*, mansuetudine *f.*

Kindling; legna minute, fascinétte *f. pl.*

Kindly; amorévole, gentíle, dólce, simpatico; amorevolménte, gentilménte ecc., con affezione. Treat —, trattare con bontà. Take —, prender in buona parte. Take — to, mostrare un' inclinazione per, imparare facilmente.

Kindness; bontà *f.*, gentilézza *f.* Great —, molta graziosità.

Kindred; parentèla *f.*; congiunto, affíne. — spirit, spirito consimile.

Kine; vacche *f. pl.* **-tic**; motóre. **-tics**; scienza del moto, cinemática *f.*

King; ré *m.*; at draughts, dama *f.* **-craft**; arte di governare. **-cup**; botton d' oro, calta *f.* **-dom**; régno *m.* **-fisher**; martin pescatore, piombíno *m.* **-ly**; da re, reale. **-post**; mònaco *m.* **-'s English**; inglese aulico. **-'s evidence** chi si fa testimonio contro i suoi complici. **-'s evil**; malattia che si credeva sanabile da una toccatina della mano di un re. **-'s messenger**; corriere reale.

Kink; cócca *f.*, grovígliola *f.*

Kin-sfolk; parentèla *f.* **-ship**; parentádo *m.* **-sman, -swoman**; parènte *m.* or *f.*, congiunt-o *m.*, -a *f.*

Kiosk; chiòsco *m.*, edícola *f.*

Kipper; salare e affumicare. As *sb.*, aringa affumicata.

Kirk; chiesa scozzese.

Kirtle; sottána *f.*

Kiss; 1. báci-o *m.*, -are. 2. rimpall-o *m.*, -are. -ing crust, orliccio *m.*

Kit; corrèdo *m.* **-bag**; sacco reggimentale.

Kitchen; cucína *f.* **-cloth**; canovaccio *m.* **-er**; fornello rinchiuso. **-garden**; òrto *m.*, verżière *m.* **-maid**; śguáttera *f.*, lavapiatti *m.* **-range**; cucina inglese. **-stuff**; grascia *f.*

Kite; 1. aquilóne *m.*, cervo volante; (gergo) cambiale di comodo. Box —, cervo volante cellulare. **-balloon**; pallone drago; 2. nibbio *m.*

Kith; *see* Kin.

Kitt-en; gattíno *m.*; figliare. **-iwake**; galètra *f.*, gabbiano terragnolo. **-le**; poco maneggevole.

Kleptomania, -c; cleptoman-ía *f.*, -e *m.*

Knack; destrézza *f.*, abilità *f.* Have the — of, avere un' abilità speciale per. It is a mere —, non è che una certa accortézza.

Knacker; mercante o uccisore di cavalli logorati, abbattitóre di cavalli. **-'s yard**; macello per cavalli inservibili, scorticatóio *m.*

Knap-sack; záino *m.* **-weed**; centaurèa *f.*

Knav-e; briccóne *m.*, furfante *m.*, birbóne *m.*, mariuòlo *m.* At cards, fante *m.* **-ery**; bricconería *f.*, furfantería *f.* **-ish**; diśonèsto, birbonésco, da mariuolo. — trick, birbonata *f.* **-ishness**; diśonestà *f.*, indole birbonesca.

Knead; impastare, intrídere. -ing trough, mádia *f.*

Knee; ginòcchi-o *m.*, with *f. pl.* -a. **-brëeches**; *see* Knickerbockers. **-cap**; rotèlla *f.*; ginocchièllo *m.* **-deep**; sino alle ginocchia. **-high**; dell' altezza delle ginocchia. **-joint**; giuntura del ginocchio. **-l**; inginocchiarsi. **-ling**; inginocchióni.

Knell; rintocco funebre.

Knelt; *rem.* di Kneel.

Knew; *rem.* di Know.

Knickerbockers; calzoni corti. Child's —, calzoncíni *m. pl.*

Knife; coltèllo *m.*; dare un coltellata a. — and fork, posata *f.* Carving —, trinciante *m.* Clasp —, coltello pieghevole. Hunting —, coltello da caccia. Kitchen —, coltello da cucina. Paper —, taglia-carte *m.* Pen —, temperíno *m.* Pruning —, falcétto *m.* Table —, coltello ad tavola. **-board**; lustra-coltelli *m.* **-grinder**; arrotíno *m.* **-rest**; reggiposata *m.* **-tray**; canestrino per coltelli.

Knight; cavalière *m.* At chess, cavallo *m.* To —, creare cavaliere. — of the Garter, cavaliere della Giarrettiera. — commander of the Bath, commendatore dell' ordine del Bagno. — of S. Patrick, cavaliere dell' ordine di S. Patrizio. **-errant**; cavaliere errante. **-hood**; cavalierato *m.* **-ly**; cavalleresco. **-templar**; templare.

Knit; 1. far la calza, lavorare a maglia, fare a maglia. His wife -ted him a shirt, sua moglie gli fece una camicia a maglia. To — stockings, far delle calze a maglia, lavorare delle calze coi ferri. 2. corrugare (le sopracciglia), *fig.* unire insieme. -ed in intimate friendship, legati in stretta amicizia. To — mankind into one family, affratellare il genere umano. Well — frame, corporatura robusta, atticciata.

Knit-ted; di maglia, fatto a maglia. **-ter**; chi fa lavori a maglia. **-ting**; maglia *f.*, calza *f.*, lavoro a maglia. — needle, ferro da calza. Ivory — needle, ago d' avorio da calza. — yarn, filo da calze.

Knob; bòzza *f.*, pómo *m.*, nòdo *m.*, picchio (di porta), tiratóio (di cassetto). **-bed**; bernoccoluto, nodóso. **-stick** (gergo); crumíro *m.*

Knock; cólpo *m.*, percòssa *f.*, bòtta *f.*; picchio *m.*; colpire, urtare, bussare, picchiare. Of an engine, báttere. I hear a —, sento picchiare alla porta. To know a person by his —, riconoscere una persona dal suo modo di bussare. — **about**, malmenare, conciar male; girovagare, correre il mondo. — **away**, levare a colpi di martello. — **down**, abbáttere, atterrare; abbassare (prezzi); aggiudicare (all' asta). Be -ed down by, rimanere sotto. — **in**, affondare, sfondare, conficcare. — **off**, 1. rómpere, portar via, far saltare via. 2. cessare (lavoro), smettere di lavorare. 3. ṡbrigare, spicciare, fare alla carlona. 4. ribassare. He -ed off ten dollars, ribassò dieci dollari sul prezzo. — **on the head**, accoppare; *fig.* ṡventare, mandare a monte. — **out**, metter da parte, escludere; sconfíggere, víncere, metter fuori di combattimento, sopraffare. — **the brains out**, far saltare le cervella. — **over**, far cadere, rovesciare. — **under**, darsi per vinto, stare in secondo luogo. — **up**, 1. riṡvegliare, far alzare. 2. spossare, ṡlogar le reni a. -ed up, rifiníto, spossato.

Knock-er; campanèlla *f.*, martèllo *m.*, picchiòtto *m.* **-ing**; picchiottío *m.* **-kneed**; colle gambe a iccasse.

Knoll; pòggio *m.*, collinétta *f.*

Knot; 1. nòdo *m.*, gassa *f.*, gruppo *m.*, aggrovigliaménto *m.* Loose —, nodo lento. Tight —, nodo duro o stretto. Reef —, nodo piano. Running, Slip —, nodo scorsoio. Sheepshank —, nodo margherita. Weaver's —, Single bend, Bowline —, gruppo semplice di scotta. *See also* Hitch. 2. porter's —, cuscíno *m.* 3. — of people, cròcchio *m.* -s; capannèlli *m. pl.* 4. — (bird), piovanello maggiore. 5. (*mar.*) miglio *m.* 6. annodare, avvincolare, attorcigliare.

Knot-grass; centinòdia *f.* **-ty**; nodóso; *fig.* difficile, scabróso.

Knout; flagèllo *m.*, cnùt *m.*

Know; sapére, conóscere, esser informato di. Let —, far sapere. In the —, informato di cose segrete. Goodness -s, lo sa il Cielo, chi lo sa? — good from bad, saper distinguere il bene dal male. — better, saperne più. — what to do, saper quel che si deve fare. I — that to my cost, l' ho già imparato a mie spese. — by heart, saper a memoria. — by name, by sight, conoscere di nome, di vista. I — you will think, so bene che tu giudichi. — very well, risapére. Well -n, rinomato. It is well -n, si è risaputo. — the place, esser pratico del luogo. -n quantity, data *f.*

Know-able; conoscíbile. **-ing**; istruíto, furbo, intelligènte, fino, scaltro. **-ingly**; sciènteménte, a bello studio, con cognizione di causa. **-ledge**; conoscènza *f.*, sciènza *f.* To my —, a mia saputa. Without my —, a mia insaputa. Without my father's —, all' insaputa di mio padre. Get — of, informarsi di. To the best of my —, per quanto io sappia. Grown out of all —, cresciuto tanto da non poterlo più riconoscere. A fair — of English, una discreta conoscenza dell' inglese. How did that come to his —? come è venuto ciò a ṡua cognizione?

Knowledgeable; assennato, ben informato.

Knuckle; nòcca *f.* Of mutton or veal, garétto *m.* — under, sottométtersi. **-bones**; aliòssi *m. pl.*

Kohlrabi; cavolrapa *m.*

Koran; alcoráno *m.*

Kosher; puro, legittimo.

Kraal; baracca ottentotta.

Krait; un serpente assai velenoso.

Kraken; polipo mostruoso.

Kurd, -istan; Curd-o *m.*, -istàn.

Kursaal; casíno *m.*

L

L; *pronunz.* Èll.

La! vè! guarda! davvero!

Labarum; lábaro *m.*

Label; etichétta *f.*; segnare, affiggere una etichetta a.

Labi-al, -odental; -ále, -odentále.

Labor-atory; -atòrio *m.* **-ious**; penóso, faticóso; operóso, laborióso. **-iously**; penosaménte, con molta fatica. **-iousness**; carattere penosa ecc.

Labour; lavóro *m.*, péna *f.*; imprésa *f.*; dòglie *f. pl.* Hard —, lavori forzati. To —, lavorare, sforzarsi, affaticarsi. — at, occuparsi di. — under, soffrire di. — under many difficulties, aver da lottare contro molte difficoltà. **-ed**; stentato. — style, stile ricercato. **-er**; lavorante *m.*, òpra *f.*, bracciante *m.* Day —, giornalièro *m.* **-party**; partito operaio.

Laburnum; cítiso *m.*, maggiocióndolo *m.* **-wood**; falso ebano.

Labyrinth, -ine; laberint-o *m.*, -èo.

Lac; 1. *see* Lacquer. 2. centomila rupie.

Lace; 1. pizzo *m.*, merlétto *m.*, trina *f.* 2. aghétto *m.*, passamáno *m.*, stringa *f.*, coreggiòlo *m.*, cordóne *m.* 3. gallóne *m.* 4. To —, — up, allacciare. **-maker**; trinaia *f.* **-trimming**; guarnizione di pizzo.

Lacedaemonia, -n; Lacedemònia *f.*, lacedèmone.

Lacer-ate, -ation; -are, -azióne *f.*

Lachrym-al, -ation, -ose; lagrim-ále, -azióne *f.*, -óso.

Lack; difètto *m.*, mancanza *f.*, scarsità *f.*, scarsézza *f.* To —, mancare, aver bisogno di, difettare di. They — authority, essi mancano d' autorità.

Lackadaisical; lezióso, śmorfióso.

Lackey; lacchè *m.* Crowd of -s, servidoráme *m.*

Lack-lustre; appannato, śmòrto.

Lacon-ian, -ic, -ically; -ico, -ico, -icaménte.

Lacquer; lacca *f.*; verniciare con lacca.

Lact-ation; allattaménto *m.*, lattazióne *f.* **-eal**; látteo. **-ic, -iferous**; láttico, -ífero.

Lacuna; *id. f.*, vuòto *m.*

Lacustrine; lacustre.

Lad; giovinétto *m.*, mózzo *m.*, ragazzo *m.* A mere —, un bimbo.

Ladder; scala a piuoli, scalèo *m.* Rope —, scala di corda. Fire —, scala per incendi. Scaling —, scala d' assalto. The social —, la scala sociale. At the bottom of the social —, al più basso scalino della scala sociale.

Lad-en; caricato. **-ing**; cárico *m.* Bill of —, polizza di carico.

Ladle; méstola *f.*, méstolo *m.*, romaiuòlo *m.*, mescíno *m.*, cucchiaióne *m.* To — out, servire, vuotare col mescino, ripartire colla mestola. **-ful**; cucchiaiata *f.*, mestolata *f.*

Lady; signóra *f.*, dama *f.* — of the house, padrona di casa. Young —, signorína *f.*, damigèlla *f.* Our —, la Madonna. **-bird**; coccinèlla *f.*, bestiolina della Madonna. **-day**; festa della Annunziata. **-fern**; felce femmina. **-killer**; damerino *m.*, gallo della Checca. **-like**; da signora, signoríle, distinto, ben educata. **-love**; dama de' suoi pensieri. **-'s bedstraw**; caglio *m.* **-ship**; signoría *f.* Her —, Sua Eccellenza. **-'s maid**; camerièra *f.* **-'s mantle**; erba stella. **-'s smock**; billéri *m.*

Lag; restar in dietro, tardare, non muoversi lestamente, rallentarsi.

Lager-beer; birra leggera alla tedesca.

Laggard; ritardatário *m.*, chi rimane indietro, pigro *m.*

Lagoon; laguna *f.*

Lagrange; Lagrangia.

Laicise; laiciżżare.

Lai-d, -n; *part.* di Lay, Lie (giacere).

Lair; tana *f.*, cóvo *m.*

Laird; proprietario scozzese.

Laity; láici *m. pl.*

Lake; 1. lago *m.* **-dwellings**; dimore lacustri. 2. lacca. **-let**; laghétto *m.*

Lakh; *see* Lac (2).

Lama; 1. lama *m.* (del Tibet). 2. *see* Llama.

Lamb; agnèllo *m.*, abbácchio *m.*; figliare (pecora). **-ent**; (fiamma) tremola e fugace. **-kin**; agnellétto *m.* **-'s lettuce**; favétte *f. pl.*, agnellíno *m.*

Lame; zòppo, stòrpio, ranco. Go —, zoppicare, andar zoppo. To —, storpiare, azzoppire.

Lamell-ar, -iform; -are, -ifórme.

Lame-ly; a modo di storpiato, zoppicando; *fig.* imperfettaménte, debolménte. **-ness**; storpiatura *f.*, l' esser zoppo ecc., *fig.* debolézza *f.* His — comes from a railway accident, una disgrazia di ferrovia lo rese zoppo.

Lament; lagnarsi di, rimpiángere, dolérsi, lamentarsi. **-able, -ably**; deplorábil-e, -ménte; lamentévol-e, -ménte. **-ation**; laménto *m.*, gèmito *m.*, pianto *m.*, lagnanza *f.*

Lamin-a; piastra di metallo. **-ar, -ated**; -óso, a lamelle. **-ation**; -atura *f.*

Lammergeier; avvoltoio barbuto.
Lamp; lámpada *f.*, fanále *m.*, lucèrna *f.*, lampióne *m.* Safety —, lampada di sicurezza. Spirit —, lampada a spirito. **-black**; nero di fumo. **-light**; luce di lampada. **-lighter**; lampadista *m.*, accendi-gas *m.* **-maker**; lampanaio *m.* **-oil**; òlio da ardere.
Lampoon; libèllo *m.*, pasquinata *f.*; satireggiare, diffamare. **-er**; scrittore di pasquinate, libellista *m.*
Lamp-post; palo per lampione. **-rey**; lamprèda *f.* **-room**; lampistería *f.* **-shade**; paralúme *m.*, vèntola *f.*
Lancast-er, -rian; -ro *m.*, -riáno.
Lance; lancia *f.*; aprire colla lancetta. **-head**; punta di lancia. **-r**; lancière *m.* **-t**; lancétta *f.*
Lancinating; lancinante.
Land; tèrra *f.*, terréno *m.*, paéśe *m.* Extensive -s, vaste tenute. As geographical suffix, -land *m.*, *e.g.* il Maryland, il Nyassaland. Arable —, terra arabile. Corn —, terra adatta ai cereali. Dry —, terra ferma. Main —, terra ferma, continènte *m.* Native —, terra natía, paese natío. Pasture —, páscoli, terreno pascolativo. To —, śbarcare, śbarcarsi, metter in terra, approdare, atterrare; portare a terra (pesce). This -ed me in a great difficulty, perciò mi son trovato in un bell' impiccio, questo mi ha messo in una gran difficoltà.
Land-agency; fattoría *f.* **-agent**; amministratóre *m.*, fattóre *m.*, mediatore di vendite di beni immobili.
Landau; landò *m.*
Land-breeze; brezzolina di terra. **-carriage**; trasporto per terra.
Landed; fondiario. — estate, proprietà fondaria, possediménto *m.* — interest, i possidenti.
Land-fall; atterrággio *m.*, avvistamento di terra.
Landgrave; langrávio *m.*
Land-holder; possidènte *m.*, proprietario fondiario.
Landing; 1. śbarco *m.* 2. pianeròttolo *m.*, ripiáno *m.*, spianata *f.* **-ground**; campo atterraggio. **-net**; reticella a mano, sibièllo *m.*, śguadèllo *m.* **-place**; scalo *m.*, śbarcatóio *m.*, appròdo *m.* **-stage**; sbarcatoio galleggiante, banchína *f.*, pónte *m.* **-stairs**; scala d' approdo.
Land-jobber; speculatore di beni fondiarii.
Land-lady; padróna *f.*, ostéssa *f.* **-less**; senza terre. **-locked**; rinchiuso da terre. **-loper**; girellóne *m.* **-lord**; padróne *m.*, òste *m.* **-lordism**; sistema dove i coltivatori non sono i possidenti. **-lubber**; uomo di terra, chi non è marinaio. **-mark**; punto di riscontro, segnale a terra, segno che si vede da lontano. **-office**; ufficio del catasto. **-owner**; possidènte *m.* **-rail**; re di quaglie. **-scape**; paeśággio *m.* — painter, paeśista *m.* **-slip, -slide**; frana *f.* **-sman**; uomo di terra ferma. **-spring**; polla che si verifica dopo la pioggia. **-sturm**; *landsturm f.* **-surveyor**; agrimensóre *m.* **-tax**; imposta fondiaria. **-waiter**; doganiere che sorveglia agli sbarchi. **-ward**; verso terra.
Lane; vícolo *m.*, viuzza *f.*, stradícola *f.* — of soldiers, doppia fila di soldati.
Langsyne; tempo passato.
Language; lingua *f.*, linguággio *m.*, favèlla *f.* Bad —, parolacce *f. pl.* Dead —, lingua morta. Foreign —, lingua straniera. Living -s, lingue viventi.
Languedoc; Linguadòca *f.*
Languid, -ly; -o, -aménte; flòsci-o, -aménte; fiacc-o, -aménte.
Langu-ish; intiśichire, languire, deperire. **-or**; -óre *m.*, abbattiménto *m.*
Lank, -y; allampanato, śmilzo, sparuto. — hair, capelli lunghi e lisci. **-iness**; magrézza *f.*, l' esser allampanato ecc.
Lansquenet; lanzichenécco.
Lantern; lantèrna *f.*, faro *m.*, fanále *m.* Chinese —, palloncino cinese. Dark —, lanterna cieca. **-jawed**; colle gote infossate.
Lanyard; collatóre *m.*; cordicella di sparo.
Lap; 1. falda *f.*, grèmbo *m.* On her — sulle ginocchia. 2. un giro della pista. 3. ricopriménto *m.* 4. leccare, lambire. — over, invòlgere, ricoprire, ripiegarsi su. — up water, leccare l' acqua.
Lap-dog; cagnolíno *m.* **-el**; falda *f.*, rovèscio *m.* **-ful**; grembialata *f.*
Lapidary; lapidário *m.*
Lapislazuli; lapiślázzuli *m.*
Lapland, Lapp; Lapp-ònia *f.*, -òne.
Lappet; falda *f.*
Lapse; passággio *m.*, trascorriménto *m.*, mancanza (di memoria); scadére, diventar perento. — into, cadere o cascare in. — into silence, lasciarsi cadere in silenzio. These are minor -s, sono piccoli sbagli.
Lapwing; pavoncèlla *f.*
Larceny; ladronéccio *m.*
Larch; lárice *f.*
Lard; lardo *m.*, sugna strutta, strutto *m.*; lardellare. **-er**; dispènsa *f.* **-y-dardy**; śmorfióso.
Large; grande, ampio, gròsso. As — as life, di grandezza naturale. At —, libero. Be in a — way of business, trattare degli affari grandiosi. Discuss at —, discutere a lungo, diffusamente.

Go at —, andar dove si voglia. **-hearted**; generóso. **-limbed**; membruto. **-ly**; in gran parte, grandeménte. **-minded**; d' idee grandi; liberále. **-ness**; grandézza *f.*; elevatézza (d' ingegno).

Largess; regálo *m.*, máncia *f.*

Largish; piuttosto o alquanto grande.

Lariat; láccio *m.*

Lark; lòdola *f.*, calandra *f.*, tottavilla *f.*, cappelláccia *f.*; schérzo *m.*, birichinata *f.*, scappata *f.* To —, divertirsi, scherzare.

Larkspur; fiorcappuccio *m.*, rigáligo *m.*, consolida reale.

Larmier; grondatóio *m.*

Larrikin; malandríno *m.*, ragazzáccio *m.*

Larrup; sferzare, staffilare.

Larv-a, -al; -a *f.*, -ále.

Laryn-geal, -gitis, -gology, -goscope, -x; larin-gèo, -gíte *f.*, -gología *f.*, -goscòpio *m.*, -ge *f.*

Lascar; lascáre *m.*

Lasciv-ious; -o, lúbrico, lussurióso. **-iously**; lascivaménte ecc. **-iousness**; -ía *f.*, lussúria *f.*, lubricità *f.*

Lash; 1. frustata *f.*, sferzata *f.*; cordicella di frusta, sferzíno *m.*, codétta *f.* To —, flagellare, sferzare. 2. ciglio *m.* 3. attaccare, legare. 4. — out, menar colpi alla cieca. — out at, fare un colpo fortissimo a. **-er**; cateratta *f.* **-ing**; legatura *f.*, legúme *m.* **-ings** (gergo); gran copia.

Lass; ragazza *f.*, zitèlla *f.*

Lassitude; stanchézza *f.*, spossatézza, lassézza *f.*

Lasso; lacciaia *f.*

Last; 1. último, estrèmo. — night, ieri sera, la scorsa notte. — winter, l' inverno passato. — October, lo scorso ottobre. The 12th of October —, il dodici ottobre ultimo scorso. — month, mese prossimo passato. — time, l' ultima volta. At —, alla fine, finalménte. At the — day, al giorno del giudizio finale. — but one, penúltimo. — but two, antipenúltimo, terzúltimo. To the —, sino alla fine. When did you see him —? quando l' avete visto l' ultima volta? To —, durare, continuare. Hold on to the —, tener fermo sino alla fine. The best apples to —, le migliori mele per non guastarsi. 2. fórma *f.*, rientrastiváli *m.* **-er**; rientratóre *m.* **-ing**; durévole. **-ingly**; durevolménte. **-ly**; alla fine, in fine.

Latch; saliscéndi *m.*, nòttola *f.*, maníglia *f.* **-key**; piccola chiave della porta di casa.

Latchet; correggiuòlo *m.*, fibbiétta *f.*

Late; tardo, tardívo, in sul tardi; fu, defunto. The — Lord Mayor, l' exsindaco, il già sindaco. — author, scrittore moderno. A — spring, una primavera tardiva. The — rains, le ultime pioggie. Of — years, in questi ultimi anni. Of —, ultimaménte, di recente, da qualche tempo. On a — occasion, in una recente occasione. Keep — hours, coricarsi tardi, rientrare ad ora tarda. It is — in the day, in the season, la giornata, la stagione, è avanzata. It is growing —, comincia a farsi tardi. Is it —? È tardi? Better — than never, meglio tardi che mai. — in the afternoon, sul finire del pomeriggio.

Lateen; latíno. **-rigged ship**; bastimento latino.

Lately; non ha guari, poco fa, poco stante di recente, non è molto. Until —, finóra.

Lateness; ritardo *m.*, sviluppo tardivo, ora o epoca avanzata.

Latent; -e, occulto, nascósto, segréto (motivo).

Later; più tardi, dópo. An hour—, un' ora più tardi. Twenty years —, di là a vent' anni. In his — years, sul declinare degli anni. Sooner or —, presto o tardi.

Lateral; -e. — movement (ship or dirigible), scarroccio *m.* **-ly**; -ménte, di fianco.

Latest; ultimo, recentissimo. At the —, al più tardi. — news, ultime notizie.

Lath; assicèlla *f.*, panconcèllo *m.*, bòssola *f.*

Lathe; tórnio *m.*

Lather; saponata *f.*, schiuma di sapone; insaponare.

Lathing; rivestimento di assicelle.

Laticlave; laticlavio *m.*

Latin, -ise, -ism, -ist, -ity; -o, -iżżare, -iṡmo *m.*, -ista *m.*, -ità *f.*

Latish; alquanto tardo.

Latitud-e, -inarian; -ine *f.*, -inário.

Latium; Lazio *m.*

Latrine; latrína *f.*

Latter; quest' ultimo. — end, fine, parte posteriore. — part, parte verso la fine. In his — days, sul declinare degli anni. The former...latter, quéllo...quésto. **-ly**; recenteménte, ultimaménte.

Lattice; graticcio *m.*, cancellata *f.* **-girder**; trave all' americana. **-window**; finestra ingraticciata. **-work**; graticolato *m.*

Laud; lodare. **-able**; lodévole. **-ably**; lodevolménte. **-anum**; láudano *m.* **-atory**; lodatòrio. **-s**; láudi *f. pl.*

Laugh; riso *m.*, risata *f.*; rídere. — at, ridere di, burlarsi di, cuculiare, canzonare. — out, scoppiare in una risata.

— scornfully, ṡghignazzare. — ironically, ridacchiare. Die with -ing, sfegatarsi dalle risa. — till one splits, sganasciarsi dalle risa. — at to his face, ridere in faccia a. — heartily, ridere di cuore. — in one's sleeve, ridere sotto i baffi. He -s best who -s last, riderà bene chi riderà l' ultimo. Carry off the —, ridere l' ultimo. Have the — on one's own side, aver diritto di ridere. Turn off with a —, prender la cosa in burla.

Laugh-able; ridévole. **-ably**; ridevolménte. **-er**; ridènte *m.* or *f.* **-ing**; ridènte, gaio. — gas, gas esilarante. — stock, zimbèllo *m.* **-ingly**; in modo ridente. **-ter**; riso *m.*, il ridere, risata *f.* Fit of —, una gran risata. Break out into —, scoppiare dalle risa.

Launch; láncia *f.*, scialuppa *f.*; varaménto *m.* Steam —, vaporétto *m.* Motor —, motòscafo *m.*, autòscafo *m.* To —, varare, metter fuori (idea). — out, lanciarsi, imbarcarsi, gettarsi. -ing ways, letto del varo, longheríne *f. pl.*

Laundr-ess; lavandaia *f.*, stiratrice *f.* **-y**; lavandería. — maid, serva lavandaia. — man, lavandaio *m.*

Laureat-e; -o.

Laurel; lauro cèraṡo. Rest upon one's -s, star pago dell' onore già guadagnato.

Laurustinus; alloro tino.

Lausanne; Loṡanna *f.*

Lava; *id.*

Lav-atory; lavábo *m.* **-e**; lavare. **-ender**; spigo *m.*; the term includes both lavender and French lavender. — cotton, canapécchia *f.*

Laver; ulva comestibile.

Lavish; pròdigo, profuṡo; scialacquare, profóndere. — expenditure, spesa stravagante. — of promises, largo di promesse. **-ly**, **-ness**; prodig-aménte, -alità *f.*

Law; légge *f.*, statúto *m.* — of nations, diritto internazionale. Civil, Common, Canon, Roman —, diritto civile, comune, canonico, romano. Statute —, atti del parlamento. To become —, passare in legge. Follow the —, studiare la legge. Go to —, litigare, intentar lite. Take the — into one's own hands, farsi giustizia da sè. According to —, secondo le forme prescritte dalla legge. Practise —, esser uomo di legge. Forest —, codice forestale. Point of —, questione legale.

Law-abiding; ubbidiente alla legge. **-book**; trattato di legge. **-breaker**; violatore della legge. **-court**; corte di giustizia, tribunále *m.*, palazzo di giustizia. **-ful**; lécito, legále, legittimo. **-fully**; secondo la legge. **-fulness**; legalità *f.* **-giver**; legislatóre *m.* **-ks**; corbellibus! **-latin**; il latino dei documenti legali del medio evo. **-less**; senza legge, sfrenato, diṡordinato. **-lessly**; a dispetto della legge. **-lessness**; disprezzo della legge, sfrenatézza *f.*, licènza *f.*, ṡregolatézza *f.*

Lawn; 1. prato *m.*, radura verde in un giardino. 2. rènsa *f.* 3. **-spurrey**; spergola de' giardini. **-tennis**; lawn-tennis *m.*, pallacòrda *f.* Set of — things, un gioco di lawn-tennis.

Law-suit; procèsso *m.*, lite *f.*, cáuṡa *f.* **-yer**; avvocato *m.*, legále *m.*, giurista *m.*, legista *m.*

Lax; fiacco, rilassato, non teso, poco severo. **-ative**; lassatívo. **-ity**; mollézza *f.*, rilassatézza *f.* **-ly**; in modo fiacco ecc.

Lay; 1. canzóne *m.*, canto *m.* 2. campo di operazioni (di ladri). 3. parte di profitto. 4. láico. 5. **-brother**; frate converso. **-figure**; fantóccio *m.*, manichíno *m.* **-sister**; convèrsa *f.*

6. pórre, posare, méttere; scommèttere; spèngere (polvere), fare (uova), abbáttere (le messi), puntare (cannone), distèndere (cavo telegrafico), tèndere (insidie), stèndere (morto).

Lay about, spandere un po' dappertutto, distribuire (p.e. veleno per i topi) per varii luoghi. *See* Leave about. — **about one**, menar colpi dappertutto. — **aside**, metter da parte; abbandonare. — **before**, esporre a, sottomettere a. — **by**, servare, conservare, metter da parte. — **down**, depórre, posare, coricare, adagiare, mettere a terra; stabilire (condizione), impostare (una chiglia), stabilire o prescrivere (regola); dare (vita); spiegare (legge). It is laid down, è stabilito. — **down to grass**, appratire, ridurre a prato. — **hold of**, attaccarsi a, *see* Seize. He felt very dissatisfied, but there was nothing he could — — — to complain about, era ben poco contento, ma non gli riuscì trovare l' attaccagnolo per lagnarsene. — **in**, provvedersi di. — **into**, picchiar bene. — **off**, segnare (corsa). — **on**, applicare, sovrappórre, impórre (tassa). — **on thick**, aggravar la mano, caricare (colore, racconto). — **out**, ṡborsare; vestire (un morto); distèndere, spiegare, stèndere. — **up**, accumulare, economiżżare; obbligare a letto o a stare in camera; lasciar riposare (terreno); diṡarmare (bastimento). Laid up, obbligato a letto, diṡarmato. — upon, imporre a.

Lay bare, metter a nudo, ṡvelare, scoprire. — the blame upon, addossare la colpa a, imputare a. — dead, stendere morto, adagiare senza vita. — to heart, prender ben nota di, risentire vivamente. — level, spianare. — low, abbáttere. — open, lasciare esposto. — on the shelf; *fig.* metter a riposo, collocare a riposo. — the table; apparecchiare. I — ten to one he doesn't do it, lo do a dieci contr' uno che non gli riesca. — waste; devastare, saccheggiare.

Laybach; Lubiana *f.*

Layer; gallina che fa uova; margòtto *m.*; strato *m.*, lètto *m.* **-ing**; propagginamento a margotto.

Layman; láico *m.*

Laystall; letamaio *m.*

Lazaretto; lażżarétto *m.*

Laz-ily, -iness, -y; pigr-aménte, -ízia *f.*, -o; infingard-aménte, -ígia *f.*, -o. Stretched out lazily on a sofa, sdraiato mollmente sopra un divanetto.

Lead; 1. piómbo *m.*; scandaglio *m.*; matíta *f.*; interlínea *f.* The — of this pencil is broken, questa matita ha la punta rotta. Black —, mistura di piombo; piombággine *f.* Red —, minio di piombo. White —, biacca *f.*, cerussa *f.* Sugar of —, acetato di piombo, sale di Saturno. **-coating**; spalmatura di piombo.

2. direzióne *f.*, condótta *f.*, vantággio *m.*, primáto *m.* Dog —, guinzáglio. At billiards, acchíto *m.* At cards, mano (Electric) reòforo *m.* Take the —, mettersi alla testa, comandare, padroneggiare; spingersi avanti. Hold a — of fifty yards, avere un vantaggio di cinquanta metri. Have the — (at cards), aver la mano. Whose — is it? A chi la mano? Friendly —, rappresentazione a benefizio di uno sciagurato.

3. condurre, menare, guidare, indurre (a credere); esser il primo o il capo, comandare; giocare per primo. — a happy life, condurre o menare una vita felice. At billiards or cards, cominciare. — the conversation in that direction, portare il discorso su quel tema. — (a horse), condurre a mano. — **about**, menar qua e là. — **across**, far traversare. — **along**, condurre, accompagnare. — **astray**, śviare, traviare. — **away**, condur via. — **back**, ricondurre. — **off**, incominciare; portar via; eśordire. — **on**, attirare, trascinare, persuadére, allettare, menare. — **out**, condur fuori, far uscire. — **to**, portare a. — **up to**, menar fino a, condurre da. I was -ing up to this, lo scopo del mio fare era questo.

Lead-ed; impiombato, interlineato. **-en**; di piombo.

Lead-er; capo *m.*, conduttóre *m.*, guida *f.*; branca madre; articolo di fondo; tèndine *m.* At cards, chi è di mano. **-erette**; breve articolo editoriale. **-ership**; condótta *f.*, direzióne *f.*

Leading; condótta *f.*, direzióne *f.*; che conduce, che mena; dominante, principále, primario, primo, sovrastante. Men of light and —, gente distinta ed intelligente. — hand, capo. — man, pezzo grosso. — lights and marks, segnali e fanali di allineamento. — question, interrogazione suggestiva. — ship, nave capofila. **-rein**; corda per guidare. **-strings**; dande *f. pl.*

Lead-pencil; matíta *f.*, lapis *m.* **-poisoning**; colica degli imbianchini. **-sman**; scandagliatore *m.*

Leaf; fòglia *f.*, fòglio *m.* A — from his note-book, un foglietto strappato dal suo taccuino. — of a table, aggiunta *f.* — of a folding door, battènte *m.* Come out in —, metter le foglie. Turn over the leaves of, sfogliettare. Take a — out of his book, modellarsi su lui. Turn over a new —, svoltare la pagina.

Leaf-age; fogliáme *m.* **-bud**; germóglio *m.* (di foglia). **-insect**; faśmide *m.* **-less**; sfogliato, sfrondato. **-lessness**; l' esser privo di foglie. **-let**; fogliétto *m.*, cartèlla *f.* **-mould**; terriccio *m.* **-roller**; tortrice *f.* **-stalk**; picciuòlo *m.* **-y**; fronżuto.

League; léga *f.*; legarsi. **-d**; alleato, confederato, legato, unito.

Leak; falla *f.*, via d' acqua, pèrdita *f.*; in a boiler or pipes, fuga *f.*; colare, scappare, far acqua, spándere, buttare acqua. Spring a —, aprire una falla, cominciare a far acqua. — out, trapelare, divulgarsi. **-age**; trapelaménto *m.*, via d' acqua, scólo *m.*, sciupío *m.* **-iness**; tendenza a far acqua. **-ing, -y**; che fa acqua, che trapela.

Lean; 1. carne (d' arrosto); magro, śmunto, scarno. — cheeks, guance angolose. 2. pèndere, inclinare, appoggiare; aver disposizione per, esser disposto a, inclinarsi. **-ing** tower, torre pendente. **-ness**; magrézza *f.*, estenuazióne *f.*

Leap; salto *m.*, balzo *m.*; saltare, spiccar un salto. **-frog**; salta-montóne *m.*, salta-la-quaglia *f.* **-year**; anno biśestíle.

Learn; imparare, venir a sapere. — by heart, imparar a mente o a memoria. **-ed**; dòtto, istruíto, scienziato. **-edly**; dottaménte. **-er**; principiante *m.* **-ing**; erudizióne *f.*, dottrína *f.*

Lease; affitto *m.*; appigionare, dare in

affitto, pigliare in affitto. Take a new — of life, riavere la salute. **-hold**; affittanza *f.*; tenuto in affitto, enfitèutico. **-holder**; locatario *m.*, fittaiuòlo *m.*

Leash; guinzáglio *m.*; assieme di tre conigli o altro.

Least; minimo, méno. Not in the —, niente affatto. At —, alméno, per lo meno, alla fine, ad ogni modo. He who — deserves it, chi lo merita meno. It is the — I can do, è il meno che possa fare. He was not in the — afraid, non aveva la più piccola paura. **-ways**; ad ogni modo.

Leather; cuòio *m.*, pèlle *f.* Patent —, cuoio verniciato. Chamois —, pelle scamosciata. To —, bastonare (con coreggia). **-bottle**; ótre *m.* **-dresser**; conciatore di pelli. **-jacket**; bruco a pelle dura. **-seller**; pellicciaio *m.* **-y**; come il cuoio, coriáceo.

Leave; permissióne *f.*, perméssо *m.*, licènza *f.*, congèdo *m.* Obtain —, esser lasciato libero. Take —, accomiatarsi, congedarsi. Take French —, agire senza permesso. Give me — to say, mi sia permesso di dire.

To —, lasciare, abbandonare; legare, lasciare in eredità o per testamento; be left, ereditare; partire. — in the lurch, piantare in asso. — about, lasciar non si sa dove, lasciar dappertutto, dove la gente possa vedere qualche cosa. — alone, lasciar stare, non toccare. — off, śméttere, rinunciare a, cessare, finire, rimanére. Where did we — —? dove si è rimasto? He never -s off complaining, non finisce mai di lamentarsi. He began with the eldest and left off at the youngest, cominciò dal maggiore e finì al minore. — out, sopprímere, ométtere, tralasciare. — to, lasciar fare, a rimettersene a. I — it to your judgment, me ne rimetto al suo giudizio.

Leaved; Broad —, dalle foglie larghe.

Leaven; lièvito *m.*; lievitare.

Leavings; avanzi *m. pl.*, rimasúgli *m. pl.*

Lebanon; Líbano *m.*

Lecher, -ous; libidinóso. **-y**; lussúria *f.*

Lect-ern; leggío *m.* **-ionary**; lezionále *m.*

Lecture; conferènza *f.*, discórso *m.*, śgridata *f.*, ramanżína *f.*; discórrere, tenere una conferenza, fare un corso di conferenze. **-r**; conferenzière *m.* **-ship**; professorato *m.*, cattedra di conferenziere.

Led; *rem.* di Lead.

Ledge; risalto *m.*, spòrto *m.*, strato sporgente, catena di scogli, órlo *m.*, spónda *f.*

Ledger; libro mastro.

Lee; sottovènto. **-board**; ala o scarpa di deriva. **-shore**; costa di sottovento.

Leech; 1. sanguisuga *f.*, mignatta *f.* 2. mèdico *m.* 3. gratíle *m.*, ralinga *f.* (di vela).

Leek; pòrro *m.*

Leer; sguardo bieco, occhiata furba; guardare sott' occhio o colla coda dell' occhio, occhieggiare. **-y** (gergo); scaltro, furbo.

Lees; fondíglio *m.*

Leet; Court —, corte di giurisdizione locale.

Leeward; a sottovento.

Leeway; derívа *f.* Make —, derivare.

Left; *rem.* di Leave; sinistro, manco. On the —, dal lato manco. — thumb, pollice della mano sinistra. **-handed**; mancíno. — marriage, matrimonio irregolare di una persona reale.

Leg; gamba *f.*, piède *m.* (di tavola), fórma *f.* (di calza), lato *m.* (di triangolo), trómba *f.* (di stivale assiano). Of a cooked fowl, còscia *f.* Of beef or mutton, còscio *m.* Of lamb or veal, coscétto *m.* Not to have a — to stand upon, non aver ragione di sorta, esser senza possibilità di difesa. Be on one's -s, esser in piedi. Be on one's last -s, non aver più risorse. Feel one's -s, cominciare a reggersi sulle gambe. Find one's -s, abituarsi, prendere facilità ad una cosa. Set on his -s again, rimettere in piedi, ristabilire. Put one's best — foremost, affrettarsi, camminare a grandi passi.

Legacy; legato *m.*, láscito *m.*, eredità *f.* **-hunter**; chi cerca con bei modi di accaparrarsi un' eredità.

Legal-ise, -ity, -ly; -iżżare, -ità *f.*, -ménte.

Lega-te, -tee, -tion; -to *m.*, -tário *m.*, -zióne *f.*

Leg-bail; fuga (dalla giustizia). **-bye**; al "cricket," un "run" fatto quando la palla ha colpito la gamba del "batsman."

Legend, -ary; leggènd-a *f.*, -ário.

Legerdemain; gioco di mano. Feat of —, gherminèlla *f.*

Leg-ging; ghettóne *m.* **-guard**; gambále *m.*

Leghorn; Livórno *m.*

Legib-ility, -le, -ly; leggibil-ità *f.*, -e, -ménte.

Legion, -ary; -e *f.*, -ario *m.*

Legislat-e; far leggi. **-ion, -ive, -or, -ure**; legiśl-azióne *f.*, -atívo, -atóre *m.*, -atura *f.*

Legist; -a *m.*, giureconsulto *m.*

Legitim-acy, -ate, -ately, -ation, -ise, -ist; legittim-ità *f.*, -o, -aménte, -azióne *f.*, -are, -ista *m.*

Legless; senza gambe.
Leg-rest; appoggio per le gambe.
Legumin-ous; -óso.
Leipsic; Lípsia *f.*
Leisure; òzio *m.*, ágio *m.* At your —, con vostro comodo. Have — to reflect upon, aver campo a riflettere su. A — moment, un momento di riposo. **-d**; che ha del tempo libero. **-ly**; tardívo, lènto. In a — fashion, a bell' agio. Proceed —, agire lemme lemme.
Lemma; lèmma *f.*
Lemming; lèmmo *m.*, arvicola norvegese.
Lemnos; Lèmno.
Lemon; limóne *m.* **-ade**; limonata *f.* **-coloured**; citríno. **-juice**; sugo di limone. **-peel**; scorza di limone. **-scented verbena**; erba cedrina, appiastro *m.* **-squash**; bibita fatto con sugo di limone fresco. **-squeezer**; strizzalimóni *m.*, spremitóio *m.* **-tree**; cedro limone.
Lemur; lèmuro *m.*, propitèco *m.*
Lenaean; lenèo.
Lend; prestare. — itself, confarsi, adattarsi. — a hand, dare man forte. — me a hand with my coat, mi aiuti a mettere il soprabito. **-ing library**, biblioteca di prestito. **-er**; prestatóre *m.*
Length; lunghézza *f.*, durazióne *f.* Full — portrait, ritratto in piedi, figura intera. Half — portrait, ritratto dalla vita in su. At —, finalménte, alla lunga. At full —, in tutta la sua lunghezza, distéso. Stretched out at full —, lungo e disteso. At some —, abbastanza lungamente. He spoke of it at great —, ne ha parlato per disteso. Come within arm's — of, mettersi alla portata di braccio di. Go all -s, far tutto il possibile, non ritirarsi per qualunque ci fosse.
Length-en; allungare, prolungare. **-ily**; lungaménte, alla lunga. **-wise**; in lungo, per lungo. **-y**; alquanto lungo, prolungato; prolisso.
Lenien-ce; indulgènza *f.*, mitézza *f.* **-t**; dólce, indulgènte. **-tly**; con indulgenza, con dolcezza.
Lens; lènte *f.*, cristallo *m.*
Lent; 1. Quarésima *f.* 2. *rem.* di Lend. **-en**; quareśimale, magro.
Lenticular; lenticolare.
Lentil; lènte *f.*, lentícchia *f.*
Leonin-e; -o.
Leopard; leopardo *m.* **-ess**; un leopardo femmina.
Lep-er, -rous, -rosy; lebbr-óso *m.*, -óso, -a *f.*
Lesb-os, -ian; -o *m.*, -iaco.
Lesion; leśióne *f.*
Less; méno, minóre. None the —, niente di meno. His memory grew — and — clear, le sue ricordanze erano sempre meno chiare. The — time you lose, the better, meno tempo perdete e meglio sarà per voi. In — than an hour, in meno di un' ora. They gathered some more and some —, raccolsero chi più, chi meno.
Lessee; pigionále *m.*, affittuário *m.*, locatário *m.*
Lessen; scemare, diminuire, attenuare.
Lesser; minóre.
Lesson; lezióne *f.*
Lessor; affittatóre *m.*, locatóre *m.*
Lest; per paura che, per impedire che, affinchè...non. — we forget, affinchè mai si dimenticasse. Fearing — it should not be, temendo che non fosse.
Let; 1. impediménto *m.* 2. appigionare, dare in affitto o a nolo. 3. lasciare, perméttere. — **be**, lasciar in pace. — **it** —, non toccarlo. — **down**, abbassare, lasciar cadere, calare; allungare (vestito); lasciar andare a male (negozio, podere). He — him — gently, lo corresse con discrezione. — **fly**, lanciare. — — at a person, dirgliele di tutti i colori, fargli delle sgridate. — **go**, diśormeggiare, mollare, lasciar andare a tutta carriera. — **go of**, lasciar andare, rilasciare. — **have**, far avere. Fairly — him — it, dargliene in piena misura. — **in**, far entrare, aprir la porta a; incastonare; recar danno a, fare scapitare. — me come in, aprite mi. — **in for**, He found himself — — — a dance, si trovo obbligato a prender parte ad una festa da ballo senza esserne stato prevenuto. — **into**, introdurre in; bastonare fortemente. — — the secret, far parte del segreto a. — **know**, far sapere. — **loose**, lasciar libero, rilasciare. — **off**, scuśare, far grazia a, graziare; tirare (colpo di pistola), sparare (fucile), far esplodere (mina); dare in affitto, subaffittare. Be — — with, scapparla o cavarsela con. — **on**, rivelare una trama, divulgar la cosa. — **out**, far uscire, lasciar partire, lasciar sfuggire (una parola imprudente), divulgar (segreto); tirar calci; allargare (scucendo). — the **fire** —, lasciare spegnersi il fuoco. — **me see**, vediamo un po'.
Lethal; letále, mortífero.
Letharg-ic, -ically, -y; letárg-ico, -icaménte, -ìa *f.*
Lethe; Lète *m.*, *fig.* oblío *m.* Of —, letèo.
Lett; Lètto *m.*; lèttico, lettònico.
Lettable; da potersi affittare, affittábile.
Letter; lèttera *f.*, caráttere *m.* To the —, eśattaménte. **-book**; libro lettere.

-**box**; buca delle lettere. -**card**; carta lettera. -**carrier**; postíno *m.*, pòrtalèttere *m.* -**case**; cassetta da lettere, pòrtafògli *m.* -**ed**; letterato. -**ing**; titolo *m.* (di libro legato), soprascritta *f.*, lèttere *f. pl.* -**paper**; carta da lettera, o da scrivere. -**press**; 1. stampato *m.* 2. calcalèttere *m.* -**s**; la letteratura. -**sorter**; chi assortisce le lettere nella posta. -**weigher**; pesalèttere *m.* -**weight**; calcalèttere *m.* -**writer**; segretário *m.*

Letting; affitto *m.*, nòlo *m.*

Lettish; lituánico, lèttico. *See* Lett.

Lettuce; lattúga *f.*

Leuctra; Lèuttra *f.*

Levant; ṡvignarsela. -**ine**; -íno.

Levée; 1. ricevimento reale. 2. diga *f.*, árgine *f.*

Level; 1. altézza *f.*, livèllo *m.*, traguardo *m.* Up to the — of the times, all' altezza dei tempi. On a — with, al livello con. Bring down to a — with, abbassare al livello di. 2. piano, oriżżontale. Do one's — best, far tutto ciò che si può. 3. livellare, spianare, appianare. — **at**, prender di mira, dirigere a, mirare a. — a blow, aggiustare un colpo. — a cannon, a telescope, puntare un cannone, un cannocchiale. — to the ground, abbattere (una persona), demolire (una casa), atterrare. — a gun, portare il fucile alla spalla.

Level-headed; assennato. -**ler**; livellatore *m.* -**ling**; livellazióne *f.*

Lever; lèva *f.* Starting —, leva di movimento. To — up, alzare con una leva. -**age**; giuoco di una leva, forza di una leva. Good —, posizione utile per far valere una leva. -**watch**; oriuolo ad ancora.

Leveret; lepròtto *m.*

Leviable; percepíbile, imponíbile.

Leviathan; leviatáno *m.*

Levig-ate, -ation; -are, -azióne *f.*

Levitation; alleggerimento spiritistico.

Levit-e, -ical, -icus; -a *m.*, -ico, -ico *m.*

Levity; leggerézza *f.*

Levy; arruolaménto *m.*, lèva *f.*, riscotiménto *m.* — *en masse,* leva in massa. Capital —, imposta sul capitale. To —, impórre, prelevare, levare (imposte), raccògliere (armata). — war, attaccar guerra.

Lewd, -ly, -ness; impudíc-o, -aménte, -ízia *f.*; lussuri-óso, -osaménte, -a *f.*

Lexico-grapher, -graphy, -n; lessic-ògrafo *m.*, -ografía *f.*, -o *m.*

Leyden jar; bottiglia di Leida.

Liab-ilities; passívo *m.* -**ility**; responsabilità *f.*, passibilità *f.*, ríschio *m.* Limited — company, accomándita *f.*, società anonima. With limited —, in accomandita. -**le**; responsábile, espósto, soggètto, passíbile.

Liaison; 1. amore illecito. 2. collegaménto *m.* -**officer**; ufficiale addetto al collegamento.

Liana; *id.*

Liar; mentitore *m.*, bugiardo *m.*

Lias; liáis *m.*

Lib; *Ad* —, a piacere.

Lib-ation; -azióne *f.*

Libel; libèllo o scritto diffamatorio; diffamare per iscritto, calunniare. -**ler**, -**lous**; diffam-atóre *m.*, -atòrio.

Liberal, -ise, -ism, -ity, -ly; -e, -iżżare, -ismo *m.*, -ità *f.*, -ménte.

Liber-ate, -ation, -ator; -are, -azióne *f.*, -atóre *m.*

Liberian; liberiáno.

Libert-icide, -ine, -inism, -y; -icída *m.*, -íno *m.*, -inággio *m.*, -à *f.* At -y, líbero. At perfect -y to do so, padronissimo. Take -ies, prendersi delle confidenze, trattare a modo suo.

Libidin-ous; -óso.

Librarian; bibliotecário *m.* -**ship**; ufficio di bibliotecario.

Library; bibliotèca *f.*; (in a private house) librería *f.*

Libretto; *id.*

Lice; *pl.* di Louse.

Licen-ce, -se; licènza *f.*, perméssо *m.*, patènte *m.*, autoriżżazióne *f.*, eccesso o abuso di libertà. To —, autoriżżare, accordare un patente. Dramatic —, permesso per la rappresentazione di una commedia. Poetical —, licenza poetica. Shooting —, porto d' armi, licenza d' andare a caccia. Midwife's —, diploma da levatrice. Printer's —, brevetto da stampatore. — to print, permesso di stampare. — for sale of spirits, licenza per la vendita di liquori. -d victualler, venditore di vino, birra, liquori ecc. -**see**; chi tiene un permesso ecc. -**ser**; chi autorizza, chi dà una licenza, un brevetto. — of books, censore, revisore di libri. -**sing**; l' autoriżżare ecc. — laws, legge riguardante il permesso di vendita dei liquori. — magistrate, magistrato incaricato delle autorizzazioni a vendere i liquori. -**tiate**; licenziato *m.* -**tious**; licenzióso, scostumato, dissoluto. -**tiously**; in modo licenzioso ecc. -**tiousness**; dissolutézza *f.*, scostumatézza *f.*

Lich-en; -ène *m.* -**gate**; *see* Lychgate.

Lick; 1. leccata *f.*; leccare. 2. víncere, superare. Be able to —, esser più forte di. 3. bastonare, picchiare, báttere, caricar di busse. — into shape, dar forma a, far prender la forma voluta, foggiare secondo il modello, come si è voluto. **-ing**; leccata *f.*, leccatura *f.*; sconfitta *f.* **-spittle**; parassíta *m.*, leccóne *m.*

Lictor; littóre *m.*

Lid; copèrchio *m.*

Lie; 1. menzógna *f.*, bugía *f.* Give the — to, ṡmentire. Give the — direct to, dare direttamente del mentitore a. It is all a —, non è che una menzogna. 2. giacitura *f.*, pósto *m.*, situazióne *f.* — of the land, disposizione del terreno. 3. mentire, dir bugie. 4. giacére, stare, esser situato. It was decided that the action would not —, l' azione venne giudicata non sostenibile. If it ever -s in my way to serve you, se mai mi si presenterà l' occasione di esserle utile. I soon saw how the land lay, io fui presto al corrente della cosa.

Lie about, esser disperso qua e là, stare un po' dappertutto. He has left his things lying about, ha lasciato la sua roba in disordine. — — **in the sun**, riposarsi al sole in questo luogo o in quello. — **by**, esser tenuto in riserva. I shall let it — — till I want it, lo lascerò stare fin che ne non abbia bisogno. — **down**, coricarsi, adagiarsi, stare sdraiato. — **heavy on**, pesare, spiombare su. — **idle**, stare ozioso. — **in the way**, esser d' ostacolo, d' impedimento. — **in wait**, esser in agguato. — **open to**, esser esposto a. — **out**, star fuori, dormir fuori. — **to** (*mar.*), esser in panna. — **under the necessity of**, esser nella necessità di. — — the imputation of, stare addebitato di. — **up**, riposarsi, stare a letto. — **with**, spettare a. — — one's fathers, riposare coi suoi antenati.

Lief; I had as — go as stay, mi è tutt' uno l' andare e lo stare.

Liege; lígio.

Liège; Liégi *f.*

Lien; diritto di ritenzione.

Lieu; In — of, in luogo di.

Lieutenancy; luogotenènza *f.*

Lieutenant; luogotenènte *m.* First —, primo tenente di vascello. **-colonel**; tenente colonnello. **-general**; tenente generale.

Life; vita. Of a ship, gun etc., durata. For —, a vita, vitalizio. For the first time in his —, per la prima volta in vita sua. From the —, dal vero. Many lives were lost, molte persone vi perdettero la vita. Give — to, animare. Give one's — blood for, arrischiare la vita per. **-annuitant**; chi gode di una rendita vitalizia. **-annuity**; rendita vitalizia, vitalizio *m.* **-assurance**; assicurazione sulla vita. **-belt**; cintura di salvataggio. **-boat**; battello di salvataggio. **-buoy**; gavitello di salvataggio. **-estate**; proprietà vitalizia. **-giving**; vivificante. **-guard**, **-guardsman**; guardia del corpo, soldato delle guardie. **-interest**; *see* Life-estate. **-less**; eṡanime, senza spirito. **-lessly**; senza spirito. **-lessness**; inèrzia *f.*, pesantézza *f.* **-like**; vivènte, vivo, vívido, pieno di vita. **-line**; parapetto *m.*; cavo di salvataggio. Of a balloon, corda o gomena d' arresto. **-long**; durante tutta la vita. **-office**; compagnia di assicurazione sulla vita. **-preserver**; bastone impiombato. **-size**; di grandezza naturale. **-time**; vita. In his —, durante la sua vita.

Lift; 1. ascensóre *m.*, elevatóre *m.*, calapranzi *m.* 2. — of a cam, corsa d' eccentrico. — of a valve, alzata di valvola. — of a pump, altezza d' aspirazione. 3. rialzamento (del tempo). 4. (*mar.*) mantiglio *m.*, balanzuòla *f.* Mizzen top —, balanzuola del pennone di contromezzana. 5. sollevaménto *m.*, aiuto *m.* 6. trasporto in carrozza altrui. He gave me a —, mi ha fatto montare nella sua carrozza. I got a —, sono montato in una vettura.

7. alzare, sollevare; innalzarsi (nebbia). — **up**, elevare; inorgoglire. 8. rubare, portar via (bestiame).

Lifting-jack; cricco *m.*, martinèllo *m.* **-power**; portata massima.

Lig-ament, **-amentous**; -aménto *m.*, -amentóso. **-ature**; allacciatura *f.*, legatura *f.*

Light; 1. — emitted, luce *f.* Thing giving —, lume *m.* Ship's, carriage, street or other fixed —, fanále *m.* — in a picture, luce, parte rischiarata. Of a window, vétro *m.*, invetriata *f.* In sense of light-house, faro *m.*, fanale *m.* — dues, diritti di fanaleggio. Half —, chiarore *m.* Glaring —, bagliόre *m.* Blue —, fuoco di Bengala. Northern -s, aurora boreale. Be —, far giorno. Bring to —, metter a giorno. Come to —, mettersi a giorno, comparire. Give — to, rischiarare. Keep from the —, tener nell' ombra. Act according to one's -s, far il dovere per quanto lo si conosce. In such a — as to, sotto un tal punto di vista da. People of — and leading, gente ben educata e ben istruita.

2. leggièro, liève. 3. fácile, liève. Make — of, far poco conto di, farsi giuoco di. 4. chiaro. — **brown**, castagno chiaro, color marrone chiaro. 5. luminóso. 6. *fig.* incostante, frívolo, gaio. 7. — **step**, passo agile, lesto,

ṡvelto, ṡnello, leggiero. — hair, capelli biondi. — horse, cavalleria leggiera. — horseman, soldato di cavalleria leggiera. — infantry, fanteria leggiera. — mourning, mezzo lutto. — breeze, breżżolina *f.* — error, sbaglio piccolo. — soil, terreno sabbioso, mobile. — meal, un pasto frugale; un mangiare leggiero, semplice.

8. accèndere (fuoco, lume, stufa, miccia ecc.); far luce a, rischiarare. 9. — up, illuminare, lumeggiare. Be lit up, *fig.* rallegrarsi. 10. — upon, imbattersi in, trovare; posarsi su.

Light-armed; leggièro, armato alla leggiera. **-bearer**; portalúme *m.* **-coloured**; di color chiaro. **-complexioned**; di carnagione pallida.

Lighten; 1. alleggerire, alleviare. 2. lampeggiare, balenare. 3. — up, *fig.* rallegrarsi.

Lighter; alléggio *m.*, chiatta *f.*, barcóne *m.*, piatta *f.*, maóna *f.* **-age**; spesa d' alleggio. **-man**; navalèstro *m.*

Light-fingered; ladronésco. **-headed**; 1. stordíto, spensierato. 2. delirante. **-hearted**; gaio, giocóndo, allégro. **-heartedly**; a cuor leggiero. **-heartedness**; gaiezza di cuore, giocondità *f.*, giovialità *f.* **-house**; faro *m.* **-ing**; sistema d' illuminazione. **-ly**; leggierménte, alla leggiera. **-minded**; frívolo, stordíto, inconsiderato. **-ness**; leggerézza *f.*, noncuranza *f.*

Lightning; baléno *m.*; lampo *m.* Summer —, baleno secco, lampi estivi. Be killed by —, morire fulminato. **-conductor**; parafúlmine *m.* **-glance**; sguardo folgorante. **-rod**; parafúlmine *m.*

Lights; polmoni d' animale macellato.

Light-ship; faro galleggiante, battello faro.

Lightsome; gaio, di buon umore.

Lightweight; pugilatore che pesi meno di 56 chili.

Lign-eous; -eo. **-ite**; -ite *m.* **-um vitae**; legno di guaiaco.

Ligurian; lígure.

Like; 1. símile, quale, pari, uguále, somigliante. — father — son, tal padre tal figlio. In — manner, pariménte. Be — as two peas, somigliarsi come due gocce d' acqua. So as not to make a mistake — last year, per non sbagliarci uguale all' anno scorso. — material, uguale stoffa. — the Romans, all' usanza dei Romani. — the paving of a modern barn, sul far de' lastrici de' granai d' oggigiorno. Find out what he is —, accorgersi di quello che è. There is nothing — experience, l' esperienza vale più di tutto. It is something — this, è qualcosa di simile a questo. 2. come, da, alla maniera di. — a madman, da matto. — him, come lui. Very — him, tutto lui. This is spoken — yourself, questi son discorsi da pari vostri. Just —, tale e quale come. Quite friendly —, proprio come fra amici.

3. prender in simpatia, piacersi a, compiacersi a, gradire, andarti a genio, gustare, amare che, volere che. — better, preferire, amar meglio. Do you — cherries? le piacciono le ciliege? Do you — his advice? Lei approva il suo parere? Does she — her maid? è contenta della sua cameriera? I should — him to see you, vorrei che egli vi vedesse. As he -s, come gli piace. As long as you —, quanto vi pare e piace. — doing, fare volentieri. I never -d him, non mi è mai andato. I — the look of him, la sua persona mi garba. I don't — him much, non ho molta simpatia per lui. I — looking, mi compiaccio a guardare. I — the idea, trovo buona l' idea.

Likel-ihood, -y; probabil-itá *f.*, -e. In all -ihood, secondo ogni apparenza. Very -y he may go, non è difficile vada.

Like-minded; di disposizione simile.

Liken; assomigliare, rassomigliare.

Likeness; rassomiglianza *f.*, somiglianza *f.*; ritratto *m.* Good —, ritratto somigliante. Be an ugly — of, rassomigliare in male. Have one's — taken, farsi ritrarre o fotografare. Take a — of, fare il ritratto di.

Likewise; pure, pariménte, in pari modo.

Liking; inclinazione *f.*, gusto *m.*, affètto *m.*, simpatía *f.*, amicízia *f.* It is to my —, mi va a genio, mi quadra, mi è gradevole. Take a — to, innamorarsi di. Feel, Have a — for, prender gusto a, prender diletto a, dilettarsi di. Well —, in buona condizione.

Lilac; lilla *f.* Persian —, lilla di Persia.

Liliputian; lilipuziáno.

Lille; Lilla *f.*

Lily; gíglio *m.* In French arms, fiordalíso. — of the valley, mughétto *m.*

Limb; mèmbro *m.*, with *f. pl.* membra. — of the sun, limbo *m.* — of the law, legulèio *m.*

Limber; 1. avantrèno *m.* 2. flessíbile. 3. — up, attaccare all' avantreno.

Limbo; *id.*

Limburg; Leòpoli *f.*

Lime; 1. calce *f.*, calcína *f.* Hydraulic —, calce idraulica. Quick —, calcina viva. Slaked —, calcina spenta. Bird —, víschio *m.* To —, ingrassare con calce; invischiare. 2. limone dolce.

Lime-burner; fornaciáio *m*. **-juice**; acqua di cedro. **-kiln**; fornace da calcina. **-light**; lume ossidrico. **-stone**; pietra calcarea, calcare *m*., alberése *m*. **-tree**; tíglio *m*. **-water**; acqua calcinosa, latte di calce.

Limit; límite *m*., tèrmine *m*.; limitare, ristríngere. -ed liability, responsabilità limitata. -ed liability Co., società per azioni, società anonima. -ed monarchy, monarchia costituzionale. **-less**; illimitato.

Limn; dipíngere.

Limoges; Lèmoši *f*.

Limp; 1. zoppic-ménto *m*., -are. 2. flòscio. **-ing**; zoppicóni. Run along —, arrancare.

Limpet; patèlla *f*.

Limpid, -ity; -o, -ézza *f*.

Linchpin; acciaríno *m*., caviglia della sala.

Line; linea *f*.; còrda *f*., lènza *f*., ságola *f*. (del solcometro); riga *f*., vèrso *m*.; strada ferrata. Axial —, bisettrice *f*. — abreast, linea di fronte. — ahead, linea di fila. Overhead —, linea aerea. Underground —, linea interrata. — of business, genere di commercio. In the grocery —, nei generi coloniali. Be in my —, spettare a me, esser di mia competenza. — of battle, linea di battaglia. Ship of the —, vascello di linea. Regiment of the —, reggimento della fanteria. All down the —, su tutta la linea. Form a —, far la catena, la lombardata. Hard -s, sfortuna, insuccesso poco meritato. It was hard -s, era molto duro. Telegraph —, filo telegrafico. Down — (railway), linea di partenza. Up —, linea d' arrivo. (Face) marked with deep -s, solcato da profonde rughe. Single — of rails, un solo binario. Double —, doppio binario. Main —, linea principale. Get off the —, esser deragliato, uscire dal binario.

To —, foderare, soppannare, incrostare (all' interno); montare (animale). Well -d pockets, tasche riempite, ben fòrnite. The route was -ed with soldiers, la via era tenuta vuota da soldati in fila. The street was -d by police, la strada era occupata da gendarmi allineati. -d two or three deep, allineati in due o tre file.

Linea-ge; casáto *m*., lignággio *m*. **-l**; -re. **-lly**; in linea retta. **-ment**; -ménto *m*. **-r**; -re. — perspective, prospettiva lineare.

Linen; tessuto di lino, pannolíno *m*., biancheria *f*. Clean —, biancheria pulita. Dirty —, biancheria sudicia. Irish —, tela d' Irlanda. A change of —, biancheria di ricambio. To change one's —, cambiar biancheria. **-basket**; paniere, canestro da biancheria. **-cloth**; tela di lino, pannolino *m*. **-cover**; fodera di tela. **-draper**; mercante di tela. **-drapery**; telería *f*. **-press**; strettoio da telerie. **-trade**; commercio di telerie. **-yarn, -thread**; filo di lino.

Liner; bastimento grande.

Linesman; soldato semplice; guardiano di strada ferrata, casellante *m*. Telegraph —, guardafili. At football, giudice della linea di fallo.

Ling; 1. scopa comune. 2. gado molva.

Linger; tardare, tirare in lungo, indugiare, restare indietro. **-er**; ritardatário *m*. **-ing**; tardanza *f*., indúgio *m*., lentézza *f*.; strascinante, prolungato. — death, morte lenta. — regard, resto di amore. **-ingly**; lentaménte, in modo tardivo.

Lingo; gergo *m*., lingua barbara.

Lingu-al, -ist, -istic; -ále, -ista *m*., -istico.

Liniment; -o *m*.

Lining; fodèra *f*., foderatura *f*., rivestiménto *m*., soppanno *m*., guernizióne *f* (cappello). Put new —, rifoderare.

Link; anèllo *m*.; tòrcia *f*., fiáccola *f*.; legáme *m*., víncolo *m*.; bielletta di una macchina; unire, collegare, congiúngere. **-block**; corsoio del settore. **-boy, -man**; pòrtatòrcia *m*., pòrtafiáccola *m*. **-brasses**; cuscinetti delle biellette. **-motion**; settore articolato.

Links; pista pel giuoco del "golf."

Linn; cascata *f*.

Linnaean; linnèo.

Linnet; fanèllo *m*., montanèllo *m*.

Linoleum; linoleum *m*. (specie di tela cerata).

Linotype; macchina per comporre automaticamente.

Linseed; seme di lino, linósa *f*. **-cake**; residui di semi dopo spremuto l' olio. **-meal**; farina di lino. **-oil**; olio di lino. **-poultice**; cataplasma di semi di lino.

Linsey-woolsey; mežžalána *f*.

Lint; filaccia di cotone. Strip of —, benda di filaccia.

Lintel; architráve *m*.

Lion; leóne *m*., *fig*. celebrità. **-cub**; leoncèllo *m*. **-ess**; leonéssa. **-hearted**; dal cuor di leone. **-ise**; far vedere le curiosità.

Lip; labbro *m*.; bórdo *m*., órlo *m*. — the hole (al "golf"), lasciar la palla vicinissima alla buca, baciare la buca. **-salve**; pomata per le labbra.

Liquef-action, -iable, -y; -azióne *f*., -attíbile, -are.

Liqueur; liquore fino.

Liquid, -ate, -ation, -ator, -ity; -o, -are, -azióne *f.*, -atóre *m.*, -ézza *f.*
Liquor; -e *m.* In —, ubriáco. — up, bére. Spirituous -s, liquore spiritoso.
Liquorice; regolízia *f.*
Lisbon; Liśbóna *f.*
Lisp; pronunzia bisciola. To —, esser bisciolo, pronunziare l' s come il th, parlare con lisca, avere la lisca. **-ing**; bisciolóne, blèśo. **-ingly**; in modo bisciolo.
Lissom; śnèllo, śvèlto, ágile, pieghévole. **-ness**; śnellézza *f.* ecc.
List; 1. lista *f.*, elènco *m.*, catálogo *m.* 2. cimòssa *f.*, vivagno *m.* 3. falsa banda (nave). 4. **-s**; steccato *m.*, lizza *f.* 5. registrare, porre in lista, compilare una lista di.
Listen; ascoltare, dar retta, prestar orecchio, mettersi ad ascoltare. He -ed to hear whether there were people moving, rimase ad ascoltare per sentire se vi era gente che si moveva. **-er**; ascoltatóre *m.*; in bad sense, fiutafatti *m.* **-ers**; uditòrio.
Listless; diśattento, dinoccolato. **-ly**; diśattentaménte. **-ness**; noncuranza *f.*, śbadatággine *f.*
Lit; *rem.* di Light (8 to 10).
Litan-y; -ía *f.*
Liter-al, -alism, -ally, -alness, -ary, -ate, -ature; letter-ále, -aliśmo *m.*, -alménte o alla lettera, fedeltà alla lettera, -ario, -ato *m.*, -atura *f.*
Litharge; litargírio *m.*
Lithe; śnèllo, ágile, śvèlto.
Lithi-a, -um; lit-ína *f.*, -io *m.*
Lithograph, -er, -ic, -y; litograf-ía *f.*, -o *m.*, -ico, -ía *f.*
Litho-tomy, -trity; lito-tomía *f.*, -triśía *f.*
Lithuania, -n; Lituán-ia, -o.
Litig-ant; -ante *m.* **-ate**; leticare, piatire. **-ation**; piato *m.*, lite *f.*, procèsso *m.*, litígio *m.* **-ious**; -ióso. **-iousness**; disposizione di leticone, litigiosa.
Litmus; lacmo *m.*, tornasóle *m.*, oricèllo *m.* **-paper**; carta tornasole.
Litre; litro *m.*
Litter; 1. lettíga *f.* 2. strame *m.* 3. pattume *m.*, roba disordinata, sparpáglio *m.*, scompíglio *m.*, sfasciume *m.* 4. figliata *f.*, ventrata (di maialini). 5. sparpagliare. **-ed**; seminato, sparso in disordine.
Little; píccolo. A —, un poco, un po'. A — air, un po' d' aria. A — time, un po' di tempo. Her — ones, i suoi bambini (piccoli, d' animale). — by —, poco a poco. As — as possible, il meno possibile. Ever so —, per poco che sia, per quanto poco. Too —, troppo poco. Be — better, non valere gran che di più. It is — better than murder, è poco meno di omicidio. A very —, un pochino. — guessing, non imaginando affatto. So — a matter, una cosa di così poca importanza. A — sleep, un breve sonno. — finger, mígnolo *m.* — toe, dito piccolo del piede. — bittern, monnòtto *m.* — bustard, gallina prataiola. — crake, schiribilla *f.*, gallina palustre piccola. — egret, śgarzétta *f.*
Littleness; piccolézza *f.*, meschinità *f.*
Littoral; -e.
Liturg-ical, -y; -ico, -ía *f.*
Live; 1. vivènte, vivo, attívo, ardènte. — coals, brágia *f.* — wire, filo a tensione mortale. — stock, bestiame *m.* 2. vívere, dimorare, stare di casa, menare la vita; restare a galla; durare, persístere, sussístere; nutrirsi, alimentarsi. As long as I —, finchè vivrò. — down, menare una vita tale da far dimenticare un dolore, uno scandalo. — from hand to mouth, vivere dì per dì. — in, dormire nella casa della padrona. — out, dormir fuori. — a quiet life, condurre una vita tranquilla. — up to, non lasciarsi cadere al di sotto (del modello). — — — one's income, spendere tutte le entrate. — with, stare in casa di. — within one's income, tener le spese al di sotto delle entrate.
Livelihood; vita *f.*, mezzi di esistenza, sussistènza *f.* Get one's —, guadagnarsi la vita.
Liveliness; vivacità *f.*, gaiézza *f.*, briosità *f.*
Livelong day; giornata tediosa, tutto il santo giorno.
Lively; vivace, brióso, vivo, animato.
Live oak; quercia da palo.
Liver; 1. abitante, residènte. Good —, chi mangia e beve bene. Evil —, malandríno *m.*, persona malvagia. Christian —, chi vive da buon cristiano. 2. fégato *m.* **-complaint**; malattia di fegato.
Liveried; in livrea.
Liverwort; fegatèlla *f.*
Livery; livrèa *f.* **-horse**; cavallo d' affitto. **-man**; elettore del vecchio municipio di Londra. **-stable**; rimessa di vetture a nolo, rimessa e stallaggio.
Livid, -ity; -o, -ézza *f.*
Living; 1. benefício *m.*, cura *f.* Fat —, grosso beneficio. 2. vivènte, vivo. Is your mother still —? Vive ancora vostra madre? 3. mezzi di sussistenza, il vivere. Plain — and high thinking, una vita semplice ed un alto modo di pensare. *See* Livelihood.
Living-room; stanza da vita ordinaria.

Lixiviat-e, -ion; liscivi-are, -azióne *f.*
Lizard; lucèrtola *f.*
Llama; lama *m.*
Lo! ecco!
Loach; cobíte *f.*
Load; cárica *f.*, sòma *f.*, péso *m.*, fardèllo *m.*; caricare, ingombrare; falsare (dadi). — with favours, colmare di favori. — with insults, reproaches, coprire d' insulti, di rimproveri. **-er**; caricatóre *m.* **-ing**; cárico *m.*, péso *m.*, sòma *f.* **-line**; linea d' immersione di una nave carica.
Loaf; 1. pane *m.* Small —, pagnòtta *f.* Penny —, una pagnotta da due soldi. Two-pound —, pane di due libbre. 2. andare a zonzo, girellare a spasso. **-er**; pèrdigiórno *m.*, fannullóne *m.* **-sugar**; zucchero raffinato.
Loam; terra grassa, terríccio *m.* To —, concimare col terriccio. **-y**; con molto terriccio.
Loan; prèstito *m.*, imprèstito *m.* To —, prestare, fare un imprestito. Government —, prestito di Stato. **-able**; da prestarsi.
Loath; poco desideroso, avvèrso, poco disposto. Be —, ripugnarti. **-e**; avere a schifo, provare disgusto per. **-ing**; avversióne *f.*, schifo *m.*, abborriménto *m.* **-some**; stomachévole. Be — to, far ribrezzo a. **-somely**; in modo ributtante. **-someness**; qualità stomachevole, schifosità *f.*, odiosità *f.*
Lob; buttare, gettare dolcemente, lanciare lentamente, mandar (la palla) alta.
Lobby; sala d' aspetto, ridotto di teatro. **-ing**; intrighi politici.
Lobe, -d; lob-o *m.*, -ato.
Lobelia; fiore di cardinale.
Loblollyboy; infermiere marino.
Lobscouse; guazzétto *m.*
Lobster; gambero di mare, arigusta *f.* **-pot**; ritrósa *f.*, nassa *f.*
Lobul-ar, -e; lobol-are, -o *m.*
Lobworm; arenicola dei pescatori.
Local; -e, particolare. **-isation**; -iżżazióne *f.* **-ise**; -iżżare. **-ity**; -ità *f.* **-ly**; -ménte.
Locat-e; locare, localiżżare, dispórre. — oneself, stabilirsi. I -d the leak at last, alla fine scoprii la situazione della falla. **-ion**; situazióne *f.*, sito *m.*, locazióne *f.* **-ive**; -ívo.
Loch; lago *m.*
Lock; 1. tòppa *f.*, serratura *f.* Under — and key, sotto chiave. — of a gun, batteria *f.* To —, fermare o serrare a chiave. -ed **in**, rinchiuso. -ed **in sleep**, immerso nel sonno. — **out**, (*a*) escludere chiudendo la porta a chiave. You will be -ed out, troverete la porta serrata a chiave. (*b*) chiudere le officine. A — —, una serrata. — **up**, rinchiúdere, tenere sotto chiave; collocare (danari) a fondo perduto. A — —, una prigione provvisoria. — — **shop**, bottega senza casa annessa. -ed **up for life**, imprigionato a vita. 2. conca idraulica. **-chamber**; serbatoio d' una conca idraulica. **-keeper**; conchière *m.*, guardiano addetto ad una conca idraulica. 3. ciuffo *m.*, ciocca di capelli, fioco di lana.
Lock-er; armadíno *m.*, cassóne *m.*, armadiétto *m.* Chain — (*mar.*), pozzo delle catene. **-et**; medaglióne *m.* **-ing**; di chiusura. — **ring**, anello di chiusura. **-jaw**; tètano *m.*, tiro secco. **-smith**; magnáno *m.*
Locomo-tion, -tive; -mozióne *f.*, -tíva *f.*
Locust; -a *f.*, cavallétta *f.* **-tree**; carrúbio *m.*
Locu-tion; -zióne *f.*
Lode; véna *f.*, filóne *m.* **-star**; buona stella. **-stone**; calamíta *f.*, sideríte *f.*
Lodge; lòggia (di frammassoni); casétta *f.*; abitare, stare di casa, esser collocato; alloggiare, dare alloggio a; mettere, piantare; pernottare, collocare, depórre (danaro); presentare (querela); interpórre (appello). **-r**; inquilíno *m.*, pigionále *m.*
Lodging; allòggio *m.* Board and —, pensióne *f.*, vitto ed alloggio. **-house**; casa mobiliata, locanda *f.* **-house keeper**; locandière *m.* **-s**; camere mobiliate.
Lodgment; collocaménto *m.*, alloggiaménto *m.*
Loft; soffitto morto, soffitta *f.*, solaio *m.*; mandare (palla) in aria. **-ily**; altaménte, fieraménte. **-y**; alto, altissimo, elevato.
Log; céppo *m.*, tòppo *m.*; (*mar.*) solcòmetro *m.*, lòche *m.*; libro di bordo.
Logarithm, -ic; logaritm o *m.*, -ico.
Log-cabin; *see* Log-house.
Loggerhead; minchióne *m.* At -s, in disaccordo. Come to -s, guastarsi.
Log-house; casa fatta di tronchi d' alberi.
Logic, -al, -ally, -ian; -a *f.*, -o, -aménte, -o *m.*
Log-line; sagola del solcometro.
Logomachy; disputazione inutile.
Log-reel; aspo della sagola.
Logwood; campéggio *m.*
Loin; lombata *f.* **-cloth**; (da uomo) perizoma *f.*, fascia di tela intorno alle reni; (da cavallo) gualdrappa *f.*, copèrta *f.* **-s**; lombi *m. pl.*, réni *f. pl.*
Loire; Lòira *f.*
Loiter; gingillare, andare a zonzo, star bighelloni, indugiare. **-er**; tentennóne

m., gingillóne *m.*, pèrdigiórno *m.*, neghittóso *m.* **-ing**; pigrízia *f.*, infingardággine *f.*

Loll; ṡdraiarsi; penzolare, lasciar penzolare (la lingua). **-ipop**; chicca *f.*, confètto *m.*

Lollop; — along, camminar alla stracca.

London, -er; Lond-ra *f.*, -inése *m.*

London-pride; sassífraga ombrosa.

Lone; solitário, deṡolato. **-liness**; solitudine *f.*, iṡolaménto *m.* **-ly**; solo, solitário, deṡèrto, fuor di via. **-some, -someness**; *see* Lonely, Loneliness.

Long; **1.** lungo, estéso, prolungato. A — time, molto tempo, un pezzo. For a — time, per lungo tempo. Be a — time over, metter molto tempo a. In the — run, a lungo andare, alla lunga. He had never indulged in it very —, non se lo era permesso a lungo. — after, lungo tempo dopo. — ago, già lungo tempo, lungo tempo fa, da lunga pezza. Not — ago, non guari. No — time passed, non andò guari. Not — before, non molto prima. It was — before, ci volle un pezzo prima che. Before —, Ere —, di lì a poco, di qui a poco, in breve, fra poco. How — will he have to suffer? fino a quando avrà da soffrire? As — as you like, finchè volete, finche vi piacerà. As — as this sort of thing goes on, finchè dura questo modo di fare. All day —, tutto il santo giorno. — drawn out, molto prolungato. — lost, perduto da lungo tempo. So —, (*a*) da tanto tempo. (*b*) (gergo) a rivedersi! He bore it as — as he could, lo sopportava finchè gli fosse possibile. So — as I get it in time, purchè io l' abbia a tempo. It will take -er, ci vorrà di più. How — will it take? did it take? Quanto ci vorrà? ci è voluto? Twenty feet — by sixteen wide, lungo venti piedi e largo sedici. That street is five miles —, quella strada ha cinque miglia di lunghezza.

2. desiderare ardentemente, anelare, aver gran voglia, agognare, parer mille anni, non veder l'ora, struggersi di, esser smanioso di. I — to see him again, non vedo l' ora di rivederlo. I — to see him back, mi par mille anni che torni.

Long-boat; scialuppa *f.* **-bow**; arco *m.* Draw the —, *fig.* sballarne delle grosse. **-cloth**; percalle fino. **-dated**; a lontana scadenza, a lunga data. **-dozen**; trédici. **-eared**; dalle orecchie lunghe. — owl, gufo *m.* **-established**; stabilito da molto tempo. **-fingered**; ladronésco. **-firm fraud**; frode con informazioni falsificate. **-haired**; che ha i capelli lunghi. **-hand**; scrittura ordinaria. **-headed**; 1. dolicocèfalo. 2. astuto, accòrto, prudènte. **-legged**; dalle gambe lunghe. **-lived**; longèvo, che vive a lungo. **-sighted**; 1. prèṡbite. 2. che ha vista lunga. **-suffering**; paziènte, lungánime, tollerante. **-tongued**; linguacciuto. **-ways**; pel lungo. **-winded**; lungo, noióso, tedióso.

Longevit-y; -à *f.*

Longing; bramosía *f.*, ṡmánia *f.*; bramóso, desiderosissimo. **-ly**; con ismania, con bramosia, con voglia ardente.

Longish; piuttosto lungo, alquanto lungo.

Longitud-e, -inal, -inally; -ine *f.*, -inále, -inalménte.

Long primer; piccolo romano, carattere di nove punti.

Longshore-man; chi lavora sugli scali.

Loo; giuoco di *mouche*. **-table**; tavolino a un solo piede.

Looby; balordóne *m.*, gónżo *m.*

Loofah; luffa *f.*

Look; ṡguardo *m.*, occhiata *f.*; aspètto *m.*, sembianza *f.*; aria *f.*, espressióne *f.* Dog with a wolfish —, un cane muso di lupo. Good -s, bell' aspetto. By the — of things, a ciò che pare. Have a — at (for judging), avvistare. I don't like the — of things, per ciò che pare, non mi piace. To —, vedére, guardare; aspettarsi; parére, ṡembrare, aver aspetto di, aver l' aria di. —! ècco! It is not so bad as it -ed, non c' è tanto male quanto pareva. I felt so ashamed that I did not know which way to —, provai tale vergogna che non seppi più la strada di tornare a casa. — **about**, cercare qua e là. — — one, guardarsi attorno, stare all' erta. — **after**, 1. seguire con lo sguardo. 2. badare a, aver cura di, sorvegliare. Have to — —, esser responsabile di. — **alive**, ṡbrigarsi. — **at**, fissare, osservare, mirare, dare un' occhiata a. — **away**, stornare o sviare l' occhio. — **back**, rivedére, ripassare; guardare indietro; pensare al passato. — — at, tornare ad osservare. — — to, correr dietro col pensiero a. — — against the original, confrontare coll' originale. — — upon, riflettere sopra. — **one's best**, far la più bella mostra di sè, comparire al meglio possibile. — **better**, aver migliore apparenza. It -s better now, sta meglio così. You are -ing better, pare che andiate meglio, si vede che state meglio. — **big**, braveggiare, pavoneggiarsi. — **down**, abbassar gli occhi. — — upon, aver a sdegno, guardare con isdegno. — **for**, cercare; aspettarsi. — **forward**, esser previdente.

— — to, attendere o aspettare con piacere, con ansietà ecc., compiacersi nel contemplare, vagheggiare l' idea di. — **hard at**, guardare fissamente. — **here**! attenzione! datemi retta! ve'! — **ill**, He -s ill, si vede che non sta bene. — **ill-natured**, aver l' aria cattiva. — **in**, metter l' occhio in; far visita. — **one in the face**, guardar uno nel viso. — — **upon**, dare una capatina in, fare una piccola visita a. — **into**, eṡaminare, fare inchiesta in. — — **the fire**, guardare nel fuoco. — **like**, rassomigliare, avere l' aspetto di. It -s like rain, pare come voglia piovere. You — like fainting, hai l' aria di svenire. He -s like an honest man, ha l' aspetto di uomo onesto. — **old**, sembrar vecchio. — **on**, considerare, assistere a, essere spettatore. The room -s on the garden, la camera dà sul giardino. — **out**, 1. aspetto (al nord, a mezzogiorno); osservatòrio *m*. — — **man**, vedétta *f*. On the — —, in vedetta, all' erta. Be on the — —, stare accorti. A poor — —, una prospettiva trista. — — **tower**, belvedére *m*. To — — of the window, guardare dalla finestra. 2. badare, fare attenzione, stare attento o in guardia. 3. cercare (parola in un vocabolario). 4. — — **for**, stare in attesa per, attèndersi. We were -ing out for your arrival, si stava aspettando che veniste. — **over**, 1. ripassare, eṡaminare, corrèggere; perdonare, chiudere gli occhi a. — — **one's shoulders**, guardare indietro, al disopra delle spalle. — **savage**, apparire risentito. — **shabby**, esser dimesso nel vestito. — **sharp**, far presto, ṡbrigarsi. — **sharply after**, stare alle costole di. — **through**, percórrere, scórrere, dare una scorsa a, sfogliare; eṡaminare. — — **the window**, guardare per la finestra. He -ed him through and through, lo trafisse con uno sguardo penetrante. — **to**, aver l' occhio a, fare attenzione a; fare assegnamento su, metter le speranze in, ricorrere a...per aiuto. You must — — that yourself, voi stesso dovete attendere a ciò. — **up**, 1. alzar gli occhi guardare in alto, alzar la testa. 2. rifiorire, migliorarsi, sollevar la testa. Trade is -ing up, il commercio è in rialzo. 3. viṡitare, venire a vedere. 4. — **it up**, informarsene, fare indagini sulla cosa. — **up to**, 1. rispettare, guardar con rispetto, prender come modello. 2. sembrar capace dì. He -s up to anything, pare capace di tutto. — **upon**, considerare; stimare. He -ed upon me as a gentleman, mi giudicava un gentiluomo. I -ed **upon it as an invention**, la consideravo come un' invenzione. — **well**, 1. aver buon aspetto, star bene. Make... — —, avvistare. 2. — — **at**, guardare attentamente. 3. far la sua comparsa, far bella comparsa. 4. aver l' apparenza di buona salute.

Looker-on; spettatóre *m*. **-s-on**, gli astanti.

Looking-glass; spècchio *m*.

Loom; 1. teláio *m*. Power —, macchina tessile. 2. apparire in lontananza, mostrarsi indistintamente.

Loon; 1. birbante *m*. 2. ṡmèrgo *m*., marangóne *m*.

Loop; cáppio *m*., cappiétto *m*., alamáro *m*., doppíno *m*., ripiegatura *f*., laccétto *m*., láccio *m*., raddoppiaménto *m*., occhiello di lettera. — **back**, — **up**, aggruppare, allacciare, rannodare.

Loophole; feritóia *f*.; rigiro *m*., sotterfúgio *m*., scappavía *m*., scappatóia *f*. **-d**; munito di feritoie.

Loose; sciòlto, líbero, rilasciato, ṡlacciato, mal riunito, poco solido; largo, ampio (vestito); vago, sconcluṡionato, poco esatto; rilassato. — **mine**, torpedine sviata. Break —, staccarsi, scatenarsi, ṡlegarsi, sottrarsi. Of — morals, equívoco. Come —, disfarsi. Let —, ṡlegare, scatenare, ṡnodare, ṡguinzagliare, lasciar andare. Be on the —, menar mala vita. **-ly**; lènto, rilasciataménte, non strettamente. **-n**; sciògliere, rilassare, disserrare, rallentare. **-ness**; rilassatézza *f*., poca solidità; ampiézza *f*., larghézza *f*.; flusso *m*. **-ning**; scioglimento. **-strife**; liṡimáchia *f*.

Loosish; un po' lento.

Lop; diramare, scapezzare. **-eared**; con gli orecchi penzoloni. **-pings**; legnacce provenienti dallo scapezzamento.

Lop-sided; che sta per sbieco, di fianco falso. Be —, aver falsabanda.

Loquaci-ous, **-ously**, **-ty**; loquac-e, -eménte, -ità *f*.

Lord; padróne *m*., signóre *m*. To — it, signoreggiare, tiranneggiare. House of -s, Camera dei Lordi. **-chamberlain**; gran ciambellano. **-chancellor**; gran cancelliere. **-lieutenant**; governatore d' una contea. **-mayor**; sindaco. **-'s Prayer**; il paternostro. **-'s Supper**; il santissimo sacramento.

Lordl-iness; sfarzo *m*., sontuosità *f*. **-ing**; signoròtto *m*., milordíno *m*. **-y**; sfarzóso, signoríle, sontuóso.

Lords-and-ladies; erba saetta.

Lordship; signoría *f*. Your —, vossignoría.

Lore; sciènza *f*., erudizióne *f*. Folk —, tradizioni popolaresche.

Lorraine, -r; Lorèn-a *f.*, -ése.
Lorry; carromatto *m.*, carrettóne *m.*
Lory; lòri *m.*
Los-e; pèrdere. — the train, perdere il treno. — ground, indietreggiare, perder terreno. — money, scapitare. — oneself, śmarrirsi. My watch -s a minute a day, il mio orologio ritarda di un minuto al giorno. **-er**; perditóre *m.*, chi perde. **-ing**; il perdere. — business, affare di scapito. *See* Lost.
Loss; pèrdita *f.*, scápito *m.*, danno *m.* Be at a —, non saper che fare. Be at a — to, non saper come. Be at a complete —, non saper dove batter la testa. Be at a — what to think of it, non saper che cosa se ne deve pensare.
Lost; *rem.* e *part.* di Lose. — to his country, chi non renderà più servigio al suo paese. — to all sense of, chi ha perduto ogni senso di.
Lot; 1. sòrte *f.*, fortuna *f.*, porzióne *f.* It has often been my —, mi è capitato spesso (di). Draw -s, tirare a sorte. 2. quantità *f.* -s, gran copia. 3. lòtto *m.* To —, assortire, dividere in lotti. Sell in -s, vendere in lotti. 4. A — of people, folla di gente. Compensate me for a —, compensarmi di molto. Kill the — of them, ucciderli tutti.
Loth; *see* Loath.
Lot-ion; lozióne *f.* **-tery**; -tería *f.*, lòtto *m.*, riffa *f.* **-us**; lòto *m.*
Loud; alto, fòrte, rumoróso, rombante; vistóso, chiassóso, che dà nell' occhio (nel vestire). — clap of thunder, scroscio fragoroso di tuono. — laugh, riso squillante. — voice, voce forte. **-ly**; ad alta voce, fòrte, rumorosaménte. **-ness**; qualità rumorosa, forza di voce. **-voiced**; della voce forte.
Lough; lago o braccio di mare in Irlanda.
Louis; Luígi, Ludovíco, Gigi.
Louisa; Luiśa, Luígia, Gígia.
Louis d' or; marèngo *m.*
Louisiana; Luigiána *f.*
Loung-e; sala o luogo poltronesco, da poltroneggiare; stare oziando, bighellonare, andare a żónżo. **-er, -ing**; infingardo, perdigiórno. **-ing chair**, seggiola a sdraio.
Louring; che minaccia tempesta, rannuvolato. — clouds, nuvoli minaccianti pioggia. — countenance, aria cupa.
Lous-e; pidòcchio *m.* **-ewort**; pedicolária *f.* **-y**; pidocchióso.
Lout; tánghero *m.*, żoticóne *m.* **-ish**; gòffo, śguaiato. **-ishly**; goffaménte ecc. **-ishness**; goffággine *f.*, śguaiatággine *f.*
Louvain; Lovánio *m.*
Louvre; abbaíno *m.*
Lovable; amábile, chi ispira amore.
Lovage; levístico *m.*
Love; amóre *m.*; amare, voler bene a, esser appassionato per. Fall in —, invaghirsi o innamorarsi di. Make —, amoreggiare, far la corte a. When he remembered her —, quando ripensava al bene che essa gli aveva voluto, At play, — all, niente punti segnati. Score, — all, numero di punti, nulla. Win, Lose a — game, vincerla, perderla marcia. Play for —, giuocare per chiasso. **-affair**; amoruccio *m.* **-game**; gioco marcio. **-in-a-mist**; scapigliata *f.* **-lies-bleeding**; amaranto *m.* **-less**; senza amore. **-letter**; biglietto amoroso. **-liness**; bellezza incomparabile, incanto *m.*, vaghézza *f.* **-lock**; ciuffétto *m.* **-lorn**; che ama e non è riamato, infelice nell' amore. **-ly**; bellissimo, vezzóso, leggiadrissimo. **-match**; matrimonio d' amore. **-r**; amante *m.*, innamorato *m.*, ganżo *m.* **-sick**; languente d' amore.
Loving; affezionato, affettuóso. **-kindness**; miśericòrdia *f.* **-ly**; affettuosaménte, con amore. **-ness**; tenerézza *f.*
Low; 1. basso, córto; vile, abiètto. Bow —, inchinarsi profondamente. Speak —, parlar piano. — bow, inchino profondo, riverenza umile. — Countries, Paesi Bassi. — dress, vestito scollato. — expression, voce triviale. — life, vita popolana. — mass, messa piana. — people, gente di bassa condizione. — lot of people, genía *f.*, geniaccia *f.* — room, stanza bassa, a basso soffitto. — spirits, abbattimento di spirito. Be in a — state, esser indebolito, in stato di debolezza. Of — stature, píccolo. — Sunday, domenica in albis. — tide, — water, marea bassa. When the water in the river is —, di magra. **-born**; d' origine bassa. **-bred**; mal educato. **-growing**; che non cresce alto. **-minded**; ignòbile. **-pressure engine**; macchina a bassa pressione. **-priced**; a buon mercato. **-spirited**; di umore malinconico, triste, scoraggiato.
2. mugghiare. **-ing**; mugghíto *m.*
Lower; inferióre, più basso. — down, più in giù. To —, abbassare, scemare; (*mar.*) ammainare (vela, antenna), metter in acqua (una imbarcazione). **-ing**; *see* Louring. **-most**; ínfimo, il più basso.
Lowest; il più basso. — price, prezzo ultimo.
Lowland-er; abitante delle pianure. **-s**; terreni bassi.
Lowl-iness, -y; umiltà *f.*, úmile.
Lowness; bassézza *f.*, situazione bassa.

Loyal; leále, fedéle, costante. **-ist**; partigiano del partito reale, aderente del governo. **-ly**; lealménte ecc. **-ty**; lealtà *f.*, fedeltà *f.*
Lozenge; rómbo *m.*, loṡanga *f.*; pasticca *f.*, pastíglia *f.*
Lubber; tánghero *m.*, goffóne *m.*, fannullóne *m.* **-ly**; malfatto, grossolano, malaccòrto.
Lubeck; Lubècca *f.*
Lubric-ate, -ation, -ator; lubrific-are, -azióne *f.*, -atóre *m.* **-ity**; lubricità *f.*
Lucania, -n; Lucán-ia *f.*, -o.
Lucca; Of —, lucchése. District of —, Lucchesia *f.*
Lucerne; 1. Lucèrna *f.* 2. erba medica.
Lucid; -o. **-ity, -ness**; -ità *f.* **-ly**; -aménte.
Lucifer-match; fiammífero *m.*
Luck; fortuna *f.*, ventura *f.* Good —, buona fortuna. Piece of good —, baẓẓa *f.* Ill —, sfortuna. By ill —, per disgrazia. As — would have it, per fortuna. Down on one's —, accasciato. **-ily**; per buona sorte. **-iness**; l' esser avventuroso. **-less**; infelice, ṡventurato, sfortunato. **-lessness**; l' esser sempre malcapitato. **-y**; fortunato, propizio. — hour, ora favorevole.
Lucrative; lucróso. **-ly**; con profitto.
Lucre; lucro *m.*
Lucubration; elucubrazióne *f.*
Ludicrous, -ly, -ness; ridicol-o, -aménte, -ézza *f.*
Luff; orzare.
Lug; strascinare, portare. **-gage**; bagáglio *m.* — train, treno merci, bagagliaio *m.* — van, bagagliaio *m.* **-ger**; lugre *m.*, bastimento a due alberi.
Lugubrious, -ly, -ness; lúgubr-e, -eménte, tristézza *f.*
Lukewarm; tièpido; *fig.* indifferènte. **-ly, -ness**; indifferen-teménte, -za *f.*
Lull; scanso *m.*, sòsta *f.* We have had a two hours' —, abbiamo avuto uno scanso di due ore. To —, calmarsi. — to sleep, addormentare. **-aby**; ninnarèlla *f.*, ninna-nanna *f.*
Lumb-ago, -ar; lomb-ággine *f.*, -are.
Lumber; ingómbri *m. pl.*, ròba inutile, robáccia *f.*; (negli Stati Uniti) legno da costruzione. To — up, ingomberare. **-er**; boscaiòlo *m.* **-ing**; pesante, poco maneggevole. **-room**; soffitta *f.*, soffittaccia *f.*
Luminary; luminare *m.*
Lumin-ous; -óso. **-ously**; -osaménte, chiaraménte. **-ousness**; chiarézza *f.*
Lump; massa *f.*, pèzzo *m.*, tòzzo *m.*, blòcco *m.*, pezzétto (di zucchero); natta *f.*, gònfio *m.*, enfiagióne *f.* In the —, all' ingrosso, in blocco, nell' insieme. — in the throat, nodo alla gola. To — together, affastellare, prendere in blocco. — it, sottométtersi, ingoiarla, aggiustarvisi alla meglio.
Lump-er (*mar.*); scaricatóre *m.*, navalèstro *m.* **-fish**; ciclóptero *m.* **-ish**; pesante, stupido, grossolano. **-ishly**; in modo pesante ecc. **-ishness**; carattere pesante ecc. **-sucker**; ghiozzo minuto. **-sugar**; zucchero in pezzi. **-y**; tutto grumi, grumóso, granóso.
Lun-acy; pazzía *f.* **-ar**; -are. **-atic**; pazzo. — asylum, manicòmio.
Lunch, Luncheon; colazióne *f.*, spuntíno *m.*, merènda *f.* To lunch, far colazione, ṡdigiunarsi.
Lunette; lunétta *f.*
Lung; polmóne *m.*
Lunge; bòtta *f.*; portare una botta.
Lunging-rein; lunga *f.*
Lungwort; polmonária *f.*
Lup-ine; -íno *m.* **-us**; -us *m.*
Lurch; colpo di rullío, guizzata *f.*, rollata *f.*, traballóne *m.*, ṡbandata *f.*, straorzata *f.* Leave in the —, lasciare in asso, piantare. To —, straorzarsi, moversi disordinatamente, traballare. **-er**; levriere di misto sangue.
Lure; ésca *f.*, allettíva *f.*; adescare, allettare.
Lurid; giallastro cupo, tètro, fósco, sinistro. **-ly**; tetraménte ecc.
Lurk; nascóndersi, appiattarsi. **-ing place**, nascondíglio *m.*, cóvo *m.*, agguato *m.*
Luscious; melato, ṡdolcinato. **-ly**; deliziosaménte. **-ness**; gusto delizioso.
Lush; sugóso, frésco; ṡbevacchiare.
Lusitania, -n; Luṡitán-ia *f.*, -o.
Lust; concupiscènza *f.*, lussúria *f.*, voglia peccaminosa. — after, agognare, bramare. **-ful**; libidinóso. **-ily, -iness**; gagliard-aménte, -ía *f.*
Lustr-al; purificante. **-ation**; purificazióne *f.* **-e**; -o *m.*, splendóre *m.* **-eless**; spènto, ṡmòrto. **-ous**; -o, lucènte, limpido.
Lusty; gagliardo, robusto, vigoróso.
Lut-e; 1. liuto *m.* 2. luto *m.*
Luther, -an; Lúter-o, -ano.
Luting; luto *m.*, lòto *m.*
Luxation; lussazióne *f.*
Luxemburg; Lussemburgo *m.*
Luxur-iance; rigoglio soverchio, eṡuberanza *f.* **-iant, -iantly**; rigogliós-o, -aménte; laut-o, -aménte. Be **-iant**, lussureggiare. **-iate**; satollarsi, godérsi, vivere in lusso, abbandonarsi alle delizie. **-y**; lusso *m.*, agiatezza soverchievole, il vivere lautamente, sontuosità *f.*
Lyceum; licèo *m.*
Lych-gate; porta di un cimitero.
Lychnis; lícnide *m.*

Lycia, -n; Líci-a *f.*, -o.
Lyddite; una composizione esplosiva.
Lydia, -n; Líd-ia *f.*, -o.
Lye; ranno *m.*, liscíva *f.*, bucato *m.*
Lying; 1. bugiardo, falso. 2. situato.
Lying-in; puerpèrio *m.*, parto *m.*
Lymph, -atic; linf-a *f.*, -atico.
Lynch, -ing; linci-are, -ággio *m.* **-law**; giustizia violenta, contro alla legge.
Lynx; lince *f.* **-eyed**; a occhio di lince.
Lyon-s, -nais; Lióne *m.*, lionése.
Lyr-e; lir-a. **-ic, -ical**; -ico.

M

M; *pronunz.* Emm.
Macadam, -ise; macadam *m.*, -iżżare.
Macaroni; maccherónì *m. pl.*, spaghétti *m. pl.*
Macaroon; amarétto *m.*
Macaw; macao *m.*, árara *f.*
Mace; 1. mazza *f.* 2. mace *m.* **-bearer**; mazzière *m.*
Macedonian; macèdone.
Macer-ate, -ation; -are, -azióne *f.*
Machiavell-ian; -ésco, machiavèllico.
Machico-lated; con piombatoi. **-lation, -ulis**; piombatóio *m.*, caditóia *f.*
Machin-ation; macchinazióne *f.*, trama *f.* **-e**; mácchina *f.*, congégno *m.* **— gun**, mitragliatrice *f.* **-ery**; meccaniṡmo *m.*, apparécchi *m. pl.*, macchinário *m.*
Mackerel; ṡgómbro *m.* **-sky**; cielo a pecorelle.
Mackintosh; impermeábile *m.*
Macula; mácchia *f.*
Mad; matto, pazzo; fòlle, insensato; idròfobo (cane); (negli Stati Uniti) arrabbiato, furióso. **— on music**, pazzo per la musica. **Raving —, Stark —**, pazzo da legare o da catene. **Go —**, impazzire, perder la testa. **— thing**, pazzía *f.* **Drive —**, far impazzire.
Madagascar; Madagascàr *m.* **Of —**, malgascio.
Madam; signóra *f.*
Madcap; matterellóne *m.*, testa matta.
Madden; far impazzire, far arrabbiare. **-ed**; furióso, reso frenetico.
Madder; garanza *f.* **-plant**; robbia de' tintori.
Made; *rem.* di Make. **— dishes**, cibi riscaldati. **— up**, artificiále, confezionato, fatturato. **Of an actor**, truccato. **Ready —**, confezionato, fatto.
Madeira; madèra *m.*
Mademoiselle; signorína *f.*
Madge; *raccorc.* di Margaret.
Mad-house; manicòmio *m.* **-ly**; da pazzo, disperataménte, folleménte, insensataménte. **-man**; forsennato *m.* **-ness**; pazzía *f.*, demènza *f.*, furóre *m.* **It is downright —**, è il colmo della follia. **It would be — to think**, sarebbe pazzia il pensare.
Madras; **— handkerchief**, madràs *m.*
Madrepore; madrèpora *f.*
Madrigal; madrigále *m.*
Maelström; vortice pericoloso.
Maenad; mènade *f.*
Magazine; 1. magażżíno *m.*, fòndaco *m.* 2. rivista *f.*, giornale periodico. **Monthly —**, periodico mensile. 3. **Powder —**, Santa Barbara *f.* **-rifle**; fucile a carico multiplo.
Magdeburg; Magdeburgo *m.*
Magenta; magènta, roṡanilína *f.*
Maggot; baco *m.*, marméggia *f.*, vèrme *m* **-y**; bacato.
Magian; mago persiano.
Magic; mágica *f.*, incanto *m.* **-al**; -o. **-ally**; -aménte. **-ian**; stregóne *m.*, maliardo *m.*
Magist-erial, -erially, -racy; -ràle, -ralménte, -rato *m.* **-rate**; -rato *m.*, giúdice *m.*
Magna Charta; magna carta.
Magnanim-ity, -ous, -ously; -ità *f.*, -o, -aménte.
Magnate; magnáte *m.*, pezzo grosso.
Magnes-ia; *id.* **-ium**; -io *m.* **— wire**, filo magnèṡico.
Magnet; calamíta *f.*, ago magnetico. **-ic, -ically, -ise, -ism**; -ico, -icaménte, -iżżare, -iṡmo *m.* **-o**; -e *m.*
Magnific-ence; -ènza *f.*, fasto *m.*, pómpa *f.* **-ent**; -o, stupèndo. **-ently**; -aménte, stupendaménte.
Magnif-ier; che ingrandisce. **-y**; ingrandire. **-ing glass**, vetro da ingrandire, microscopio semplice. **-ing power**, forza d' ingrandimento.
Magniloquen-ce, -t, -tly; ampollos-ità *f.*, -o, -aménte.
Magn-itude; grandézza *f.* **-olia**; *id.* **-um**; fiascóne *m.*
Magpie; gażża *f.*, pica *f.*, gáżżera *f.*
Magyar; magiárico.
Maharajah; principe *m.*, raià maggiore.
Mahdi; maddì *m.*
Mahlstick; bacchétta *f.*
Mahogany; mògano *m.*, magògano *m.*
Mahometan; maomettáno.
Mahratta; maratto.
Maid; giovanétta *f.*, zitèlla *f.* **Lady's —**,

camerièra *f*. Between —, donna di mezzo. Old —, zitellóna *f*. — of all work, fasservízio *m*. — of honour, damigella d' onore. — of Orleans, Pulcella d' Orleans. Dairy —, lattaia *f*. Kitchen —, ragazza cucinièra. Bar —, servitora d' un' osteria.

Maiden; vérgine *f*., donzèlla *f*. — assise, assise senza nessun imputato. **-hair**; capelvènere *m*. **-hood**; verginità *f*. **-ly**; verginále, da ragazza modesta. **-name**; nome di fanciulla. **-over**; al "cricket," seguito di sei palle lanciati senza un "run." **-speech**; primo discorso di un deputato, discorso esordiente.

Maidservant; sèrva *f*., fantésca *f*., donna di servizio.

Mail; 1. maglia di ferro. Coat of —, giaco *m*. 2. valigia postale; corriere postale, ordinario postale. To —, spedire per posta. Indian —, valigia delle Indie. By next —, col primo corriere. **-able**; che si può spedire o trasportare per posta. **-bag**; valígia *f*. **-boat**, **-steamer**; battello, piroscafo postale. **-train**; treno postale.

Maim; storpiare.

Main; 1. Mèno *m*. 2. principále, primo, essenziále; tubo principale (gas o acqua); alto mare. In the —, in fondo, in sostanza. By — force, a forza viva. — pleasure in life, più gradita occupazione della vita. — body of an army, il grosso dell' esercito. — chance, il proprio interesse. — deck, ponte di coperta. — mast, albero maestro. — sail, vela maestra. — top, coffa di maestra.

Mainland; terra ferma, continènte *m*.

Mainly; principalménte, per la più parte.

Mainspring; mòlla *f*.

Mainstay; sostegno principale.

Maintain; mantenére, sostenére, asserire.

Maintenance; manteniménto *m*., manutenzióne *f*., vitto *m*., sussistènza *f*.

Mainz; Magónza *f*.

Maize; granturco *m*.

Majest-ic, **-ically**, **-y**; maest-óso, -osaménte, -à *f*.

Majolica; maiolica *f*.

Major; maggióre *m*.; maggióre. **-domo**; maggiordòmo *m*. **-ity**; 1. maggioranza *f*., maggior numero, un di più. The —, i più, la maggior parte. 2. grado di maggiore. 3. età maggiorenne.

Make; corporatura *f*., fattura *f*., taglio *m*. The right —, quel che è fatto come si deve. Be on the —, cercare il suo pro.

To —, fare, rèndere; forzare, costríngere; creare, produrre, recare; fabbricare, formare, costruire; acquistare, guadagnare; divenire, tornare (un operaio utile); salire (marea). He will — a good scholar, sarà un buon scolaro. He made her give up her pretensions, la fece rinunziare alle sue pretese. They might — good servants, se ne potrebbero fare dei buoni servi. *See* Made. His engaging manners made everybody like him, le sue maniere gentili facevano sì che ognuno lo avesse in simpatia. It made him utter a cry, gli fece emetter un grido. To — him suffer, fargli soffrire. — **an accusation**, portar accusa. — **against**, esser contrario a, contrariare. — **amends**, risarcire, compensare. — **angry**, metter in collera, *see* Enrage. — **an arrangement**, stabilire, *see* Arrange. — **ashamed**, far arrossire. — **as if**, far come se, far finta, aver l' aria, parere. — — — he was going to speak, prender l' aria di chi stava per parlare, mettersi in atto dì chi volesse parlare. — **an ass of oneself**, coprirsi di ridicolo. — **at**, dare addosso a. — **away with**, fare sparire, dissipare, sperperare, disfarsi di, uccídere. — **a bargain**, concludere un contratto. — **the bed**, rifare il letto. — **believe**, far sembiante di, *see* Pretence, Pretend. — **the best of**, ricavare il miglior partito possibile. — — — of a bad bargain, trarsi alla meglio dall' impaccio. — — — of a bad job, far buon viso a cattiva sorte. — **clean**, nettare, *see* Clean. — **no difference**, esser indifferente; non farvi attenzione. — **dizzy**, far venire le vertigini a. — **no doubt**, non metter alcun dubbio. — **fast**, legare saldamente; dar volta ferma. — **a fire**, far del fuoco, accender un fuoco. — **a fool of**, burlarsi di, beffarsi di, gabbare. — — — of oneself, fare sciocchezze, rendersi ridicolo. I am not going to let you — — — of me, a me tu non me la dai ad intendere. — **for**, 1. favoreggiare. 2. dirigersi, avviarsi verso. A move was made for the room, tutti si diressero verso la stanza. — **free**, render libero. — — with, trattar familiarmente, valersi di come suo. — **a friend**, farsi amico. — **good**, 1. giustificare. 2. mantenere (promessa). 3. far (la sua posizione) sicura. 4. risarcire, rifare, riparare. I will — it good to you, ve lo rifarò. — one's mistakes good, riparare agli errori commessi. — **a harbour**, toccare un porto, arrivarci. — **haste**, affrettarsi. — **head**, créscere, progredire. — **head against**, tener testa a. I can't — **head or tail** cf it, non posso capirne niente. — **oneself heard**, farsi intendere. — **a hit**, far furore. The hit he has made has got into his head, il successo che ha ottenuto gli ha dato alla testa. — into, cambiare in, far diventare. — known to, avvertire, avviŝare, notificare. — land, toccar terra, arrivar in vista di terra. At five o'clock they made land on the port bow, alle cinque si scorse la terra da sinistra. — light of, — little of, far poco conto di, non far gran caso di. — little of, non capire troppo bene. — little out of, guadagnar poco da. — a loss by, aver una perdita da. — a lot out of nothing, far grande scalpore per nulla. — love, corteggiare. — merry, divertirsi. — a mistake, equivocare, ŝbagliare. *See* Mistake. — much of, vezzeggiare, trattare delicatamente; far gran caso di; ricavar gran partito di. Not to — much of, intendersi poco di, *see* Much. — nothing of, non tenere in nessun conto; non intendersi di, non capir nulla di. — of, pensare. What do you — — it? che ne pensate? come l' intendete? — off, ŝvignarsela. — off with, portar via. — out, 1. scoprire, distínguere. I cannot — —, non so raccapezzarmi. 2. voler dare ad intendere, voler far credere. 3. — — his case, giustificare la sua querela. — — a good case, metter in campo delle ragioni buone. He made out a good case for what he had done, giustificò bene il suo modo di procedere, constatò la necessità del suo modo di agire. 4. — something — of it, trarne qualche profitto. — over, cèdere, trasferire. They made past me, mi passarono davanti. — oneself presentable, far la sua toeletta. — ready, preparare. — shift, ingegnarsi alla meglio. As *sb.*, *see below, in loco*. — shift with, contentarsi di, aggiustarsi alla meglio a. — a show, pretendere, *see* Pretend. — sure, assicurarsi; sentirsi sicuro, considerare come sicuro, tenere per certo. — talk, cagionare delle dicerie. — towards, farsi, dirigersi, avviarsi verso. — up, 1. travestimento *m.*, trucco *m.*; truccare. — — the middle of a road, colmare una strada. 2. metter insieme, confezionare. 3. preparare (medicina) secondo la ricetta. 4. — — into a bundle, far un pacco di. 5. fare (un conto), regolare (conti). 6. *see* Make amends. 7. comporre (liti, disputa). — it —, riconciliarsi, rappacificarsi. 8. impaginare. 9. inventare, cavar fuori (scuse). 10. — — one's mind, deliberare, decídersi; rassegnarsi. Her mind was made up, ella era risoluto. 11. Made up, artificiato. — up to, corteggiare; avvicinarsi a, avanzarsi a. — way, far luogo, dar luogo. — one's way, farsi strada, aprirsi un passaggio.

Maker; fabbricante. — of, chi fa. Munitions —, fornitore di munizioni, chi fa munizioni.

Makeshift; espediente temporaneo, ripiego trovato lì per lì, ripiego del momento. — contrivance, congegno accomodato alla meglio.

Makeweight; aggiunta da compensare a qualunque mancanza. By way of a —, per compenso a ciò che possa mancare.

Making; fattura *f.*, formazióne *f.*; *see* Make. He has the -s of an orator, potrebbe diventar un oratore. A knife of my own —, un coltello che ho fabbricato io stesso. That was the — of her, è cio che ha fatto la sua fortuna. -s; matèria *f.*, materiali *m. pl.*

Malacca; *see* Malay.

Mal-adjustment; accomodamento difettoso, aggiustamento in falso. **-administration**; mal governo. **-adroit**; gòffo, malaccòrto, *see* Clumsy. **-ady**; malattía *f.* **-aga wine**; málaga *m.*

Malagasy; Malgáscio *m.*

Malaise; sentimento di malessere.

Mal-apert; impertinentuccio, mal educato. **-a-propos**; a contrattempo, fuor di luogo. **-ar**; — bone, ẑígomo *m.* **-aria**; *id.* **-arial**; — fever, febbre malarica o di malaria. **-arious**; malsano, miaŝmatico, infetto di malaria.

Malay; Malése *m.* or *f.* — Straits, Straits of Malacca, stretto malese o di Malacca. — Peninsula, penisola malese. — States, Malèŝia.

Malcontents; i malcontenti.

Male; máschio, maschíle. — **fern**, felce maschia.

Male-diction; -dizióne *f.* **-factor**; malfattóre *m.* **-ficent**; malèfico. **-volence**; -volènza *f.* **-volent**; malèvolo. **-volently**; malignaménte.

Malfeasance; misfatto *m.*, atto indébito.

Malform-ation; deformità congenitale. **-ed**; malformato.

Malic-e; malízia *f.*, cattivería *f.*, malignità *f.* Bear — against, voler male a. **-ious**; mal intenzionato, malizióso, maligno; premeditato. **-iously**; malignaménte, maliziosaménte. **-iousness**; malvagità *f.*

Malign; maligno, nocívo, tètro, triste. — spirits, spiriti maligni. — influence, influenza triste, tetra. To —, diffamare, sparlare contro. If I am -ing him, se ne dico male più di quel che merita.

Malign-ancy; -ità *f.*, (*med.*) virulènza *f.*, carattere cancheroso. **-ant**; maligno, malvágio, malintenzionato. — heart,

cuore cattivo. **-antly**; -aménte, maliziosaménte. **-er**; sparlatóre *m.*, calunniatóre *m.* **-ity**; -ità *f.*, rancóre *m.*, malánimo *m.* **-ly**; con influenza triste.
Malinger; fingersi malato per sfuggire al dovere. **-er**; malato finto. **-ing**; il fingere malattia.
Malison; maledizióne *f.*
Mallard; germáno *m.*, anatra selvatica maschio.
Malleab-ility, -le; -ilità *f.*, -ile.
Mallet; máglio *m.*, mazzapícchio *m.*
Malleus; martèllo *m.*, ossicino martello.
Mallow; malva *f.* Marsh —, altèa *f.* Musk —, malva muschiata. Rose —, malvaròŝa *f.*
Malmsey; malvaŝía *f.* (the grape), *m.* (the wine).
Mal-odorous; puzzolènte. **-position**; posizione falsa. **-practice**; furbería *f.*, truffa *f.*, malversazióne *f.*; cura nociva ad un malato.
Malt; malto *m.*, ridurre a malto.
Maltese; maltése. — cross, croce di Malta.
Malthusian; maltuŝiáno.
Maltreat; maltrattare, malmenare. **-ment**; maltrattaménto *m.*
Maltster; fabbricante di malto.
Malversa-tion; -zióne *f.*
Mameluke; mammalucco *m.*
Mamm-a; 1. *id.* 2. -èlla *f.* **-al**; -iféro *m.* **-alian**; -ífero. **-ary**; -ario. **-oth**; mammut *m.*
Man; uòmo. At backgammon or draughts, pedína *f.* At chess, pézzo *m.* — and wife, marito e moglie. Professional —, professionista *m.* To a —, sino all' ultimo. To —, fornire di uomini, equipaggiare. A — is not always master of himself, non si è sempre padrone di sè. He and his —, lui e il suo servo. It was divided — by —, ciascuno ebbe la sua parte. Come to -'s estate, giungere all' età virile. — of straw, burattíno *m.*, pagliáccio *m.*, fantòccio *m.* — about town, buontempóne *m.*, gaudènte *m.* — of the world, chi s' intende del mondo.
Manacle; caténa *f.*, manétta *f.*; incatenare.
Manage; governare, maneggiare, menare, gerire, dirígere; manovrare; venir a capo di, riuscire, trovare il mezzo, aiutarsi. Know how to —, saper fare, saper prendere. If I can — it, se mi riesce. To — your admission, combinare il modo perchè tu possa entrare. — very well, condurre bene i suoi affari. I could not — it properly, non ho potuto disimpegnar la cosa a dovere. I -d to get a glimpse at my watch, io feci in modo di dare un' occhiata al mio orologio.
Manage-able; trattábile, maneggévole. Within — compass, ridotto a punto da potersi maneggiare. **-ment**; manéggio *m.*, amministrazióne *f.*, direzióne *f.* **-r**; gerènte *m.*, ecònomo *m.*, massáio *m.*, direttóre *m.* **-rial**; di direttore, spettante all' amministrazione. **-rship**; ufficio di gerente ecc., direttorato *m.*
Managing; intrigante.
Manatee; manáto *m.*, lamantíno *m.*
Mandarin; -o *m.* **-orange**; arancia -a.
Mandat-ary; -ario. **-e**; -o *m.* **-ory**; che comanda.
Mand-ible; -íbola *f.* **-oline**; -olíno *m.* **-rake**; -rágola *f.* **-rel**; coppaia *f.* **-rill**; -rillo *m.*
Mane; crinièra *f.*, giubba *f.*
Man-eater; tigre o leone antropòfago.
Manful; bravo, viríle. **-ly**; bravaménte ecc. **-ness**; coraggio virile.
Mangan-ate; -ato *m.* **-ese**; -ése *m.* **-esic**; -ico.
Mange; rógna *f.*
Manger; gréppia *f.*, mangiatóia *f.*, preŝèpio *m.*
Mang-iness; l' esser rognoso. **-le**; mángan-o *m.*, -are, cilindrare; stracciare, ŝbranare, squarciare. **-ler**; squarciatóre *m.* **-o**; -a *f.* **-o-tree**; mangifera *f.* **-old-wurzel**; barbabiètola gialla. **-osteen**; -ostàn *m.* **-rove**; albero da ostrache. **-y**; rognóso, scabbióso, *fig.* vile.
Manhole; foro o passo d' uomo.
Manhood; virilità *f.*, età virile.
Mani-a, -ac, -acal, -acally; -a *f.*, -aco *m.*, -aco, da -aco. **-chaean**; -chèo. **-cure**; -cura *f.* **-curist**; -curo *m.*
Manifest; -o; -are. Ship's —, distinta per la dogana. **-ation**; -azióne *f.* **-ly**; -aménte. **-o**; -o *m.*
Manifold; moltifórme, parécchio, divèrso, moltéplice; raddoppiare, moltiplicare.
Manikin; nano *m.*, omiciáttolo *m.*; manichíno *m.*
Mani-oc; -òc *m.* **-ple**; -polo *m.*
Manipulat-e, -ion, -ive, -or; manipol-are, -azióne *f.*, di -azione, -atóre *m.*
Mankind; gli uomini.
Manl-iness; coraggio franco. **-y**; forte e virile.
Manna; *id.*
Manner; manièra *f.*, guiŝa *f.*, contégno *m.*, portaménto *m.*, mòdo *m.* In like —, pariménte. In this —, a questo modo. All — of people, ogni sorta di gente. Easy -s, diŝinvoltura *f.* Good -s, buona creanza, buone maniere, bei modi. To reform, corrupt -s, riformare, corrompere i costumi. **-ed**; Well, Ill —, costumato, scostumato. **-ism**; leziosággine

f., manierismo *m.* **-ist**; manierista *m.* **-ly**; garbato, cortése.
Mannish; da maschio.
Man-œuvre; -òvra *f.*, -ovrare. **-œuvrer**; -ovratóre *m.* **-of-war**; vascello da guerra. **-of-war's man**; marinaio *m.* **-ometer**; -òmetro *m.* **-or**; fèudo *m.*, manièro *m.*, terra soggetta altre volte a diritti feodali. — house, casa signorile vecchia. **-orial**; feodále. — rights, diritti feodali di un antico maniero. **-rope**; (*mar.*) guardamáni *m.*
Manse; casa parrocchiale in Iscozia, residenza di un ministro presbiteriano.
Manservant; sèrvo *m.*
Mansion; casa signorile, palazzo *m.*, fabbricato *m.* **-house**; palazzo del sindaco.
Manslaughter; omicídio non premeditato.
Mantel-piece; cappa del camino. On the —, sul camino. **-shelf**; mensola della cappa del camino.
Mantilla; mantíglia *f.*
Mantis; mantòide *m.*
Mantle; mantèllo *m.*, reticèlla per gas. To —, velare. The blood -d to her cheeks, il sangue le salì alle gote. **-maker**; sarta *f.*
Mantua, -n; Mántova *f.*, -áno.
Manual; -e *m.*, librétto *m.* As *adj.*, -e.
Manufact-ory; fábbrica *f.* **-ure**; fattura *f.*, fabbricazióne *f.*; fabbricare. **-urer**; fabbricante *m.* **-ures**; prodotti dell' industria.
Manum-ission, -it; manom-issióne *f.*, -éttere.
Manur-e; ingrasso *m.*, concíme *m.*, sugámi *m. pl.*; concimare, governare. **-ial**; fertiliżżante. Of high — value, di gran valore per ingrassare.
Manuscript; manoscritto *m.* Also *adj.*
Manx; dell' isola di Man.
Many; mólto. — a man, più d' un uomo. A good —, parécchi. Great —, moltissimi. Twice as —, due volte tanti, due volte più. As — as, quanto. How —? quanti? So —, tanti. Too —, troppo. Too — for, troppo forte per. — times, più e più volte. **-coloured**; multicolóre. **-sided**; istruito o interessato in molte cose.
Map; carta *f.*, pianta (di città). — of the world, mappamóndo *m.* Skeleton —, carta muta. To —, delineare, fare una carta di. — out, tracciare il piano o il corso di.
Maple; ácero *m.*
Map-maker; cartògrafo *m.* **-seller**; negoziante di carte geografiche.
Mar; guastare, sconciare, śventare, sfigurare.
Marabou; marabù *m.*, cicógna *f*
Marabout; marabuto *m.*, santo maomettano.
Maraschino; *id.*
Maraud-er; scorridóre *m.*, ladro *m.* **-ing**; predatóre.
Marble; marmo *m.*; pallina di marmo; marmòreo. Play at -s, fare alle palline di marmo. To —, marmoriżżare. **-cutter, -worker**; marmista *m.*
Marbling; marmoriżżatura *f.*
March; 1. marzo *m.* 2. marcia *f.*, confíne *m.* 3. márcia *f.* To —, marciare. — in, entrare; far entrare. — out, uscire; far uscire. — up to, farsi vicino a. — on, marciare più oltre, continuare la marcia; marciare contro. — off, andarsene, ritirarsi; far allontanarsi. — four abreast, camminare in file di quattro.
Marchioness; marchésa *f.*
Marchpane; marzapáne *m.*
Mare; cavalla *f.*, pulédra *f.* **-'s nest**; favola senza sostanza, l' impossibile. **-'s-tail**; coda cavallina, equiséto *m.*
Margaret; Margheríta.
Margarin-e; -a *f.*
Margin; márgine *m.*, órlo *m.* Ten per cent — of value, dieci per cento al di là del valore. **-al**; -ále.
Margrav-e, -ine; margrávi-o *m.*, -a *f.*
Marigold; calèndula *f.*, fiorrancio *m.* African —, garofano delle Indie. French —, garofano indiano minore.
Marin-e; -o. **-es**; soldati di marina, fantería di marina. **-er**; marináio *m.* **-er's compass**; bússola *f.*
Mariolatry; mariolatría *f.*
Marionett-e; -a *f.*
Mari-tal; -tále.
Maritime; maríttimo.
Marjoram; maggioràna *f.*, orígano *m.*
Mark; 1. ségno *m.*, marchio *m.*, marca *f.*, imprónta *f.*, tráccia *f.*, contrasségno *m.*, segnále *m.*, indízio *m.*; mira *f.*, berságlio *m.* — made instead of a signature, cróce *f.* At school, punto *m.* His school -s, i punti guadagnati da lui a scuola. — for good, bad, conduct, nota buona, cattiva. Dirty —, macchia *f.* Man of —, *see* Marked man. Beside the —, poco a proposito, fuor di proposito. Beyond the —, troppo in là, oltre al vero. Hit the —, imbroccare, dare nel segno. You have just hit the —, ci avete proprio imbroccato. Miss the —, fallire il colpo, fallire allo scopo. Leave one's — upon, lasciar la propria impronta sopra.

2. marcare, segnare, marchiare; osservare, prender nota di. — in, controllare l' entrata (di operai, impiegati ecc.). — off, contrassegnare. — out, (*a*) metter un segno, una croce ecc.

sopra le cose scelte. (b) delimitare. — out a lawn-tennis court, tirare le linee di un campo da lawn-tennis. -ed out for, disegnato dalla natura per.

Mark-ed; cospícuo, segnato, grande, pronunziato, accentuato. — emphasis, enfasi accentuata. — change, alterazione pronunziata. — man, 1. persona distinta. 2. uomo sotto vigilanza, veduto di mal occhio. -edly; notevolménte, spiccataménte, segnataménte. -er; ségno m., segnacarte m.; segnatóre m., chi segna i punti, appuntatóre m. At billiards, biscazzière m.

Market; mercato m., piazza f. Fish, Flower, Hay, Meat —, mercato del pesce, dei fiori, dei foraggi, della carne. — rate of interest, il tasso dell' interesse corrente. Ready —, buono sfogo, buon esito. To —, spacciare. Do one's -ing, far le spese. Good —, mercato con avanzo di compratori. Bad —, con deficenza di questi. -day; giorno di mercato. -garden; terreno a ortaggi. -gardener; ortoláno m. -place; piazza pubblica. -price; prezzo in piazza, prezzo corrente. -town; bórgo m., borgata f. (con mercato pubblico). -woman; piazzaiuòla f.

Marketable; eșitábile, vendíbile.

Marking-ink; inchiostro per marcare la biancheria.

Marksman; tiratóre m. -ship; abilità al tiro.

Marl; marna f., galèstro m.

Marlin-spike; punteruolo da velaio.

Marmalade; marmellata f.

Marm-oset; uistíti m. -ot; -òtta f.

Marne; Marna f.

Maroon; 1. color marrone; negro fuggitivo. To —, lasciare in una spiaggia deserta. 2. esplosione da forte rimbombo.

Marplot; imbroglióne m., guastamestièri m.

Marqu-e; Letter of —, patente di corso. -ee; padiglióne m. -etry, intarsiatura f.

Marquis, -ate; marchés-e m., -ato m.

Marriage; matrimònio m., spoșalízio m., nózze f. pl. -able; núbile, da marito, maritábile. -bed; tálamo m., letto nuziale. -lines; fede di matrimonio. -license; permesso di matrimonio. -portion; dòte f. -settlement; contratto di matrimonio. — money, contraddòte f., sopraddòte f.

Married; ammogliato, maritata, coniugato. — life, vita coniugale. Get —, prender moglie, trovar marito.

Marrow; midóllo m. Of a living man or animal, midólla f. Vegetable —, zucca di orto. -bone; osso midollóso, osso bucato. -spoon; tiramidòllo m. -y; midollóso.

Marry; 1. maritare, dare marito a. 2. ammogliare, dar moglie a. 3. spoșare, ammogliarsi. 4. Gesummaria!

Mars; Marte m.

Marsala; Marsála f., marsála m.

Marseill-ais, -es; marsigli-ése, -a f.

Marsh; pantáno m., palúde m. -al; maresciallo m.; schierare, distribuire. -harrier; falco rossiccio di palude. -mallow; bișmalva f. -marigold; calta f.

Marsupial; -e.

Mart; fièra f., empório m.

Marten; mártora f.

Martial; marziále, guerrièro. Court —, consiglio di guerra. -ly; da guerriero.

Martin; róndine cittadina, balestruccio m. -et; ufficiale rigorista. -gale; -gala f. -mas; il San Martino (11 Novembre).

Martyr; mártire m. or f.; martiriżżare. -dom; martírio m. -ology; martirología f.

Marvel; meravigli-a f., -are. — at, -arsi di. -lous, -lously, -lousness; meravigli-óso, -osaménte, -osità f.

Mascot; animale porta-fortuna.

Masculin-e, -ity; mascolín-o, -ità f.

Mash; mescúglio m., mescolanza f.; mescolare tritando, pestare. -ed potatoes, puré di patate. -er; (gergo) zerbíno m. -tub; tinòzza da porco. -y; al "golf," bastone corto a lama di ferro.

Mask; máscher-a f.; -are.

Mason; 1. scalpellíno m. Master —, scultore industriale. 2. frammassóne m. -ic; massònico. -ry; 1. pietrame m. Broken —, rottami di pietra, calcinacci m. pl. 2. frammassonería f. -'s labourer; manovále m.

Masquerad-e; mascherata f.; mascherarsi. -er; máschera f. -ing; mascheraménto m., il mascherarsi.

Mass; 1. massa f., ammasso m. The -es, il popolo in generale. Belonging to the -es, popolano. To —, raccògliere (truppe), aggruppare, disporre in masse, sterzare colori. -production; produzione in grande. 2. méssa f. High, Low —, messa grande o cantata, piana o bassa. -book; messále m.

Massacr-e; macèllo m., strage f., -o m.; -are.

Mass-age; -ággio m.; fare il -aggio a. -eur; chi fa il -aggio.

Massive; massíccio, solidissimo, saldissimo. -ly; in modo assai solido.

Mast; 1. álbero m., alberétto m. Main —, albero maestro. Fore —, albero di trinchetto. Mizen —, albero di mezzana. At half —, a mezza asta. For wireless telegraphy, asta f., anténna f.

Lower —, albero maggiore. Jigger —, albero di artimone. Spare —, albero di ricambio, di rispetto. Top —, albero di gabbia. Fore top —, albero di parrocchetto; on a schooner, spigone di trinchetto. Main top —, albero di gabbia di maestra; on a schooner, spigone di maestra. Mizen top —, albero di contromezzana; on a schooner, spigone di mezzana. Topgallant —, alberetto di velaccio. Fore topgallant —, alberetto di velaccio di trinchetto; on a schooner, controspigone di trinchetto. Main topgallant —, on a schooner, controspigone di maestra. Mizen topgallant —, alberetto di belvedere; on a schooner, controspigone di mezzana. Royal —, alberetto di controvelaccio.

2. Beech —, faggiuòla *f.*

Master; 1. maéstro *m.*, insegnante *m.* Assistant —, sottomaéstro *m.*, sottinsegnante *m.* 2. padróne *m.*, capo *m.*, principále *m.* — of the house, padrone di casa. 3. signoríno *m.* — James, il signorino Giacomo. 4. Drawing, Dancing, Writing etc. —, maestro di disegno, ballo, calligrafia ecc. 5. — of hounds, direttore di una riunione di caccia alla volpe, maestro dei segugi. 6. Be — of, conoscere a fondo (il latino ecc.). Become — of, impadronirsi di. 7. (*mar.*) Three —, un tre-alberi. 8. Hold a -'s certificate, esser capitano di lungo corso.

9. To —, domare, superare, sormontare, sopraffare, conquistare, víncere, sottométtere, reprímere, padroneggiare, impadronirsi di, venire a capo di (situazione complicata), imparare a fondo (lingua straniera).

Master-baker; fornáio *m.* **-builder**; intraprenditóre *m.*; costruttóre. **-butcher**; macelláio *m.* **-ful**; imperióso, imponènte, che s' impone, di carattere risoluto. **-hand**; mano da maestro. **-key**; passapertutto *m.*, chiave comune. **-ly**; ben fatto, fatto da maestro, maestrévole. **-mind**; mente superiore o molto abile, intelligenza fortissima. **-piece**; capolavóro *m.* **-ship**; posto di maestro. **-spirit**; anima formativa, spirito organizzatore, anima organizzatrice. **-stroke**; colpo da maestro. **-touch**; tratto o colpo da maestro. **-y**; maestría *f.*, padronanza *f.* Fight for the — of the Channel, disputarsi il possesso della Manica. Get the — of, vincer la mano a. — of a branch of science, possesso di un ramo di scienza.

Mastic; mástice *m.* **-tree**; lentíschio *m.*

Mastica-te, -ṭion, -tory; -re, -zióne *f.*, -tòrio.

Mastiff; cane mastino.

Mast-head; testa d' albero.

Mastless; senza alberi, diśalberato.

Mastodon; -te *m.*

Mat; stuòia *f.*, stoíno *m.*, żerbíno *m.*, pagliétto *m.* **-ted**; intrecciato.

Matador; mattadóre *m.*

Match; 1. uguále *m.*, simile *m.*; partito matrimoniale. Capital —, un bel matrimonio. The — is off, il matrimonio è rotto. Poọr —, partitaccio *m.* Be a — for, far fronte a, esser forte quanto; esser l' uguale di. I have its —, ne ho un simile. 2. míccia *f.* 3. partíta *f.*, lòtta *f.*, gara *f.* 4. fiammífero *m.*, fulminante *m.*, zolfanèllo *m.*, ceríno *m.* 5. pareggiare, trovar l' uguale di; riscontrarsi, andar d' accordo. A red dress with a sash to —, una veste rossa con cintura adatta. **-box**; scatola da fiammiferi. **-holder**; portafiammíferi *m.* **-less, -lessly, -lessness**; incomparábil-e, -ménte, -ità *f.* **-lock**; fucile a miccia. **-maker**; 1. mezzano da matrimonii. 2. fabbricante di fiammiferi.

Mate; 1. compagno *m.*, camerata *m.*, assistènte *m.* Of animals, il maschio, la femmina. 2. (*mar.*) secondo di bordo, scriváno. Carpenter's —, secondo maestro. 3. scacco matto. 4. unire, accoppiare; mattare.

Material; 1. -e *m.* Raw —, materia prima. Writing -s, l' occorrente per scrivere. 2. -e, sostanziále, importante. Very —, della più alta importanza. It is not very —, non monta, non importa molto. **-ise**; -iżżare; verificarsi. **-ism, -ist, -istic**; -iśmo *m.*, -ista *m.*, -ístico. **-ly**; -ménte, assai.

Materiél; attrézzi *m. pl.*, utensíli *m. pl.*

Matern-al, -ally, -ity; -ale, -alménte, -ità *f.*

Mat-grass; nardo *m.*

Math; raccòlta *f.*

Mathematic-al, -ally, -ian, -s; matemátic-o, -aménte, -o *m.*, -a *f.*

Matin-al; mattinièro. **-ée**; rappresentazione diurna. **-s**; mattutíno *m.*

Matricid-al; -a. **-e**; -io *m.*, -a *m.*

Matric-ulate, -ulation; -olare, -olazióne *f.*

Matrimon-ial, -ially, -y; -iále, -ialménte, -io *m.*

Matr-ix; -ice *f.* **-on**; -a *f.*, governante *f.* **-ly**; da -a.

Matted; feltrato, infeltrito.

Matter; matèria *f.*, róba *f.*, sostanza *f.*, faccènda *f.*, còśa *f.*, soggétto *m.*; márcia *f.*; importare. Small —, un niente. For the — of that, quanto a codesto, per dir vero, in quanto a ciò, del resto. In the — of improvements, in fatto di miglioramenti. There is something the

—, c' è qualche cosa. What is the —? che cosa avete? Cosa c' è? To see what was the —, per vedere di che si trattasse. What the — may be, ciò che ci sia. Only a — of time, soltanto questione di tempo. It does not — non monta. What matters most is, quel che più monta è. — of course, cosa che va da sè. A — of an hour, un' ora press' a poco. A — of five miles, un cinque miglia. Money -s, affari. Enter upon a —, entrare in un argomento. The — in hand, il proprio soggetto. **-of-fact**; questione di fatto. — man, uomo positivo, che ha poca imaginativa, materiale, grossolano. The — way, il modo materialista. As a —, fatto è che. **-y**; marcióso.

Matterhorn; Monte Cervíno.

Matting; tessuto di giunco, paglieríccio *m.*, le stoie. Cocoa-nut —, tessuto di fibra di cocco.

Mattock; zappóne *m.*, bidènte *m.*, zappone doppio, piccóne *m.*

Mattress; materasso *m.* — stuffed with leaves, saccóne *m.* Spring —, saccone elastico. Straw —, paglieríccio *m.*

Matur-e, -ely, -ity; -o, -aménte, -ità *f.*

Maudlin; lagrimante, semiubbriáco.

Maul; malmenare, tartassare.

Maunder; borbottare, mormorare.

Maundy Thursday; giovedì santo.

Mauretanian; mauretáno.

Mausoleum; maušolèo *m.*

Mauve; malveína *f.*; color malva.

Mavis; tórdo *m.*

Maw; stòmaco *m.*, gózzo *m.*

Mawkish, -ness; šdolcinat-o, -ézza *f.*

Max-illary; mascelláre. **-im**; mássima *f.*, sentènza *f.* **-imum**; mássimo, più.

May; 1. maggio *m.* 2. biancospíno. 3. — we? possiamo? ci sia lecito? We —, è possibile che. It — be, può darsi, sarà, fórse. — it please your Majesty, piaccia a Vostra Maestà. As soon as — be, al più presto possibile. Be that as it —, sia come si voglia. It — take years, forse ci vorranno degli anni. If I — say so, se mi è permesso di dirlo.

Mayence; Magónza *f.*

May-fly; effímera *f.*

Mayonnaise; maionése.

Mayor, -alty, -ess; sindac-o *m.*, -ato *m.*, moglie del sindaco.

May-pole; albero di maggio.

May-weed; còtula *f.*, camomilla fetida.

Maz-e; laberinto *m.*; vertígine *f.*, perplessità *f.* **-y**; imbrogliato, perplèsso.

Mead; 1. idromèle *m.* 2. prato *m.*

Meadow; prato *m.*; pratènse. **-grass**; fienaròla de' prati. **-sweet**; olmária *f.*

Meagre, -ly, -ness; scars-o, -aménte, -ézza *f.*; grétt-o, -aménte, -ézza *f.*; pòver-o, -amente, -tà *f.*; magr-o, -aménte, -ézza *f.*

Meal; pasto *m.*; farína *f.* Hearty —, pasto abbondante. **-ie**; spiga di granturco. **-time**; l' ora del pasto. **-y**; farinóso. — bug, cocciniglia di serra. — mouthed, mellífluo.

Mean; 1. mèdio *m.*, punto medio. 2. mèdio, mèžžo; meschíno, grétto, basso, tírchio. — time, ora media. No — foe, nemico da non disprezzare. Have a — opinion of, avere in poco pregio. Have no — opinion of oneself, aver un' alta opinione di sè stesso. 3. voler dire, intèndere, intender dire, valere a dire. What do you —? come sarebbe a dire? You —? sarebbe a dire? You are saying what you do not —, tu non pensi ciò che tu dici. — for, destinare per. — to, proporsi di, aver intenzione di. — well, aver buone intenzioni.

Meander; serpeggiare.

Meaning; significato *m.*; significante, significatívo. **-less**; senza significato. **-ly**; con aria significativa.

Mean-ly; poveraménte, meschinaménte, con bassezza. Think — of, far poco caso di. **-ness**; bassézza *f.*, grettézza *f.* He had the — to, non si vergognò di, si avvilì al punto che.

Means; mèžži *m. pl.*, sostanza *f.*, risórse *f. pl.* By all —, ad ogni modo, faccia pure, ben volentieri. By no —, niente affatto, in nessun modo. By — of, mediante. By foul —, con mezzi dišonesti. Be the — of, esser la causa di, la cagione di. Live on one's —, vivere delle proprie rendite. Live within one's —, fare i passi secondo le gambe.

Mean-time, -while; frattanto, in quel mentre, intanto.

Measl-es; morbillo *m.* German —, rošolía *f.*; in pork, grándine *f.* **-y**; 1. (gergo) meschíno. 2. che ha la tenia.

Measur-able; mišurábile. **-ably**; — near to, poco discosto da.

Measure; mišura *f.*; provvediménto *m.*, partíto *m.*; légge *f.* To —, mišurare, aver le dimensioni di. The tree -s four feet in diameter, l' albero ha quattro piedi di diametro. The horse soon -d the distance, il cavallo ebbe tosto superato la distanza. -d steps, passi misurati. In no -d terms, con parole poco misurate. -ing rod, bastone da agrimensore. Coal -s, strati di carbon fossile. In great —, in gran parte. In some —, in qualche modo, fino ad un certo punto. Hard —, mala fortuna. Receive hard —, esser maltrattato, ingiustamente trattato. Take proper -s, prender le misure necessarie. — out, — off, tagliare, togliere, dare ecc. a misura. — up, accertarsi del contenuto esatto, della misura esatta di.

Measur-eless; śmisurato. **-ement**; miśura *f.*, miśurazióne *f.*, il misurare. **-er**; miśuratóre *m.*

Meat; carne *f.* Boiled —, lésso *m.* Roast —, arròsto *m.* Stewed —, stufato *m.* Dish of hashed —, ragù *m.* Minced —, carne tritata. Dish of minced —, ammorsellato *m.* Green —, foraggio *m.* — and drink, il mangiare ed il bere. **-ball**; polpétta *f.* **-y**; — flavour, sapore di carne.

Meatus; meato *m.*, condòtto *m.*

Mechanic, -ian; meccánico *m.*, macchinista *m.*, artigiáno *m.* **-al**; meccánico. **-ally**; meccanicaménte. **-s**; meccánica *f.*

Mechanism; meccaniśmo *m.*, congégno *m.*

Mechlin lace; trina di Malines.

Medal; medáglia *f.* **-lion**; medaglióne *m.* **-list**; premiato con medaglia.

Meddl-e; frammischiarsi, ingerirsi senza diritto, immischiarsi, introméttersi, ficcare il naso (in). **-er**; faccendière *m.*, intrigante *m.*, importuno *m.*, ficcanaso *m.* **-esome**; intrigante, affaccendato, importuno. **-ing**; intervento officioso, ingerènza *f.*; officióso, intrigante.

Medi-al, -an; di mezzo. **-ate**; -ato; fare il mediatore, interpórsi. **-ately**; -ataménte. **-ation**; -azióne *f.*, intervènto *m.*, interpośizióne *f.* **-atisation**; -atiżżazióne *f.* **-atise**; -atiżżare, togliere l' autorità politica a un piccolo Stato, lasciandogli la sovranità nominale. **-ator**; -atóre *m.*, intermediário *m.*, intercessóre *m.*

Medic-al; -o, medicinále. Take — advice, farsi consigliare da un medico. **-ally**; per ordine medico. **-ament**; medicína *f.*, fármaco *m.*, medicaménto *m.* **-ated**; -ato. **-ation**; -azióne *f.* **-inal**; -inále. **-inally**; a scopo medicinale.

Medicine; medicína *f.* **-chest**; scatola di droghe, farmacia portatile. **-man**; stregóne fra i tribù selvaggi. **-spoon**; cucchiaio per prender medicina.

Medick; erba medica.

Medieval; medioevále. **-ism**; spirito medioevale, concetto del medio evo.

Mediocr-e, -ity; -e, -ità *f.*

Meditat-e, -ion, -ive, -ively; medit-are, -azióne *f.*, -atívo, -ativaménte. To -e, ideare (miglioramenti).

Mediterran-ean; -eo.

Medium; mézzo *m.*, spediènte *m.* As *adj.*, mèdio, meżżáno. Observe the just —, agire con la giusta misura.

Medlar, -tree; nèspol-a *f.*, -o *m.*

Medley; mescúglio *m.*, mescolanza *f.* Confused —, guazzabúglio *m.*

Medullary; — rays, raggi midollari.

Meed; prèmio *m.*

Meek; dólce, somméssо, úmile. **-ly**; dolceménte ecc. **-ness**; sommissióne *f.*, dolcezza sommessa. **-spirited**; di carattere dolce.

Meerschaum; schiuma di mare. **-pipe**; pipa di schiuma.

Meet; 1. riunione o luogo di riunione, per la caccia alla volpe. 2. atto, adatto, convenévole, utile. 3. affrontare, incontrare, andare incontro a, incontrarsi con, abbattersi in, imbattersi in, trovare, trovarsi insieme, trovarsi con, vedérsi. 4. — together, unirsi, riunirsi, adunarsi. 5. stríngersi (mani) confóndersi. 6. scontrarsi, accozzarsi. 7. battersi con. 8. far onore (agli impegni), far fronte (alle spese), rispondere a (un' accusa), sopportare (gastigo). — the case, esser quel che occorre. 9. — with, ricévere, trovare, vedére, subire (rifiuto), esser colto da (disgrazia), incontrare (grande successo). Be met with the answer that, esserti risposto che. I met with a fall, mi è successo una caduta. — with ingratitude, venir pagato coll' ingratitudine.

Meeting; incóntro *m.*, riunióne *f.*, mítinghe *m.*, sedúta *f.*, appuntaménto *m.*, convègno *m.*, conventícola *f.*, assemblèa *f.* Race —, córse *f. pl.* **-house**; casa di riunione dei Quacqueri.

Meet-ly; dovutaménte. **-ness**; giustézza *f.*

Megaphone; megáfono *m.*

Megrim; emicránia *f.*

Melanchol-ic; infelíce. **-y**; malinconía *f.*, follia malinconica; malincònic o sconsolante.

Mêlée; zuffa *f.*, míschia *f.*

Melilot; soffiòla *f.*, melilòto *m.*

Mellifluous; mellífluo, meláto.

Mellow; maturo, stagionato; maturare. **-ness**; un non so che di maturo.

Melodious, -ly, -ness; melodi-óso, -osaménte, qualità -osa.

Melodrama, -tic; melodramm-a *m.*, -ático.

Melon; popóne *m.* Water —, cocómero *m.*

Melt; fóndere, strúggere, liquefare, dighiacciare; squagliarsi; intenerire, sciògliersi (in lagrime). **-ing**; fuśióne *f.*, liquefazióne *f.*

Member; mèmbro *m.* **-ship**; l' esser membro; numero dei membri.

Membran-e; -a *f.*, pellícola *f.* **-ous**; -óso.

Mem-ento; -énto *m.*, -oriále *m.*, ricòrdo *m.* **-oir**; memòria *f.*, ricòrdo *m.* **-orabilia**; cose notevoli.

Memor-able; -ábile, -ando. That — Tuesday night when, quella memoranda notte del Martedì che. **-andum**; appunto *m.* **-ial**; -ia *f.*, -iále *m.*, súpplica *f.* As a — of, in commemorazione di. **-ialist**; chi ha sottoscritto un memoriale. **-ialise**; presentare un memoriale. **-ise**; imparare a memoria. **-y**; -ia *f.*, ricordanza *f.* Within the — of man, a memoria d' uomo, da che mondo è mondo. In — of, in ricordo di.

Memphis; Mènfi *f.*

Menac-e, **-ing**, **-ingly**; minácci-a *f.*, -óso; -osaménte, con -e. To —, -are.

Menage; modo di vivere riguardo il governo della casa.

Menagerie; serráglio di animali feroci o rari.

Mend; raccomodare, racconciare, rimendare, corrèggere, migliorare, rettificare.

Mendac-ious; -e, menzognèro. **-ity**; -ità *f.* **-iously**; falsaménte.

Mender; racconcia-tóre *m.*, -trice *f.*

Mendic-ancy; accattonággio *m.* **-ant**; accattóne *m.*, pitòcco *m.* **-ity**; -ità *f.*

Mending; raccomodaménto *m.* ecc., *see* Mend.

Menial; sèrv-o *m.*, -a *f.*; -íle. **-ly**; — employed, impiegato a servigi umili.

Meninges; meningi *f. pl.*

Menopause; menopáuṡa *f.*

Menstru-ate; aver le regole, i mestrui. **-ation**; mestruazióne *f.* **-ous**; che ha i mestrui. **-um**; mèstruo *m.*

Mensuration; miṡurazióne *f.*, agrimensura *f.*

Mental, **-ly**; -e, -ménte. **-ity**; stato intellettuale.

Mention; menzióne *f.* Make — of, accennare a. To —, dire, mentovare, menzionare. — the subject of, toccare l' argomento di. — the matter to him, fargli cenno della cosa, dargliene avviso. **-able**; degno di menzione.

Mentor; Méntore, consiglière *m.*

Menu; minúta *f.*, carta *f.*, lista dei piatti.

Mephistophelean; mefistofèlico.

Mephit-ic, **-is**; mefít-ico, -e *f.*

Mercantile; mercantíle.

Mercenar-ily; -iaménte. **-iness**; venalità *f.* **-y**; -io *m.*; prezzolato, venále, -io.

Mercer; mercante di seterie, (oggi) membro della Mercers' Company a Londra. **-ise**; setificare. -d goods, articoli di cotone setificato.

Merchan-dise; mercanzíe *f. pl.*, mèrci *f. pl.* **-t**; mercante *m.*, commerciante *m.* — service, marina mercantile. — tailor, negoziante sarto. **-tman**; nave mercantile.

Merci-ful; pietóso, indulgènte, benigno. **-fully**; con misericordia, per la grazia di Dio. **-less**; spietato. **-lessly**; senza misericòrdia. **-lessness**; crudeltà *f.*

Mercur-ial; -iále, vivace. **-y**; -io *m.*

Mercy; miṡericòrdia *f.*, compassióne *f.* At the — of, in balia di. Have no —, esser senza pietà.

Mere; 1. lago *m.* 2. mèro, prètto, sémplice. Be a — tool, non esser altro che uno stromento. The — idea of it delights me, la sola idea di ciò mi rallegra. **-ly**; sólo, sempliceménte. He — turned his head, si limitò a volger la testa.

Meretric-ious; -io. **-iously**; da -e.

Merganser; ṡmèrgo *m.*

Merge; Be -d, esser assorbito, strúggersi, dileguarsi, perder la propria identità. **-r**; incorporaménto *m.*, assorbiménto di una proprietà o di un diritto in uno più grande.

Meridian; -o *m.*; -o. — of life, il mezzo della vita.

Merino; merino *m.*, pecora di Spagna.

Merit; -o *m.*, prègio *m.*, valóre *m.*; -are, esser degno. **-orious**; -òrio, benemèrito. **-oriously**; -oriaménte. **-oriousness**; l' esser -orio.

Merlin; ṡmeríglio *m.*

Mer-maid; sirèna *f.* **-man**; tritóne *m.*

Merr-ily; allegraménte, ílare, gaiaménte. **-iment**; ilarità *f.*, allegría *f.*

Merry; allégro, giocóndo, gaio. **-andrew**; buffóne *m.*, saltimbanco *m.*, pagliáccio *m.* **-go-round**; caroṡèllo *m.*, giòstra *f.* **-making**; fèsta *f.*, festeggiaménto *m.* **-thought**; forcèlla *f.*, stèrno (di pollo).

Meseems; mi sembra.

Mesenter-y; -io *m.*

Mesh; máglia *f.*

Mesmer-ic, **-ism**, **-ist**; -ico, -iṡmo *m.*, -ista *m.*

Mess; 1. mácchia *f.*, guazzo *m.*, imbrattatura *f.*, guazzabúglio *m.*, sporcízia *f.*, immondízia *f.* In a shocking —, ben sudicio. 2. *fig.* In a —, imbrogliato, in un pasticcio. In a nice —, in un bel impiccio. Be in a —, star fresco. Make a — of, guastare, imbrogliare, far tutt' una zuppa di. 3. (*mar.*) Officer's —, mènsa *f.* Crew's —, piatto *m.*, rancio *m.*, gamèlla *f.* — together, far mensa, far gamella. Join the — of, farsi commensale di. 4. (in civilian life) vivanda *f.*, piatto *m.* — together, mangiare insieme, far camerata. **-mate**; commensále *m.* **-room**; quadrato *m.* **-table**; tavola dei ranci.

Message; messaggio *m.*, ambasciata *f.*, comunicazióne *f.* Telephone —, fonogramma *m.* Send a — to, far dire a. Send on a —, mandare in commissione. Deliver one's —, far la sua commissione.

Messenger; 1. messaggièro *m.*, mésso *m.* 2. (*mar.*) cavo piano, viratóre *m.*
Messia-h; Messía *m.* **-hship**; ufficio di Messia. **-nic**; -nico.
Messieurs; signóri *m. pl.*
Mess-ily; poco nettamente, diśordinataménte. **-iness**; modi sudici, modi da chi sporca tutto, immondézza *f.* **-y**; súdicio, spòrco, imbrattato. It's a — job, è lavoro da infangarsene, è da insudiciarsene.
Metal; metallo *m.* Britannia —, metallo bianco inglese. To —, acciottolare (strada). -led road, strada carrozzabile o rotabile. **-lic**; -lico. **-liferous**; -lífero. **-ling**; ciòttoli *m. pl.*, inghiaiata stradale. **-loid**; -lòide *f.* **-lurgical**; -lurgico. **-lurgist**; -lurgo *m.* **-lurgy**; -lurgía *f.*
Metamor-phic; -fico. **-phose**; traśmutare. **-phosis**; metamòrfośi *f.*, trasformazióne *f.*
Metaphor, -ical, -ically; metáfor-a *f.*, -ico, -icaménte.
Metaphras-is, -tic; metáfraś-i *f.*, -tico.
Metaphysic-al, -ally, -ian, -s; metafíśic-o, -aménte, -o *m.*, -a *f.*
Metathesis; metáteśi *f.*
Métayer; meżżádro *m.*
Mete; — out to, far toccare a. Stern justice was -d out to, l' austera giustizia doveva giudicare.
Metempsychosis; metemsicòśi *f.*
Meteor, -ic, -ite, -ological, -ologist, -ology; metèor-a *f.*, -ico, -íte *f.*, -ològico, -ològico *m.*, -ología *f.*
Meter; miśuratóre *m.*, contatóre *m.*
Methinks; mi pare, secondo mé.
Method, -ical, -ically, -ise, -ism, -ist; mètod-o *m.*, -ico, -icaménte, ridurre a -o, -iśmo *m.*, -ista *m.* The -s most frequently employed, le modalità che più spesso si seguono.
Methought; mi sembrava.
Methuselah; Matuśalèmme.
Methyl; metíle *m.* -ated spirits, alcool metilico, spirito da bruciare.
Metonym-ical, -y; metoním-ico, -ía *f.*
Metr-e; -o *m.* **-ic, -ical**; -ico. **-ically, -onome**; -icaménte, -ònomo *m.*
Metropol-is, -itan; -i *f.*, -itáno.
Mettle; fóga *f.*, valóre *m.*, vigóre *m.*, spírito *m.* Show —, dar prova di coraggio, di ardore. Put a man upon his —, eccitare uno a dar prova di sè. **-some**; focóso.
Meuse; Mòśa *f.*
Mew; 1. gnau, miau, gnaulata *f.*, miágolo *m.* To —, fare gnau, gnaulare, miagolare. **-ing**; gnaulío *m.*, gnaulíi *m. pl.*, miagolío *m.* 2. — up, ingabbiare, rinchiudere. **-s** (letteralmente, gabbie); quartiere per cavalli e ciò che spetta loro, via dedita a stalle rimesse e scuderie. A —, una scuderia.
Mexic-an, -o; Messic-áno *m.*, -o *m.*
Mezzanin-e; -o *m.*
Mezzotint; meżżatinta *f.*, incisione a mezza macchia.
Miasm-a; -a *m.* **-al, -atic**; -ático.
Mic-a, -aceous; -a *f.*, -áceo.
Mice; *pl.* di Mouse.
Michaelmas, -day; il San Michèle. **-daisy**; verga d' argento.
Micro-be, -cosm, -meter, -phone, -pyle; micr-òbio *m.*, -ocòśmo *m.*, -òmetro *m.*, -òfono *m.*, -òpilo *m.*
Microscop-e, -ic, -y; -io *m.*, -ico, -ía *f.*
Micturat-e, -ion; orin-are, l' -are.
Mid; mèżżo; fra. In — air, nell' alto cielo. From — air, dall' alto del cielo. In — channel, al mezzo del canale, in mezzo alla Manica. **-day**; mèżżogiórno *m.*, mèżżodì *m.*
Midden; letamaio *m.*
Middle; mèżżo *m.*, cèntro *m.*, metà *f.*; mèżżo, mediáno, mèdio. In the — of March, alla metà di Marzo. In the — of the room, in mezzo alla stanza. They were not found till the — of the next day, non furono rintracciati che al calare del giorno successivo. At the — of the table, a metà della tavola. The — window, la finestra di mezzo. — course, via di mezzo. Be up to the — in water, aver l' acqua sino a metà corpo. — Ages, medio evo. Of the — Ages, medioevále. — class, gente mezzana, ceto medio, borgheśía *f.* — distance, secondo piano d' un quadro. — English, l' inglese parlato tra il 1200 e il 1460. — passage, traversata di un bastimento negriere d' Africa in America. — term, termine medio del sillogismo. **-aged**; di mezza età, in là cogli anni, fatto. **-man**; intermediário *m.* **-sized**; di mezzana grandezza.
Middling; mediòcre, passábile, così così. **-s**; crusca *f.*, la parte grossa della farina.
Middy; *raccorc.* di Midshipman.
Midge; mosceríno *m.* **-t**; nanneròttolo *m.*
Midland; dell' interno **-s**; regioni interne.
Mid-Lent; mezza Quaresima. **-most**; del mezzo, il più in mezzo. **-night**; mèżżanòtte *f.* **-rib**; nervatura mediana d' una foglia. **-riff**; diaframma *m.* **-shipman**; guardiamarína *f.* **-ships**; nel mezzo di un bastimento. **-st**; mèżżo *m.* In the very — of her sorrow, nel più forte dei suoi dispiaceri. **-stream**; a mezzo di una corrente. **-summer**; cuore della state. — day, festa di San Giovanni Battista. **-way**; a mezza strada. **-wife**; levatrice *f.* **-wifery**;

ostetricia *f*. **-winter**; cuore dell' inverno.
Mien; aria *f*., cèra *f*.
Might; 1. potère *m*., vigóre *m*., pòssa *f*., possanza *f*., fòrza *f*. With all his —, a tutta possa, a tutto potere, coll' arco della schiena. With — and main, a corpo morto.
2. *imperf.* di May. One — say, si potrebbe dire. You — have been killed, potreste esser ucciso. One — as well not have it, tanto sarebbe non averlo. One — at any rate try, ad ogni modo si potrebbe tentare. It — be that, potrebbe essere che. He — have been seen coming down the hill, si sarebbe potuto vedere scender giù per la collina. For the ladies and nobles who — be expected to attend the tournament, per uso di quelle dame e signori che si aspettava dovessero assistere al torneo. It — be, potrebbe darsi. It — be compared, lo si sarebbe potuto paragonare. More than — have been expected, più di quando si sarebbe potuto aspettare. People who — be supposed to have, gente che si poteva supporre avesse. He — be dead for aught I know, potrebbe esser morto per quello che ne so io. He — do it with ease, potrebbe farlo con facilità. There — be about five women in the place, potevano esserci forse cinque donne sul luogo. I hoped he — be gone, speravo che egli se ne fosse andato.
Might-ily; altaménte, assai, veraménte, grandeménte. **-iness**; Altézza *f*. **-y**; possènte, forte. As *adv*., molto, or to be translated by a superlative; — fine, bellissimo.
Mignonette; resèda odorata, amoríno *m*.
Migr-ant; -atóre *m*. **-ate**; -are. **-ation**; -azióne *f*. **-atory**; -atòrio, di passaggio, di passo.
Milan, -ese; Milán-o *f*., -ése.
Milch; da latte.
Mild; mite, dólce. Grow —, addolcirsi.
Mildew; rúggine *f*., muffa *f*., fiori del vino.
Mild-ly, -ness; mit-eménte, -ézza *f*.; dolc-eménte, -ézza *f*.
Mile; míglio *m*. Measured —, miglio numerato. **-age**; distanza (in miglia) percorsa. **-stone**; pietra miliare.
Mil-foil; millefòglie *f*. **-iary**; migliare.
Milit-ant; -ante. **-arily**; -arménte, in modo militare. **-arism**; -arišmo *m*. **-arist**; -arista. **-ary**; -are. **-ate**; — against, contrariare, render difficile. **-ia**; milízia *f*., guardie nazionali. — man, uomo della milizia.
Milk; latte *m*. Skim —, latte scremato. Give — to, allattare. — and water, latte annacquato, latte con acqua; *fig*. insipido, flòscio. To —, múngere. **-can**; vaso da latte. **-diet**; regime a latte. **-er**; mungitór-e *m*., -a *f*.; vacca da latte. **-fever**; febbre lattea. **-food**; latticínio *m*. **-maid**; lattáia *f*. **-man**; lattivéndolo *m*., lattáio *m*. **-pail**; secchio da latte. **-pan**; terrina da latte. **-sop**; pulcino bagnato. **-teeth**; denti di latte, denti lattaioli. **-walk**; distretto servito da un lattivendolo. **-weed**; titimálo *m*. **-white**; bianco come il latte. **-woman**; lattáia *f*. **-wort**; vecciolina *f*., erba bozzolina, poligala comune. **-y**; latteo. — Way, via lattea.
Mill; molíno o mulíno *m*., macinatóio *m*., filanda *f*., filatura *f*., fábbrica *f*. Coffee —, macinino da caffè. Corn —, mulino pel grano. Cotton —, cotonificio *m*., filatura di cotone. Flax —, filatura di lino. Fulling —, gualchièra *f*. Hand —, mulino a braccia. Horse —, mulino a maneggio. Paper —, cartièra *f*. Rolling —, laminatóio *m*. Saw —, segheria *f*. Silk —, filatóio *m*., válico *m*. Water —, mulino ad acqua. Wind —, mulino a vento.
To —, macinare; fare il cordone alle monete. Go through the —, imparare a fondo un mestiere.
Mill-board; cartone forte o spesso. **-dam**; argine di bottaccio.
Millen-ary; -ario. **-nium**; -nio *m*.
Mille-ped; centogambe *m*. **-pore**; millèporo *m*.
Miller; mugnáio *m*. **-'s thumb**; gòbio *m*.
Mill-et; míglio *m*. **-igramme**; -igrammo *m*. **-imetre**; -ímetro *m*.
Milliner; modista *f*., crestáia *f*. Man —, mercante di mode. **-y**; mercerie *f*. *pl*., articoli di modista.
Milling; il fare il cordone ad una moneta; lo stesso cordone.
Milling-machine; fresatrice *f*.
Million; milióne *m*. **-aire**; milionário *m*. **-th**; milionèšim-o, -a parte.
Mill-owner; capo-fábbrica *m*., valicáio *m*. **-pond**; serbatóio *m*., bottáccio *m*. **-race**; gora di mulino. **-stone**; macina di mulino. Lower, Upper —, macina giacente, girante. **-tail**; la corrente all' ingiù dal mulino. **-wheel**; ruota di mulino. **-wright**; costruttore di mulini.
Milt; milza *f*., latte di pesci.
Mimic; imit-atóre *m*.; -atívo, mímico. — sea, parodia di mare. A good —, chi imita bene. To —, imitare in modo canzonatòrio, contraffare. He -ked her peculiarities of speech, egli imitò le particolarità del parlare di lei.
Mimosa; *id*.

Minar-et; -éto *m.*
Mince; carne tritata, śminuzzatura *f.*; śminuzzare, śbriciolare, tritare. Not to — matters, dir la cosa come è. **-meat**; cibo tritato. **-pie**; specie di pasticcio dolce.
Mincing; affettato, lezióso, śmorfióso. **-ly**; affettataménte ecc.
Mind; mènte *f.*, spírito *m.*, vòglia *f.*, ánimo *m.*, opinióne *f.*, intenzióne *f.*, inclinazióne *f.*, gusto *m.*, pensièro *m.*, memòria *f.* Active —, spirito attivo. Generous —, anima generosa. Absence of —, distrazióne *f.* Frame of —, umóre *m.* I feel altogether in a better frame of —, mi sento lo spirito tutto sollevato. To my —, 1. secondo me, a me, a mio parere. 2. a modo mio, a mio piacimento. To the -'s eye, all' occhio dello spirito. Change one's —, cambiare d' idea. Not to know one's own —, non saper bene ciò che si vuole. It must be borne in —, non bisogna dimenticare, non si deve lasciar da parte. Have a —, half a —, to, esser disposto, mezzo disposto, a; aver voglia di, aver quasi voglia di. Make up one's —, 1. decídersi. 2. rassegnarsi. Bring one's — to, risolversi a. Give, Turn one's — to, applicarsi a, darsi a. Call to —, richiamare alla memoria. Put in — of, far ricordare, rammentare. Of one —, d' accordo. I saw what was passing in his —, mi accorsi di quel che gli passava in mente. In his right —, nei suoi pieni sensi. Out of his —, fuori di sè. Out of sight, out of —, lontano dagli occhi, lontano dal cuore. Give him a bit of one's —, cantargliela chiara e tonda. So many men, so many -s, tante teste, tante idee. Time out of —, da tempo immemorabile.
To —, badare a, fare attenzione, dar retta a, aver cura di, sorvegliare. Be -ed, aver intenzione. Not to —, non far nulla. Do you — my smoking? Non le fa nulla che io fumi? I don't — at all, proprio non mi fa nulla. I should not — in the least, non mi importerebbe nulla. Never —, non importa; pazienza. Never — me. non pensare a me.
Mindful; attènto.
Mine; 1. mio, il mio. 2. minièra *f.* 3. mina *f.* Sea —, mina *f.*, torpèdine *f.* Drifting —, mina o torpedine, alla deriva, vagante. Floating, galleggiante; Loose, sviata; Moored, fissa. Row of -s, banco di torpedini. Set a — at a depth of..., regolare una mina a metri.... Sweep for, up, (-s), dragare, rastrellare. To —, minare. **-field**; campo di mine. **-r**; minatóre *m.* **-sweeper**; dragamína *m.*
Mineral, -ogy; -e, -ogía *f.*
Mingle; mescolare, confóndere. **-d**; misto.
Miniatur-e; -a *f.*
Minim; gòccia *f.*; mínima *f.* **-ise**; metter in non cale, attenuare, menomare. **-um**; -o.
Mining; il minare. **-engineer**; ingegnere minatore.
Minion; mignóne *m.*, favoríto *m.*
Minist-er; -ro *m.*; -rare, provvedére. **-erial, -erially**; -eriále, -erialménte.
Minist-ering-priest, -rant; celebrante *m.* **-ration**; servígio *m.* **-ry**; -èro *m.*
Min-iver; vaio *m.* **-k**; viśóne *m.*
Minnesinger; trovatore tedesco.
Minnow; varióne *m.*, sanguineròla *f.*, fregaròla *f.*
Minor; -e, secondário; -ènne *m.* **-ity**; -ità *f.*
Minotaur; -o *m.*
Minster; chiesa abbaziale, chieśóna *f.*, cattedrále *f.*
Minstrel; menestrèllo *m.* **-sy**; poeśía *f.*, canti di un menestrello.
Mint; 1. ménta *f.* **-sauce**; salsa alla menta. 2. zécca *f.*; monetare, báttere. **-age**; monetággio *m.*, monetazióne *f.* **-er**; coniatóre *m.*
Minuet; minuétto *m.*
Minus; méno, sénza. A — quantity, una quantità negativa, un meno di nulla.
Minut-e; 1. -o *m.* 2. -o, píccolo. This —, subito, in questo momento. 3. -a *f.* **-es**; processo verbale, verbále *m.*, protocòlli *m. pl.* To —, -are, prender nota di. **-e-book**; libri di -e. **-e-hand**; lancetta dei -i. **-ely**; -aménte, minuziosaménte. **-iae**; minúzie *f. pl.*, particolarità *f. pl.*
Minx; bricconcèlla *f.*
Mirac-le; miràcolo *m.* **-le-worker**; taumaturgo *m.* **-ulous, -ulously, -ulousness**; -olóso, -olosaménte, carattere -oloso.
Mirage; mirággio *m.*
Mire; mélma *f.*, mòta *f.*, fango *m.*
Mirror; spècchio *m.* **-ed**; specchiato.
Mirth, -ful, -fully, -fulness; allegr-ía *f.*, -o, -aménte, umore -o.
Miry; melmóso, motóso, fangóso.
Mis-address; indirizzar male. **-adventure**; sfortuna *f.*, contrattèmpo *m.* **-alliance**; matrimonio sconvenevole. **-anthrope**; -ántropo *m.* **-anthropic**; -ántropo. **-application**; applicazione falsa, abusiva, sbagliata. **-apply**; applicar male, a mal proposito. **-apprehend**; fraintendere, comprender male. **-apprehension**; equívoco *m.*, malintéso *m.* **-become**; diśdire, sconvenire. **-begotten**; malnato. **-behave**; condursi male. **-behaviour**;

un fare screanzato, condotta cattiva. **-belief**; -credènza *f.* **-believer, -believing**; -credènte. **-calculate**; calcolar male. **-calculation**; ṡbaglio *m.*, calcolo erroneo. **-call**; chiamare impropriatamente. **-carriage**; abòrto *m.*; fiasco *m.*, insuccèsso *m.*, fallo *m.* **-carry**; abortire; fallire, non riuscire, far fiasco. **-cast**; addizione falsa; sommar male.

Miscegenation; mistura di razze, l' accoppiarsi di bianchi e neri.

Miscellan-ea; miscugli *m. pl.*, miscellánea *f.* **-eous**; -eo, mischiato, misto. **-eously**; a caso, promiscuaménte. **-y**; míschio *m.*, mescolanza *f.*

Mischance; infortúnio *m.*

Mischief; male *m.*, danno *m.*, malízia *f.*, cattivo tiro. Child full of —, fanciullo malizioso. He did it out of —, l' ha fatto per cattiveria. Be always in —, star sempre meditando qualche tiro. Delight in —, compiacersi a far del male. Make — between them, imbrogliarli. **-maker**; mettimále *m.*, mettiscándali *m.* **-making**; il metter male fra le persone; nocívo, intrigante, mettimále.

Mischievous; cattívo, tristo, funèsto, malizióso. **-ly**; cattivaménte ecc. **-ness**; cattivería *f.*, malízia *f.*

Mis-conceive, -conception; *see* Misapprehen-d, -sion. **-conduct**; *see* Misbehave. **-construction**; interpretazione falsa. **-construe**; interpretar male, prender in cattiva parte; tradurre male o a torto. **-count**; conto sbagliato; contar male, sbagliare un conteggio. **-creant**; miṡerábile *m.*, bricconaccio *m.*, malnato *m.*, sgherro *m.* **-cue**; steccaccia *f.*

Mis-date; sbagliare data, metter falsa data. **-deal**; fallo nel dare le carte; dare in fallo. **-deed**; misfatto *m.* **-demeanour**; fallo *m.*, offesa veniale. **-direct**; diríger male, informar male, sbagliare l' indirizzo d' una lettera. **-direction**; istruzione errata (da parte di un giudice ad un giurì). **-doer**; malfattóre *m.* **-enter**; scritturare a torto. **-entry**; partita sbagliata.

Miser; aváro *m.*, spilórcio *m.* **-able**; -ábile, infelicissimo, cattivissimo, míṡero. **-ably**; -aménte, malissimo, miserabilménte, nella miseria. **-ly**; aváro, grétto, spilórcio.

Mis-feasance; tòrto *m.* **-fit**; abito o altro che non calza, non va. **-formed**; mal fatto. **-fortune**; sfortuna *f.*, diṡgrazia *f.*, sciagúra *f.*, infortúnio *m.* **-s never come alone**, un male attira l' altro. **-give**; my mind misgives me, il cuore mi fa temere, mi ispira sospetto. **-giving**; apprensióne *f.*, sospétto *m.*, dúbbio *m.* **-govern**; governar male, ṡgovernare. **-government**; ṡgovèrno *m.*, malgovèrno *m.* **-guide**; *see* Misdirect. **-guided**; fuorviato, traviato, male ispirato, ṡmarríto.

Mis-hap; contrattèmpo *m.*, piccola sfortuna, incidente spiacevole. **-hear**; fraintèndere.

Mishmash; cibrèo *m.*

Mis-inform; informar male, dare avviso erroneo. **-information**; falsa informazione, falso avviso. **-instruct**; istruire male, erroneamente. **-instruction**; l' istruire male. **-interpret**; interpretar a torto, o male, o in cattivo senso, storcere il senso di, ingannarsi sul vero senso di. **-interpretation**; falsa, cattiva interpretazione. **-judge**; giudicar male o falsamente, sbagliare stimando, calcolar male, ingannarsi riguardo il valore, la grandezza ecc., di; tacciare a torto i motivi di. **-judgment**; giudizio sbagliato.

Mis-lay; ṡmarrire, collocare fuor del suo posto. **-lead**; ṡviare, traviare, indurre in errore, far fuorviare. **-leading**; ingannévole.

Mis-manage; governare ecc., male; *see* Manage. **-management**; malgovèrno *m.*, cattiva amministrazione o direzione, trattamento poco discreto o inefficente.

Mis-name; chiamare a torto, dar falso nome a. **-nomer**; termine poco proprio, titolo o appellazione falsa, ingannevole.

Misogamist; miṡògamo *m.*

Misogynist; chi sprezza le donne.

Mis-perception; falsa idea. **-place**; collocar male, spostare (libro). **-print**; errore di stampa; stampare erroneamente. **-prision of treason**; il nascondere un reo o un delitto di lesa maestà. **-pronounce**; pronunziar male. **-pronunciation**; pronunzia scorretta, viziata. **-quotation**; citazione inesatta. **-quote**; citare inesattamente, scorrettamente.

Mis-report; fare un rapporto inesatto o falso. Unless he has been -ed, a meno che il suo discorso sia stato diverso di quel che gli è stato attribuito nei giornali. **-represent**; ṡnaturare, traviṡare, stòrcere, ṡviṡare. **-representation**; rapporto falso, esposizione svisata, lo snaturare.

Misrule; malgovèrno *m.*

Miss; 1. signoríno *f.* 2. cólpo mancato, il non colpire nel segno, fallo *m.*, mancanza *f.* 3. mancare, non raggiungere lo scopo, non toccare, ṡbagliare, non dare o non colpire nel segno, fallire il segno, ṡgarrare. 4. non trovare, non riuscire a trovare. 5. accorgersi dell' assenza o della mancanza di. 6. dolersi dell' assenza di. — dreadfully, rimpiangere assai. 7. pèrdere (treno, corsa), ṡmarrire (via). 8. Be -ed, essere rimpianto. 9. — fire, fallire il colpo, scattare a vuoto. As *sb.*, scatto a vuoto; accensione mancata o difettosa di automobile. — catching a rope, mancare di afferrare una corda. — stays (*mar.*), rifiutar di virare. He could not — the street, non poteva sbagliarsi di strada. He -ed some money from his cash-box, si accorse che mancava del danaro nella sua cassa. I did not — a word the speaker said, non perdei una sola parola dell' oratore. I -ed my spectacles, non trovai più i miei occhiali. I shall not — out one verse, non salterò un solo verso. I shall — him like an old friend, perderò in lui un vecchio amico. I — my mother very much, sento vivamente la lontananza di mia madre. They had not -ed a single night at the opera, non avevano tralasciato una sola sera di andare all' opera.

Missal; messále *m.*

Missel-thrush; tordéla *f.*

Mis-send; spedire dove non si doveva.

Mis-shapen; defórme, sformato.

Missile; proièttile.

Missing; mancante, sparíto, ṡmarríto; (soldier) dispèrso. — link, anello mancante.

Mission; missióne *f.*, incárico *m.*, ambasciata *f.* **-ary, -er**; -ario *m.*

Missive; missíva *f.*

Mis-spell; scriver male, far errore di ortografía. **-ing**; ortografia scorretta.

Mis-spent; mal vissuta (vita), male speso (danaro).

Mis-state; riferire falsamente, scorrettamente. **-ment**; bugía *f.*, falsa rappresentazione, mancanza al vero.

Missy; signoríua *f.*

Mist; nébbia *f.*, (sea) fóschia *f.*

Mistak-able; da sbagliarsi (per), suscettibile di malinteso. Easily — for, facile a confondere con. **-e**; ṡbáglio *m.*, erróre *m.*, malintéso *m.*, gránchio *m.*, equívoco *m.*, abbáglio *m.* And no —, davverissimo. Make a great —, prender una cantonata. Make such a —, prendere un tale abbaglio. To —, scambiare, ingannarsi, ṡmarrire (strada); capir male, non comprendere. **-en**; erròneo, mal intéso, ṡbagliato, errato. **-enly**; per errore, sconsiderataménte, in modo errato.

Mis-teach; istruire male. **-tell**; dire inesattamente. **-ter**; signóre *m.* **-tily**; poco chiaramente. **-time**; fare, dire ecc., a tempo poco utile. Very -d, assai male a proposito, fuor di luogo. **-tiness**; nebulosità *f.*

Mistletoe; víschio *m.*

Mistook; *rem.* di Mistake.

Mistranslat-e; tradurre male. **-ion**; versione errata, scorretta, traduzione falsa.

Mistress; signóra *f.*; padróna *f.*; amante *f.*, ganza *f.*; maéstra *f.* Head —, maestra in capo.

Mistrust; sospètto *m.*, sfidúcia *f.*; dubitare di, diffidare di. **-ful**; diffidènte. **-fully**; con diffidenza. **-fulness**; diffidènza *f.*

Misty; nebbióso.

Misunderstand; fraintèndere, comprender male, equivocare. **-ing**; malintéso *m.*, equívoco *m.*; scrèzio *m.*; diṡaccòrdo *m.*

Misuse; abuṡo *m.*; far cattivo uso di, malmenare, maltrattare, abusare di.

Mite; niènte *m.*; nulla *m.*; tarma *f.*, ácaro *m.* Not a —, niente affatto.

Mitiga-te, -tion; -re, -zióne *f.*

Mitral valve; sigmòide *f.*

Mitre; mitr-a *f.* To —, riunire ad ugna. **-d**; mitrato. **-joint**; ugna *f.* **-square**; squadra a ugnatura.

Mitten; mezzo guanto, guanto a reticella.

Mity; intignato, pieno di tarme.

Mix; mescolare, mischiare. — up, rimestare, far guazzabuglio di, frammischiare. Get -ed up with, trovarsi associato con, nella compagnia di. **-ed**; confuṡo, misto, promiscuo. **-en**; letamáio *m.* **-ture**; mescolanza *f.*, mistura *f.*, misto *m.*; (motor engine) miscuglio gasoso, miscela o mistura di gas, mistura esplosiva. Ratio of —, titolo o rapporto della miscela.

Mizen; di mezzana, *see* Mast.

Mizzle; piovigginare.

Mnemonic, -s; mnemònic-o, -a *f.*

Moa; moa *m.*

Moan; gèmito *m.*, laménto *m.*; gèmere, lamentarsi.

Moat; fòsso *m.*

Mob; fòlla *f.*, popoláccio *m.*, canáglia *f.*; attaccare tumultuosamente, inseguire urlando. **-cap**; specie di cuffia da casa.

Mobili-sation, -se, -ty; -tazióne *f.*, -tare, -tà *f.*

Mock; finto, contraffatto, deriṡòrio; schernire, burlarsi di, farsi giuoco di. — regret, schernevole rimpianto. — heroic, eròico-còmico. **-er**; beffardo *m.*, schernitóre *m.* **-ery**; mottéggio *m.*, bèffe *f. pl.* Make a — of, farsi beffe di. **-ing-bird**; mimo poliglòtto. **-ingly**; in modo canzonatòrio. **-orange**; salíndia

f. **-sun**; parèlio *m.* **-turtle soup**; minestra di tartaruga scappata, zuppa di testa di vitello alla tartaruga.
Mode; mòdo *m.*; (fashion) mòda *f.*
Model; modèllo *m.*; modellare. **-ler**; -latóre *m.* **-ling**; -latura *f.*
Moder-ate; -ato, passábile, mediòcre; -are, -arsi, calmarsi. **-ately**; -ataménte ecc. **-ation**; -azióne *f.* **-ator**; presidente della Chiesa scozzese, esaminatore nella matematica a Cambrigge. — lamp, lampada a moderatore.
Modern; -o, d' oggigiórno. In — times, ai dì nostri. **-ise**; ammodernare. **-ism**; -iṡmo *m.* **-ist**; -ista *m.* **-ness**; l' esser -o.
Modest; -o, deferènte. — computation, calcolo moderato. **-ly**; -aménte. **-y**; modèstia *f.*
Modicum; pocolíno *m.*
Modif-iable; -icábile. **-ication**; -icazióne *f.* **-ier**; -icatóre *m.* **-y**; -icare, contemperare. **-ying**; -icatívo.
Modillion; modiglióne *m.*
Modish, -ly; alla moda.
Modiste; modista *f.*
Modul-ate, -ation, -us; -are, -azióne *f.*, -o *m.*
Moellon; piètra rózza.
Mohair; moèrre *m.*
Moiety; metà *f.*, parte *f.*
Moiré; seta marezzata.
Moist; umidétto, mádido. **-en**; inumidire. **-eyed**; con gli occhi lacrimosi. **-ness**; leggèra umidità. **-ure**; umidità *f.*, madóre *m.*
Moke (gergo); ciuco *m.*
Molar; — tooth, dente mascellare, molare.
Molasses; melassa *f.*
Moldavian; moldávo.
Mole; 1. talpa *f.* 2. nèo *m.* 3. mòlo *m.*, banchína *f.* 4. mòla *f.* **-catcher**; cacciatóre di talpe. **-cricket**; grillotalpa *m.*
Molecul-ar, -e; molecol-are, -a *f.*
Mole-hill; monticello di una talpa. **-skin**; pelle di talpa, fustagno forte trapuntato, stoffa simile a pelle di talpa.
Molest; -are. **-ation**; molèstia *f.*
Mole-trap; trappola per le talpe.
Mollify; mollificare, raddolcire.
Mollusc; -o *m.* **-ous**; da -o.
Molly-coddle; persona effeminata, chi prende troppa cura di sè.
Molten; fuṡo.
Moluccas; le Molucche.
Molybdenum; molibdéno *m.*
Moment; -o *m.*; péso *m.*, importanza *f.* In a —, subito, in un batter d' occhio, dal vedere al non vedere. Odd -s, momenti d' ozio. **-arily**; ad ogni momento, da un momento all' altro, momentaneaménte. **-ary**; momentáneo. **-ous**; di grande importanza. **-um**; -o *m.*, impulso *m.*
Monad; mònade *f.*
Monarch, -ical, -ism, -ist, -y; monarc-a *m.*, -hico, -hiṡmo *m.*, -hico *m.*, -hía *f.*
Monast-ery; monastèro *m.*, convénto *m.* **-ic, -ically**; -ico, -icaménte. **-icism**; monachiṡmo *m.*
Monday; lunedì *m.*
Monet-ary; -ário. **-isation**; -iżżazione *f.* **-ise**; -iżżare.
Money; danáro *m.*, quattríni *m. pl.* Ready —, contanti *m. pl.* Earnest —, arra *f.*, caparra *f.* Hard —, moneta sonante. Paper —, carta monetata; (if inconvertible) carta moneta. **-act**; legge finanziaria. **-bag**; saccòccia *f.* **-bill**; progetto di legge finanziaria. **-box**; salvadanáio *m.* **-changer**; cambiamonéte *m.* **-ed**; danaróso. **-lender**; usuráio *m.*, strozzíno *m.* **-making**; il farsi ricco; profícuo, láuto, lucratívo. **-market**; Bórsa *f.* **-matters**; affari finanziarii. **-order**; vaglia postale. **-taker**; ricevitóre *m.* **-wort**; erba quattrinella.
Mongol, -ian; mongòlo.
Mongoose; mangòsta *m.*
Mongrel; metíccio, di razza mista.
Monied; danaróso.
Monit-ion; ammonizióne *f.*, avvertiménto *m.* **-or**; -óre *m.* **-ory, -orial**; -òrio. **-ress**; ammonitrice *f.*
Monk; mònaco *m.*, frate *m.*, religióso *m.*
Monkey; scímmia *f.*, bertúccia *f.*; battipálo *m.*, máglio *m.* Get one's — up (gergo), arrabbiarsi.
Monk-ish; monástico. **-'s hood**; acònito *m.*
Mono-; *id.* as in monocòrdo, monocotilèdone, monocròma *f.* (with *m. pl.* -mi), monòcolo *m.*, monòcolo *adj.*, monogamía *f.*, monògamo, monografía *f.*, monolíto *m.* (monolith), monòlogo *m.*, monomanía *f.*, monomaníaco *m.*, monometalliṡmo *m.*, monometallista *m.*, monòmio *m.*, monopètalo, monopòlio *m.*, monopolista *m.* (*see below*), monosillábico, monosíllabo *m.*, monoteiṡmo *m.*, monoteistico, monotonía *f.*, monòtono.
Monopol-ise; -iżżare, accaparrare.
Monsoon; monsóne *m.*
Monster; móstro *m.*; mostruóso, enòrme.
Monstrance; ostensòrio *m.*
Monstr-osity, -ous, -ously, -ousness; mostruos-ità *f.*, -o, -amente, l' esser -o.
Mont Blanc; Monte Bianco.
Montenegrin; montenegríno.
Month; mése. Last —, mese prossimo passato. Next —, mese prossimo futuro. This —, mese corrente, volgente mese. This day —, di qui ad un mese.

What is the day of the —? quanti ne abbiamo del mese? To-morrow is the thirty-first of the —, domani ne abbiamo trentuno del mese. Once a —, una volta al mese. **-ly**; mensíle, al mese, una volta al mese.

Montreal; Monreále *f.*

Monument, -al, -ally; **-o** *m.*, -ále, -alménte.

Mood; umóre *m.*, disposizione d' animo; mòdo *m.* In the — to, ben disposto a. **-ily**; tristaménte, cupaménte. **-iness**; biżżaría *f.*, umor nero, bróncio *m.* **-y**; impensierito, cupo, mèsto, di mal umore.

Moon; luna *f.* Full —, plenilúnio *m.* Half —, mèzza luna. New —, luna nuòva. Honey —, luna di miele. To —, stare a far niente, star nella luna. **-beam**; raggio di luna. **-calf**; balórdo *m.* **-less**; senza chiaro di luna. **-light, -shine**; chiaro di luna. **-shine**; *fig.* bagattèlle *f. pl.*, fróttole *f. pl.* **-stone**; pietra di luna.

Moor; 1. Mòro *m.*, Máuro *m.* 2. brughièra *f.*, landa *f.* 3. amarrare, ormeggiare; ancorare (gavitello, mina). **-hen**; gallinella d' acqua. **-ing**; — bollard, colonna o palo d' ormeggio, asta di posto. — buoy, cassa o gavitello d' ormeggio. — station, posto d' ormeggio. **-ings**; orméggi *m. pl.* Slip the —, dišormeggiare. **-ish**; mòro, máuro. **-land**; *see* Moor (2).

Moose; alce americano.

Moot; propórre, metter in campo. **-point**; punto non ancora determinato.

Mop; radazza *f.*; radazzare, rasciugare. — up, pulire rasciugando colla carta suga o simile.

Mope; annoiarsi, star triste e tacito.

Moquette; mocchétto *m.*

Moraine; morèna *f.*

Moral; -e. — of a story, lezione da dedursi. Good -s, buoni costumi. A — impossibility, una cosa moralmente impossibile. — certainty, certezza morale. I have no actual proof but I am -ly certain that he is the guilty party, non ho cognizione del fatto ma ho certezza morale che il colpevole è lui. — courage, coraggio civile. To take that side was a thing needing great — courage, a difender quella causa ci voleva un bel coraggio civile. He had not the — courage to tell her so, non sapeva farsi animo per dirglielo. **-ise, -ist, -ity, -ly**; -iżżare, -ista *m.*, -ità *f.*, -ménte.

Morass; pantáno *m.*

Moravian; morávo.

Morbid, -ly, -ness; morbós-o, -aménte, -ità *f.*

Mordant, -ly; mordant-e, -eménte; acr-e, -eménte.

More; più, di più, più oltre. All the —, maggiorménte, tanto più. Once —, ancora una volta. No —, non più. One —, ancora uno. Never any —, mai più. — and —, di più in più, sempre più. I have some — there, ne ho dell' altro in quel luogo. I want some —, ne voglio ancora. It — than counterbalances, fa più che controbilanciare. Next day he read less and thought —, il mattino seguente lesse meno e riflettè di più. — indifference, maggiore indifferenza. Her courage was — than her strength, il suo coraggio era più grande della sua forza. The — haste, the less speed, più uno si affretta e meno avanza. The — we have, the — we want, più si ha, più si desidera. — than once, più di una volta. Be no —, esser morto. She knows much — than he does, ella è di lunga pezza più dotta di lui. It is — difficult than I thought, e più difficile di quel che io credevo. The — I looked at it the less I liked it, quanto più lo guardavo da vicino e meno mi piaceva. See — clearly, veder meglio.

Moreover; oltre a ciò, di più, per di più.

Morganatic, -ally; -o, -aménte.

Mor-ibund; moribóndo. **-ion**; -ióne *m.* **-mon**; -móne.

Morning; mattín-a *f.*, -o *m.*, mattinata *f.* In the early —, di buon mattino. All the —, tutta la mattinata. To-morrow —, domani mattina, domattina. Good —, buon giorno.

Morocco; il Marocco; marrocchíno *m.*

Morose, -ly, -ness; tètr-o, -aménte, -ággine *f.*, umore triste, *see* Surly.

Morph-eus; Morfèo. **-ia**; morfína *f.*

Morpholog-ical, -y; morfològ-ico, -ía *f.*

Morrow; dománi. On the —, l' indománi. Day after to-morrow, pošdománi. To-morrow week, domani a otto. To-morrow afternoon, domani nel pomeriggio. To-morrow evening, domani sera.

Morse instrument; Morse *f.*

Morsel; pèzzo *m.*, boccóne *m.*, brano *m.*, tòzzo *m.*, bríciolo *m.*

Mortal, -ity, -ly; -e, -ità *f.*, -ménte. Three — hours, tre interminabili ore. Bills of -ity, tavole necrologiche.

Mortar; 1. calcína *f.* 2. mortáio *m.* 3. bombarda *f.* **-board**; vassóio *m.*, sparvière *m.*

Mortgag-e; ipotèca *f.*; ipotecare. **-ee**; creditore ipotecario. **-or**; debitore ipotecario.

Mortif-ication; -icazióne *f.*, cancrèna *f.* **-y**; -icare; incancrenire.

Mortise; canále *m.*, incávo *m.*, incastro *m.*; innestare, fare un incastro femmina.

Mortmain; manomòrta *f.*

Mortuary; camera mortuaria; mortuário.

Mos-aic; -áico *m.* **-cow**; Mósca *f.* **-elle**; -èlla *f.* **-es**; -è. **-lem**; mušulmáno.

Mosque; moschèa *f.*

Mosquito; żanżára *f.* **-bite**; cocciuòla *f.* **-net**; żanżarière *m.*

Moss; muschio o musco *m.*, borraccína *f.* **-grown**; coperto di muschio. **-rose**; rosa muschiosa. **-y**; muschióso.

Most; il più, la maggior parte di. — of all, principalménte, soprattutto. — of the papers, i più dei giornali. For the — part, maggiorménte. — of the day, quasi tutta la giornata. Make the — of, trarre tutto il vantaggio possibile da. — commonly, comuneménte. — High, l' Onnipotènte. — populous, molto popolato. At —, al più, a dir molto, tutt' al più. The word may often be rendered by the prefix Arci-; — extraordinarily beautiful, arcibellissimo. **-ly**; in gran parte, maggiorménte, per lo più, il più delle volte.

Mote; átomo *m.*, festúca *f.*

Motet; motétto *m.*

Moth; falèna *f.*, farfallina notturna, tignòla *f.* **-eaten**, **-y**; tarlato, intignato, bacato.

Mother; madre *f.* To —, far da madre a. Step —, matrigna *f.* Grand —, nònna *f.* Great-grand —, bisnònna *f.* **-church**; chiesa metropolitana. **-country**, **-land**; madre patria. **-less**; senza madre. **-ly**; matèrno, da madre. **-of-pearl**; madrepèrla *f.* **-tongue**; lingua materna. **-wit**; buon senso naturale.

Mothy; *see* Moth-eaten.

Moti-on; mòto *m.*, moviménto *m.*; propósta *f.*, mozióne *f.*; scárica *f.* **-onless**; immòbile. **-ve**; motívo *m.*; motóre. He would not have distrusted her -s for the change, non sarebbe entrato in sospetto sullo scopo che poteva aver motivato il cangiamento. **-veless**; senza motivo.

Motley; screziato, variopinto.

Motor; automobíle *m.*, auto *m.*; motóre. **-boat**, **-launch**; autòscafo *m.*, motòscafo *m.* **-bus**; vettura automobile. **-ing**; l' andare in auto. — world, mondo automobilistico.

Mott-le; variegare. **-led**; picchiettato, screziato. **-o**; *id.*

Moufflon; muffióne *m.*

Mould; 1. tèrra *f.*, terríccio *m.* 2. muffa *f.* 3. fórma *f.*, mòdano *m.*; modellare, dare forma, gettare in forma. Bullet —, forma a palla. **-er**; 1. gettatóre *m.* 2. ridursi in polvere. — away, *fig.* muffire, andare in muffa. **-iness**; muffa *f.*, stato di deperimento. **-ing**; modanatura *f.* **-y**; muffato. Go, Turn —, muffare. — people, gente muffosa. — job, lavoro noioso.

Moult; mudare.

Mound; monticèllo *m.*, pòggio *m.*, rialzo *m.*

Mount; 1. cartone (per dar del risalto ad un acquerello). 2. mónte *m.* 3. cavalcatura *f.* 4. salire (sulla tavola, in pulpito, al trono). 5. elevarsi, alzarsi nell' aria. 6. mettere, far salire (su). 7. montare (guardia), metter in iscena (dramma), incastonare (gioiello), incavalcare (cannone). 8. fissare un acquerello sul cartone. 9. The ship -s twelve guns of this calibre, il vascello porta dodici bocche di questo calibro. — up, aumentarsi, créscere.

Mountain; montagna *f.* **-ash**; sorbo de' cacciatori. **-eer**; montanaro *m.* **-eering**; l' ascensione delle montagne. **-ous**; montagnóso. **-pass**; gola di montagna. **-road**; strada di montagna. **-warfare**; guerra nelle montagne.

Mountebank; saltimbanco *m.*

Mounting; montata *f.*, montatura *f.*, incastonatura *f.*, guarnitura *f.* **-block**; montatóio *m.*, pilastrino per salire nella sella.

Mourn; piángere, rimpiángere. **-er**; chi segue un mortorio. **-ful**; triste lúgubre, lamentévole. **-ing**; bruno *m.*, lutto *m.*; di lutto. Be in —, portare il lutto. Go into, Leave off —, prendere, abbandonare, il lutto. Half —, mezzo lutto. Deep —, lutto profondo. — band, nastro da lutto.

Mouse; topo di casa, topolíno *m.*, sórcio *m.* **-coloured**; grigio topo. **-r**; Good —, buono per i topi. **-trap**; trappola da topi.

Moustache; baffi *m. pl.*, mustacchi *m. pl* Pointed —, baffi appuntati.

Mouth; bócca *f.*, imboccatura *f.*, góla *f.*, entratura *f.*; declamare, vociare. Down in the —, triste, abbattuto. Live from hand to —, vivere alla giornata. Stop the — of, turare la bocca a. **-ful**; boccóne *m.*, boccata *f.* **-piece**; imboccatura *f.*, bocchíno *m.*; intèrprete *m.*, chi parla per un altro. **-wash**; preparazione da sciacquarsi la bocca.

Movab-ility, **-le**; mobil-ità *f.*, -e.

Move; mòssa *f.*; at chess, cólpo *m.* It is your —, tocca a voi a giocare. To —, muòvere, rimuòvere; spostarsi; propórre; spíngere; fare una domanda, fare una mossa; mettere in movimento (macchina), far correre; intenerire, commuòvere. — **about**, andar qua e là, aggirarsi, far andar qua e là, agitare. — **away**, allontanare, scostare. Be -**ing away**, moversi per andar via. — **back**, ritirare, tirare indietro, rimettere in luogo. — **forward**, un passo avanti; avanzarsi, inoltrarsi. — **in**, far trasportare i mobili, entrare in occupazione. — **to laughter**, eccitare il riso. — **off**, allontanarsi. — **on**, avanzare, andare avanti, rimuòversi, ṡgomberare, riprender corso; mandare in un altro posto. I expect to be -d on soon, mi aspetto d' esser rimosso fra breve. — **out**, ṡgomberare, ṡloggiare. — **up**, metter o mettersi, in alto, promuòvere.

Mov-ement; moviménto *m.*, mòto *m.*, agitazióne *f.*; (watch) meccaniṡmo *m.* **-er**; autore d' una mozione, proponènte *m.*, chi dà le mosse. **-ing**; commovènte. **-ingly**; in maniera commovente.

Mow; falciare. — down, abbáttere. **-er**; falciatóre *m.* **-ing**; falciatura *f.* — machine, macchina falciatrice.

Moxa; mòcsa *f.*

Mozambi-que; -co *m.*

Much; mólto, assai, grande. — trouble, molta pena, gran pena. — money, molto danaro, molti quattrini. — better, worse, vieppiù meglio, peggio (Vieppiù is not used with other adjectives). — less, vie meno. Be — older than, aver molti più anni di. As —, lo stesso, in uguale quantità. It is — — as to say, vale lo stesso che dire. Without so — as, senza nemmeno. I will do — — for you, vi renderò la pariglia. — —...as, tanto...quanto. — — as to do for, abbastanza per, tanto da bastare a. Ten times — —, dieci volte tanto. Just — —, altrettanto. Just — — as, proprio quanto. — — again, altrettanto ancora, il doppio. How —? quanto? Make — of, far gran caso di; avere dei riguardi, dell' amicizia per, far mille carezze a, vezzeggiare, tener gran conto di. I have read it but I did not — — of it, l' ho letto ma me ne son poco inteso. He did not — — of a job of it, non gli riuscì troppo bene. He did not — — of that! l' ha fatto in un batter d' occhio! He is — mistaken, si inganna di molto. It is — the same, è press' a poco la medesima cosa. The world will go on — — —, il mondo andrà avanti lo stesso. It is — — — as saying, vale lo stesso che dire. So — the better, worse, tanto meglio, peggio. I have had to give up — —, ho dovuto far tanti sacrifizii. — — for the present, basta per il momento. Very — in the state in which they found it, press' a poco nello stato in cui l' avevano trovato. Too —, tròppo. Very —, estremaménte.

Muchness; Much of a —, press' a poco la stessa cosa.

Mucilag-e, -inous; -gine *f.*, -ginóso.

Muck; fango *m.*, sudiciume *m.*, letáme *m.*, concíme *m.*; concimare. — up, impasticciare. **-er** (gergo); capitómbolo *m.*, strafalcióne *m.*; guastare. Go a —, capitombolare, far perdite forti, farne una grossa. He has -ed it, ha fatto fiasco. **-heap**; letamaio *m.* **-y**; spòrco, imbrattato.

Muc-ous, -us; -óso, -o *m.*

Mud; fango *m.*, mòta *f.*, mélma *f.*, fanghiglia *f.* **-bath**; bagno di fango. **-cart**; carrettone da fanghiglia. **-coloured**; color fango. **-diness**; torbidézza *f.*, l' esser fangoso ecc., *see* Muddy. **-flat**; spiaggia o riva coperta da fango. **-guard**; parafango *m.* **-hut**; capanna costrutta con terra. **-lark**; birichino che si diverte nel fango. **-wall**; muro di mota e paglia.

Muddle; diṡórdine *m.*, pastíccio *m.*, guazzabuglio *m.*, imbròglio *m.*; scombuiare, sconcertare, impasticciare, imbrogliare. — about, agire chi sa come? — up, far tutt' uno pasticcio. **-d**; brillo, stupido per aver bevuto. **-headed**; dalla testa confusa, senza idee chiare.

Muddy; fangóso, melmóso, tòrbido, coperto di fango.

Muezzin; mueżżíno *m.*

Muff; manicòtto *m.*; grullo *m.*, minchióne *m.* To — it, farne fiasco, non riuscire.

Muffetee; polsino di pelliccio o di lana.

Muffin; sorta di focaccia.

Muffle; múfola *f.*; imbacucare, avvòlgere, avviluppare. **-r**; pezzuòla *f.*, sciarpa da collo.

Mufti; abito civile.

Mug; 1. bicchière *m.*, tazza *f.*, boccále *m.* 2. bócca *f.*, muṡo *m.* 3. (gergo) semplicióne *m.* 4. — up (gergo), imparare a memoria. **-gy**; afóso. **-wort**; artemiṡia *f.* **-wump**; pezzo grosso.

Mulatto; mulatt-o *m.*, -a *f.*

Mulberry; mòra *f.* (di gelso). **-tree**; gèlso *m.*

Mulch; ammucchiare strami o altro intorno alle radici d' una pianta.

Mulct; multa *f.*, *see* Fine.

Mul-e; mul-o *m.*, -a *f.* **-eteer, -e-driver**; mulattière *m.* **-ish, -ishly**; da mulo. **-ishness**; testardaggine da mulo.

Mull; riscaldare; (gergo) guastare, *see* Muff. **-ein**; tassobarbasso *m.* **-et**; múggine *f.*, tríglia *f.*

Mulligatawny; (minestra) all' indiana.
Mulligrubs (gergo); còlica *f.*
Mullion; règolo *m.* **-ed**; a regoli.
Multi-coloured; molticolóre. **-farious**; molti e varii. **-fariousness**; molteplicità *f.* **-fold**; ṡvariato. **-form**; moltifórme. **-lateral**; moltilátero. **-parous**; multíparo.
Multipl-e; -o. **-iable**, **-icand**, **-ication**, **-ier**, **-icity**, **-y**; moltiplic-ábile, -ando *m.*, -azióne *f.*, -atóre *m.*, -ità *f.*, -are. Multiplication table, tavola pitagorica.
Multitud-e; moltitúdine *f.* **-inous**; numerosissimo. **-inously**; affollataménte.
Mum; 1. specie di birra. 2. zitto!
Mumble; borbottare, barbugliare; masticare alla meglio colle gengive, mordicchiare.
Mumm; divertirsi in maschera. **-er**; persona mascherata. **-ery**; stupidággine *f.*, pagliacciata *f.* **-ing**; divertimento in maschera.
Mummif-ication, **-y**; -icazióne *f.*, -icare.
Mummy; múmmia *f.*
Mumps; gattóni *m. pl.*
Munch; masticare, mangiarsi.
Mundane; mondáno.
Munich; Mònaco *f.*
Municipal; -e, cívico. The — authorities, le municipalità. **-ity**; município *m.* **-ly**; da parte del municipio.
Munificen-ce, **-t**, **-tly**; -za *f.*, -te, -teménte.
Muniment; -s, titoli di proprietà. **-room**; archívio *m.*
Munitions; munizióni *f. pl.*, provviṡioni *f. pl.*
Mural; muràle.
Murder; òmicídio *m.*, assassínio *m.*; uccídere, trucidare. **-er**; omicída *m.* **-ous**, **-ously**; micidiál-e, -ménte.
Muriat-e, **-ic**; -o *m.*, -ico.
Murk, **-iness**, **-y**; buio *m.*, foschía *f.*, oscurità *f.*; buio, fósco.
Murmur; mormorío *m.*, lagnanza *f.*; mormorare, brontolare, lagnarsi. Soft —, sussurrío *m.* **-er**; mormoratóre *m.*, malcontènto *m.* **-ing**; il mormorare ecc. **-ingly**; mormorando, brontolando.
Murrain; peste bovina, epiżoozía *f.*
Muscatel; moscato.
Musc-le; -olo *m.* **-ovite**; Moscovíta *m.*
Muscular, **-ity**, **-ly**; muscol-are, -óso; -osità *f.*, riguardo i muscoli.
Muse; muṡa *f.*; meditare, stare a pensare.
Museum; muṡèo *m.*
Mush; poltíglia *f.*
Mushroom; fungo porcino, fungo prataiolo. **-bed**; fungaia *f.*
Music; múṡica *f.* Rough —, scampan-ata *f.*, -atáccia *f.* **-al**, **-ally**; -ale, -alménte. **-book**; libro di musica. **-hall**; caffè concerto. **-ian**; múṡico *m.* **-lesson**; lezione di musica. **-master**; maestro di musica. **-publisher**; editore di musica. **-room**; sala da musica, sala del concerto. **-seller**; negoziante di musica. **-stand**; leggio per la musica. **-stool**; ṡgabèllo *m.*
Musing; meditazióne *f.*; meditabóndo. **-ly**; da chi medita.
Musk; 1. múschio *m.* 2. erba del muschio. **-cat**; żibétto *m.* **-deer**; muschio *m.*, cervo muschio.
Musket, **-eer**, **-ry**; moschétt-o *m.*, -ière *m.*, -ería *f.*
Musk-ox; bue muschiato. **-rat**; miogále *m.*, ondátra *m.* **-y**; muschiato, di muschio.
Muslin; mussolína *f.*
Mussel; mítilo *m.*
Mussulman; musulmáno.
Must; 1. mósto *m.* 2. biṡognare, dovére. I — go, debbo andare, ho ad andare, bisogna che io vada. He — have heard you, sta certo che egli vi avrà inteso. He — have gone, deve esser andato, sarà andato. He — have been at Rome, egli sarà stato a Roma. He — have started yesterday, deve esser partito ieri. He — pay at last, bisogna che finisca per pagare. It — be so, deve esser così. What — be —, ciò che dovrà accadere accadrà. You — go and see him, bisogna che andiate a vederlo. There — be no misunderstanding, non ci vogliono malintesi. He felt he — go, si sentiva spinto ad andare. They — not be confounded with, non vanno confusi con.
Mustang; cavallo americano selvatico.
Mustard; farina della sinapa nera; senapa gialla inglese. French —, mostarda *f.* **-plant**; senapa comune. **-pot**; mostardièra *f.* **-seed**; semi di senapa.
Muster; raccòlta *f.*, riunióne *f.*; rasségna *f.*; passare in rassegna, radunare. — up, prender (coraggio), farsi (animo). Pass —, venire accettato. **-roll**; matrícola *f.*, ruòlo *m.*
Must-iness; muffa *f.* **-y**; muffíto, intanfíto. — smell, sito *m.*
Mutab-ility, **-le**; -ilità *f.*, -ile.
Mut-e, **-ely**, **-eness**; -o, -aménte, l'esser-o.
Mutila-te, **-tion**, **-tor**; -re, -zióne *f.*, -tóre *m.*
Mutin-eer; ammutinato *m.* **-ous**; ribèlle, sedizióso. **-ously**; da ribelli, sediziosaménte. **-ousness**; spirito ribelle. **-y**; ammutinaménto *m.*; ammutinarsi.
Mutter; borbottare, brontolare. **-ing**; il rumoreggiare (del tuono). **-ingly**; borbottando.
Mutton; castrato *m.*, montóne di maremma. Roast —, carne di montone

arrosto. Leg, Shoulder, Neck of —, coscia, spalla, quarto di montone. -chop, -pie; costoletta, pasticcio, di montone.
Mutual; recíproco, corrispósto, mútuo. **-ly**; reciprocaménte, mutuaménte.
Muzzle; muṡeròla *f.*; muṡo *m.*, cèffo *m.*; bócca *f.*, góla *f.* (di cannone), bécco *m.* (di soffietto). To —, metter la muserola.
Muzzy; altíccio, brillo.
My; mio. —! cápperi!
Myc-elium; micélio. **-enae**; Micène *f.*
Mynheer; un olandése.
Myop-ia; miopía *f.* **-ic**; míope.
Myosotis; mioṡòtide *f.*
Myr-iad; miríade *f.* **-midon**; mirmídone *m.*
Myrrh; mirra *f.*
Myrtle; mirto *m.* **-berry**; bacca del mirto. **-grove**; mirtèto *m.*
Myself; io stesso. I am not —, non son io.
Mysore, -an; Miṡòra *f.*, miṡorèo.
Myster-ious, -iously, -y; misteriós-o, -aménte, mistèro *m.*
Myst-ic, -ical, -ically, -icism; mist-ico *m.*, -ico, -icaménte, -iciṡmo *m.*
Mystif-ication, -y; mistific-azióne *f.*, -are.
Myth, -ical; mit-o *m.*, -ico.
Mytholog-ical, -ically, -ist, -y; mitològico, -icaménte, -o *m.*, -ía *f.*

N

N; *pronunz.* Enn.
Nab; agguantare.
Nabob; nababbo *m.*
Nadir; nadír *m.*
Naevus; vòglia *f.*, nèvo *m.*
Nag; 1. bidétto *m.*, ronżíno *m.* 2. stuzzicare, tartassare, infastidire. **-ging**; brontolóne.
Naiad; náiade *f.*
Nail; únghia *f.*; chiòdo *m.* French —, agúto *m.* To —, inchiodare, (gergo) cogliere in delitto, scoprire. — down, chiudere con chiodi. — up, assicurare, attaccare (con chiodi).
Nail-brush; spazzolino da unghia. **-drawer**; strappachiòdo *m.* **-er** (gergo); persona o colpo abilissimo. **-head**; capòcchia *f.* **-maker**; chiodaiòlo *m.* **-manufactory**; chiodería *f.*
Naïve, -ly; ingènu-o, -aménte.
Naked, -ly; nud-o, ignud-o, -aménte. **-ness**; nudità *f.*
Namby-pamby; sentimentále, scipíto.
Name; nóme *m.*; nomèa *f.*, reputazióne *f.* By —, chiamato. By the — of, sotto il nome di. Know by —, conoscere di nome. Christian —, nome di battesimo. Call -s, ingiuriare. To —, chiamare, nominare, dar nome a. — your own day, fissate voi il giorno. — a sum, precisare una somma. Thank him in my —, ringraziatelo da parte mia, sul conto mio. He -d him his successor to the school, lo nominò suo successore nella scuola. Above -d, sopra menzionato.
Name-less; senza nome. — writer, scrittore sconosciuto. Who shall be —, di cui tacerò il nome. **-ly**; cioè, vale a dire. **-sake**; omònimo, originario d' un nome. He is my — but no relation, ha il nome in comune con me senza parentela.
Nan-keen; nanchíno *m.* **-ny-goat**; capra *f.*
Nap; 1. sonnellíno *m.* Take a little —, schiacciar un sonnellino. Catch -ping, cogliere in fallo. 2. pélo *m.* 3. sorta di giuoco. Go —, *fig.* arrischiar tutto.
Nape; nuca *f.*, collòttola *f.*
Naphtha, -line; naft-a *f.*, -alína *f.*
Napkin; tovagliòlo *m.*, tovagliolíno *m.*, salviétta *f.*, pannicello per bimbo **-ring**; anello da tovagliolino.
Naples; Nápoli *f.*
Napoleon; napoleóne *m.*
Nappy; cotonóso, pelóso.
Nar-cissus; narcíṡo *m.* **-cotic**; -còtico.
Narghileh; narghilè *m.*
Narrat-e; narrare, raccontare. **-ion**; raccónto *m.*, narrazióne *f.*; motivazióne *f.*, fatto *m.* **-ive**; stòria *f.*, raccónto *m.*; narratívo. **-or**; -óre *m.*, raccontatóre *m.*
Narrow; strétto, angusto, eṡíguo; grétto, aváro. — intellect, spirito limitato. — window, finestra stretta. In a — compass, tra limiti ristretti. To —, limitare, restríngere. — down, ridurre.
Narrow-ly; a stènto; da scrutatore, minutaménte. They — escaped, poco mancò che non vi rimanessero. He had — escaped being convicted of fraud, per poco non era stato convinto di frode. **-minded**; illiberále, bigòtto, di mente ristretta. **-mindedness**; meschinità di spirito. **-ness**; strettézza *f.*, restringiménto *m.*
Narwhal; narválo *m.*
Nasal; -e. **-ly**; con suono nasale.
Nascent; -e.
Nast-ily; in modo brutto, sconciaménte. **-iness**; sporcízia *f.*, schifézza *f.*, sconcézza *f.*

Nasturtium; nasturzio indiano.
Nasty; cattívo, schifo, brutto, nauseante, di cattivo gusto, stomachévole; sporco, triviále, schifóso, sçóncio. The word may often be translated by the suffix -accio, as Omaccio, Stanzaccia.
Nat-al; di náscita. **-ation**; nuòto *m*. **-atorial**; -atòrio.
Nation, -al, -alise, -alism, -ality, -ally; nazión-e *f*., -ále, render nazionale, -alismo *m*., -alità *f*., -alménte. National debt, debito pubblico. There are people who would nationalise everything, c' e gente che crede si debba rimetter ogni cosa in mano alla nazione.
Native; natívo, indígeno, natále, paesáno. — copper, rame nativo. — air, aria paesana. The -s, i naturali, i nazionali, i paesani. — town, città natale. The horse is a — of central Asia, il cavallo è originario dell' Asia centrale. **-s**; ostriche del paese.
Nativ-ity; -ità *f*.
Natt-ily; nitidaménte. **-iness**; nitidézza *f*., pulitézza. **-y**; attillato, lindo.
Natural; -e; sciòcco, idiòta, mentecatto; biqquaddro *m*. It would be more —, sarebbe una cosa più naturale. **-isation, -ise, -ism, -ist, -ly, -ness**; -izzazióne *f*., -izzare, -ismo *m*., -ista *m*., -ménte, -ézza *f*., disinvoltura *f*.
Nature; natura *f*., naturále *m*., índole *f*. His whole —, tutto il suo essere. Good —, buon naturale, bontà *f*., gentilézza *f*. Ill —, cattivo naturale, cattivería *f*. State of —, nudità *f*. Inanimate —, natura morta. **-worship**; culto delle forze naturali.
Naught; niènte *m*., nulla *m*. Set at —, far poco caso o poco conto di, disdegnare. As *adv*., nullaménte, in nessun modo.
Naught-ily; male, malvagiaménte ecc. **-iness**; malízia *f*., cattivería *f*., malvagità *f*. **-y**; poco buono, cattívo, malvágio, tristo, malizióso; indòcile, intrattábile. — boy, girl, birboncèll-o *m*., -a *f*., ragazzácci-o *m*., -a *f*. — little (boy, girl), maliziosétt-o, -a. — trick, birbonata *f*.
Nause-a; naus-ea *f*. **-ate**; -are, stomacare. **-ating, -ous**; -abóndo, stomachévole. **-ousness**; natura nauseabonda, gusto stomachevole.
Nautch; danza indiana.
Naut-ical; -ico. **-ilus**; -ilo *m*.
Naval; navále, marino. — forces, service, la marina. — officer, ufficiale di marina. — power, potenza marittima. — tactics, evoluzioni navali. — stores, approvvigionamenti per la marina.
Navarre; Navarra *f*.
Nave; 1. navata *f*. 2. mòzzo *m*.
Navel; ombelíco *m*., bèllico *m*.
Naviga-bility, -ble, -te, -tion, -tor; -bilitá, -bile, -re, -zióne *f*., -tóre *m*. Navigation lights, fanali laterali di navigazione.
Navvy; sterratóre *m*.
Navy; Regia Marina. **-Board**; consiglio di ammiragliato.
Nay; inóltre. Say him —, rifiutare la sua richiesta.
Nazar-eth, -ene; Názzar-et *m*., -èno.
Neap tide; marea esigua, di alzata e caduta piccola.
Neapolitan; napoletáno.
Near; vicino, presso a, accanto a; grétto, taccagno; íntimo, strétto. — relation, parente prossimo. — side, lato sinistro, lato della briglia. That was a — thing, poco mancò che non accadesse una disgrazia. — my house, presso di me. — Rome, presso Roma, nella vicinanza di Roma. Quite —, vicinissimo. In the — future, in un prossimo futuro. Nothing — it, niente di simile. — about five hundred, cinque cento o giù di lì. To —, Come —, Draw —, avvicinarsi.
Nearest; (via) più breve, (strada) più corta, (traduzione) più fedele. The — thing to it, la cosa più rassomigliante. The — approach to it, la cosa che ci va più di vicino. My — neighbour, il mio vicino più prossimo. My — relative, il mio più prossimo parente.
Near-ly; quasi, press' a poco, dapprèsso, circa. **-ness**; prossimità *f*., vicinità *f*. **-sighted**; míope. Be —, aver la vista corta. **-sightedness**; miopía *f*.
Neat; 1. nétto, pulíto, lindo, puro, lèpido, nítido, ben assestato, ben tornito, bellíno. Look —, aver l' aria pulita. The word may often be translated by a diminutive in -ino, *e.g.* Neat handwriting, scritturina. 2. — cattle, bestiame grosso. **-herd**; vaccáro *m*. **-ly**; bène, ammòdo, pulitaménte, destraménte. **-ness**; pulizía *f*., nettézza *f*. assestatézza *f*.
Neb; bécco *m*.
Nebul-a; -ósa *f*. **-ar**; — hypothesis, teoría nebulare. **-ous**; nebbióso, nebulóso. **-ously**; in modo nebuloso. **-ousness**; l' esser nebuloso, nebbiosità *f*.
Necess-arily, -ary, -itate, -ities, -itous, -ity; -ariaménte, -ário, -itare, il -ario, -itóso, -ità *f*.
Neck; còllo *m*., manico (di violino), gomito (di baionetta), braccio (di terra). — of mutton, quarto di castrato. — and —, al pari. — or nothing, o morte o nulla. — and crop, col capo in giù, completaménte. — and shoulders, incollatura *f*. **-band**; collétto *m*. **-cloth**;

cravatta *f.*, fazzoletto da collo. **-lace**; collàna *f.* **-tie**; cravatta *f.*
Necro-logy, -mancy, -polis; -logía *f.* -manzía *f.*, -poli *f.*
Nectar; nèttare *m.* **-ine**; pescanóce *f.*
Ned; *raccorc.* di Edward.
Need; bišógno *m.*; bišognare, occórrere. In case of —, al bisogno. You — not have done it, potevate fare a meno di farlo.
Need-ful; necessário. The —, l' occorrente. Be —, bišognare, esser necessario. **-ily**; nella miseria, poveraménte, nel bisogno. **-iness**; povertà *f.*, indigènza *f.* **-ing**; bisognoso di, che richiede.
Needle; ago *m.* Compass —, ago magnetico. Crochet —, ago torto. Darning —, ago da rammendare. Packing —, agone *m.* Knitting —, ferro da calza. Magnetic —, ago calamitato. Netting —, spòla *f.* **-case**; agoráio *m.* **-ful**; gugliata *f.* **-maker**; fabbricante di aghi. **-shaped**; aghifórme, acicolare. **-woman**; cucitóra *f.* **-work**; lavoro d' ago.
Needless, -ly; inútil-e, -ménte. **-ness**; inutilità *f.*, superfluità *f.*
Needs; It must — be, deve forzataménte essere.
Needy; indigènte, bišognóso, pòvero.
Ne'er; *raccorc.* di Never. **-do-well**; un buono a nulla.
Nefari-ous, -ously, -ousness; -o, -aménte; l' esser -o, scelleratézza *f.*
Nega-tion; -zióne *f.* **-tive**; -tívo. To —, dišapprovare, decidere -tivaménte. **-tively**; -tivamènte.
Negl-ect; trascuranza *f.*; trascurare, neglígere. **-igence, -igent, -igently**; negligèn-za *f.*, -te, -temènte.
Negotia-bility, -ble; negoziabil-ità *f.*, -e. **-te, -tion, -tor**; negozi-are, -azióne *f.*, -atóre *m.*
Negr-ess; négra *f.* **-o**; négro *m.* — boy, negrétto *m.* — girl, giovane negra. — head, tabacco nero addolcito con melassa e pressato. **-oid**; -òide.
Negropont; Negropónte *f.*
Negus; vino riscaldato.
Neigh; nitríto *m.*; nitrire, rignare.
Neighbour; vicíno. **-ing**; pròssimo. **-hood**; vicinanza *f.*, vicinato *m.*, prèssi *m. pl.*, dintórni *m. pl.*, paraggi *m. pl.* **-ly**; amichévole da buon vicino.
Neither; He could — ...nor..., non poteva nè...nè.... — of the two, nessuno dei due.
Nem-ean; nemèo. **-esis**; nèmeši *f.*
Neologism; -o *m.*
Neophyte; neòfito *m.*
Nephew; nipóte *m.*
Nepotism; -o *m.*
Nerv-ation; nervatura d' una foglia. **-e**; nèrvo *m.* Lose one's —, sentirsi accasciato. To — oneself, indurirsi i nervi, prepararsi (ad affrontare una cosa seria), farsi cuore di uomo. **-ous**; tímido, nervóso, impressionábile. — energy, forza nervosa. — writer, scrittore energico. — affection, nevròši *f.*, malattia dei nervi, malattia nervosa. — work, lavoro da far paura, ansioso. **-ously**; timidaménte, con soggezione, con sospetto, nervosaménte. **-ousness**; soggezione nervosa, apprensióne *f.*, timidità *f.* **-y**; coi nervi scossi, indeboliti; tutto nervi.
Nescien-ce; **-za** *f.*
Nest; nido *m.*, castello di casse o scatole incastrate l' una coll' altra. — of thieves, covo di ladri. Feather one's —, fare il gruzzolo. Wasps' —, vespáio *m.* **-egg**; nidiándolo *m.*, éndice *m.* **-ing-place** (silk-worms'); bòsco *m.* **-le**; annidarsi, accomodarsi. **-tling**; uccellino di nido.
Nestorian; nestoriáno.
Net; 1. réte *f.* Casting —, giácchio *m.* Seine —, sciábica *f.* Trammel —, tramáglio *m.* Landing —, reticella a sacco, sibièllo *m.*, gángama *f.* Bird —, aiuòlo *m.* To —, far maglie, intrecciare; lavorar di maglie, a rete. 2. nétto. — profit, weight, guadagno o peso, netto. To —, produrre netto, ricavare.
Nether; basso, inferióre. — garments, vestimenti delle gambe. **-lands**; i Paesi Bassi. **-most**; più basso. — hell, il fondo dell' inferno.
Nett; *see* Net (2).
Netting; reticèlla *f.*, lavoro a maglia. Of a balloon, camicia di rete. **-needle**; spòla *f.*, mòdano *m.*
Nettle; ortíca *f.* Stinging —, ortica bruciante. To —, pungere, stuzzicare. **-rash**; orticária *f.* **-tree**; bagoláro *m.*
Network; reticèlla *f.*, reticolato *m.*, viluppo *m.*
Neuralgi-a, -c; nevr-algía *f.*, -álgico.
Neur-itis, -opathic; neur-íte *f.*, -opático. **-optera**; nevròtteri *m. pl.* **-otic**; nevròtico.
Neut-er; -ro.
Neutral, -ise, -ity, -ly; -e, -iżżare, -ità *f.*, -ménte.
Névé; nevato *m.*
Never; mai, giammai. —! impossibile! — again, mai più. Well, I —! sfido io. Were it — so pleasant, comunque potesse venire a grado. — a one, neppur uno. — a word, non una parola. — fear, non abbiate paura. — at all, mai e poi mai. — mind, non importa.

Never-ending; senza fine. **-failing**; senza fallo. **-theless**; con tutto ciò, ciò non di meno, nulla di meno, tuttavía, pure, ciò non ostante malgrado ciò. **-to-be-forgotten**; indimenticábile.

New; nuòvo, frésco, novèllo. — boots, stivali freschi. — bread, pane tenero. — potatoes, patatine tenere. Brand —, novo di zecca. To -coin, -gild, -model etc., *see* Re-coin etc. **-born**; neonato. **-comer**; nuovo venuto, nuovo arrivato.

Newel; colonna centrale di una scala a chiacciola.

New-fangled; di ultimissima moda. **-fashioned**; all' ultima moda. **-foundland**; Terra Nuova. **-gate**; antica prigione di Londra. **-ish**; piuttosto nuovo. **-laid**; frésco. **-ly**; recentemènte, di recente, di fresco. **-ness**; novità *f.*

News; notízia *f.*, nuòva *f.*, novèlla *f.* Weekly —, periodico settimanale. **-boy**; venditore di giornali. **-paper**; giornále *m.* — stall, spaccio di giornali. **-room**; sala di lettura. **-writer**; giornalista *m.*

Newt; tritóne *m.*, salamandra acquaiuola.

New-Year; capo d' anno, -'s gift, strènna *f.* **-York**; Nuova York. **-Zealand**; Nova Zelanda. **-Zealander**; Nova-Zelandése.

Next; pròssimo, primo, seguènte, attiguo, contiguo, accanto, quest' altro; dopo, in secondo luogo, in seguito. The — house, la casa più vicina, attigua. What —? e poi? What did he do —? Che ha fatto in seguito? — to me, dopo di me, *see* After. — to impossible, quasi impossibile. — to that statue, appresso di quella statua. The — **day** before, la vigilia di. The — —, il giorno seguente, l' indomani, il giorno successivo. — **door**, vicinissimo, a uscio e bottega, a porta a porta. Our — — neighbours, i vicini della casa, accanto a noi. I live — — to you, abito nella casa dopo la vostra. The — **moment**, l' istante appresso. — **Monday**, Lunedì prossimo. The — —, il Lunedì appresso o susseguente. — — week, fortnight, Lunedì a otto, a quindici. — **month**, il mese prossimo futuro. — **morning**, la mattina di poi. — **to nothing**, quasi nulla. The — **offence** of the kind, la prima mancanza di tal genere. — **relation**, il più prossimo parente. — **room**, la camera vicina o attigua. — the skin, sulla pelle. The — **time** that, la prima volta che. The — — I want to..., quest' altra volta che avrò bisogno di. The — **town** I intend to stop at, la città successiva ove intendo fermarmi. — **week**, la settimana ventura. She is the — woman to the queen, è la prima dopo la regina. Tell me the — **word**, ditemi la parola che segue. — **year**, l' anno venturo.

Nib; penníno *m.*, punta *f.*

Nibble; colpo di dente; rosicare, rosicchiare, morsicare, morsicchiare; abboccare.

Niblick; bastone a testa poderosa.

Nice; 1. buòno, accóncio, di buon gusto, dicévole, simpático, per benino, gustóso, squiśíto; delicato, diffícile, schizzinóso; eśatto, corrètto; bèllo, caríno, vezzóso, piacévole; sottíle (distinzione); (regole) precise. 2. Nizza *f.* **-ly**; molto bene, acconciamente ecc.

Nicene; nicèno.

Nice-ness; l' esser buono ecc. **-ty**; giustézza *f.*, eśattézza *f.*, finézza *f.*, sottigliézza *f.* To a —, perfettaménte, con precisione. Fit to a —, andare perfettamente bene.

Niche; nícchia *f.*

Nick; 1. tacca *f.*, intaccaménto *m.*; intaccare. In the — of time, appunto quando bisognò, in buon punto, nel momento giusto. To — it, cogliere il destro. 2. *raccorc.* di Nicholas. Old —, il diavolo. **-el**; nichèlio *m.*, níchel *m.* — plated, nichelato. **-nack**; gingillo *m.*, nínnolo *m.* **-name**; soprannóme *m.*, nomígnolo *m.* To —, dare il soprannome di.

Nic-otine; -otína *f.* **-titating**; — membrane, palpebra interna degli uccelli.

Niece; nipóte *f.*

Niggard, -ly; spilórcio, taccagno, grètto.

Nigger; *see* Negro.

Nigh; *see* Near.

Night; nòtte *f.* By —, di nottetempo. **-blindness**; emeralopía *f.* **-cap**; berretto da notte; bevanda prima di coricarsi. **-cart**; carro da cessino. **-dress, -gown, -shirt**; camicia da notte. **-fall**; crepúscolo *m.*, il far di notte. Before —, prima che si annotti. **-ingale**; uśignòlo *m.* **-jar**; nottolóne *m.*, succiacápre *m.* **-light**; lumino da notte. **-ly**; ogni notte, notturno. **-man**; vuòtacèssi *m.* **-mare**; sogno molesto. **-shade**; morèlla *f.* Deadly —, belladonna *f.* Woody —, dulcamára *f.* **-soil**; votatura di cessino. **-stool**; seggétta *f.* **-watchman**; guardia notturna.

Nihilis-m, -t; nichiliś-mo *m.*, -ta *m.*

Nil; nulla. **-e**; -o *m.* Of the —, nilòtico.

Nimbl-e, -eness, -y; lèst-o, -ézza *f.*, -aménte.

Nimb-us; -o *m.*

Nimeguen; Nimèga *f.*

Nincompoop; semplicióne *m.*

Nine; nòve. **-fold**; nove volte tanto. **-pins**; rulli *m. pl.*; on an Italian billard-table, birilli *m. pl.* Play at —, fare ai rulli. **-teen**; diciannòve. **-teenth**; decimo nono, diciannovèšimo. **-tieth, -ty**; novant-èšimo, -a.
Nineveh; Ninívre *f.*
Ninny; sciocccherèllo *m.*
Ninth; nòve. **-ly**; in nono luogo.
Nip; pízzico *m.*, pizzicòtto *m.*, mòrso *m.*; gócciola *f.*; šbeucchiare; guastare, abbruciacchiare (gelo); agguantare (fune). — in the bud, distruggere nel germe. **-per** (gergo); ragazzíno *m.* **-pers**; pinzétta a taglio, tenaglie *f. pl.*; chèle *f. pl.*, branche *f. pl.* **-ping**; pungènte, mordace.
Nipp-le; capézzolo *m.* **-y**; lèsto.
Nit; léndine *m.*
Nitr-ate, -e, -ic, -ification, -ify, -ogen, -ogenous. -oglycerine, -ous; -ato *m.*; -o *m.*, sal -o; -ico, -ificazione *f.*, -ificare, -ògeno *m.*, -ogenóso, -oglicerína *f.*, -óso.
No; nò, nòn, punto, mica, niènte; nessúno. — more of this, basta di ciò. — such thing, niente di simile. In less than — time, in meno di niente. You shall come to — harm, non vi succederà nulla di male. — matter, non importa. Allow — one to, impedire a chiunque di. Feel little or — remorse, provare poco o punto rimorso. Be in — way, non esser punto. — enemies appeared, non un nemico apparve. — sound, non un rumore. As expressing surprise, vero?
Nob (gergo); zucca; pezzo grosso. **-ble**; coglier sul fatto, acchiappare. **-by**; ażżimato, šgargiante.
Nob-ility, -le; -iltà *f.*, -ile. **-leman**; -ile *m.* **-leness**; -iltà *f.* **-lesse**; -iltà *f.* **-ly**; -ilménte.
Nobody; nessúno. There is —, non c' è barba d' uomo.
Nocturn-al, -e; nott-urno, -urno *m.*
Nod; cénno *m.*, cenno affermativo del capo, inchino del capo. Give a —, far cenno. Give a — of assent, fare col capo cenno di sì, assentire con il capo. To —, tentennare, chinar leggermente la testa, dondolare; sonnecchiare. — to, salutare. **-ding**; tentennante. **-dle**; tèsta *f.*, zucca *f.* **-dy**; gónzo *m.*; gabbiáno *m.*
Nod-al, -e, -ule; -ále, -o *m.*, -ulo *m.*
Noggin; la settima parte di un litro.
Nohow; in modo chi sa come?
Noise; rumóre *m.*, baccáno *m.*, strèpito *m.* — abroad, divolgare. **-less**; silenzióso. **-lessly**; senza rumore. **-lessness**; silènzio *m.*, calma *f.*
Nois-ily; strepitosaménte, con baccano. **-iness**; chiasso *m.*, diletto a far chiasso, turbolènza *f.* **-ome**; nocívo, dannóso. **-y**; rumoróso, strepitóso.
Nomad; nòmade.
Nomenclatur-e; -a *f.*
Nominal, -ist, -ly; -e, -ista *m.*, -ménte.
Nomin-ate, -ation, -ative; -are, -azióne *f.*, -atívo. **-ee**; persona nominata. He is the — of, egli è stato nominato da.
Nonag-e; minorità *f.* **-enarian**; -enário.
Non-; Compounds beginning with Non and not entered in their place may be translated by following one or other of the models given below.
Non-appearance; assènza *f.*, contumácia *f.* His — would do him harm, la mancata comparizione gli sarebbe pregiudizievole, non gli groverebbe l' esser dichiarato contumace. **-appointment**; mancata nomina. **-arrival**; arrivo mancato. **-attendance**; assènza *f.*
Nonce; For the —, per questa sola volta.
Nonchalan-ce, -t; noncuran-za *f.*, -te.
Non-combatant; non combattente. **-commissioned officer**; graduato *m.*, sottufficiále *m.* **-committal**; — answer, risposta che ci lascia libero. **-compliance**; il trascurare o rifiutare di ubbidire. **-concurrence**; dišaccòrdo *m.*, il pensarla altrimenti. **-conducting**; coibènte. **-conductor**; cattivo conduttore, sostanza che non conduce l' elettricità. **-conformist**; non conformista. **-delivery**; mancata consegna, consegna fallita.
Nondescript; indefiníbile, biżżarro, che non si sa precisare.
None; nessúno, niúno; punto, niènte. — of your illnatured remarks, tregua alle vostre malignità. He has —, non ne ha punto. He was — the worse, stava sempre benissimo.
Non-effective; fuori di servizio. **-entity**; persona di nulla. **-esuch clover**; trifogliolíno *m.* **-execution**; mancata esecuzione. **-existence**; inešistènza *f.* **-explosive**; inesplodíbile. **-fulfilment**; inadempiménto *m.* **-intervention**; non intervénto. **-manufacturing**; non manifatturièro. **-member**; estráneo. **-observance**; inosservanza *f.* **-pareil**; non pariglia, carattere di sei punti. **-payment**; mancanza di pagamento. **-performance**; inadempiménto *m.* **-plussed**; alle strette, sconcertato. **-poisonous**; non velenoso. **-presentation**; mancata presentazione. **-professional**; chi o che non è del mestiere. **-resident**; forestièro, non residente.
Nonsens-e; controsènso *m.*, stupidággine *f.*, sciocchézze *f. pl.*, fròttole *f. pl.*, cor-

bellerie *f. pl.* To talk —, sragionare. **-ical**; sciòcco, inètto, insulso. **-ically**; scioccaménte ecc.

Nonsuit; condannare per desistenza. He was -ed, era dichiarato di aver rinunciato alla querela.

Noodle; scimuníto *m.*

Nook; cantúccio *m.*, ritiro *m.*, angolo riposto, ripostíglio *m.*

Noon; meżżodì *m.*, meżżogiórno *m.* **-day**; — sun, il sole a mezzogiorno. **-tide**; ora di mezzogiorno.

Noose; nodo scorsoio, cáppio *m.*

Nor; nè, neanche, neppúre.

Noricum; Nòrico *m.*

Norm, -al, -ality, -ally; -a *f.*, -ále, -alità *f.*, -alménte. Normal school, scuola magistrale.

Norman, -dy; norman-no, -día *f.*

Norse; scandinavo antico.

North; 1. nòrd *m.*, settentrióne *m.* The — of Scotland, il nord della Scozia. 2. del nord, nòrdico, settentrionále.

North-east; nord-èst *m.* — wind, grecále *m.*, grèco *m.* **-erly**; del quartiere del nord. **-ern**; del nord, nòrdico, boreále. — lights, aurora boreale. **-erner**; nativo del nord. **-ernmost**; il più al nord. **-ing**; cammino percorso verso il nord. **-man**; uomo del nord. **-polar**; del polo nord. **-star**; stella polare. **-ward**; verso il nord, in direzione settentrionale. **-west**; nòrd-òvest. — wind, maestrále *m.* **-wester, -west gale**; maestralata *f.* **-westerly**; dal nord-ovest. The room has a — aspect, la camera guarda, è volta, a nord-ovest.

Norw-ay; Norvèg-ia *f.* **-egian**; -ése. — stove, scaldavivande -ese.

Nose; naso *m.*, muśo (d' animale); sentóre *m.*; fiutare. Turn up —, naso rivoltato. His — is out of joint, non è più in favore. Put his — out of joint, soppiantarlo. Roman —, naso aquilino. Blow one's —, soffiarsi il naso. Lead by the —, condurre pel naso. Speak through the —, parlare con voce nasale. Turn up the —, arricciare il naso. **-band**; museruòla *f.* **-bag**; tasca mangiatoia (pei cavalli). **-gay**; mazzetto di fiori. **-ring**; anello per il naso.

Nosing; Half-round wooden —, spigolo rotondo di legno.

Nostril; naríce *f.*

Nostrum; rimedio di ciarlatano.

Not; non, mica, niènte, punto. — at all, niente affatto, in nullo modo; non c' è di che. — but that I think, non già che io non pensi. — but what it would suit us, non è che questo non ci vada. — to say, per non dire. If —, se no, altrimenti. All right, is it —? va bene, non è vero? Either he will do it or —, o lo farà, oppure no.

Notab-ilia; cose notevoli. **-ility**; -ilità *f.* **-le**; -ile, notévole, segnalato (favore), insigne (mentitore). —housewife, massaia di prim' ordine. **-ly**; segnataménte, notevolménte.

Notar-ial; -íle. **-ially**; con atto -ile. **-y**; notaio *m.* -'s office, studio di notaio.

Nota-tion; -zióne *f.*

Notch; tacca *f.*, incavo *m.*, intaccatura *f.*; intaccare.

Note; nòta *f.*, ségno *m.*, marca *f.*; bigliétto *m.*, letterína *f.*; annotazióne *f.*, appunto *m.*; punto (d' interrogazione); comunicazione diplomatica. Bank —, biglietto di banca. Foot —, nota a piè di pagina. Promissory —, pagherò *m.* — of hand, cambiale all' ordine. Man of —, uomo di distinzione, di conto, di vaglia, uomo notevole. To change one's —, cambiare tono, cambiare linguaggio. To —, notare, prendere una nota, constatare, registrare.

Note-book; librétto per gli appunti, scartafáccio *m.*, taccuíno *m.* **-d**; conosciuto, nòto, insigne. **-paper**; carta da lettera. **-worthy**; degno di nota, notévole.

Nothing; nulla *m.*, niènte *m.* Do — but, non fare che. Make — of, 1. non far caso di. 2. non intendersi di. 3. non cavarne nulla, non riuscire con. He is — to me, egli non mi è nulla. I have — to do with him, non ho nulla di comune con lui. It has — to do with it, non ci ha che vedere. — at all, niente affatto. As if — at all was the matter, come se niente fosse. It is a mere —, è meno di nulla, proprio nulla. For —, per niente, gratis. That is — to me, ciò non mi tocca, riguarda. They live upon — but, non vivono che di. Come to —, 1. non riuscire a nulla. 2. ridursi a nulla. There is — doing, non si combina nulla. **-ness**; nullità *f.*

Notice; avviśo *m.*, avvertiménto *m.*, informazióne *f.*, notízia *f.*, osservazióne *f.* Biographical —, notizia biografica. Take some — of, fare attenzione a, trattare con riguardi. Take no — of, non far caso di, non badare a. Serve — upon, notificare, intimare chiamata a. — to leave, congèdo *m.*, diśdétta *f.* Give — to leave, diśdire un quartiere, dar la disdetta. — to quit, disdetta d' affitto. Without a moment's —, súbito. At short —, a breve scadenza, fra breve tempo, a breve dilazione. Deposit at —, deposito con preavviso. Did they not have — of my arrival? non sono stati prevenuti del mio arrivo? The letter fell under his —, la lettera gli cadde sotto gli occhi. To —, notare, osservare, badare a, occuparsi di.

Noticeabl-e; percettíbile, tale da farsi osservare. **-y**; in modo percettibile.

Notice-board; tavola da notizie.

Notif-ication; -icazióne *f.*, avviṡo *m.* **-y**; -icare, segnalare.

Notion; nozióne *f.*, opinióne *f.*, idèa *f.* Take up a —, mettersi in testa. **-al**; ideábile.

Notori-ety, -ous, -ously; -età *f.*, -o, -aménte.

Notwithstanding; ad onta di, nonostante, a dispetto di, malgrado; ciò non ostante.

Nougat; pasticcio di mandorle e zucchero.

Nought; nulla *m.*, niènte *m.*, zèro *m.* Set at —, disprezzare, calpestare, non far caso di.

Noun; nóme *m.*

Nourish; nutrire, alimentare; fomentare. **-ing**; nutritívo. **-ment**; cibo *m.*, nutriménto *m.*, alimentazióne *f.*

Nous; sénno *m.*

Nova Scotian; della Nuova Scozia.

Novel; romanżo *m.*; nuòvo. **-ist**; romanzière *m.* **-ty**; novità *f.*

November; novèmbre *m.*

Novi-ce, -tiate; -zio *m.*, -zia *f.*; -ziato *m.*

Now; adèsso, óra, preṡenteménte, oggigiórno, attualménte; ebbène, in verità. Before —, già. Just —, 1. proprio ora, ora come ora. 2. poco prima, non è molto tempo. — and then, — and again, di tanto in tanto, di quando in quando. Every — and then, ogni tanto. Till —, finora, sin qui. He would not do it until —, egli non voleva farlo prima. Is he living —? vive egli ancora? Long before —, molto tempo prima. Never till —, mai fin qui. She was — sensible of her mistake, ella riconobbe ora il suo errore. —! via! oibò! ma! **-adays**; oggidì, oggi com' oggi.

No-where; in nessun luogo, da nessuna parte. — else, in nessun altro luogo. Be —, 1. non esser vicino al vincitore. 2. sentirsi smarrito, non saper che fare. **-wise**; in nullo modo, nullaménte.

Noxious, -ly, -ness; nocív-o, -aménte, natura -a, dannós-o ecc.

Noyau; acqua di nocciolo.

Nozzle; bécco *m.*, beccuccio *m.*, tubo *n.*

Nth; ennèṡimo.

Nubian; nubiáno.

Nucle-olus, -us; -olo *m.*, -o *m.*

Nud-e, -ely, -ity; -o, -aménte, -ità *f.*

Nudge; spinta leggera, gomitata leggera per mettere all' erta; toccar leggermente per avvertire, per far stare in guardia.

Nugatory; vano, senza effetto.

Nugget; pepíta *f.* **-ty**; con molte pepite.

Nuisance; nòia *f.*, incòmodo *m.*, cosa spiacévole. What a —! che supplizio! A regular —, una vera peste.

Null; di nessun effetto, nullo. **-ify**; annullare, ridurre a nulla. **-ity**; -ità *f.*

Numb; tórpido, intiriżżíto; intorpidire, intiriżżire.

Number; número *m.*, cifra *f.*; fascícolo *m.*, puntata *f.* Broken —, numero incompleto. Whole —, numero intiero. Even, Odd —, numero pari, dispari. Prime —, numero primo. Nations out of —, nazioni innumerevoli. A — of men rushed in, una folla si precipitò dentro. The first — is just come out, è appena uscito il primo numero. Be in the — of, esser fra. Published in -s, pubblicato in fogli. Few in —, in piccolo numero. Proper, Regulation —, numero tassato. Serial — of a document, numero di protocollo. Soldier's or sailor's —, matricolazióne *f.* A — of considerations, una quantità di considerazioni. **-less**; innumerévole.

Numbness; torpóre *m.*, intiriżżiménto *m.*

Numer-al, -ator, -ical, -ically, -ous, -ously; -ále *m.*, -atóre *m.*, -ico, -icaménte, -óso, in gran -o.

Num-idian; -ída. **-ismatic, -ismatics, -ismatist**; -iṡmatico, -iṡmatica *f.*, -iṡmatico *m.*

Numskull; minchióne *m.*, testáccia *f.*

Nun; religiósa *f.*, mònaca *f.* **-cio**; núnzio *m.* **-nery**; convènto *m.*, monastèro *m.*

Nuptial; nuziále. **-s**; nòzze *f. pl.*

Nuremberg; Norimbèrga *f.*

Nurse; nutrice *f.*, bália *f.*, infermièra *f.*, bambináia *f.* Put out to —, mettere a balia. To —, allattare, tenere nelle braccia, curare, assístere; metter da parte (indignazione), coltivare (elettori), amministrare con cura ed economia. **-child**; lattante *m.* or *f.* **-maid**; bambinaia assistente. **-ry**; camera dei bambini, asilo d' infanzia; semenzaio per piante d' allevamento, piantonáio *m.*, viváio *m.*; bigattièra *f.* (bachi da seta). — garden, viváio *m.* — man, chi tiene vivaio.

Nurs-ing; allattaménto *m.*, cura *f.* **-ling**; lattante *m.* or *f.*, poppante *m.* or *f.*

Nurture; educazióne *f.*, nutrizióne *f.*, allevaménto *m.*; nutrire, allevare.

Nut; 1. nocciuòla *f.* Hazel, Cob —, avellana *f.*, avellana coltivata. 2. madrevíte *f.*, chiòcciola *f.*, dado (d' ancora),

capotasto di violino. 3. (gergo) elegante *m.*, milòrde *m.*
Nut-brown; color nocciuola. **-cake**; pasta di nocciuole. **-cracker**; 1. schiaccia-nóci *m.*, rómpi-nóci *m.* 2. noccioláio *m.* **-gall**; noce di galla. **-hatch**; picchio muratore. **-meg**; noce moscata.
Nutri-ent, -tious; -ènte. **-ment**; -ménto *m.* **-tive**; -tívo.
Nut-shell; gúscio *m.* **-tree**; nocciuòlo *m.* **-ty**; da nocciole.
Nux vomica; noce vomica.
Nymph; ninfa *f.*

O

O; *pronunz.* stretto.
Oaf; stúpido *m.*
Oak; quèrcia *f.* Turkey —, cèrro *m.* **-apple**; galla *f.*, noce di galla. **-en**; di legno di quercia. **-fern**; felce quercina, polipodio driottere. **-um**; stóppa *f.*
Oar; rèmo *m.* **-sman**; rematóre *m.*, vogatóre *m.*
Oasis; òaṡi *f.*
Oast-house; forno da luppolo.
Oat; vèna *f.* **-cake**; focaccia di vena. **-en**; di vena. **-meal**; farina di vena.
Oath; giuraménto *m.*, bestémmia *f.* On —, sotto il vincolo del giuramento. Put upon his —, far prestare giuramento.
Obdura-cy, -te, -tely; caparbi-età *f.*, -o, -amente; ostinat-ézza *f.* ecc.
Obe-dience, -dient, -diently; ubbidiènza *f.*, -te, -teménte. **-isance**; riverènza *f.*
Obelisk; obelisco *m.*, guglia *f.*
Obes-e, -ity; -o, -ità *f.*
Obey; ubbidire, ascoltare (consiglio).
Obfuscate; offuscare.
Obituary; necrolog-ía *f.*, -ico.
Object; oggètto *m.*, soggètto *m.*, mira *f.*, scòpo *m.*, fine *m.*, punto di mira; orròre *m.* What an —! quale orrore! To —, oppórsi, obbiettare. I — to him, non mi va a garbo. Do you — to it? ci avete da ridire? Do you — to smoking? Le spiaccerebbe che io fumassi? Some -ed to talking, qualcuno non vorrebbe che si discorresse. — lesson, lezione visuale. His only — is money, non mira ad altro che danaro.
Objection; obiezióne *f.*, inconveniènte *m.* Be open to —, portar degl' inconvenienti. Be free from —, non aver nulla in contrario. Make -s, fare difficoltà. There is no — to, nulla ostà che. Anticipate an —, Meet an —, prevenire un' obiezione. Meet with an —, incontrare un' obiezione. Start, Remove an —, elevare, scartare un' obiezione. **-able**; ripugnante; spiacévole, poco commendévole, da evitare. **-ably**; in modo ripugnante ecc.
Object-ive, -ivity; oggettív-o, -ità *f.* **-less**; senza proponimento, senza fine, inutile. **-or**; oppositóre *m.*, chi si oppone. Conscientious —, chi non vuol esser soldato per motivi di fede.
Objurgation; ṡgridata *f.*
Oblate; compresso ai poli, sferoidále.
Oblig-ation; òbbligo *m.* Under —, obbligato. **-atorily**; per necessità. **-atory**; obbligatòrio. **-e**; obbligare. **-ing, -ingly, -ingness**; compiacènte, serviziato; compiacen-teménte, -za *f.*
☞ The word Obbligo and its derivatives are applied in Italian, as in English, either to compulsion or to doing a favour.
Obliqu-e, -ely, -ity; -o; -aménte, in tralice; -ità *f.*
Obliter-ate; -are, fare sparire. **-ation**; cancellazióne *f.*, raschiaménto *m.*
Oblivi-on; oblío *m.*, oblivióne *f.* Fall into —, cadere nel dimenticatoio. **-ous**; -óso. **-ousness**; ṡmemoratággine *f.*
Oblong; biṡlungo, oblungo. As *sb.*, **rettángolo** *m.*, figura bislunga.
Obloquy; censura *f.*, diṡonóre *m.*
Obnoxious; odióso, colpévole, nocívo; espósto, soggètto. **-ly**; in modo odioso ecc. **-ness**; l' esser odioso ecc.
Ob-oe; -oe *m.* **-ol**; òbolo *m.*
Obscen-e, -ely, -ity; oscèn-o, -aménte, -ità *f.*
Obscur-antism, -ation, -e, -ely, -ity; oscurantismo, -aménto *m.*, -o, -aménte, -ità *f.* To -e, -are, abbuiare. Time has -ed the writing, il tempo ha reso poco leggibile la scrittura. Be -ed, offuscarsi.
Obsequ-ies; eṡèquie *f. pl.* **-ious**; ossequióso. **-iously**; servilménte. **-iousness**; osservanza servile, servilità *f.*
Observ-able, -ance; osserv-ábile, -anza *f.* **-ant**; osservatóre, attènto, chi ha uno spirito osservatore. **-antly**; con attenzióne. **-ation**; osservazióne *f.* Post of —, spècola *f.* Come under —, attirare l' attenzione. Escape —, sfuggire all' osservazione degli altri. **-atory**; osservatòrio *m.* **-e**; osservare, scòrgere, fare attenzione a; sentenziare, proferire un' osservazione. **-er**; osservatóre *m.*, -atrice *f.*

Obsess-ed; ossèsso. — with the belief, fermamente per quanto falsamente persuaso. **-ion**; opinione che domina lo spirito.

Obsolescen-ce; l' andare in disuso. **-t**; che va in disuso.

Obsolete; diśuśato, non più in uso.

Obstacle; ostácolo *m*. **-race**; corsa ad ostacoli.

Obstetric, -s; ostètrico, ostetrícia *f*.

Obstin-acy; ostinazióne *f*., caparbietà *f*. **-ate**; ostinato, capárbio, pervicáce; accaníto (combattimento), ribèlle (malattia). — disposition, ostinatézza *f*. Be —, incocciarsi. **-ately**; ostinataménte.

Obstreperous; chiassóso, chi resiste con chiasso, con fracasso. **-ly**; chiassosaménte, con fracasso. **-ness**; disposizione chiassosa, resistenza rumorosa.

Obstruct; ostruire, intaśare, impedire, impacciare. Be -ed, ingorgarsi. **-ion**; ostruzióne *f*., contrasto *m*., intaśaménto *m*. **-ionist**; chi ostruisce ecc., chi interpone le eccezioni dilatorie, le ostruzioni. **-ive**; ostruttívo; che intralcia, fa ostacoli, impedisce.

Obtain; ottenére, procurarsi, ricavare, conseguire, acquistare; prevalére, esser di moda. **-able**; otteníbile ecc. **-ment**; otteniménto *m*., conseguiménto *m*., acquisto *m*.

Obtru-de; metter in campo importunatamente, far sentire (la sua opinione) senza permesso, metter avanti molestamente. — oneself, intrudersi. **-sive, -sively**; indiscrét-o, -aménte.

Obtuse; ottuśo, śmussato, spuntato; ottuso di mente, stúpido, poco sensibile. **-angled**; ottuśángolo. **-ly**; con stupidità. **-ness**; stupidità *f*.

Obverse; faccia *f*.

Obviate; ovviare a.

Obvious; òvvio, evidènte. It is —, va senza dire. **-ly**; evidenteménte. **-ness**; l' esser ovvio.

Occasion; cagióne *f*., occaśióne *f*. Have — to, aver motivo per. As — requires, secondo il caso, al bisogno. There is no — for, è inutile che. To —, far nascere, cagionare. **-al**; occaśionále. — verses, versi di circostanza. — rain, un piovere di tempo in tempo. **-ally**; alle volte, di quando in quando.

Occi-dental; -dentále. **-put**; -pite *m*.

Occlude; assorbire; rinchiúdere.

Occult, -ation; -o, -azióne *f*.

Occup-ancy; -azióne *f*. **-ant**; abitante *m*., chi sta dentro. The — of this bed, chi sta in questo letto. **-ation**; -azióne *f*., mestière *m*., impiègo *m*. **-ier**; occupante *m*., locatário *m*. **-y**; -are.

Occur; occórrere, accadére, verificarsi. **It** -s to me, mi viene l' idea, mi pare. It did not — to me, non mi è venuta l' idea. **-rence**; avveniménto *m*., incidènte *m*.

Ocean, -ic; -o *m*., -ico. **-going**; di alto mare.

Ocelot; pantera del Messico.

Ochre; òcra *f*.

Oct-agon; ottágono *m*. **-agonal**; ottangolare. **-ahedron**; ottaèdro *m*. **-ave**; ottava *f*. — cask, barilétto *m*. **-avo**; inottavo. **-ober**; ottóbre *m*. **-opus**; pólpo *m*. **-oroon**; ottavóne *m*.

Octroi; dázio *m*.

Ocul-ar, -arly; ocular-e, -ménte. **-ist**; oculista *m*.

Odalisque; odalisca *f*.

Odd; ímpari, díspari; caffo *m*.; biżżárro, strambo. An — sock, un calzino spaiato, scompagnato. — fellow, person, originále *m*. At — moments, a momenti d' avanzo, nei ritagli di tempo. — money, gli spiccioli, il resto. Some thirty — people, trenta persone e più. Play at even and —, giocare a pari e caffo. **-fellow**; membro della società di mutuo soccorso con questo nome. **-ity**; singolarità *f*., persona bizzarra. **-looking**; di aspetto singolare. **-ly**; fantasticaménte. — enough, per caso abbastanza strano. **-ment**; pèzzo scompagnato. **-ness**; singolarità *f*.

Odds; partíto *m*., vantaggio *m*., giunta *f*., punti *m*. *pl*.; probabilità *f*. It was any — against it, si poteva scommettere mille, anche milione, contro. The — against it are three to one, ci sono trè probabilità contro una che non accada. To fight against heavy —, combattere con pochissima probabilità di successo. — and ends, sfasciume *m*., pezzi e bocconi, ritagli *m*. *pl*., cianciafrúscole *f*. *pl*. At —, in discordia. Lay —, fare una scommessa inuguale. Play without —, giocare a partita uguale. I lay — he doesn't do it, lo do a più contr' uno che non lo faccia, offro molti contr' uno che non gli riesca.

Ode; òde *f*., canzóne *m*. **-um**; odèo *m*.

Odin; Odíno.

Odi-ous, -ously, -ousness; -óso, -osaménte, -osità *f*. **-um**; -o *m*., sfavóre *m*. You do these things and the — falls on me, voi le fate e la colpa sarà mia.

Odor-iferous; -ifero. **-ous**; -óso.

Od-our; odóre *m*., nidóre *m*.

Odyssey; odissèa *f*.

Oe-cumenical; ecumènico. **-dema**; èdema *m*. **-sophagus**; eśòfago *m*.

Of; di, tra, fra, in. Tenacious — their opinions, tenaci nelle loro opinioni. The first — January, il primo gennaio. The first — the month, il primo del mese. It is very bad — you to do this now, è stato molto male da parte vostra di far così a quest' ora. It is very kind — you to come, siete molto buono di esser venuto. — all things, sopra tutto. — course, naturalménte; *see* Course. — late, ultimaménte. —old, anticaménte, in altri tempi. — the thirty, ten were asleep, su trenta uomini ve ne erano dieci addormentati. Doctor — law, dottore in diritto. A friend — mine, un mio amico. A friend — old, un amico di vecchia data. This sort — thing, una cosa di simile. He never has a book — his own, egli non ha mai un libro suo. I will think — you, penserò a te.

Off; 1. da, d' addosso, di su. — and on, sì e no. Far —, lontano. How far — is it from the cushion? quanto stacca dalla mattonella? Be —! via! — with your hat! giù col cappello. — with his head! che gli si tagli la testa! Well —, benestante. Worse —, più infelice di prima. Be worse — than he is, star peggio di lui. 2. (*mar.*) all' attezza di, al largo di. — Capri, all' altezza di Capri. 3. **-licence**; licenza di vender liquori da consumarsi a casa. **-side**; lato destro; (al calcio) fuori giuoco.

Offal; ritagli *m. pl.*, frattáglie *f. pl.*, mala-carne *f.*, carne di scarto.

Offen-ce; offésa *f.*, cólpa *f.*, delitto *m.* Take —, formaliżżarsi (francesismo), andar in collera, offèndersi. **-d**; offèndere, violare, traśgredire. **-der**; colpévole, offensóre *m.*, rèo *m.* **-sive**; offensíva *f.*; spiacévole, śgradévole; fètido, puzzolènte; offensívo. **-sively**; villanaménte, in modo spiacévole ecc. **-siveness**; puzzo *m.*; maniere grossolane. sconce, schifose; schifosità *f.*

Offer; offèrta *f.*; proposta di matrimonio; tentatívo *m.*, sfòrzo *m.* She had many -s, ella ha avuto molti pretendenti. To —, offrire. — violence, attaccare, violentare. — for sale, offrire in vendita. — one's services, eśibirsi. — to make way for, esibirsi di far luogo a.

Offer-ing; offèrta *f.*, oblazióne *f.* **-tory**; -tòrio *m.*

Offhand; súbito, così su due piedi; diśinvólto, brusco, ardíto.

Office; ufficio *m.*, cárica *f.*, impiègo *m.*; studio (di avvocato), banco (di negoziante), gabinètto *m.*, cassa *f.*, locále *m.* -s, camere di servizio, dispénse *f. pl.* Come into —, entrare in funzione. For the sake of —, per amore del potere. Have the — of, fare l' ufficio di. High in —, chi copre alto impiego. Coach —, ufficio delle diligenze. Foreign —, ministero degli esteri. Jack in —, piccolo impiegato governativo. Lost luggage —, ufficio dei bagagli perduti. Loan —, ufficio di pegno, Monte di pietà. Pious -s, pii ufficii. Post —, posta *f.* Printing —, stampería *f* Treasury -s, gli uffici della tesoreria. **-bearer**; funzionario *m.*, impiegato *m.*

Officer; ufficiále *m.* First —, (*mar.*) secondo di bordo. — of the watch, ufficiale di guardia. Civil —, funzionario civile. Naval —, ufficiale della marina. Non-commissioned —, sott' ufficiale. Police —, agente di polizia. Staff —, ufficiale dello stato maggiore. Deck, Engineer, Navigation —, ufficiale di coperta, di macchina, di rotta. Fire control —, primo direttore del tiro. Duty —, ufficiale d' ispezione. — of the day, ufficiale al dettaglio.

Official; ufficiále *m.*, impiegato *m.*, funzionário *m.* As *adj.*, ufficiále. — copy, copia autentica. **-ly**; ufficialménte.

Officiate; funzionare; ufficiare (parrocchia, cappella).

Officinal; officinále.

Officious, -ly, -ness; ufficiós-o, **-aménte**; -ità *f.*, ingerenza ufficiosa.

Off-ing; In the —, al largo. **-scourings**; fèccia *f.*, rifiúto *m.* **-set**; compènso *m.*; scemare, compensare. **-shoot**; diramazióne *f.*, rampóllo *m.* **-side**; *see* Off (3). **-spring**; pòsteri *m. pl.*, pròle *f.*, frutto *m.*

Often; spésso, sovènte, spesse volte, molte volte. How —? quante volte? As — as, ogni volta che. Do you — do this sort of thing? vi capita spesso di farne una simile? Too —, troppo spesso. **-er**; più spesso. I go to him — than he comes to me, io vado da lui più volte di quante egli viene da me. **-est**; di più. What — happens is that, quel che accade di più si è che. **-ness**; frequènza *f.*

Ofttimes; *see* Often.

Ogee; cimáśa *f.*, góla *f.*

Ogiv-e; -a *f.*, sesta acuta. **-al**; -ále.

Ogle; adocchiare, occhieggiare, lanciare occhiate di tenerezza.

Ogr-e, -ess; òrco *m.*, orchéssa *f.*

Oh; *id.* — dear, povero me.

Oil; òlio *m.*; oliare, ingrassare, lubrificare con olio, ungere d' olio. -ed silk, tela incerata, incerato *m.* Castor —, olio di ricino. Cod-liver —, olio di fegato di merluzzo. Colza —, olio di colza. Essential, Volatile —, essènza *f.*, olio volatile. Hair —, olio per i capelli. Lamp —, olio da bruciare. Linseed —

olio di lino. Neat's foot —, olio di piede di bue. Olive —, olio di uliva. Salad —, olio da tavola. Train, Whale —, olio di balena. **-cake**; cibo compresso da residui oleaginosi per bestiame. **-can**; oliatore a mano, olièra *f.* **-cloth**; tela cerata. **-colour**; colore ad olio. **-cruet**; boccetta d' olio, olièra *f.* **-cup**; scatola per l' olio. **-feeder**; recipiènte *m.* **-fuel**; nafta *f.*, nafteline *f.*, petrolio greggio. **-lamp**; lampada ad olio. **-making shed**; fattóio *m.* **-man**; oliándolo *m.* **-mill**; fabbrica d' olio. **-painting**; quadro dipinto a olio. **-press**; torchio da olio, fattóio *m.* **-pressing**; torchiatura dell' olio. **-shop**; magazzino da olio. **-skin**; tela incerata o verniciata. **-trade**; commercio degli olii. **-well**; vasca d' olio.

Oil-iness; oleosità *f.*, untuosità *f.* **-y**; oleóso, imbrattato d' olio. — tongue, lingua dolciastra, melliflua o untuosa.

Ointment; unguènto *m.*

Old; vècchio, attempato; antico. As of —, come un tempo. Of —, già. I know him of —, lo conosco già da molto tempo. Six years —, di sei anni. How — are you? quanti anni hai? I am six, ho sei anni. Five years —, cinquenne. Similarly, settenne, ottenne, novenne, decenne, undicenne, dodicenne etc. up to sedicenne; diciottenne; ventenne, trentenne, quarantenne etc. up to novantenne, but the termination is not much used except for an age which is a multiple of ten. — clothes man, rigattière *m.*, mercante di panni vecchi. — continent, l' antico continente. — crop, raccolta dell' anno scorso. — family, famiglia antica. — man, 1. vècchio *m.* 2. abròtano *m.* — people, gente vecchia, i vecchi. — red sandstone, vecchio grès rosso. — style, vecchio stile. — Testament, Antico Testamento. — Tom, varietà di ginepro forte. — wife, woman, vecchia comare.

Old-en; — times, i tempi antichi. **-er**; più vecchio; maggióre, di età maggiore. **-est**; maggióre, più antico; primogènito. **-fashioned**; di foggia antica, di moda passata, non più di moda, de' tempi andati, vièto. **-ish**; attempatèllo, vecchiòtto, di età matura. **-looking**; dall' aria vecchia. **-maid**; vecchia zitella. **-maidish**; da vecchia zitella. **-world**; as *adj.*, de' tempi passati.

Ole-aginous; -aginóso. **-ander**; -andro *m.* **-aster**; -astro *m.* **-fiant**; olificante. **-ograph**; -ografía *f.*

Olfactory; dell' odorato.

Oligarch, -ical, -y; oligarc-a *m.*, -hico, -hía *f.*

Olive; uliva *f.* **-branch**; ramo di ulivo. Hold out the —, *fig.*, offrire la pace. **-coloured**; olivastro. **-green**; verde uliva. **-grove, -plantation**; olivéto *m.* **-tree**; ulivo *m.*

Oliver; Ulivièro.

Olymp-iad, -ian *or* **-ic, -us**; olimp-íade *f.*, -ico, -o *m.*

Omelet; frittata *f.*

Om-en; preśagio *m.*, augúrio *m.* **-inous**; sinistro, di cattivo augurio. **-inously**; sinistraménte. **-inousness**; l' esser di cattivo augurio.

Om-ission; -issióne *f.* **-it**; ométtere, tralasciare, trascurare.

Omnibus; *id.*

Omni-potence, -potent, -science, -scient, -vorous; onni-potènza *f.*, -potènte, -sciènza *f.*, -sciènte, -voro.

Omnium-gatherum; guazzabúglio *m.*

On; su, sópra, a, in; (gergo) brillo. — the present occasion, nella presente occasione. — (my) honour, a parola d' onore. — that memorable morning, in quella memorabile mattina. — Saturday the 30th of November, il sabato 30 novembre. — the 30th of the month, ai trenta del mese. — false pretences, con pretesti falsi. The pictures — the walls, i quadri alle pareti. To see him — Sunday, vederlo la domenica. Lay emphasis —, metter enfasi in. Pass —, passare oltre. Move —, andar più oltre. And so —, e via discorrendo, e così di seguito. Hard — Tom, mal disposto verso Tommaso. Live — vegetables, vivere di ortaggi. — account of, per, per causa di, per ragione di. — board, a bordo. — certain conditions, a certe condizioni. What — earth are you doing? che fate dunque? — every side, da ogni parte. — foot, a piedi. — guard, di guardia. — horseback, a cavallo. — payment of, mediante il pagamento di. — the point of departure, sul punto di partire. — receipt of a letter, alla recezione di una lettera. — the right hand, a mano destra.

Off and —, con interruzioni, ora sì ora no. — he went, egli avanzava sempre. Go —, continuare. He sent the keeper —, inviò la guardia in avanti. Lead —, mostrare il cammino a, condurre, spingere a. Play —, continuare a suonare. Put —, mettere (vestiti, scarpe). The lessons are —, le lezioni tirano via. Be — that work, esser occupato di quel lavoro. Have one's hat —, esser coperto, aver la testa coperta.

Once; una volta, già altre volte, antica-

ménte, un tempo. — **only**, una sola volta. **All at** —, ad un tratto, di schianto; tutti insieme. **At** —, subito, immantinènte, senz' altro; insieme; nello stesso tempo. Recognise at —, ravvisare sul fatto, sull' attimo. — **before**, già una prima volta. **For** —, questa sola volta. **For every** — you succeed you will have ten failures, per ogni volta che l' azzecchi, la mancherai dieci. **Just** —, almeno per questa volta. — **more**, una volta ancora. — **too often**, una volta troppo di sovente. — **or twice**, una o due volte. **Two things at** —, due cose nello stesso tempo. — **upon a time**, altre volte, già altre volte. — **in a way**, — **in a while**, di tanto in tanto. — **a year**, una volta all' anno.

One; 1. uno. — another. l' un l' altro. — thing and another, questa cosa e quella. — or another would keep interrupting, questo e quello si metterebbe ad interrompere. Only —, un solo. — too many, uno di troppo. Any — of them, ognuno di loro. Any —, chiunque, *see* Any. All —, tutt' uno, tutto lo stesso. — and all, tutti sino all' ultimo. — fine morning, un bel mattino. It is not the — I wanted, non è quello che volevo. — Smith, un certo Smith. — thousand and sixty-two, mille e sessanta due. With — accord, di comune accordo. — o'clock, il tocco. 1 a.m., il tocco della notte. Past 1 a.m., passato la una dopo mezza notte. — day, un giorno; un giorno o l' altro.

2. As *pronoun*, si. If — goes, se si va. — should live according to his means, si dovrebbe vivere secondo i mezzi. With money — gets all — wants, col danaro si ha tutto ciò che si vuole. The richer — is, the more mean — is, più si è ricchi, e più si è tirchi. — might think, si potrebbe credere. But with a plural object in the sentence it would generally be turned differently. — might buy these houses, quelle case dovrebbero esser acquistabili, *or*, potrebbero acquistarsi. — may buy ten horses and not be satisfied with any of them, si potrebbe comprare fino a dieci cavalli senza trovarne uno quale si vorrebbe. **-'s**; suo, suo proprio. One has — own standard, ognuno ha la propria norma.

One-armed; mónco. **-eyed**; monòcolo. **-ness**; unità *f*. **-self**; sè stesso. **-sided**; poco giusto, parziále, (patto) dove una delle parti ha tutti i vantaggi. **-storied**; a un solo piano.

Onerous; oneróso, gravóso. **-ness**; péso *m*., l' esser oneroso ecc.

Onion; cipólla *f*. **-bed**; cipolláio *m*.

Onlooker; spettatóre *m*. **-s**; gli astanti.

Only; sólo, único. As *adv*., sólo, tanto, soltanto, solaménte. — **once**, una volta tanto. Not —, non pure. He — found, non trovò che. I — hope, spero soltanto. — asking the question, limitandosi a fare la domanda. — the musicians had remained, i soli musicanti erano rimasti. It — strengthened her determination, non fece altro che rafforzarla in ciò che aveva risoluto. What a lot you want, I — have one pair of arms! quante cose vorreste, ho due braccia sole! As *conj*., eccetto che, ma.

Onomatop-œia, **-œic**; -èia *f*., -èico.

Onset, **Onslaught**; assalto *m*., attacco *m*.

Ontolog-ical, **-y**; -ico, -ía *f*.

Onus; dovére *m*., obbligazióne *f*.; péso *m*.

Onward, **-s**; avanti, in avanti.

Onyx; ònice *m*.

Oolite; oolíte *f*.

Ooz-e; fanghíglia *f*., mèlma *f*.; stillare gèmere, trapelare, colare dolcemente. **-y**; melmóso.

Opacit-y; -à *f*.

Opal; opále *m*. Fire —, opale di fuoco. Precious —, opale nobile. **-coloured**; opalíno. **-escence**, **-escent**; -escènza *f*., -escènte.

Opaque; opaco.

Open; 1. apèrto, manifèsto, franco, sincèro, accessíbile. — **account**, conto corrente. Keep the account —, mantenere aperto il conto. To — an —, aprire un conto corrente, accendere una partita. — **air**, aria libera. — **to attack**, esposto all' assalto, agli attacchi. — **boat**, imbarcazione senza coperta. — **carriage**, vettura scoperta. — **country**, campagna aperta, rasa. In — **court**, in piena udienza. — **enemy**, nimico dichiarato. — **fields**, campi aperti. Keep — **house**, tener tavola imbandita, aver la casa aperta a tutti. Half —, socchiuso. — **mind**, animo libero, *see* Open-minded. — **order** of attack, ordine aperto di attacco. — **question**, questione pendente, indecisa. The river is —, il fiume è libero. — **road**, strada libera. — **sea**, alto mare. — **season**, stagione mite. — **secret**, segreto conosciuto a tutti, segreto della comunità, di Policinella. — **shame**, onta pubblica. — **sore**; piaga marciosa. In the — **street**, in piena via. — **subject**; argomento da discutersi francamente. — **to the south**, esposto al mezzogiorno. — **weather**, tempo dolce. Wide —, spalancato, tutto aperto. —work, lavoro a giorno, a trafori. — wound, ferita non cicatrizzata.

2. Break —, scassinare, *see* Break. Cut —, aprire (con scalpello), tagliare la pelle, la tela o altro di un involto, aprire (tagliando). Get —, far aprire, riuscire ad aprire, aprirsi. Lay —, far vedere, metter a nudo, scoprire, śvelare. Lie —, esser esposto. Split —, féndere, spaccare. Spread —, spiegare, sciorinare, scartare.

3. To —, aprire (porta, finestra, bracchia, mano, occhi, orecchi, ascesso, bocca, festa da ballo, cuore, spirito ecc.), schiudere, allargare; aprirsi. *See below*, (4). — communications, entrare in comunicazione. — fire, cominciare il fuoco. — negotiations, intavolare conversazioni. — the subject, cominciare la discussione. The flowers are -ing, i fiori śbocciano. The harbour -ed to their view, il porto apparve al loro sguardo. The school -ed yesterday, la scuola cominciò ieri. — into, dare in, metter in. To half —, schiudere alquanto, aprire a mezzo. — wide, spalancare, *see above*.

4. sturare (bottiglia); sciogliere, disfare (involto, pacco); spiegare (giornale, foglie); avviare, intavolare (discussione, dibattimento); dissigillare, forare, bucare, traforare (muro ecc.); intaccare (pelle), fare un' incisione in.

Open-er; arnese per aprire; primo oratore, chi intavola una discussione. Eye —, cosa che schiude gli occhi. **-eyed**; vigilante, scïenteménte. **-handed**; generóso, liberale. **-handedness**; generosità ecc. **-hearted**; dal cuore largo, sincèro, franco. **-heartedly**; in modo sincero ecc. **-heartedness**; franchézza *f.*, sincerità *f.*

Opening; apertura *f.*; sparato *m.*; fessura *f.*, spacco *m.*; principio *m.*, eśòrdio *m.*, prime frase di un discorso; opportunità *f.*, prospettiva di affari vantaggiosi, via per esitare le merci; entrata *f.*, buco *m.*, feritóia *f.* Great ugly —, stanfèrna *f.* Find an —, aver l' opportunità di farsi valere. — price, prezzo di apertura.

Open-ly; apertaménte, pubblicaménte, francaménte, senza rigiri, chiaraménte. **-minded**; disposto ad ascoltare, pronto ad accettare le proposte altrui, disposto a dar retta alle opinioni altrui, senza prevenzioni. **-mouthed**; a bocca spalancata. **-ness**; situazione scoperta; franchézza *f.*, sincerità *f.*, l' esser aperto ecc., *see* Open (1); mitézza *f.* (di stagione).

Opera; òpera *f.* Comic —, opera buffa. **-glass**; binòcolo *m.*, cannocchialètto *m.* **-hat**; gibus *m.* **-house**; teatro dell' opera. **-tic**; di opera, lirico.

Operat-e; operare. **-ing**; — table, theatre, tavola, sala per operazioni chirurgiche. Photographer's — room, laboratorio di fotografia. **-ion**; operazióne *f.*, manòvra *f.*; effètto *m.* Scene of **-s**, scacchière *m.* **-ive**; lavorante *m.*, operaio *m.*, òpra *f.*; -ívo. **-ives**; maestranze *f. pl.* **-or**; -óre *m.*

Oper-culum; -colo *m.* **-etta**; *id.*

Opin-e; pensare, esser del parere, opinare. **-ion**; opinióne *f.*, giudízio *m.*, parére *m.*, avviśo *m.*, sentènza *f.* Legal —, memoria legale. High —, alta idea, buona opinione, stima *f.* Decided —, opinione ferma. **-ionated**; ostinato nelle proprie idee.

Opi-um, -ate; òppi-o *m.*, -ato *m.*

Opossum; saríga *f.*

Opponent; avversario *m.*, oppositóre *m.*, opponènte *m.*

Opportun-e; -o, conveniènte, convenévole. **-ely**; -aménte, a proposito. **-eness**; l' esser -o ecc. **-ism**; -iśmo *m.* **-ist**; -ista *m.* **-ity**; -ità *f.*, occaśióne *f.* If I get the —, se mi capita l' opportunità. Let the — slip, lasciarsi sfuggire l' opportunità. Improve the —, approfittare dell' occasione.

Oppos-e; oppórre, contrappórre, opporsi a, resistere a, contrastare. **-ed**; contrário. **-er**; avversário *m.* **-ing**; oppósto. **-ite**; oppósto, di faccia a, di rimpetto. The — bank, la riva opposta. **-itely**; in senso opposto, contrariaménte. **-ition**; -izióne *f.*, resistènza *f.*

Oppress; opprímere. **-ion**; oppressióne *f.*; abbattiménto *m.*, scoraggiaménto *m.* **-ive**; oppressívo, opprimènte; pesante (tempo), afóso. **-ively**; tirannicaménte, in modo opprimente. **-iveness**; l' esser oppressivo ecc. **-or**; oppressóre *m.*

Opprobri-ous, -ously, -ousness, -um; obbrobri-óso, -osámente, carattere oltraggioso; -o *m.*, diśonóre *m.*

Oppugn; contrastare.

Opt-ative; ottatívo, potenziále. **-ic**; òttico. **-ician**; òttico *m.* **-ics**; òttica *f.* **-imism, -imist**; ottimis-mo *m.*, -ta *m.* **-imistic**; ottimista. **-ion**; scèlta *f.*, opzióne *f.* **-ional**; facoltatívo. Be —, essere a scelta.

Opulen-ce, -t; -za *f.*, -to.

Or; o, od, oppúre, senza di che, se no. — else, altriménti.

Orac-le, -ular, -ularly; -olo *m.*, d' -olo, da -olo.

Oral, -ly; -e, -ménte.

Orange; aráncia *f*. Seville —, arancia forte. Blood, Maltese —, arancia sanguigna. Mandarin —, arancia mandarina. **-ade**; aranciata *f*. **-blossom**; fiore d' arancio. **-chips**; scorze d' arancia candite. **-coloured**; rancio. **-flower water**; acqua nanfa. **-girl**, **-woman**; aranciáia *f*. **-house**, **-ry**; arancièra *f*. **-peel**; scorza d' orancia. **-tree**; aráncio *m*.

Orang-outang; orangotàn *m*.

Orat-ion, **-or**, **-orical**, **-orically**, **-orio**; orazióne *f*., -tóre *m*., -tòrio, -toriaménte, -tòrio *m*. **-ory**; 1. arte -oria. 2. -òrio *m*.

Orb; òrbe *m*., glòbo *m*. **-it**; -ita *f*.

Orchard; fruttéto *m*. Apple, Pear, Cherry —, pométo *m*., peréto *m*., ciliegéto *m*. *See* Plantation.

Orchestr-a, **-al**, **-ation**; -a *f*., -ále, -azióne *f*.

Orchi-d; -dèa *f*. **-s**; òrchide *m*.

Ordain; comandare, decretare, prescrívere; ordinare (prete).

Ordeal; pròva *f*., ciménto *m*.

Order; órdine *m*., ordinazióne *f*., régola *f*., comando *m*., ordinanza *f*., decrèto *m*.; classe *f*., spècie *f*.; mandato *m*., bigliétto *m*. — to view, permèsso *m*. Postal —, Post Office —, vaglia postale. — of the Bath, Garter, ordine del Bagno, della Giarrettiera. Religious —, ordine religioso. Work of the highest —, opera di primo ordine. Holy -s, ordini sacri. Chronological —, ordine cronologico. Public —, l' ordine pubblico. — for clothes, ordinazione di vestiti. In full working —, in piena efficenza. Bill, Cheque, to —, cambiale, scecche, all' ordine. In —, in regola, nelle regole. Out of —, contrario al buon ordine, fuori delle regole. Out of its right —, fuor del suo posto. In bad —, Not in —, guasto, incapace d' agire. Call to —, richiamare all' ordine. Set in —, assettare, mettere in assetto. Keep in good —, tenere in buono stato.

In — that, acciò che, perchè. In — to, per, a fine di, collo scopo di. In — to let him get, perchè egli acquisti.

To —, ordinare, comandare, intimare, far chiamare (carrozza), far attaccare (i cavalli), commissionare (effetti), prescrívere, farsi fare. Well -ed, bene ordinato. — about, mandare da destra a sinistra, da una parte e dall' altra. — away, off, dire d' andarsene. — back, dar l' ordine di ritornare. — down, far scendere, ordinare di discendere. — in, far entrare. — out, far uscire, ordinare di uscire, metter alla porta.

Order-book; libro d' ordini.

Orderly; soldato che fa da staffetta, ordinanza *f*. Street —, spazzino pubblico. Mounted —, ordinanza a cavallo. As *adj*., regolare, metòdico, ben regolato, in buon ordine.

Orders; conségne *f*. *pl*., disposizióni *f*. *pl*., ordini *m*. *pl*. In accordance with — received, giusto gli ordini ricevuti. Leaving —, lasciando l' ordine. In pursuance of —, in ubbidienza all' ordine. At my —, a mia disposizione. Till further —, fino a nuovo ordine.

Ordin-al; -ále. **-ance**; -anza *f*. **-arily**; -ariaménte, di solito. **-ary**; -ário, sòlito. Dine at the —, pranzare alla tavola rotonda. **-ate**; -ata *f*. **-ation**; -azióne *f*.

Ordnance; artiglieria *f*. **-map**; carta dello stato maggiore.

Ordure; lordura *f*.

Ore; minerále *m*., il metallo grezzo colla ganga.

Organ; òrgano *m*. **-ic**, **-ically**, **-isable**, **-isation**, **-ise**, **-iser**, **-ism**, **-ist**; -ico, -icaménte, -iżżábile, -iżżazióne *f*., -iżżare, -iżżatóre *m*., -iṡmo *m*., -ista *m*.

Organ-blower; tiramántici *m*. **-builder**; fabbricante di organi. **-loft**; tribuna dell' organo. **-pipe**; canna d' organo. **-zine**; organżíno *m*.

Org-asm; -aṡmo *m*. **-y**; -ía *f*.

Oriel window; finestra gotica in accollo.

Orient, **-al**; -e *m*., -ále. **-ation**; l' -arsi.

Ori-fice; -fizio *m*. **-flamme**; -fiamma *f*.

Origin; -e *f*. **-al**; -ále, primitívo; -ário. The — estate of the family, la sostanza originaria della famiglia. **-ality**; -alità *f*. **-ally**; -alménte. **-ate**; nascere, far nascere, originare, trarre (da), provenire. **-ating in**; -ario di. **-ation**; -e *f*., creazióne *f*. **-ator**; autóre *m*., chi diede le mosse a.

Oriole; rigògolo *m*.

Orisons; preghière *f*. *pl*.

Orleans cloth; aleppína *f*.

Orlop deck; corridóio *m*., falso ponte.

Ormolu; bronzo dorato.

Ornament, **-al**, **-ally**; -o *m*., -ále, -alménte. **-ation**; -azióne *f*., ornato *m*.

Ornate; elegante, assai ornato. **-ly**; in modo ornato.

Ornitholog-ist, **-y**; ornitòlog-o *m*., -ía *f*.

Orphan; òrfan-o *m*., -a *f*. **-age** *or* **-asylum**, **-ed**, **-hood**; orfan-otròfio *m*., reso -o, -ézza *f*.

Or-piment; -piménto *m*. **-rery**; planetário *m*. **-ris-root**; radice di giaggiolo. Powdered —, farina di giaggiolo. **-thodox**, **-thodoxy**; ortodoss-o, -ía *f*. **-thography**; -tografía *f*. **-thopedic**; -topèdico. **-tolan**; -toláno *m*. **-yx**; órice *m*.

Oscan; òsco, *pl*. osci.

Oscilla-te, **-tion**, **-tory**; **-re**, -zióne *f*., -tòrio.

Oscul-ating; -atóre.
Osier; salcio da ceste. **-bed**; salcéto *m.*
Os-munda; -mónda *f.* **-prey**; ossífrago *m.*
Oss-eous, -icle, -ification, -ify, -uary; -eo, -icíno *m.*, -ificazióne *f.*, -ificarsi, -ário *m.*
Ostend; Ostènda *f.*
Ostens-ible; -íbile, pretéso. **-ibly**; come si pretende.
Ostent-ation; -azióne *f.*, fasto *m.*, bòria *f.* **-atious**; borióso, pompóso. **-atiously**; boriosaménte, con ostentazione.
Ostler; mozzo di stalla, stallière *m.*
Ostraci-se, -sm; -żżare, -śmo *m.*
Ostrich; struzzo *m.*
Ostrogoth; Ostrogòta *m.*
Other; altro. On the — side, dall' altra parte. On the — hand, d' altra parte, dall' altra parte, dall' altro canto, dall' altro partito. Each —, l' un l' altro, gli uni gli altri. The — way about, a contrasto, inversamente, al contrario. — people's, altrui. **-wise**; se no, altriménti, diversaménte. — known as, anche conosciuto sotto il nome di.
Otiose; ozióso.
Otter; lóntra *f.* **-hound**; bracco da lontra.
Otto of roses; essenza di rose.
Ottoman; -o. — sofa, ottomána *f.*, diváno *m.*
Oubit; bruco peloso.
Oubliette; prigione sotterranea.
Ought; 1. zèro *m.* 2. dovére, biśognare. It — to be somewhere here, deve esser in qualche posto qui vicino. It — to have been here, doveva esser qui, avrebbe dovuto esser qui. It — to be so, dovrebbe esser così. You — to have gone on Tuesday, avreste dovuto partire martedì.
Ounce; 1. óncia *f.* 2. pantèra *f.*
Our; nòstro. **-s**; il nostro. It was no business of —, non ci riguardava. **-selves**; noi stessi, ci. We sheltered —, ci siamo messi al riparo.
Ousel; Water —, merlo acquaiolo. Ringed —, merlo col collare.
Oust; śloggiare, spossessare.
Out; fuòri; uscíto; spènto, finíto; pubblicato. Al "cricket," fuori del giuoco. — **and** —, a fondo, matricolato, arci-. — **and home**, (viaggio) di andata e ritornata. — **at elbows**, con vestito logoro, *fig.* in povera condizione. Just come —, appena uscito; novità *f.* — **loud**, ad alta voce, forte. All sails —, con tutte le vele spiegate. The **sun** is —, c' è sole. A thousand francs —, in perdita di mille lire; mille lire diverso dalla somma giusta.

Be —, 1. non esser a casa. 2. śbagliarsi. 3. scapitare, non rifare le spese. Fight it —, combattere a oltranza, disputarsi fino alla fine. Have it —, 1. farla finita, *see* Fight it out. 2. farsi strappare un dente. 3. — — — with, votare il sacco con. Laugh —, *see* Outright. Place —, collocare. See it —, vederne la fine. Speak —, parlare forte.
Out of, per, da, fra; sénza. Not — — generous feeling, non per un sentimento generoso. — — my power, al di là del mio potere. It is copied — — Muratori, è copiato dal Muratori. To drink — — a glass, bere in un bicchiere. Be, Feel, rather — — it, 1. stare, sentirsi poco al suo agio. Be — — it, 2. non prendervi parte, non esserne responsabile. 3. non averne in casa, o in magazzino. Be, Get, well — — it, 1. esserne felicemente scappato, esserne scappato con la pelle intera. 2. esserne già una buona distanza uscito. — — **breath**, affannato, senza respiro. Be — — —, non aver più fiato. — — **business**, ritirato dagli affari. Put, Stare — — countenance, sconcertare, fissare in modo da sconcertare. — — **court**, senza mezzi per sostenere le sue ragioni. — — **danger**, fuor di pericolo. — — **date**, troppo vecchio per esser pagato, non più corrente, invecchiato. — — **fashion**, non più di moda. — — **hand**, indisciplinato; súbito, su quel subito, immediataménte. — — one's **head**, di sua propria invenzione, spontaneaménte. — — **the house**, fuori di casa. Grown — — all knowledge, cresciuto tanto che non lo si riconosce più. — — **place**, male a proposito, male a posto, mal posto, inopportuno, fuor di luogo. — — **print**, eśaurito, fuor di commercio. — — **my reach**, al di là della mia portata. — — **sight**, fuori di vista, perduto di vista, lontano. Get — — my sight! toglietevi dalla mia presenza! Times — — number, più volte che si potessero contare. Three times — — four, tre volte su quattro. — — **the way**, fuor di mano, fuor di via, fuor di strada. — — the way! via! — — the way expression, espressione poco usitata. An — — the way place, un luogo fuor di via. Go — — one's way, 1. prender falsa strada, śviare. He sent us ten miles — — our way, egli ci fece prender dieci mila di falsa strada. 2. darsi della pena, scomodarsi. Get — — the way, allontanar-e, -si. I was sorry to be — — the way when you called before, mi rincrebbe di non esser là in casa quando Ella è venuta prima. Put — — the way, sbarazzarsi di, uccídere; non

lasciar essere a noia. Send the youngsters — — the way, mandate i giovani da parte. — — work, senza lavoro.

Out-balance; pesare di più, guadagnarla su. **-bid**; offrir di più di. He — me, egli fece un' offerta superiore alla mia. **-break**; scòppio *m.*, sfuriata *f.*, eruzióne *f.* **-building**; dipendènza *f.* -s, annessi e connessi. **-burst**; esplošióne *f.*, scòppio *m.*, sfuriata *f.* **-cast**; proscritto *m.*, pária *m.*, miserábile *m.* or *f.* **-classed**; soverchiato da tutti i suoi concorrenti. **-come**; risultato *m.*, portato *m.*, frutto *m.* **-crop**; affioraménto *m.* **-cry**; grido *m.*, clamóre *m.* **-dare**; affrontare. **-distance**; sorpassare, lasciar indietro. **-do**; víncere, sopraffare, sorpassare, soverchiare. **-door**; all' aria aperta. — servant, servo che dorme fuori. — relief, assistenza domiciliare. **-er**; estèrno, esterióre. **-ermost**; il più esterno, posto all' estremo limite. **-face**; soverchiare sfacciatamente. **-fall**; fóce *f.*, imboccatura *f.* **-fit**; corrèdo *m.*, dotazióne *f.* **-fitter**; fabbricante d' abiti, fornitóre *m.* **-flank**; girare, stendere il fianco al di là di quello del nimico. **-flow**; emissário *m.*, uscíta *f.*, scaricaménto *m.* **-general**; vincere in tattica. **-go**, **-goings**; spése *f. pl.*, šbórsi *m. pl.* **-going**; che lascia (un podere). **-grow**; 1. divenire troppo grande per. He has -n his clothes, è cresciuto tanto che i suoi abiti non gli fanno più. 2. ricredersi di, sbarazzarsi di (cattiveria fanciullesca). The nation had -n its old institutions, la nazione era cresciuta, le sue vecchie istituzioni non le andavano più. **-growth**; escrescènza *f.* **-haul**; tira-fuóri *m.*, ala-fuóri *m.* **-herod**; farne più di quelle che ne ha fatto un' altro. **-house**; tettóia *f.*, capanna *f.*, baraccóne *m.*, granáio *m.* **-ing**; scampagnata *f.*, passeggiata *f.* **-landish**; strano, biżżarro. **-last**; durare più di, sopravvivere a. **-law**; proscritto *m.*; bandire. **-lawry**; proscrizióne *f.* **-lay**; spésa *f.*, šbórso *m.* **-let**; èšito *m.*, sfógo *m.*, šbòcco *m.*, uscíta *f.*, scólo *m.*, emissário *m.* **-lier**; pezzo staccato. **-line**; contórno *m.*, schizzo *m.*, abbòzzo *m.*, tráccia *f.* — map, carta muta. To —, tracciare, abbozzare. **-live**; sopravvívere a. **-look**; prospettíva *f.*, prospètto *m.*, modo di pensare le cose. **-lying**; lontáno, appartato. **-manœuvre**; sventare i piani di, vincere nel manovrare. **-march**; camminare più presto di. **-number**; sorpassare in numero. **-pace**; *see* Out-march. **-patient**; malato esterno. **-post**; posto avanzato. **-pouring**; effušióne *f.* **-put**; produzióne *f.*, prodótto *m.*, rendiménto *m.* **-rage**; oltrággi-o *m.*, -are. **-rageous**; enòrme, oltraggióso, vergognóso. **-rageously**; in modo enorme ecc., in modo indegno. **-rageousness**; enormità *f.*, carattere oltraggioso ecc. **-reach**; stender la mano più in là di. **-rider**; battistrada *m.* **-rigger**; bracciolo sporgente di una barchetta; barchetta da corsa con scalmi portati su braccioli sporgenti. **-right**; Laugh —, ridere a bocca aperta, sgangheratamente, scoppiare di riso. **-rival**; superare. **-run**; oltrepassare (correndo). — the constable, spender più di quel che si ha. **-set**; princípio *m.*, avviaménto *m.* **-shine**; eclissare, sorpassare in splendore. **-side**; estèrno, esterióre; parte esteriore. As *adv.*, a parte, fuóri, là fuori, esterioménte. As *prep.*, eccètto, all' infuori di. On the — of a carriage, sul tetto, sull' imperiale. The — of roast meat, rošolato *m.* — broker, agente di cambio estraneo alla Borsa. At the —, At the very —, al più, tutt' al più. — car, calesse irlandese. **-sider**; estráneo *m.*, profáno *m.*; cavallo creduto dappoco. **-skirts**; sobbórghi *m. pl.* **-span**; staccare. **-spoken**; chiaro e tondo, nétto, ardíto. **-spokenness**; franchézza *f.* **-spread**; spiegato. **-standing**; in pendenza, in sospeso, aperto (conto). — debt, pendènza *f.* **-stay**; To — one's welcome, prolungare una visita a dispetto dell' ospite. **-stretched**; distéso, stéso. **-strip**; oltrepassare, sorpassare. **-talk**; far tacere a furia di parlare. **-vote**; vincere nella votazione. Be -d, aver la minoranza alla votazione. **-walk**; stancare camminando senza stancare sè stesso; camminare più presto di. **-ward**; estèrno. **-wardly**; a seconda delle apparenze esteriori, esterioménte, esternaménte. **-wards**; verso l' esteriore, dalla parte esteriore. **-weigh**; pesare più di. This drawback is enough to — all the advantages of the plan, quest' inconveniente è più di bastante per contrappesare tutti i vantaggi del progetto. **-wit**; gabbare, metter in sacco, truffare. **-work**; opera avanzata, antimuro *m.*

Outr-ance; oltranza *f.* **-é**; biżżarro.

Ova-l; -le. **-rian**; -rico. **-tion**; -zióne *f.* **-ry**; -rio *m.*

Oven; fórno *m.*

Over; 1. su, sópra, di sopra, al di sopra, per, durante, attravèrso, attraverso di, da una parte all altra. 2. In composition, tròppo, all' eccesso, stra-, *see* Over-anxious, Over-full etc. — against, in faccia a, dirimpetto a. — the way, dall' altra parte della strada. All — the country, per tutto il paese. All the world —, per tutto il mondo. — the hills, al di là delle colline. — his head, al di sopra della sua testa. Be —, 1. esser finito. 2. avanzare. Be — sixty, aver più di sessant' anni. Give —, tralasciare. Turn —, voltare, *see* Turn. All —, finíto. It is all — with him, è bell' e spacciato. The danger is —, il pericolo è passato. All — the place, in disordine. — and above, óltre. — and — again, molte volte, tante e tante volte. All — mud, tutto coperto di fango. — a hundred persons, oltre un centinaio di persone.

Over-abound; sovrabbondare. **-act**, esagerare da parte d' un attore. **-all**; soprábito *m.*, palton leggero, còtta tutta *f.* **-alls**; calzoni grossolani messi sopra i calzoni proprii, sopraccalzóni *m. pl.* **-anxious**; troppo desideroso (avido, inquieto). **-arching**; incurvato a guisa di volta. **-awe**; far stare a segno, intimidire, mettere o tenere in soggezione. **-balance**; ṡbilanciare, tracollare. **-bear**; domare. **-bearing**; imperióso. An — man, un prepotènte, un mangiatutti. **-bearingly**; da prepotente. **-bid**; *see* Outbid. **-blown**; coi petali mezzo staccati. **-board**; fuori bordo, nel mare. Washed —, asportato dal mare. **-boil**, **-build**; *see* Over (2). **-bold**; ardito all' eccesso. **-boldly**; con troppa baldanza. **-burden**; sovraccaricare. **-busy**; troppo affaccendato. **-careful**; troppo premuroso. — about, che pensa troppo a. **-carefully**; troppo minuziosamente, con soverchia premura. **-cast**; 1. cucire a sopraggitto. 2. fare un totale al di sopra del vero (sommando). 3. (cielo) nuvoloso. **-charge**; 1. chiedere un prezzo esorbitante, far pagare troppo caro. 2. sopraccaricare. **-cloud**; rannuvolare. **-coat**; soprábito *m.*, paltòn *m.*, sopraggiubba *f.* **-come**; superare, soverchiare, esser superiore a, sormontare, sopraffare, conquistare. — by his emotions, vinto dalle sue emozioni. **-confident**, **-credulous**; *see* Over (2). **-count**; arrivare contando ad un totale troppo alto. **-crowd**; ingombrare con troppa roba o troppa gente. **-develope**; svilupparsi troppo presto per la sua età; lasciar una negativa troppo lungo tempo nel bagno. **-do**; eṡagerare; sopraffare, strapazzare; far cuocere troppo. — it, — oneself, faticarsi troppo. **-done**; arrivato. **-dose**; dose troppo forte, somministrare una tale. **-draft**; trazione allo scoperto. **-draw**; trarre allo scoperto. **-drawn**; (quadro) esagerato. **-dressed**; vestito troppo sfarzosamente. **-drive**; far camminar troppo presto; strapazzare (impiegato). **-due**; (effetto) in sofferenza, in ritardo. **-eager**, **-earnest**; *see* Over (2). **-eat**; caricarsi lo stomaco. **-estimate**; stima troppo alta, stimare troppo alto. **-excite**, **-excitement**; sopreccit-are, -azióne *f.* **-exert**; — oneself, sforzarsi troppo, fare al di là delle proprie forze. **-exertion**; lo sforzarsi troppo. **-fatigue**; fatica eccessiva; affaticare troppo, strapazzare. **-fed**; ingrassato per troppo cibo. **-feed**; dar troppo da mangiare, impinzare. **-fill**; riempiere troppo, rimpinzare. **-fish**; pescare troppo in, far scemare i pesci in. The river has been -ed, i pesci nel fiume sono scemati di numero per troppa pescagione. **-flow**; scárico *m.*; traboccare, straripare; inondare; abbondare, rigurgitare. — meeting, un' assemblea supplementare. — pipe, tubo di troppo pieno. **-fond**, **-forward**, **-greedy**; *see* Over (2). **-full**; strapièno, troppo pieno. **-grown**; cresciuto troppo per la sua età; coperto d' erbaggio, d' edera, di macchie ecc. **-hand**; al "cricket," colla mano alzata più alta del gomito, o al "baseball," più alta della spalla. **-hang**; esser sospeso su; pendere in fuori, strapiombare, aggettare, stare o essere in accollo. **-hanging**; a strapiombo. **-happy**, **-haste**; *see* Over (2). **-hastily**; con troppo fretta, troppo precipitosamente. **-hastiness**; carattere troppo impetuoso, troppa impetuosità. **-hasty**; troppo in fretta. **-haul**; 1. eṡaminare, ispezionare, ripassare. 2. raggiúngere. **-head**; in sù, al piano di sopra. **-hear**; sentire per caso, carpire. I listened and -heard his secret, stetti attento e carpii il suo segreto. **-heat**; scaldare troppo. Get -ed, bruciare. **-housed**; con una casa troppo grande per le nostre entrate. **-issue**; emissione eccessiva. **-joyed**; lietissimo, strafelíce. **-labour**; elaborare troppo, strafare. **-land**; per terra. **-lap**; accavalcare; *intr.* ricoprirsi dagli orli, *fig.* (di impieghi o associazioni) che occupano in parte lo stesso terreno. **-large**, **-lavish**; *see* Over (2). **-lay** (*print.*); tacco *m.* To —, ricoprire, incrostare; soffocare (bambino) in letto. **-leaf**; dall' altra parte della pagina. **-load**, **-long**; *see* Over (2). **-look**; 1. dominare dall' alto, esser a cavaliere di, sovrastare. 2. sorvegliare, soprintèndere, soprastare. 3. lasciare inosservato, non osservare, trascurare, non accorgersi di. 4. perdonare. 5. dare il mal occhio. **-looker**; soprastante *m.*, soprintendènte *m.*

-lord; feudatorio superiore. **-lying**; sovrimpósto. **-man**; chi ha in carico le opere sotterranee d' una miniera. **-manned**; con troppo personale. **-mantel**; intelaiatura sopra il cammino. **-mastering**; prepotènte, dominante. **-matched**; inferiore in forza, sopraffatto. **-measure**; soprammiṡura *f.* **-modest**; *see* Over (2). **-much**; tròppo. **-night**; la sera precedente. **-paid**; troppo salariato. **-pay**; pagar troppo. **-peopled**; tróppo popolato. **-persuade**; persuadere di fare il contrario del proprio giudizio, costringere suo malgrado. **-plus**; soprappiù *m.* **-power**; sopraffare, domare, vincere la resistenza di. **-powering**; schiacciante, dominante, che sopraffà, ineluttábile. **-poweringly**; irresistibilménte. **-praise**, **-press**, **-prize**; *see* Over (2). **-production**; produzione in eccesso della domanda. **-prompt**, **-proportioned**, **-proud**, **-provident**; *see* Over (2). **-rate**; stimar troppo alto. **-reach**; ingannare, truffare. — oneself, ingannarsi cercando di ingannare. **-refined**; sopraffino, troppo sottile. **-refinement**; sottigliezza esagerata. **-ride**; 1. metter da parte, metter sotto i piedi, non far niente caso di, scartare. 2. vincere in importanza. **-ripe**; strafatto, márcio. **-roast**; *see* Over (2). **-rule**; decidere contro. I was -d, il mio parere non venne accettato. **-ruling**; che governa tutte le cose. **-run**; invádere, scórrere, far scorrerie per; coprire interamente, spandersi sopra; infestare. The house is — with rats, tutta la casa è infestata dai topi. **-scrupulous**; meticolóso, troppo scrupoloso. **-seas**; oltremáre. **-seer**; soprintendènte *m.*, ispettóre *m.*, capofábbrica *m.*; ufficiale parrocchiale. **-sell**; vender più che di quel che si ha. **-set**; *see* Overturn. **-shadow**; gettar un' ombra su, ombreggiare, *fig.* oscurare, eclissare. **-shoe**; calòscia *f.*, controscarpa *f.* **-shoot**; oltrepassare (il segno). **-shot**; (ruota) spinta da acqua che vi cade da di sopra. — wheel, ruota a secchielli. **-sight**; ṡvista *f.*, ṡbáglio *m.* **-sleep**; dormire troppo. — oneself, dormir oltre l' ora giusta. **-sleeve**; soprammánica *f.* **-spend**; spender più di quel che sarebbe prudente. **-spread**; spandersi sopra. **-state**; eṡagerare, caricare. **-stay**; — one's time, restare oltre l' ora dovuta. **-step**; oltrepassare, traṡgredire. **-stock**; approvvigionare più del necessario, riempire troppo, metter troppo bestiame in. **-stocked**; ingombrato. **-strain**; stringere all' eccesso. — oneself, sforzarsi troppo. **-strained**; eṡagerato, troppo forzato, strapazzato. **-stretched**; troppo teso. **-strewn**; sparso, tempestato. **-strong**, **-sure**; *see* Over (2). **-strung**; sovreccitato. **-supply**; sovrabbondanza *f.*, offerta in eccesso della richiesta.

Overt; apèrto.

Over-take; raggiúngere, sorprèndere (temporale). **-task**; far far soverchia fatica, imporre un lavoro troppo forte a, sopraccaricare. **-tax**; tassare eccessivamente, gravare di troppe imposte. **-throw**; rovína *f.*, disfatta *f.* To —, rovesciare, disfare, rovinare, sconfíggere. **-time**; ore di lavoro straordinarie. **-tire**; strapazzare, stancare all' eccesso. **-tired**; spossato. **-top**; soprastare, sorpassare, elevarsi al di sopra di, superare. **-trade**; fare affari al di sopra dei suoi mezzi. **-trading**; commercio superiore alle risorse del negoziante.

Overture; propósta *f.*, offèrta *f.*; preludio *m.*

Over-turn; rovesciare, sovvertire, mandar sossópra, capovòlgere, ribaltare. Be -ed, dar balta. **-value**; stimare oltre il valore, valutare troppo alto. — oneself, aver un' idea troppo alta di sè. **-weening**; preṡuntuóso, eccessívo. **-weight**; eccedente di peso, soprappiù di peso. **-whelm**; coprire con un monte di roba, investire, sopraffare, spandersi dappertutto su, rovinare su, piombare su. -ing proofs, prove schiaccianti. **-whelmingly**; in modo schiacciante, accasciante. **-wise**; *see* Over (2). **-work**; strapazzare, far lavorare troppo. As *sb.*, troppo lavoro, il lavorare troppo. Overwork (verbo) ha due participii passati, cioè in senso fisico, -worked, in senso morale, -wrought. **-wrought**; sovreccitato, spossato.

Ov-iduct; -idótto *m.* **-iparous**; -íparo. **-oid**; -oidále. **-ule**; -olo *m.*

Owe; dovére, esser obbligato o tenuto. Be -d by, avanzare da. Do I — you anything? che avanza Ella da me?

Owing; dovuto; grazia a, a cagione di, dietro a, da attribuirsi a. That is — to, ciò proviene da.

Owl; gufo *m.* Barn, white *or* screech —, allocco bianco, barbagianni *m.* Brown, *or* short-eared —, gufo di padule, strige stridula. Little —, civétta *f.* Little horned —, assiòlo *m.*, alloccherèllo *m.*, chiù *m.* Long-eared —, gufo *m.*, allocco *m.*, gufo selvatico. Eagle —, gufo reale, barbagianni selvatico.

Owlish; da gufo.

Own; pròprio. My — self, io stesso. Without a penny of his —, senza due soldi di suo. I cannot call it my —, non ne dispongo a piacere mio. One of Lucia's —, uno di quelle di Lucia. He bought the house for his —, acquistò la casa in proprio. At his — house, presso di lui, a casa sua. He wrote it with his — hand, lo scrisse di propria mano. Let me have my —, datemi quello che è mio. Of his — accord, volentièri, di suo moto proprio. It is his — fault, è sua propria colpa. You don't know your — mind, proprio non sapete ciò che volete. To —, 1. possedére, tenére, esser padrone o proprietario di. 2. No one has -ed it, nessuno l' ha reclamato. 3. confessare. — oneself unable to, riconoscersi per incapace di. He -ed he had been weak, si riconobbe per esser stato indulgente. **-er**; proprietário *m.*, padróne *m.*; (ship) armatóre *m.* **-ership**; proprietà *f.*, padronanza *f.*

Ox; bue *m.*, bòve *m.* **-alic**; ossálico. **-eye**; occhio-di-bue *m.*, margherita *f.*

Oxid-ation, -e, -ise; ossid-azióne *f.*, -o *m.*, -are.

Ox-lip; primavera maggiore. **-onian**; studente di Oxford.

Oxy-gen, -genate; ossígen-o *m.*, -are. **-genous**; in rapporto coll' ossigeno. **-hydrogen blow-pipe**; becco ossidrico. **-ton**; ossítono.

Oyster; òstrica *f.* **-bed**; ostricáio *m.* **-catcher**; beccaccia di mare. **-fishery**; pesca delle ostriche. **-knife**; coltello da ostriche. **-patty**; pasticcetto di ostriche. **-shell**; conchiglia di un' ostrica.

Ozone; ożòno *m.*

P

P; *pronunz.* Pi.

Pabulum; nutriménto *m.*, cibo *m.*

Pace; passo *m.*; velocità *f.* Go the — (gergo), menar vita boriosa. Keep — with, camminare del pari con. Put him through his -s, *fig.* esaminarlo sul suo modo di fare. To —, andare al passo, camminare. — out, misurare a passi. — up and down, andare in su e in giù, passeggiare avanti e indietro. **-maker**; cavallo che dà l' andatura di partenze alle corse.

Pachyderm, -atous; pachidèrmo.

Pacif-ic, -ically, -ication, -ier, -ism, -ist, -y; -ico, -icaménte, -icazióne *f.*, -icatóre *m.*, -iṡmo *m.*, -ista *m.*; -icare, calmare.

Pack; balla *f.*, pacco *m.*, żáino *m.*; muta di bracchi, branco di lupi, mano di ladri, mazzo di carte, accozzaglia di rottumi. To —, imballare, far fagotto, fare i bauli, metter in barile (aringhe); assicurare con stoppa (pistone). -ed jury, giurati scelti da parte dell' accusa. -ed meeting, riunione organizzata su una base partigiana. — off, mandar via senza far cerimonia. **-age**; pacchétto *m.*, còllo *m.* **-er**; imballatóre *m.* **-et**; pacchétto *m.*; piroscafo o vapore postale. **-horse**; cavallo da soma. **-ice**; agglomerazione di campi di ghiaccio. **-ing**; guarniture di pistone, badèrne *f. pl.* — case, cassa *f.* — needle, passacòrde *m.*, ago da balle. — paper, carta straccia. — sheet, tela da imballaggio. **-mule**; mulo da soma. **-saddle**; basto *m.* **-thread**; spago *m.*, cordicína *f.*

Pact; patto *m.*

Pad; guancialétto *m.*, cércine *m.*, cuscinétto *m.*, batúfolo *m.* Writing —, sottománo *m.* Fencing —, piastróne *m.* To —, imbottire, riempire di borra. **-cloth**; coperta da cavallo. **-ding**; bòrra *f.*, riempitura *f.*

Paddle; pagáia *f.*, pala *f.*; remare con la pagaia; ṡguazzare. **-box**; tambúro *m.* **-r**; rematóre *m.* **-shaft**; albero di ruota. **-steamer**; vapore a ruote. **-wheel**; ruota a pale.

Paddock; parco *m.*, chiuso *m.*, recinto *m.*

Paddy; 1. *raccorc.* di Patrick, soprannome per un Irlandese. 2. riso prima d' esser brillato, sia nei campi ossia mietuto. **-field**; risáia *f.*

Padlock; lucchétto *m.*; chiudere con lucchetto.

Padua, -n; Pádov-a *f.*, -áno.

Paean; peáne *m.* **-s**; peána *m. pl.*

Pagan, -ism; pagán-o, -èṡimo *m.*

Page; 1. página *f.*, numerare le pagine di. Make up into -s, impaginare. Top, Bottom of the —, alto, fondo della pagina. Double down the —, fare un' orecchia alla pagina. See on the back of the —! vedi retro! 2. pággio *m.*

Pageant; processione fastosa, cavalcata storica. **-ry**; pómpa *f.*, fasto *m.*

Pagoda; pagòda *f.*

Paid; *rem.* e *part.* di Pay.

Pail; sécchia *f.*, bigonciuòlo *m.* Milk —, sécchio *m.* **-ful**; secchiata *f.*

Pain; male *m.*, dolóre *m.*, (in the chest) péna *f.*; far dolore a, far soffrire, far male a, recar pena a; contristare, addolorare. — in the head, male di testa.

— in the ear, male all' orecchio. Under — of, sotto pena di. The -s of hell, le pene dell' inferno. Gouty -s, dolori della gotta. Where do you feel —? ove soffrite? *See* Pains.

Painful; doloróso, (operazione) penosa, affliggente, desolante. My knee feels —, mi duole il ginocchio. **-ly**; con dolore, con pena, penosaménte, faticosaménte. **-ness**; dolóre *m.* The — of the operation, il dolore che l' operazione reca.

Painless; senza dolore. **-ly**; senza dolore. **-ness**; l' esser senza dolore.

Pains; péna *f.*, fatíca *f.*, sollecitúdine *f.*, premúra *f.* Be at the — to, darsi la pena di. Take —, darsi premura, prender cura, affannarsi, esser sollécito. **-taking**; diligènte, premuróso, sollécito.

Paint; colóre *m.*; bellétto *m.*, rossétto *m.*; dipíngere, imbellettare. Wet —, colore fresco. — out, cancellare con colore fresco. **-box**; scatola da colori. **-brush**; pennèllo *m.* **-ed-lady**; farfalla del cardo. **-er**; 1. pittóre *m.* House —, pittore di edifizii. Historical —, pittore di soggetti storici. 2. barbétta *f.* **-ing**; pittura *f.*; quadro *m.* Water-colour —, acquerèllo *m.* — in oil, pittura a olio. Oil —, quadro a olio.

Pair; páio *m.*, paríglia *f.*; branca (di scale); coppia (di persone o animali); appaiare. To find a — (Parlamento), trovare una persona del partito opposto che s' impegnerà di astenersi al pari di noi da una qualunque votazione. **-ed**; impegnato siffattamente. **-ing**; appaiaménto *m.*

Pal (gergo); còmplice *m.*, amíco *m.*

Pal-ace; -azzo *m.* **-adin**; -adíno *m.* **-aeography** etc.; -eografía ecc. **-anquin**; -anchíno *m.*

Palat-able; saporíto, gradévole. **-al**; -âle. **-e**; -o *m.* **-ial**; grandióso. **-inate**; -ináto *m.* **-ine**; -íno.

Palaver; dicería *f.*, collòquio *m.*; confabulare, chiacchierare.

Pale; 1. palo *m.*; límiti *m. pl.*, confíni *m. pl.* 2. pállido, ṡmòrto, scialbo; impallidire, perder il colore. **-face**; Europèo *m.* **-ness**; pallidézza *f.*, pallóre *m.*

Palermo; Of —, palermitáno.

Pal-ette; tavolòzza *f.* **-frey**; palafréno *m.* **-impsest**; -insèsto *m.*

Pal-ing; stecconato *m.*, impalancato *m.*, palizzata *f.* **-inode**; -inodía *f.* **-isade**; steccon-áia *f.*, -are.

Palish; pallidétto.

Pall; cóltre *f.*, drappo mortuario. To —, perder l' attrattiva; non piacere più.

Pall-adium; -ádio *m.* **-et**; giacíglio *m.* **-iasse**; paglieríccio *m.*, saccóne *m.*

Palli-ate; -are. **-ation**; -azióne *f.* **-ative**; -atívo. **-d**; pallidétto. **-um**; -o *m.*

Palm; 1. Of the hand, palma *f. or* palmo *m.* Cabbage —, palma da cavolo. Cocoa-nut —, palma da cocco. Date —, palma da datteri. Oil —, palma oleifera. Dwarf fan —, palma di S. Pier Martire. 2. patta d' ancora. 3. — off as, — off upon as, dare ad intendere per, fare accettare per, far credere (storia), piantare su. Grease the -s, *fig.* ungere le mani. **-branch**; palma *f.* **-er**; palmière *m.* **-house**; serra da palme. **-istry**; chiromanzía *f.* **-oil**; olio di palma. **-Sunday**; domenica delle palme. **-tree**; palma *f.*, palmo *or* palmizio *m.* **-wine**; tòddi *m.* **-y**; glorióso, splèndido.

Palp-able; -ábile. **-ably**; -abilménte. **-ation**; -aménto *m.* **-ebral**; -ebrále. **-itate**; -itare. **-itation**; -itazióne *f.*

Pals-ied, -y; paralí-tico, -ṡi *f.*

Palter; usar sotterfugi.

Paltr-iness, -y; meschin-ità *f.*, -o, di piccola importanza.

Pampas; le pampas. **-grass**; ginèrio *m.*

Pampeluna; Pamplóna *f.*

Pamper; vezzeggiare, cibare troppo.

Pamphlet, -eer; opúscol-o *m.*, scrittore di -i.

Pan; padèlla *f.*, scodellíno *m.*, tèglia *f.*, terrína *f.* Baking —, tèglia *f.* Dripping —, ghiòtta *f.*, leccarda *f.* Foot —, bagno da piedi. Frying —, padella per friggere. Stew —, casseruòla *f.* Warming —, scaldalétto *m.* Flash in the —, successo di breve durata.

Pan-acea; -acèa *f.* **-ada**; pancòtto *m.*, panata *f.* **-ama**; — hat, pánama *m.* **-cake**; frittella speciale del Martedì grasso. **-creas**; *id.* **-dects**; pandétte *f. pl.* **-demonium**; -demònio *m.*

Pander; ruffiáno *m.*; fare il compiacènte, favoreggiare (la gente cattiva), mostrare una compiacenza indegna.

Pane; vétro *m.*

Paneg-yric, -yrist; -írico *m.*, -irista *m.*

Panel; távola *f.*, formèlla *f.*, scompartiménto *m.*, lista dei giurati, riunione stabilita ufficialmente per scopo sociale. To —, rivestire di legno. **-doctor**; medico condotto (che cura gli assicurati secondo la legge d' assicurazione inglese). **-ling**; lavoro a formelle.

Pang; dolore acuto, angóscia *f.*

Panic; pánico *m.* **-struck**; esterrefatto.

Pan-icle; pannòcchia *f.* **-nier**; panièra *f.*, cèsto *m.* **-nikin**; tazzetta di ferro. **-oplied**; armato da capo a piedi. **-oply**; -òplia *f.* **-orama, -oramic**; -oram-a *m.*, -ico. **-sy**; viola del pensiero.

Pant; ansare, trafelare, ansimare. — **after**, 1. anelare, desiderare ardente-

mente. 2. correr dietro ansimando. **-s**; *raccorc.* di Pantaloons.
Pantaloon; Pantalóne. **-s**; calzóni *m. pl.*
Panthe-ism, -ist, -istic, -on; panteiṡmo *m.*, -ista *m.*, -ístico, -óne *m.*
Panther; pantèra *f.*
Pant-ile; embrice a maschio e femmina. **-ing**; respirazione affannosa, l' ansimare. — for breath, trafelato. **-ingly**; ansando. **-omime**; mímica *f.*; dramma fantastico, pantomíma *f.*
Pantry; dispénsa *f.*
Pap; panbollíto *m.* **-a**; babbo *m.* **-acy, -al**; -ato *m.*, -ále.
Paper; carta *f.*, giornále *m.*, documénto *m.*; artícolo *m.*, sággio *m.* As *adj.*, di carta, cartáceo. To —, tappezzare, *see* Wall-paper. Do up in —, avvolgere nella carta. -s, certificati *m. pl.*, passapòrto *m.* Ship's -s, carte di bordo, ricápiti *m. pl.* **Blotting** —, carta assorbente o sugante, carta suga. **Cartridge** —, carta straccia. **Commerical** —, cambiali *f. pl.*, effetti commerciali. **Cream-laid** —, carta vergata. **Demy** —, carta quadrata. **Drawing** —, carta da disegno. **Emery** —, carta smeriglio. **Examination** —, foglio di esame, di questioni. **Fancy** —, carta fantasia. **Filtering** —, carta da filtrare. **Foolscap** —, carta ministro. **Hand made, Machine made** —, carta a mano, a macchina. **Music** —, carta da musica. **Note** —, carta da biglietti. **Packing** —, carta da imballaggio. **Porcelain** —, porcellana *f.* **Printing** —, carta da stampe. **Ruled** —, carta rigata. **Rice, Silk, Straw** —, carta di riso, di seta, di paglia. **Scribbling** —, carta comune. **Silver** —, carta argentata. **Stamped** —, carta bollata. **Test** —, carta di prova o reattiva. **Tissue** —, carta velina. **Toilet** —, carta toeletta. **Unsized** —, carta senza colla. **Vellum** —, carta velina da lettera. **Wall** —, carta di Francia, da muro o da parato, tappezzería *f.* **Waste** —, carta di rifiuto, cartacce *f. pl.* **Wrapping** —, carta per pacchi. **Writing** —, carta da scrivere.
Paper-cap; berretto di carta. **-case**; cartèlla *f.*, porta-carte *m.* **-chase**; caccia dopo dei pezzettini di carta. **-circulation**; circolazione cartacea. **-clip**; serracarte *m.* **-currency**; *see* Paper-circulation. **-cutter**; tagliacarte *m.* **-fastener**; *see* Paper-clip. **-hanger**; paratóre *m.*, chi tappezza i muri. **-knife**; *see* Paper-cutter. **-maker**; cartáio *m.*, fabbricante di carta. **-manufactory, -mill**; cartièra *f.* **-money**; carta moneta o monetata. **-reel**; filo di carta. **-seller**; cartoláio *m.* **-trade**; commercio della carta. **-weight**; calcafògli *m.*, calcalèttere *m.*, pressacarte *m.*
Papery; come la carta.
Paphos; Pafo *f.*
Papier-mâché; carta pesta.
Pap-illary; -illáre. **-ist**; -ista *m.* **-istry**; -iṡmo *m.* **-py**; mollíccio, flóscio.
Papua, -n; Papuáṡ-ia *f.*, -o.
Papyrus; papíro *m.*
Par; pari *m.* or *f.*, also *adj.* At —, alla pari. — of exchange, parità di cambio. On — terms, a condizioni pari. Above, Below —, al disopra, al disotto della pari. Pretty much on a —, press' a poco di forza uguale.
Parab-le; -ola *f.* **-ola**; -ola *f.* **-olic**; -òlico. **-olically**; allegoricaménte. **-oloid**; -olòide *m.* or *f.*
Para-chute; paracadute *m.* **-clete**; -clèto *m.*
Parade; parata *f.*, sfòggio *m.*; spianata *f.* To —, sfoggiare, far pompa di; disporre in parata, sfilare in parata; pavoneggiarsi. **-ground**; campo di Marte, piazza d' armi, campo di manovre.
Parad-ise; -íso *m.* **-ox, -oxical, -oxically, -oxicalness**; -òsso *m.*, -ossále, in modo -ossale, l' esser -ossale.
Paraffin; -a *f.*, -o *m.*, petròlio illuminante. **-oil**; olio di paraffina.
Paragon; A — amongst wives, una moglie imparagonábile. — of beauty, modello di bellezza incomparabile.
Paragraph; parágrafo *m.*, capovèrso *m.*; paragrafare. Beginning of a —, capovèrso *m.* Set the beginnings of the -s further in, segnare i capoversi più in dentro. Do not make too long -s, non fate capoversi troppo lunghi.
Parallax; parallasse *f.*
Parallel; parallèl-o. Without —, senza esempio. -s of latitude, -i di latitudine. On — lines, -aménte. — bars (gymnastic), -a *f.* — ruler, le -e. To —, trovare il simile, una cosa di simile, paragonare.
Parallel-ism; -iṡmo *m.* **-ogram**; -ogrammo *m.* **-opiped**; -epípedo *m.*
Para-lyse; -liżżare. **-lysis**; -liṡi *f.* **-lytic**; -litico. **-mount**; sómmo, sovráno. **-mour**; amante *m.*, drudo *m.* **-pet**; -pétto *m.* **-phernalia**; ròba *f.*, apparato *m.*, apparècchio *m.* **-phrase**; -fraṡi *f.*, -fraṡare. **-site, -sitical, -sitically, -sitism**; -ssíta *m.*, -ssítico, da -ssita, -ssitería *f.* **-sol**; ombrellíno *m.* **-vane**; paramina *m.*
Par-boil; sobbollire. **-buckle**; lentía *f.*
Parcel; pacco *m.*, plico *m.*, piègo *m.*, invòlto *m.*, pezzo di terreno. To — a rope, bendare un cavo. — out, spartire, distribuire, parteggiare. **-ling**;

bènda *f.* **-post**; servizio dei pacchi postali.
Parch; essiccare, bruciare, risecchire. **-ed**; torrefatto, arso, adusto. Be —, árdere (di sete). **-ing**; essiccante, (sete) ardente.
Parchment; pergamèna *f.*, cartapécora *f.*
Pardon; perdón-o *m.*; -are a, graziare, scuśare. — me, mi scusi. **-able**; perdonábile, scuśábile. **-ably**; He was — proud of his son's performance, gli si poteva perdonare l' orgoglio che provava del fatto di suo figlio.
Pare; tagliarsi (le unghie), śbucciare, nettare, lëvigare (il piede d' un cavallo).
Paregoric; -o *m.*, anodíno *m.*
Parenchyma; parenchíma *m.*
Parent; geni-tóre *m.*, -trice *f.*, parènte *m.* or *f.*; *fig.* sorgènte *f.*, cagióne *f.* **-age**; -ado *m.* Of noble —, di alto lignaggio. Of humble —, di origine bassa. **-al**; de' genitori, patèrno, matèrno. **-ally**; da padre o madre.
Parenthesis; parèntesi *f.*
Parenthetical, -ly; tra parentesi, per via di parentesi.
Par-get; intonacare, rinzaffare. **-helion**; parèlio *m.* **-iah**; pária *m.* **-ian**; di Paro. **-ietal**; -ietále. **-ing**; mondatura *f.*, buccia *f.* **-is, -isian**; Paríg-i *m.* or *f.*, -iáno. Paris green, verde arsenicale di Parigi.
Parish; parròcchia *f.*, comune *m.* **-church**; pième *f.* **-clerk**; sagrestáno *m.* **-ioner**; parrocchián-o *m.*, -a *f.*
Parisyllabic; parisíllabo.
Parity; parità *f.* By — of reasoning, per lo stesso ragionamento.
Park; parco *m.* To —, radunare.
Parl-ance; il parlare. In common —, nel modo comune di parlare. **-ey**; conferènza *f.*, abboccaménto *m.*; conferire, parlamentare.
Parliament; parlamént-o *m.* Act of —, atto del -o. In open —, in pieno -o. Meeting of —, apertura della Camera. **-arian**; chi conosce a fondo le usanze parlamentari; partigiano del parlamento nelle guerre civili del seicento. **-ary**; parlamentare. **-house**; palazzo del parlamento.
Parl-our; salòtto *m.* **-ous**; *see* Perilous.
Parmesan; parmigiáno.
Parnassus; Parná-so *m.* Of —, -ssiáno.
Parochial; parrocchiále, comunále. **-ism**; campaniliśmo *m.* **-ly**; per parrocchie.
Parody; parodí-a *f.*, -are.
Parol; — evidence, testimonianza parlata.
Parole; parola d' onore.
Paroxysm, -al attack; parossiśmo *m.*
Paroxyton; parossítono.
Parquet; pavimentare in legno. **-ry**; pavimento in legno.
Parr-akeet, -oquet; parrocchétto *m.* **-el**; tròzza *f.* **-icidal, -icide**; -icída; -icída *m.*, -icídio *m.* **-ot**; pappagallo *m.* **-y**; parare, elúdere.
Parse; analizzare grammaticamente.
Pars-ee; -ì *m.*, -o.
Parsimon-ious; ecònomo, grétto, parco, risparmiatóre. **-iously**; da economo ecc. **-iousness**; modi economi ecc. **-y**; -ía *f.*, economía *f.*, grettézza *f.*
Pars-ley; prezzèmolo *m.* **-nip**; pastináca *f.* **-on**; prète *m.*, pieváno *m.* **-onage**; pievanía *f.*, casa del prete. **-onic**; pretésco.
Part; parte *f.*; fascícolo *m.*, puntata *f.*, dispénsa *f.* Tenor —, parte del tenore. It is my —, tocca a me, è dovere mio. For my —, quanto a me, per quanto mi riguarda. Play the — of, Take the — of Macbeth, fare il Macbet. Play such a —, comportarsi di una tale maniera. Take the — of, Take — with, sostenere le parti di, esser del parere di. Play one's —, eseguire la parte assegnataci. Take in good —, aversi per bene di, prender in buona parte. Take —, partecipare. — and parcel of, parte integrante di. **-owner**; comproprietário *m.* **-s**; ingégno *m.*, buoni talenti.
To —, separare, divídere; lasciarsi. — one's hair, far la scriminatura nei capelli. -ed lips, labbre socchiuse. — from, abbandonare, separarsi da, lasciare. — with, rinunciare a, disfarsi di.
Par-take; partecipare. — of, mangiare. **-taker**; partècipe *m.* **-taking**; partecipazióne *f.* **-terre**; platèa *f.*, partèrre *m.* **-thenon**; partenóne *m.* **-thian**; Parto *m.* **-tial** (in all senses); parziále. **-tial-ity**; parzialità. **-tially**; parzialmente, in parte. **-ticipate** etc.; *see* Partake etc. **-ticipial**; -ticipiále. **-ticipially**; a modo di participio. **-ticiple**; partícipio *m.* **-ticle**; particèlla *f.*, minimo che. Are you tired? Not **a** —, siete stanco? Non lo son punto.
Parti-coloured; screziato, variopinto.
Particular; particolarità *f.*, dettáglio *m.*; particolare; fastidióso, diffícile, eśigènte; íntimo (amico). — way, singolarità *f.* — date, data precisa. — about his dress, ricercato nel vestiario. — reason, ragione o motivo speciale. Nothing — in it, nulla di rimarchevole vi dentro. **-ise**; particoleggiare, circostanziare. **-ity**; particolarità *f.*, singolarità *f.* **-ly**; specialménte, mólto, segnataménte. **-s**; ragguagli o spiegazioni dettagliate. For further —, per ulteriori schiarimenti.

Parting; separazióne *f.*; scriminatura *f.* At the — of the ways, al bivio, *fig.* al punto dove bisogna scegliere. A — kiss. un bacio d' addio. A — look, un ultimo sguardo.

Partisan, -ship; partigian-o, -ería *f.*

Part-ition; spartizióne *f.*; tramèżżo *m.*, paratía *f.*, luogo separato, casèlla *f.* To —. distribuire. **-itive**; -itívo. **-ly**; parte, in parte, parzialménte, un po'. **-ner**; sòcio *m.*, compagno *m.*, cavalière *m.*, compagna *f.* Active —, socio gerente, accomandatario *m.* Sleeping —, socio accomandante. Be no — in, non prender parte a. To —, aggiungere come socio. Be -ed by, aver per socio. **-nership**; associazióne *f.* — agreement, contratto di società. Enter into —, associarsi.

Partook; *rem.* di Partake.

Partridge; perníce *f.* French —, pernice rossa. English —, pernice cenerognola, starna *f.*

Parturition; parto *m.*

Party; 1. comitíva *f.*, brigata *f.*, compagnía *f.* We shall be a — of four, saremo in quattro. Landing —, forza di sbarco. Working —, drappello di lavoratori; riunione di donne per lavorare. 2. — of amusement, partita di giuoco. Evening —, serata *f.*, conversazióne *f.*; of distinguished persons, círcolo *m.* The minister gave a — yesterday, iersera c' era circolo in casa del ministro. Dancing —, serata danzante. Dinner —, pranzo *m.* We had a little dinner —, avevamo della gente a pranzo. House —, partita di campagna. Select —, riunione aristocratica. Shooting —, partita di caccia. 3. Political —, partíto *m.* Head of a —, capo di partito. **-man**; uomo di partito. **-spirit, -feeling**; spirito di partito, spirito di parte. 4. Be — to, prender parte a. Be no — to it, non entrarvi per nulla. Be a — to the suit, esser parte del processo. Interested —, parte interessata. He is not a — I should care to meet, non è uomo per me. Queerish —, un certo coso. The — slain, l' individuo ucciso. 5. **-coloured**; *see* Parti-coloured. **-fence**; siepe divisoria. **-wall**; muro divisorio.

Parvenu; nuovo arricchito, villan rifatto.

Pas-chal; di Pasqua, pasquále. **-ha**; pascià *m.* **-quinade**; pasquinata *f.*

Pass; 1. passo *m.*, varco *m.*; góla *f.*, válico *m.* Simplon —, valico del Sempione. 2. permèsso *m.*, lascia-passare *m.* 3. (fencing) passata *f.* 4. certificato di passaggio agli esami colla sola sufficenza. 5. In such a —, in tal punto, in tale condizione. 6. To make -es, menare le mani per aria (mesmerista); tirare dei colpi in aria (schermitore).

To —, passare, oltrepassare; ammettere come vero, omologare, approvare; (al giuoco) rifiutare. — an account, appurare un conto. Allow to —, lasciare il passo a. — along, passare. As I -ed along, passando, cammin facendo. — away, 1. trascorrere (tempo), sfuggire (occasione). 2. — — the time, far passare il tempo. 3. sparire, sciògliersi, andarsene. 4. trapassare, morire. Bring to —, effettuare, recare in effetto. — by, 1. passare per, passar davanti a, passar a fianco a, passar oltre. — — in silence, passar sotto silenzio. 2. trascurare. 3. lasciar passare, scuṡare, perdonare. 4. sfuggire. 5. passar sopra a, non parlare di, non dar promozione a. Come to —, succèdere, verificarsi. — an examination, superare un esame, passare all' esame, agli esami. — for, passare per, esser considerato come. He -ed himself for her brother, egli si fece passare per il fratello di lei. — into, entrare in; cambiarsi gradatamente in. — judgment, portare un giudizio su. — a law, adottare una legge. — through the mind, sfiorare la mente. — off, sparire, dissiparsi, dileguare. — — for, spacciare per, dare ad intendere per. — on, 1. passar oltre, andare avanti. 2. traṡméttere, rimetter in circolazione. — out, uscire. — out of view, passare per occhio. — over, 1. traversare, varcare. 2. non parlare di. 3. perdonare. 4. trascurare, negligere. 5. A shudder -ed over him, un brivido gli passò per la persona. *See* Pass by. — a remark, fare un' osservazione. — round, far circolare, girare. — sentence, pronunziare o rendere una sentenza. — a severe test, subire una prova rigorosa. — through, passare attraverso, attraversare. — the time, passare il tempo. — up, Will you — that up? mi favorisca di ciò? — one's word, impegnare la sua parola. — the work of a contractor, collaudare il lavoro di un accollatario.

Pass-able, -ably; -ábile, -abilménte. **-age**; 1. varco *m.*, via *f.*, tragitto *m.*, passággio *m.* Birds of —, uccelli di passaggio. Air -s, vie aeree. 2. corridóio *m.*, ándito *m.* 3. passo *m.*, brano *m.* 4. — of arms, passo d' armi. **-book**; libretto di banca.

Passenger; passeggière *m.*, viaggiatóre *m.* Cabin —, passeggiere di camera. **-train**; treno di viaggiatori. By —, a grande velocità.

Pass-er; passante *m.*, viandante *m.* **-im**;

dappertutto. **-ing**; 1. tránsito *m.*, lasso (di tempo), approvazione di un progetto di legge. — place, luogo di scansamento (di treni). The — in and out, le entrate e le uscite. 2. passeggièro, fuggitívo. — hours, le ore che scorrono. — bell, rintocco funebre. — to and fro, andiriviéni *m.* In —, di passata. 3. As *adv.*, oltre modo.

Passion; passióne *f.*, còllera *f.*; amore appassionato; veemènza *f.* **-ate**; ardènte, vivo, appassionato; collèrico, irascíbile. **-ately**; ardenteménte ecc. **-flower**; passiflòra *f.* **-ist**; -ista *m.* **-less**; calmo, impassíbile. **-play**; rappresentazione della Passione. **-week**; settimana santa.

Passiv-e, -ely, -eness; -o, -aménte, -ità *f.*

Pass-key; chiave comune. **-over**; Pasqua degli Ebrei. **-port**; passapòrto *m.* **-word**; parola d' ordine.

Past; 1. passato *m.* In the —, nel passato, altre volte, già, un tempo. 2. scórso, passato, antíco. 3. al di là di, al di sopra di, più in là di, più su di, sópra, fuori di, fin oltre, senza (rimedio). Go —, passar davanti. For some time —, da qualche tempo. — bearing, insopportábile. — feeling, senza conoscenza. — mending, irreparábile, incorrigíbile. — shame, spudorato. — all doubt, fuori di ogni dubbio. — master in roguery, furbo matricolato o abilissimo. It is — four o'clock, sono le quattro passate. — midnight, e mezza notte passata. It is half — two, sono le due ore e mezzo. It is half — twelve, è mezzo giorno e mezzo. A quarter — one, il tocco e un quarto. Be — sixty, aver più di sessant' anni. The hour was —, l' ora era trascorsa. — child-bearing, che ha passato l' età di avere bambini.

Paste; còlla *f.*, pasta *f.*, gemma falsa; incollare, impastare. — up, affissare. **-board**; cartóne *m.* **-l**; pastèllo *m.* **-pot**; vaso di colla.

Pastern; pastóia *f.*, pastorále *m.*

Past-ille; -íglia *f.* **-ime**; passatèmpo *m.*, divertiménto *m.* **-or**; -óre *m.* **-oral**; -orále.

Pastry; paste *f. pl.*, pasticcería *f.* Piece of —, pasta *f.* **-cook**; pasticcière *m.* **-shop**; pasticcería *f.*

Pastur-age; pastura *f.* **-e**; pastura *f.*, páscolo *m.* — ground, land, pratería *f.*, páscolo *m.* To —, pascolare, páscere, far pascolare. **-es**; prati *m. pl.*

Pasty; pastóso, mollíccio, appiccicóso. As *sb.*, pastíccio *m.*

Pat; colpettíno *m.*, picchiettíno *m.*; panetto (di burro); mucchiétto (di escremento vaccino), méta *f.*; *raccorc.* di Patrick nel senso di Irlandese. As *adv.*, a puntino, molto a proposito. To —, accarezzare.

Patagonian; patagòne.

Patch; pèzza *f.*, tòppa *f.*; on a tyre, emplasto *m.*, toppa di gomma; neo posticcio di seta; pezzo di terra; raccomodare, rattoppare, rappezzare. — up, rattoppare o rammendare alla meglio, rabberciare. — up a peace, rimpaciarsi alla meglio. Not a — upon, molto inferiore a, tutto al disotto di. **-ouli**; pacciulì *m.* **-work**; lavoro a pezzi, rappèzzo *m.*; appiccicatíccio. — quilt, coltrone fatto di pezze variopinte. **-y**; inuguále, mal combinato, piazzato.

Pate; zucca *f.*

Paten; patèna *f.*

Patent; brevétto d' invenzione; privatíva *f.* (di sale e tabacchi); evidènte, patènte. To —, brevettare. — leather, cuoio verniciato. — right, diritto di brevetto. **-ee**; proprietario di un brevetto d' invenzione.

Patern-al, -ally, -ity; -o, -aménte, -ità *f.*

Paternoster; paternòstro *m.*; palamíte *f.*

Path; sentièro *m.*, viále *m.* Of a planet, córso *m.*; *fig.* via *f.*

Path-etic, -etically; patètic-o, -aménte, commovènte, in modo commovente.

Pathless; senza sentiero battuto, senza via tracciata.

Patho-genic, -logical, -logically, -logist, -logy; pato-genètico, -logico, -logicaménte, -logo *m.*, -logía *f.*

Pathos; il patètico, nota patètica.

Pathway; viòttolo *m.*, vialíno *m.*, viuzza *f.* -s (in a flower garden); andári *m. pl.*

Patien-ce; paziènza *f.*; solitário *m.* **-t**; paziènte *m.* or *f.*, ammalato *m.*, sofferènte *m.* or *f.*; paziènte, rassegnato. **-tly**; pazienteménte.

Pat-mos; -mo *f.* **-ras**; -rasso *f.*

Patois; dialètto *m.*

Patriarch, -al; patriarc-a *m.*, -ále.

Patrician; patrízio *m.*, patrízio.

Patrimon-ial; ereditato. **-y**; beni ereditati dagli antenati, patrimonio ereditato.

Patriot, -ic, -ically, -ism; patriòtt-a *m.*, -ico, -icaménte, -ismo *m.*

Patristic; -o.

Patrol; pattúglia *f.*, rónda *f.*; far la ronda, pattugliare. To — the North Sea, battere o scorrere il mare del Nord. On diving — (submarine), in agguato.

Patron; patróno *m.*; collatóre *m.*; protettóre *m.* **-age**; patronato *m.*, patrocínio *m.* **-ess**; patróna *f.*, protettrice *f.* **-ise**; patrocinare, protèggere, favorire, servirsi di, praticare. Patronising air, aria di condiscendenza. **-isingly**; da chi

condiscende, con aria condiscendente. -ymic; patronímico *m.*
Patten; zòccolo *m.*
Patter; cical-ío *m.*, -are; scalpit-ío *m.*, -are. The rain -ed against the windows, si sentiva lo scroscio della pioggia che batteva contro le finestre.
Pattern; modèllo *m.*, campióne *m.*, ságoma *f.*, diségno (di stoffa). -book; campionário *m.* -card; carta di campioni.
Patty; pasticcétto *m.*
Paucity; scarsézza *f.*, eśiguità *f.*
Paul; Páolo.
Paunch; páncia *f.*
Pauper; indigènte *m.*, pezzènte *m.* -isation; l' effetto di limosine che fanno crescere l' accattonaggio. -ise; assuefare all' accattonaggio. -ism; pauperiśmo *m.*
Pause; páuśa *f.*, fermata *f.*; fermarsi, far pausa, aspettare.
Pave; lastricare, pavimentare. — the way for, facilitare, aprir la strada per. -ment; lastricato *m.*, paviménto *m.*; marcia-piède *m.*
Pavia, -n; Pavía *f.*, pavése.
Pavilion; padiglióne *m.*, tènda *f.*; casíno *m.*
Paving; acciottolato *m.*, lastricato *m.* -stone; lastra *f.*, pietra per lastricare. -tile; quadrèllo *m.*
Paviour; selciatóre *m.*, lastricatóre *m.*
Paw; zampa *f.*; calpestare, scalpitare; maneggiare, accarezzare.
Pawky; astuto.
Pawl; nottolíno *m.*, castagna *f.* (d' argano).
Pawn; pedína *f.*; pégno *m.*; pignorare, portare al monte di pietà. In —, dato in pegno. -broker; pignoratario *m.* -shop; monte di pietà. -ticket; cedola del monte di pietà.
Pay; 1. paga *f.*, mercéde *f.*, salário *m.*; pagare, saldare, assoldare; tornar conto; rendere (interesse). Carriage paid, porto franco. Ill paid, mal retributo. — addresses to, far la corte a. — attention, stare attento. — attention to, fare attenzione a. — due honour to, rendere a qualcuno gli onori che gli son dovuti. — obedience to, render obbedienza a. — respect to, riverire. — one's respects to, salutare. — a visit, fare una visita.
2. impeciare, spalmare (bastimento).
Pay away, śborsare. — back, restituire, rimborsare. — down, versare in contanti. — for, — — the stuff, pagare la roba. — — it, *fig.* scontarlo, pagarne il fio, espiarlo. — in, versare, pórre, collocare, depórre. Paying-in slip, distinta di deposito. — in full, pagare integralmente. — off, licenziare, diśarmare (nave), annullare pagando. — out, 1. śborsare. 2. render la pariglia a; filare, lasciar scorrere (cavo). — over, consegnare nelle mani di. — up, pagare, versare.
Pay-able; pagábile, da pagarsi. — ore, minerale che si può sfruttare. Not in — quantity, in quantità troppo minime per venire sfruttate utilmente. -bill; polizza di pagamento, distinta dei salarii. -clerk; commesso pagatore. -day; giorno di paga. -ee; destinatário *m.*, beneficiário *m.* -er; pagatóre *m.* -master; ufficiale pagatore. -ment; pagaménto *m.* Part —, accónto *m.* -office; cassa *f.* -roll; *see* Pay-bill.
Pea; piśèllo *m.* Chick —, céce *m.* Everlasting —, mocaióne *m.* -soup; passata di piselli. -stick, -bough; frascóne *m.*
Peace; pace *f.* Hold one's —, mantenere il silenzio. Keep the —, non turbar l' ordine pubblico. —! zitto! tacetevi! Justice of the —, giudice della pace. -able, -ably; pacífic-o, -aménte. -breaker; perturbatore dell' ordine pubblico. -ful, -fully; tranquill-o, -aménte. -fulness; pacatézza *f.*, tranquillità *f.* -maker; pacificatóre *m.*, pacière *m.* -offering; offerta propiziatoria. -officer; ufficiale di polizia. -party; partito della pace.
Peach; pèsca *f.* -house; serra da pesche. -tree; pèsco *m.* To — (gergo), denunziare i complici.
Pea-cock; pavóne *m.* — butterfly, vanessa maggiore, pavoncèlla *f.* -green; verde pisello. -hen; pavóna *f.* -jacket; camiciòtto *m.*, giacchetto alla marina.
Peak; cima *f.*, vèrtice *m.*, vétta *f.*; picco *m.*, punta *f.* To —, languire, dimagrire. -ing, -y; malatíccio.
Peal; scampanata *f.*, scoppio (di risa), rimbombo (di tuono); sonare, rimbombare.
Pea-nut; aráchide *f.*
Pear; pèra *f.* -tree; pèro *m.*
Pearl; pèrla *f.* -ash; potassa americana. -barley; orzo perlato. -diver; pescatore di perle. -drop; orecchino guernito di perle. -fishery; pesca delle perle. -oyster; ostrica perlifera. -powder; bianco perlato. -type; parigína *f.* -white; *see* Pearl-powder. -y; perlato.
Peart; vivace.
Peasant; contadíno *m.*, contadinésco -ry; contadíni *m. pl.*
Pease-pudding; purè di ceci.
Pea-shooter; cerbottána *f.*
Peat, -bog, -y; tòrb-a *f.*, -ièra *f.*, -óso.
Pebbl-e; sasso *m.*, ciòttolo *m.*, sélce *f.*

-e-work; acciottolatura *f.* **-y**; sassóso, coperto di ciottoli.
Peccadillo; peccatúccio *m.*
Peccant; peccatóre, fuorviato.
Peck; misura di nove litri; colpo di becco, beccata *f.*; beccare. — **at**, *fig.* biaśimare.
Pectoral; pettorále.
Pecula-te, -tion; -re, -to *m.*
Peculiar; -e, particolare, singolare. **-ity**; particolarità *f.*, singolarità *f.* **-ly**; -ménte, singolarménte.
Pecuniar-ily, -y; -iaménte, -io.
Pedagog-ics, -ue, -y; -ía *f.*, -o *m.*, -ía *f.*
Pedal; pedále *m.*; pedaleggiare. **-crank**; pedivèlla *f.* **-lever**; leva a pedale.
Pedant, -ic, -ically, -ry; -e *m.*, -ésco, -escaménte, -ería *f.*
Peddl-e; fare il merciaiolo ambulante. — **out**, distribuire poco a poco. **-ing**; meschíno, fútile.
Ped-estal; piedestallo *m.* — **cupboard**, comodíno *m.* **-estrian**; pedóne *m.*, pedèstre. **-icle**; picciuòlo *m.* **-igree**; genealogía *f.*, stirpe *f.* — **bull**, toro di razza. **-iment**; frontóne *m.* **-lar**; merciaiòlo. **-ometer**; -òmetro *m.* **-uncle**; pedúncolo *m.*
Peel; 1. scòrza *f.*, búccia *f.*; śbucciare, pelare, scorteccaire, mondare. — **off**, squamarsi, scorticarsi. 2. **Baker's** —, palétta *f.* **-ings**; mondatura *f.*
Peep; occhiata *f.* — **of day**, lo spuntar del giorno. **To** —, far capolino, guardar di nascosto, un po', sott' occhio, *or* di sfuggita. — **at**, adocchiare, intravedére. — **in**, guardar dentro. — **out**, guardar fuori, lasciarsi vedere per un momento. — **through**, guardare un poco attraverso, spiare attraverso, gettar un' occhiata per.
Peer; 1. pari *m.*, uguále *m.*, símile *m.* 2. guardare curiosamente, *see* Peep. **-age**; pária *f.*, elènco dei pari. **-ess**; moglie d' un pari. — **in her own right**, donna con titolo di pari per suo proprio conto. **-less**; imparagonábile, incomparábile, impareggíabile.
Peevish; biśbètico, permalóso, disposto a brontolare. **-ly**; biśbeticamente, di mal umore, con tono permaloso. **-ness**; umore cattivo, malagrázia *f.*, scontrosità *f.*, modo dispettóso.
Peewit; pavoncèlla *f.*, vanèllo *m.*
Peg; legnétto *m.*, piuòlo *m.*, cavíglia *f.*, cavícchio *m.* **Violin** —, bíschero *m.* **Come down a** —, diminuire d' importanza. **Take down a** —, far chinare le corna a, umiliare. — **away**, tirar sempre via, perseverare. — **down**, attaccare alla terra con caviglie. — **out**, segnare con pioli. — **out a claim**, appropriarsi un pezzo di terreno minerario segnandone i limiti con pioli. **-top**; trottola a punta di ferro.
Pegasus; Pègaśo *m.*
Pe-ignoir; accappatóio *m.* **-kin**; Pechíno *f.* **-lasgic**; -láśgico. **-lagian**; 1. -lágico. 2. -lagiáno *m.*
Pel-f; ricchézze *f. pl.* **-ican**; -icáno *m.* **-isse**; pelliccia *f.* **-let**; pallòttola *f.*, pallína *f.* **-licle**; -lícola *f.* **-litory**; parietária *f.* — **of Spain**, pilátro *m.*
Pell-mell; alla rinfusa, a catafascio.
Pellucid; limpidissimo.
Peloponnesian; peloponneśíaco.
Pelt; 1. pelle col pelo. 2. gettare, cadere pesantemente (pioggia). —**with stones**, lanciare pietre su, assalire a colpi di pietra. — **with apples**, gettar delle mele a. **-ing rain**, pioggia dirotta. **-ing storm**, tempesta furiosa.
Pel-tate; -tato. **-vic**; pèlvico. **-vis**; bacíno *m.*, pèlvi *f.*
Pemmican; tavolette di carne secca.
Pen; 1. pénna. **Steel** —, pennino *m.* **To** —, metter in carta. **Fountain** —, penna stilografica. 2. pecoríle *m.*, chiuśo *m.*, viváio *m.*; metter nel chiuso, rinchiudere; *see* Pent.
Penal; -e. — **code**, codice penale. — **servitude**, lavori forzati. **-ise**; sottomettere a pena, a svantaggio. **-ly**; -ménte. — **dealt with**, sottomesso a pena. **-ty**; penalità *f.*, pèna *f.*; eccedenza di peso alle corse ippiche; sanzione penale (di una legge), punizione legale. — **kick**, calcio di rigore. — **for breach of contract**, multa pecuniaria stabilita contro chi venga meno al patto.
Pen-ance; penitènza *f.* **Do** — **for**, scontare. **-ates**; -ati *m. pl.* **-case**; pòrtapénne *m.* **-ce**; *pl.* di Penny.
Penchant; inclinazióne *f.*, gusto *m.*
Pencil; lapis *m.*, matíta *f.*, fascio di raggi; scrivere a matita. **-case**; portalapis (di cuoio), toccalapis (d' oro). **-cutter**; taglialapis *m.* **-drawing**; disegno a matita. **-holder**; matitatóio *m.*
Pendant; pendènte *m.*, ciòndolo *m.*; (*mar.*) fiamma *f.*, gagliardétto *m.* **Answering** —, intelligènza *f.* **As** *adv.*, penzolóni. **As** *adj.*, pendènte, sospéso.
Pending; indecíśo, pendènte, in pendente; fino a, aspettando, in attesa di.
Pendul-ous; pènsile. **-um**; pèndolo *m.*, bilancière *m.*
Penetra-ble, -te, -ting, -tingly, -tion; -bile, -re, -tivo, con uno sguardo -tivo; -zióne *f.*, giudizio acuto.
Peneus; Penèo *m.*
Penful; pennata *f.*
Penguin; pinguíno *m.*

Pen-holder; pòrtapénne *m*.
Peninsul-a, **-ar**; peniśol-a *f*., -are.
Peniten-ce, -t, -tial, -tiary, -tly; -za *f*., -te, -ziále, carcere -ziario, -teménte.
Pen-knife; temperíno *m*. **-man**; scrittóre *m*., scriváno *m*. **-manship**; calligrafía *f*.
Penn-ant; *see* Pendant. **-ate**; -ato. **-iless**; senza danari, al verde. **-ilessness**; indigènza *f*. **-on**; *see* Pendant. **-'orth**; *raccorc.* di Pennyworth. A — of chocolate, due soldi di cioccolata. **-sylvanian**; pensilváno.
Penny; due soldi italiani. **-a-liner**; scrittorúcolo *m*. **-cress**; erba storna. **-post**; corrière *m*. **-royal**; puléggio *m*. **-stamp**; francobollo di due soldi. **-weight**; danáro *m*. (1·55 grammi). **-worth**; quanto costa due soldi. — of string, due soldi di spago.
Pens-ile; pènsile. **-ion**; -ióne *f*. To —, giubilare, collocare a riposo. Retire on a —, andare in pensione. **-ioner**; -ionato *m*., giubilato *m*. **-ive**; -ieróso, preoccupato. **-ively**; sopra pensiero, da pensieroso.
Penstock; cateratta *f*.
Pent; *part.* di Pen. — up, ripresso a stento, ritenuto.
Pentagon, **-al**; -o *m*., -ále.
Pent-ameter; -ámetro *m*. **-asyllabic**; -asíllabo. **-ateuch**; -atèuco *m*. **-ecost**; -ecòste *f*. **-house**; tettoia addosso ad un muro.
Penultim-ate; -o.
Pen-umbra; -ómbra *f*.
Penurious, -ly, -ness; grétt-o, -aménte, -ézza *f*.
Penury; miśèria *f*., penúria *f*.
Peony; peònia *f*.
People; pòpolo *m*., génte *f*. Common —, vólgo *m*. Fashionable —, il bel mondo, gente alla moda. — say, si dice. — blame him, lo si biasima. — about the place, i famigliari del luogo. — of both sexes, persone di ambo i sessi. An enlightened —, una nazione colta. Great —, il gran mondo. Old —, i vecchi. The English —, gli inglesi, la nazione inglese. The — of Israel, il popolo di Israele. The — of Paris, gli abitanti di Parigi. They are good —, sono buona gente. There were a lot of —, vi era molta gente. Most —, il comune delle persone, il più delle persone. To —, popolare, riempire di abitanti.
Pepper; pépe *m*.; impepare. — and salt, color grigio misto. **-caster, -pot**; pepaiòla *f*. **-corn**; grano di pepe. **-mint**; menta peperita. **-wort**; erba S. Maria dei campi. **-y**; ben pepato, *fig.* focóso.
Pepsin-e; -a *f*.
Per; per. As —, secóndo, cóme.
Per-adventure; fórse. **-ambulate**; percorrere a piedi. **-ambulation**; giro *m*. **-ambulator**; carrozzíno *m*.
Perceive; scòrgere, accórgersi.
Per cent.; per cento.
Percent-age; -o *m*., -uále *f*.
Percept-ible; percettíbile, sensíbile. **-ibly**; percettibilménte ecc. **-ion**; percezióne. **-ive**; percettívo. **-ivity**; percettività *f*.
Perch; 1. bastone di pollaio, grúccia *f*., pośatóio *m*. 2. pesce persico. Sea —, sciarráno *m*. 3. pèrtica *f* (5·03 metri). 4. To —, pośarsi, méttersi, appollaiarsi.
Perchance; fórse, per caso.
Perchloride; percloruro *m*.
Percipient; -e *m*.
Percolat-e, -ion; col-are, -atura *f*.; trapelare.
Percussion; -e *f*., percòssa *f*. **-cap**; fulminante *m*.
Perdition; perdizióne *f*., rovína *f*.
Peregrin-ation; -azióne *f*. **-e falcon**; falcone pellegrino.
Peremptor-ily; deciśaménte, da chi non vuol sentire niente di più, senz' altro. **-iness**; modi che non tollerano la disubbidienza. **-y**; deciśívo, risoluto.
Perennial, -ly; perènn-e, -eménte.
Perfect; tempo remoto di un verbo; perfètto, prètto; perfezionare, dar l' ultima mano a. **-ion**; perfezióne *f*. **-ly**; benissimo, perfettaménte, a menadito.
Perfid-ious, -iously, -y; -o, -aménte, -ia *f*.; śleál-e, -ménte, -tà *f*.
Perfora-te, -tion; -re, -zióne *f*. **-ted**; con forellini, bucherellato.
Perforce; per forza, forzataménte.
Perform; fare, eśeguire, cómpiere; rappreśentare. **-ance**; azióne *f*., lavóro *m*., fatto *m*., adempiménto *m*., l' eseguire; rappreśentazióne *f*. No —, ripòso *m*. **-ances**; gesta *f*. *pl*. **-er**; eśecut-óre *m*., -rice *f*.; att-óre *m*., -rice *f*.
Perfum-e, -er, -ery; profum-o *m*., -ière *m*., -ería *f*. To —, profumare.
Perfunctor-ily; senza prender interesse, per sbrigarsene. **-iness**; indifferènza *f*., mancanza di interesse al suo lavoro. **-y**; noncurante.
Pergola; *id*.
Perhaps; fórse, per avventura. — a storm may come on, chi sa non venga un temporale?
Peri-anth, -cardium, -carp, -gee, -helium; -anto *m*., -cárdio *m*., -cárpio *m*., -gèo *m*., -èlio *m*.
Peril; ríschio *m*., perícolo *m*.; arrischiare, pericolare. **-ous, -ously**; rischiós-o, -aménte; pericolós-o, -aménte. **-ousness**; natura rischiosa ecc.

Peri-meter, -neum; -metro *m.*, -nèo *m.*
Period, -ic, -ical, -ically, -icity; períod-o *m.* (in all senses), -ico; -ico *m.*, -ico; -icaménte, -icità *f.*
Peri-patetic, -pheral, -phery, -phrasis, -phrastic, -scope; -patètico, -ferále, -fería *f.*, -fraši *f.*, -frastico, -scòpio *m.*
Perish; perire, deperire, pèrdersi, cadere in rovina, screpolare (gomma). — the thought! in abisso col pensiero! **-able**; poco durevole, perituro. **-ableness**; poca durevolezza.
Peri-sperm, -staltic, -style, -toneal, -toneum, -tonitis; -spèrma *m.*, -staltico, -stílio *m.*, del -toneo, -tonèo *m.*, -toníte *f.*
Peri-wig; parrucca *f.* **-winkle**; 1. pervinca *f.* 2. littorína *f.*
Perjur-e; — oneself, giurare il falso. **-ed**; (testimonianza) falsa, giurata falsamente; (testimonio) che ha giurato falsamente, spergiúro. **-er**; testimonio falso. **-y**; giuramento falso, testimonianza falsa, spergiúro *m.*
Perky; vispétto, viváce.
Permanen-ce, -cy; -za *f.* **-t**; -te. **-tly**; -teménte. Permanent way, soprastruttura d' una ferrovia.
Perme-ability, -able; -abilità *f.*, -ábile. **-ate**; penetrare in tutte le parti di. The influence of my mother's teaching -d the whole of my being, l' insegnamento di mia madre influiva profondamente su tutta la mia vita. *See* Pervade. **-ation**; compenetrazióne *f.*
Permiss-ibility; -ibilità *f.* **-ible**; -íbile, lécito. **-ion**; -ióne *f.*, permèsso *m.* Ask -ion, chiedere il nulla ostà. **-ive**; -ívo.
Permit; permèsso *m.*, lasciapassare *m.*; perméttere, comportare.
Permuta-tion; -zióne *f.*
Pernicious, -ly, -ness; perniciós-o, -aménte, -ità *f.* — fever, perniciósa *f.*
Per-oration; -orazióne *f.* **-oxide**; -òssido *m.* **-pend**; riflèttere.
Perpendicular, -ity, -ly; perpendicolar-e, -ità *f.*, -ménte.
Perpet-rate, -ration, -rator; -rare, -razióne *f.*, -ratóre *m.* **-ual, -ually, -uate, -uation, -uity**; -uo, -uaménte, -uare, -uazióne *f.*, -uità *f.* Be -ually asking, non finire mai di chiedere.
Perpignan; Perpignáno *f.*
Perplex; imbaražžare, confóndere, imbrogliare, *see* Puzzle. **-ed**; perplésso. **-edly**; da perplesso. **-ing**; imbaraž-žante, che mette in perplessità. **-ity**; perplessità *f.*
Perquisite; provento eventuale. **-s**; incerti *m. pl.*
Perron; scalinata *f.*
Perry; sidro di pere.
Persecut-e; perseguitare, accanirsi contro; importunare, molestare. **-ion, -or**; persecu-zione *f.*, -tóre *m.*
Persever-ance; -anza *f.* **-e**; -are. **-ing**; -ante, assiduo. **-ingly**; con -anza. **-ingness**; assiduità *f.*
Persian; Pèrsa *m.* — cat, gatto persiano. — Gulf, Golfo persico. Persico is the territorial adjective, persiano the descriptive one.
Persiflage; canzonatura sottile.
Persimmon; dattero della Virginia.
Persist, -ence, -ent, -ently; persíst-ere, -ènza *f.*, -ènte, -enteménte.
Person; persóna *f.* Young -s, i giovani. In —, da sè stesso, in persona. **-able**; ben fatto. **-age**; persona importante, personággio *m.* **-al**; -ále. — property, beni mobiliari. **-ality**; -alità *f.* **-alities**; attacchi personali, ingiurie *f. pl.*, -alità *f. pl.* **ally**; per parte mia (credo, sono d' avviso). I do not know him —, non lo conosco di persona, personalmente. **-alty**; patrimonio mobiliare. **-ate**; rappresentare, far la parte di, passare per, assumere il carattere di (specialmente per votare senza averne diritto). **-ation**; il rappresentare ecc., contraffazióne *f.* **-ator**; chi si fa passare per altri. **-ification**; -ificazióne *f.* **-ify**; -ificare. **-nel**; personále *m.*
Perspective; prospettíva *f.* Linear, Aerial —, prospettiva lineare, aerea.
Perspic-acious, -aciously, -acity; -ace, -aceménte, -acità *f.* **-uity, -uous, -uously**; -uità *f.*, -uo, -uaménte.
Perspir-ation, -e; sud-óre *m.*, -are.
Persua-de, -sion, -sive, -sively, -siveness; persua-dére, -šióne *f.*, -šívo, in modo -sivo, -šíva *f.* They both belong to the same -sion, tutt' e due professano la stessa fede religiosa. Use some -sion, metter in opera dei mezzi persuasivi.
Pert; impertinentuccio, vispétto.
Pertain; appartenére, spettare, riferirsi a.
Pertin-acious, -aciously, -acity; -e, -eménte, -ità *f.* **-ence**; l' esser a proposito. **-ent**; a proposito. **-ently**; a proposito.
Pert-ly, -ness; insolen-teménte, -za *f.*; vivac-eménte, -ità *f.*
Per-ugian; -ugíno. **-turb**; -turbare. **-turbation**; -turbazióne *f.* **-usal**; lettura *f.*, percórsa *f.* **-use**; lèggere, percórrere. **-uvian**; -uviáno, del Perù.
Pervade; compentrare, diffondersi per. The influence of Christ -s all European history, si sente l' influenza del carattere di Cristo per tutta la storia d' Europa. A spirit of hostility -s the working classes, uno spirito di ostilità si è diffusa per le classi operaie.

Pervers-e; -o, cattivo. **-ely**, **-eness**, **-ity**; -aménte, -ità *f.*, -ità *f.* **-ion**; pervertiménto *m.*
Pervert; pervertíto *m.*; pervertire, śviśare, śnaturare, falsare. **-er**; corruttóre *m.*, pervertitóre *m.*
Pervious; permeábile.
Peseta; pezzétta *f.*
Pessim-ism, **-ist**; -iśmo *m.*, -ista *m.*
Pest; pèste *f.* **-er**; importunare, seccare, annoiare. **-iferous**; -ífero. **-ilence**; -ilènza *f.* **-ilent**, **-ilential**; -ilenziále, *fig.* funèsto. **-le**; pestèllo *m.*
Pet; 1. favoríto *m.*, cucco *m.*, caríno *m.*, beniamíno *m.*; predilètto; accarezzare, vezzeggiare. **-name**; nomignolo amichevole, di confidenza. 2. stizza *f.*, mal umore, śdégno *m.* In a —, stizzíto.
Pet-al; pètalo *m.* **-ard**; -ardo *m.* **-echiae**; -ècchie *f. pl.* **-er**; Piètro. — out (gergo), sparire, dileguarsi. **-er's pence**; obolo di S. Pietro. **-iole**; picciòlo d' una foglia.
Petition; petizióne *f.*, súpplica *f.*, istanza *f.*; supplicare. **-er**; supplicante *m.*, postulante *m.*
Petrel; procellária *f.*
Petrif-action, **-y**; pietrific-azióne *f.*, -are.
Petrol; benzína *f.* **-eum**; petròlio *m.* Crude —, petrolio greggio, nafta *f.*, nafteline *f.*
Petticoat; gonnèlla *f.*, sottána *f.*
Pettifogg-er; legulèio *m.*, cavalòcchio *m.* **-ing**; cavillóso.
Pett-iness; piccolézza *f.*, meschinità *f.* **-ish**; *see* Peevish. **-itoes**; zampetti di maiale. **-y**; piccíno, meschíno, grétto. — officer, sott' ufficiale.
Petulan-ce, **-t**, **-tly**; -za *f.*, -te, con -za.
Pew; banco fisso a spalliera (in una chiesa). **-holder**; chi affitta tale banco. **-opener**; chi conduce la gente ai respettivi banchi, sagrestáno *m.* **-rent**; canone pagato da un "pew-holder."
Pewter; péltro *m.* **-pot**; vaso di peltro.
Phaeton; 1. fáeton *m.*, carrozzino scoperto a quattro ruote. 2. Fetónte.
Phalanx; falange *f.*
Phallus; fallo *m.*
Phanerogam; fanerógamo.
Phantasm, **-agoria**; fantaśm-a *f.*, -agoría *f.*
Phantom; fantaśma *f.*, spéttro *m.*, larva *f.*
Pharis-aical, **-aically**, **-ee**; fariś-áico, -aicaménte, -èo *m.*
Pharmac-eutical, **-eutics**, **-ology**, **-opœa**, **-y**; farmac-èutico, -èutica *f.*, -ología *f.*, -opèa *f.*, -ía *f.*
Phar-salia, **-ynx**; Far-ságlia *f.*, -inge *f.*
Phase; faśe *f.*
Pheasant, **-ry**; fagián-o *m.*, -áia *f.* **-'s eye**; violine muschiate. Summer — —, occhio di pernice. **-shooting**; caccia al fagiano.
Phenomen-al, **-ally**, **-on**; fenomen-ále, -almènte, -o *m.*
Phial; boccétta *f.*
Philadelphian; filadèlfo.
Philander; fare il cascamorto.
Philanthrop-ic, **-ically**, **-ist**, **-y**; filantrópico, -icaménte, -o *m.*, -ía *f.*
Philatelist; chi fa collezione di francobolli.
Phil-harmonic, **-hellenic**, **-ippic**, **-ippine**; fil-armònico, -ellèno, -íppica *f.*, -ippése *m.* The -ippine Islands, le Filippine. **-istine**; filistèo.
Phillyrea; lillatro *m.*
Philolog-ical, **-ically**, **-ist**, **-y**; filològ-ico, -icaménte, -o *m.*, -ía *f.*
Philosoph-er, **-ic**, **-ically**, **-ise**, **-y**; filòśof-o, -ico, -icaménte, -are, -ía *f.* **-er's stone**, pietra filosofale.
Philtre; filtro *m.*
Phiz (gergo per Physiognomy); muśo *m.*, grinta *f.*
Phlegm; mucco dalle vie aeree, pitúita *f.*; *fig.* flemma. **-atic**, **-atically**; flemmático, -aticaménte.
Phlegmon; flémmone *m.*
Phlox; flòsside *f.*, flocs *m.*
Phoc-ian, **-is**; focése, Fòcide *f.*
Phoenicia, **-n**; Fenícia *f.*, fenício.
Phoenix; feníce *f.*
Phone; *raccorc.* di Telephone, telèfono *m.*
Phon-etic, **-ograph**; fon-ètico, -ògrafo *m.*
Phosph-ate, **-ide**, **-oresce**, **-orescence**, **-orescent**, **-orus**, **-uretted**; fosf-áto *m.*, -úro *m.*, -oreggiare, -orescènza *f.*, -orescènte, -oro *m.*, -urato.
Photograph, **-er**, **-ic**, **-ically**, **-y**; fotografía *f.*, -o *m.*, -ico, -icaménte, -ía *f.* To -graph, fotografare.
Phrase; fraśe *f.*, locuzióne *f.*; esprímere. **-ology**; fraśeología *f.*
Phrenic; frènico.
Phrenolog-ical, **-ist**, **-y**; frenològ-ico, -o *m.*, -ía *f.*
Phrygia, **-n**; Frígia *f.*, frígio.
Phthisical, **Phthisis**; tíśico, tiśi *f.*
Phyl-actery, **-loxera**; fil-attería *f.*, -òssera *f.*
Physic; medicína *f.*, somministrare medicina a, medicare. **-al**; fiśico. **-ally**; fiśicaménte. **-ian**; mèdico *m.* House —, medico assistente di un ospedale. **-ist**; fiśico *m.* **-s**; fiśica *f.*
Physiognom-ist, **-y**; fiśiònom-o, -ía *f.*
Physiolog-ical, **-ically**, **-ist**, **-y**; fiśiològico, -icaménte, -o *m.*, -ía *f.*
Pia mater; pia madre *f.*
Pian-ist; -ista *m.* or *f.*, with *pl.* *m.* -isti, *pl.* *f.* -iste. **-o**; pianofòrte *m.* Cottage —, pianino *m.* Grand —, pianoforte a

coda. Upright —, pianoforte ritto. — tuner, accordatóre *m.*
Pi-astre; -astra *f.* -azza; *id.*
Pibroch; aria per cornamusa scozzese.
Pica; lettura *f.* Small —, filoŝofía *f.* Double —, parangóne *m.*
Picador; piccadóre *m.*
Picardy; Piccardía *f.* Of —, piccardo.
Piccaninny; *see* Pickaninny.
Piccolo; ottavíno *m.*
Pick; 1. scèlta *f.* 2. piccóne *m.*, zappóne *m.* 3. scègliere; spiccare (frutta), scassinare (col grimaldello), staccare fiori, legumi ecc., dai loro rami, cògliere (fiori), piluccare (uve), nettarsi o pulirsi (il naso), grattare (piaga). — to pieces, *fig.* levare i pezzi di, rivedere i conti a. — a quarrel, attaccar briga. — the pocket of, vuotare la tasca di.

Pick off, 1. tògliere. 2. uccidere da lontano. — **out**, fare scelta di, togliere da, cavare da. -ed out with, macchiettato di. — up, 1. raccògliere. 2. raccattare, ricuperare (cavo). 3. rimettersi in salute. I shall soon — —, presto sarò guarito. 4. rialzare (tempo). I see it is -ing up, we shall not have any rain to-morrow, vedo che rialza, domani non piove. 5. Go and — — something to eat, andare a pescare qualche cosa da mangiare. 6. — — a little French, guadagnarsi un po' di conoscenza pratica del francese, imparare un poco il francese. 7. Business will — — soon, gli affari riprenderanno fra breve tempo.
Pick-a-back; sul dorso.
Pickaninny; bambino (tra' selvaggi).
Pick-axe; piccóne *m.*, zappóne *m.*, gravína *f.*
Picket; picchétto *m.*; metter picchetti.
Pickings; guadagni casuali, avanzi *m. pl.*, mondatura *f.*
Pickle; salamóia *f.*, *fig.* stato deplorevole; mal arnese. In —, sott' aceto. In a fine —, molto imbarazzato. To —, salare, marinare, metter sott' aceto, confetturare. **-s**; sott' acéti *m. pl.*, fòrti *m. pl.* Indian —, salamoia indiana. Mixed —, varianti *m. pl.*
Pick-lock; grimaldèllo *m.* **-me-up**; bicchieríno *m.* **-pocket**; taglia-bórse *m.*, borsaiuòlo *m.*
Picnic; merenda in campagna, "picnic" *m.*
Picotee; garofano coltivato.
Picric; picrico.
Pict; Picto *m.*
Pictorial; pittòrico. **-ly**; con pitture.
Picture; dipintura *f.*, pittúra *f.*, quadro *m.*, téla *f.* He is the — of his father, è il ritratto di suo padre. To —, rappreŝentare, dipíngere. — to oneself, figurarsi, immaginarsi. **-book**; libro con immagini. **-card**; figura *f.* **-dealer**; negoziante di quadri. **-frame**; corníce *f.* **-gallery**; pinacotèca *f.* **-post-card**; cartolina postale dipinta. **-restorer**; ristauratore di quadri. **-writing**; geroglífici *m. pl.*
Picturesque, **-ly**; pittorésc-o, -aménte. -ness; l' esser pittoresco.
Piddle; orín-a *f.*, -are.
Piddling; meschíno, frívolo, da nulla.
Pie; pastíccio *m.*, tórta *f.*, tortèllo *m.* Printer's —, refúŝi *m. pl.* **-dish**; terrína *f.*
Piebald; pezzato di bianco e nero o di bianco e baio, pomellato.
Piece; pèzzo *m.*, tòzzo *m.*, brano *m.*, squárcio *m.*, pèzza *f.*, scámpolo *m.*, tèssera *f.*; dramma *m.* A penny a —, due soldi al pezzo. **-s** (in the wool trade); lana bioccoluta.

Piece of advice, un consiglio. — of **candle**, moccolo di candela. — of **cloth**, pezzo di tela. — of **folly**, atto di follia. — of **furniture**, un mobile. — of **impertinence**, un' impertinenza. — of **information**, un' informazione. — of **kindness**, atto di gentilezza. Give a — of one's **mind**, parlare chiaro e tondo. — of **music**, pezzo di musica. — of **news**, una notizia. — of **poetry**, brano di poesia. — of **work**, un lavoro.

All of a — **with**, dello stesso colore o del medesimo carattere che. **Come**, **Go** to -s, spezzarsi, farsi in pezzi. **Cut** to -s, tagliare a pezzi. **Fall** to -s, cadere in pezzi. Pull to -s, fare a pezzi. **Put** a — on, metter una pezza a. **Take** to -s, ŝmontare. **Tear** to -s, squarciare tutto, dilaniare. To — **together**, rappezzare, combinare.
Piece-goods; mercanzia al minuto, mercanzie vendute al pezzo. **-meal**; un poco alla volta, poco a poco, pezzo per pezzo. **-r**; aggiuntatore di fili rotti in una filanda. **-work**; lavoro a cottimo. **-worker**; lavorante a cottimo.
Pied; pezzato, screziato.
Piedmont, **-ese**; Piemónt-e *m.*, -ése.
Pier; 1. pila *f.*, pilóne *m.* 2. mòlo *m.*, banchína *f.*, gettata *f.*, ŝbarcatóio *m.* Shore end of a —, radíce *f.* **-head**; testata di un molo.
Pierc-e; traforare, trafíggere, forare. -ing; penetrante, acuto, squillante.
Pier-glass; specchièra *f.*
Pierian; delle Pièridi.
Piet-ism, **-ist**; -iŝmo *m.*, -ista *m.*
Piety; devozióne *f.*, riverenza filiale.
Pig; 1. pòrco *m.*, maiále *m.* Sucking —, porco da latte. Buy a — in a poke, comprare la gatta in sacco. To —,

figliare. 2. massèllo *m.*, pane di ghisa. **-breeder**; porcáro *m.*
Pigeon; piccióne *m.*, colómbo *m.*, colombèlla *f.*, *fig.* gónżo *m.*, sempliciόne *m.* **-English**; dialetto dei porti cinesi. **-fancier**; allevatore di piccioni. **-hole**; casèlla *f.* Set of -s, casellário *m.* **-house**; piccionáia *f.*, colombáia *f.*
Pig-faced; con viso porcino. **-gery**; porcíle *m.*; sporcízia *f.* **-gish**; da porco. **-headed**; stúpido, testardo, pervicáce. **-headedness**; testardággine *f.*, pervicácia *f.*, ostinazione stupida. **-iron**; ferráccio *m.*, ghisa di prima fusione. **-lead**; piombo in masselli.
Pig-ment; -ménto *m.* **-my**; pigmèo *m.* As *adj.*, pimmèo, piccolissimo.
Pig-nut; bulbocástano *m.* **-sty**; porcíle *m.*, stabbiòlo *m.* **-tail**; codíno *m.* **-tub**; secchione dei porci. **-wash**; lavatura pei porci.
Pike; 1. picca *f.* 2. lúccio *m.* **-man**; picchière *m.* **-staff**; asta di picca. Plain as a —, chiaro come il sole.
Pil-aster; pilástro *m.* **-au**; -ao *m.* **-chard**; pilciardo *m.*, salacca *f.*
Pile; mónte *m.*, catasta *f.*, ammasso *m.*, múcchio *m.*; rògo *m.*, pira *f.*; (*electr.*) pila *f.*; palo *m.*, palafitta *f.*; edifízio *m.*; (of cloth) pélo *m.* — of money, fortuna *f.* — of papers, mucchio di carte. To — up, ammassare, ammucchiare, accatastare; mettere (armi) in fascio. **-driver**; battipálo *m.*, bèrta *f.*
Piles; emorròidi *f. pl.*, moríci *f. pl.*
Pileus; cappèllo *m.*
Pilework; palafittata *f.*
Pilfer; rubacchiare, śgraffignare. **-er**; ladrúncolo *m.* **-ing**; rubería *f.*
Pilgrim, -age; pellegrín-o *m.*, -ággio *m.*
Pill; píllola *f.*
Pillag-e, -er, -ing; sacchéggi-o *m.*, -are; -atóre *m.*, -aménto *m.*
Pillar; colónna *f.*, pilastro *m.*, sostégno *m.* Send from — to post, mandare da Erode a Pilato. **-ed**; sostenuto da colonne.
Pillion; cuscinétto *m.*
Pillory; berlína *f.*, gógna *f.*; metter alla berlina.
Pillow; origlière *m.*, guanciále *m.* Be -ed, riposarsi, appoggiarsi. **-case**; fodera di guanciale. **-slip**; copertura da guanciale.
Pilot; pilòta *m.* Sea —, pilota d' altura. Put the — on board, dare il pilota. Mediterranean, Atlantic etc. —, *i.e.* sailing directions; il portolano del Mediterraneo, dell' Atlantico. **-age**; pilotággio *m.* **-balloon**; pallone di prova. **-boat**; battello pilota. **-engine**; locomotiva pilota.
Pimento; *id.*
Pimp; meżżáno *m.*, ruffiáno *m.*; servire da mediatore.
Pimpernel; anagállide *f.*, erba grisellina.
Pimpl-e; còsso *m.*, bollicína *f.*, foruncolétto *m.*, pústola *f.* Come out in -s, coprirsi di pustole. **-y**; bollóso, bernoccoluto.
Pin; spillo *m.*, for a neck-tie, spilla *f.*; of wood, cavíglia *f.*, cavícchio *m.*; of a lock, spina *f.*; pèrnio *m.*, asse di puleggia. Drawing —, puntína *f.* Hair —, forcína *f.* Hat —, spillone da cappello. Rolling —, ròtolo *m.* Safety —, spillo di sicurezza. To —, appuntare o attaccare con degli spilli. — down, inchiodare, tener fisso; far sì che non si possa disdire, non lasciar nessuna scappavia a. — one's faith upon, fidarsi a, riporre fiducia su. — up, riattaccare con spilli. — up a dress, rialzare una veste con spilli. Not to care a —, infischiarsene, impiparsene. I would not give a — for it, non ne darei un capo di spillo. **-case**; astúccio *m.*, scatola per spilli. **-cushion**; portaspilli *m.*, guancialino da cucire, cuscinetto per spilli. **-hole**; buco di spillo. **-maker**; spillaio *m.* **-money**; spillatico *m.* **-prick**; puntura di spillo, punzecchiaménto *m.* **-'s head**; capòcchia *f.*
Pin-afore; grembiulíno *m.* **-aster**; -astro *m.*
Pincers; tanáglie *f. pl.*, pinzette da sconficcare.
Pinch; pízzico *m.*, pizzicòtto *m.*, présa *f.*; pulcesécca *f.* At a —, al bisogno, in caso di necessità. Mark from a —, lividura *f.*, ammaccatura. To —, pizzicare, stríngere, serrare; leśinare, sparagnare, risparmiare, privarsi del necessario. — one's finger, ammaccarsi il dito, farsi una pulcesecca. -ed with hunger, affamato. -ed for money, stretto a danari. To — (gergo), rubare.
Pinchbeck; princisbécco *m.*, similòro *m.*
Pincher; spilòrcio *m.*, léśina *f.*; taccagno.
Pinching cold; freddo frizzante.
Pine; 1. pino *m.* 2. *see* Pine-apple. 3. languire, deperire. — for, sospirare dietro — away, languire sempre più.
Pine-apple; ananasso *m.* **-cone**; pina *f.*, pigna *f.*, pinòcchio *m.* **-grosbeak**; cardinále *m.* **-grove**; pinèto *m.* **-kernel**; pinòlo *m.*, pinòcchio *m.* **-needle**; ago di pino. **-ry, -house**; serra di ananassi.
Pinion; punta dell' ala; rocchetto d' oriolo, pignóne *m.*; legare le braccia a; tagliare la punta dell' ala.
Pink; 1. garofano coltivato, viola garofanata. 2. *fig.* fióre *m.*, modèllo *m.* 3. (*mar.*) pinco *m.* 4. ròśa, color rosa.

A — dress, un abito rosa. 5. frastagliare. 6. trafiggere in duello. **-ish, -y**; color rosa tenero.
Pinnace; pináccia *f.*
Pinnacle; pinnácolo *m.*, cima *f.*, *fig.* cólmo *m.*
Pinnae; pínnule *f. pl.*
Pint; mezzo litro (·568 litri).
Pintail duck; codóne *m.*
Pintle; agugliòtto *m.*
Pioneer; pionière *m.*, *fig.* precursóre *m.* To — the way, aprire la strada.
Pious, -ly; pi-o, -aménte.
Pip; 1. ácino *m.*, vinacciòlo *m.*, chicco *m.*, granèllo *m.* 2. pipíta *f.* 3. punto d' una carta da giuoco.
Pipe; tubo *m.*, condótto *m.*; pipa *f.*; zúfolo *m.*, zampógna *f.*, flauto campestre, canna d' organo; cannula *f.*; fischietto (di nostromo); botte di 477 litri. Branch, Discharging, Drain, Overflow, Steam, Suction —, tubo di diramazione, di scarico, di terra cotta, di troppo pieno, a vapore, di aspirazione. Water —, tubo di fontana, condotto per l' acqua. System of -s, tubulatura *f.* To —, zufolare; pigolare. — up, far sentire la sua voce. **-case**; astuccio da pipa. **-clay**; terra da pipa. **-r**; zampognaro *m.* Pay the —, pagare il fio. **-stem**; cannuccia della pipa.
Piping hot; caldissimo.
Pipit; calandro *m.*, prispolóne *m.*, spioncèllo *m.*, codóna *f.*, píspola *f.*
Pipkin; pentolíno *m.*
Pippin; mela *reinette*.
Piquan-cy; il piccante. **-t**; piccante, stuzzicante. **-tly**; in modo piccante.
Pique; mal umore, picca *f.* — oneself upon, piccarsi di, vantarsi di.
Piqué; basíno *m.* **-work**; picchè *m.*
Piquet; picchétto *m.*
Pira-cy; piratería *f.* **-te**; pirata *m.* To —, stampare in contravvenzione dei diritti dell' autore. -d edition, ristampa furtiva. **-tical**; da pirata; di contraffazione. **-tically**; da contraffattore.
Pir-aeus; -èo *m.* **-ogue**; -òga *f.* **-ouette**; piroètta *f.* To —, far piroetta.
Pisa, -n; Pis-a *f.*, -áno.
Pisc-atorial; pescheréccio, di pesca. **-iculture**; -icoltura *f.* **-ina**; *id.*
Pish! perbacco!
Piss; písci-o *m.*, -are. **-pot**; orinále *m.*
Pist-achio; -ácchio *m.* **-il**; -íllo *m.* **-ol**; pístola *f.*, ammazzare con pistolettate. — shot, pistolettata *f.* **-ole**; pístola *f.*
Piston; pistóne *m.*, stantuffo *m.* **-packing**; baderna dello stantuffo. **-rod**; asta dello stantuffo.
Pit; fòssa *f.*, fòsso *m.*, pózzo *m.*; abisso *m.*; platèa *f.*; cavo dello stomaco; arena di combattimento di galli; traccia di pressione sulla pelle. To — against, mettere a concorrenza, alle prese. He -ted his skill against the other's strength, impegnò la sua destrezza contro la forza dell' altro. Bottomless —, abisso senza fondo. Clay —, fossa d' argilla. Coal —, miniera di carbon fossile. Gravel —, cava di ghiaia. Sand —, renáio *m.*, cava di rena. **-sand**; rena di scavo.
Pit-a-pat; Go —, palpitare. Come —, camminare a piccoli passi.
Pitch; 1. péce *f.*; impeciare. 2. punto *m.*, grado *m.* 3. pendenza di un letto; passo dell' elice, di una vite. 4. (*mus.*) corista *m.* 5. posto d' una fioraia. 6. Full — (*adv.*), di posta. Throw a full —, lanciare la palla a pieno petto. 7. piantare (tenda, accampamento); gettare, lanciare, precipitare; cadere, venire a terra; (*mar.*) beccheggiare. — into, dare addosso a, śgridare, lavare il capo a. — and toss, giocare a cappelletto, a croce e lettera, ad arme o santi. — upon, abbattersi in. -ed battle, battaglia campale. **-dark**; buio pesto, buio come la pece. **-er**; 1. sécchia *f.* 2. chi dà la palla al "base-ball." — plant, pianta da brocche. **-fork**; fórca *f.*, forcóne *m.* **-pine**; abete rosso. **-pot**; vaso da resina. **-y**; nero come la pece.
Pit-coal; carbon fossile.
Piteous; 1. lamentévole, miśerando. 2. pietóso. **-ly**; miśeraménte, lamentevolménte. **-ness**; stato lamentevole, pietà *f.*, l' esser pietoso.
Pitfall; trabocchètto *m.*, buca cieca.
Pith; midòllo *m.*, *fig.* vigóre *m.* To —, tagliare il midollo a. **-ily**; brevemente e con forza. **-iness**; forza concentrata. **-y**; (frase) assai sugosa, molto significante.
Pitiable, Pitiful; *see* Piteous.
Pitiless, -ly, -ness; spietat-o, -aménte. l' esser spietato.
Pitman; minatóre *m.*
Pittance; pietanza *f.*, magra porzione.
Pitted; butterato.
Pity; pièta *f.* What a —! che peccato! To —, compiángere, aver pietà di. **-ing**; compassionévole, pietóso. **-ingly**; con pietà.
Pivot; pèrno *m.*, cárdine *m.*
Pixie; fata *f.*
Pizzle; nerbo di bue.
Placab-ility, -le; -ilità *f.*, -ile.
Placard; affisso *m.*, cartèllo *m.*; affiggere pubblicamente dei cartelli, attaccare cartelli.

Place; luògo *m.*, pòsto *m.*, sito *m.*; piazza *f.*; impiègo *m.*, cárica *f.*; véce *f.*; villa *f.* In high —, altolocato. To surrender himself in his friend's —, costituirsi al posto del suo amico. Take —, aver luogo, accadére. Take the — of, far le veci di. Get a — (at a race), esser secondo o terzo. If I were in your —, se io fossi in voi, se stessi nei vostri panni. In the first —, in primo luogo. In the second —, poi, in seguito. Out of —, senza lavoro; fuor di luogo, inopportuno. Give — to, cedere il passo a, cedere il posto a, esser sostituito da. Pride of —, la prima posizione. Pleasant —, sito piacevole. It is not my — to say, non spetta a me il dire.

To —, pórre, mèttere; collocare. Be -d, (alle corse) esser fra i tre primi. — out, trovar impiego per.

Placeman; funzionario del governo.

Placent-a; -a *f.*, secónda *f.* **-al**; -ario.

Placenza; Piacèn-za *f.*, Of —, -tíno.

Placer mine; giacimento aurifero.

Placid; -o, pacato, calmo, tranquillo. **-ity**, **-ness**; placid-ézza *f.*, -ità *f.*, pacatézza *f.* **-ly**; -aménte, con calma.

Placket-hole; buco di gonnella.

Plagiar-ise; fare un plagio. **-iser**, **-ist**; plag-iario *m.* **-ism**, **-y**; -io *m.*

Plagu-e; pèste *f.*, flagèllo *m.*, nòia *f.*, tormènto *m.*; tormentare, molestare, seccare, annoiare. The -s of Egypt, le piaghe d' Egitto. **-ily**, **-y**; maledettaménte, -to.

Plaice; passeríno *m.*, pesce passera.

Plaid; mantello scozzese. As *adj.*, scozzése.

Plain; 1. piano *m.*, pianura *f.* 2. chiaro, schiétto, palèse, manifèsto; ordinário, sémplice; brutto. — cook, cuoca ordinaria. — clothes, abito civile. — gold, oro liscio. — truth, pura verità. — dealing, affari leali. In — language, in chiaro. — song, canto fermo. — speaking, franchézza *f.*, il parlare chiaro e tondo. **-ly**; chiaraménte, schiettaménte, evidenteménte, apertaménte. **-ness**; franchézza *f.*, schiettézza *f.*; bruttézza *f.* **-spoken**; chi parla schietto e netto.

Plaint; querèla *f.* **-iff**; querelante *m.* or *f.* **-ive**, **-ively**; lamentévol-e, -ménte. **-iveness**; tono lamentevole.

Plait; pièga *f.*, trèccia *f.*; intrecciare. **-ing**; intrecciaménto *m.*

Plan; piano *m.*, diségno *m.*, sistèma *m.*, mèżżo *m.*, partíto *m.*; progettare, disegnare, immaginare.

Plane; 1. (aviation or geometry) piano *m.* With -s set to rise, coi piani a salire. 2. pialla *f.*; piallare. — down, appianare. 3. plátano *m.*

Planet; pianèta *m.* **-ary**; planetario.

Planisphere; planisfèro *m.*

Plank; asse *m.*, távola *f.*, pancóne *m.* — down, pagare in contanti, metter in tavola. **-ing**; bordatura *f.*, impalcatura *f.*, rivestimento di tavole; fasciame esterno. Deck —, tavole di coperta.

Planner; chi disegna, chi divisa.

Plant; 1. pianta. To —, piantare. 2. materiáli *m. pl.*, attrézzi *m. pl.* **-ain**; 1. banáno *m.*, fico d' Adamo, musa coltivata. 2. piantággine *f.* **-ation**; piantagióne *f.*, alberéto *m.* Ash, elm, oak — etc., frassinéto, olmeto, querceto ecc. Fir —, abetína *f.*

Plant-er; colòno *m.* **-igrade**; -ígrado

Plaque; placca *f.*

Plash; — through the mud, sguazzare per il fango.

Plasma; plaṡma *m.* or *f.*

Plaster; 1. impiastro *m.*, cataplaṡma *m.*; drappo inglese, ceròtto *m.* 2. intònaco *m.*, gèsso *m.*, calcína *f.* To —, intonacare. **-cast**; gèsso *m.* **-er**; gessáio *m.* **-ing**; intonacatura *f.*

Plastic, **-ity**; -o, -ità *f.*

Plate; 1. piatto *m.*, tóndo *m.* Dessert —, piatto da frutta. 2. lastra *f.*, lamièra *f.*, piastra *f.* Armour —, piastra di corazza. Bed —, piastra di base. End —, fóndo *m.* 3. argentería *f.*, vaṡellame *m.* 4. negativa fotografica. 5. Engraved —, tavola. 6. placcare, inargentare. -d dishes, vasellame inargentato. -d goods, merci inargentate. 7. **-s**; lande d' un bastiménto.

Plateau; altipiáno *m.*

Plate-ful; piatto *m.*, scodellata *f.* **-glass**; cristallo cilindrato, cristallo di Francia. **-layer**; chi colloca le rotaie sulle traversine. **-powder**; polvere per lustrare. **-rack**; rastrello per piatti, scolapiatti *m.* **-warmer**; scaldapiatti *m.*

Platform; terrazza *f.*, piattafórma *f.*, impalcatura *f.*, banchína *f.*, marciapiede lungo i binarii, scalo *m.*; *fig.* programma *m.* Arrival —, scalo *m.*, ṡbarcatóio *m.* Departure —, imbarco *m.*, imbarcatóio *m.* Goods —, scalo merci.

Plating; placcatura *f.*, incamiciatura *f.*, stagnatura *f.*; fasciame esterno d' un bastimento.

Plat-inum; -ino *m.* **-itude**; verità inane, insulsággine *f.* **-onic**, **-onically**; -onic-o, -aménte. **-oon**; plotóne *m.* **-ter**; tondíno *m.*, piatto di legno.

Plaudits; appláuṡo *m.*, gli evvíva.

Plausib-ility, **-le**, **-ly**; -ilità *f.*, -ile, -ilménte.

Play; giuòco *m.*, ricreazióne *f.*, divertiménto *m.*, spasso *m.*, ružžo *m.*; commédia *f.*, dramma *m.*, spettácolo *m.* Of a piece of machinery, gioco. The piston has too much —, lo stantuffo ha troppo gioco. Fair —, giuoco leale. Foul —, tradiménto *m.*, assassínio *m.* Give full — to, lasciar la briglia sciolta a. Unfair —, gioco sleale.

To —, giocare, divertirsi, trastullarsi, ružžare; sonare (musica); recitare, rappreşentare, far la parte di, fare il. — the fool, far lo sciocco, matteggiare, pazzeggiare. — at, fare una partita di. — at billiards, cards etc., giocare al biliardo, alle carte ecc. — away, perdere giocando, al gioco. — fair, giocare lealménte. — false, tradire, ingannare, gabbare. — fast and loose, giocare a tira e molla. — the game, fare del proprio meglio senza pensar troppo a sè stessi. — into each other's hands, esser d' intesa. — havoc with, cagionare rovina a, far strage di, sperperare. — high, giocar forte. — a joke upon, prendersi gioco di, burlarsi di. — low, giocare per piccole poste. — off a drawn game, riprendere il giuoco dopo una partita nulla. The Sultan would — off the jealousies of the powers one against another, il Sultano soleva metter in gioco le gelosie reciproche delle potenze a conto suo. — out, continuare fin alla fine. **-ed out**, eşauríto, spossato. That trick is -ed out, quel tiro è scherzo vecchio. They -ed it out next day, finirono la lotta il giorno susseguente. — pranks, tricks, far delle sue, delle belle, far tiri, birichinate. A smile was -ing round his lips, un sorriso fino gli appariva, per sparire poi, sulle labbra. — a salmon, lasciare stancarsi un salmone prima di attirarlo nella reticella.

Play-bill; programma di spettacolo. **-er**; 1. giocatóre *m.* 2. sonatóre *m.*; attóre *m.* **-fellow**; cameráta *m.*, compagno di giuoco. **-ful, -fully**; scherzévol-e, -ménte. **-fulness**; gaiézza *f.*, ilarità *f.*, allegrézza *f.* **-goer**; pratico dei teatri, frequentatore di spettacoli. **-ground**; corte o terreno di ricreazione. **-hours**; ore di ricreazione. **-house**; teátro *m.* **-mate**; *see* Playfellow. **-room**; sala di ricreazione. **-thing**; giocáttolo *m.*, gingillo *m.*, trastullo *m.* **-time**; tempo di ricreazione. **-wright, -writer**; autore drammatico.

Plea; scuşa *f.*, pretèsto *m.*; eccezióne *f.*

Plead; perorare; difendere (la causa di); allegare, metter avanti. — for, sostenere le parti di. — ignorance, accampare la scusa d' ignoranza. — guilty, confessarsi reo. — not guilty, dichiararsi innocente. — for mercy, supplicare o intercedere per la grazia. **-er**; avvocato *m.* **-ing**; difésa *f.*, arringa d' avvocato, intercessióne *f.* Special —, argomentazione speciosa o insincera, ragionamento curialesco. **-ingly**; con tono di preghiera.

Pleasant; piacévole, grato, gradévole, amèno, leggiadro. **-looking**; di aspetto simpatico. **-ly**; piacevolménte ecc. **-ness**; piacevolézza *f.* **-ry**; facèzia *f.*, schérzo *m.*, frižžo *m.*

Please; piacere a, far piacere a, compiacere a, gradire, aggradire, garbare a, şvagare, talentare, andare a genio a. —! per carità! — to, mi faccia il piacere di. If you —, se vi piace, di grazia. — pass the salt, mi favorisca il sale. — God, se Dio vuole. As you —, come vi piacerà, come vi aggrada. — send, abbiate la bontà di mandare.

Pleasing, Pleasurable; *see* Pleasant.

Pleasure; piacére *m.*, divertiménto *m.*, vòglia *f.* At —, a volontà. At his —, a sua posta. Give — to, procurare un senso di compiacenza a. Take — in, divertirsi a. Good —, beneplácito *m.* As *adj.*, di diporto, *e.g.* — cutter, cutter da diporto.

Pleasure-ground; parco inglese.

Pleat; ripiegatura *f.*, pièga *f.*

Pleb-eian, -iscite; -èo, -iscíto *m.*

Pledge; 1. pègno *m.*, arra *f.*; voto di temperanza; impegnare, pignorare, portare al monte di pietà. — oneself, farsi mallevadore o garante. 2. fare un brindisi a, brindare a.

Pledget; stuèllo *m.*

Pleiades; plèiadi *f. pl.*

Plen-ary; pièno, plenário. **-ipotentiary**; -ipotenziário. **-itude**; pienézza *f.*

Plenteous, -ly, Plentiful, -ly; abbondant-e, -eménte.

Plenty; abbondanza *f.*, còpia *f.* We have — of time, siamo sempre a tempo. Have — of reasons, aver ragioni da vendere. Be in — of time, arrivare assai prima dell' ora stabilita. Mind you are in — of time, badate di non esser in ritardo. — strong enough, più che abbastanza forte. — of money, fior di quattrini.

Pleonas-m, -tic; -mo *m.*, -tico.

Plethor-a, -ic; plètor-a *f.*, -ico.

Pleur-a, -isy, -o-pneumonia; -a *f.*, -íte *f.*, -o-pneumonía *f.*

Plexus; plèsso *m.*

Plia-ble, -nt; pieghévole, flessíbile, arrendévole. **-ncy**; pieghevolézza *f.* ecc. **-ntly**; pieghevolménte ecc.

Pliers; pinzètte *f. pl.*
Plight; 1. stato triste. 2. — one's word, impegnare la sua parola. -ed word, parola d' onore.
Plinth; plinto *m.*, zòccolo *m.*
Plod; camminare con fatica, ṡgobbare. -der; ṡgobbóne *m.* -ding; lavorío *m.*; assíduo. -dingly; con studio indefesso.
Plot; trama *f.*, complótto *m.*, congiúra *f.*; intrèccio *m.*; pezzo di terreno, aiuòla *f.*, quadratíno *m.*, scompartimento d' un orto. To —, formare o levare il piano di; cospirare, ordire un complotto, complottare, macchinare. -ter; cospiratóre *m.*, congiurato *m.*, macchinatóre *m.* -ting; il macchinare; il levare i piani di terreni.
Plough; arátro *m.*; arare, solcare; (gergo) bocciare. -boy; garzone del bifolco. -handle; stègola *f.*, stiva *f.* -land; terra coltivabile. -man; bifólco *m.*, aratóre *m.* -ox; bue da lavoro, bue aratore. -share; vòmere *m.*
Plover; pavoncèlla *f.* Golden —, pivière *m.*
Pluck; 1. coraggio ostinato. 2. frattáglia *f.*, coratèlla *f.* 3. cògliere, ṡvèllere, strappare; spennare, (gergo) bocciare. — off, staccare. — out, levare. — up, raccògliere. — up spirit, riprender coraggio, rifarsi animo. — up by the root, ṡradicare.
Pluck-ily, -y; coraggios-améнte, -o.
Plug; turácciolo *m.*, zaffo *m.*, tappo *m.*; turare, tappare, tamponare; stuellare, stoppare. Become -ged, intaṡarsi. Fire —, robinetto d' incendio.
Plum; prugna *f.*, susína *f.*; uva secca, uva passa. French —, prugnola in conserva. -cake; focaccia o pasticcio condito all' uva passa. -orchard; prugnéto *m.* -pudding; budino all' inglese. -tree; prugno *m.*, susíno *m.*
Plum-age, -assier; pium-aggio *m.*, -aio *m.*
Plumb; perpendicolare; addirittura, a piombo; scandagliare, spiombinare. -ago; 1. piombágginе *f.* 2. piombaggine *f.*, crepanèlla *f.*, dentellaria *f.* -er; artefice in piombo, trombáio *m.* -ing; mestiere del trombaio, il lavorare nel piombo. -line; filo a piombo.
Plume; pennácchio *m.*, piumíno *m.* — oneself on, vantarsi, piccarsi di.
Plummet; piombíno *m.*
Plump; grassòccio, paffutèllo, ben nutrito. As *adv.*, dirétto, pròprio. To — it, riuscire al primo tentativo, o completamente. — for, votare esclusivamente per. — down, gettar giù d' improvviso o senza riguardi. -ness; grassézza *f.*
Plunder; bottíno *m.*; predare, saccheggiare. Give up to —, abbandonare al saccheggio. -er; saccheggiatóre *m.* -ing; sacchéggio *m.*, rapína *f.*, depredazióne *f.*
Plunge; tuffo *m.* The first —, il primo passo. Of a horse, ṡbalzo *m.* To —, tuffare, precipitarsi; ṡbalzare, fare scarto; precipitare (un popolo nell' anarchia), trascinare (una nazione in un abisso di disgrazie), piantare (un pugnale nel seno), inviscerarsi o internarsi (in un soggetto). -bath; bagno per il corpo intero. -r; stantuffo tuffante; scommettitore ardito.
Plunging-fire; tiro che piomba dall' alto.
Pluperfect; trapassato, più che perfetto.
Plural; -e. — vote, voto plurimo, diritto di votare in parecchi luoghi. -ist; chi gode parecchi benefizii. -ity; -ità *f.*
Plus; più, soprappiù; $a \pm b$, *a* più o meno *b*.
Plush; félpa *f.*, pelúca *f.*
Plus-value; pluṡvalóre *m.*
Plutocra-cy, -t, -tic; -zía *f.*, -ta *m.*, -tico.
Ply; attendere a, eṡercitare; far tragitti regolari, far servizio regolare. — with questions, far molte domande a.
Pneumatic, -s; -o, -a *f.*
Pneumon-ia; -ia *f.*, -íte *f.*, polmoníte *f.*
Po; Pò *m.*
Poach; cacciare di frodo, di contrabbando; ammollire la terra calpestandola. -ed eggs, ova affogate. -er; cacciatore di frodo, ladro di selvaggina. -ing; furto di selvaggina.
Pochard; moriglióne *m.*
Pock; pustola del vaiolo.
Pocket; tasca *f.*, saccòccia *f.*, scarsèlla *f.*; bília *f.*, buca *f.* As *adj.*, tascábile. To —, intascare. — an affront, ingoiare un affronto. Be out of —, scapitare. Hop —, sacco da settanta cinque chili di luppoli. Watch —, taschino da orologio. -book; taccuíno *m.*, portafòglio *m.* -comb; pettinino da tasca. -compass; bussola da tasca. -dictionary; dizionario tascabile. -ful; tascata *f.* -glass; specchietto da tasca. -handkerchief; pezzuòla *f.*, fazzolétto *m.* -knife; coltellino da tasca. -money; danari per le piccole spese.
Pockmark, -ed; bútter-o *m.*, -ato.
Pod; baccèllo *m.*, gúscio *m.*, síliqua *f.*
Pod-gy; mollíccio. -ium; pòdio *m.*
Poem; -a *m.*
Poena; punizióne *f.*, pènso *m.*
Poet, -ess, -ic, -ically, -ry; -a *m.*, -èssa *f.*, -ico, -icaménte, poeṡía *f.*
Poignan-t; cocènte. -cy, -tly; acutézza *f.*, -taménte.
Poinsettia; fior di Pasqua del Messico.
Point; 1. punta *f.*, estremità acuta. 2. punto *m.* Boiling, Freezing, Dew —,

punto di ebollizione, di congelazione, di rugiada. — of view, punto di vista. Up to a certain —, fino ad un certo punto. 3. I scored two -s, ho segnato due punti. Consols dropped two -s, la rendita consolidata si è abbassata due punti. 4. per cento. The bank raised the rate of discount a whole —, la banca alzò il tasso di sconto un intero per cento. 5. — of the compass, quarta *f.*, rumbo *m.* 6. at backgammon, to make a —, fare una casa. 7. (railway), ago delle rotaie, ṡviatóio *m.*

8. còsa *f.*, particolarità *f.*, qualità *f.*, punto principale, caratterística *f.*, questióne *f.*; sale *m.*, sugo *m.*, spirito *m.* The two stories differed in several -s, i due racconti avevano parecchie particolarità di dissomiglianza. A small —, una cosa di poca rilevanza. The — to be decided is, la questione si è. The — is this, l' essenziale si è, la difficoltà versa in questo, qui batte il punto. Catch, Get the —, capire, cogliere lo spirito. Miss the —, tralasciare l' essenziale, non capire. Speech with no — in it, discorso senza sale, senza sugo. Make one's — good, dimostrar chiaramente di aver ragione. Good, Bad —, cosa buona, cattiva. -s of a horse, qualità d' un cavallo. 9. estremità (di cavallo). Bay horse with black -s, cavallo baio con piedi e orecchie nere.

10. At all -s, completaménte, sotto ogni riguardo. 11. Carry, Gain one's —, víncerla. 12. Come to the —, arrivare al fatto, alla questione. 13. — of controversy, soggetto di controversia. 14. At the — of death, sul punto di morire. 15. Decimal —, virgola decimale. 16. — in dispute, punto in discussione. 17. — of distance (perspective), punto di distanza. — of sight, punto centrico. 18. Dry —, bulíno *m.* 19. At every —, dappertutto, in ogni dove. In every —, sotto ogni rapporto. 20. In — of fact, per dire il vero. A — of fact, un punto di fatto. 21. He will never give up his —, non desisterà mai dalla sua richiesta. 22. — of honour, punto d' onore. 23. In — of, in fatto di, sotto il rapporto di, al riguardo di. 24. Knotty —, punto spinoso, questione spinosa. 25. Make a — of, darsi della pena per, farsi un dovere il, avere per regola il. The — made by G., il rilievo del G. 26. The main —, il punto capitale, la cosa essenziale. 27. Maintain one's —, far valere il suo proposito, aderire alla sua opinione. 28. Be on the — of, essere per, stare per, esser giusto in via di, esser proprio sul punto di, stare sul punto di. 29. Press the —, incalzare, insistere su quanto si richiede o si asserisce. 30. Pursue the —, perseverare nel proprio proponimento. He did not pursue the — further, non andò più in là col suo argomento. 31. Stretch a —, allentare la regola, concedere qualche cosa. 32. Take the —, prender l' obiezione. 33. To the —, al fatto, a proposito, alla questione. Not to the —, fuori della questione.

To —; 34. appuntare, far la punta a. 35. aggiungere forza (a ciò che si è detto). 36. rabboccare, affilettare (muro). 37. indicare, accennare a. — to the conclusion, far concludere. 38. puntare, dirigere (arme, cannone). — at, prender di mira (collo schioppo), additare a scorno, mostrare a dito. — out, osservare, far osservare.

Point-blank; di punto in bianco, a bruciapelo.

Point-ed; appuntato, acuminato, aguzzo; arguto; marcato. With very — features, col viso tutto a punte aguzze. **-edly**; marcataménte.

Point-er; 1. lancétta *f.* 2. cane da fermo. **-ing**; affilettatura *f.*, rabboccatura *f.* **-lace**; trina a punto d' ago, merletto ad ago. **-less**; scipíto, insulso. **-sman**; ṡviatóre *m.*, deviatóre *m.*, scambista *m.*

Poise; pesare colla mano, tenere in equilibrio, equilibrare.

Poison; veléno *m.*, tòssico *m.*; avvelenare, attossicare, *fig.* invelenire. **-er**; avvelena-tóre *m.*, -trice *f.* **-ing**; avvelenaménto *m.* **-ous, -ously, -ousness**; velenós-o, -aménte, -ità *f.*

Pok-e; 1. *see* Pig. 2. spintóne *m.*; dare uno spintone a; attizzare. — about, frugacchiare. — in, ficcar dentro. **-er**; 1. ṡbraciatóio *m.*, attizzatóio *m.* 2. poker *m.* (giuoco). **-e-weed**; erba amaranta. **-y**; angusto, ristrètto. — little place, posto da potersi appena movere.

Pol-and; -ònia *f.* **-ar, -arisation, -arise, -arity**; -are, -ariżżazióne *f.*, -ariżżare, -arità *f.*

Pole; 1. pòlo *m.* 2. pèrtica *f.*, álbero *m.*; calòcchia *f.*, palo *m.*; timóne *m.* 3. polacco. 4. far progredire con una pertica, *see* Punt. **-axe**; ascia del beccaio. **-cat**; púzzola *f.* **-star**; stella polare.

Polemic, -s; -o, -a *f.*

Police; polizía *f.*, gendarmería *f.* **-cell**; sala di disciplina. **-court**; tribunale correzionale. **-d**; provveduto di polizia. **-force**; corpo delle guardie. **-man**; carabinière *m.*, gendarme *m.*, guardia municipale. **-officer**; agente di

polizia, questuríno *m*. **-regulations**; regolamenti d' ordine pubblico. **-sergeant**; sergente delle guardie. **-spy**; spia di polizia. **-station**; polizía *f*., ufficio di questura. **-van**; carro della polizia.
Policy; sistèma *m*., modo di agire; política *f*.; polizza d' assicurazione. Be good —, esser prudente, esser saviezza.
Polish; 1. polacco, polònico. 2. lustro *m*., lúcido *m*., puliménto *m*.; pulire, lisciare, lustrare; ingentilire, dirożżare. Take a high —, esser facile a lustrarsi. — off, spedire, śbrigare, metter fine a, finire alla meglio. **-ed**; lucènte, lustro; cólto, civíle. — door, porta a lucido. **-er**; politóre *m*., lisciatóre *m*.
Polishing-powder; polvere da lustrare.
Polite; cortéśe, gentíle, garbato. Studiously —, manieroso. **-ly**; corteseménte ecc. **-ness**; corteśia *f*., gentilézza *f*., garbo *m*.
Politic; útile, giudizióso. Body —, lo Stato. **-al, -ian**; polítìco. **-ally**; per quanto riguarda la politica. **-s**; política *f*.
Polity; govèrno *m*., costituzióne *f*.
Polka; pólca *f*.
Poll; 1. ballottaggio *m*., votazióne *f*. Demand a —, chiedere un ballottaggio. To —, dare il voto; ottenere (votanti). He -ed a number of votes, ebbe molti voti. -ing place, luogo per votare. 2. *raccorc*. di Polly.
Pollack; gado pollacco.
Pollard; 1. capitòzza *f*. 2. crusca col cruschello. To —, scapezzare, scapitozzare.
Poll-book; registro elettorale. **-clerk**; registratore dei voti.
Pollen; pòlline *m*.
Poll-evil; mal della talpa. **-tax**; testático *m*.
Pollut-e; contaminare, corrómpere, sporcare, lordare. **-ed**; polluto. **-ion**; polluzióne *f*.
Pollux; Pollúce.
Polly; *vezz*. di Mary; nome di pappagallo.
Pol-o; *id*. **-onaise**; polacca. **-ony**; cervellata *f*., mortadèlla *f*.
Poltroon, **-ery**; vigliacc-o, -hería *f*.
Poly-; poli-, as in poli-anto, -gamía, -gamo, -glótto, -gono (polygon *or* polygonum), -linguo, -neśíaco *or* -nèśio, -po (polyp *or* polypus), -sillabo, -tècnico, -teismo, -teista etc.
Polyhymnia; Polínnia.
Polypody; erba radiola.
Poma-de, -tum; pomata *f*., mantèca *f*.
Pomegranate, -tree; melagrán-a *f*., -o *m*.
Pomelo; pampelimósa *f*.
Pomeran-ian; -o.
Pommel; cosciále *m*., pómo *m*.; picchiare, malmenare, dar pugni a. **-ing**; picchiata *f*.
Pomp; pómpa *f*., sfarzo *m*. **-eian**; -eiano. **-eii**; -èi *f*. **-on**; nappína *f*.
Pomp-ous; pompóso, gónfio, burbanzóso, sfarzóso, ampollóso. **-ously**; pomposaménte, con burbanza. **-ousness, -osity**; pomposità *f*., burbanza *f*., sicumèra *f*.
Pomptine; pontíno.
Poncho; póncio *m*.
Pond; stagno *m*., bòżżo *m*., pòzza *f*. Mill —, bottáccio. Fish —, viváio *m*.
Ponder; meditare, riflèttere, ponderare.
Ponderous; pesante, massíccio, grave. **-ly**; in modo pesante ecc. **-ness**; pesantézza *f*.
Pondweed; bietola d' acqua, erba galla.
Poniard; pugnále *m*., pugnalare.
Pontif-f, **-ical**, **-ically**, **-icate**; pontéfice *m*., -icále, -icalménte, -icato *m*.
Pontoon; pontóne *m*. **-train**; equipaggio da ponti.
Pony; cavallíno *m*.; (gergo) 25 lire sterline.
Pood; peso di sedici chili.
Poodle; can barbone, can maltese.
Pooh! pòh!
Pool; laghétto *m*., pozzánghera *f*., pózza *f*.; premio provenuto dalle poste dei giocatori. To —, metter in comune. **-ing**; unificazióne *f*.
Poop; cassero di poppa, terrazzino di poppa. **-ed**; impoppato.
Poor; pòvero, magro, scarso, cattívo, grétto, inferióre, dimagrato. — fellow, poverètto *m*. Very — memory, memoria scarsissima. A — opinion of, una triste opinione di. **-box**; cassetta dei poveri. **-house**; asilo dei poveri. **-law**; legge sul pauperismo. **-ly**; 1. malatíccio, soffrènte, indispósto. 2. scarsaménte. **-ness**; sterilità *f*., qualità cattiva. **-rate**; tassa per il mantenimento degli indigenti. **-spirited**; senza coraggio, meschíno, pusillánime.
Pop; scoppiètto *m*., suono breve ed acuto, crac *m*. Go off with a —, scoppiare. To —, posare presto, trascuratamente. Where shall I put this? Oh, — it on the table, dove debbo metter questo? Oh, posalo dove che sia sulla tavola. — in, off, up etc., venire, partire (anche morire), comparire ecc., d' improvviso. To — (gergo), portare al monte di pietà. — the question, fare un' offerta di matrimonio. His head -ped out of the window, d' un tratto la sua testa apparve alla finestra.
Pope; papa *m*. **-dom**; papato *m*. **-ry**; papiśmo *m*. **-'s nose**; codrióne *m*.
Pop-gun; schioppettíno *m*. (giocattolo).
Popinjay; pappagallo *m*.

Popish; papist-a, -ico.
Poplar; piòppo *m.* Lombardy —, pioppo cipressino, cipressína *f.* Canadian, white —, gáttice *m.* Black —, álbero *m.*
Poplin; poplína *f.* (tela di seta e lana).
Popliteal; poplitèo.
Poppet; caríno *m.*; bámbola *f.*
Poppy; papávero *m.* Field —, rośoláccio *m.* Prickly —, argèmone *m.*
Popul-ace; vólgo *m.* **-ar**; volgáre, popolare, alla moda, popoláno. **-arise**; popolariżżare. **-arity**; popolarità *f.* **-arly**; volgarménte. **-ate**; popolare. **-ation**; popolazióne *f.* **-ous**; popolóso. **-ousness**; l' esser popoloso.
Porcelain; porcellána *f.*
Por-ch; antipòrta *f.*, pòrtico *m.* **-cine**; -cíno. **-cupine**; porco spino, ístrice *m.*
Pore; 1. pòro *m.* 2. — over, studiare attentamente, sprofondarsi in.
Pork; carne di porco o di maiale. **-butcher**; pizzicágnolo *m.* **-chop**; costoletta di maiale. **-er**; porchétto *m.*
Por-osity, -ous; -osità *f.*, -óso.
Porphyr-itic, -y; porfir-ico; -o *or* pòrfido *m.*
Porpoise; pesce porco, focèna *f.*, porco marino.
Porridge; farinata d' avena.
Porringer; scodèlla *f.*, ciòtola *f.*
Port; 1. pòrto *m.* 2. vino di Oporto. 3. apertura *f.*, portèllo *m.* Gun —, cannonièra *f.* 4. sinistro. On the — side, al lato sinistro. As word of command it must be translated A dritta! the English seaman referring to the tiller but the Italian to the ship.
Portab-ility, -le; -ilità *f.*; -ile, portátile.
Port-al; portóne *m.* **-cullis**; saracinèsca *f.* **-e**; porta ottomana.
Portend; preśagire.
Portent, -ous, -ously, -ousness; -o *m.* -óso, -osaménte, l' esser -oso.
Porter; 1. portinaio *m.*, portière *m.* 2. facchíno *m.* 3. specie di birra nera. **-age**; facchinaggio *m.*
Port-folio; portafogli *m.*, cartèlla *f.* **-hole**; sportèllo *m.* **-ico**; *id.*
Portion; porzióne *f.*, parte. — out, spartire. **-less**; senza dote.
Portl-iness; grassézza *f.* **-y**; di statura imponente, grasso e fresco, grosso ma ben fatto.
Portmanteau; valígia *f.*
Portrait, -painter; ritratt-o *m.*, -ista *m.* **-ure**; il fare ritratti; descrizióne di caratteri.
Portray; dipíngere, rappreśentare.
Portress; portinaia *f.*
Portug-al, -uese; Portog-allo *m.*, **-hése** *m.*
Portwine stain; voglia di vino.

Pose; 1. pòsa *f.*, pośitura *f.*; atteggiare. To — as, fare il, spacciarsi per. 2. sconcertare, confóndere. **-r**; 1. ipòcrita *m.*, chi ha modi affettati. 2. questione imbarazzante, argomento a cui non vi è risposta possibile, regione perentoria.
Position; pośizióne *f.*, sito *m.*, grado sociale, principio stabilito. That is my —, ecco ciò io voglio dire. In good —, benestante, distinto. In a — to, in grado di. In his —, in una posizione come la sua. In a false —, in una falsa posizione. **-al**; riguardo alla posizione.
Positiv-e; -o, esprèsso, esplícito, assoluto, reále, dommático; convinto, sicuro. **-ely**; -aménte, perentoriaménte, in modo espresso ecc. — convinced, sicurissimo, fisso nell' opinione. Be more and more — convinced, convincersi di più in più. **-eness**; positività *f.*, carattere perentorio, tono dommatico. **-ism**; -iśmo *m.* **-ist**; -ista *m.*
Posse; forza che accompagna uno sceriffo.
Possess; possedére, avére, esser padrone di; occupare, animare. **-ed**; insatanassato, ossèsso. — with an inextinguishable spirit of gaiety, invaso da uno smoderato spirito di allegria. Fully — of your wishes, pienamente istruito riguardo i vostri desiderii. — of a good house, proprietario di una bella casa.
Possession; possessióne *f.*, possèsso *m.*, possediménto *m.* In my —, presso di me. Take — of, impossessarsi di. In — of one's senses, padrone di sè. Recover — of one's senses, rientrare in sè. Are you in — of your senses? o che sei forsennato? Be in — of, appartenere a, esser sotto la custodia di; esser proprietario di, detentore di; tenere in custodia. **-s**; bèni *m. pl.*, tenute *f. pl.*, ricchézze *f. pl.* British —, possedimenti britannici.
Possess-ive; -ívo. **-or**; -óre *m.*, posseditóre *m.*, posseditrice *f.*, proprietário *m.*, detentóre *m.*, padróne *m.* **-ory**; — title, diritto possessorio.
Posset; bevanda di latte.
Possib-ility; -ilità *f.* **-le**; -ile. If —, se sia possibile. He tried to be alone as much as —, cercò di rimaner solo, più che potesse, per quanto gli fosse possibile. **-ly**; -ilmente; fórse, per caso. He could not —, gli era impossibile.
Possum; Play —, fare il gatto morto.
Post; 1. palo *m.*, stípite *m.*, passóne *m.*, colónna (di letto). 2. pòsto *m.*, impiègo *m.* 3. pòsta *f.*, ufficio della posta; tappa *f.* By to-day's —, col corriere d' oggi. By return of —, a volta di corriere.

To —, postare (sentinella), pórre,

collocare; affissare; viaggiare per posta; impostare, imbucare (lettera); riportar a mastro, allibrare (partita). — up, metter al corrente delle cose.

Post-age; spese di posta. — stamp, francobóllo *m.* **-al**; -ále. — order, vaglia -ale. **-bag**; bolgétta *f.* **-boy**; postiglióne *m.*; postíno *m.* **-captain**; capitano di vascello. **-card**; cartolína postale. **-date**; posdatare, datare posteriorménte. **-er**; affisso *m.*, cartellóne *m.* **-e restante**; ufficio delle lettere ferme in posta. **-erior**; -erióre. **-eriorly**; -eriorménte. **-erity**; i posteri, posterità *f.*, i venturi. **-ern**; postièrla *f.* **-free**; franco di porto. **-haste**; in gran fretta. **-horse**; cavallo di posta. **-house**; posta di cavalli.

Posthumous; pòstumo. **-ly**; dopo la morte di qualcuno.

Post-illion; -iglióne *m.* **-ing**; 1. impostazióne *f.* 2. il viaggiare con cavalli di posta. 3. il passare al libro mastro l' allibrare. **-man**; postíno *m.*, corrière *m.*, portalèttere *m.* **-mark**; bollo della posta. **-master**; maestro della posta. — General, ministro delle poste e telegrafi. **-mortem**; autossía, sezione del cadavere. **-nuptial**; di data posteriore al matrimonio. **-obit**; atto che viene in forza dopo il decesso. **-office**; pòsta *f.*, ufficio della posta. **-pone**; pospórre, rimèttere. **-ponement**; posposizióne *f.*, differiménto *m.* **-prandial**; — speech, discorso dopo pranzo. **-script**; poscritto *m.* **-ulant**; -ulante *m.*, candidáto *m.* **-ulate**; -uláto *m.*; presuppórre.

Posture; pòsa *f.*, positura *f.*, atteggiaménto *m.* Circumstances point to the sitting —, le circostanze indicano la posizione a sedere. To —, darsi delle arie.

Posy; mazzétto *m.*

Pot; vaso *m.*, brócca *f.*, boccále *m.*, péntola *f.* Copper —, ramíno *m* Iron or other metal —, paiuòlo *m.*, marmitta *f.* Flower —, vaso da fiori. Watering —, annaffiatóio *m.* Go to —, nadare in rovina, andare a gambe all' aria. To —, insalare, conservare in vaso; mettere in vasi; uccidere con una schioppettata.

Pot-able; -ábile. **-ash**; potassa *f.* **-ations**; sbevazzaménti *m. pl.* **-ato**; patata *f.* Mashed -s, purè di patate.

Pot-bellied; panciuto. **-belly**; pancióne *m.* **-boiler**; quadro o altro fatto per fini economici. **-cover**; tèsto *m.*, coperchio di marmitta.

Potent; -e, possènte. **-ate**; -ato *m.*

Potential, -ity, -ly; potenziál-e, -ità *f.*, -ménte.

Potentilla; *id.*

Pot-ful; contenuto d' un vaso, pentolata *f.* **-hat**; cappello duro.

Pother; frastuòno *m.*, nòie *f. pl.*

Pot-herb; erba di orto. -s, ortaggi *m. pl.* **-hole**; cavità fatta da un vortice d' acqua. **-hook**; cremaglièra *f.*, gangherо per sopportare una pentola; lettera a gancio. **-house**; bèttola *f.*

Potion; pozióne *f.* Sleeping —, soporífero *m.*

Pot-luck; quel che dà il convento. **-man**; garzone di bettola. **-pourri**; pupurrì *m.*, mescolanza di fiori e spezie odorose. **-sherd**; còccio *m.* **-shot**; tiro secco, quasi a bersaglio. **-tage**; minèstra *f.* **-ter**; 1. vasóio *m.*, pentoláio *m.* 2. andare a żónżo, gingillare. **-tery**; vaselláme *m.*, stovíglie *f. pl.* **-ting**; invasatura *f.* **-tle**; cestellíno *m.* **-valiant**; coraggioso per aver bevuto.

Pouch; scarsèlla *f.*, bórsa *f.*, tasca *f.*; záino *m.*; intascare.

Poult; pollastrèllo *m.* Turkey —, tacchinòtto *m.* **-erer**; pollaiuòlo *m.*

Poultice; impiastro *m.*, cataplasma *m.*

Poultry; pollame *m.* **-house**; polláio *m.* **-yard**; corte pel pollame.

Pounce; 1. sandracca *f.* 2. piombare su, aggranfiare, metter gli artigli su.

Pound; 1. libbra *f.* (454 grammi), mezzo chilo. 2. lira sterlina. 3. stabulário *m.* 4. pestare, tritare, frantumare. **-age**; percentuále *m.*, un tanto per lira. **-er**; 24 -er, cannone da ventiquattro libbre, di dodici chili di portata. **-ing**; tritaménto *m.*

Pour; versare; piovere dirottamente. -ing rain, pioggia a catinelle. — away, buttar via, lasciar cadere a terra. — forth, dar fuori, dare sfogo a. — in, arrivare in abbondanza. — in a heavy fire, lanciare un fuoco concentrato. — out, mèscere (vino), lanciar fuori (parole); uscire a frotte, in folla, a flotti.

Pour-boire; máncia *f.* **-parlers**; trattatíve *f. pl.*

Pout; bróncio *m.*; gado barbuto; fare il grugno, tenere il broncio, far muso di broncio, fare il labbro. -er pigeon, piccione a gola grossa. **-ingly**; con broncio.

Poverty; povertà *f.* **-stricken**; indigènte.

Powder; pólvere *f.*, polverína *f.*; cípria *f.*; impolverare, incipriare. Blasting —, polvere per mine. Sporting —, polvere da caccia. **-box**; scatola da cipria. **-flask, -horn**; borsa o fiaschetto da polvere. **-magazine**; Santa Barbara. **-mill**; polverièra *f.* **-puff**; piumíno *m.* **-y**; ridotto a polvere, coperto di polvere, impolverato.

Power; potére *m.*, facoltà *f.*, potènza *f.*, fòrza *f.* — of attorney, procura *f.* Civil —, autorità civile. The *n*th —, la potenza ennesima. — of extemporising, talento per improvvisare. Heating —, potenza calorifica. Horse —, cavallovapore. Moving, Propelling —, forza motrice. Refractive —, potere rifrangente. — of thinking, facoltà di pensare. Come into —, arrivare al potere. Fond of —, amatore del potere. To the utmost of one's —, per quanto è possibile. Beyond his —, al di là del suo potere, delle sue forze. In the — of, in facoltà di. **-ful**; potènte, fòrte, poderóso (esercito), efficace (medicina). **-fully**; forteménte. **-less**; impotènte, senza forza, senza mezzi.

Pow-wow; riunióne di guerrieri indiani; parlantína *f.*

Pox; mal francese.

Pozzuoli; Of —, puteoláno.

Practic-ability; praticabilità *f.* **-able**; praticábile, attuábile. **-al**; prático. **-ally**; 1. in atto pratico, praticaménte, realménte, di fatto. 2. quaṡi, si può dire. — done, vicinissimo a compimento. **-e**; 1. prática *f.*, abitúdine *f.*, uṡo *m.*, consuetúdine *f.*; azióne *f.* 2. clientèla *f.* Build up a —, farsi una clientela. 3. eṡercizio *m.* 4. metodo delle parti alíquote.

Practise; praticare, esercitarsi in, fare il, mettere in pratica. **-d**; prático, perito.

Practitioner; mèdico *m.*

Prae-postor; *see* Prepostor. **-tor**; pretóre *m.* **-torian**; pretoriáno.

Pragmatic-al; prammático.

Prague; Praga *f.*

Prairie; prato *m.*, pratería *f.* **-dog**; marmotta americana. **-hen**; gallina di Faraone americana. **-wolf**; sciacallo americano.

Praise; lòde *f.*; lodare.

Praiseworth-ily, -iness, -y; lodevolménte, l' esser -e, -e.

Pram; *raccorc.* di Perambulator.

Pranc-e; balzellare, saltellare, pavoneggiarsi. **-ing**; lèsto, vivo.

Prank; scappata *f.*, birichinata *f.*

Prat-e; chiacchierare, ciabare, parlare in maniera stupida. **-er, -ing**; chiacchierone. **-ique**; prática *f.* **-tle**; ciarla *f.*, cicalata *f.*; ciarlare, cinguettare, cianciare. **-tler**; ciancióne *m.*, bambino che cinguetta.

Prawn; palemóne *m.*

Pray; pregare. — tell me, vi prego di dirmi. **-er**; preghièra *f.* Put up, Say a —, fare una preghiera. Lord's —, paternostro *m.* — book, libro di preghiere. Common —, rituale della Chiesa anglicana. **-erful**; pio, devòto. **-erfully**; dopo molte preghiere a Dio. **-erfulness**; abitudine di pregare a Dio. **-erless**; senza pregare. **-ing**; supplicante.

Preach; predicare. **-er**; predicatóre *m.* **-ment**; ramanzína *f.*

Pread-amite; -amítico. **-monish, -monition**; preammon-ire, -izióne *f.*

Pre-amble; -ámbolo *m.* **-announce**; -annunziare. **-arrange**; -stabilire, concertare prima. **-arranged**; già determinato.

Prebend, -ary; -a *f.*, -ário *m.*

Preca-rious, -riously, -riousness; -rio, -riaménte, -rietà *f.* **-ution**; precauzióne *f.* **-utionary**; di cautela.

Preced-e, -ence, -ent, -ently, -ing; -ere, -ènza *f.*, -ènte, -enteménte, -ènte.

Prec-entor; -entóre *m.*, capo-còro *m.* **-ept, -eptor**; -ètto *m.*, -ettóre *m.*

Pre-christian; innanzi Cristo.

Precinct; recinto *m.*

Precious; prezióso; complèto; **arci-**, as in arcibriccone etc. — stone, pietra preziosa. **-ly**; ben bene. **-ness**; preziosità *f.*

Precipi-ce, -tancy, -tant, -tate, -tately, -tation, -tous, -tously, -tousness; -zio *m.*, -tazióne *f.*, -tante *m.*; -tare, -tato *m.*; -tataménte, -tazióne *f.*, -tóso, -tosaménte, l' esser -tòso. To -tate, avventare, lanciare. -tate oneself, -tarsi.

Precis-e, -ely, -eness *or* **-ion**; -o, -aménte, -ióne *f.* **-ian**; formalista *m.*

Preclude; esclúdere, preclúdere.

Preco-cious, -ciously, -city; -ce, -ceménte, -cità *f.*

Pre-combined; combinato prima. **-concerted**; concertato prima.

Pre-cursor; -cursóre *m.* **-datory**; -datòrio.

Pre-decease; -morire. **-decessor**; -decessóre *m.*, antecessóre *m.* **-della**; fregio al di sotto d' un' ancona.

Predestin-ation, -e; -azióne *f.*, -are.

Predetermin-ation, -e; -azióne *f.*, -are.

Predic-ament; mal passo, situazione imbarazzata. **-ate**; -ato *m.*, -are. **-t, -tion**; pred-ire, -izióne *f.*, previṡióne *f.*

Predi-lection; -lezióne *f.* **-scover**; scoprire prima. **-scovery**; scoperta più prima. **-spose, -sposing, -sposition**; -spórre, -sponènte, -spoṡizione *f.*

Predomina-nce, -nt, -ntly, -te; predomín-io *m.*, -ante, -antemente, -are.

Preem-inence, -inent, -inently; -inènza *f.*, -inènte, -inenteménte. **-ption**; preacquisto *m.* Right of —, diritto di prelazione nell' acquisto.

Preen; pulire, lisciare (piumaggio).

Pre-engage; assicurarsi avanti. **-engagement**; impegno già fatto, obbligo anteriore.
Pre-establish, -exist; -stabilire, -eśístere.
Prefa-ce; -zióne *f.*, proèmio *m.*; introdurre; far preámbolo a. **-tory**; preliminare, per via di prefazione.
Prefect, -ure; prefètt-o *m.*, -ura *f.*
Prefer; preferire, amare meglio. **-able, -ably**; preferibil-e; -ménte, a preferenza. **-ence**; -ènza *f.* — share, azione privilegiata. **-ential**; che ha diritti privilegiati. **-shareholder**; azionista privilegiato. **-entially**; con preferenza. **-ment**; avanzaménto *m.*, promozióne *f.*, nomina ad un benefizio o cura.
Prefigur-e; -are.
Prefix; prefisso *m.*, prefíggere.
Pregnan-cy; gravidanza *f.* **-t**; grávida, incinta; of animals, prégno. **-tly**; in modo significante.
Pre-hensile; prènsile. **-historic**; -istòrico. **-judge**; -giudicare.
Prejudic-e; pregiudízio *m.*, prevenzióne *f.*; nuòcere a, pregiudicare, prevenire. -ed against, nemico a. **-ial**; nocévole, pregiudicévole. **-ially**; nocevolménte ecc.
Prel-acy; episcopato *m.* **-ate**; -ato *m.* **-atical**; -atízio.
Preliminar-ily, -y; -ménte, -e. **-ies**; preparatívi *m. pl.*
Prelud-e; -io *m.*; far -io a.
Prematur-e, -ely; -o, -aménte.
Premedita-te, -tion; -re, -zióne *f.*
Premier; primo ministro; primo, primário. **-ship**; primáto *m.*
Premis-e; preméttere, spiegare in primo luogo. **-es**; locali, casa colle attenenze, stabili con annessi e connessi, articoli innanzi detti.
Premiss; preméssa *f.*
Premium; prèmio *m.*, eccedenza sopra la pari. Insurance —, premio o quota di assicurazione. High —, forte premio. **-bond**; obbligazione rimborsabile con premio.
Premolar; molare falso.
Premon-ition; avvertiménto mentale o segreto. **-itory**; d' avvertimento, prodròmico.
Prenatal; anteriore alla nascita.
Preoccup-ation; -azióne *f.* **-y**; -are, impensierire.
Preord-ain; -inare.
Prepaid; porto franco.
Prepar-ation; -azióne *f.*; confezióne *f.* **-atory**; -atòrio. **-e**; -are, condizionare. **-ed**; prónto.
Prepay; affrancare, pagare anticipatamente. **-ment**; affrancatura *f.*, pagamento anticipato.
Prepense; premeditato.
Preponder-ance, -ant, -antly, -ate; **-anza** *f.*, -ante, per la più parte, -are.
Preposition, -al; prepośizión-e *f.*, da -e.
Prepossess; impressionare, prevenire. **-ing**; prevenènte, simpático. **-ingly**; in modo prevenènte. **-ion**; prevenzióne *f.*
Preposterous; mostruóso, più che assurdo. **-ly**; in un modo tutto assurdo.
Pre-postor; scolare con doveri e privilegi speciali. **-raphaelite**; -raffaellítico. **-rogative**; -rogatíva *f.* **-sage**; -śagio, -śagire.
Presburg; Preśburgo *m.*
Presb-yopia, -yopic; -iopía *f.*, prèśbite. **-yter**; anziáno *m.* **-yterian**; -iteriáno.
Prescien-ce, -t, -tly; -za *f.*, -te, con -za.
Prescr-ibe; -ívere, fare o dare una ricetta. **-iption**; -izióne *f.* (legale), ricetta (medica). **-iptive**; -ittívo.
Presence; preśènza *f.* Come, Bring into the — of, comparire, menare, alla presenza di. Commanding —, aspetto o presenza signorile, o gagliarda. — of mind, presenza di spirito, prontezza d' animo. Keep one's — of mind, esser presente a sè stesso, aver la testa a segno. **-chamber**; sala di ricevimento.
Present; dono *m.*, regálo *m.*, máncia *f.*; preśènte, attuále, corrènte. New Year *or* Christmas —, strènna *f.* Be — at, assistere a, trovarsi a. To —, preśentare, offrire. — to a living, conferire un benefizio a. Up to the — time, fino ad ora. —! fire! punt! foco!
Present-able; -ábile. **-ably**; in modo -abile. **-ation**; -azióne *f.* — copy, copia presentata in omaggio. **-iment**; -iménto *m.* **-ly**; fra poco, dopo breve tempo, da qui a poco, poi. **-ment**; presentazione fatta dal "Grand Jury."
Preserv-able; conservábile. **-ation, -ative**; -azióne *f.*, -atívo. **-e**; 1. confettura *f.*; confettare. 2. conservare, preservare, protèggere, riparare. 3. bandíta *f.* **-er**; salvatóre *m.* Life —, cintura di salvamento; canna impiombata.
Preserving-pan; bastardèlla *f.*
Preside; presedére.
Presiden-cy, -t, -tial; -za *f.*, **-te** *m.*, -ziále. Bengal -cy, la provincia di Bengala.
Press; tòrchio *m.*, strettóio *m.*; armádio *m.*; calca *f.*, pressa *f.*; stampa *f.* Ready for the —, pronto per esser stampato. In the —, in corso di stampa. Carry a — of sail, far forza o sforzo di vele. To —, prèmere, stríngere, pigiare, serrare, incalzare; pregare, sollicitare, insistere presso, insistere in (una domanda). — on, — forward, farsi avanti, andar sempre avanti. **-bed**;

letto ad armadio pieghevole. **-cutting agency**, eco della stampa. **-gang**; compagnia per l' arruolamento forzato de' marinai. **-ing**; urgènte, importante. **-ingly**; pressanteménte, forteménte. **-man**; giornalista *m*. **-mark**; marca di stampa.

Pressure; pressióne *f.*; cárico *m.*, resistènza *f.*, (*electr.*) tensióne *f.* Back —, (automobile) resistenza allo scappamento; (electric battery) contratensione della batteria. Permissible — (on the wheels of a car), carico ammissibile. — on rear axle, carico sull' asse posteriore. Cell —, tensione di un elemento. Centre of —, centro della resistenza. Working —, pressione di regime. — of business, peso degli affari. To work under —, lavorare a tutta forza. **-gauge**; manòmetro *m*. **-gradient**; caduta di pressione. **-line**; (*wireless telegr.*) linea di livello.

Prestige; prestigio *m*.

Presum-able, -ably; -ibile, -ibilménte. **-e**; -ere, poter credere, permettersi di credere, ritenere per vero. It may be -d, è da presumersi. **-ed**; presunto. **-ing**; *see* Presumptuous. — that, posto che.

Presumpt-ion; presunzióne *f.* **-ive, -ively**; presuntív-o, -aménte. **-uous, -uously, -uousness**; presuntuós-o, -aménte, -ità. Be -uous, presumer troppo di sè.

Presuppose; presuppórre.

Preten-ce; pretèsto *m.*, apparènza *f.*, colóre *m.* Under false -ces, con rappresentazioni bugiarde. **-d**; pretèndere, allegare come pretesto, far sembiante, fíngere. — to be, fingere il. **-ded**; falso, finto, sedicènte. **-der**; -dènte. **-sion**; -sióne *f.* **-tious**; -zióso.

Preter-ite; remòto. **-mit**; trascurare. **-natural, -naturally**; -naturále, -naturalménte. **-perfect**; passato remoto.

Pretext; pretèsto *m*.

Prett-ily, -iness; leggiadr-aménte, -ía *f.* ecc., *see* Pretty. **-y**; leggiadro, vezzóso, vago, gentíle, bellíno. As *adv.*, abbastanza. — nearly, vicino a, quasi. — well, 1. beníno. Be — well, stare abbastanza bene. 2. quasi tutto.

Prev-ail; prevalére, soverchiare. — with, decídere, persuadére. **-ailing**; prevalènte, di moda, in voga. **-alence**; -alènza *f.* **-alent**; -alènte, dominante.

Prevaric-ate, -ation; tergivers-are, -azióne *f.*; equivoc-are, -o *m*.

Prevent; impedire, ostacolare, ostruire, prevenire, preclúdere. Be -ed from, esser impossibilitato a. **-able**; che si potesse ovviare, che si può impedire. **-ion**; prevenzióne *f.*, l' impedire. — is better than cure, è meglio prevenire che guarire. **-ive**; -ívo, preservatívo. **-ively**; -ivaménte.

Previous; prèvio, anterióre. The — evening, la sera prima. **-ly**; anteriorménte, preventivaménte, prima. **-ness**; l' arrivare, il concludere o sim., troppo presto.

Prevision; -e *f.*, presciènza *f.*

Prey; préda *f.*, bottíno *m.* — upon, divorare, *fig.* ròdere, infestare. Birds of —, uccelli rapaci.

Price; prèzzo *m.*; prègio *m.*, mèrito *m.*, ricompènsa *f.* It was at the — of, ne era il prezzo. Set a — upon the head of, metter una taglia su di un uomo. At a low, high, —, a prezzo basso, alto. At any —, a qualunque prezzo. At no —, per nulla al mondo. **Average** —, prezzo medio. **Buying, Selling** —, prezzo di compra, di vendita. **Closing, Opening** -s, prezzi di chiusura, di aper. tura. **Cost, Natural** —, prezzo di costo. **Fair, Reasonable** —, prezzo ragionevole. **Fall, Drop in** -s, ribasso di prezzi. **Fixed** —, prezzo fisso. **Lowest** —, ultimo prezzo. **Regular, Usual** —, prezzo ordinario. **Rise in** -s, aumento, rialzo, di prezzi. **Schedule of** -s, listino di prezzi. **Standard** —, prezzo regolatore. **Steady** -s, prezzi fermi.

Bring down -s, far ribassare i prezzi. **Falling** -s, il ribasso dei prezzi. The — is falling, il prezzo ribassa, è in ribasso, sta per ribassare. **Fetch a** —, ottenere un prezzo. The — **keeps up**, il prezzo si sostiene, si mantiene. Take it at your **own** —, fate il prezzo voi stesso.

To —, valutare, tassare, stabilire il prezzo di, far l' elenco dei prezzi.

Price-less; impagábile. **-list**; listíno *m*.

Prick; puntura *f.*; púngere, punzecchiare, puntare (carta). — up, drizzare. **-ing**; pizzicóre *m.* **-le**; punta *f.*, spina *f.* **-ly**; spinóso. — heat, lichene vesicolare, cocióre *m.* — pear, fico d' India.

Pride; orgòglio *m.*, alterígia *f.* — oneself, vantarsi di, farsi gloria di, andar orgoglioso di.

Priest; prète *m.*, sacerdóte *m.* **-craft**; furberia pretesca. **-ess**; sacerdotèssa *f.* **-hood**; cléro *m.*, sacerdòzio *m.* **-ly**; pretésco, sacerdotále. **-ridden**; governato dai preti.

Prig; saccentóne *m.*, saputèllo *m.*; rigorista *m.*; sgraffignare. **-gish**; saccènte. **-gishness**; bigotteria affettata, saccentería *f.*, moralità esagerata o fuor di luogo.

Prim; preciso, attillato, stecchíto.

Prim-acy; -ato *m.*, -azía *f.* **-â facie**; a prima vista. — — case, apparenza di reità o di probabilità. **-age**; cappa *f.*, primággio *m.* **-al**; primièro. **-arily**; in primo luogo. **-ary**; primário, principále. — **school**, scuola elementare. **-ate**; -ate *m.*, primo arcivescovo. **-e**; primo, òttimo, di prima qualità, di prima importanza. — **minister**, primo ministro. — **of life**, fiore dell' età. — **fun**, molto divertente, divertimento assai gaio. To —, metter l' inesco; far l' imprimitura, metter la mestica; imbeccare; ebollire (macchina). **-er**; abecedario *m.*, crocesanta *f.*, libretto elementare. Long —, garamóne *m.*, dieci punti. Great —, carattere di diciotto punti. **-eval**; primitívo. **-ing**; 1. — **coat**, pittura di sfondo. 2. polverino da focone, inésco *m.* 3. proiezione di acqua invece di vapore nei cilindri. **-ogeniture**; -ogenitura *f.* **-ordial**; -ordiále. **-rose**; primavera minore. **-ula**; prímola *f.*

Princ-e, -ely, -ess; -ipe *m.*, -ipésco, -ipèssa *f.* **-ipal**; 1. -ále *m.*, padróne *m.* 2. direttóre *m.* 3. mandante *m.*, committènte *m.* 4. capitále *m.* 5. puntello principale. As *adj.*, -ipále, che più importa. — **men of the place**, i notabili del paese. — **scene**, scena capitale. **-ipality**; -ipato *m.* **-ipally**; -ipalménte, sopratutto, particolarménte, per la più parte. **-iple**; -ípio *m.*, mássima *f.* Well -d, che ha dei buoni principii.

Print; incisióne *f.*, stampa *f.*, impressióne *f.*; ségno *m.*, imprónta *f.*, tráccia *f.*, giornále *m.*; fórma *f.*, caráttere *m.* To —, stampare, imprímere. **-ed matter**, stampe *f. pl.* In —, stampato. Out of —, esaurito. Blue —, cianografía *f.*, *bleu m.* Coloured —, stampa colorita. Cotton —, indiana *f.* **-dress**; veste d' indiana. **-er**; stampatóre *m.*, tipògrafo *m.* — **and publisher**, tipògrafo-editóre *m.* **-'s devil**, apprendista *m.* **-ing**; impressióne *f.*, stampa *f.*, tipografía *f.* — **machine**, macchina tipografica. — **office**, stampería *f.* — **press**, torchio da stampa. **-room**; gabinetto di stampe. **-seller**; mercante di stampe. **-shop**; magazzino di stampe.

Prior; prióre *m.*; anterióre, antecedènte. — **to**, prima di. **-ess**; prióra *f.* **-ity**; -ità *f.*, anteriorità *f.* — **of telegrams**, precedenza assoluta. **-ship**; -ato *m.* **-y**; prioría *f.*

Prism, -atic; -a *m.*, -ático.

Prison; prigióne *f.*, cárcere *m.* **-er**; prigionièro *m.*, accusato *m.*, detenuto *m.*, imputato *m.*, prigióne *m.* Take —, menar prigione. **-'s base**, bómba *f.*

Pristine; pristíno.

Prithee; ti prego.

Privacy; solitúdine *f.*, segretézza *f.* Invade the — **of**, turbare la solitudine di. Live in —, vivere ritirato.

Private; privato, particolare, segréto, sólo, confidenziále; ritirato, scartato; borghése, civíle In —, a porte chiuse. — **bill**, progetto di legge di interesse privato. — **carriage**, carrozza padronale. — **clothes**, abito borghese o civile. — **conclusions**, la conclusione a cui si è arrivato nel suo interno. — **detective**, agente di polizia privato. — **fortune**, fortuna propria. — **friend, individual, lesson, letter**, amico, persona, lezione, lettera, particolare. — **gentleman**, signore disoccupato. — **hearing**, udienza a porte chiuse. — **house**, casa borghese. — **interest**, interesse privato. — **life**, vita civile o privata. — **place**, luogo ritirato. — **soldier**, soldato semplice o gregario, fantaccíno *m.* **Speak in** —, parlare in segreto. — **stair-case**, scala privata. — **theatricals**, spettacolo da parte di dilettanti. Have — —, recitare in famiglia.

Privat-eer; corsaro patentato. **-eering**; il fare il corsaro. **-ely**; in segreto, di nascosto. I told him —, gli ho detto all' orecchio. **-ion**; privazióne *f.* **-ive**; -ívo.

Privet; ligustro *m.*, ruvístico *m.*

Privileg-e; -io *m.* Breach of —, danno apportato ai privilegi di una corporazione. **-ed**; -iato.

Priv-ily; segretaménte. **-ity**; conoscenza segreta. **-y**; 1. cèsso *m.*, ritirata *f.* 2. — **to**, consapevole di, con conoscenza di. — **Council**, consiglio di Stato. — **Councillor**, consigliere di Stato. — **purse**, i danari dello stesso Rè.

Prize; 1. prèmio *m.*, guiderdóne *m.*; présa *f.*, prèda *f.* To —, stimare, far caso di. — **highly, lightly**, far grande, poco, caso di. 2. — **open**, aprire con una leva. **-court**; commissione delle prede. **-fight**; combattimento di pugilatori. **-fighter**; pugilatore di mestiere. **-fighting**; pugilato professionale. **-man, -winner**; premiato *m.*, vincitore di un premio, laureato *m.* **-money**; premio distribuito all' equipaggio di una nave. **-ring**; arena del pugilato.

Pro; **-s and cons**, i pro e i contro.

Proa; piròga *f.*

Probab-ility, -le, -ly; -ilità *f.*, -ile, -ilménte.

Probate; verificazione di un testamento. Take out —, fare omologare un testamento. **-duty**; tassa di ciò.

Probation; pròva *f.*; noviziato *m.* On —, di prova. **-er**; novízio *m.*, chi fa le prove. **-ership**; tempo di prova, noviziato *m*.

Prob-e; sónda *f*.; sondare; scandagliare, scrutare. **-ity**; integrità *f*., onestà *f*., rettitudine *f*. **-lem**; -lèma *m*., queśíto *m*. **-lematical**; -lemático. **-oscis**; -òscide *f*.

Proced-ure; *see* Proceeding. Legal —, -ura *f*.

Proceed; procédere, continuare, andar oltre, proseguire; derivare, partire (da), náscere, trarre, provenire; comportarsi; recarsi, viaggiare, farsi (a). While the case is -ing, quando si discutisce la causa. — on, agire in base a. — to, mettersi a, passar oltre a. — to action, venire all' azione. — to blows, venire ai colpi. — to the business, passare all' affare, mettersi di proposito. — cautiously, agire con precauzione. — on false grounds, procedere su falsi indizi. He -ed to open the door, andò ad aprire la porta. He -ed to the next station, proseguì sino alla stazione susseguente. The ship -ed on her way, il bastimento continuò la sua via.

Proceeding; procediménto *m*., modo di agire, il procedere. **-s**; atti (della Camera). The day's —, gli avvenimenti della giornata. Legal —, procedure legali. Take —, intentare procedimenti, muover causa.

Proceeds; ricávo *m*.

Process; procèsso *m*., andaménto *m*., córso *m*., operazióne *f*., sèguito *m*., procediménto *m*. Bony —, apòfiśi *f*. Finishing -es, lavorazioni complementari. Long — of time, lungo seguito di tempo. Natural — of things, corso naturale delle cose. Serve a —, notificare un' intimazione. In — of completion, in via di completarsi. Repeat the —, ripetere l' operazione.

Procession; -e *f*., cortéggio *m*., convòglio *m*. Funeral —, mortòrio *m*. **-al**; di processione.

Procl-aim; -amare. It -ed him a gentleman, lo rivelava un gentiluomo. **-amation**; Written —, proclama *m*. Spoken —, proclamazióne *f*. **-ivity**; -ività *f*.

Proconsul, -ar, -ate; procònsol-e *m*., -are, -ato *m*.

Procrastina-te, -tion; -re, -zióne *f*.

Procrea-te, -tion; -re, -zióne *f*.

Proctor; 1. procuratore nelle corti ecclesiastiche. 2. (alle università) ufficiale che sorveglia alla disciplina, censóre *m*.

Procumbent; procombènte.

Procur-able; otteníbile. **-ation**; procúra *f*. **-e**; procurarsi, ottenére, cagionare, guadagnare. **-er, -ess**; ruffián-o *m*., -a *f*.; meżżán-o *m*., -a *f*.

Prod; spunzonata *f*., spinta *f*.; pungolare, spunzonare.

Prodig-al, -ality, -ally; -o, -alità *f*., -aménte. **-ious, -iously, -y**; -ióso, -iosaménte; -io *m*., portènto *m*.

Produce; 1. frutto *m*., prodótto *m*., derrate *f*. *pl*., raccòlto *m*. Colonial, Home —, derrate o generi coloniali, nostrali. 2. produrre, arrecare, condurre a. 3. prolungare. 4. tirare o cavare fuori, estrarre, far vedere, mostrare, espórre. 5. metter in iscena. Be -d, rappreśentarsi (commedia). 6. fruttare, effettuare, rèndere, cauśare, occaśionare, fare.

Produc-er; produttóre *m*., chi produce ecc., *see* Produce (2) to (6). **-ible**; producíbile, da prodursi ecc. **-t**; prodótto *m*., gèttito *m*., effètto *m*., ricávo *m*. **-tion**; produzióne *f*., il produrre ecc., *see* Produce (2) to (6). Turned out by mass —, costruito in grandi serie. **-tive**; produttívo, fèrtile, fecóndo. — of, che produce ecc., *see* Produce. **-tively**; in modo produttivo. **-tivity**; produttività *f*.

Profan-ation, -e, -ely, -er, -ity; -azióne *f*.; -o, -are; -aménte, -atóre *m*., -ità *f*.

Profess; professare, dichiararsi, far professione. **-ed**; dichiarato, professato, apèrto. — (monk or nun), profèsso. **-edly**; di professione, secondo ciò che si vuol far credere. He is —, a ciò che dice lui stesso, è. **-ion**; -ióne *f*. **-ional**; maéstro *m*., -ionále, di mestiere. **-ionally**; -ionalménte, di mestiere.

Professor, -ial, -ship; -e *m*., -a *f*.; -ále, -ato *m*.

Proffer; offèrta *f*.; offrire, profferire.

Proficien-cy; fòrza *f*., talènto *m*., maestría *f*. **-t**; ábile, espèrto. — Latin scholar, molto versato nel latino.

Profil-e; -o *m*.

Profit; profitto *m*., útile *m*., vantággio *m*.; giovare a, profittare a, giovarsi (di), trar guadagno. — and loss, profitti e perdite. Gross, Net —, beneficio lordo, netto. Make — by, profittare, approfittare di. Yield a —, dare del vantaggio.

Profit-able; profittévole, lucratívo, útile, vantaggióso. **-ableness**; l' esser profittevole ecc., utilità *f*. **-ably**; profittevolménte ecc. **-eer**; chi s' arricchisce alle spese altrui, chi fa profitti sragionevoli. **-eering**; sfruttaménto *m*. **-less**; inútile, senza vantaggio, senza prò.

Profliga-cy, -te; śregolat-ézza *f*., -o; libertin-ággio, -o *m*. The -te expenditure of the Government, gli sborsi sfrenati del governo.

Pro-found, -foundly, -fundity; profónd-o, -aménte, -ità *f.* -found sleep, alto sonno. -found mathematics, matematica astrusa.

Profus-e; -o. — in his praise, prodigo di lodi. — ornamentation, ornamenti in profusione. — expenditure, spese eccessive. **-ely**; -aménte. — liberal, oltremodo liberale. **-eness**; còpia *f.*, abbondanza *f.* **-ion**; -ióne *f.*

Progen-itor; -itóre *m.*, antenato *m.* **-y**; -ie *f.*

Progn-athous; -ato. **-osis**; prògnoṡi *f.*

Prognostic, -ate, -ation; pronòstic-o *m.*, -are, -azióne *f.* To -ate rain, prenunziare l' acqua.

Programm-e; -a *m.*

Progress; -o, progrediménto *m.*; progredire, far progressi. — of a business, l' andamento di un affare. — of time, lasso di tempo, fuga di tempo. — of the arts, i progressi delle arti. Make slow —, avanzare lentamente. Hinder his —, impedirgli l' andar oltre. **-ion**; -ióne *f.* **-ive**; -ista *m.*; -ívo, crescènte. **-ively**; -ivaménte.

Prohibit; proibire, vietare. **-ion**; divièto *m.*, proibizióne *f.* **-ionist**; chi vuole la proibizione legale dell' alcool. **-ive**; proibitívo.

Project; progètto *m.*, diviṡaménto *m.*; progettare (disegno), gettare (proiettile), proiettare (ombra, proiezione); spòrger fuori, aggettare. **-ed**; progettato, immaginato. **-ile**; proièttile *m.*, proiètto *m.* **-ing**; sporgènte. **-ion**; aggètto *m.*, spòrto *m.*, rilièvo *m.* Mathematical —, proiezione *f.* **-or**; progettista *m.*

Prol-apse; -asso *m.* **-egomena**; -egòmeni *m. pl.* **-epsis**; -èssi *f.* **-etarian, -etariate**; proletari-áno, -ato *m.* **-ific**; -ifico, fecóndo. **-ifically**; -ificaménte ecc. **-ificness**; fecondità *f.* **-ification**; -ificazióne *f.* **-ix**; -isso, verbóso. **-ixity**; -issità *f.* **-ogue**; -ogo *m.*

Prolong, -ation; prolung-are, -azióne *f.*

Promenad-e; passéggi-o *m.*, -ata *f.* To —, passeggiare. **-er**; passeggiatóre *m.*

Prominen-ce; -za *f.*, risalto *m.*, sporgènza *f.*, cospicuità *f.* **-t**; -te, sporgènte, cospicuo, spiccato, spiccante. — eyes, occhi fuori dell' orbita. **-tly**; spiccataménte, eminenteménte.

Promiscu-ity, -ous, -ously; -ità *f.*, -o, -aménte.

Promis-e; promèssa *f.* Give great —, far nascere grandi speranze. To —, promèttere. — wonders, prometter mari e monti. — oneself, aspettarsi, prefiggersi. Breach of —, mancanza ad una promessa di matrimonio. Express, Implied —, promessa formale, tacita. Land of —, terra promessa. **-e-breaker**; mancatore di parola, chi viola la sua promessa. **-er**; promettitóre. **-ing**; che dà grandi speranze. **-ingly**; So —, con tante speranze. **-sory**; promissòrio.

Promo-ntory; -ntòrio *m.*, braccio di terra. **-te**; promuòvere. **-ter**; promotóre *m.* **-tion**; promozióne *f.*, avanzaménto *m.*

Prompt; 1. termine o scadenza d' uso, per il pagamento. 2. prónto, sollècito, prèsto, súbito, lésto. 3. suggerire, spíngere; dettare, dare lo spunto, imbeccare. **-er**; suggeritóre *m.* **-itude**; prontézza *f.*, sollecitúdine *f.* **-ly**; súbito. **-ness**; prestéẓza *f.*

Promulga-te, -tion, -tor; -re, -zióne *f.*, -tóre *m.*

Prone; boccóni; dispòsto, propènso, incline (al peccato), proclíve. **-ness**; inclinazióne *f.*

Prong; rèbbio *m.*

Pronominal, -ly; -e, -ménte.

Pron-oun; -òme *m.* **-ounce, -ounceable, -unciation**; pronunzi-are, -ábile, -a *f.*

Proof; pròva *f.*, dimostrazióne *f.*; bòzza *f.* — against, a prova di, superiore a. Bomb —, a prova di bomba. **-sheet**; bòzza *f.* **-spirit**; spirito metà acqua e metà alcool.

Prop; puntèllo *m.*, appòggio *m.*, sostègno *m.*, capra del baroccio; puntellare, appoggiare. Vine —, palo *m.*, calòcchia *f.*

Propagand-a, -ism, -ist; -a *f.*, -iṡmo *m.*, -ista *m.*

Propaga-te, -tion, -tor; -re, -zióne *f.*, -tóre *m.*; (by layering) propaggin-are, -azióne *f.*, -atóre *m.*

Propel; spingere innanzi. **-lent**; propulsore. **-ler**; èlica *or* èlice *f.*

Propensity; propensióne *f.*

Proper; pròprio, convenévole, opportuno, débito, di prammatica; confacènte; giusto, eṡatto. Be —, convenire. **-ly**; giustaménte bène, propriaménte, ammòdo. It might — be done by, poteva esser doveroso per parte di.

Propert-ies; fabbiṡógno *m.* **-ty**; proprietà *f.*, avére *m.*, fóndi *m. pl.*, patrimònio *m.*, possèssi *m. pl.*, beni mobili ed immobili. — man, vestiarista *m.* — tax, imposta fondiaria.

Prophe-cy; profezía *f.* **-sy**; profetare, profetiẓẓare, predire. **-t**; profèta *m.* **-tess**; profetéssa *f.* **-tic, -tically**; profetic-o, -aménte.

Prophyla-ctic, -xis; profil-áttico, -assi *f.*

Propinquit-y; -à *f.*, vicinanza *f.*

Propiti-ate, -ation, -atory, -ous, -ously; propizi-are, -azióne *f.*, -atòrio, -o, -aménte. **-ousness**; l' esser propizio.

Propolis; pròpoli *f.*

Proportion; proporzióne *f.*; rappòrto *m.* **-ed to**, adeguato a. Every new conviction proves tenacious in — as we have formerly regarded it as absurd, ogni nuova convinzione si manifesta tanto più tenace quanto più l' abbiamo considerata assurda dapprima. To —, proporzionare. In —, in proporzione, secondo, a misura che. Out of —, sproporzionato. **-able, -al, -ally, -ate, -ately**; proporzion-ábile, -ale, -alménte, -ato, -ataménte.

Propos-al; propòsta *f.*, offèrta *f.* **-e**; propórre, propórsi, prefíggersi; offrir la sua mano, far una proposta di matrimonio. — terms of peace, far proposte di pace. — the health of, proporre un brindisi a. **-er**; proponènte *m.*, proponi-tóre *m.*, -trice *f.* **-ition**; -izióne *f.*, propòsta *f.*

Propound; metter in campo. **-er**; proponi-tóre *m.*, -trice *f.*

Propriet-ary; di proprietà particolare. As *sb.*, l' insieme d' un corpo di proprietarii. — club, circolo a carico d' una persona particolare. **-or, -ress**; proprietári-o *m.*, -a *f.*, possidente *m.* or *f.* **-orship**; padronanza *f.* **-y**; proprietà *f.*, correttézza *f.*, convenièn̄za *f.*, le buone creanze, decènza *f.* — of behaviour, condotta conveniente. Keep within the bounds of —, osservare le convenienze. Offend against —, offendere le convenienze.

Propulsion, -ive; spingi-ménto *m.*, -tóre.

Propylaeum; propilèo *m.*

Prorog-ation, -ue; -a *f.*, -azióne *f.*; **-are**.

Prosaic, -ally; -o, - aménte.

Proscenium; proscènio *m.*, palcoscènico *m.*

Proscrib-e; proscrívere. **-ed**; proscritto, bandíto, interdètto, proibíto.

Proscription; proscrizióne *f.*, bandiménto *m.*

Prose; pròṡa *f.*; parlare tediosamente. **-writer**; prosatóre *m.*

Prosecut-e; processare, querelare; proseguire. **-ion**; procèsso *m.*, querèla *f.*, accuṡa *f.*; continuazióne *f.*, prosecuzióne *f.*, proseguiménto *m.*; l' insieme dei querelanti. **-or**; attóre *m.*, querelante *m.* Public —, procuratore del rè.

Proselyt-e; proṡèlito *m.* **-ise**; cercare di far proseliti. **-iser**; chi fa proseliti. **-ism**; proṡelitiṡmo *m.*

Pros-er; raccontatore tedioso. **-ily**; noiosaménte. **-iness**; verbosità insulsa. **-ing**; prolissità *f.*

Prosody; proṡodía *f.*

Prospect; prospettíva *f.*, prospètto *m.*, vista *f.*; speranza, probabilità di successo. Bright -s, una bella prospettiva. To — for gold, andare alla ricerca di giacimenti auriferi. **-ive**; dell' avvenire. **-ively**; per l' avvenire. **-or**; ricercatore di terreno minerario. **-us**; programma d' emissione.

Prosper, -ity, -ous, -ously; prosper-are, -ità *f.*, -o, -aménte.

Prost-ate; pròstata *f.* **-itute**; -itúta *f.*; -ituire. **-itution**; -ituzióne *f.* **-rate**; -rato, -rare. — oneself, -ernarsi. **-ration**; -raménto *m.*, -razióne *f.*; abbattiménto *m.*, debolézza estrema.

Prosy; stucchévole, insulso.

Prot-agonist; -agonista *m.* **-asis**; -aṡi *f.* **-ean**; -eifórme.

Protect; protèggere, difèndere. **-ion, -ionism, -ionist**; protezión-e *f.*, -iṡmo *m.*, -ista *m.* **-ive**; difensívo, protettóre. — duty, gabella protettrice. **-or**; protettóre *m.*, difensóre *m.* **-orate**; protettorato *m.*

Prot-égé, -égée; protètt-o *m.*, -a *f.* **-eid**; albuminòide. **-ein**; -eína *f.*

Protest; protèsta *f.*, protèsto *m.* (d' una cambiale). Under —, protestando. Captain's —, protesto d' avaria. To —, protestare. **-ation**; protèsta *f.*

Proto-col; -collo *m.*, verbále *m.* **-martyr**; -mártire *m.* **-type**; protòtipo *m.*

Protract, -ion; protr-arre, -azióne *f.*, prolung-are, -aménto *m.* **-ive**; dilatòrio. **-or**; semi-cérchio graduato.

Protru-de; spòrgere, far sporgere, *fig.* cacciar fuori. **-sion**; lo sporgere, sporgènza *f.* **-sive**; sporgènte.

Protuberan-ce; -za *f.* **-t**; -te.

Proud; orgoglióso, altièro, supèrbo, fiéro. — flesh, cicciolòtto *m.* A — day, un gran giorno. Be — of, vantarsi di, vantare. They are — of their uniform, vantano la livrea. **-ly**; fieraménte, orgogliosaménte.

Prov-able; dimostrábile, provábile. **-e**; 1. provare, dimostrare, comprovare. 2. riuscire, tornare. It -d a great success, ebbe gran successo. He -d to be, si vide che egli era.

Provençal; provenzále.

Provender; forággio *m.*, provvigióni *f. pl.*

Proverb, -ial, -ially; -io *m.*, -iále, -ialménte.

Provide; provvedére, fornire, munire; stipulare, pattuire. -d for, previsto. To — for the future, pensare all' avvenire. There is a large population to be -d for, vi è una numerosa popolazione da nutrirsi. — for one's family, provvedere alle necessità della sua famiglia. This book -s for my requirements, questo libro mi appaga. -d that, purchè, dato che.

Providen-ce; provvidènza *f.*, il Cielo, previdènza *f.* **-t**; pròvvid-o, -ènte, previ-

dènte. **-tial, -tially**; provvidenziál-e, -ménte. **-tly**; provvidaménte.
Provid-er; provveditóre *m.* **-ing**; purchè.
Provinc-e; -ia *f.*, *fig.* sfèra *f.*, competènza *f.* It is my —, spetta a me. **-ial, -ialism**; -iále, -ialismo *m.*
Provision; provvisióne *f.*, precauzióne *f.*; stipulazióne *f.*, articolo di un contratto, capo *m.* To —, approvigionare. **-al, -ally**; provvisòri-o, -aménte. **-dealer, -merchant**; negoziante di commestibili. **-s**; provvista da vivere, provviste *f. pl.*, approvvigionaménti *m. pl.*, sussistènze *f. pl.*, vettováglie *f. pl.*, víveri *m. pl.*
Proviso; stipulazióne *f.*, patto *m.*
Provisory; condizionále.
Provoca-tion; -zióne *f.* **-tive**; stímolo *m.*, provocante.
Provok-e; provocare, eccitare, stizzire. **-ing**; seccante, noióso, irritante. **-ingly**; in modo seccante ecc.
Provost; prepòsto *m.*, prevòsto *m.* Lord —, síndaco *m.* **-marshal**; specie di commissario o intendente (there is no corresponding post in the Italian army).
Prow; pròra *f.*, prua *f.*
Prowess; bravura *f.*, prodézza *f.*
Prowl; andare in busca, cercar la preda. — about, girare intorno, gironżare, gironżolare, girovagare. **-er**; girellóne *m.*, vagabóndo *m.*
Proxim-al; -o. **-ate, -ately**; immediat-o, -aménte. **-ity**; prossimità *f.*, vicinanza *f.* **-o**; prossimo venturo. The 10th prox., il dieci p.v.
Proxy; deputato *m.*, procuratóre *m.*; procura *f.*
Prud-e; schizzinósa *f.*, schifiltósa *f.*, finta modesta *f.* **-ence**; -ènza *f.*, saviézza *f.*, giudízio *m.* **-ent**; -ènte, sávio. **-ential**; -enziále. **-ently**; -enteménte. **-ery**; ritrosía *f.*, schifiltà *f.* **-ish**; di una modestia esagerata, o fuor di luogo. **-ishness**; *see* Prudery.
Prun-e; 1. prugna *f.* 2. potare, mondare. **-ella**; *id.*
Pruning-hook, -knife; falcétto *m.*
Prurien-cy; prurito *m.* **-t**; libidinóso.
Prurigo; prurito *m.*
Prussi-an, -c; -áno, -co.
Pry; spiare, ficcare il naso. Paul —, indiscrèto *m.* **-ing**; curiosità indiscreta.
Prytaneum; pritanèo *m.*
Ps-alm, -almody; salm-o *m.*, -odía *f.* **-alter**; saltèrio. **-eudo-**; falso, supposto. **-eudonym**; -eudònimo *m.* **-ychic**; psichico.
Psycholog-ical, -ically, -ist, -y; psicologico, -icaménte, -o *m.*, -ía *f.*
Ptarmigan; francolino di monte.
Ptolem-aic, -y; tolemáico, Tolomèo.
Ptomaine; veleno cadaverico.
Puberty; pubertà *f.*
Public; púbblico. **-an**; bettolière *m* **-ation**; pubblicazióne *f.* **-house**; bèttola *f.* **-ity**; pubblicità *f.* **-ly**; pubblicaménte. **-spirit**; spirito pubblico. **-spirited**; devoto al bene pubblico.
Publish; pubblicare, divulgare. Just -ed nuovamente uscito. **-able**; pubblicábile. **-er**; editóre *m.*
Publishing-house; casa editrice.
Puce; color pulce.
Pucker; ruga *f.*, riga *f.*, grinza *f.*; raggrinzare, pieghettare. — up the lips, stringersi le labbra. **-ed**; rugóso, increspato. **-ing**; rigatura.
Pudding; budíno *m.*, tórta *f.* Black —, sanguináccio *m.* Marmalade, Rice —, torta di marmellata, di riso. **-stone** pudinga *f.*
Puddle; 1. pózza *f.*, pozzánghera *f.* 2. stangonare, puddellare. **-r**; puddellatóre *m.*
Pudgy; grasso, cicciuto.
Pueril-e, -ity; -e, -ità *f.*
Puerperal; -e.
Puff; 1. sóffio *m.*, ṡbuffo *m.*; soffiare. — and blow, ansare. 2. fiócco *m.*, ṡbuffo *m.*, bómba *f.*, sgónfio *m.* Pastry —, ṡgonfiòtto *m.* 3. véscia *f.* 4. soffietto ampolloso, ciarlatanata *f.*; far la reclame a, stralodare. — up, gonfiare, far insuperbire.
Puff-ball; palla vuota di gomma.
Puff-in; -íno *m.* **-y**; gonfiato, paffuto.
Pug; 1. can bolognese, mòps *m.* 2. unire con calcina. **-garee**; sciarpa leggera da cappello. **-ging**; riempitura di terra e paglia per ammortire i suoni. **-gy**; umidiccio.
Pugil-ist, -istic; -atóre *m.*, di -ato.
Pug-mill; mádia *f.*
Pugnaci-ous; battaglièro. **-ously**; con aria battagliera. **-ty**; carattere battagliero.
Pug-nose; naso camuso.
Puisne; (giudice) inferiore.
Pu-ke; vomitare. **-le**; piagnucolare.
Pull; tiro *m.*, strappata *f.*; sorsata *f.*, impressione tratta da un torchio; vantággio *m.*; remata *f.* To —, tirare, trascinare; vogare, remare. — a horse, tirar le redini ad un cavallo da corsa per fini malonesti. — about, stiracchiare, scompigliare, palpeggiare, brancicare. — apart, away, separare, tirar via. — back, tirar indietro, trattenére. — the bell, sonare il campanello. — down, atterrare, demolire, spianare. — off, ṡvèllere, strappare; víncere. — it off, riuscire, víncerla. **— on**, mettere

(vestiti). — open, aprire con forza, aprire con premura. — out, tirare o cavare fuori. — — a tooth, cavare un dente. — through, aiutare a sormontare, tirar d' impaccio; uscire vivo, scappare sano, venire a capo di. — to, chiúdere. — together, raccògliere, metter insieme; agire d' accordo. — oneself —, raccoglier le sue forze, ricompórsi. — the trigger, pressare il grilletto. — up, tirar su; fermare, fermarsi; censurare, rampognare.

Pullet; pollastro *m.*

Pulley; puléggia *f.*, carrúcola *f.* Driving —, puleggia motrice. Grooved —, puleggia a gola.

Pulmonary; polmonáre.

Pulp; pólpa, pasta; ridurre a pasta. **-ing** machine, cilindro olandese.

Pulpit; púlpito *m.*

Pulpy; pastóso, polpóso.

Pulsat-e; báttere, pulsare. **-illa**; fiore di pasqua. **-ion**; pulsazióne *f.*

Pulse; 1. pólso *m.* Quick —, polso frequente. Weak —, polso debole. Wiry —, polso secco. Feel the —, tastare il polso. 2. semi di legumi. **-less**; senza polsazione.

Pulveris-ation, -e; polveriżż-azióne *f.*, -are.

Puma; puma *m.*, coguáro *m.*

Pumice; pòmice *f.*

Pump; 1. pómpa *f.*, trómba *f.*; cavar l' acqua colla tromba, pompare, *fig.* sondare, far parlare, scalzare, tirar su le calze a. Get a — to draw, avviare una pompa. Air —, pompa ad aria. Fire —, pompa da incendio. Force —, pompa premente. Hand —, pompa a braccia. Rotary —, pompa a rotazione. Suction —, pompa aspirante. **-barrel**; cilindro di pompa. **-box**; Lower —, gotto o mortaletto della pompa. **-casing**; rivestimento del tubo d' una pompa. **-handle**; manovèlla *f.* **-hose**; manichetta per pompa. 2. **-s**; scarpettine da ballo.

Pumpernickel; pane di segale.

Pumpkin; zucca *f.*

Pun; bistíccio *m.*; far giuochi di parole. Stupid —, freddura *f.*

Punch; 1. punzóne *m.*, stampíno *m.*, stampo *m.*, punteruòlo *m.*, cacciatóio *m.*, cacciachiòdo *m.* 2. Pulcinèlla *m.* — and Judy, i burattini. 3. pònce *m.* 4. pugno *m.*, colpo di pugno; dare un pugno a, picchiare. 5. forare col punzone.

Puncheon; 1. stampo *m.* 2. botte di 318 litri.

Punchinello; Pulcinèlla *m.*

Punctili-o; puntíglio *m.* **-ous**; puntiglióso, minuzióso. **-ously**; in modo puntiglioso.

Punctu-al, -ality, -ally; puntual-e, -ità *f.*, -ménte. **-ate, -ation**; punteggi-are, -atura *f.* **-re**; puntura *f.*, púngere.

Pundit; dotto indiano.

Pungen-cy; agrézza *f.*, acrimònia *f.*, il piccante. **-t**; -te, acre. **-tly**; al vivo.

Pun-ic; -ico. **-iness**; piccolézza.

Punish; punire. **-able**; puníbile, passábile. **-ing**; penóso, difficile, noióso, straziante. **-ment**; punizióne *f.*, péna *f.*, pènso *m.*

Punitiv-e; -o.

Punkah; ventola sospesa dal di sopra.

Pun-ning; che ha del bisticcio, bisticcévole. **-ster**; chi fa bisticci, freddurista *m.*

Punt; chiatta *f.*, barchíno *m.*, passo *m.*, barchetta a fondo piano; spingersi innanzi in una barchetta con una pertica; al calcio, dare un calcio al pallone, lasciandolo cadere dalle mani, prima che tocchi terra. **-er**; chi fa al detto modo. **-gun**; spingardèlla *f.* **-pole**; pertica a coda di ferro forcuta.

Puny; piccíno, débole.

Pup; figliare; *raccorc.* di Puppy.

Pupa; crisálide *f.*

Pupil; 1. allièvo *m.*, alunno *m.*, scoláre *m.* 2. pupilla *f.* **-age**; stato di allievo, alunnato *m.* **-lary**; pupilláre. **-teacher**; insegnante di bambini.

Puppet; burattíno *m.*, marionètta *f.* **-play**; commedia di marionette.

Puppy; cagnolíno *m.*, cúcciolo *m.*; *fig.* sciocchertèllo *m.*, impertinènte *m.* **-ish**; goffo, scémpio. **-ism**; sciocchezza vanitosa.

Purblind; mezzo cieco.

Purchas-able; acquistábile, venále, da comprarsi. **-e**; 1. cómpra *f.*, acquisto *m.*; comprare. 2. calórna *f.*, paranco *m.*; vantaggio meccanico. The lever has a good —, la leva è in buona posizione per valersene. — money, prezzo di acquisto. **-er**; compratóre *m.*, acquirènte *m.*; avventóre *m.*

Pure; puro, mèro, prètto.

Purée; passata *f.*

Pur-ely; -aménte, sólo. **-eness**; -ézza *f.*

Purfle; orlare a ricamo o con nastrino.

Pur-gation; -gazióne *f.* **-gative**; -gatívo. **-gatory**; -gatòrio *m.* **-ge**; -gante *m.*, -gare. **-ging**; -gazióne *f.* **-ification**; -ificazióne *f.*, depuraménto *m.*, depurazióne *f.* **-ifier**; -ificatóre *m.* **-ify**; -ificare, depurare. **-ism**; -iṡmo *m.* **-ist**; -ista *m.*

Puritan, -ical, -ically, -ism; -o, -ico, -icaménte, -iṡmo *m.*

Purit-y; -ézza *f.* Moral —, -ità *f.*

Purl; 1. śmerlatura *f.*, śmerlare. 2. birra calda con droghe. 3. far la calza a maglia a volta. 4. gorgogliare (ruscello).
Purlieus; dintórni *m. pl.*
Purl-in; corrènte *m.*, piana *f.* **-ing**; gorgoglío *m.* **-oin**; sottrarre, involare. **-oiner**; ladro *m.*
Purpl-e; pórpora *f.*, crèmiśi *f.*; purpúreo. To —, imporporare. **-e-emperor**; specie di farfalla. **-ish**; porporeggiante.
Purport; tenóre *m.*, sostanza *f.*, portata *f.*; avere per scopo, voler dire, pretèndere.
Purpose; mira *f.*, scòpo *m.*, fine *m.*; proponiménto *m.*, intenzióne *f.*; propórsi, avere in animo. **Accomplish** one's —, compiere quanto si è prefisso. **Commercial** -s, fatti di commercio. Be at **cross** -s, esser reciprocamente malintesi. **Gain** one's —, riuscire al suo scopo. **On** —, appòsta, a bella posta. **Set** —, scopo prefisso, prestabilito. **Suit** his —, esser a proposito per lui. **To the** —, a proposito. **Not to the** —, fuor di proposito. To **what** —? a che fine?
Purpos-eless; inútile. **-ely**; intenzionalménte. **-ive**; intenzionato.
Purr; filare, far le fusa.
Purse; borsèllo *m.* — **up**, raggrinzare, corrugare. **Light, Empty** —, povertà *f.*, mancanza di risorse. **Long, Heavy** —, ricchézze *f. pl.* **-bearer**; chi tiene i cordoni della borsa. **-proud**; orgoglioso della propria ricchezza. **-strings**; cordoni della borsa.
Purser; (*mar.*) commissario.
Pursiness; l' esser asmatico.
Purslane; porcácchia *f.*
Pursuan-ce; inseguiménto *m.* **In** — **of**, in seguito di. **-t**; conformeménte a.
Pursu-e; inseguire, seguitare, proseguire, rincórrere, correr dietro a. **What course shall we** —? quale mezzo useremo? **-er**; inseguitore; querelante *m.* (in Iscozia). **-it**; inseguiménto *m.*, ricérca *f.*, occupazióne *f.* **Literary** -s, l' occuparsi della letteratura. **-ivant**; messaggero di Stato.
Pursy; bólso, aśmatico.
Purtenance; frattáglie *f. pl.*
Purulen-ce, -t; -za *f.*, -to.
Purvey, -or; provved-ére, -itóre *m.*
Purview; límiti *m. pl.*, circoscrizióne *f.*
Pus; márcia *f.*, marciume *m.*, pus *m.*
Puseyite; seguace del Pusey (*m.* 1882).
Push; spinta *f.*, impulso *m.*, spallata *f.* **Make a** —, fare uno sforzo. **At a** —, al bisogno. **Have plenty of** —, esser molto intraprendente. **When it comes to the** —, quando è venuto il momento critico. **To** —, spingere; avviare spingendo (bicicletta). — **away, back**, respíngere, allontanare, far indietreggiare, ricacciare. — **down**, far cadere. — **forward, on**, aprirsi strada, farsi avanti; affrettare. — **in**, far entrare, cacciar dentro, ficcar dentro. — **up**, elevare, alzare.
Push-ed; alle strette. **Hard** —, alle dure strette. **-er**; chi si fa strada nel mondo. **-ing**; enèrgico, intraprendènte.
Pusillanim-ity, -ousness; -ità *f.* **-ous, -ously**; -e, -eménte.
Puss; mício *m.*; lèpre *f.*
Pustul-ar, -e; pustol-óso, -o *m.*
Put; méttere, portare, collocare. — **about**, 1. far girare, spargere, far circolare, spàndere. 2. virar di bordo. 3. sconcertare, scompórre. — **aside**, metter da parte, tralasciare. — **away**, 1. metter in suo luogo. 2. abbandonare, rinunciare a. 3. mandar via, metter in un asilo. — **back**, 1. rimetter in suo luogo. 2. tornare indietro, poggiare (bastimento). — **by**, metter in serbo, economiżżare, fare il gruzzolo, risparmiare. — **and call**, contratto di poter vendere o comprare ad un prezzo prestabilito fino ad un certo tempo. — **down**, 1. depórre, metter sulla tavola, lasciar stare. 2. prender nota di. 3. reprímere; umiliare, confóndere. — **forth**, *see* Put out. — **forward**, avanzare, metter in campo. — **in**, metter dentro, inserire, introdurre; attaccare (cavallo); fornire (documenti alla Corte). — — **for**, aspirare a, esser candidato per, cercare il posto di. — **into port**, prender porto. — **at the same level**, equiparare. — **off**, 1. riméttere, differire, rinviare. **I must** — **him** —, debbo chiedergli che differisca la sua visita. 2. staccarsi dalla riva, diśormeggiare. 3. — — **the scent**, *fig.* śviare. 4. impappinare. 5. distògliere, diśincantare, far ribrezzo a, far perder l' inclinazione per, scoraggiare. — **on**, 1. méttersi, vestirsi di, indossare, incalzare (stivale); *fig.* assumere o prender (aria, apparenza). 2. imputare a, attribuire a, metter sul conto di. 3. imporre (carica) a. 4. — **him** — **doing this**, fargli fare così, indurlo a far ciò. 5. avanzare (orologio). 6. — — **the brake**, chiudere o stringere il freno, metter il freno in gioco. 7. — — **his good behaviour**, avvertirlo di comportarsi bene. — — **a diet**, tenere a dieta. — **out**, 1. emèttere, spòrgere, metter fuori. 2. scacciare, metter alla porta. 3. spègnere. 4. stèndere, allungare (mano). 5. ślogare, lussarsi. 6. pubblicare, metter alla luce. 7. met-

tere o collocare ad interesse, a frutto. 8. imbarazzare, incomodare, turbare; stizzire, metter in collera, stuzzicare. He seemed — —, pareva fosse di cattivo umore. 9. abbacinare (occhi). 10. — — to sea, prender il mare. 11. — — a signal, issare una bandiera, un segnale, spiegare un segno. — over, metter (il timone) dall' altra parte. — in repair, far riparare, raccomodare. — the stone, lanciare una pietra di otto chili alla massima distanza (giuoco ginnastico). — to, 1. attaccare (cavallo). 2. suggerire a. 3. Hard — — it to explain, assai imbarazzato a spiegare. 4. socchiúdere, rabbattere (porta); accostare (una bottiglia) alle labbra. — together, congegnare, montare, unire. — the last touches to, dar l' ultima mano a, completare. — two and two together, confrontare questa cosa e quella, ripensare un po' su questo e quello. — up, 1. installare, alzare, far costruire; attaccare (affissi, quadri). 2. far un pacco di, imbaulare. 3. rivòlgere, indirizzare (preghiera al Cielo). 4. metter in vendita o all' incanto. 5. aprire (ombrello). 6. subornare, metter in iscena, metter avanti. 7. — — a good fight, lottare o combattere a lungo. 8. offrirsi come candidato. 9. alloggiare, dare alloggio a; albergare, trovar ricovero; metter (cavallo) in istalla. We — — at the Golden Cross, scendemmo alla Croce d' Oro. 10. depórre (cauzione), contribuire, metter sulla tavola. We each — — a thousand francs, si contribuì con mille lire per uno. 11. scovar (lepre), levare (uccello). 12. A — — job, un affare già deciso, una cosa prestabilita, già determinata. 13. — — with, tollerare, sopportare, cuccarsi. — — with it, aggiustarvisi. -ting up, stallággio *m.* — upon, 1. *see* Put on. 2. I am not going to be — —, non voglio sottomettermi, non voglio esser schiavo.

Putativ-e; -o, suppósto.

Putlog; traversa di un' impalcatura.

Putref-action, -y; -azióne *f.*, -are.

Putrid; -o. **-ity, -ness**; -ità *f.* **-ly**; -aménte.

Putt; al "golf," colpire col "putter" dopo esser giunto sul prato. **-er**; 1. chi colpisce col "putter." 2. lo stesso bastone.

Putties; striscie di tela avvolte intorno alle gambe in vece di ghettoni.

Putty; mástice *m.*, mestura *f.*, stucco all' olio.

Puzzle; rómpicápo *m.*, imbarazzo *m.*, enimma *m.*, indovinèllo *m.*, pastíccio *m.*; confóndere, rompere il capo a, ingarbugliare, sconcertare. **-d**; intrigato. Be — about, non raccapezzarsi su. **-headed**; con testa confusa, scervellato. **-r**; enimma insolúbile, pasticcióne *m.*

Pyaemi-a; avvelenamento del sangue da pus. **-c**; infetto in tal modo.

Pyjamas; pyamas, calzoni da notte.

Pylorus; pilòro *m.*

Pyramid, -al; pirámid-e *f.*, -ále.

Pyre; pira *f.*, rògo *m.*

Pyrenees; Pirenèi *m. pl.*

Pyrites; piríte *f.*

Pyth-agorean; pitagórico. **-ian**; pítico.

Python, -ess; pitón-e *m.*, -èssa *f.*

Pyx; písside *f.*

Q

Q; *pronunz.* Chiù.

Quack; ciarlatáno *m.*; grido dell' anatra; gridare (dell' anatra).

Quad; *raccorc.* di Quadrangle nel senso di corte a Oxford o Cambridge.

Quadr-angle, -angular; -ángolo *m.*, -angolare. **-ant**; -ante *m.*, settóre *m.* **-at**; -ato *m.* **-atic**; -ato. **-ature**; -atura *f.* **-ennial**; -iennále. **-ilateral**; -ilaterále. **-ille**; -iglia. **-isyllabic**; -isíllabo. **-oon**; quarteróne *m.* **-umanous**; -úmane. **-uped**; -úpede *m.* **-uple**; -úplo *m.*

Quaestor, -ship; questór-e, -ato *m.*

Qua-ff; tracannare. **-gga**; quagga *m.*

Quagmire; acquitríno *m.*

Quail; 1. quàglia *f.* 2. sgomentarsi.

Quaint; curióso, singolare, bizzarro, strano. **-ly**; curiosaménte ecc. **-ness**; singolarità *f.*, stranézza *f.*

Quake; tremare, frémere. **-r**; quácquero *m.* **-ress**; quácquera *f.*

Quaking-grass; tremolíno *m.*

Qualif-iable; -icábile. **-ication**; -icazióne *f.*, capacità *f.*, attitúdine *f.*; modificazióne *f.*, raddolciménto *m.* **-ied**; capace, atto, idòneo; autorizzato; diminuíto, mitigato. **-y**; -icare, capacitare, abilitare, preparare, moderare, restríngere, limitare. **-ying**; -icatívo. — competition, gara eliminatoria.

Qualit-ative; -atívo. **-y**; -à *f.* Person of —, persona distinta, di ceto distinto.

Qualm; náusea *f.*; scrúpolo *m.*, rimòrso *m.*

Quandary; imbarazzo *m.*, imbròglio *m.*

Quantit-ative; -atívo. **-y**; -à *f.*
Quantum; sufficènza *f.*
Quarant-ine; -èna *f.*; far fare la -ena. **-ined**; in -ena.
Quarrel; rissa *f.*, lite *f.*, dísputa *f.*; diamante da vetraio. To —, attaccar lite, bisticciarsi, avere questione, rissare, azzuffarsi, trovar a ridire a. **-ler**; attaccabríghe *m.*, accattabríghe *m.*, letichín-o *m.*, -a *f.* **-some**; rissóso, litigióso.
Quarry; 1. cava *f.*, pietraia *f.*; scavare, estrarre. 2. préda *f.* **-man**; cavapiètre *m.*
Quart; litro *m.* (1·136 litri); (al picchetto) quarta *f.* **-an**; -àno.
Quarter; quarto *m.*; trimèstre *m.*, quarta parte; uno dei quattro punti cardinali della rosa dei venti; quarto di luna; regióne *f.*; distretto particolare; una delle principali divisioni del globo; grazia concessa dai vincitori ai vinti. To give —, accordare grazia. No —, senza grazia. Of a ship, giardinétto *m.*, anca *f.* On the port —, al giardinetto di, o all' anca a, sinistra. Of a boot, quartiere. Of lamb, quarto. Fore —, quarto davanti di agnello. Of wheat, tre ettolitri (290·78 litri). Of the compass, quadrante *m.*
To —, squartare; alloggiare, acquartierare. Be -ed, stare. **-s**; appartaménto *m.*, domicílio *m.*, allòggio *m.*; on a ship, destinazione di bordo, reparti *m. pl.* Beat to —, chiamare ai posti di combattimento. Head —, quartiere generale, sede principale di una ditta, luogo di recapito per un viaggiatore di commercio. Infantry —, quartieri di fanteria. Military —, quartieri militari. Change one's —, cambiare quartiere. Take up one's —, acquartierarsi. Come to close —, venire alle prese. From all —, da ogni parte.
Quarter-badge; scoltura di poppa. **-block**; bozzello di scotta e di caricabugne. **-day**; giorno di paga (trimestrale). The usual -s, i soliti giorni di paga trimestrale. **-deck**; castello di poppa, cássero *m.*, casserétto *m.* **-ings**; squartature *f. pl.*, quarti *m. pl.* **-ly**; trimestrále, ad ogni trimestre. The -lies, le riviste trimestrali. **-master**; quartiermastro *m.* — general, quartiermastro generale. — sergeant, sergente aiutante del quartiermastro.
Quartern; quarto di un "pint" (·142 litri). **-loaf**; pane di quattro libbre.
Quarter-sessions; assise trimestrali (con giurisdizione ristretta). **-staff**; bastone di combattimento.
Quart-et; -ètto *m.* **-o**; in-quarto *m.*
Quartz, -iferous; quarz-o *m.*, -ifero.
Quash; annullare.
Quasi-; mèżżo, finto. **-historical**; con apparenza storica, quasi-storico.
Qua-ssia; *id.* **-ternary**; -ternário. **-torze**; at bézique, bazzicottóne *m.* **-train**; -dernário *m.*
Quaver; cròma *f.*; trillo *m.*, trèmito *m.*; parlare con voce tremola. **-ing**; trèmolo.
Quay; banchína *f.*, scalo *m.*, calata *f.* **-age**; diritti di molo.
Quean; ṡgualdrína *f.*
Queasy; nauṡeabóndo.
Queen; regína *f.*; dama *f.*; damare. **-bee**; ape regina. **-consort, -dowager**; regina vedova. **-liness**; maestà di regina. **-ly**; maestóso, da regina. **-mother**; regina madre.
Queer; strambo, originále, biżżarro, sorprendènte, biṡlacco. — customer, tòmo *m.* Feel —, non sentirsi bene. **-ish**; alquanto strano, piuttosto bizzarro. **-ly**; biżżarraménte, fantasticaménte. **-ness**; singolarità *f.*
Quell; domare, sottomèttere, sopprímere, sedére.
Quench; spègnere. — one's thirst, cavarsi la sete, spegner la sua sete, dissetarsi.
Quenelle; polpètta *f.*
Querist; interrogatóre *m.*
Quern; mulinello a mano.
Querulous; quèrulo, lamentévole, gemebóndo. **-ly**; in tono querulo ecc., in tono di scontentezza. **-ness**; l' esser querulo ecc.
Query; domanda *f.*, queṡíto *m.*; si domanda.
Quest; ricérca *f.*, busca *f.*; cérca *f.*
Question; domanda *f.*, interrogazióne *f.*, questióne *f.*; interpellazióne *f.*; dúbbio *m.*, affare *m.*, soggètto *m.* To —, interrogare, questionare, contestare, dubitare di, contrastare, metter in dubbio. —! tornate al fatto! Beg the —, far una petizione di principio. Beyond all —, senz' alcun dubbio. Call in —, metter in dubbio. That is not the —, non si tratta di ciò. Out of the —, fuor di questione. It is out of the —, non c' è da parlarne. Fair —, domanda ragionevole. Leading —, domanda suggestiva. To come to the —, intavolare la questione. Return to the —, rientrare nella questione.
Question-able; Be —, esser materia poco certa. **-er**; interroga-tóre *m.*, -trice *f.*
Queue; códa *f.*
Quibbl-e; sotterfúgio *m.*, cavillo *m.*; sofisticare, bisticciare, cavillare. **-ing**; che equivoca, evaṡívo; il bisticciare.

Quick; lèsto, sollécito, ratto, rápido, fino, spiritóso, acuto, pronto. As *sb.*, carne vivente, il vivo. — at his lessons, svelto ad imparare, che impara facilmente. —! ṡbrigatevi! prèsto! Touch to the —, toccare al vivo. **-en**; sollecitare, affrettare, riṡvegliare, vivificare. **-ening**; l' animarsi della creatura nell' utero. **-firer**; mitragliatrice *f.* **-lime**; calce viva. **-ly**; súbito, tòsto, prontaménte, alla svelta, lesto lesto. **-march**; marcia forzata, marcia di 110 passi al minuto. **-ness**; prestézza *f.*, prontézza *f.*, rapidità *f.* **-sand**; sabbia mobile. **-set hedge**; siepe viva, di piante vive, siepe di biancospino ecc. **-sighted**; dalla vista buona, acuta. **-silver**; argento vivo. **-tempered**; irascíbile, di umore vivo. **-witted**; arguto, acuto, di percezione acuta.

Quid; 1. cicca *f.* 2. (gergo) lira sterlina.

Quidnunc; curióso *m.*, chi pretende esser al corrente di tutto.

Quid pro quo; equivalènte *m.*

Quiescen-ce; inazióne *f.* **-t**; **-te.**

Quiet; calma *f.*, quiète *f.*, tranquillità *f.*; quièto, calmo, tranquillo, silenzióso; dólce, mansuèto, immòbile, çompósto, spassionato. To —, calmare, chetare, far tacere a, fare star zitto. **-ism**; -iṡmo *m.* **-ist**; -ista *m.* **-ly**; tranquillaménte, con calma, mògio. **-ness, -ude**; tranquillità *f.*, ripòso *m.* **-us**; colpo mortale o di grazia.

Quill; penna, aculeo d' istrice. **-driver**; imbrattacarte *m.*, scrittorèllo *m.* **-pen**; penna d' oca.

Quilt; copripiedi impuntito, coltróne *m.*, piumíno *m.*; impuntire, trapuntare. **-ing**; impuntitura *f.*

Quince; mela cotogna *f.* **-tree**; melo cotogno.

Quin-cunx; -cónce *m.* **-ine**; chinina *f.* **-quagesima**; -quagèṡima *f.*

Quinquenni-al, -um; -ále, -o *m.*

Quinsy; angína *f.*

Quint; quinta *f.* **-ain**; -ana *f.* **-essence**; -essènza *f.* **-et**; -ètto *m.* **-uple**; -uplo.

Quip; bottata *f.*, friżżo *m.*

Quire; quintèrno *m.*

Quirk; *see* Quip.

Quit; lasciare. — oneself, comportarsi.

Quite; tutto, tutt' affatto, bene, addirittura, completaménte, perfettaménte, per l' appunto, assolutaménte, pienaménte. — possible, possibilissimo. — quietly, con tutta calma. Or the *adj.* may be doubled, — still, cheto cheto. — as much as could be expected, proprio quanto si poteva aspettare. He is — as well as could be expected, date le sue condizioni sta abbastanza bene. He has done it — as well as could be expected, gli è riuscito almeno com' era da aṡpettarsi. — as much as he wants, tutto ciò che gli bisogna. There is — as much pepper in it as salt, c' e ben tanto pepe che sale. — enough, tutto il necessario, più che abbastanza, tutto ciò che bisognava, più di quel che basterebbe. — right, benissimo, giustissimo. Be — right, aver ogni ragione, esser giustissimo; segnare l' ora giusta. — sure, proprio sicuro, sicurissimo. — dead, bell' e morto. — finished, bell' è fatto. Be — wrong, aver torto marcio. It is — a month ago, già fa tutto un mese. Are you satisfied? —. Siete contento? Contentissimo. I don't care for it — as much as I did, non mi piace tutto quanto prima. That is — another thing, è tutt' altra cosa. It is — out of the question, non c' è nemmeno da parlarne.

Quit-rent; livèllo *m.*, canóne *m.*, cènso *m.*

Quits; pace, pari, pari e patta.

Quittance; ricevuta *f.*

Quiver; 1. farètra *f.*, turcasso *m.* 2. tremolare. **-ing**; trèmito, frèmito *m.* **-ingly**; con tremito.

Quixot-e; Don Chisciòtte. **-ic**; roba di Don Chisciotte, donchisciottésco. **-ically**; da Don C.

Quiz; burlóne *m.*, originále *m.*, chi è bizzarramente vestito; burlare, dar la baia a, corbellare. **-zical**; facèto.

Quod (gergo); prigióne *f.*

Quoin; cúneo *m.*, cantóne *m.*

Quoit; morèlla *f.*, piastrèlla *f.*

Quondam; già, d' altre volte, antíco.

Quorum; numero sufficente o legale. Form a —, esser in numero competente.

Quota; quòta *f.*, rata *f.*, contingènte *m.*

Quot-able; da quotarsi. **-ation**; citazióne *f.*, prezzo nel listino di borsa. Marks of —, virgolétte *f. pl.* **-e**; citare, quotare.

Quoth; (verbo difettivo) dissi, disse, fece lui.

Quotidian; -o.

Quo-tient; -ziènte *m.*

R

R; *pronunz.* Ah o Arr.
Rabbet; scanalatura *f.*, incastratura *f.*
Rabb-i, -inical; -íno *m.*, -ínico.
Rabbit; coníglio *m.* **-burrow, -hole**; covile o tana di coniglio. **-hutch**; coniglièra *f.* **-ing**; Go —, andare alla caccia de' conigli. **-skin**; pelle di coniglio. **-warren**; coniglièra *f.*
Rabble; plebáglia *f.*, canáglia *f.*
Rabi-d, -dly; -do, -daménte. **-es**; rábbia *f.*
Raccoon; tasso americano, procióne *m.*
Race; 1. razza *f.*, schiatta *f.*, stirpe *f.* To perpetuate one's —, perpetuare la sua prosapia. 2. córsa *f.*, pálio *m.*; correre a tutta forza, correre una corsa; tenere cavalli da corsa. Foot —, corsa a piedi. Sack —, palio degli insaccati. To — (machinery), precipitarsi. **-card**; programma delle corse. **-course**; terreno delle corse. **-horse**; cavallo da corsa. **-meeting**; corse *f. pl.*, concórso *m.* **-r**; corridóre *m.*, concorrènte *m.* **-stand**; tribuna delle corse. **-track**; ippòdromo *m.*
Raceme; racimolo *m.*
Rachel; Rachèle.
Rac-ial; di razza. **-ily**; piccanteménte. **-iness**; vigóre *m.*, *see* Racy.
Racing; di corsa, l' occuparsi delle corse. **-calendar**; calendario delle corse. **-establishment**; scuderia di cavalli da corsa. **-man**; uomo addetto alle corse.
Rack; rastrellièra *f.*; asta dentata, dentiera (di lampada); piattáia *f.*; cavallétto *m.*, supplizio del cavalletto o della ruota. — and pinion, rocchetto e dentiera. To — one's brains, lambiccarsi il cervello. -ed with fever, tormentato dalla febbre. -ing pain, dolore torturante. **-rent**; massimo fitto.
Racket; 1. racchètta *f.* 2. chiasso *m.*, schiamazzo *m.* **-court**; sferistèrio *m.* (per giocare alle racchette). **-maker**; fabbricante di racchette. **-y**; chiassóso.
Racy; piccante, risentito. — English, inglese che ha sapore della razza.
Radi-al, -ally; -ále, -alménte. **-ance**; splendóre *m.* **-ant**; raggiante. **-antly**; in modo risplendente. **-ate**; raggi-ato; -are. **-ation**; raggiaménto *m.* **-ator**; calorífero *m.*; (of a car) radiatóre *m.* Grilled or ribbed —, radiatore a lamelle o ad alette. Honeycomb —, radiatore a nido d' api. — box, case, or frame, corpo di radiatore.
Radic-al; -ále. **-le**; radichétta *f.*
Radish; radíce *f.*, ravanello rosso. White —, ravanello bianco. Horse —, barba forte, ráfano *m.*, ramoláccio *m.*
Radius; 1. rággio *m.* Ship's — of action, autonomía *f.* — of visibility of a light, portata luminosa. 2. osso dell' avambraccio, radio *m.*
Raffle; lottería *f.*, riffa *f.*
Raft; záttera *f.*, fòdero *m.* **-er**; trave *m.*, razza da mulino, arcále *m.*, puntóne *m.* **-sman**; foderatóre *m.*, chi conduce un fodero.
Rag; 1. céncio *m.*, brandèllo *m.*, stráccio *m.* To — (gergo), burlare, dar la baia a. 2. specie di pietra silicea.
Ragamuffin; birichíno *m.*, pezzènte *m.*, ragazzáccio *m.*
Rag-e; rábbia *f.*, furóre *m.* Be all the —, esser di moda. To —, tempestare, frèmere, andare in collera, infuriare. — for money, passione del danaro. Fly into a —, andar sulle furie.
Rag-ged; in cenci, lácero, cencióso, a brandelli; *fig.* scabro, diṡuguále. — Robin, fior del cuculio. **-gedness**; stato lacero. **-ging**; il fare a tormentarsi vicendevolmente. **-ing**; furióso, furibóndo. **-merchant**; cenciaiuòlo *m.* **-out**; intíngolo *m.*, guazzétto *m.* **-wort**; erba San Giacomo.
Raid; incursióne *f.*, razzía *f.*, scorrería *f.* Air —, incursione aerea. To —, razziare, saccheggiare. **-er**; razziatóre *m.*
Rail; 1. ṡbarra *f.*, traversóne *m.*, listèllo *m.*, (*mar.*) guardamáno *m.* **-s**; balaustrata *f.*, ringhièra *f.*, bracciuòli *m. pl.* 2. rotáia *f.*, guida *f.* By —, per ferrovia. 3. Land —, re di quaglie. Water —, gallinèlla *f.* 4. ingiuriare, ṡvillaneggiare. **-er**; maldicènte *m.* **-ing**; 1. appoggiatóio *m.*, steccato *m.*, cancellato *m.*, cancèlli *m. pl.*, ringhièra *f.* 2. ingiúrie *f. pl.*, maldicènza *f.* **-lery**; canzonatura *f.*, bèffa *f.*, mottéggio *m.* **-road, -way**; strada ferrata, ferrovía *f.* — company, società o compagnia ferroviaria. **-splitter**; spacca-légna *m.*
Raiment; vestiménto *m.*, abbigliaménto *m.*
Rain; piòggia *f.*, acqua *f.*; piòvere. Heavy, Steady or other —, pioggia forte, dirotta, grossa, continua, lenta fine, fitta, minuta, a spruzzi. To — heavily, steadily or otherwise, piover forte, a dirotto, a rovescio, dirottamente, a catinelle, a brocche, a secchi, a orci, a ciel rotto, fitto fitto, piano ecc. — in torrents, diluviare. Drizzling —,

acquerúgiola *f.*, pioggerèlla *f.* **-bow**; arco baleno. — tinted, dei colori dell' iride. **-cloud**; núvolo *m.* **-fall**; quantità di pioggia che cade fra un dato tempo. **-gauge**; pluviòmetro *m.* **-storm**; piovasco *m.*, temporále *m.*, burrasca d' acqua. **-water**; acqua piovana.

Rainy; piovóso. — season, stagione delle piogge. — day, *fig.* tempi difficili, periodo di scarsezza.

Raise; 1. alzare, inalzare, sollevare, far costruire, far sentire. — steam, attivare il fuoco. 2. allevare, produrre, coltivare, far nascere. 3. suscitare, eccitare, evocare, riśvegliare. — the wind (gergo), procurarsi danaro. 4. aumentare (prezzi), togliere (assedio), spargere (diceria). — him up, rizzatelo in piedi. He cannot — a shilling, non può trovare uno scellino in prestito.

Raisin; uva passa, uva secca.

Raj; domínio *m.* **-ah**; raià *m.*

Rak-e; 1. rastrèllo *m.* Furnace —, riávolo *m.* To —, rastrellare; (*mil.*) infilare. Raking fire, fuoco d' infilata. — in, raccògliere. — out, spegnere le ceneri. — up, richiamare alla luce, riśvegliare. 2. díscolo *m.*, libertíno *m.* **-ish**; cattiváccio; (*mar.*) cogli alberi inclinati all' indietro.

Rally; 1. riunióne *f.*, ricupero di forze, ristabiliménto *m.* 2. turno (giocando alla palla), seguito di colpi fatti alla palla da parte e d' altra. A good —, un bel turno. The next — was hotly contested, il seguente turno fu vivamente disputato. 3. riunire, riunirsi, ricuperarsi. 4. beffare, canzonare.

Ram; montóne *m.*, (*mar.*) speróne *m.* Hydraulic —, ariéte *m.* To —, báttere, pigiare; abbordare collo sperone. — in, spinger dentro, cacciar dentro.

Rambl-e; gita *f.*, giro *m.*; girare, batter la campagna, girandolare. **-ing**; sconnésso.

Ramequin; pasta a cacio.

Ramie; ortica da lino cinese, cánapa *f.*

Ramif-ication, -y; -icazióne *f.*, -icare.

Rammer; maglio *m.*, mazzeranga *f.*, bèrta *f.*, pestóne *m.*; (*artill.*) calcatóio *m.*

Ramp; salíta *f.* **-age**; fare il furibondo. **-ant**; sfrenato, eśuberante; (*herald.*) leonato. **-art**; baluardo *m.*, ripáro *m.* **-ion**; raperónzolo *m.*

Ramrod; bacchètta *f.*, lanata *f.*

Ramshackle; sciupato, śgangherato, malférmo.

Ramsons; aglio orsino.

Ran; *rem.* di Run.

Ranch; rancio *m.*, fazènda *f.*, fattoría *f.*

Rancid, -ity; -o, -ézza *f.*

Ranc-orous; invelenito. **-our**; -óre *m.*, mal talento.

Random; a caso, alla cieca, alla ventura.

Randy; concupiscènte.

Ranee; principéssa *f.*, moglie d' un raià.

Rang; *rem.* di Ring.

Range; portata *f.*, gettata *f.*; distanza *f.* Correct —, distanza giusta. Effective —, distanza di tiro efficace. Long, Medium, Short, Point blank —, distanza grande, media, breve, di tiro in bianco. Within —, a portata di tiro. Out of —, fuori tiro. — of visibility of a light, portata luminosa. — of mountains, catena. Kitchen —, cucina economica. — of a species, sfèra *f.*, estensióne *f.*, limiti dentro ai quali si trova tale specie. To —, errare, percórrere, estèndersi; allineare. — oneself, schierarsi. — from...to..., variare tra...e.... -d alongside of, in fila dinanzi a. **-finder**; telèmetro *m.* **-r**; guardia forestale. -ship, un tale impiego.

Rank; 1. rango *m.*, grado *m.*, cèto *m.*, classe *f.*; fila *f.*, schièra *f.* Lower —, minor grado. Order of —, gerarchía *f.* — and file, soldati semplici. Reduce to the -s, far retrocedere a soldato semplice. 2. stantío, rancido; eśuberante, rigoglióso, arci-. — heresy, folly, arciereśía, arcipazzía ecc. 3. — with, metter nel numero di, stimare per, stare con, stare allo stesso livello di. A lieutenant in the navy -s with a captain in the army, un tenente di marina ha la stessa precedenza di un capitano nell' esercito. **-er**; soldato semplice.

Rankle; inasprirsi, invelenirsi.

Rankness; rigòglio *m.*, eśuberanza *f.*; ancidume *m.*, l' esser stantio.

Ransack; frugare, frugolare, rovistare.

Ransom; riscatt-o *m.*, -are.

Rant; vana declamazione; urlare come un energumeno, śmaniare. **-er**; parlatore strepitoso, schiamazzatóre *m.*

Ranunc-ulus; -olo *m.*, botton d' oro *m.*

Rap; picchiata *f.*, pacca *f.*; picchiare, bussare, dar le busse a. Not to care a —, infischiarsene. — at the door, colpettíno *m.* There is somebody -ping, c' è chi batte alla porta. — out, rispondere sull' istante, ribattere bruscamente.

Rapac-ious, -iously, -ity; -e, -eménte, -ità *f.*

Rape; 1. ratto *m.*, stupr-o *m.*, -are. 2. ravizzóne *m.*

Raphaelesque; raffaellésco.

Raphe; rafe *m.*

Rapid, -ity, -ly; -o ecc., *see* Quick.
Rap-ier; stòcco *m.*, spada *f.* **-ine**; -ína *f.* **-paree**; vagabóndo *m.* **-pee**; rapè *m.* **-per**; martèllo *m.* **-scallion**; mascalzóne *m.*
Rapt; estaṡiato. **-ure**; estaṡi *f.* **-urous, -urously**; estátic-o, -aménte.
Rare; 1. raro, rado, scarso. 2. (Stati Uniti) poco cotto. **-bit**; Welsh —, cacio cotto. **-e show**; mostra delle curiosità.
Rar-efaction, -efiable, -efy; -efazióne *f.*, -efattíbile, -efare. **-ely**; -aménte, rare volte, di rado. **-ity**; -ità *f.*, scarsità *f.*
Rascal; furfante *m.*, birbóne *m.* **-dom**; i furfanti. **-ity**; bricconería *f.*, birbonata *f.* **-ly**; furfantésco, diṡonèsto.
Rase; atterrare, *see* Raze.
Rash; 1. roṡolía *f.*, eruzióne *f.* 2. temerário, arrischiato, avventato, sconsiderato, ṡventato. **-er**; fetta di lardo da friggersi. **-ly**; temerariaménte ecc. **-ness**; temerità *f.*, avventatézza *f.*, l' esser arrischiato ecc.
Rasorial; gallináceo.
Rasp; grattúgia *f.*, raspa *f.*; raspare, raschiare. **-berry**; lampóne *m.* **-er**; siepe o palizzata alta. **-ingly**; in modo raspante.
Rat; tòpo. Smell a —, aver qualche sospetto. To —, voltar casacca.
Ratafia; essenza di mandorle.
Rat-catcher; distruggitore di topi.
Ratchet; cricco *m.* **-wheel**; ruota d' arresto. **-drill**; trapano a cricco.
Rate; 1. andaménto *m.*, velocità *f.* Daily gaining (losing) —, andamento diurno d' avanzo (di ritardo) di un cronometro. 2. proporzióne *f.*, ragióne *f.*, tasso *m.*, saggio *m.* Incomes paying tax at the lower -s, redditi soggetti ad imposta ai minori saggi. At this —, a questo modo. 3. contribuzióne *f.*, risponsióne *f.*, canóne *m.*, impósta *f.*, tassa *f.* I pay a thousand francs in -s alone, d' estimo solo pago mille lire. My farm is -d at a thousand francs a year, il mio podere è all' estimo per mille lire di rendita. 4. First —, di prim' ordine, eccellènte, di primo grado. Second —, di secondo ordine, mediòcre, di secondo grado. At a low —, a buon prezzo, a buon mercato. At good -s, a prezzi alti. 5. At any —, comunque sia, in ogni caso, in qualunque evento. 6. tassare, apprezzare, stimare, valutare, fissare il grado di. 7. ṡgridare, lavare il capo a, rimpolpettare.
Rate-able; soggetto ad estimo. — value, valore o rendita catastale, *see* Rate (3). **-ably**; ripartitaménte, proporzionalménte, a lira e soldo. **-book**; èstimo *m.*, ruolo dei contribuenti, *see* Rate (3). **-payer**; contribuènte *m.*, censíto *m.*
Rather; piuttòsto, alquanto; anzi. — than, anzi che. She is — pretty, è piuttosto carina. You are — good at concealing your thoughts, sapete proprio nascondere quel che pensate. I would — do, preferirei fare. With bright, or —, with showy colours, con vividi o meglio con sfarzosi colori. Anything — than, tutto piuttosto che. It is — cold, fa piuttosto freddo. The word may often be rendered by a diminutive; — angry, ṡdegnosétto.
Ratif-ication; -icazióne *f.* **-y**; -icare, omologare.
Rating; tassaménto *m.*; ṡgrido *m.*; grado *m.* *See* Rate (3, 6, 7). As a marine term there is no exact equivalent, the word Personale may be used followed by the name of the class; Signal -s, personale timoniere, *or*, di timoneria. The expression Bassa forza includes all men below commissioned rank.
Ratio; ragióne *f.*
Ratiocination; ragionaménto *m.*
Ration; razióne *f.*, ráncio *m.*; razionare. **-al**; ragionévole, assennato. **-alism, -alist, -alistic, -alistically**; razionaliṡmo *m.*, -ísta *m.*, -istico, -isticaménte. **-alise**; spiegare razionalisticamente **-ality**; ragionevolézza *f.*
Rat-isbon; -iṡbóna *f.* **-lines**; griṡèlle *f. pl* **-sbane**; acido arsenioso. **-tan cane**; canna d' India. **-ten**; usar vie di fatto contro un crumiro. **-ting**; caccia ai topi; diserzione del suo partito.
Rattle; sonáglio *m.*, tabèlla *f.*, raganèlla *f.*; strèpito *m.*, tintinnío *m.*; rántolo *m.*; cicaléccio *m.*; chiacchieróna *f.* To —, far tintinnare, fare strepito, scuotere o scuotersi con strepito, scoccigliare. **-brained, -headed**; con cervello balzano. **-r**; colpo o altro bello o ben fatto. He is a —, è bravissimo. **-snake**; serpente a sonagli.
Rattling; eccellentissimo. As *sb.*, tintinnío *m.*
Raucous; rauco.
Ravage; strage *f.*, danno *m.*, guasto *m.*; guastare, saccheggiare, devastare.
Rave; delirare, tempestare.
Ravel; — out, sfilacciare.
Ravelin; rivellíno *m.*
Raven; corvo maggiore. — blackness, nero penna di corvo. Her — hair, i suoi capelli penna di corvo. **-ing**; vorace. **-ous**; affamato, pronto a mangiar tutto. **-ously**; con appetito vorace. Eat —, mangiare a quattro palmenti. **-na**; Of —, ravennate.

Rav-ine; bòrro *m.*, burróne *m.* **-ing**; furóre *m.*; furibóndo. — mad, pazzo furioso. **-ings**; parole deliranti, delírii *m. pl.*

Ravish; 1. estaśiare. 2. stuprare. **-er**; rapitóre *m.*, stupratóre *m.* **-ing**, **-ingly**; incantévol-e, -ménte.

Raw; crudo, rόżżo, grèggio, nuòve (truppe); scorticato; prime (materie); inespèrto (giovane). — place, scorticatura *f.* — weather, tempo freddo e umido. **-boned**; scarno. **-ness**; crudézza *f.*, rożżézza *f.*

Ray; 1. rággio *m.* 2. rażża *f.*

Raymond; Raimóndo.

Raze; radere a terra, spianare.

Razor; raśóio *m.* **-back**; rorquálo *m.* **-bill**; pinguino comune. **-shell**; solène *m.*

Reabsorb; riassorbire.

Reach; portata *f.*, estensióne *f.*; potére *m.*, capacità *f.*; tratto retto di un fiume. Long —, braccio lungo. Beyond the — of, al di sopra di, fuori della portata di. It is beyond my —, non ci arrivo. Within easy —, a breve distanza, a portata di mano.

To —, arrivare, giúngere, o pervenire, in mano a; raggiúngere; dare in mano a. To — the Corso, arrivare sul Corso. — **after**, sporgersi per afferrare, cercare di ottenere, sforzarsi per avere. — **back**,. risalire. — **beyond**, estendersi al di là di. — **the climax**, raggiungere il colmo. Matters are -ing a crisis, le cose stanno per diventar critiche. — **down**, discèndere. — **for**, stender la mano per pigliare. — **home**, arrivare a casa. — **into**, penetrar dentro. **-me-down**; (abito) fatto. — **out**, stèndere, pòrgere, protèndere. — **up**, elevarsi fino a.

React, **-ion**; reagire, reazióne *f.*

Reactionary; reazionário, codíno.

Read; lèggere, studiare, indovinare (enimma). — **about**, leggere di. — **for**, studiare per. — **out**, leggere ad alta voce. — **out of**, leggere da. — **over**, leggere con una certa cura; rileggere. Well —, cólto, ben istruito.

Readable; leggibile, améno.

Readdress; rindirizzare. I left instructions for my letters to be -ed and sent on, lasciai l' incarico di far aggiungere il nuovo ricapito alle mie lettere e di rispedirmele.

Reader; lettóre *m.* Proof —, correttore di stamperia.

Readi-ly; facilmente, volentièri. **-ness**; prontézza *f.*, speditézza *f.*, premúra *f.*

Reading; lettúra *f.*, lezióne *f.* **-desk**; leggío *m.* **-room**; sala o gabinetto di lettura.

Readjourn; prorogare o differire di nuovo.

Readjust, **-ment**; raggiust-are, -aménto *m.*

Read-mission, **-mittance**; il riammettere. **-mit**; riammèttere. **-orn**; riadornare.

Ready; prónto, diśinvòlto, ábile, facóndo. — money, danari contanti. — to hand, sotto mano. With a — flow of words, di parola facile ed abbondante. — for use, pronto ad esser adoperato. — wit, spirito vivace, ingegno acuto. Get —, apparecchiare. — made, fatto. **-reckoner**; libretto calcolatore.

Reaffirm, **-ation**; riafferm-are, -azióne *f.*

Reagent; reagènte *m.*

Real; reále, effettívo, véro. — property, bene immobile. In — earnest, proprio sul serio. **-isable**, **-isation**; -iżżábile, il -iżżare, conversione in danari contanti, constatazióne *f.* **-ise**; 1. -iżżare, convertire in danaro, ricavare. 2. constatare, capir bene, rendersi conto di. He found it hard to —, non sapeva concepire. Make him —, fargli comprendere. Be -d, verificarsi. To — one's mortality, ammettere la propria mortalità come cosa reale. **-ism**, **-ist**, **-istic**; -iśmo *m.*, -ista *m.*, -istico. **-ity**; realtà *f.*, verità *f.* **-ly**; veraménte, davvero, in fatti, realménte, sul serio, in realtà. That — is fine! bello, gua'!

Realm; reame *m.*

Realty; beni immobili.

Ream; riśma *f.*

Reanimate; rianimare.

Reannex; riannèttere.

Reap; mietere, raccògliere. **-er**; mietitore *m.* **-ing**; falciatura *f.*, mietitura *f.* — hook, falcétto *m.* — machine, mietitrice *f.*

Reappear, **-ance**; ricompar-ire, -sa *f.*

Reappl-ication, **-y**; riapplic-azióne *f.*, -are.

Reappoint, **-ment**; rinomin-are, -a *f.*

Reapportion, **-ment**; ripartire di nuovo, nuova ripartizione.

Rear; 1. indiètro, di dietro, alla retroguardia. — rank, ultima fila. 2. allevare; alzare; impennarsi, inalberarsi. **-admiral**; contrammiraglio *m.* **-guard**; retroguárdia *f.*

Reargue; The case was -d, il processo venne riaperto.

Rearrange, **-ment**; dare assetto nuovo, assetto nuovo.

Reascend; risalire.

Reason; cagióne *f.*, ragióne *f.*, motívo *m.*; ragionare, discórrere. Bring to —, ridurre alla ragione. It stands to —, è indisputabile. In —, nei limiti del ragionevole. I have — to believe, ho le mie ragioni per credere. By — of, a motivo di, a cagione di. Set out the -s for, motivare. -s of state, ragione di Stato. I gave him the —, gliene diedi la ragione. I gave him as a —, mi scusai, dicendogli che. In all —, con ragione. Poor -s, futili motivi. To have one's -s, avere i suoi perchè. By — of the fact that, pel fatto che. Have -s for alarm, aver ragioni di esser in apprensione. To — with oneself, meditare, riflèttere.

Reasonabl-e, -eness, -y; ragionévol-e, -ézza *f.*, -ménte.

Reason-er, -ing; ragiona-tóre *m.*, -ménto *m.*

Reass-emble; riadunare. **-ert**; riaffermare. **-ess**; censire di nuovo. **-essment**; nuovo censimento. **-ign, -ignment**; retrocèd-ere, -iménto *m.* **-ume**; riprèndere. **-umption**; riprésa *f.*

Reassur-ance, -e; rassicur-azióne *f.*, -are. **-ing**; confortante. **-ingly**; in modo confortante o rassicurante.

Reattach, -ment; riattacca-re, -ménto *m.*

Reattack; riattacc-o *m.*, -are.

Reattain, -ment; ri-ottenére, -cúpero *m.*

Reattempt; ritentare.

Rebaptise; ribatteżżare.

Rebate; sconto *m.*, abbòno *m.*, defalco *m.* Make a —, scontare, abbonare, fare un ribasso.

Rebel; ribèlle *m.*, sollevato *m.*; ribellare, sollevarsi. **-lion, -lious, -liously**; ribellióne *f.*, -e, da -e.

Reb-ind; legare di nuovo, dar legatura nuova a. **-irth**; rinasciménto *m.* **-lossom**; rifiorire. **-oil**; ribollire. **-orn**; rinato. **-ound**; rimbalz-o *m.*, -are. **-uff**; rifiúto *m.*, cattiva accoglienza; respíngere. **-uild**; ricostruire. **-uke**; śgridata *f.*, rimpròvero *m.*; śgridare, riprèndere, rimproverare. **-us**; *id.* **-ut, -uttal**; ributta-re, -ménto, *m.* **-utter**; controrispòsta *f.*

Recalcitrant; ricalcitrante.

Recall; richiám-o *m.*, -are; rèvoc-a *f.*, -are. **-able**; richiamábile, revocábile.

Recant; diśdire, rinnegare. **-ation**; diśdètta *f.*, rinnegazióne *f.*, palinodía *f.*

Recapitulat-e, -ion; ricapitola-re, -zióne *f.*

Rec-apture; ripré-sa *f.*, -ndere. **-ast**; rifóndere, rifare. **-ede**; ritirarsi, indietreggiare.

Receipt; ricevuta *f.*, riceviménto *m.*; ricètta *f.*; quittanzare. **-ed**; saldato, saldo. **-book**; libretto di tessere di ricevuta.

Receiv-able; ricevíbile, ammissíbile. **-e**; ricèvere, accògliere, accettare; ricettare. — kindly, far buona accoglienza a. — **taxes**, riscuotere le tasse. **-er**; ricevitóre *m.*, chi riceve; recipiènte *m.*; (stolen goods) ricetta-tóre *m.*, -trice *f.*; (telephonic) cuffia *f.*

Receiving-cashier; percettóre *m.* **-ward**; depòśito *m.*

Recension; -e *f.*

Recent; recènte. **-ly**; -eménte, da pochi giorni, ultimaménte. **-ness**; data recente.

Recept-acle; ricettácolo *m.*, ripostíglio *m.*, recipiènte *m.* **-ion**; riceviménto *m.*, ricevuta *f.*, accogliènza *f.* — room, sala di ricevimento. **-ive, -iveness, -ivity**; ricettív-o, -ità *f.*

Recess; recèsso *m.*, nícchia *f.*, śvano *m.*, alcòva *f.*; vacanze parlamentari. **-ion**; ricediménto *m.*

Rech-arge; ricaricare. **-auffé**; rifrittura *f.* **-erché**; ricercato. **-risten**; ribatteżżare.

Reci-divist; -dívo *m.* **-pe**; ricètta *f.* **-pient**; *see* Receiver.

Reciproc-al; -o, scambiévole. **-ally**; -aménte. **-ate**; contraccambiare, render la pariglia. **-ating**; a moto alterno. **-ity**; -ità *f.*

Recit-al; raccónto *m.*, relazióne *f.*, espośizióne *f.* **-ation**; -azióne *f.* **-ative**; -atívo *m.* **-e**; -are, raccontare. **-er**; -atóre *m.*

Reck; curarsi. **-less, -lessly, -lessness**; sconsiderat-o, -aménte, -ézza *f.*; trascurat-o, -aménte, -ézza *f.* **-on**; contare, calcolare. **-oning**; cónto *m.* Work the —, calcolare il punto. Dead —, stima *f.* Ship's place by dead —, punto stimato. Out in one's —, ingannato nella sua aspettativa. Day of —, giorno di retribuzione.

Reclaim; riformare, correggere il vizio di, dissodare (terreno diserto), metter (terreno) a secco. **-able**; da potersi riformare ecc.

Reclamation; rifórma *f.* ecc., *see* Reclaim.

Recl-ine; riposarsi, appoggiarsi. **-ose**; richiúdere. **-othe**; rivestire. **-use**; eremíta *m.*

Recogni-sable, -sably; riconoscíbil-e, -ménte. **-sance**; scrittura d' obbligo. **-se**; riconóscere, confessare, raffigurare. **-tion**; riconosciménto *m.*

Recoil; rincul-o *m.*, -are. — upon, ricadere su. **-cylinder**; cilindro di rinculo. **-tube**; Gun with —, cannone con affusto a deformazione, a rinculo utilizzato.

Recoin, -age; riconia-re, -ménto *m.*

Recollect etc.; *see* Remember.

Recombin-ation, -e; ricombin-azióne *f.*, -are.

Recommence, -ment; ricomincia-re, -ménto *m.*

Recommend, -able, -ation, -atory; raccomand-are, -ábile, -azióne *f.*, -atóre.
Recommit; rimandare in prigione o ad un comitato. **-tal, -ment**; il rimandare.
Recompense; ricompèns-a *f.*, -are; risarciménto *m.*, -ire.
Reconcil-able, -e, -iation; riconciliábile, -re, -zióne *f.* Be -ed, rassegnarsi; rappaciarsi.
Recond-ense; -ensare. **-ite**; recòndito. **-uct**; -ure.
Reconfirm, -ation; riconferm-are, -a *f.*
Reconn-aissance; ricognizióne *f.*, missióne *f.*, perlustrazióne *f.* **-oitre**; perlustrare, fare una ricognizione.
Reconqu-er, -est; riconquest-are, -a *f.*
Recons-ecrate, -ecration; ricons-acrare, il -acrare.
Reconsider; riconsider-are. **-ation**; il -are.
Reconstitut-e, -ion; ricostitu-ire, -izióne *f.*
Reconstruct, -ion, -or; ricostru-ire, -zióne *f.*, -ttóre *m.*
Recontinu-ance; nuova continuazione. **-e**; ricontinuare.
Reconvene; riconvocare.
Reconver-sion, -t; il riconver-tire, -tire.
Reconvey, -ance; retrocè-dere, -ssióne *f.*
Recopy; ricopiare.
Record; 1. registro *m.*, rappòrto *m.*, memòria *f.*, atto pubblico registrato, testimonio autentico. -s, archivi *m. pl.* — office, cancellería *f.* Keeper of the **-s**, archivista *m.* To —, registrare, scrivere formalmente, esser evidenza monumentale. 2. mássimo *m.*, mínimo *m.*, record *m.* To make a —, segnare un massimo, minimo. Beat the —, sorpassare il record. A — Easter, una Pasqua come non c' è mai stata. **-er**; archivista *m.*, cancellière *m.*; giudice (con giurisdizione limitata) in Inghilterra. **-ership**; giudicatura in certe città.
Recou-nt; 1. conto nuovo; ricontare. 2. raccontare. **-p**; ricuperare, risarcire. **-pment**; ricúpera *f.*, risarciménto *m.* **-rse**; ricórso *m.* Have —, ricórrere.
Recover; ricuperare, riprèndere, riparare (perdita), racquistare; guarire, ristabilirsi; ottenere (risarcimenti); ricoprire (ombrello), rifoderare, rinnovare la legatura (ad un libro). **-able**; riparábile, ricuperábile, eṡigíbile (debito). **-y**; riprèsa *f.*, ricúpero *m.*; ristabiliménto *m.* Past —, senza rimedio.
Recr-eant; poltróne, infído. **-eate**; ricreare. **-eation**; passatèmpo *m.*, ricreazióne *f.* **-iminate, -imination**; ricrimin-are, -azíone *f.* **-oss**; ritraversare.
Recrudescen-ce, -t; -za *f.*, **-te.**
Recruit; 1. reclút-a; -are. 2. riguadagnare le forze, rimettersi in piedi.
Rectang-le, -ular; rettángol-o *m.*, -are.
Rectif-ication, -y; rettific-azióne *f.*, -are.
Rect-ilineal; rettilíneo. **-itude**; rettitúdine *f.* **-or**; rettóre *m.*, pievàno *m.*, prèṡide *m.* **-orial**; di un rettore. **-orship**; rettorato *m.* **-ory**; pievanía *f.* **-um**; rètto *m.*
Recumbent; coricato sul dorso, ṡdraiato.
Recuperat-e, -ion; ricuper-arsi, -aménto *m.*
Recur; ricórrere, accadere di nuovo, riprodursi. **-rence**; ripetizióne *f.* **-rent**; periòdico. **-ved**; ricurvo.
Recusant; ricuṡante, non-conformista *m.*
Red; rosso. To see —, esser fuor di sè con rabbia. — Indians, Pelli rosse. — Sea, mar rosso. **-breast**; pettirósso *m.* **-den**; arrossire, render rosso. **-dish**; rossiccio. **-faced**; rubicóndo. **-haired**; dai capelli rossi, di chiome rosse. **-handed**; in flagrante delitto, colle mani ancora rosse di sangue. **-heat**; calore rosso. **-hot**; infocato, rovènte. **-lead**; mínio *m.* **-letter-day**; giorno di festa. **-ness**; rossézza *f.*, rossóre *m.* **-poll**; fanello gentile. **-shank**; albastrèllo *m.* **-start**; codirósso *m.* **-tape**; burocrazia pedantica, regolamenti minuziosi. **-wing**; tordo sassello.
Redecorate; ridecorare.
Redeem; redímere, riscattare, riparare (errore), adempire (promessa); affrancare, liberare da ipoteca. **-able**; rimborsábile, redimíbile. **-er, -ing**; redentóre. A -ing feature, un fatto che compensa dei difetti, fatto consolante.
Redemption; redenzióne *f.*
Redintegrat-e, -ion; reintegr-are, -azióne *f.*; ristaur-are, -o *m.*
Redirect; rindirizzare, *see* Re-address.
Redis-count; riscontare. **-cover**; riscoprire. **-pose**; ridispórre. **-solve**; risciògliere. **-tribute**; ripartire di nuovo.
Re-divide; ridivídere. **-dolence**; olèżżo *m.*, fragranza *f.* **-dolent**; profumato, oleżżante.
Redouble; raddoppiare il doppio.
Redoubt; ridótta *f.*
Redoubtable; formidábile.
Redound; contribuire fortemente, ridondare.
Re-draft, -draw; nuova redazione, redigere di nuovo.
Redress; riparazióne *f.*, risarciménto *m.*; rimediare, corrèggere.
Reduc-e; ridurre. **-ed**; in cattivo stato. Become —, ṡminuire. — circumstances, strettézze *f. pl.* — to the ranks, degradato, fatto retrocedere. **-ible**; riducíbile. **-tion**; riduzióne *f.*

Redundan-ce, -t, -tly; ridondan-za *f.*, -te, -teménte.
Reduplicat-e, -ion; raddoppi-are, -aménto *m.*
Re-echo; rimbombare.
Reed; canna *f.*, sala *f.*; áncia *f.*, linguétta *f.* **-bunting**; passera di padule. **-mace**; biodo da capanne. **-pipe**; zampógna *f.*, tubo ad ancia. **-y**; cannóso.
Reef; 1. scoglièra *f.* 2. terzaruòlo *m.* To —, serrare con terzaruolo, fare i terzaruoli. **-knot**; nodo piano. **-line, -point**; mattafione di terzaruolo.
Reek; fumo *m.* — **with**, esalare un odore di.
Reel; aspo *m.*, guíndolo *m.*; trescone scozzese; barcollare, vacillare, andare vacillando. — **off**, proferire, spacciare.
Re-elect, -election; riel-eggere, -ezióne *f.* **-elect to office**, riconfermare in carica. **-eligible**; rieleggíbile.
Re-embark; imbarcarsi di nuovo. **-embody**; rincorporare. **-emerge**; uscire di nuovo.
Re-enact; ordinare di nuovo.
Re-engage, -engagement; ringaggi-are, -o *m.*
Re-enlist, -enlistment; arrolarsi, l' arrolarsi, di nuovo.
Re-enter, -entry; rientra-re, -ménto *m.*
Re-enthrone, -enthronement; rimettere, il rimettere, in trono.
Re-erect, -erection; rialza-re, -ménto *m.*
Re-establish, -establishment; ristabilire, -ménto *m.*
Reeve; passare (manovra in bozzello).
Re-examination, -examine; nuova eśaminazione, rieśaminare.
Re-exchange; ricambiare, nuovo cambio. **-exhibit**; esibire una seconda volta. **-expel**; espellere di nuovo.
Re-export, -exportation; riesporta-re, -zióne *f.*
Re-fashion; rifare. **-fasten**; attaccare ecc. di nuovo, *see* Fasten.
Refect-ion, -ory; refezióne *f.*, rifettòrio *m.*
Refer; riferire, riméttere, rimandare; rapportarsi. — **the reader to a note**, rinviare il lettore ad una nota. **-able**; riferíbile, da attribuirsi. **-ee**; árbitro *m.*, compromissário *m.* **-ence**; riferènza *f.*, rappòrto *m.*, relazióne *f.* **In — to**, a proposito di.
Refill; rièmpi-ere *or* riempí-re, -ménto *m.*
Refine; raffinare, depurare. **-d**; cólto, gentíle, raffinato; depurato. **-ment**; gentilézza *f.*, raffinatézza *f.* **-r**; raffinatóre *m.* **-ry**; raffinería *f.*
Refit; riparare, riattare, rimetter in sesto. **-ting**; riattaménto *m.* **For —**, per lavori. **Under —**, in disponibilità.
Reflect; riflèttere, ripensare, ripercuòtere. — **upon**, biaśimare; screditare. **-ion**; rifless-ióne *f.*, -o *m.* **Upon —**, riflettendoci su. **-ive**; riflessívo, meditatívo. **-ively**; da riflettuto, riflettivaménte. **-or**; rivèrbero *m.*
Refl-ex; riflèsso *m.*; riflèsso. **-oat**; diśincagliare, rimetter a galla. **-ux**; riflusso *m.*
Reform, -ation, -er; rifórm-a *f.*, -are, -atóre *m.* **-atory**; casa correzionale.
Refo-rtify, -und; rifo-rtificare, -ndare.
Refract, -ion; rifr-ángere, -angiménto *m.* **-ory**; refrattario, renitènte.
Refrain; 1. ritornèllo *m.* 2. astenérsi.
Reframe; rinquadrare, rincorniciare.
Refrangib-ility, -le; rifrangib-ilità *f.*, -ile.
Refresh; rinfrescare, recreare. **-er**; supplemento d' onorario quando si ricomincia un processo che è stato rimandato. **-ingly**; in modo rinfrescante. **-ment**; da mangiare, ristòro *m.* **-ments**; rinfréschi *m. pl.*
Refriger-ant; -ante. **-ator**; ghiacciaia *f.*, camera frigorifera, ghiacciuòlo *m.*
Reft; privato, spogliato.
Refug-e; aśílo *m.*, rifúgio *m.* **Street —**, salvagènte *m.* **Find — from**, sfuggire a. **-ee**; rifugiato *m.*
Refulgen-ce, -t; fulgid-ézza *f.*, -o; splend-óre *m.*, -ido.
Refund; restitu-zióne *f.*, -ire; rimbórs-o *m.*, -are.
Refurnish; ammobigliare di nuovo.
Refus-al; rifiúto *m.*; opzióne *f.*, diritto di comprare a certe condizioni. **-e**; 1. scarto *m.*, oggetti di rifiuto, immondézze *f. pl.* 2. rifiutare, ricuśare. **As** *intrans.*, rifiutarsi, ricuśarsi. **He was asked but -d**, glielo chiesero ma egli si rifiutò, *or* si recusò. **He -d to go**, egli si rifiutò di andare.
Refut-able, ation, -e; confut-ábile, -azióne *f.*, -are.
Regain; riguadagnare, riacquistare, ricuperare.
Regal; reále. **-e**; festeggiare, dare un lauto mangiare a. **-ia**; insegne reali. **-ly**; da re.
Regard; 1. riguardo *m.*, rispètto *m.*, cura *f.*; amicízia *f.*, simpatía *f.* 2. **In, With — to**, per quanto riguarda, in quanto riguarda, riguardante, riguardo, in quanto a. **In — to each other**, l' uno rispetto all' altro. **Out of — for**, per riguardo a. **My kindest -s to**, mille complimenti a. **With kind -s**, con perfetta osservanza, con tutta stima, con la maggior considerazione. 3. **To —**, riguardare, considerare, toccare o spettare a, rispettare, badare a. — **as inevitable**, ritenére, inevitabile. **As -s himself**, per conto suo.

Regard-ful; attentívo. **-ing**; *see* Regard (2). **-less**; senza cura, noncurante, senza riguardo.
Reg-atta; -ata *f*. **-elation**; il regelare. **-ency**; reggènza *f*. **-enerate, -eneration**; rigenera-re, -zióne *f*. **-ent**; reggènte *m*. **-icide**; 1. -icída *m*. 2. -icídio *m*. **-ild**; ridorare. **-ime**; -ime *m*. **-imen**; -ime *m*., diéta *f*.
Regiment, -al; reggimént-o *m*., -ále. **-als**; divíśa *f*. In full —, in alta divisa.
Region, -al; -e *f*., -ále.
Register; registro *m*., protocòllo *m*., lista elettorale; valvola di stufa. To —, registrare, immatricolare. — number, numero di protocollo. — of birth, atto di nascita. -ed debenture, obbligazione nominativa. -ed letter, lettera raccomandata.
Registrar, -ship; attuári-o *m*., -ato *m*.
Registr-ation; -azióne *f*. **-y**; ufficio dello stato civile, cancellería *f*.
Reglet; listèllo *m*., regolètto *m*.
Reg-nant; -nante. **-raft**; rinnestare. **-ression, -ressive**; regress-ióne *f*., -ívo.
Regret; rammárico *m*., rincresciménto *m*., dispiacére *m*., rimpianto *m*.; rincrescersi, dispiacérsene, rimpiángere. To his great —, con suo grande rammarico. With —, malvolentièri. **-ful**; compunto, dolènte. **-fully**; a contraggènio, con aria di rimpianto. **-table**; rincrescévole. **-tably**; in modo da rincrescersene.
Regrowth; nuova formazione.
Regul-ar; regolare, vero, matricolato, in regola. — work, salary, or abode, mansióne *f*. **-arise**; regolariżżare. **-arity**; regolarità *f*. **-arly**; regolarménte; proprio, come va. **-ate**; regolare. **-ation**; règol-a *f*., -aménto *m*., nòrma *f*. — answer, risposta di prammatica. — size, misura regolare o secondo i regolamenti. **-ator**; regolatóre *m*., ago d' accelerazione e ritardo.
Regulus; règolo *m*.
Regurgitat-e, -ion; rigurgit-are, -o *m*.
Rehabilitat-e, -ion; riabilita-re, -zióne *f*.
Re-hash; rifritto *m*. **-hear**; rigiudicare. **-hearing**; seconda udizione. **-hearsal**; pròva. **-hearse**; far la prova. **-heat**; riscaldare di nuovo. **-heel**; rattacconare. **-horse**; rifornire di cavalli.
Reign; règn-o *m*., -are.
Reimburse, -ment; rimborsa-re, -ménto *m*.
Reimport; importare di nuovo.
Reimpos-e; imporre di nuovo **-ition**; nuova impośizióne.
Reimprison; rimetter in prigione. **-ment**; nuovo imprigionamento.
Rein; rèdine *f*. Guide —, guìda *f*. — in, — up, raffrenare, trattenére.
Reincarnat-e, -ion; rincarna-to, -zióne *f*.
Reincorporat-e, -ion; rincorpora-re, -zióne *f*.
Reindeer; rènna *f*., tarando *m*. **-moss**; musco da tarando.
Rein-fect; riammorbare. **-fection**; nuova infezione. **-force, -forcement**; rinforzare, -o *m*. **-gratiate**; rimetter in favore. **-oculate**; inoculare di nuovo. **-oculation**; nuova inoculazione. **-sert**; inserire di nuovo. **-sertion**; nuova inserzione. **-stall**; insediare di nuovo. **-stallation**; nuovo insediaménto. **-state**; ristabilire, reintegrare, **-statement**; ristabiliménto *m*., reintegrazióne *f*. **-surance**; riassicurazióne *f*. **-sure**; riassicurare.
Reinter, -ment; riseppelli-re, -ménto *m*.
Reinterrogate; rieśaminare.
Reintroduc-e; introdurre di nuovo. **-tion**; nuova introduzione.
Reinvent; inventare di nuovo.
Reinvest, -ment; rinvesti-re, -ménto *m*.
Reinvestigat-e; far delle nuove ricerche. **-ion**; nuova investigazione.
Reinv-igorate; rinvigorire. **-ite**; invitare ancora una volta. **-itation**; nuovo invito. **-olve**; involgere ancora una volta.
Reissue; nuova emissione; ristampare.
Reiterat-e, -ion; reitera-re, -zióne *f*.
Reject; rigettare, respíngere, rifiutare. **-ion**; reiezióne *f*., rifiúto *m*.
Rejoic-e; rallegrarsi, giubilare, eśultare, gioire. **-ing**; allegrézza *f*., giúbilo *m*., fèste *f*. *pl*. **-ingly**; con allegrezza ecc.
Rejoin; ritornare a; rispóndere, replicare. **-der**; rispósta *f*., rèplica *f*.
Rejudge; rigiudicare.
Rejuven-ate, -escence; far ringiovanire, il ringiovanire.
Rekindle; riaccéndere.
Relapse; ricaduta *f*., recidiva *f*.; ricadére, ricascare.
Relat-e; spettare, riferire; aver rapporto; raccontare, narrare. **-ed**; in rapporto, congiunto, consanguíneo. **-ion**; rappòrto *m*.; raccónto *m*., relazióne *f*.; parènte *m*., congiunto *m*. **-ionship**; parentèla *f*. **-ive, -ivity**; -ívo, -ività *f*.
Relax; allentare, rilasciare, ślentare, mitigare, rilassare. His features -ed, i suoi lineamenti si distesero. **-ation**; allentaménto *m*. ecc., ricreazióne *f*., divertiménto *m*., divagaménto *m*. **-ing**; śnervante, ammolliènte.
Relay; cavallo o altro di ricambio; soccorritore elettrico. -ing station, stazione intermedia. To —, ricollocare.

Release; rilasciaménto *m.*, scarcerazióne *f.*, liberazióne *f.*; rilasciare, scarcerare, eṡentare.
Relegat-e, -ion; relaga-re, -zióne *f.*
Re-lend; dare in prestito a dei terzi; rinnovare un prestito.
Relent; intenerirsi, ammansarsi, cédere, piegarsi. -less, -lessly, lessness; spietat-o, -aménte, -ézza *f.*
Relet; riaffittare.
Relevan-ce, -cy; relazióne *f.*, rappòrto *m.* **-t**; accóncio, a proposito.
Reli-ability; fidatézza *f.* **-able**; fidato, sicuro. **-ance**; féde *f.*, fidúcia *f.*
Relic; avanzo *m.*, rèsto *m.*; relíquia *f.*
Relict; védova *f.*
Relief; sollièvo *m.*, alleggeriménto *m.*, alleviaménto *m.*, sussídio *m.*, diṡgrávio *m.*, soccórso *m.*, aiúto *m.*; rilièvo *m.*; cambio di guardia. Bring into —, dar risalto a. **-map**; carta in rilievo.
Reliev-able; soccorríbile **-e**; soccórrere, alleggerire, alleviare, mitigare, addolcire; rilevare (la guardia); dispensare (da). — of duties, destituire. Feel -d, provare un senso di sollievo.
Relieving-officer; impiegato della beneficenza pubblica.
Relight; riaccèndere.
Religi-on; -óne *f.* **-ous**; devóto, pio. — **book**, libro di devozione. — house, monastèro *m.* **-ously**; religiosaménte; eṡattaménte. Most —, appuntissimaménte. **-ousness**; -osità *f.*
Relinquish; abbandonare, rinunziare a. **-ment**; rinúnzia *f.*, abbandóno *m.*
Reliquary; reliquário *m.*
Relish; gusto *m.*, dilétto *m.*; condiménto *m.*, companático *m.* To —, sentire o fare una cosa con gusto, godére di. I do not —, non mi garba.
Re-live; rivívere. **-load**; ricaricare.
Reluctan-ce, -t, -tly; riluttan-za *f.*, -te, con riluttanza, a malincuore.
Rely; fidarsi o rimettersi (in), far assegnamento (su).
Remain; restare, stare, rimanére. — over, avanzare. That -s to be seen, ciò è ancora da vedere. **-der**; rèsto *m.*, avanzo *m.*, rimanènza *f.* **-s**; rèsto *m.*, spòglie *f. pl.*, avanzi *m. pl.*
Remake; rifare.
Remand; rinvia-ménto *m.*, -re.
Remark; osservazióne *f.*, nòta *f.*; osservare. It is to be -ed that, è da notare che. Marginal —, annotazióne *f.* General -s, le generalità. **-able**; rimarchévole, notévole. **-ably**; spiccataménte.
Rem-arriage; seconde nozze. **-arry**; rimaritarsi. **-edial**; riparatóre. **-edy**; medicína *f.*, rimèdi-o *m.*, -are. Past —, irrimediábile.
Rememb-er; ricordarsi, rammentare, sovvenirsi, aver ricordanza di. — me to him, salutatelo da mia parte. **-rance**; rimembranza *f.*, ricòrdo *m.*, sovvenire *m.* **-rancer**; ufficiale finanziario a Londra.
Remind; rammentare, richiamare alla memoria, rammemorare. **-er**; ṡvegliaríno *m.*
Reminiscen-ce; **-za** *f.* **-t**; che rammenta.
Remiss, -ness; trascurat-o, -ézza *f.* **-ion**; riduzione di pena, remissióne *f.*
Remit; consegnare, fare una rimessa; condonare. **-tance**; riméssa *f.*
Remnant; rèsto *m.*, avanzo *m.*, scámpolo *m.*
Remo-del; rimodellare. **-netise**; rimonetiżżare. **-nstrance, -nstrate**; rimostranza *f.*, -re.
Remorse; rimòrso *m.* **-ful**; pieno di rimorsi. **-fully**; con rimorso. **-less, -lessly**; spietat-o, -aménte.
Remote; rimòto, lontano. **-ly**; da lontano. **-ness**; lontananza *f.*
Remount; rimónta *f.*; rimontare, risalire; provvedere con nuovi cavalli.
Remov-able; amovíbile. **-al**; traspòrto *m.*, spostaménto *m.*, rimoviménto *m.* **-e**; distanza *f.*, intervallo *m.*, grado di parentela; classe (in certe scuole); promozióne *f.* To —, levare, toglier via, ṡgombrare, ṡmòvere, spostare, rimuòvere, fare sparire; cambiar domicilio, ṡloggiare.
Remunerat-e, -ion, -ive; rimuner-are, -azióne *f.*, -atívo.
Renaissance; rinasciménto *m.*
Renal; renále.
Rename; ribatteżżare, dar altro nome a.
Rend; straziare, lacerare, spezzare.
Render; rèndere; rinzaffare. **-ing**; traduzióne *f.*; rinzaffatura *f.*
Rendez-vous; convègno *m.*, ritròvo *m.*, appuntaménto *m.*, punto di concentraménto.
Renegade; rinnegato *m.*
Renew; rinnovare, rimoderare, rifare, ravvivare. **-al**; rinnovazióne *f.*
Reniform; -e.
Rennet; caglio *m.*
Renominate; rinominare.
Renounce; rinunziare a.
Renovat-e, -ion; rinnova-re, -zióne *f.*
Renown, -ed; rinom-anza *f.*, -ato.
Rent; 1. pigióne *f.*, rèndita *f.*, útile *m.*, fitto *m.*, affitto *m.* 2. squárcio *m.*, strázio *m.*, stráccio *m.* 3. dare o prender in affitto, appigionare. 4. *rem.* di Rend.
Rental; rendita fondiaria.

Rent-book; libretto contabile della pigione. **-charge**; censo livellare perpetuo. **-collector**; esattore delle pigioni, riscotitore degli affitti. **-day**; giorno del pagamento del fitto. **-free**; libero da affitto, gratis. **-roll**; ruolo delle rendite.

Renumber; metter dei nuovi numeri a.

Re-nunciation; rinúnzia *f*. **-occupy**; rioccupare. **-open**; riaprire. **-organise**; riorganiżżare.

Rep; rènsa *f*.

Re-pack; imballar di nuovo. **-paid**; *rem*. di Repay. **-paint**; ridipíngere, ricolorire.

Repair; 1. riparazióne *f*. -s, riparazioni di danni. Under —, in riparazione, in lavori (nave). Undergoing small -s, in piccoli lavori. In bad, good —, in cattivo, buono stato. Beyond —, irreparábile. To —, raccomodare, riparare. -ing lease, affitto dove il locatario s' incarica delle riparazioni. 2. andare, trasferirsi. **-able**; riparábile.

Re-paration; compènso *m*., risarciménto *m*. **-partee**; risposta frizzante, rèplica *f*. **-partition**; riparto *m*. **-pass**; ripassare. **-past**; pasto *m*., banchétto *m*. **-patriate**; far rimpatriare. **-pave**; rifare il lastrico.

Repay; rimborsare, ricompensare, rèndere. **-able**; rimborsábile. **-ment**; rimbórso *m*.

Repeal; abrogazióne *f*., abrogare. **-er**; chi vuole l' abrogazione dell' unione anglo-irlandese.

Repeat; ripètere, ridire, recitare. **-edly**; a più riprese. **-er**; oriuolo a ripetizione.

Repeating-rifle; fucile a ripetizione.

Repel; respíngere, repèllere, far ribrezzo a. **-lent**; repellènte.

Repent; pentirsi, ravvedérsi. **-ance**; ravvediménto *m*., contrizióne *f*., pentiménto *m*. **-ant**; compunto, pentíto.

Re-people; ripopolare. **-percussion**; -percussióne *f*. **-pertory**; -pertòrio *m*. **-peruse**; rilèggere. **-petition**; ripetizióne *f*.

Repin-e; querelarsi, lamentarsi. **-er**; mormoratóre *m*. **-ing**; mormorío *m*.

Replace; riméttere; surrogare, sostituire, rimpiazzare, riparare (perdite), provvedere l' uguale di. **-ment**; il rimettere, rimpiazzaménto *m*.

Re-plait; rintrecciare. **-plant**; ripiantare. **-plaster**; rintonacare di gesso. **-plenish**, **-plenishment**; riemp-ire, -iménto *m*. **-plete**; replèto, strapièno. **-pletion**; ripienézza *f*. **-plevin**; reintegrazióne *f*. **-plica**; *id*. **-plunge**; rituffare. **-ply**; rispósta *f*.; rispóndere, replicare, obiettare. In — to, in evasione a. — card, cartolina con risposta.

Re-polish; levigare o forbire di nuovo, ricorrèggere. **-populate**; ripopolare.

Report; rappòrto *m*., relazióne *f*., rèsocónto *m*., processo verbale; rumóre *m*., strèpito *m*., scòppio *m*., detonazióne *f*., rimbómbo *m*., cannonata *f*., rombo di cannone; vòce *f*., dícesi *m*., fama *f*. To —, rapportare, ragguagliare, raccontare, fare un rapporto, redigere un verbale. To be -ed absent, esser notato come assente. It is -ed, corre voce. **-er**; relatóre *m*., cronista *m*., stenògrafo *m*. **-s**; raccolta di sentenze. Idle —, chiácchiere *f*. *pl*.

Repose; ripòso *m*., tranquillità *f*.; ripórre, coricarsi. — confidence in, fidarsi su, riposarsi su.

Repository; depòsito *m*., scudería *f*.

Repossess; rientrare in possesso di.

Repot; rinvaśare, śvaśare.

Repoussé; posteriormente in rilievo e cesellato sul davanti. **-work**; lavoro di *repoussé*.

Reprehen-d, **-sible**, **-sion**; riprèn-dere, -síbile, -sióne *f*.

Represent, **-able**, **-ation**, **-ative**; rappreśent-are, -ábile, -azióne *f*.; -atívo, -ante *m*., deputato *m*.

Repress, **-ion**, **-ive**; reprímere, repress-ióne *f*., -ívo.

Reprieve; dilazióne *f*.; accordare una dilazione a.

Reprimand; ripren-sióne *f*., -dere; śgridata *f*., -are.

Reprint; ristamp-a *f*., -are.

Reprisals; rappresaglie *f*. *pl*.

Reproach; rimpròvero *m*., biáśimo *m*.; rimproverare. — for, rinfacciare. — with, tacciare di. **-ful**; — look, sguardo di rimprovero. **-fully**; con tono o sguardo di rimprovero.

Reprobat-e; rèprobo; riprovare. **-ion**; riprovazióne *f*.

Reproduc-e, **-er**, **-tion**, **-tive**, **-tively**; riprod-urre; -uttóre *m*., -uttrice *f*.; -uzióne *f*., -uttívo, -uttivaménte.

Repro-of, **-ve**; ripren-sióne *f*., -dere. **-vingly**; con aria di rimprovero. *See* Reproach.

Reprune; potare un' altra volta.

Reptil-e, **-ian**; rèttile *m*., simile ai rettili.

Republic, **-an**; repúbblic-a *f*., -áno.

Republi-cation, **-sh**; ripubblica-zióne *f*., -re.

Repudiat-e, **-ion**; ripudi-are, -o *m*.

Repugnance, **-t**; ripugnan-za *f*., -te.

Repuls-e, **-ion**; ripuls-a *f*., -are; **-ióne** *f*.

Repulsive; schifóso, ripulsívo, antipático. **-ly**; in modo ributtante, schifosaménte. **-ness**; schifosità *f*., carattere ripulsivo.

Repurchase; ricomprare.

Reput-able; onorévole, stimábile. **-ably**; onorevolménte. **-ation**; riputazióne *f.*, fama *f.* Bad —, nomèa *f.* **-e**; fama *f.*; riputare, stimare. **-ed**; suppósto. **-edly**; secondo la comune opinione.
Request; richièsta *f.*, preghièra *f.* In —, in voga, molto richiesto. To —, pregare, chiédere, invitare.
Requiem; rèquie *f.*
Requir-able; da richiedersi. **-e**; richiédere, volére, eśígere; aver bisogno di, biśognare. Be -ed, occórrere, esser d' uopo, mancare. **-ement**; biśógno *m.*, eśigènza *f.* **-ing**; bisognoso di, che ríchiede.
Requisite; fabbiśógno *m.*, occorrènte *m.*; requiśíto, necessário.
Requisition; requiśizióne *f.*, richièsta *f.*, domanda di diritto; prender per forza, far contribuzioni forzate, requiśire.
Requit-al; ricompènsa *f.*, contraccámbio *m.* **-e**; ricompensare, contraccambiare, render la pariglia.
Re-redos; dossále *m.* **-sale**; rivéndita *f.* **-scind**; rescíndere. **-scission**; -scissióne *f.* **-script**; -scritto *m.*
Rescue; riscòssa *f.*, soccórso *m.*; salvare, scampare. **-r**; soccorritóre *m.*, liberatóre *m.*
Reseal; risuggellare.
Research; ricérca *f.*, inchièsta *f.*
Reseat; riporre a sedere, rimetter il fondo a (seggiola), riassettare le panche ecc. (chiesa).
Re-section; risezióne *f.* **-sell**; rivéndere.
Resembl-ance, -e; rassomiglia-nza *f.*, -re.
Resent; risentirsi di, pigliare in mala parte. **-ful**; śdegnóso, risentito, facile al risentimento. **-fully**; risentitaménte. **-ment**; risentiménto *m.*
Reserv-ation; risèrva *f.*, eccezióne *f.*, restrizióne *f.*; terreno riservato. **-e**; risèrva *f.*, risèrbo *m.*; riservatézza *f.*, ritenutézza *f.* -s, truppe di rincalzo. — officer, ufficiale di complemento. To —, riservare, ritenére. **-ed**; contegnóso. Be —, stare in contegno. **-ist**; soldato della riserva. **-oir**; cistèrna *f.*, serbatóio *m.*, recipiènte *m.*
Reset; incastonare di nuovo, ricompórre.
Resettle; ristabilire, costituire nuovaménte, *see* Settle. **-ment**; ristabiliménto *m.*
Reship; ricaricare. **-ment**; il ricaricare.
Resid-e; abitare, dimorare, stare di casa, risedére. **-ence**; residènza *f.*, casa signorile. **-ency**; residenza di un governatore, palazzo governativo. **-ent**; -ènte *m.*; ministro del governo sovrano in una corte dipendente, legato *m.* **-ential**; -enziále. The — quarter, il quartiere occupato da abitazioni signorili; quartiere della alta borghesia. **-ual**; rimanènte, che resta. **-uary** legatee; erede universale. **-ue, -uum**; resíduo *m.*, rèsto *m.*, restante *m.*
Resign; 1. dar la dimissióne, rinunciare a, abbandonare, rassegnare. — oneself, rassegnarsi. 2. firmare una seconda volta. **-ation**; dimissióne *f.*; cessióne *f.*, abbandóno *m.*; rassegnazióne *f.* **-ed**; 1. rassegnato. 2. dimissionário. **-edly**; con aria di rassegnazione.
Resilien-ce, -t; elastic-ità *f.*, -o.
Resin; rágia *f.*, réśina *f.* **-ous**; reśinóso.
Resist; resístere, opporsi a. **-ance**; 1. resistènza *f.* 2. (*electr.*) reòstato *m.* Regulating —, reostato regolatore. Series —, resistenza zavorra. Starting —, resistenza d' avviamento. — step, grado di resistenza. **-ant**; resistènte. **-less, -lessly, -lessness**; irresistíb-ile, -ilménte, -ilità *f.*
Resolut-e; risoluto. **-ely**; con animo deliberato, risolutaménte. **-ion**; risoluzióne *f.*, deliberazióne *f.*; risolutézza *f.*; scioglimento *m.*, decompośizióne *f.* — of force or motion, diviśione *f.*
Resolv-able; risolvíbile; solvíbile. **-e**; determinazióne *f.*; deliberare, risòlversi, decídersi; sciògliere, scompórre. — itself, divenire, ridursi. — a tumour, disperdere un tumore. — a discord, trasportare una dissonanza su un tono concordante. The war was already -d upon, la guerra era già stata decisa. To — itself into committee, costituirsi in comitato.
Resonan-ce, -t; risonan-za, -te.
Resort; convègno *m.*, ritròvo *m.*, luogo frequentato; ricórso *m.* In the last —, in caso di bisogno assoluto. To —, frequentare, bazzicare; aver ricorso, ricórrere. — to other means, appigliarsi ad altri mezzi. Health —, luogo di cura.
Resound; risonare, rintronare, rimbombare.
Resource; risórsa *f.*, mèżżo *m.* **-ful**; pieno di espedièmti.
Resow; riseminare.
Respect; rispètto *m.*, ossèquio *m.*, riguardo *m.*; rappòrto *m.* In no —, sotto nessun rapporto. Out of — for, per rispetto a. Self —, rispetto di sè stesso. To —, rispettare, riverire, portar rispetto a; spettare, riguardare, aver rapporto a. Show — to persons, badare a rispetti umani. **-able**; rispettábile, ragguardévole. **-ably**; decenteménte, passabilménte. **-er**; chi riguarda. **-ful**; rispettóso, sommèsso. **-ing**; spettante, riguardo a. **-ive**; respettívo. **-ively**; respettivaménte.

Respir-ability, -able, -ation, -ator, -atory; -abilità *f.*, -abile, -azióne *f.*, -atóre *m.*, -atòrio. **-e**; -are.

Respite; dilazióne *f.*, indúgio *m.*, sòsta *f.*; accordare dilazione a.

Resplendent, -ly; risplendènte, -ménte.

Respon-d; rispóndere. **-dent**; convenuto *m.* **-se**; rispòsta *f.* Solemn —, rispónso *m.* **-sibility, -sible, -sibly**; respons-abilità *f.*, -ábile, -abilménte. **-sions**; esame intermedio a Oxford. **-sive**; pronto a rispondere. Not —, difficile, sordo. She was not very — to my advances, I miei tentativi a farle piacere non la contentarono molto. The soil here is not very — to cultiva tion, questo terreno non rende molto per esser coltivato. The boys were not very — to his efforts to train them, i ragazzi non volevano troppo far la parte loro in risposta ai suoi tentativi di educarli, poco corrispondevano ai suoi sforzi per educarli. **-siveness**; l' esser pronto a risponder bene, docilità *f.*

Rest; 1. ripòso *m.* At —, tranquillo, in riposo. Lose the night's —, perdere il sonno. Retire to —, andare a dormire. Go to one's last —, discendere nella tomba. 2. rèsto *m.*, restante *m.*, rimanènte *m.* For the —, del resto. Among the —, fra le altre cose o persone. The — of the year, il restante dell' anno. 3. appòggio *m.*, sostègno *m.* Billiard —, ponticíno *m.* For a lance, rèsta *f.* Bank —, fondi di riserva. 4. riposare, dar del riposo a; appoggiare, appoggiarsi, ripórre (speranza). It -s with him to decide, spetta a lui il decidere.

Restart; ricominciare. — the engine, riattaccare il motore.

Restate; riespórre, dichiarare di nuovo.

Restaurant; ristorante *m.*, trattoría *f.* **-keeper**; ristoratóre *m.*

Rested; riméssо; rinvigorito dal riposo.

Restful; che dà riposo, tranquillizzante. **-ly**; in modo tranquillizzante, pacificataménte. **-ness**; carattere tranquillizzante.

Restharrow; arrèstabúe *m.*

Resting-place; tappa *f.*, luogo di riposo.

Restitu-tion; -zióne *f.*

Restive; restío, ricalcitrante. **-ness**; l' esser restio ecc.

Restless; inquièto, irrequièto, agitato; instancábile; turbolènto. **-ly**; inquietaménte, da chi non può star tranquillo. **-ness**; irrequietézza *f.*, agitazióne *f.*, turbolènza *f.*

Restock; rifornire, ripopolare. — with, far nuova provvista di.

Restor-able; che si può ristabilire. **-ation**; restáuro *m.*, ristabiliménto *m.*; restituzióne *f.*, ripristinaménto *m.* The — of the Medici, la restituzione dei Medici. **-ative**; ristoratívo *m.* **-e**; ristorare (disciplina), restaurare (edifizio), ristabilire, restituire, riméttere (in grazia), richiamare (a vita), ridurre (in ordine), rinnovare (quadro), ravvivare. — to health, risanare, rimetter in salute. **-er**; restauratóre *m.*

Restrain; raffrenare, reprímere, ritenére, trattenére. **-able**; raffrenábile ecc. **-ing**; raffrenatóre, restringitóre. **-t**; fréno *m.*, ritègno *m.*, costringiménto *m.*, impáccio *m.*, impediménto *m.* Put under —, togliere la libertà a, metter sotto vigilanza. Without —, senza ritegno.

Restrict; restríngere, limitare. **-ion, -ive**; restri-zióne *f.*, -ttívo. **-ively**; in modo restrittivo.

Result; risultáto *m.*, effètto *m.*, èsito *m.*; risultare, derivare, seguire. **-ant**; risultante *m.* **-ing**; provenènte.

Resum-e; riassúmere, ripigliare, riprèndere. **-é**; sunto *m.*, epílogo *m.* **-ption**; riprésa *f.*, ricominciaménto *m.*

Resurrection; risurrezióne *f.*, risorgiménto *m.* **-ist**; ladro di cadaveri.

Resurvey; nuova ispezione; rimisurare.

Resuscitat-e, -ion; risuscita-re, -zióne *f.*

Retail; al minuto; vendere al minuto, spacciare. **-er**; venditore al minuto.

Retain; retinére, conservare. **-able**; da ritenersi. **-er**; 1. sèrvo *m.*, aderènte *m.* His -s, i suoi. 2. onorario anticipato. **-ing**; di sostegno.

Retake; riprèndere.

Retaliat-e; vendicarsi, render la pariglia. **-ion**; rivíncita *f.*, contraccámbio *m.* **-ory**; di rappresaglia.

Retard, -ation; ritarda-re, -ménto *m.*

Retch; rècere. **-ing**; conati di vomito.

Retell; ridire.

Retent-ion; ritenzióne *f.*, custódia *f.* **-ive**; riten-tívo, -ènte.

Reticen-ce; -za *f.* **-t**; -te, riservato.

Reticulated; reticolato.

Reticule; borsétta *f.*

Reti-form; -e. **-na**; *id.*

Retinue; cortèo *m.*, cortéggio *m.*, sèguito *m.*

Retir-e; ritirarsi, indietreggiare, retrocédere. To — a bill, ritirare una cambiale. **-ed**; giubilato; nascòsto, appartato. — life, vita ritirata. On the — list, giubilato. **-ement**; ritiratézza *f.*, ritíro *m.*; dimissióne *f.* **-ing**; modèsto, riservato, schivo; uscènte; — in rotation, scadente per turno. — allowance, — pension, pensione di giubilazione.

Retort; 1. stòrta *f.* **-house**; opificio di

distillazione del gas. 2. risposta per le rime, rimbécco *m.* To —, rispondere aspramente, vivamente; ribáttere.
Retouch; ritócc-o *m.*, -are.
Retrace; rintracciare; delineare di nuovo. — one's steps, tornare sui propri passi.
Retract; ritrattare, diśdirsi, ridirsi; rattrarre. **-ation**; ritrattazióne *f.* **-ile**; retráttile. **-ion**; stato rattratto, il rattrarre.
Retr-averse; ritraversare. **-eat**; ritirata *f.*, ritiro *m.*; ritirarsi. **-eating**; fuggènte (mento), depressa (fronte). **-ench**; economiżżare. **-enchment**; ristringimento delle spese. **-ibution**; -ibuzióne *f.*, mercéde *f.*, gastígo *m.* **-ibutive**; vendicatóre. **-ieve**; riparare, ricuperare, ripescare, raccògliere. **-iever**; retriever *m.*
Retro-active, -cede, -grade; -attívo, -cèdere; -grado, -gradare.
Retrogress, -ion, -ive, -ively, -iveness; retrograd-are, -azióne *f.*, -o, in modo -o, l' essere -o.
Retro-spect; rivista del passato. **-spection**; colpo d' occhio retrospettivo, sguardo indietro. **-spective**; -spettívo, -attívo. **-spectively**; -spettivaménte. **-version**; -versióne *f.* **-vert**; tornare indietro.
Retting; macerazióne *f.*
Return; 1. ritórno *m.*, restituzióne *f.*, rinvío *m.*, riméssa *f.*, rimbórso *m.*, rispósta *f.*, contraccámbio *m.* 2. rèddito *m.*, frutto *m.*, ricávo *m.*, prodótto *m.* 3. rappòrto *m.*, resocónto *m.*, denúnzia *f.* 4. elezióne *f.* 5. rientrata a casa. 6. tornare indietro, tornare a casa, tornare, ritornare, rientrare, rivenire. 7. restituire, rimandare, rinviare. 8. ribattere, replicare, ricambiare. — a bow, rispondere al saluto. — good for evil, ricambiare il male col bene. 9. elèggere (deputato), eméttere (verdetto).
Return-able; di rimando, di rinvio. **-ed letter office**; uffizio delle lettere con destinatario introvabile. **-ing**; che riviene. — officer, impiegato sovrastante alle elezioni. **-s**; varietà di tabacco. **-ticket**; biglietto di andata e ritorno.
Reuni-on, -te; -óne *f.*, -re.
Revaccinat-e, -ion; rivaccina-re, -zióne *f.*
Revalu-ation; nuova stima. **-e**; fare un' altra stima di.
Revarnish; rinverniciare.
Reveal; fianco *m.*; rivelare, paleśare, metter a nudo.
Reveillé; diàna *f.*, śvèglia *f.*
Revel; fèsta *f.*, baldoría *f.*; deliziarsi, festeggiare, dilettarsi. **-ation**; rivelazióne *f.* **-ry**; allegrézza *f.*, baldoría *f.*
Revenge; vendétta *f.*, rivíncita *f.*; vendicare. To — oneself, vendicarsi, render pan per focaccia, render la pariglia. **-ful, -fully**; vendicatív-o, -aménte.
Revenue; entrata *f.*, rèddito *m.*, provènto *m.*, cènso *m.*, rendita dello Stato. **-cutter**; barca doganiera. **-officer**; doganière *m.*, proventuále *m.*
Reverberat-e, -ion, -ory; riverber-are, -o *m.*, -ante, rimbomb-are, -o *m.*, -ante.
Rever-e, -ence, -end, -ent, -ential, -entially, -ently; river-ire, -ènza *f.*, -èndo, -ènte, -ènte, -enteménte. **-ie**; vaneggiaménto *m.*, fantasticheria *f.*, pensieri vagabondi.
Revers-al; annullaménto *m.*, inversióne *f.*, cambiamento in senso contrario. **-e**; rovèscio *m.*, sconfitta *f.*; invertíto, oppósto, contràrio; annullare, rovesciare, invertire, cambiare la marcia (macchina), fare un "renversé" (ballando). **-ed**; alla rovescia. **-ely**; in senso inverso. **-ibility**; invertibilità *f.* **-ible**; invertíbile, che si può invertire o rovesciare, (stoffa) a due diritti.
Reversing-engine; invertitóre *m.* **-gear**; meccanismo d' inversione. **-turbine**; turbina di movimento d' inversione o del cambiamento di marcia.
Reversion; riversióne *f.*, fondi riversíbili; ritorno atavico, ataviśmo *m.*, regressióne *f.*, specie di riversibilità. **-ary**; riversíbile. **-er**; chi ha un diritto di riversione.
Reversive; che inverte.
Revert; rivenire, ritornare, ricadére **-ing**; riversíbile; tornando.
Revetment; rivestiménto *m.*
Revictual; rifornire di viveri.
Review; rivista *f.*, resocónto *m.*, crítica *f.*; rivedére, criticare, render conto di, passare in rivista. **-er**; crítico *m.*
Revil-e; ingiuriare, sparlare di. **-er**; oltraggiatóre *m.* **-ingly**; con parole maledicenti.
Revis-al; reviśióne *f.* **-e**; seconda bozza. Second —, terza bozza. To —, corrèggere. Revising barrister, verificatore delle liste elettorali. **-er**; reviśóre *m.*, riveditóre *m.* **-ion**; reviśióne *f.*, verificazióne *f.*
Revisit; rivíśit-a *f.*, -are.
Reviv-al; ravvivaménto *m.*, risorgiménto *m.*, risveglio religioso. A shadowy —, un fantastico risorgere. **-alist**; predicatore errante, promotore di risvegli religiosi. **-e**; ravvivare, rianimare, rinfrescare, far rináscere, rivívere. Be -d, ridestarsi.
Revo-cation, -ke; rèvoc-a *f.*, -are. At cards, rifiút-o *m.*, -are.
Revolt; sollevazióne *f.*; ribellarsi, rivol-

tarsi; far ribrezzo a. **-ed**; sollevato. **-ing**; ributtante, stomacóso; in sollevazione.

Revolution, -ary, -ise; rivoluzion-e *f.*, -ario, -are. Revolution of a wheel, giro.

Revolv-e; girare, ruotare. **-er**; revòlver *m.*, rivoltèlla *f.* — shot, revolverata *f.* **-ing**; girante, a rotazione. — light, fanale a luce girevole.

Revulsion; -e *f.* — of feeling, cambiamento subitaneo di sentimenti, di emozioni.

Reward; ricompènsa *f.*, prèmio *m.*, contraccámbio *m.*; ricompensare, premiare, rimeritare.

Re-weigh; ripesare. **-word**; dire con altre parole. **-write**; riscrívere.

Reynard; la volpe.

Rhapsod-ical; stravagante. **-y**; rapsodía *f.*

Rheims; Reims *m.*

Rhenish; renáno.

Rheostat; reòstato *m.*

Rhesus; specie di scimmia indiana.

Rhetoric, -ian; ret-tòrica *f.*, -óre *m.*

Rheum, -atic, -atism; rèum-a *m.*, -ático, -atiṡmo *m.*

Rhin-e; Rèno *m.* **-o** (gergo); quattríni *m. pl.* **-oceros**; rinocerónte *m.*

Rhizome; riżòma *m.*

Rho-des; Ròdi *f.* **-dodendron**; rododèndro *m.* **-mb**; rómbo *m.* **-mboid**; rombòide *m.* **-ncus**; rántolo *m.* **-ne**; Ròdano *m.*

Rhubarb; rabárbaro *m.*

Rh-umb; rómbo *m.*, quarta *f.* **-us**; rus *m.* **-yme**; rim-a *f.*, -are. **-ythm, -ythmic, -ythmically**; ritm-o *m.*, -ico, -icaménte.

Rib; còstola *f.*, (*mar.*) còsta *f.*

Ribald, -ry; ribald-o, -ería *f.*; scurríl-e, -ità *f.*

Rib-bed; vergato, fatto a costole. **-bon**; nastro *m.*, bènda *f.*, cordone d' Ordine. — grass, erba nastro. **-es**; ribes sanguineo. **-wort**; piantaggine lancifolia.

Rice; riso *m.* **-field, -plantation**; risáia *f.* **-paper**; carta cinese.

Rich; ricco, dovizióso; saporíto, delizióso (scherzo), ubertóso, grasso, abbondante (raccolta) squiṡíto (sapore), fecóndo (terreno), generoso (vino). **-es**; ricchézze *f. pl.*, dovízia *f.*, opulènza *f.* **-ly**; riccaménte, largaménte, abbondanteménte, ampiaménte. **-ness**; ricchézza *f.*, grassézza *f.*

Richard; Riccardo.

Rick; pagliáio *m.*, catasta *f.* **-ets**; rachítide *f.* **-ety**; poco stabile, malférmo; rachítico. — chair, seggiola zoppa.

Ricochet; rimbalz-o *m.*, -are.

Rid; disfare, liberare, ṡgomberare, ṡbarazzare, levare d' attorno. **-dance**; ṡgombraménto *m.*, diṡbrígo *m.* A good —, una perdita vantaggiosa.

Riddle; 1. enimma *m.*, indovinèllo *m.* 2. crivellare, bucherellare.

Ride; corsa a cavallo; cavalcare, andare a cavallo, montare (bicicletta); andare in carrozza; (*mar.*) esser all' ancora; scavalciarsi. — the high horse, imporre la propria volontà. — **about**, far delle girate a cavallo. — **at**, spingere il cavallo verso (ostacolo), su (nemico). — **away**, partire, allontanarsi (a cavallo). — **back**, ritornare a cavallo. — **backwards**, cavalcare a ritroso. — **behind**, seguire a cavallo; essere, montare, o salire in groppa. If two men — one horse one must — behind, se due persone stanno su un cavallo l' uno de' due bisogna che stia di dietro. — **by**, passare a cavallo; cavalcare di fianco a, vicino di. — **down**, investire col cavallo. — **easy**, (*mar.*) avere i movimenti dolci col mare grosso. — **forward**, farsi avanti col cavallo. — **hard**, cavalcare senza risparmiare il cavallo. — **off**, *see* Ride away. — **on**, continuare il corso. — **out**, venir fuori a cavallo; (*mar.*) sostenere (un fortunale all' ancora). — **up**, arrivare a cavallo. — — to, farsi a col cavallo, avvicinare il cavallo a.

Rider; cavalière *m.*; clausola di più, aggiunta *f.* **-less**; senza cavaliere o fantino.

Ridge; comígnolo *m.*, giogáia *f.*; rialzo *m.*, pòrca *f.*; catena di scogli. **-tile**; embrice da comignolo.

Ridicul-e; ridícolo *m.*, schérno *m.*; canzonare, ṡbeffare, metter in ridicolo. **-ous, -ously**; ridícol -o, -aménte. **-ousness**; assurdità *f.*

Riding; equitazióne *f.* **-crop**; frustíno *m.* **-habit**; amáżżone *f.* **-horse**; cavallo da maneggio, da sella. **-master**; cavallerízzo *m.* **-school**; cavallerizza *f.*, scuola d' equitazione.

Rife; comune, generále. Be —, córrere. **-ness**; prevalènza *f.*

Riff-raff; canáglia *f.*, plebáglia *f.*

Rifle; fúcile *m.*, carabína *f.*; ṡvaligiare, depredare; rigare. **-man**; carabinière *m.*, bersaglière *m.* **-range**; terreno del tiro a segno.

Rifling; rigatura *f.* Twist of the —, passo delle righe.

Rift; fessura; strappo di sereno.

Rig; attrezzatura *f.*; vestimento ridicolo. Run a —, scherzare. To —, attrezzare, attrazzare. — a mast, guarnire un albero. — out, vestire alla meglio. — up; metter su, metter insieme. Fore and aft —, attrezzatura all' aurica. Square —, attrezzatura a vele quadre. -ging; attrezzatura *f.*, sartiame *m.* Running —, manovre correnti. Standing —, manovre dormienti.

Right; 1. diritto *m.* — and wrong, il bene e il male. All -s reserved, proprietà letteraria. — to work, diritto al lavoro. In his own —, di suo, in proprietà assoluta. Civil -s, diritti civili. Have the — to do it, esserne padrone. By -s, parlando strettamente, per farla come si deve. 2. privilègio *m.*

3. giusto, pròprio, accóncio, adeguato, aggiustato, dovuto, voluto, dritto. At the — time, a tempo. The — way, il vero mezzo. Is this the — way to? È questa la strada per? Is this the — way of doing it? è questo il modo migliore di farlo? It is not — of you, non vi sta bene. The — man in the — place, l' uomo che va proprio bene nella sua posizione. The — side of the cloth, il ritto del panno. — side out, alla dritta. Be —, dir bene, aver ragione. Set —, metter in ordine, riassettare, raffazzonare. 4. déstro, manritto. On the —, a man destra, a manritta. Keep to the —, prender la parte destra. — eye, occhio manritto. — thumb, pollice della man destra. 5. rètto. — line, linea retta.

6. All —! d' accordo! va bene! Quite —, già, avevate ragione. — well, benissimo. — in the middle, nel bel mezzo. — through the wood, tutto attraverso il bosco. — there, costà. — away, subito; pronti! That is —, ciò va bene, va bene così, avete fatto bene, ecco!

7. correggere, riparare. — itself, ristabilirsi, raddrizzarsi, rimettersi da sè.

Right-about; — face! front' indietro! To the —, nella direzione opposta. Send to the —, congedare senza cerimonia. **-angled**; rettángolo. **-eous**; giusto, rètto, onèsto. **-eously**; giustaménte ecc. **-eousness**; rettitúdine *f.*, il bene. **-ful, -fully**; legíttim-o, -aménte. **-fulness**; l' esser legittimo, giusto. **-handed**; mandritto. **-ly**; bene, giustaménte, come si dovrebbe, *see* Right (3). **-ness**; giustézza *f.*, l' esser ben detto, fatto ecc.

Rigid, -ity; -o, -ézza *f.* **-ly**; strettaménte.

Rigmarole; tiritèra *f.*, girigògolo *m.*

Rigor; accesso febbrile. **-ous, -ously**; -óso, -osaménte.

Rigour; rigóre *m.*, severità *f.*

Ril-e; far arrabbiare, fare stizzire. **-ing**; contrariante, noióso, irritante.

Rill; ruscellétto *m.*, rigágnolo *m.*

Rim; órlo *m.*, bòrdo *m.* Of a tyre not pneumatic, corona della ruota, corona del cerchione. Of a pneumatic tyre, tallóne *m.*

Rim-e; brina *f.*, brinata *f.* **-y**; brinóso.

Rind; scòrza *f.*, cortéccia *f.*, coténna *f.*

Rinderpest; peste bovina.

Ring; 1. anèllo *m.*, cérchio *m.*, cerchiétto *m.* 2. scampanío *m.*, tintinnío *m.* 3. aréna *f.*, terreno di combattimento, cinta *f.*, recinto *m.* 4. cricca *f.*, combriccola *f.*, cròcchio *m.* 5. occhio d' ancora. 6. suonare, far tintinnire, risonare. Somebody is -ing, hanno sonato. — the bell! suona il campanello! — out, suonar forte. — up, chiamare sul telefono. 7. **-ed**; a collana. — in, — round, circondato, cinto.

Ring-bark; incoronare. **-bone**; eśòstośi *f.* (sulla pastoia). **-dove**; colómbo *m.* **-fence**; cinta circolare. Within a —, con limite quasi circolare. **-ing**; tintinnío *m.*; squillante. **-leader**; caporióne *m.* **-let**; riccio *m.* **-roller**; rullo dentato. **-worm**; mentagra *f.*, tigna tonsurante.

Rink; impiantito di pattinaggio.

Rins-e, -er; risciacqu-ata *f.*, -are; -atóio *m.*

Riot; trambusto *m.*, baccáno *m.*; sommòssa *f.*; far chiasso, tumultuare. Run —, crescere rigogliosamente, *fig.* abbandonarsi ad eccessi. **-er**; sedizióso *m.*, rivoltóso *m.*, sollevato *m.*, scapestrato *m.* **-ous**; riottóso, śregolato, díscolo. **-ously**; da riottoso ecc.

Rip; mascalzóne *m.*; stracciare, squarciare. — up, scucire, śdrucire.

Riparian; ripário.

Rip-e, -ely, -en, -eness; matur-o, -aménte, -are, -ità *f.*

Ripp-er (gergo); cosa ottima. **-ing** (gergo); eccellentissimo. — seam, lista di strappamento, foderina di strappo.

Ripple; incresp-aménto *m.*, -are.

Rise; 1. elevazióne *f.*, lieve salita. 2. levata *f.* 3. rincaro *m.*, rialzo *m.* 4. pièna *f.* 5. miglioraménto di condizione, promozióne *f.*, avanzaménto *m.* 6. origine *f.*, sorgènte *f.*, il sorgere. 7. (gergo) scoppio di malumore. 8. Give — to, far nascere, dar luogo a, cagionare. 9. il presentarsi d' un pesce. I did not get a —, non mi fu verso di far presentarsi nessun pesce a fior d' acqua.

To —, 10. alzarsi, levarsi, da letto. 11. levarsi, alzarsi (sole); spuntare (stella). 12. sórgere, elevarsi, ascéndere (fumo), śalire (marea), créscere (vento), farsi (burrasca), montare (stizza); rincarare, aumentarsi, rialzare, esser in rialzo (prezzi). 13. ingrossare (fiume). 14. lievitarsi. 15. farsi vedere a fior d' acqua (pesce), affiorare. 16. sollevarsi, rivoltarsi, ribellarsi. 17. risorgere dalla tomba. 18. separarsi (parlamento), sciògliersi (adunanza). 19. aver la sua sorgente, pullulare, scaturire.

20. His spirits rose, si sentì rianimato. Its expenses rose to a million, ne ascese la spesa ad un milione. Rising displeasure, principio di malcontento. Rising generation, generazione sorgente. Rising sun, nascente sole. Vote by rising and sitting, votare per alzata e seduta. He rose to his feet, si levò in piedi. An angry flush rose to her face, un rossore di rabbia le salì al volto. It -s to the height of a thousand metres, si solleva ad un' attezza di mille metri. It -s at an angle of 45 degrees, si solleva ad un angolo di 45 gradi. He rose to the occasion, non mancò all' occasione, si sollevò al livello richiesto dalla situazione. He did not — to the suggestion, non si mostrò affatto desideroso di accettare l' offerta. To — in the world, guadagnarsi una bella posizione al mondo.

Riser; 1. faccia verticale d' un gradino. 2. Early —, persona mattiniera.

Risible; risíbile.

Rising; sollevazióne *f.*, ribellióne *f.*, il levarsi ecc., *see* Rise. — of the session, chiusura della seduta.

Risk; rischio *m.* At all -s, a qualunque rischio, checchè succeda. Without —, a man salva. To —, arrischiare. **-iness**; l' esser rischioso. **-y**; rischióso, pericolóso.

Rissole; polpétta *f.*

Rit-e, -ual, -ualism, -ualist, -ually; -o *m.*, -uále, -ualiŝmo *m.*, -ualista *m.*, -ualménte.

Rival; -e, -eggiare. **-ry**; -ità *f.*, emulazióne *f.*

Rive; spaccare, féndere.

River; fiume *m.*; fluviále. **-bank**; sponda del fiume, árgine *m.* **-bed**; letto del fiume. **-craft**; bastimento o barca da fiume. **-god**; nume o divinità di un fiume. **-head**; sorgènte *f.* **-horse**; ippopòtamo *m.* **-side**; riva *f.*; rivierasco, ripário. **-view**; vista su un fiume.

Rivet; chiodo ribadito; ribadire, tener (l' attenzione) fissa. **-ter**; ribaditóre *m.* **-ting**; chiodatura *f.*, impernatura *f.*, ribaditura *f.* — punch, punzone da chiodi.

Rivulet; ruscèllo *m.*

Rix-dollar; riŝdòllaro *m.*

Roach; lasca rosata.

Road; via *f.*, strada *f.* High —, strada maestra. Country —, strada comunale o vicinale. Carriage —, strada carrozzabile. Farm —, strada poderale. Heavy —, strada cattiva, mal tenuta. **-bed**; fondamento di una strada. **-book**; itinerário *m.* **-metal**; pietre per macadamizzare. **-side**; margine *m.* (della strada). — inn, albergo sulla strada. **-man**; chi lavora al mantenimento delle strade. **-stead**; rada *f.* **-ster**; cavallo robusto. **-way**; carreggiata *f.*, parte carrozzabile della strada.

Roam; vagare, andar ramingo, errare, girovagare. **-ing**; ramingo.

Roan; roáno.

Roar; ruggíto *m.*, muggíto *m.*, urlo *m.*; scoppio di risa; rómbo *m.*, scròscio *m.* Set in a —, far scoppiare dal ridere. To —, ruggire, mugghiare, vociferare, vociare. **-er**; bólso *m.* **-ing**; ruggènte. — fire, fuoco bravissimo, che avvampa furiosamente.

Roast; arrostire, torrefare; (gergo) lavare il capo a. Rule the —, tenere il mestolo. **-meat**; arròsto *m.*

Rob; rubare, derubare, ṡvaligiare, spogliare. **-ber**; ladro *m.* **-bery**; ladrería *f.*

Robe; vèste *f.*, tòga *f.*; vestire. In his -s, parato.

Robin; pettirósso *m.*

Robing-room; vestiàrio *m.*

Robust, -ly, -ness; -o, -aménte, -ézza *f.*

Rocambole; aglio di Spagna.

Rochelle; La Rocèlla.

Rochet; rocchétto *m.*

Rock; scòglio *m.*, ròccia *f.*, rupe *f.*, balza *f.*; cullare, dondolare; barcollare. **-bound**; irto di rupi. **-cistus**; eliantèmo *m.* **-crystal**; cristallo di rocca. **-dove**; piccióne salvatico. **-drill**; macchina perforatrice. **-er**; asse curvato dell' altalena. **-ery**; sassi accatasti per un giardino alpino. **-et**; 1. raẑẑo *m.* 2. ruchétta *f.* **-eter**; fagiano che vola alto. **-fever**; febbre intermittente di Gibilterra. **-ing**; cullaménto *m.*, tentennante. — chair, sedia a dondolo. — cradle, culla. — horse, cavallo a dondolo. — stone, sasso barcollante. **-rose**; eliantèmo *m.* **-salt**; salgèmma *m.* **-snake**; pitóne *m.* **-work**; montagnuòla artificiale. **-y**; sassóso. — Mountains, i Monti Rocciosi.

Rod; bacchétta *f.*, stécca *f.*, vérga *f.*; canna da pesca; pèrtica (5·027 metri).

Rod-e; *rem.* di Ride. **-ent**; rosicchiante. -s, i rosicanti. **-erick**; Roderígo. **-omontade**; millantería *f.*, iattanza *f.*

Roe; 1. capriòlo *m.* 2. Hard —, uova di pesce. Soft —, latte di pesce. **-buck**; capriòlo *m.*

Rogu-e; briccóne *m.*, birbante *m.*, furfante *m.*, mariuòlo *m.*, malandríno *m.* **-ery**; bricconería *f.*, mariuolería *f.*, tiro birbantesco. **-ish**; da briccone ecc.,

maliziόso. **-ishly**; furbescaménte, da briccone ecc. **-ishness**; l' esser briccone ecc., malízia *f.*, furbería *f.*
Roister-er; chiassóne *m.* **-ing**; strepitóso.
Roland; Orlando.
Rôle; parte *f.*
Roll; 1. ròtolo *m.*, ruòlo *m.*, lista *f.* 2. rullío *m.* 3. paníno *m.*, chífelle *m.* 4. **-s**; archivi. Keeper of the —, archivista. Master of the —, giudice con questo titolo. 5. ruzzolare, rotolare, scórrere. — away from, rotolare da. Be -ing over the Campagna, correre attraverso la campagna romana. *See* Rolling. 6. far rotolare, far roteare, stendere (pasta), stralunare (gli occhi), laminare (metallo), rullare (bastimento). — into a ball, formare una palla rotolando la materia, farne una palla. -ing waves, marosi ondulanti. — **away**, rotolare via, allontanarsi (carrozza). — **back**, ricacciare, far indietreggiare. — **by**, passare (carrozza). — **down**, 1. rotolar giù. 2. śminuzzare col rullo dentato un terreno zolloso, rullare. — **in**, 1. incorporare nel suolo col rullare. 2. entrare, avvicinarsi, in numeri considerevoli (gente), con ondulazioni lunghe (mare), barcollando (persona ubbriaca). — **on**, continuare a scorrere (anni, carrozza), ad ondulare (mare). — **out**, parlare con bocca assai aperta; spianare, schiacciare (rullando), *fig.* non lasciar modo di rispondere, annientare. — **over**, atterrare; far cader morto. — **up**, 1. avvolgere, fare un rotolo di. 2. *see* Roll in (2).
Roll-call, appèllo *m.*
Roller; 1. rullo *m.*, appianatóio *m.* Steam —, rullo a vapore. 2. gażża o ghiandaia marina. 3. cavallóne *m.*, maróso *m.* **-blind**; stoíno *m.*, tendína *f.* (che s' innalza avvolgendosi). **-skate**; pattino a rotelline. **-towel**; bandinèlla *f.*, asciugamano a rotolo.
Rollicking; festóso, brióso, buontempóne.
Rolling; rullío *m.*; rotolante. **-mill**; laminatóio *m.* **-pin**; spianatóio *m.*
Roly-poly; — pudding, budino confetturato e fatto a rotolo.
Rom-aic; -áico. **-an**; -áno. — nose, naso aquilino. — Catholic, cattòlico. **-ance**; idee romantiche; romanżo *m.* As *adj.*, romanżo. To —, fantasticare, favoleggiare. **-ancer**; inventatóre *m.*, mentitóre *m.*
Roman-esque; romanżésco. **-ise**; passare alla fede cattolica, usare i riti di questa. **-ism**; papiśmo. **-sch**; romanżo. **-tic**; -tico. **-tically**; -ticaménte. **-ticism**; -ticiśmo *m.* **-y**; i zingari o la loro lingua.
Romish; papistico.
Romp; trambusto *m.*, giuoco chiassoso; ruzzare chiassosamente, fare il monello.
Roncesvaux; Ronciśvalle *f.*
Rood; 1. quaranta pertiche quadrate, 1010·8 metri quadrati. 2. crocifisso *m.* **-loft**; specie di balconcino, galleria dove si esponeva il crocifisso. **-screen**; tramezzo fra la navata ed il coro.
Roof; tétto *m.*, cièlo *m.*, vòlta *f.*; coprire con tetto. **-less**; senza tetto. **-tile**; émbrice *m.*, tégolo *m.* **-truss**; capriata *f.*
Rook; 1. cornacchióne *m.* 2. ròcco *m.*, tórre *f.* 3. barare, vincere chi non sa giocare, scorticare, spennare, spelare. **-ery**; colonia di cornacchioni, *fig.* gruppo di casupole poverissime.
Room; stanza *f.*, cámera *f.*, sala *f.*, salòtto *m.*; spázio *m.*, luògo *m.* There is no more —, non c' è più posto. Bed —, camera da letto. Billiard —, biliardo *m.* Cloak —, depòśito *m.*, vestiário *m.* Dining, Reading, Smoking, Writing —, sala da pranzo, di lettura, da fumare, da scrivere. Drawing, Sitting —, salotto, sala da ricevimento. Dressing —, gabinetto da toelette. Morning —, sala *f.* **-ful of people**; quanta gente può stare in una stanza. **-iness**; abbondanza di spazio. **-y**; spazióso.
Roost; bastone di pollaio; andare a pollaio, appollaiarsi. **-er**; gallo *m.*
Roosting-place; posatóio *m.*
Root radíce *f.*, barba *f.* Take —, abbarbicare, radicarsi. To —, grufolare (porco). — **out, up**, śradicare, śbarbicare, estirpare. **-crop**; le barbabietole o rave. **-ed, -edly**; profónd-o, -aménte. **-let**; radicétta *f.*, radichétta *f.* **-stock**; riżòma *m.*
Rope; còrda *f.*, fune *f.*, cavo *m.*, gómena *f.*, gherlíno *m.* Drag — (balloon), cavo di trazione. Guide —, cavo moderatore. Stair —, tientibène *m.* Tight —, corda tesa. To —, fissare con una corda. — **in**, inclúdere, comprèndere, far raccolta di.
Rope-bridge; ponte di cordame. **-dancer**; ballerino da corda. **-dancing**; ballo sulla corda. **-ladder**; scala di corda. **-maker**; funaiòlo *m.* **-making**; il fabbricar corde. **-seller**; funáio *m.* **-'s end**; capo di una corda. **-walk**; cordería *f.* **-yarn**; filo da corde.
Rop-iness, -y; glutinos-ità *f.*; -o, che fila.
Rorqual; balenòttera *f.*
Rosary; coróna *f.*, rośário *m.*
Rose; 1. ròśa *f.* Under the —, confidenzialménte. 2. palla bucherata o traforata, cipólla *f.* 3. *rem.* di Rise. **-ate**; ròseo. **-bed**; aiuola di rose. **-bush**; rośaio *m.* **-campion**; coronaria

de' giardini. **-gall**; spinabianca *f.*, bedeguàr *m.* **-garden**; rośèto *m.* **-geranium**; geranio rosato. **-grower**; chi coltiva le rose. **-mallow**; malva di palude. **-mary**; ramerino *m.* **-ola**; rośolía *f.* **-tree**; rośáio *m.* **-tte**; rosétta *f.*, fiòcco *m.* **-water**; acqua rosa. **-window**; finestrone a rosa. **-wood**; palissandro *m.*

Rosicrucian; Rośicruciàno *m.*; rośacroce.

Ros-ily; con color roseo. **-in**; colofònia *f.*, rágia *f.* **-iness**; rossézza *f.*, freschézza *f.*

Rost-er; regolaménto *m.* **-rum**; -ro *m.*

Rosy; ròśeo. — lips, labbra vermiglie.

Rot; marciume *m.*, marciáia *f.*; (gergo) stupidággine *f.*, sciocchézze *f. pl.*, insensatézza *f.* Dry —, carie del legname. Infected with dry —, riscaldato. To —, putrefare, infracidarsi.

Rot-a; turno *m.* On the —, di servizio. **-ary, -atory**; girévole. Rotary gear pump, pompa d' ingranaggio. **-ate**; girare. **-ation**; -azióne *f.*, turno *m.*, giro *m.*

Rot-e; By —, a memoria. **-ifer**; infuśòrio *m.*

Rotten; marcio, infracidato, frácido, imporríto. **-ly**; da stupido, molto male. **-ness**; fradiciúme *m.*

Rotund-a, -ity; rotónd-a *f.*, -ità *f.*

Rouble; rublo *m.*

Rou-é; libertíno *m.* **-en**; Roáno *m.*

Rouge; 1. bellétto *m.*; inbellettare. 2. — against, urtarsi contro.

Rough; 1. omaccióne *m.*, bécero *m.* 2. aspro, rúvido. 3. brusco, acre, agro. 4. grosso, ordinario, rustico, villáno. 5. ineśatto, poco preciso. 6. crudèle, violènto, selvaggio. 7. pelóso, irsuto, in disordine (capigliatura). 8. tempestóso, burrascóso; (mare) grosso, agitato, alto. 9. In the —, abbozzato, in stato greggio; (al "golf") fra la gramigna, nel folto dell' erbaccia.

Rough copy, — draft, prima prova, minúta *f.* — **drawing**, abbòzzo *m.* — **diamond**, diamante greggio, *fig.* persona sgarbata, ma di cuor bono. — **going**, luogo da mal camminare, strada scabrosa. — **grass**, erba non falciata, gramigna. — **model**, primo abbozzo. — **road**, strada mal tenuta, che fa trabalzare. — **towel**, asciugamano ruvido da bagno. — **usage**, trattamento duro o sconsiderato. — **water**, *fig.* frangènte *m.*

To —, ferrare (cavallo) a ghiaccio. To — it, menar vita dura, vivere in disagio, star poco comodamente. To — out, abbozzare.

Rough-cast; arricci-ato, -are. **-en**; irruvidire, render ruvido. **-haired**; dal pelo ruvido. **-hew**; śgrossare. **-ish**; ruvidétto; alquanto duro, crudele ecc. **-ly**; aspraménte, bruscaménte ecc., con asprezza ecc. — speaking, su per giù, all' ingrosso, grossolanaménte. — bound, legato alla rustica. **-ness**; asprézza *f.* ecc., *see* Rough. **-rider**; scozzóne *m.* **-shod**; ferrato a ghiaccio. Ride — over, passar sul corpo a, contrariare grossolanamente.

Roulette; rulètte *f.*

Roumania, -n; Rum-ania, -èno.

Roumelia, -n; Rumèl-ia, -o.

Rounce; mulinello del torchio.

Round; 1. rónda *f.* Go the -s, far la ronda. 2. cérchio (di scienza), piuòlo (di scala), scòppio o salva (d' applausi), salva o scárica (d' artiglieria). 3. assalto *m.*, lòtta *f.*, turno *m.*, vòlta *f.* (al giuoco). Ten -s of two minutes each, dieci assalti di due minuti ciascuno. 4. cartúccia *f.* Twenty -s of ammunition per man, venti cariche di munizioni per uno. 5. girello di bue.

6. tóndo, rotóndo, circolare; schiètto. In good — terms, con parole tonde e chiare. — **dance**, ballo in giro. — **numbers**, cifre tonde. — **sum**, buona somma; somma tonda. — **trot**, buon trotto. — **turn**, collo *m.*, sequaro *m.* All the **year** —, per tutto l' anno.

7. intórno, attórno, nei dintorni di. — the corner, dietro il canto. All — about, un po' dappertutto, in ogni parte.

8. **Come** — to, venire a visitare. **Get** —, **Come** —, raggirare, gabbare con le moine. Get — the difficulty, raggirare la difficoltà. Get — to, trovare il modo di andare a visitare. **Go** — to, farsi a, andare da, andare a visitare. **Look** —, girare il volto; guardarsi intorno. **Play** —, A smile -ed — his lips, un sorriso gli errò sulle labbra. **Take** —, portare per fine speciale. I took the dog — to the vet. for his advice, ho portato il cane dal veterinario per avere il suo consiglio. **Turn** —, voltarsi in là. Turn — and —, continuare a far girare, *fig.* considerare da ogni parte, in ogni maniera.

9. To —, arrotondare; passare (promontorio). — **off**, finire, completare. — **on**, tradire, denunziare i suoi complici. — **up**, riunire insieme.

Round-about; 1. giòstra *f.*, carośèllo *m.* 2. indirètto. A — phrase, una circonlocuzione. **-backed**; gòbbo. **-el, -elay**; rondò *m.* **-ers**; specie di giuoco alla palla. **-hand**; formatèllo *m.*, rònde *m.*, stampatèllo *m.* **-head**; testa tonda.

-house; 1. corpo di guardia. 2. casseretto di poppa. -ish; rotondétto. -ly; schiettaménte. -ness; rotondità *f.* -robin; petizione con le firme in cerchio. -shouldered; dalle spalle curve. -sman; poliziotto sorvegliante quelli che fanno la ronda (in America). -towel; *see* Roller towel. -worm; strongílo *m.*, lombrico intestinale.
Roup; pipíta *f.*
Rous-e; ṡvegliare, stimolare, destare, suscitare, incitare, far nascere; stuzzicare. -ing; bellissimo, fortissimo (applauso).
Rout; 1. rótta *f.*, sconfitta *f.*, sconfíggere, sconvòlgere. 2. serata *f.*
Route; rótta *f.*, córsa *f.*, via *f.* Emergency —, rotta di fortuna.
Routine; uso giornaliero, uṡanza *f.*, procedimento o pratica d' ordine.
Routing (of a telegram or Marconigram); stradaménto *m.*
Rove; 1. errare, viaggiare, girovagare. 2. *rem.* di Reeve. -r; vagabóndo *m.*, giramóndo *m.*, corsáro *m.*
Row; 1. fila *f.*, órdine *m.*, filièra *f.*, filáre *m.*, colonna di cifre. 2. rissa *f.*, tafferúglio *m.*, schiamazzo *m.*, scenata *f.* 3. escursione in battello; remare, vogare.
Rowan-tree; sorbo de' cacciatori.
Rowdy; chiassóne *m.*, teppista *m.*; chiassóso, teppistico. -ism; teppiṡmo *m.*
Rowel; spronèlla *f.*, stella dello sprone.
Rower; vogatóre *m.*, rematóre *m.*
Rowing-boat; imbarcazione a remi, canòtto *m.*, barca a remi. -club; circolo dei canottieri. -match; regata a remi.
Rowlock; scalmièra *f.*, scalmo doppio, schérmo *m.*
Royal; palco di cervo; controvelaccio *m.*; reále. -ist; realista *m.*, monarchico. -ly; da re. -ty; i sovrani; qualunque persona della famiglia reale; livello minerale, canóne *m.*, cènso *m.*, partecipazione del proprietario del terreno col proprietario della miniera nel frutto del minerale.
Roystering; chiassóso.
Royston crow; cornacchia bigia.
Rub; fregaménto *m.*, fregagióne *f.* There's the —, ecco il nodo, qui sta il busillis. To —, fregare, strofinare, far le fregagioni a, strofinare. — one's hands, fregarsi le mani. — down, dare una strofinata a. — out, cancellare con la gomma, dar di frego a. — over, ripulire, ritoccare. — up, 1. rinfrescarsi la memoria di. 2. irritare. — the wrong way, offèndere, fare uggia a, trattar male a proposito, andar contrappelo a.
Rubber; 1. gomma elastica. -stamp; stampino di gomma. 2. strofináccio *m.*; pietra da affilare. 3. partita tripla alle carte. Win the —, vincere due delle tre partite. 4. Medical —, chi dà la fregagione.
Rubbing; attríto *m.*, fregaménto *m.*, frizióne *f.* -post; palo di sfregamento.
Rubbish; robáccia *f.*, cosa da niente, bażżècola *f.*, sfasciume *m.*, maceríe *f. pl.*; grullería *f.*, sciocchézze *f. pl.* Old —, anticaglie *f. pl.*, rottáme *m.* -ing, -y; da scarto, senza valore.
Rub-ble; pietrame grezzo. -icon; -icóne *m.* -icund; -icóndo. -ric; -rica *f.* -y; -íno *m.* — type, parigína *f.*
Ruck; múcchio *m.*, fòlla *f.* — up, spiegazzarsi, incresparsi.
Ruction; rissa *f.*, scenata *f.*, rużża *f.*
Rudd; scárdola *f.*
Rudder; timóne *m.* Diving — of an aeroplane, Horizontal — of a dirigible, timone di profondità, timone orizzontale.
Rudd-iness; rossezza fresca. -le; sinòpia *f.*, argilla rossa. -y; rubicóndo.
Rude; scortéṡe, ṡgarbato, różżo, rude, infórme. -ly; scorteṡeménte ecc. -ness; scorteṡía *f.*, rożżézza *f.*
Rudiment, -ary; -o *m.*, -ále.
Rue; ruta *f.*; pentirsi. -ful, -fully, -fulness; trist-e, -eménte, -ézza *f.*; lamentévol-e, -ménte.
Ruff; 1. colletto increspato. 2. gambétta *f.* 3. giocare un trionfo.
Ruffian; malandríno *m.*, mascalzóne *m.*, sghèrro *m.*
Ruffle; manichino o altro a pieghe; stuzzicare, sturbare, irritare; arricciare, arruffare.
Rug; copèrta *f.*; tappetíno *m.* Hearth —, tappeto per il focolare.
Rugged; scabróso, rugóso, aspro, irsuto. -ly; aspraménte. -ness; scabrosità *f.*, asprézza *f.*
Ruin; rovína *f.* -s, avanzi *m. pl.*, rúderi *m. pl.* To —, rovinare, sperperare, mandare a monte, ridurre alla miseria. -ed; caduto in miseria, rovinato, decaduto. -ous; in rovina, dannóso, rovinóso, perniciόso. -ously; rovinosaménte. — dear, caro a far crepare. -ousness; stato rovinoso, sfacèlo *m.*, l' esser dannoso ecc.
Rul-e; règola *f.*, nórma *f.*, regíme *m.*, precètto *m.* — of three, regola aurea o del tre. As a —, di regola. According to —, secondo le regole. Make a —, 1. stabilire un regolamento. 2. aver per regola. To —, governare; rigare, tracciare una riga; decídere. — out of court, dichiarar inamissibile, dar torto a. Be -d by, esser diretto da. You had better be -d by me, fareste meglio a

fare a modo mio. **-er**; 1. padróne *m.*, governatóre *m.* 2. règolo *m.*, squadrúccio *m.*, riga *f.* **-ing**; al potere, regnante, dominante.

Rum; 1. rum o rumme *m.* 2. (gergò) strambo, curióso. — fellow, originále *m.*

Rumbl-e; 1. sedile di dietro ad una carrozza. 2. rombare, borbogliare, mormorare, rumoreggiare. **-ing**; rómbo *m.*, suono sordo; rumoreggiante.

Rum-en; -ine *m.* **-inant, -inate, -ination**; -inante, -inare, -inazióne *f.*

Rummage; frugare, frugacchiare.

Rum-my; *see* Rum (2). **-our**; fama *f.*, dicería *f.*, dire *m.* There is a —, si dice.

Rump; gròppa *f.*, deretáno *m.*, soccòscio *m.*, culaccio di manzo, codióne d' uccello. — steak, bistecca dalla culatta. **-le**; spiegazzare, ṡgualcire, arruffare. **-us**; chiasso *m.*, scompíglio *m.*

Run; córsa *f.*, trottata *f.*, gita *f.*, passeggiata *f.*, ṡgambata *f.*, scampagnata *f.*; vóga *f.*, durata *f.*; èṡito *m.*, spáccio *m.* Ordinary — of people, il comune della gente, gente di qualità ordinaria. — of good harvests, seguito di raccolte buone. — of luck, of bad luck, ripetizione di successi, continua disdetta. — on a bank, concorso di depositanti per farsi pagare. Have the — of a library, aver accesso libero ad una biblioteca. Ship's —, cammino percorso. Al "cricket," punto segnato per ogni corsa tra i "wickets." Chicken —, pollaio scoperto. Sheep, Cattle —, latifondo per pecore o bestiame. On the —, in fuga. In the long —, a lungo andare. Come down with a —, cadere precipitosamente, rovinarsi in giù.

To —, córrere, fuggire; far correre (cavallo da corsa); ṡgocciolare (candela); filare (bastimento); fóndersi (colore). The current was -ning at six knots an hour, la corrente aveva una velocità di sei nodi all' ora. — **contraband** goods, contrabbandare le merci, frodare. — the eye over, dare un colpo d' occhio a. — in one's head, tornar sempre in mente, non voler lasciarti. — **honey**, fondere, colare miele. The **passage** -s as follows, la scrittura è concepita così, il passo è espresso così. — a pin into, spinger uno spillo in. — **a seam**, imbastire una cucitura. — **a shop**, condurre un negozio. — **a thorn** into one's finger, sfondarsi una spina nel dito.

Run about, correr qua e là, darsi moto. — — car, automobile piccolo. — **across**, 1. attraversare correndo o di corsa. 2. imbattersi in. — **after**, 1. correr dietro, inseguitare. 2. Be — —, esser molto ricercato, assai in richiesta. — **against**, 1. imbattersi in. 2. urtare in. — **at**, precipitarsi verso. — **away**, 1. fuggire. 2. prender la mano (cavallo). As *sb.*, rifugiato *m.*, fuggíto *m.* As *adj.*, in fuga. — — horse, cavallo fuggente. — **away with**, 1. portar via. 2. prender la mano a (cavallo). 3. — — — the idea, mettersi l' idea nella testa. — **back**, 1. ritornare correndo. 2. rimontare. — **before** the wind, correre in poppa, in fil di ruota. — **between** Genoa and Spezia, fare il servizio tra Genova e la Spezia. — **counter**, ripugnare. — **its course**, non ritirarsi, non rimettersi (febbre). — **one's course**, finire la sua vita. — **down**, 1. scendere di corsa. 2. ṡgocciolare. 3. — — to, andare a visitare per breve tempo. 4. arrestarsi per non esser stato caricato. 5. trovare il nascondiglio di, scoprire il covo, il fonte di. 6. vilipèndere, sparlare contro. 7. costeggiare. 8. colare a picco. 9. as *adj.*, malatíccio. — **for**, 1. disputarsi (il premio ad una corsa). 2. andare subito a cercare. — **forward**, avanzarsi alla corsa. — **foul of**, abbordare accidentalmente. — — — each other, urtarsi. — **free**, navigare col vento largo. — **from**, The month's pay -s from the middle of April, la mesata decorre dalla metà d' Aprile. — **hard**, 1. correre a più non posso. 2. esser vicino a vincere. — **high**, 1. alzarsi alti (marosi). 2. riscaldarsi (passioni). — **in**, 1. (gergo) mettere in gattabuia. 2. rientrare (cannone). — — upon, far breve visita a. — **into**, 1. incorrere (debiti). 2. — — a great deal of money, esser molto costoso, costare assai. 3. rifugiarsi in un porto. 4. *See* Run foul of. 5. — — each other, confónders. (colori). — **low**, scemarsi. — **off**, 1. scappar via, sparire. 2. colare, ṡgocciolare. 3. — — the line, uscir delle rotaie, deviare. 4. sputare, ripètere, raccontare. 5. stampare. — **on**, 1. passare (tempo). 2. continuare nella stessa riga. 3. continuare a parlare. — **out**, 1. uscire alla lesta. 2. (*mar.*) mandar fuori. — — a warp, portare un gherlino fuori del bastimento. 3. Be — —, esser esaurito. 4. Be -ning out, esser vicino alla fine. 5. scappare (liquido). 6. estendersi. 7. esser in abbassamento (marea). 8. Be — — of, non aver più, esser a secco di. 9. terminarsi (fitto). 10. Al "cricket," (*a*) metter fuori del giuoco chi cerca fare un "run." (*b*) To

— it —, ottenere tutti i "runs" possibili per un colpo fatto alla palla. — over, 1. passare sul corpo di, investire, metter sotto, travolgere sotto una carrozza. Be — — by, rimanere sotto. 2. — — to, fare una passeggiata a. 3. scorrere cogli occhi, dare una scorsa a, esaminare rapidamente, raccontare in fretta. — **riot**, commettere eccessi, fare il diavolo a quattro. — **the risk**, correre il rischio. — **to seed**, sementire, andare in seme, tallire. — **short of**, non aver più. — **straight**, far giuoco leale. — **through**, 1. passar da banda a banda, infilzare. 2. — — to, andar direttamente a, senza cambio. 3. scialacquare (danari, eredità). 4. *See* Run over (3). — **to**, accorrere a; montare a; sopportare la spesa di. — **up**, 1. montare, issare (bandiera). 2. accórrere. 3. rimontare un fiume. — — with the tide, salire colla marea. 4. alzare o costruire, alla meglio, in fretta. 5. arrampicarsi su (pianta). 6. fare (debiti). 7. alzare il prezzo di, con vere o finte offerte ad un' asta. — **upon**, 1. volgersi (pensieri), pensare a. 2. — — these lines, condurre in siffatta maniera. — **well**, A verse that -s well, un verso scorrevole.

Runaway; 1. *see* Run away. 2. — match, matrimonio furtivo, ratto *m.* 3. — affair, partita vinta senza fatica.

Run-e, -ic; run-a *f.*, -ico.

Rung; 1. piuòlo *m.*, cavícchio *m.* 2. *part.* di Ring.

Runnel; rigágnolo *m.*

Runner; 1. corridóre *m.* 2. tralcio di fragola; uscière (di tribunale). 3. chíglia (di slitta). -s of an aeroplane, "skys," pattini *m. pl.* 4. — up, il secondo in una gara. 5. Scarlet —, fagiuolo rampicante a fiori rossi.

Running; 1. flussióne *f.* 2. corrènte; scorrévole; suppurante. — knot, nodo scorsoio. Keep up a — fight, combattere ritirandosi. 3. in successione, di seguito.

Runt; animale impicciolito, di sviluppo arrestato; una varietà di piccione.

Rup-ee; -ía *f.* **-ture**; rottura *f.*, allentatura *f.* — oneself, allentarsi.

Rural; rurále. **-ise**; villeggiare. **-ly**; alla campagnola.

Ruse; astúzia *f.*, strattagèmma *m.*

Rush; 1. giunco *m.* Flowering —, giunco fiorito. Not to care a —, non curarsene, impiparsene, infischiarsene. 2. attacco impetuoso, šlancio *m.*; afflusso *m.* — of blood to the head, congestione cerebrale subitanea. 3. precipitarsi, šlanciarsi, avventarsi. — past, passare precipitosamente. The blood -ed to his face, un fiotto di sangue gli salì al viso. — after, affrettarsi a comprare; affollarsi dietro a. **-basket**; panierino di giunco. **-bottomed**; a fondo di giunco. **-broom**; ginestra spagnuola. **-ing**; impetuóso. **-light**; candela da notte. **-nut**; mandorla di terra. **-y**; giuncóso.

Rus-k; specie di biscotto soffice. **-set**; rossétto. **-sia leather**; vacchetta di Russia. **-sian**; russo.

Rust; ruggine *f.*; arrugginire.

Rustic; -o, villáno, contadíno. **-ally**; alla -a, -aménte. **-ate**; villeggiare; sospendere dalla vita universitaria per cattiva condotta. **-ation**; espulsione temporaria. **-ity**; semplicità rustica. **-s**; gente rozza.

Rustiness; rúggine *f.*, l' esser arrugginito.

Rustl-e; stormire *m.*, fruscío *m.*, bišbíglio *m.*, stormire, far fruscio, rumoreggiare. **-ing**; che fa fruscio.

Rusty; rugginóso, arrugginíto. Turn —, arruginire.

Rut; 1. carreggiata *f.*, rotáia *f.* 2. frégа *f.*, frégola *f.* To —, andare in frega.

Ruth; 1. Rut. 2. pietà *f.* **-enian**; rutèno. **-ful**; pietóso. **-fully**; con rammarico, con rincrescimento. **-fulness**; pietà *f.*, rammárico *m.* **-less**; spietato. **-lessly**; spietataménte. **-lessness**; crudeltà *f.*, spietatézza *f.*

Rutty; tutto rotaie, tutto affondature.

Rye; ségale *f.* **-grass**; loglierèllo *m.* Italian —, loglio nostrale.

Ryot; contadino indiano.

Rypeck; paradèllo *m.*, pertica per amarrare una barchetta.

S

S; *pronunz.* Èss.

Sabbat-arian; osservatore del riposo domenicale. **-h**; (Saturday) sábato *m.*, (Sunday) doménica *f.* **-ical**; sabático.

Sabaean; sabèo.

Sab-le; zibellíno *m.*; oscuro. **-ot**; zòccolo *m.* **-otage**; sabottággio *m.* **-re**; sciábola *f.* **-retache**; borsétta *f.*

Sac; bórsa *f.* **-charine**; saccarína *f.*, saccaríno. **-erdotal**; -erdotále. **-hem**; sachem *m.*

Sack; 1. sacco *m.* 2. sacchéggio *m.* To —,

saccheggiare; (gergo) congedare, licenziare. **-cloth**; tela da sacco, tralíccio *m.* **-ful**; saccata *f.* **-ing**; *see* Sackcloth. **-race**; corsa degli insaccati.
Sacrament, -al, -ally; -o *m.*, -ále, -alménte.
Sacred; sacro. — promise, promessa inviolabile. — to Jupiter, dedicato a Giove. — music, musica sacra. **-ly**; inviolabilménte. **-ness**; santità *f.*
Sacrific-e; sacrifízio *m.*, pèrdita *f.*; sacrificare, immolare; gettar via. **-ial**; religióso. The — rites of the Druids, i riti usati dai druidi nel sacrifizio.
Sacrileg-e, -ious, -iously, -iousness; sacrilègio *m.*, sacríleg-o, -aménte, l' esser -o.
Sacr-istan; sagrestáno *m.* **-isty**; sagrestía *f.* **-osanct**; -osanto. **-um**; osso sacro.
Sad; triste, intristíto, lamentévole. **-den**; rattristare, contristare.
Saddle; sèlla *f.* Be in the —, *fig.* comandare. — of mutton, schiena di castrato. Pack —, basto *m.* Side —, sella da donna. To —, sellare, *fig.* caricare. **-backed**; sellato. **-bag**; bisaccia *f.* **-bow**; arcióne *m.* **-cloth**; gualdrappa *f.* **-horse**; cavallo da sella. **-r**; selláio *m.* **-room**; sellería *f.* **-r's shop**; sellería *f.* **-ry**; finiménti *m. pl.*, oggetti da sellaio. **-tree**; legno della sella.
Sad-ducee; -ucèo *m.* **-ly**; tristaménte. — in need of repair, terribilmente bisognoso di riparazioni. **-ness**; tristézza *f.*, dolóre *m.*
Safe; cassa forte; salvo, sicuro, in cui si può fidare, certo. It is — to say, si può dire confidentemente. — and sound, sano e salvo. — remedy, rimedio sicuro. — return, felice ritorno. Keep —, preservare da ogni pericolo. **-guard**; salvaguárdia *f.*; salvaguardare. **-keeping**; buona guardia. **-ly**; sicuraménte, senza rischio.
Safety; sicurézza *f.* **-belt**; cintura di salvataggio. **-lamp**; lampada di sicurezza. **-pin, -valve**; spillo, valvola di sicurezza. Safety-pin of a bomb, copiglia di sicurezza.
Saff-lower; cártamo *m.* **-ron**; żafferáno *m.*
Sag; piegarsi in giù, trapèndere.
Sagac-ious, -iously, -ity; -e, -eménte, -ità *f.*
Sag-e; 1. sálvia *f.* 2. sávio, erudíto. **-ely**; saviaménte. **-ittal**; -ittále. **-o**; sagù *m.*
Sahib; titolo di considerazione in India.
Said; détto, suddétto.
Sail; véla *f.*, ala di mulino a vento, gita sull' acqua. Under —, sotto vela. Be under —, navigare. Main —, vela maestra. Stay —, vela di straglio. Top —, vela di gabbia. Be in full —, correre a forza di vele. Set —, salpare. Shorten —, far terzerolo. To —, partire; dirigere (una nave). — about, incrociare. Make —, spiegare le vele, far fila. **-cloth**; tela olona. **-er**; velière *m.* **-ing**; partènza *f.*; navigazióne *f.*, manòvra *f.* — directions, direttive di navigazione. **-maker**; veláio *m.* **-or**; marinaio *m.*
Sainfoin; lupinèllo *m.*
Saint; santo. **-Bruno's lily**; giglio di San Bruno. **-ed**; sacro. **-Helena**; Sant' Èlena *f.* **-John's wort**; erba di San Giovanni. **-liness, -ly**; sant-ità *f.*, -o; impeccábile. **-'s day**; festa *f.*
Sake; cagióne *f.*, riguardo *m.* For God's —, per amor di Dio. For my own —, per amor mio, per proprio interesse, per farmi piacere. For pity's —, per pietà. For the — of the advertisement, per avere la relativa pubblicità.
Salaam; salamelècche *m.*
Salac-ious, -iousness; -e, -ità *f.*
Salad; insalata *f.* **-bowl**; insalatièra *f.* **-dressing**; salsa per l' insalata. **-days**; anni di inesperienza. **-oil**; olio da tavola.
Salamand-er; -ro *m.*
Salar-ied, -y; stipendi-ato, -o *m.*
Sale; vèndita *f.*, èsito *m.* The things for —, la roba in vendita. Auction —, incanto *m.* For —, da vendersi. Rummage —, vendita di roba raccogliticcia. On —, vendíbile. Quick, Ready —, smercio rapido. **-able**; vendíbile. **-sman**; commesso venditore, addetto alle vendite. **-swoman**; commessa venditora.
Salerno; Of —, salernitano.
Salicylic; salicílico.
Salient; sporgènza *f.*; sporgènte, che risalta; principále. — features, caratteristiche più rilevanti.
Salin-e; -o.
Saliv-a, -ary; -a *f.*, -are. **-ate, -ation**; -are, -azióne *f.*
Sallow; 1. sálcio *m.* 2. scialbo. **-ness**; pallóre *m.*, colore scialbo.
Sally; 1. *raccorc.* di Sarah. 2. sortíta *f.*; scappata *f.*, friżżo *m.*; fare una sortita, sortire. — Lunn, pasta dolce.
Salmagundi; manicaretto di rilievi.
Salm-i; -ì *m.* **-on**; salmóne *m.* — trout, trota salmonata.
Salon; salóne *m.* **-ica**; Salonicco *m.*
Saloon; salóne *m.*; (Stati Uniti) ostería *f.* **-car**; vagone salotto. **-passenger**; viaggiatore di prima classe.
Salsify; salsèfrica *f.*, sálsifi *m.*
Salt; sale *m.*; salare. — Lake, Lago Salato. Old —, vecchio marinaio. **-atory**; -atòrio. **-box**; scatola per sale. **-cellar**; salièra *f.* **-ed**; salato, salso.

-fish; pesce salato. **-ish**; salsétto, che sa di sale. **-junk**; bove salato. **-lick**; tratto di terra con effervescenza salina. **-mine**; miniera di sale. **-ness**; salsèdine *f.* **-pan**; salína *f.* **-petre**; salnítro *m.* **-provisions**; salume *m.* **-s**; sali medicinali. Epsom —, sal d' Inghilterra. Smelling —, sale ammoniaco odoroso, i sali. **-water**; acqua salsa. **-works**; salína *f.* **-wort**; salicòrnia *f.*

Salubr-ious, -ity; -e, -ità *f.*

Salutar-iness, -y; -ménte, -e.

Salut-ation, -e; -o *m.*, -are.

Salv-age; ricúpero *m.*, salvatággio *m.* — corps, corpo di salvataggio. **-ation**; -azióne *f.*, salute *f.* — Army, esercito della salute. **-ationist**; membro di questo. **-e**; bálsamo *m.*, pomata *f.*; salvare; applicare del balsamo. **-er**; vassóio *m.*, sottocoppa *m.* **-o**; salva *f.* **-or**; salvatóre *m.*

Salzburg; Salìsburgo *f.*

Samarit-an; -áno.

Same; stésso, medèšimo. Do the —, fare altrettanto. All the —, tuttavía, ciononostante. It is all the — to me, per me è tutt' uno, è tutto lo stesso. Much the — as, press' a poco come. At the — time, nello stesso tempo; però. Return to the — conditions as before, ritornare nella condizione di prima, come prima. Here we find the — busy population as in a large town, qui si vede la stessa gente affaccendata delle grandi città. The — comfort as the previous night, la stessa soddisfazione della notte avanti.

Sameness; uniformità noiosa.

Sam-ite; sciamíto *m.* **-nite**; di Sannio, Sanníta *m.* **-os**; Samo *f.* **-othrace**; Samotrácia *f.* **-phire**; finocchio marino.

Sample; eśèmpio *m.*, sággio *m.*, campióne *m.*; assaggiare. **-r**; modello di ricamo. **-room**; camera da campioni.

Sampson; Sansóne.

Sanct-ification, -ify; santific-azione *f.*, -are. **-imonious**; pinzòchero, santerèllo, santimoniále. — person, santòcchio *m.* **-imoniously**; da santerello ecc. **-imoniousness**; santimònia *f.*, bacchettonería *f.*

Sanct-ion; sanzióne *f.*, permésso *m.*; sancire, sanzionare, autorižžare. **-ity**; santità *f.* **-uary**; santuário *m.*, tabernácolo *m.*, luogo sacro. **-um**; gabinétto *m.*

Sand; sábbia *f.*; for mortar or other use, réna *f.* To —, cospergere di rena.

Sandal; sándalo *m.* **-wood**; sándalo *m.*

Sand-bag; sacco riempito di sabbia, sacco di terra. To —, percuotere con un sacco di sabbia. **-bank**; banco di sabbia, sécca *f.* **-bath**; bagno di sabbia calda. **-blind**; chi ha la vista poco chiara. **-box**; polverino *m.* **-crack**; spacco dello zoccolo. **-eel**; ammodíte *f.* **-erling**; calídra *f.* **-flea**; gámmaro *m.* **-fly**; specie di moscerino. **-glass**; orologio a polvere. **-grouse**; sirratte *m.* **-hopper**; gámmaro *m.* **-iness**; arenosità *f.* **-martin**; rondine delle rive. **-paper**; carta vetro. **-piper**; gambécchio *m.*, frullíno *m.*; piovanèllo *m.*, piropíro *m.* **-stone**; pietra arenaria. **-storm** uragano di sabbia. **-wich**; panino gravido. To —, porre fra due altre cose. — man, uomo-reclame. **-worm**; arenícola *m.* **-y**; sabbióso, arenáceo. — hair, capelli rossi chiari.

San-e, -ely; -o, -aménte.

Sang; *rem.* di Sing.

Sangar; parapètto di sassi.

Sang-froid; sangue freddo.

Sanguin-arily, -ary; -ariaménte, -ário. **-e**; sanguigno, confidènte. His most — expectations, le sue più ardite speranze. **-eness**; temperaménto sanguigno.

San-hedrim; sinèdrio *m.* **-icle**; -ícola *f.* **-ies**; -ie *f.* **-ious**; -ióso. **-itary**; -itário **-itation**; -itazióne *f.* **-ity**; -ità *f.* **-k**; *rem.* di Sink. **-scrit**; -scritto. **-sculotte**; sanculòtto *m.* **-ta Claus**; Befána *f.*

Sap; sugo *m.*; zappa *f.*; sottominare; (gergo) śgobbare. **-ience**; saccentería *f.* **-ient**; saccènte, insensato. **-less**; sécco, stecchíto. **-ling**; arboscèllo *m.* **-onaceous**; -onáceo. **-per**; zappatóre *m.* **-pers**; gènio militare. **-phic**; sáffico. **-phire**; żaffíro *m.* **-py**; sugóso. **-wood**; alburno *m.*

Sara-cen; -cèno *m.*, -cènico. **-gossa**; -gózza *f.*

Sarc-asm; -aśmo *m.* **-astic**; -astico. **-astically**; -asticaménte. **-enet**; taffettà di Firenze, stoffa leggera di seta. **-ophagus**; -òfago *m.*

Sardine; sard-ína *f.*, -èlla *f.*

Sardinia, -n; Sardégna *f.*, sardo.

Sard-is; -i *f.* **-onic**; -ònico, maligno. **-onically**; -onicaménte ecc. **-onyx**; -ònice *m.*

Sark; isola di Sercq.

Sarm-atia, -atian; -ázia *f.*, **-ate.**

Sarsapar-illa; -íglia *f.*

Sarsenet; *see* Sarcenet.

Sartori-al; da sarto. **-us**; -o.

Sash; sciarpa *f.*, fáscia *f.* **-bar**; regolo di finestra. **-line**; corda della finestra. **-window**; finestra all' inglese.

Sassafras; sassafrasso *m.*

Sat; *rem.* di Sit.

Satan, -ic, -ically; -a *m.*, -asso *m.*; -ico, -icaménte.

Satchel; bórsa *f.*, sacchétto *m.*

Sated; sázio, satollato.

Satellite; satèllite *m.*
Sati-ate, -ety; sazi-are, -età *f.*
Satin; raso *m.*; di raso. **-et**; -étto *m.* **-wood**; legno rasato, legno angelico. **-y**; rasato, lustro.
Satir-e, -ical, -ically, -ise, -ist; sátir-a *f.*, -ico, -icaménte, -eggiare, -ico *m.*
Satisfact-ion; soddisfazióne *f.*, contentézza *f.*, appagaménto *m.* **-orily**; soddisfacenteménte, in modo soddisfacente. **-ory**; soddisfacènte, abbastante, buòno, soddisfattívo.
Satisfy; soddisfare, contentare, appagare, convíncere. **-ing**; che soddisfa ecc.
Satrap, -y; -o *m.*, -ía *f.*
Satur-ate, -ation; -are, -azióne *f.*
Satur-day; sábato *m.* **-nine**; fósco.
Satyr; sátiro *m.*
Sauce; salsa *f.*; impertinènza *f.* **-boat**; salsièra *f.* **-pan**; casseruòla *f.*, bastardèlla *f.* **-r**; sottocòppa *m.*, sottováṡo *m.*, piattèllo *m.*
Sauc-ily, -iness, -y; impertinen-teménte, -za *f.*, -te.
Sauerkraut; salcráutte *m.*
Saunter; passeggiata oziosa; girandolare, andare a zonzo. **-er**; girandolóne *m.*
Saurian; sauriáno.
Sausage; salsíccia *f.*, saláme *m.* Bologna —, mortadèlla *f.* **-meat**; carne tritata da salsicce. **-roll**; salsiccia in pasta. **-seller**; salsicciáio *m.*
Sav-able; che si può salvare. **-age**; selvággio, rabbióso, spietato, villáno. **-agely**; spietataménte, rabbiosaménte. **-ageness**; feròcia *f.*, crudeltà *f.* **-agery**; barbarità *f.*, selvatichézza *f.* **-annah**; savána *f.* **-ant**; scienziato *m.*
Save; 1. salvare, campare, preservare dalla dannazione; risparmiare, metter da parte, conservare. As *prep.*, salvo, eccètto, tranne. — up, risparmiare, metter al sicuro. 2. Sava *f.*
Saveloy; salsiccia alla milanese.
Savine; sabína *f.*
Saving; ecònomo, parco. **-s**; rispármio *m.*, grúzzolo *m.* — bank, cassa di risparmio.
Saviour; salvatóre *m.*
Savory; santoréggia *f.*
Savour; sapóre *m.* — of, sentire il, sapere di, sembrare a. **-y**; saporíto, di buon sapore, squiṡíto. As *sb.*, piatto salato.
Savoy; Savòia *f.* — cabbage, cavolo cappuccio. **-ard**; savoiardo.
Saw; 1. séga *f.*, saracco *m.*; segare. 2. Old —, dettato *m.* 3. *vem.* di See. **-der**; piaggiaménto *m.*, moíne *f. pl.* **-dust**; segatura *f.* **-fish**; pesce sega. **-fly**; mosca a sega. **-ney**; malaccòrto, gòffo. **-mill**; seghería *f.* **-pit**; fossa de' segatori. **-wrest**; licciaiòla *f.* **-yer**; segatóre *m.*
Saxifrage; sassífraga *f.*
Saxon, -y; sássone, Sassònia *f.*
Say; dire. — by heart, recitare a mente. — on! dite su! As much as to —, come dire. I —, senti, dimmi un po'. Easier said than done, fra il dire e il fare c' è di mezzo il mare. No sooner said than done, detto, fatto. That is to —, cioè, vale a dire. Have one's —, dir la sua. Paragraph five -s, l' articolo cinque è concepito così. **-ing**; mòtto *m.*, détto *m.*, massima *f.*, adágio *m.* As the — is, come dice il proverbio.
Scab; cròsta *f.*; rógna *f.*, scábbia *f.*; (gergo) chi prende il lavoro di uno scioperante, crumíro *m.* **-bard**; guaína *f.*, fòdero *m.* **-biness**; l' esser rognoso ecc **-by**; rognóso, scabbióso, coperto di croste. **-ies**; scábbia *f.*, rógna *f.* **-ious**; scabbiósa *f.*
Scaffold, Scaffolding; pónte *m.*, palco *m.*, impalcatura *f.*, impalcaménto *m.*; patíbolo *m.* **-pole**; abetèlla *f.*, stile *m.*, antènna *f.*
Scald; scottare con acqua bollente. **-ing** hot, scottante. As *sb.*, scottatura *f.*
Scale; scala *f.*; squama *f.*, scaglia *f.*, incrostazióne *f.*; gamma *f.* — of prices, graduatòria di prezzi, tariffa *f.* To —, scalare, salire, arrampicare su; levare il tartaro, scrostare; pesare. Sliding —, scala variabile. — down, diminuire proporzionalmente. **-maker**; bilanciaio *m.* **-pan**; piatto di bilancia, scodellíno *m.* **-s**; bilancia *f.*
Scal-ene; -èno.
Scaling-ladder; scala d' assedio.
Scallop; pèttine *m.*; ṡmerlo *m.*, dentellatura *f.*; frastagliare. **-ed**; in conchiglia.
Scallywag (gergo); mascalzóne *m.*
Scalp; pelle del cranio. To —, scorticare la testa. **-el**; scalpèllo *m.*
Scalping-knife; coltello dei Pelli-rosse.
Scammony; scamonèa *f.*
Scamp; furfante *m.* To — work, guastare il lavoro con materiali o fattura cattiva.
Scamper; corsa allegra; scavallare, córrere. — off, svignarsela correndo, darla a gambe.
Scan; scrutare, guardare da vicino; scandire, seguire le regole metriche.
Scandal, -ise; -o *m.*, -iżżare. **-monger**; sémina-scándali *m.* **-ous**; -óso, ontóso. — libel, libello diffamatòrio. **-ously**; -osaménte.
Scandinavian; scandinávo.
Scans-ion; -ióne *f.* **-orial**; rampicante.
Scant, -ily, -iness; scàrs-o, -aménte, -ézza *f.* To —, esser avaro di. **-ling**; misura trasversale. **-y**; scarso.

Scape-goat; becco o capro, emissario o espiatorio. **-grace**; scapestrato *m.*, birichíno *m.*, monèllo *m.*
Scapular; scapolare *m.*
Scar; cicatríce *f.*, sfrégio *m.*, frinzèllo *m.* — over, cicatrižžare. **-red**; segnato con cicatrici.
Scarab; scarabèo *m.*
Scaramouch; frúgolo *m.*, birichíno *m.*
Scarc-e; scarso. Make oneself —, ṡvignarsela. **-ely**; appèna, malaménte. — ever, quasi mai. **-eness**; scarsézza *f.* **-ity**; scarsézza *f.*, mancanza *f.*, carestía *f.*
Scare; spavènto *m.*, allarme *m.*; spaventare, atterrire, ṡgomentare. **-crow**; spaurácchio *m.*
Scarf; cravatta *f.*, ciarpa *f.*, fáscia *f.*; parèlla *f.* To —, congiungere a parelle. **-pin**; spillo da cravatta. **-ring**; anello da cravatta. **-skin**; cutícola *f.*
Scarif-ier, -y; -icatóre *m.*, -icare.
Scarlatina; scarlattína *f.*
Scarlet; scarlatto. **-fever**; scarlattína *f.* **-runner**; fagiuolo rampicante a fiori rossi.
Scarp; scarpa *f.*; ridurre a scarpa.
Scat! via!
Scat-heless; illéṡo. **-hing**; scottante, acerbissimo. **-ter**; spárgere, sparpagliare, dispérgere. — brained, stordíto, ṡbalestrato, sconcluṡionato.
Scaup-duck; moretta grigia.
Scavenge; levar la mota. **-r**; spazzatore delle strade, raccatta-cóncio *m.*
Scene; scèna *f.*, scenário *m.* — of the battle, teatro del combattimento. **-painter**; scenògrafo *m.* **-ry**; paeṡággio *m.* **-shifter**; macchinista *m.*
Scen-ic; -ico.
Scent; odóre *m.*, profumo *m.*, fiuto *m.*, odorato *m.*; fiutare, annasare, odorare; profumare. Put upon the right —, metter sulla buona pista. Put on the wrong —, metter su una falsa strada. **-bottle**; boccetta da odori. **-box**; scatoletta d' odore. **-less**; inodòro.
Sceptic, -al; scèttico. **-ism**; scetticiṡmo *m.*, incredulità *f.*
Sceptre, -d; scèttr-o *m.*, -ato.
Schaffhausen; Sciaffuṡa *f.*
Schedule; inventário *m.*, listino di prezzi, annésso *m.*, elènco *m.*, borderò *m.* To —, metter nell' inventario.
Scheldt; Schèlda *f.*
Schem-e; piano *m.*, progètto *m.*, diviṡaménto *m.*; prospètto *m.*, elènco *m.* — of work, disposizione del lavoro. To —, diviṡare, intrigare, macchinare. **-er**; intrigante *m.* **-ing**; astuto, scaltro.
Schiedam; schiedàm *m.*
Schism; sciṡm-a *m.* **-atic, -atical**; -ático. **-atically**; -aticaménte.
Schist, -ose; scist-o *m.*, -óso.
Scholar; scolár-e *m.*, -a *f.*; letterato *m.*, erudíto *m.*; borsista *m.* Great —, grande erudito. Be no —, aver poca istruzione. **-ly**; scolarésco, da uomo erudito. **-ship**; sapére *m.*, sciènza *f.*, cultura *f.*; bórsa *f.*, posto gratuito.
Scholastic, -ally, -ism; -o, -aménte, -iṡmo *m.*
Scholi-ast, -um; scoli-aste *m.*, -o *m.*
School; scuòla *f.*, licèo *m.* Boarding —, convitto *m.* Day —, scuola di esterni. Free —, scuola pubblica. Girls' —, educatòrio *m.* Grammar —, scuola di latino. Parish —, scuola comunale. Sunday —, scuola domenicale. Swimming —, scuola di nuoto. — of mackerel, porpoises, sciame di scombri, di pesci porci. **-board**; consiglio scolastico. **-book**; libro scolastico. **-boy, -girl**; scolár-e *m.*, -a *f.* **-fellow**; compagno di scuola, condiscépolo *m.* **-house**; scuòla *f.*, edifizio ad uso d' una scuola. **-ing**; istruzióne *f.* **-ma'am, -mistress**; maestra di una scuola, istitutrice *f.* **-master**; maestro di una scuola, direttore di un convitto. **-report**; rapporto di scuola. **-room**; classe *f.* **-teacher**; *see* -master, -mistress.
Schooner; golètta *f.*
Sciatic, -a; -o, -a *f.*
Scien-ce, -tific, -tifically, -tist; -za *f.*, -tífico, -tificaménte, -ziato *m.*
Scilla; *id.*
Scilly; le isole sorlinghe.
Scimitar; scimitarra *f.*
Scintill-ate, -ation; -are, -azióne *f.*
Sciolist; saputèllo *m.*, saccentóne *m.*
Scion; rimessitíccio *m.*, rampóllo *m.*
Scirr-hous, -us; scirr-óso, -o *m.*
Scissors; ciṡóie *f. pl.*, fórbici *f. pl.*
Scoff; bèffa *f.* — at, beffeggiare, dileggiare, farsi beffa di. **-er**; beffardo *m.*, schernitóre *m.* **-ing**; il beffeggiare; motteggiante. **-ingly**; motteggiando.
Scold; megèra *f.*, donna brontolona; ṡgridare, rampognare, riprèndere, fare una partaccia a. **-ing**; ṡgridata *f.*, riprensióne *f.* Give a good —, lavare il capo a. **-ingly**; ṡgridando.
Sconce; sostegno a bracci, viticcio *m.*
Scoop; votazza *f.*, sèssola *f.*; of a dredger, cucchiáia *f.* — out, scavare, estrarre, tagliare colla sgorbia.
Scoot; ṡguizzare.
Scope; scòpo *m.*, diségno *m.* Within the — of, dentro allo scopo di. Have — for his abilities, aver l' opportunità di farsi valere.

Scorbutic; — symptoms, sintomi scorbutici.
Scorch; scottare, abbronżire, bruciacchiare. **-ing**; scottante; ardènte. **-ingly**; in modo da scottare.
Score; 1. numero di punti. Keep the —, segnare i punti. 2. cónto *m.*, scòtto *m.* On that —, per ragione di ciò, a quel titolo, da questo lato. Pay off old -s, vendicarsi di vecchie offese. 3. ventína *f.* 4. partíto *m.*, orchestrazióne *f.* 5. intaccare. 6. marcare, segnare, notare, fare (un punto). — off, fare una marachella a, vincerla alle spese di, riportarla su. Most of the scoring was off A.'s bowling, i punti si fecero per la più parte dalle date dell' A. Be -d off, avere il peggio. Neither side -d any advantage, nessuno dei due partiti ebbe un vantaggio.
Scor-er; marcatóre *m.*, chi segna i punti. **-ia**; scòria *f.*, rosticci *m. pl.*
Scoring-board; tavola dei punti.
Scorn; schèrno *m.*, ṡdégno *m.*, disprèzzo *m.*, scòrno *m.* Laugh to —, farsi beffa di. To —, schernire, ṡdegnare, disprezzare; scornare, dispregiare, non curarsi di. **-er**; scherni-tóre *m.*, -trice *f.* **-ful, -fully**; ṡdegnós-o, -aménte; sprezzante, -ménte, con aria di scherno. **-fulness**; l' esser sdegnoso ecc.
Scorpion; scorpióne *m.*
Scot; 1. scòtto *m.* — free, immune, senza male, illèso. Get off — free, passarsela liscia. 2. Scozzése *m.* **-ch**; scozzése. — fir, pino scozzese o di Riga. — mist, acquerúgiola *f.* — terrier, terrier scozzese. — thistle, scardiccione salvatico. **-ched**; ferito, mezzo morto.
Scot-land; Scòzia *f.* **-sman**; Scozzése *m.* **-ticism**; idiotisma scozzese. **-tish**; *see* Scotch. — Highlands, Lowlands, l' Alta, la Bassa Scozia.
Scoundrel; birbante *m.*, ribaldo *m.*, furfante *m.*, infáme *m.*, galeòtto *m.*, malandríno *m.*, scellerato *m.* **-ism**; birbantería *f.*, scelleratézza *f.*, scelleratággine *f.* **-ly**; infáme, ribaldo, scellerato.
Scour; 1. eroṡióne *f.* (per la marea); ripulire, forbire, ṡgrassare, imbucatare, lavare colla rena o simile; purgare. 2. percórrere, scorazzare per, perlustrare (i boschi). **-er**; cavamacchie *m.*
Scourge; sfèrz-a *f.*, -are; flagèll-o *m.*, -are.
Scouring; ripulitura *f.*
Scout; esplor-atóre *m.*; -are. Boy —, giovane esploratore. Sea —, giovane esploratore marino.
Scovel; scóvolo *m.*, lanata *f.*
Scow; chiatta *f.*
Scowl; sguardo torvo, malpíglio *m.*, viso arcigno; guardar torvo. — at, minacciare con lo sguardo. **-ing**; tórvo, arcigno. **-ingly**; con sguardo torvo.
Scrag; collòttola *f.* **-giness**; magrézza ossuta. **-gy**; scarno, nocchieruto.
Scrambl-e; parapíglia *f.*, confuṡióne *f.*; passeggiata alla scapigliata; mischia *f.*, baruffa *f.*; abbaruffarsi, far la ruffa. — up, inerpicarsi alla meglio, arrampicarsi su per. -d eggs, frittèlla di uova. **-ing**; confuso ed irregolare.
Scrap; brano *m.*, pezzettíno *m.*, tòzzo *m.*; scaramúccia *f.* To —, gettar via come fuor d' uso, gettar fra' rottami. **-book**; libro di squarci, album *m.* **-iron**; rottame di ferro. **-s**; rilièvi *m. pl.*
Scrap-e; impíccio *m.*, imbarazzo *m.*; grattare, raschiare; razzolare; strimpellare. Bow and —, far inchini e riverenze. — acquaintance with, insinuarsi nella conoscenza di. — along, vivacchiare, tirar innanzi. — off, levare, togliere (grattando). — off the mud from, spillaccherare, levare il fango da. — up, metter insieme, ammassare. **-er**; raschiétto *m.*, raschíno *m.*; puliscipiède *m.*, raschiatóio *m.* **-ings**; raschiatura *f.* **-py**; a pezzetti, inuguále.
Scratch; graffio *m.*, graffiatura *f.*, scalfittura *f.*; ferita lieve; grattare, graffiare, scalfire; ritirare (cavallo da corsa). — set, collezione di cose prese all' azzardo. — crew, rematori scelti alla meglio. — man, horse, golfer etc., quello a chi non si concede nulla, chi gioca senza nessun vantaggio. Come up to the —, entrare nell' arena davvero, cimentarsi sul serio. — out, cancellare. **-er**; raschiatóre *m.* **-y**; fatto alla meglio, irregolare, poco lindo, tutto graffi; che graffia.
Scrawl; scarabòcchi-o *m.*, -are; raspare, buttar giù, scrivere in fretta, scribacchiare. **-er**; scribacchiatóre *m.*
Scream; strido *m.*, grido acuto o roco; gridar forte, strillare, strídere, vociare, vociferare, schiamazzare.
Screech; *see* Scream. **-owl**; barbagianni *m.*
Screed; divagazióne *f.*, letteróne *m.*, tirata *f.*
Screen; schèrmo *m.*, paravènto *m.*, paralume *m.*, parafuòco *m.*; assíto *m.*, tramèżżo *m.*, divisione di una sala o di una chiesa; vaglio per carbone. Bullet-proof —, fermapalle *m.* Dust —, parapólvere *m.* Wind —, finestra a cerniera. — for light, offuscatóre *m.* To —, metter al coperto, riparare, difèndere, nascóndere; passare alla cola, vagliare. -ed coal, carbone grigliato. — from, sottrarre agli occhi di. The alders — the river from the meadows,

gli ontani nascondono il fiume dalle praterie.

Screw; vite *f.*; èlica *or* èlice *f.*; brènna *f.*; effètto *m.* (biliardo); (gergo) stipèndio *m.* There is a — loose somewhere, *fig.* le cose non vanno come si vorrebbe. Put the — on, costríngere, far sì che acconsenta. A bit of a — (gergo), piuttosto spilorcio. An awful —, vero taccagno. To — down, serrare a vite, fissare con vite. — out, estrarre a stento. — up, stríngere, aggravare. He -ed up his face, his eyes, egli contorse il viso, raggrinzò gli occhi. He -ed up his courage, raccolse tutto il suo coraggio, si fece animo. To — (at billiards), stornare, girare.

Screw-bolt; chiavarda a vite. **-driver**; cacciavite *m.* -ed (gergo); brillo. **-jack**; martinèllo *m.* **-nut**; madrevite *f.* **-steamer**; vapore ad elica.

Scribble; scarabòcchi-o *m.*, -are, scribacchiare. — down, buttar giù. **-r**; imbrattacarte *m.*, scrittoráccio *m.*

Scribbling-paper; carta minuta.

Scri-be; scriváno *m.* **-mmage**; zuffa *f.*, tafferúglio *m.* **-p**; certificato provvisorio; bórsa *f.* **-pt**; scritto *m.* **-ptural**; della Santa Scrittura. **-pture**; la Santa Scrittura. **-vener**; notáio *m.*

Scroful-a, -ous; scròfol-a *f.*, -óso.

Scroll; ròtolo *m.*, volúta *f.* Altar —, cartaglòria *f.*

Scroop; squittire.

Scrot-um; -o *m.*

Scrub; 1. mácchia *f.*, bosco cespuglioso. 2. serva da strapazzo, lavapiatti *m.* or *f.*, lavascodèlle *m.* or *f.* To —, lavare con spazzola o pietra, fregare ben bene. **-bing-brush**; setolíno *m.* **-by**; meschíno.

Scruff; collòttola *f.*

Scrumptious (gergo); eccellentissimo.

Scrunch; schiacciolare.

Scrup-le; -olo *m.*; farsi scrupolo. **-ulosity, -ulous, -ulously, -ulousness**; -olosità esagerata, -olóso, -olosaménte, -olosità *f.*

Scrut-ator, -ineer; -atóre *m.* **-inise**; -are, spiare attentamente. **-iny**; -ínio *m.*, squittínio *m.*

Scud; nuvole leggere; pioggerella volante con forte vento. — along, fuggire, volare. — away, scappar via a tutta gamba.

Scuffle; zuffa *f.*, rissa *f.*; azzuffarsi, accapigliarsi. **-r**; chi si azzuffa.

Scull; remo corto; vogare con due remi corti; maonare. **-er**; rematore con due remi. **-ery**; retrocucína *f.* — maid, sguáttera *f.*, lavapiatti *f.* **-ing-race**; gara di rematori a due remi corti. **-ion**; śguáttero *m.*, lavapiatti *m.*, lavascodèlle *m.*

Sculpt-or; statuario *m.*, scultóre *m.* **-ure**; scultura *f.*, statuaria *f.*; scolpire, intagliare. **-uresque**; come una statua.

Scum; schiuma *f.*, stúmmia *f.* **-mer**; schiumatóio *m.* **-my**; coperto di schiuma.

Scupper; ombrinále *m.*

Scurf, -iness, -y; fòrfor-a *f.*, l' esser -oso, -óso.

Scurril-ity, -ousness; -ità *f.* **-ous, -ously**; -e, -ménte.

Scurv-ily; bassaménte ecc. **-iness**; bassézza ecc. **-y**; basso, scortése, vile. As *sb.*, scorbuto *m.* — grass, cocleária *f.*

Scut; códa (di coniglio).

Scuttle; sécchio *m.*; portèllo *m.*; forare la carena sotto la linea di affioramento, rombare. — away, correr via presto, fuggire alla chetichella.

Scy-lla; Scilla *f.* **-ros**; Sciro.

Scythe; falce *f.*; falciare.

Scythia; Scizia *f.* **-n**; scita.

Sea; mare *m.* Heavy —, mare grosso, cavallóne *m.* At —, in mare, *fig.* in perplessità. Be at —, *fig.* non saper che fare. Remain at —, tenere il mare. By —, per via di mare. Go to —, prender il mare; farsi marinaio. Put to —, far vela. Put to the —, far diventar marinaio. Of the —, marinarésco.

Sea-air; aria del mare. **-anchor**; ancora al largo. **-anemone**; attínia *f.* **-bathing**; bagni di mare. **-beach**; spiaggia *f.* **-beast**; mostro marino. **-board**; spiaggia *f.* **-boat**; bastimento di mare. **-borne**; trasportato per mare. **-breeze**; brezza dal mare. **-buckthorn**; olivello spinoso. **-captain**; capitano di bastimento. **-coal**; carbon fossile trasportato per mare. **-coast**; còsta *f.* **-cock**; presa d' acqua. **-dog**; lupo di mare. **-farer**; viaggiatore per mare. **-faring**; marinarésco. **-fight**; combattimento navale. **-front**; On the —, lungo la costa, guardante sul mare. **-girt**; circondato dal mare. **-god**; divinità marina. **-goddess**; dea marina. **-going**; di alto mare. **-green**; color verde di mare. **-holly**: eringo marino. **-horse**; ippocampo *m.*; trichèco *m.* **-kale**; cavolo marino.

Seal; 1. suggèllo *m.*, sigillo *m.*; suggellare, sigillare. — down, up, chiudere a suggello. 2. vitello marino, fòca *f.* **-er**; bastimento per la caccia alle foche. **-fishery**; pesca delle foche. **-ing**; suggellatura *f.* — wax, ceralacca *f.*

Sea-lawyer; leticante *m.*, questionante *m.* **-legs**; piede marino. **-level**; livello

del mare. **-lion**; foca leonina, otária *f.*
Seal-skin; pelle di foca.
Seam; cucitura *f.*, commessura *f.*, costura *f.* — in a stocking, rovescíno *m.*; in a mine, véna *f.*, filóne *m.*; in a deck, comento *m.* **-ed**; rugóso, tutto rughe e cicatrici.
Seaman; marináio *m.*, marinaro *m.* Able —, marinaro scelto. **-ship**; arte marinaresca, náutica *f.* Good —, abilità nautica.
Sea-mark; segnále *m.* **-mew**; gabbiáno *m.* **-monster**; mostro marino.
Seam-less; senza cucitura. **-y side**; *fig.* lato fosco.
Séance; seduta *f.*
Sea-piece; marina *f.* **-pike**; sfirèna *f.*, luccio di mare. **-pilot**; pilota d' altura. **-plane**; idrovolante *m.* **-port**; porto di mare.
Sear; abbruciare, cauterizzare.
Search; inchièsta *f.*, ricérca *f.*; perquisizióne *f.*, perlustrazióne *f.* Right of —, diritto di visita. To —, cercare, frugare, visitare, far ricerche. — after, for, mettersi in ricerca di. — into, esaminare a fondo, indagare, investigare. — out, fare ricerca esatta, trovare a forza di ricerche. **-er**; esaminatóre *m.*, -trice *f.* **-ing**; penetrativo, incalzante. — enquiry, inchiesta minuta. **-ingly**; in modo scrutante. **-light**; proiettóre *m.* **-warrant**; mandato di perquisizione.
Sea-room; bella deriva. **-rover**; pirata *m.* **-serpent**; serpe di mare. **-sick**; preso dal mal di mare. **-sickness**; mal di mare. **-side**; riva del mare, lido *m.*, spiaggia *f.*, rivièra *f.* — plant, pianta di riviera marina.
Season; stagióne *f.*; tempo opportuno. For a —, per un tempo. In due —, al suo tempo. Out of —, intempestívo, fuor di stagione. The dull —, la morta stagione. Figs are now in —, è la stagione dei fichi. At the end of the —, al termine della stagione. To —, render acconcio, stagionare, abituare, acclimare; condire; agguerrire. Highly -ed, molto carico. **-able**, **-ableness**, **-ably**; opportun-o, -ità *f.*, -aménte, a proposito. **-ing**; condiménto *m.* **-ticket**; biglietto periodico.
Seat; sedíle *m.*, sèdia *f.*, sèggiola *f.*; sède *f.*, pósto *m.*; banco *m.*; il sedére; fondo (di calzoni o seggiola). Country —, casa di campagna, villa signorile. Take a —, mettersi a sedere. Please take a —, si accomodi. Take one's —, entrare nel Parlamento. Keep one's —, restar sempre seduto; restare nella sella. Retain one's —, esser rieletto deputato. — of government, città capitale.
To —, porre a sedere, adagiare sopra una seggiola, metter il fondo ad una seggiola. Two -ed, a due posti. The church will — five hundred, la chiesa ha posti per cinque cento persone. -ed on the throne of his ancestors, stabilito sul trono dei suoi antenati.
Seating; fondazióne *f.*, soppòrto *m.*, base *f.*, impostatura *f.*
Sea-tossed; ballottato dal mare. **-trip**; viaggio per mare. **-trout**; trota salmonata. **-urchin**; echíno *m.* **-view**; vista del mare. **-voyage**; viaggio per mare. **-wall**; diga *f.*, riparo contro il mare. **-ward**; verso il mare. **-water**; acqua salsa, acqua di mare. **-weed**; alga *f.*, fuco *m.*, pianta marina. **-worthiness**; idoneità di viaggio. **-worthy**; atto a navigare.
Seba-ceous; -ceo. **-stopol**; -stòpoli *f.*
Sec-ant; -ante *m.* **-ede**; separarsi. **-eder**; secessionista *m.* **-ession**; -essióne *f.*
Seclu-de; serrare in luogo solitario, tenere appartato. **-ded**; appartato. **-sion**; reclusióne *f.*, ritiro *m.*, ritiratézza *f.*
Second; 1. secóndo *m.*, minuto secondo. 2. secóndo. — in command, secondo di bordo, ufficiale in secondo, primo ufficiale. 3. padríno *m.* 4. — childhood, seconda infanzia. — thoughts, secondi pensieri. On — thoughts, dopo averci ripensato. 5. To —, appoggiare, spalleggiare. **-arily**; -ariaménte. **-ary**; -ário. **-best**; qualità numero due. Come off —, avere il disotto. My — hat, il mio capello numero due. The — course, il miglior modo dopo l' altro. **-cousin**; cugino in secondo grado. **-er**; chi appoggia ecc. **-hand**; vécchio, usato, d' occasione, di seconda mano. — dealer, rigattière *m.* **-ly**; in secondo luogo. **-sight**; chiaroveggènza *f.*
Secr-ecy; segretézza *f.*, fedeltà ad un segreto. **-et**; segréto *m.*, segréto. Open —, segreto conosciuto a tutti. — document, scritto riservato. Most —, riservatissimo.
Secretar-ial, **-iate**, **-y**, **-yship**; segretariále, -iato *m.*, -io *m.*, -iato *m.* Secretary (desk); scrivanía *f.* Secretary's office, ufficio segretario.
Secret-e; nascóndere; far secrezione di. **-ion**; secrezióne *f.* **-ive**; segréto, che ama la segretezza. **-iveness**; istinto di segretezza. **-ly**; segretaménte, di soppiatto, sotto mano. **-ness**; amore di segretezza.
Sect, **-arian**, **-ary**; sètt-a *f.*, -ario, -ario *m.*

Section; sezióne *f.*, parágrafo *m.*, divišióne *f.*, partíto *m.*; spaccato *m.*; (negli Stati Uniti) un miglio quadrato. — 5, sub-section (*c*), paragrafo 5, sotto-paragrafo (*c*). **-al**; sezionále, particolare. **-alism**; particolarišmo *m.*, spirito ristretto. **-ally**; per sezioni.

Sector; settóre *m.*

Secular; laico; (age-long) secolare. — music, musica profana. — power, potere temporale. — education, educazione laica. **-ise, -ism**; -iżżare, -išmo *m.*

Secur-e; sicuro, esente da pericolo; assicurare, assicurarsi, garantire, impadronirsi di; šbarrare, far sicuro. — from, al riparo di. — of a hearty welcome, certo di una cordiale accoglienza. **-ely**; sicuraménte, senza rischio. **-ity**; sicurtà *f.*, sicurézza *f.*; malleveria *f.*, cauzióne *f.* It is a risky — to invest in, è un fare azzardoso quello di investire in codeste azioni. To deposit —, depositare cauzione. Suitable —, cauzione idonea. I am not going to give —, non vo' saper di cauzioni. **-ities**; títoli *m. pl.*, valóri *m. pl.*

Sedan-chair; portantína *f.*

Sedat-e; calmo, posato, pacato. **-ely**; con calma, pacataménte. **-eness**; calma *f.*, compostézza *f.* **-ive**; controstímolo *m.*, calmante *m.*; -ívo.

Sed-entary; -entário. **-ge**; cárice *f.*, sala *f.* **-iment**; -iménto *m.*, posatura *f.* **-imentary**; -imentóso. **-ition, -itious, -itiously, -itiousness**; -izióne *f.*, -izióso, -iziosaménte, spirito, -izióso.

Seduc-e, -er, -tion, -tive; sedu-rre; -ttóre *m.*, -ttrice *f.*; -zióne *f.*, -ttívo.

Sedulous, -ly, -ness; sollécit-o, -aménte, -údine *f.*; diligèn-te, -teménte, -za *f.*

See; 1. sèdia *f.* Holy —, la Santa Sede. 2. vedére, osservare; scoprire, accòrgersi; višitare, trovarsi con; farsi consigliare da; capire, intèndere. That is how I — it, la dico come l' intendo. I don't — that at all, non sono punto d' accordo con ciò che dite. I don't — the fun of that at all, questo non mi aggrada punto. Let me —, vediamo un po'. We shall —, staremo a vedere. The brother, you —, had not always been straight, il fratello, gua', non aveva agito sempre bene. — **about**, pensare a. — **double**, aver le traveggole. — **eye to eye** with, aver la stessa opinione di, esser di pieno accordo con. — **home**, accompagnare a casa. — **into**, esaminare a fondo, investigare. — **off**, veder partire, dare il buon viaggio a. — **out**, veder la fine di. — **through**, 1. indovinare il senso, le ragioni di, comprendere il perchè e per come di. 2. accorgersi delle vere intenzioni di. 3. dar l' aiuto occorrente a, assistere uno nei suoi guai. — **to**, pensare a, badare a, provvedere a, occuparsi di, aver cura di. — **one's way to**, esser disposto a.

Seed; séme *m.*, semènza *f.* Run to —, tallire. — **itself**, seminarsi. **-bed**; semenzáio *m.* **-cake**; torta o focaccia con semi d' anice. **-iness** (gergo); malattía *f.* **-ling**; pianticèlla *f.* **-lip**; vaso di semenza per seminare. **-pearl**; perlettína *f.* **-sman**; semáio *m.* **-time**; tempo della seminagione. **-y** (gergo); malatíccio. Feel —, non sentirsi troppo bene, non godere la solita salute. — looking, d' apparenza trista, dubbiosa; ušato, lògoro; d' apparenza malaticcia.

Seeing; il vedere. — **that**, poichè, stante che.

Seek; cercare, correr dietro a. **-er**; cercatóre *m.*, chi cerca, ricercatóre *m.*

Seem; parére, sembrare. **-ing**; il fingere; finto, speciόso. **-ingly**; apparenteménte, pare che, a ciò che pare. **-liness**; conveniènza *f.*, decènza *f.* **-ly**; conveniènte, decènte.

Seer; profèta *m.*

Seesaw; altaléna *f.*; dondolarsi, bilicarsi, fare all' altalena. **-movement**; movimento su e giù.

Seethe; sobbollire, lessare. Seething mass, brulichío *m.*

Segment; **-o** *m.*, spicchio, *m.* **-ation**; divišióne *f.* **-ed**; divišo, in segmenti.

Segreg-ate, -ation; -are, -azióne *f.*

Seidlitz powder; polvere di Seidlitz.

Seignor-age; percentuale per pagare le spese della coniatura, pagamento del libraio all' autore. **-ial**; del signore feodale.

Seine; Sènna *f.* **-net**; sagèna *f.*

Seisin; possèsso *m.*

Seism-ic, -ograph; sísm-ico, -ògrafo *m.*

Seiz-e; 1. agguantare, afferrare, préndere, cògliere, dar di piglio a, metter la mano su, impossessarsi di. Of machinery, ingranare. — **up** (motor), gripparsi. 2. staggire, sequestrare. 3. **-d of**, in possesso di. 4. (*mar.*) legare, salmastrare. **-ing**; 1. (machinery) il gripparsi del motore, grippaménto *m.*, ingranaménto *m.* 2. (*mar.*) salmastra *f.*, catarda *f.* **-ure**; présa *f.*, accèsso *m.*, attacco *m.*

Seldom; raraménte *m.*, di rado.

Select; scélto; scégliere. **-ion**; scélta *f.*, selezióne *f.*

Self; stésso, sè stesso. For my —, per parte mia. He kept very much to him —, si teneva molto in disparte. **-abasement**; umiliazione volontaria. **-acting**;

automático. **-appointed**; istituito da sè stesso. **-centred**; indipendènte, chi riguarda solo ciò che lo tocca personalmente. **-coloured**; tutto d' un colore. **-command**; padronanza di sè stesso. **-conceit**; vanità boriosa. **-confidence**; fiducia in sè stesso, sicurézza *f.* **-confident**; sicuro della forza propria. **-conscious**; intento all' effetto che si fa, conscio di sè stesso. **-constituted**; costituito da sè stesso. **-contradictory**; che contradice a sè stesso. **-control**; padronanza di sè stesso. Lose one's —, perdere il lume degli occhi. **-deception**; l' ingannare sè stesso. **-defence**; difesa propria. **-denial**; astinènza *f.*, l' abnegazione di sè stesso. **-esteem**; amor proprio, stima di sè stesso. **-evident**; chiaro, che s' intende da sè. **-governed**, **-government**; autònom-o, -ía *f.* Local —, autonomia amministrativa. **-heal**; prunèlla *f.* **-important**; con alta opinione di sè o della propria posizione. **-interest**; interesse proprio. **-ish**; egoista, interessato, chi non tiene conto di altrui. **-ishness**; egoiṡmo *m.* **-made**; figlio del proprio lavoro, niente indebitato ai genitori, chi ha fatto tutto da sè. **-possession**; calma *f.*, pacatézza *f.*, diṡinvoltura *f.*, sicurezza d' animo. **-reliance**, **-reliant**; *see* Self-confidence. **-reproach**; rimproveri a sè stesso. **-respect**; giusta fierezza, giusto orgoglio, riverenza a sè stesso. **-same**; proprio lo stesso. **-seeking**; chi cerca il proprio vantaggio o avanzamento. **-styled**; sedicènte. **-sufficiency**; boria vanitosa. **-sufficient**; chi si crede competente per tutto ciò che gli possa accadere, burbanzóso, preṡuntuóso. **-taught**; istruito o insegnato da sè stesso. **-will**; caparbietà *f.*, ostinazióne *f.* **-willed**; capárbio, chi non vuol esser consigliato, volontário.

Sell (gergo); inganno *m.*, truffa *f.*, cilécca *f.*; véndere, alienare, eṡitare; (gergo) ingannare, fare una cilecca a. Be sold, trovarsi deluso, esser gabbato. **-er**; venditóre *m.*; che trova buon esito. **-ing**; èṡito *m.*, spáccio *m.*, véndita *f.*

Seltzer-water; acqua di Seltz.

Selvage; vivagno *m.*, cimòssa *f.*

Selvagee; sbirro di comando.

Selves; *pl.* di Self.

Semaphore; semáforo *m.*

Semblance; sembianza *f.*, apparènza *f.*

Semi-; mèżżo, semi-.

Semi-annual; semestrale. **-barbarous**; mezzo barbaro. **-breve**; -brève *f.* **-circle**; -círcolo *m.* **-colon**; punto e virgola. **-narist**; -narista *m.* **-nary**; convitto *m.* **-official**; ufficióso. **-quaver**; -cròma *f.* **-tone**; -tòno *m.*

Sem-ite; -íta *m.* **-olina**; -olino *m.*

Sempstress; sarta *f.*, cucitóra *f.*

Senat-e; -o *m.* **-e-house**; aula magna, palazzo del -o. **-or**; -óre *m.* **-orial**; -òrio.

Send; mandare, inviare, spedire. **— about** his business, mandare per i fatti suoi. **— after**, mandare a cercare. **— away**, mandar via, far andare più oltre; congedare, licenziare, diméttere, dar le sue dimissioni a. **— back**, rimandare, rin viare, restituire. **— for**, far venire, mandare a chiamare. I was sent for the doctor, fui mandato a chiamare il medico. The doctor was sent for, si mandò a chiamare il medico. **— forth**, *see* Send out. This sent my **heart** into my boots, questo mi fece perder tutto il mio coraggio. **— in**, consegnare, preṡentare, riméttere. **— into**, cagionare. — — a fever, cagionare una febbre a. **— off**, spedire, far partire, far esplodere. Give a good — — to, festeggiare la partenza di. **— on**, rispedire, *see* Re-address. If the parcel comes for you I will — it —, se il pacco viene per voi velo farò seguire. **— out**, lanciare, metter fuori, eméttere. **— this way and that**, sballottare da Erode a Pilato.

Send-er; mandante *m.*, speditóre *m.* **-ing**; spedizióne *f.*, invío *m.*

Seneschal; siniscalco *m.*

Senil-e, **-ity**; -e, -ità *f.*

Senior; senióre, anziáno; più vecchio. He is ten years my —, egli ha dieci anni di più di me. I could say nothing, as he was my — officer, non mi fu verso di parlare, essendo lui il mio superiore. **-ity**; anzianità *f.* Promotion by —, avanzamento per anzianità. **— by** birth, in service, priorità di nascita, di servizio.

Senn-a; sèna *f.* **-it**; gaschétta *f.*

Sensation; sens-azióne *f.*, -o *m.*

Sensational; pieno d' incidenti teatrali, che fa effetto teatrale, che colpisce la mente, fa viva impressione, fa colpa nell' animo. **— play**, dramma a sensazione.

Sense; 1. sénno *m.*, giudízio *m.* Talk —, parlare assennatamente. Common —, buon senso. Come to one's -s, rientrare in sè. Good —, giudízio *m.*, buon senso. Make —, far senso, esser intelligibile. 2. ṡénso *m.*, sensazióne *f.* 3. significato *m.* **-less**; insensíbile; sciòcco, insensato; senza significato **-lessly**; da sciocco. **-lessness**; stupidità *f.*

Sensib-ility; -ilità *f*. **-le**; -ile, sávio, assennato, sensato. A — man, un uomo sensato. — speech, discorso assennato. Be — of, capire, riconóscere. I am — of your kindness, riconosco la vostra gentilezza. **-ly**; sensibilménte, in grado percettibile; saviaménte, assennataménte, da assennato.
Sensitive; sensitívo, suscettíbile. —plant, vergognósa *f*., mimosa sensitiva. **-ness**; sensibilità *f*., delicatézza *f*., impressionabilità *f*.
Sensori-al, -um; sensòrio, sensòrio *m*.
Sensual, -ism, -ist, -ity, -ly; -e, -iṡmo *m*., -ista *m*., -ità *f*., -ménte; *see* Voluptuary.
Sent; *rem*. di Send.
Sentence; 1. período *m*., fraṡe *f*., artícolo *m*., propoṡizióne *f*. The subject of the —, il soggetto della proposizione. Broken -s, sentenze interrotte. Disjointed -s, periodi slegati. 2. sentènza *f*. — of death, sentenza di morte. Pronounce —, sentenziare.
Sententious, -ly; sentenziós-o, -aménte. Speak -ly, sentenziare.
Sentient; senzïènte.
Sentiment, -al, -alism, -alist, -ality, -ally; -o *m*., -ále, -aliṡmo *m*., persona -ale; -alità *f*., romanticiṡmo *m*.; -alménte.
Sentinel, Sentry; sentinèlla *f*., guardia *f*. Stand —, esser di guardia.
Sentry-box; garétta *f*.
Sepal; sèpalo *m*.
Separ-ability; -abilità *f*. **-able**; -ábile. **-ate**; -ato; -are. -d milk, latte scremato. **-ately**; -ataménte. **-ation**; -azióne *f*. Line of —, linea di confine. **-atism**; -atiṡmo *m*. **-atist**; -atista *m*. **-ator**; -atóre *m*.
Sepia; nero di seppia, color seppia. **-drawing**; disegno in seppia.
Sep-oy; cipái *m*. **-tember**; settèmbre *m*. **-tenary**; durante sette anni; che succede ogni sette anni. **-tennial**; settènne. **-tennially**; ogni sette anni. **-tic**; sèttico. **-ticaemia**; setticemía. **-tuagesima**; settuagèṡima *f*. **-tuagint**; versione dei settanta.
Sepulchr-al, -e; sepolcr-ále, -o *m*.
Sepulture; seppellimènto *m*.
Sequ-el; sèguito *m*., sequèla *f*. **-elae**; effetti susseguenti. **-ence**; seguènza *f*., sèguito *m*. **-ential**; susseguènte. **-estered**; romíto, appartato. **-estrate**; -estrare, staggire. **-estration**; -estraménto *m*., staggiménto *m*. **-in**; zecchíno *m*.
Ser-aglio; **-ráglio** *m*. **-aph, -aphic**; -afíno *m*., -áfico. **-askier**; -aschière *m*. **-bian, -b**; sèrbo. **-bonian**; serbònico.
Sere; sécco, appassíto, adusto.
Seren-ade; serenata *f*., far serenate a. **-ader**; chi fa serenate. **-e**; -o. **-ely**; -aménte. **-ity, -eness**; -ità *f*.
Serf; schiavo russo. **-dom**; schiavitú *f*.
Serge; ráscia *f*., saia *f*.
Sergeant; 1. sergènte *m*. Police —, brigadière *m*. **-at-arms**; usciere della Casa dei Comuni. 2. dottore di legge.
Serial; pubblicato a fascicoli; appartenente ad una serie. **-number**; numero di serie.
Series; sèrie *f*. **-resistance**; (*electr*.) resistenza-zavorra *f*. **-spark**; scintilla preventiva. **-starter**; avviatore in serie. **-wound motor**; motore a corrente primario.
Seriocomic; eroicòmico.
Serious, -ly, -ness; seri-o, -aménte, -età *f*. Speak -ly, parlare sul serio.
Serjeant; *see* Sergeant.
Sermon; sermóne *m*., prèdica *f*. Funeral —, orazione funebre. **-ise**; -eggiare.
Ser-osity, -ous; sieros-ità *f*., -o.
Serpent; sèrpe *f*. Large —, serpènte *m*. Small —, serpentèllo *m*. **-ine**; -íno. — marble, serpentína *f*.
Ser-rated; dentato a foggia di sega. **-ried**; -rato. **-um**; sièro *m*.
Servant; doméstico *m*., persona di servizio, sèrvo *m*., sèrva *f*., fante *m*., fantésca *f*., servitóre *m*. Your obedient —, il suo servitore umilissimo. Liveried —, servo in livrea. **-s**; servidoráme *m*. **-s' hall**; sala dei domestici.
Serve; servire, esser il servo di, assístere. First come first -d, primi arrivati primi serviti. — **one's apprenticeship**, fare il suo noviziato. — **as**, agire da. — the ball, mandare la palla. — **for**, tener luogo di. It -s him — dinner, gli serve di pranzo. — **notice**, intimare a, notificare, contestare (lite). — **an office**, compiere i doveri di un uffizio. — **out**, 1. distribuire. 2. vindicarsi di, pagare. I will — him —! me la pagherà! — a pump, manovrare una pompa. — right, aver quel che si merita. It -s him —, ha ciò che ha meritato. It -s you —, ben vi sta. — a **sentence**, subire la pena prescritta da una sentenza. — time, stare in prigione. — one's time, fare il suo tempo nell' esercito o come apprendista. — out one's —, finire il suo tempo. — **one's turn**, 1. prendere il proprio turno. 2. esser bastante, bastare. — **up**, portare a tavola.
Server; mandatóre *m*.
Servian; sèrbo.
Service; servízio *m*., vantággio *m*. Good —, benemerènza *f*. At your —, ai vostri ordini. In the — of, addetto a, impiegato da. Take into one's —, im-

piegare. Period of — afloat, periodo di embarco. -s, rendered or granted, prestazióne *f*. The -s of a diver, la prestazione di un palombaro. Divine —, ufficio divino. Out of —, senza impiego. Go into —, entrare in servizio. Secret — money, fondi segreti. Dinner —, servizio da tavola o per pranzo. Piece of —, servízio *m*., favóre *m*. Be in —, stare a padrone. Be of —, esser utile, giovare. Be out of —, star fuor di padrone. To have seen —, aver prestato servizio militare, *fig*. esser stato messo a dura prova, esser logoro. — of a writ, contestazióne *f*.

Service-able; giovévole. **-berry, -tree**; sòrb-a *f*., -o *m*.

Serv-ile; -íle. **-ility**; -ilità *f*. **-itor**; -itóre *m*. **-itude**; schiavitù *f*., servággio *m*.

Ses-ame; sèšamo *m*. **-sile**; sèssile. **-sion**; -sióne *f*. **-sions**; assíše *f*. *pl*.

Set; 1. assortiménto *m*., arrédo *m*.; círcolo *m*., cròcchio *m*., cricca *f*., combríccola *f*. Spare —, muta *f*. Tea, Coffee —, servizio di tè, caffè ecc. — of books, impianto scritturale. — **of** buttons, guarnizione di bottoni. — of curiosities, collezione di curiosità. — of diamonds, guarnimento di brillanti. — of rascals, branco di furfanti. — of teeth, dentatura *f*., filiera di denti. — of ten, twenty etc., diecína *f*., ventína *f*. ecc. — of games at tennis, partíta *f*. 2. direzióne *f*. (corrente, marea), *see* adjacent column, line 29. 3. attacco *m*., *see below*, Set at (iii). 4. — for propagating a plant, pollóne *m*., barbatèlla *f*.

5. fisso, férmo, formále, regolare. Well —, fermamente stabilito, padrone della situazione. — meals, pasti regolati. — resolution, risoluzione ferma. — speech, discorso studiato. — time, ora fissa.

6. To —, méttere, collocare, pórre. — the alarum at 6 o'clock, metter la sveglia sulle dieci. — a bone, rimettere un osso. Deep — eyes, occhi profondamente incavati. — at defiance, sfidare. — out in detail, circostanziare. — at ease, calmare, *see* Ease, p. 125. — the teeth on edge, far allegare i denti. — a good example, dar buon esempio. — eyes upon, gettar l' occhio su. — fire to, appiccar fuoco a, accéndere. — free, liberare, lasciar andare. — fruit, allegare. The blossom has not —, i fiori non hanno allegato. — going, avviare, mettere in piedi, dar l' atto a, dar l' aire a, instaurare; far marciare. — — again, rimettere in marcia. — one's hand to, sottoscrívere; metter mano a, incominciare. — one's heart upon, brameggiare, aver gran voglia per. — a hen, far covare una gallina. Of jelly, rappréndere. — a jewel, incastonare un gioiello. — a lesson, assegnare una lezione. Of mortar, far presa. The mortar is not yet —, la calcina non ha ancora fatto presa. — to music, mettere in musica. — at nought, disprezzare, disubbidire, gettare al vento. — oneself, accíngersi. — in order, metter in ordine, dar buon assetto a. — an examination paper, redigere un foglio d' esame. — a razor, affilare un rasoio. — at rest, tranquillizzare; determinare per sempre, definire, non lasciar più dubbio su. — right, to rights, accomodarsi. I have — my house to rights, mi sono accomodato la casa. — sail, partire. — a sail, spiegare una vela. — snares, tendere lacci. — straight, aggiustare, assettare come si dovrebbe. Of the sun, tramontare. The -ting sun, il sole giunto all' occaso. — one's teeth, serrare i denti. In — terms, in good — terms, in termini da non fraintendersi, chiarissimaménte, a tante di lettere. — thinking, far pensare, impensierire. Of the tide, portare. The tide is -ting towards..., la marea porta verso.... — traps, metter trappole. — type, comporre tipi. — the value of, stimare il valore di. — a watch, (i) regolare un oriolo. (ii) — a watch upon, far osservare, tenere sotto osservazione. — to work, mettersi a lavorare; dare il lavoro a. — to work upon, dar sotto a.

7. **Set about**, mettersi a, porsi a. I hardly know how to — — it, non so troppo come fare per farlo. He — — it in a half-hearted sort of way, vi si pose senza troppa buona voglia. — against, (i) ispirare con mala voglia per. — oneself —, ostinarsi contro. Be — —, aver mala voglia per. (ii) *see* Set off. — apart, appartare. — ashore, šbarcare, mettere a terra. — aside, (i) appartare. — — for future use, metter da parte per usarsi dopo. (ii) rigettare, svestirsi di, scartare, prescindere da. -ting all that —, lasciando stare tutto ciò. — at, (i) mettere a. (ii) aizzare contro. (iii) Make a dead — —, combinare un fiero attacco contro. — back, (i) arrèsto *m*., regrèsso *m*. (ii) rimuovere indietro, indietreggiare. — before, esibire a, spiegare. — by, risparmiare. — down, (i) depórre, metter giù, lasciare scendere. Carriages will — — in B. Street, si scende di carrozza in via B. (ii) scrivere, metter in iscritto. (iii) — — as,

considerare come, prender per. (iv) — — again, rimettere in terra o sulla tavola. (v) umiliare, abbassare. — **forth**, *see* Set out. — **forward**, (i) spinta avanti. (ii) rimuovere più in avanti. — **in**, (i) — — fine, dull; rasserenarsi, rabbuiarsi per bene. (ii) far rientrare più in là dall' orlo della pagina. — **off**, (i) compènso *m.*, risarciménto *m.* (ii) — — gains against losses, metter i guadagni in confronto alle perdite, prender i guadagni per compenso delle perdite. (iii) partire, prender l' abbrivo. (iv) far valere, fare spiccare, dar risalto a. — **on**, (i) aizzare. (ii) — — fire, *see* Set fire to. (iii) — — foot, *see* Set going. (iv) Be — — going, aver gran voglia di andare, esser risoluto ad andare. — **out**, (i) faccènda *f.* What a — —! che bel affare! (ii) partire, prender le mosse. (iii) spiegare, dichiarare, metter in ordine. (iv) apparecchiare. (v) delineare, tracciare — **over**, incaricare di, dare per padrone. — **to**, (i) battaglia campale, accapigliaménto *m.*, zuffa *f.* (ii) mettersi a lavorare per bene. — **up**, (i) stabilire, instaurare. (ii) far la fortuna di. (iii) eṡaltare, alzare. (iv) accampare (scusa, ragione). (v) — — a car, metter in piede un automobile. (vi) — — for, spacciarsi o darsi per. (vii) — — again, ristabilire (salute, fortuna). (viii) Well — —, ben fatto. — **upon**, (i) attaccare, assalire. (ii) *see* Set on.

Set-on; setóne *m.* **-tee**; canapè *m.* **-ter**; cane da punta.

Setting; 1. collocaménto *m.*, dispoṡizióne *f.*, il porre, il fissare; incastonatura *f.*; messa in iscena; ambiènte *m.* 2. tramónto *m.*, *see* Set (6. Of the sun). 3. présa *f.*, coagulazióne *f.* 4. — **out**, (i) partènza *f.* (ii) lo spiegare ecc., *see* Set out. 5. — **up**, impianto *m.*

Setting-stick; compoṡitóio *m.*

Settle; 1. banco con spalliera. 2. determinare, fissare, stabilire, sistemare. 3. determinarsi, deliberare. 4 assicurare, assegnare, impegnare, collocare. 5. conciliare, compórre, decídere. 6. posarsi (uccello), far la posa (vino). — to the bottom, cadere a fondo. 7. Get -d, sistemarsi (col matrimonio), trovar domicilio permanente, rasserenarsi (tempo). 8. saldare (conto), regolare i conti (con). 9. coloniżżare, popolare. 10. redígere, stèndere (atto). 11. cédere (terreno, edifizio). 12. insediare.

Settle down, stanziarsi, accasarsi, fermare la casa (in un posto); calmarsi; sommèrgersi. — — by the head, stern, impruarsi, impopparsi. — — again, ricompórsi. — **in**, prender possesso (di una nuova casa). — **up**, appagarsi reciprocamente, saldare il debito.

Settled; saldato; seréno, calmo. — **habit**, abitudine fissa, inalterabile.

Settlement; accomodaménto *m.*, accòrdo *m.*; colònia *f.*; insediaménto *m.*; saldaménto *m.*, regolaménto *m.*, liquidazióne *f.*; posatura *f.*, sediménto *m.*; cediménto *m.* (di terreno, edifizio); domicilio legale; contraddóte *f.* Act of —, legge della successione al trono inglese.

Settler; colòno *m.*; argomento decisivo.

Settling-day; giorno di liquidazione.

Seven; sètte. **-fold**; sèttuplo. **-teen**; diciassètte. **-teenth**; diciassettèṡimo, diecisèttimo. **-th**; sèttimo **-tieth**; settantèṡimo. **-ty**; settanta.

Sever; staccare, tagliare, sceverare, diṡgiúngere.

Several; parècchio; (*leg.*) particolare. — fishery, diritto particolare di pesca, pescheria particolare. **-ly**; individuaménte. As they — wish, come ciascuno di loro vorrà. **-ty**; proprietà particolare.

Severance; sceveraménto *m.*, *see* Sever.

Sever-e, **-ely**, **-ity**; -o, -aménte, -ità *f.*

Severn Savèrna *f.*

Seville; Sivíglia *f.*

Sew; cucire. — **on**, cucire. — **up**, ricucire.

Sewage; scolatura *f.*

Sewer; fógna *f.* **-age**; fognatura *f.*

Sewing; cucitura *f.*, il cucire. **-cotton**; refe di cotone. **-machine**; macchina da cucire.

Sex; sèsso *m.* Fair —, bel sesso.

Sexagesima; sessagèṡima.

Sextant sestante *m.*

Sextodecimo (16mo); sedicèṡimo.

Sexton; beccamórti *m.*, sagrestáno *m.*

Sexual, **-ity**, **-ly**; sessuál-e, -ità *f.*, -ménte.

Shabb-ily; meschinaménte; *see* Shabby. **-iness**; stato logoro o povero; grettézza *f.* **-y**; frusto, lògoro; mal vestito, meschíno, sciamannato, stracciato; *fig.* tirchio, grétto, tirato. — **trick**, tiro basso, brutto tiro. — **fellow**, straccióne *m.* She had on a — **dress**, era vestita poveramente.

Shackle; maníglia *f.*, maniglióne *m.*; incatenare. **-bolt**; perno di maniglione.

Shad; chéppia *f.*, alósa *f.*

Shaddock; pampelimósa *f.*

Shad-e; ómbra *f.*, úggia *f.*; paralúme *m.*; sfumatura *f.*; tantíno *m.*; spèttro *m.* Throw into the —, eclissare, far scomparire. To —, ombreggiare, riparare. — off, sfumare. **-ily**; in modo sospetto, dubbióso. **-iness**; l' esser ombreggiato. **-ing**; ombreggiatura *f.*, chiaroscúro *m.*

-**ow**; ómbra *f*. To —, seguire di soppiatto. — forth, adombrare. -**owy**; incèrto, chimèrico, fantástico. -**s**; cantinétta *f*. -**y**; ombreggiato, oscuro, *fig*. sospètto, tristo, di onestà dubbia.

Shaft; fréccia *f*., saétta *f*.; asta *f*., asse *f*., álbero *m*., fusto *m*.; góla *f*., ròcca *f*., fumaiòlo *m*.; timóne *m*., stanga *f*.; asticciuòla *f*.; pózzo *m*. (di miniera); stággio *m*. (di scala a piuoli), susta *f*. (da occhiali). Cam —, albero di distribuzione. Crank —, albero a gomito. Main —, albero motore. Solid, Hollow —, albero pieno, cavo. — for air or light, pozzo. — of light, fascio di lume.

Shag; caporále *m*. -**giness**; pelosità *f*. -**gy**; irsuto, pelóso. -**reen**; zigríno *m*., sagrì *m*.

Shah; scià *m*.

Shake; scòssa *f*.; trillo *m*.; screpolatura di legno. — of the hand, stretta di mano. To —, dimenare, agitare, scuòtere; crollare, far crollare; indebolire, far nascere dubbio in; stríngere (mano); tremare, tentennare. My hand -s, mi trema la mano. I shook with fear, tremai dalla paura. — one's head, far cenno di nò colla testa, scuotere il capo. No great -s (gergo), niente di molto. — down, letto improvvisato, stramazzo *m*.; far cadere (agitando). — off, liberarsi, sbarazzarsi di. — out, spianare le pieghe (scotendo), scuotere ben bene; mollare (terzerolo). — up, sciabordare, mescolare (agitando); stimolare, riṡvegliare (scotendo); scuotere qua e là.

Shakespearian; sciaksperiáno.

Shako; chepì *m*.

Shaky; malférmo, poco stabile.

Shale; argilla schistosa.

Shall; verbo ausiliare. Si adopera nel futuro sia di predizione o di determinazione. Nella prima persona esprime la futurità semplicemente, nella seconda e terza vuol dire che chi parla domina la situazione. L' ausiliare *will*, invece, esprime determinazione o volontà nella prima persona mentre nella seconda e terza è una pura asserzione. I — go, andrò, I will go, son pronto a, o voglio andare. You will go, andrai. You — go, voglio che tu vada. — you go? andrete? Will you go? volete andare? o, volete farmi il piacere di andare? You will not lose by it, non vi scapiterete. You — not lose by it, io prenderò cura che non vi scapitiate. *V. anche* Should.

Shall-op; barchétta *f*. -**ot**; scalógno *m*.

Shallow; basso fondo; poco fondo, poco profondo. — mind, spirito superficiale. -**brained**; poco abile, scervellato. -**ness**; l' esser poco profondo, superficialità *f*.

Shaly; schistóso.

Sham; finta *f*., imitazióne *f*., finzióne *f*.; finto, contraffatto. To —, far vista di essere, fingere, simulare, contraffare.

Shambl-e; trascinarsi o moversi goffamente. -**es**; ammazzatóio *m*. -**ing**; gòffo, malférmo, strascicante.

Shame; ónta *f*., vergógna *f*.; ṡvergognare. — into telling the truth, far dire il vero per vergogna. -**faced**; vergognosétto. -**facedness**; timidità *f*. -**ful**; vergognóso, infáme, diṡonèsto. -**fully**; vergognosaménte, in modo da far vergogna. -**less**; ṡvergognato, sfacciato, sfrontato. -**lessly**; senza vergogna, ṡvergognataménte. -**lessness**; sfacciatággine *f*., sfrontatézza *f*.

Sham-mer; impostóre *m*., chi finge, fintóne *m*. -**my-leather**; pelle di camoscio. -**poo**; lavare (capelli), frizionare alla turca, fare il massaggio a. -**pooer**; chi fa il massaggio. -**pooing**; massággio *m*., frizionaménto *m*. -**rock**; trifoglio adottato per emblema irlandese.

Shandrydan; carro irlandese.

Shandygaff; mescolanza di birra con gazzosa dallo zenzero.

Shank; gamba *f*., fusto *m*., gambo *m*., stélo *m*. -**bone**; osso canone.

Shanty; baracca *f*., capanna *f*.

Shap-able; suscettibile di ricevere una forma. -**e**; fórma *f*., fòggia *f*.; (blancmange) sformato *m*. Out of —, sformato. To —, formare, foggiare. — a ship's course, far rotta. -**eless**; infórme. -**elessness**; mancanza di forma. -**eliness**; forma bella, proporzioni belle. -**ely**; ben formato, leggiádro.

Shard; còccio *m*.; elítra *f*.

Share; porzióne *f*., parte *f*.; azióne *f*.; partecipare, spartire, divídere, condivídere. — and — alike, ugualménte. Go -s, dividere ugualmente. — in, aver parte. You have no — in the decision, tu non c' entri nella decisione. Fall to the — of, toccare a, spettare a. -**holder**; azionista *m*.

Sharing; partecipazióne *f*., spartiménto *m*.

Shark; pesce cane, squalo *m*., carcarodónte *m*., *fig*. scroccóne *m*.

Sharp; dièṡis *m*.; acuto, aguzzo, tagliènte, affilato; mordáce, piccante, aspro, rúvido, reciṡo, vivace; astuto, accòrto, intelligènte, ṡvegliato, fino; dimagrato (viso); forte (gelo); vigilante (osservazione). Look —! ṡbrigatevi! prèsto! — practice, un fare poco leale, truffería *f*. At six o'clock —! alle sei precise! — curve, curva repentína, brusca, violenta, accentuata.

Sharp-en; affilare, aguzzare. **-ener**; acciaiòlo *m.* **-er**; scroccóne *m.*, cavalier d' industria. **-ly**; aspraménte, con ruvidezza, con parole acri. **-ness**; perspicácia *f.*, sottigliézza *f.*, acume *m.* **-s**; farina di crusca, robétta *f.* **-set**; affamato. **-shooter**; bersaglière *m.*, cacciatóre *m.* **-sighted**; di vista acuta. **-witted**; d' ingegno perspicace, acuto.

Shatter; sconquassare, sfragellare.

Shav-e (gergo); avvicinaménto *m.* Have a near —, scapparla bella. To — past, raśentare. To —, rádere, far la barba a, farsi la barba; rasare; *fig.* spennare. Clean -ed, senza barba, sbarbato di fresco. Get -ed, farsi far la barba. **-eling**; mònaco *m.* **-er** (gergo); monèllo *m.* **-ing**; il farsi la barba. — brush, pennellino da barba. — water, acqua per la barba. **-ings**; trúcioli *m. pl.*

Shaw; boschétto *m.*

Shawl; scialle *m.*

She; èlla, éssa, lèi. — elephant, un elefante femmina.

Sheaf; manata *f.*, fáscio *m.*, covóne *m.*

Shear; tośare. **-ing**; tośatura *f.* **-s**; ceśóie *f. pl.*

Shearwater; bèrta *f.* (uccello).

Sheatfish; silúro *m.*

Sheath; guaína *f.*, fòdero *m.*; rimettere nel fodero, foderare (bastimento). **-ing**; foderatura *f.*, addoppiatura *f.*

Sheave; puleggia di bozzello. **-hole**; occhio d' un bozzello.

Shebeen; luogo di vendita illecita di liquori.

She'd; *raccorc.* di She had o She would.

Shed; tettóia *f.*, capanna *f.*, riméssa *f.* For an aeroplane or dirigible, capannóne *m.*, hangar *m.*, aeròscalo *m.* To —, versare, spandere; spogliarsi di, pèrdere. **-ding**; effuśióne *f.*, spargiménto *m.*

Sheen; lustro *m.* **-y**; lustro, lucènte.

Sheep; pècora *f.* Cast -'s eyes at, guardare furtivamente. **-dog**; cane da pastore. **-fold**; ovíle *m.* **-ish**; sciòcco, vergognóso. **-ishness**; pecorággine *f.* **-market**; mercato di pecore. **-run**; pascolo da pecore. **-shank**; nodo margherita. **-skin**; pelle pecorina, o di pecora.

Sheer; 1. insellamento di un ponte, centinato di un bastimento. 2. puro, mèro, bello e buono, niente meno di; affatto. — down, verticalmente giù. 3. — off, allargarsi, allontanarsi. **-hulk**; pontone a biga. **-leg**; albero di biga. **-rail**; listone delle parasartie. **-s**; biga *f.*, mancína *f.*, cávria *f.*

Sheet; lenzuòl-o *m.*, with *pl. m.* -i, or *f.* -a; fòglio *m.*; lastra *f.*; scòtta *f.* Blank — of paper, pezzo di carta bianca. Draw —, coltríno *m.* Fly —, foglio volante, stampíglia *f.* Mortuary —, cóltre *f.* Winding —, sudário *m.*, lenzuolo mortuario. — of water, specchio d' acqua. — of flame, fiammata *f.* **-anchor**; ancora di parasartie. **-copper**; rame in foglie. **-ing**; tela da lenzuola. **-iron**; latta *f.* **-lightning**; baleno a secco. **-tin**; stagno battuto.

She-ik; sceícco *m.* **-kel**; siclo *m.* **-ldrake**, **-lduck**; caśarca *f.*, volpòca *f.*

Shelf; asse *f.*, palchétto *m.*, scaffále *m.*, scansía *f.*; ròccia *f.*, sceglièra *f.* Be laid on the —, andare in riposo.

Shell; 1. gúscio *m.*; nícchio *m.*, cónca *f.*, conchíglia *f.*; ossatura di una casa; bómba *f.*, granata *f.*, proiètto *m.*; scafo (di bastimento); cassa *f.*; invòlucro (di caldaia). Armour-piercing —, proietto perforante. Poison —, granata tossica. Smoke —, granata fumigena. Star —, granata luminosa. Time —, granata a tempo. **-splinter**; scheggia di granata. 2. śgusciare, śbaccellare, śgranellare; bombardare. — out (gergo), śborsare.

Shell-fish; conchiglia *f.* **-ac**; scaglie di lacca, lacca piatta. **-proof**; a prova di bomba. **-shock**; sindrome commozionale. **-work**; lavoro in conchiglie.

Shelter; aśílo *m.*, rifúgio *m.*, schérmo *m.* Under —, al coperto. Reach —, giungere al coperto. To —, dar ricovero a, protèggere; ricoverarsi. **-less**; senza ricovero, apèrto.

Shelv-e; esser in pendio, pèndere; metter in riposo, metter da parte. **-ing**; declive.

Shepherd; pecoráio *m.*, pastóre *m.*; guidare. **-boy**; pastorèllo *m.* **-ess**; pastorèlla *f.* **-'s pipe**; zúfolo *m.* **-'s purse**; borsa da pastore.

Sherbet; sorbétto *m.*

Sheriff; sceriffo *m.*

Sherry; vino di Xeres.

Shetland pony; cavallino di Shetland.

Shew; *see* Show.

Shibboleth; scibbolet *m.*

Shield; scudo *m.*, schérmo *m.*; stèmma *m.*; protèggere, schermire. **-bearer**; scudièro *m.*

Shift; mèżżo *m.*, spediènte *m.*; camícia *f.* Make — with, contentarsi di. Day, Night —, muta di giorno, di notte. To —, cambiare; spostarsi; girare, saltare (vento), trasferire. — for oneself, fare da sè, campare senza aiuto. — about, vacillare. **-ing-boards**; paratie volanti, tramezzi da stivaggio. **-less**; senza risorse, incapace di tutto, inètto. **-lessness**; incapacità *f.* **-y**; scaltro, furbo, raggiratóre, da non fidarsene

Shi-ite; -íta *m.* **-karee**; cacciatóre *m.*
Shillelagh; randèllo *m.*
Shilling; scellíno *m.* **-'s worth**; uno scellino.
Shilly-shally; gingillarsi, vacillare, tentennare. **-shallying**; tentennío *m.*
Shimmer; luce tremolante, barlume *m.*; scintillare, tremolare.
Shin; stinco *m.*, garétto *m.*; stincata *f.*; dare una stincata a.
Shindy (gergo); rissa chiassosa. Kick up a —, far chiasso.
Shine; lustro *m.*; (gergo) chiasso *m.*, agitazióne *f.* Take the — out of, eclissare, far scomparire. To —, rilúcere, rifúlgere, risplèndere, luccicare. The sun -s in here, batte qui il sole, c' è sole qui, il sole fa qui.
Shingl-e; ghiáia *f.*, ciòttoli *m. pl.*; assicèlla *f.* (per un tetto). **-es**; erpete zonaria, cíngolo *m.* **-y**; coperto di ciottoli.
Shiny; lustro, lucènte ecc., *see* Shine.
Ship; bastiménto *m.*, nave *f.*, vascèllo *m.* — of the line, vascèllo *m.*, nave di linea. Ironclad —, nave corazzata. Merchant —, bastimento mercantile. Transport —, nave di trasporto. Iron, Steel —, nave in ferro, acciaio. Wooden —, nave di legno. — with auxiliary power, nave mista. — partly of wood and partly of iron, nave mista. Parent —, nave appoggio. Supporting —, nave in appoggio. Leading —, regolatrice *f.*
To —, imbarcare, metter a bordo, prender a bordo. — a head sea, imbarcare acqua di prora. — a heavy sea, imbarcare un' ondata. — the rudder, the screw, montare il timone, l' elica. — the oars, disarmare i remi.
Ship-biscuit; biscotto di mare. **-board**; bordo. **-boy**; mózzo *m.* **-broker**; sensale marittimo. **-builder**; costruttore navale. **-chandler**; fornitore navale. **-load**; carico di un bastimento. — of wheat, carico di grano. **-mate**; compagno di bordo. **-ment**; imbarco *m.* **-owner**; armatóre *m.* **-per**; caricatóre *m.* **-ping**; 1. navi, il naviglio mercantile, la marina mercantile. — affairs, gli affari marittimi. 2. caricazióne *f.*, imbarco *m.* **-rigged**; attrezzato a nave. **-shape**; in buon ordine, in buon assetto. **-'s company**; equipaggio di una nave. **-'s complement**; equipaggio stabile di una nave. **-'s husband**; agente del bastimento. **-'s papers**; carte di bordo. **-wreck**; naufragio *m.* Be -ed, naufragare, far naufragio. **-wright**; costruttore navale. **-yard**; squèro *m.*, cantiere di costruzione navale.
Shire; contèa *f.* The -s, le contee centrali dell' Inghilterra.
Shirk; salare, sottrarsi da. **-er**; šbuccióne *m.*, scansa-fatíche *m.*
Shirt; camícia *f.* Change one's —, cambiar camicia. **-collar**; collo di camicia, colláre *m.* **-front**; pettíno *m.*, davanti di camicia. **-ing**; tela da camicia. **-maker**; camiciáio *m.* **-sleeve**; manica di camicia. In his -s, in maniche di camicia. **-y** (gergo); stizzíto.
Shit (triviale); mèrda *f.*; andar di corpo.
Shiver; brívido *m.*; rabbrividire, tremar di freddo; fileggiare; frantumare, spezzare. **-ingly**; tremando. **-y**; inclinato a tremare, chi sente i brividi.
Shoal; 1. banco *m.*, basso fondo; poco profondo. 2. frotta di pesci.
Shock; 1. còzzo *m.*, scòssa *f.*, urto ai nervi, rimescolamento di sangue. To —, offèndere, sorprendere spiacevolmente, fare stordire, formaližžare. 2. covóne *m.* **-absorber**; šmorzatóre (di scossa), paracólpi *m.* **-er**; romanzo sensazionale. **-ing**; orríbile, òrrido, ributtante, spaventévole. — weather, tempáccio *m.* — lie, menzogna sfacciata. **-ingly**; orribilménte.
Shod; *part.* di Shoe.
Shoddy; panno fatto di sfilacciature, robáccia *f.*; stracco, di scarto, inferióre.
Shoe; scarpa *f.*, calzatura *f.* Wooden —, zòccolo *m.* Horse —, ferro da cavallo. That is another pair of -s, questo è un altro paio di maniche. To —, calzare, metter le scarpe a, ferrare. **-black**; lustrascarpe *m.* **-brush**; spazzola da scarpe. **-horn**; calzatóio *m.* **-lace**; aghétto *m.*, stringa *f.* **-leather**; cuoio per scarpe. **-maker**; calzoláio *m.* **-tie**; laccio da scarpe. **-trade**; calzolería *f.*
Shone; *rem.* di Shine.
Shoo! via! esclamazione per scacciare un uccello o altro. To — away, scacciare esclamando.
Shook; *rem.* di Shake.
Shoot; rampóllo *m.*, germóglio *m.*, pollóne *m.*; doccióne *m.*, gettatóio *m.*, condótto *m.*, tramoggia di carico; china rapida; puntura di dolore. To —, tirare, far fuoco, lanciare, dardeggiare (luce); fucilare; andare alla caccia; germogliare; colpire. He was shot in the arm, fu colpito nel braccio. — at, tirare a. — fishing lines, filare le lenze in mare. -ing pain, dolore lancinante. — **across**, lanciarsi attraverso. — **ahead**, lanciarsi innanzi. — **ahead of**, passare, sorpassare. — **by**, passare rapidamente, ad un tratto. — **off**, sparare; gettare dalla sella. — **out**, gettar fuori, cacciar fuori. — **over**, avere il diritto

di caccia per. — up, créscere, pullulare, śvilupparsi, divampare ecc., rapidamente.
Shooter; cacciatóre *m.*
Shooting; il cacciare, la caccia. **-boots**; stivali da caccia. **-box**; villino campestre da caccia. **-club**; circolo di tiro. **-coat**; abito da caccia, cacciatóra *f.* **-gallery**; tiro *m.*, locale del tiro. **-ground**; terreno riservato al tiro o alla caccia, terreno della caccia, balipèdio *m.* **-licence**; permesso di caccia. **-match**; gara di tiro. **-party**; partita di caccia; i cacciatori. **-pocket**; carnièra *f.* **-season**; stagione della caccia. **-star**; stella cadente, metèora *f.* **-suit**; abito completo da caccia.
Shop; bottéga *f.*, fóndaco *m.*, negòzio *m.*; lavoratòrio *m.*; officína *f.*, sala *f.* Erecting —, sala di montaggio. Fitting —, officina congegnatori o aggiustatori. Machine —, sala delle macchine, officina di lavorazione. To —, andare a far delle compre. Talk —, parlare del suo mestiere. **-boy**; fattorino di bottega. **-girl**; sartína *f.*, modista *f.* **-keeper**; negoziante *m.* **-lifter**; chi ruba in un magazzino, ladro di magazzino. **-lifting**; furto in un magazzino. **-man**; garzone o commesso di negozio. **-steward**; operaio incaricato degl' interessi operai. **-walker**; chi guida gli avventori in un grande magazzino. **-woman**; donna di negozio o magazzino.
Shore; 1. spiaggia *f.*, lido *m.*, costièra *f.*, còsta *f.* On —, a terra. 2. puntèllo *m.* — up, puntellare. **-ward**; verso terra.
Shorn; *part.* di Shear. As *adj.*, tośato.
Short; brève, córto, basso, píccolo; insufficènte; succinto; friábile, frágile; brusco, concišo, incivíle. In —, a farla breve, a breve andare, infíne. — allowance, parte troppo piccola. — delivery, resa in meno. — measure, misura al di sotto della giusta. — notice, breve avvertimento. At — notice, senza molto preavviso. — sea, mar corto, onde corte ed irregolari. **-s**; brache corte, calzoni corti da corridore, vestitíni *m. pl.*

Be —, tagliar corto, usare scortesia. — — with, trattar con poco riguardo. **Come** — of, **Fall** — of, mancare a, restare al di sotto di. It fell — of his hopes, egli è restato deluso nelle sue speranze. **Cut** —, troncare, interrompere bruscamente. **Drop** —, cader corto, non arrivare, non giungere al segno. **Go** —, non avere abbastanza, vivere stentatamente, campare a stento. **Go** — of, far senza, non avere. **Make** — work of, sbarazzarsi di senz' altro, finirla subito, levarsi d' attorno in breve tempo, rimuovere prontamente. **Run** —, esser esaurito, non esserci più. **Run** — of, aver consunto tutto il. **Stop** —, arrestarsi ad un tratto, di colpo. **Turn** — round, rasentare girando; voltarsi a secco.
Short-age; deficènza *f.* **-bread**; pasta frolla. **-cake**; dolce croccante. **-comings**; deficènze *f. pl.* **-cut**; scorciatóia *f.* **-dated**; a breve scadenza. **-en**; raccorciare, abbreviare. **-ening**; raccorciaménto *m.* **-haired**; da pelo corto. **-hand**; stenografía *f.* — writer, stenògrafo *m.* **-handed**; senza il dovuto personale, col numero del personale ridotto. **-horn**; nome di razza bovina a corna corte. **-limbed**; dalle membra corte. **-lived**; a breve durata. **-ly**; in poche parole; dopo breve tempo, frappoco. To be published —, d'imminente pubblicazione. — after, poco dopo. **-ness**; brevità *f.* — of breath, bolsággine *f.* — of stature, piccolézza *f.* **-sight**; vista corta. **-sighted**; a vista corta, míope, *fig.* imprevidènte, di corta vista. **-tempered**; irascíbile. **-winded**; bólso (cavallo); aśmático **-witted**; con cervello limitato.
Shot; 1. palla *f.*; colpo *m.*, sparo *m.*; tiratóre *m.*; indovinaménto *m.*, congettura *f.* — silk, seta cangiante. Buck —, gocciolóni *m. pl.*, pallinácci *m. pl.* Small —, pallíni *m. pl.*, migliaríni *m. pl.* A good, bad —, tiratore buono, cattivo. You have made a pretty good —, l' avete indovinata quasi giusta. Be off like a —, sparire come un lampo. 2. Pay one's —, pagare la sua parte. **-gun**; fucile da pallini. **-proof**; a prova di palla. **-tower**; torre per la fabbrica dei pallini.
Should; 1. modo condizionale per la prima persona di Shall. 2. ausiliare che esprime utilità, aspettativa ecc. per la seconda o terza persona; col negativo può accennare anche al dovere. Talvolta corrisponde al modo soggiuntivo. He — be able to do it, dovrebbe poterlo fare. He — take medical advice, dorebbe farsi consigliare da un medico. He — not have acted like this, non avrebbe dovuto agire così, ha fatto male facendo così. What have I done that such a thing — happen to me? che cosa ho fatto io perchè mi debba accadere una tale disgrazia? — your father come, se vostro padre venisse. In forma interrogativa può esprimere la sorpresa. As I was walking along whom — I see but Smith? mentre continuavo a passeggiare eccomi capitato lo Smith. *V. anche* Would.

Shoulder; spalla *f.*; indossare, prender sulle spalle; appoggiare l' arme sulla spalla. — one's way, farsi largo colle spalla. — a burden, caricarsi un peso sulle spalle. Give the cold — to, mostrarsi indifferente a, respingere freddamente. **-belt**; bandolièra *f.* **-blade**; palétta *f.*, scápola *f.* **-knot**; nodo sulla spalla. **-knots**; aghétti *m. pl.*, cordellíne *f. pl.*

Shout; forte grido; gridare alto, ṡbraitare **-ing**; gridío *m.*

Shove; spinta *f.*; spíngere. — away, allontanare a forza di spinte. — back, respíngere. — down, far andar giù per forza, spingere abbasso. — off, spingere dalla riva.

Shovel; pala *f.*; spalare, gettare colla pala. **-ful**; palata *f.* **-hat**; nícchio *m.* **-lerduck**; mestolóne *m.*

Show; móstra *f.*, spettácolo *m.*, espoṡizióne *f.*; sembianza *f.*, apparènza *f.*; parata *f.*, fasto *m.* — of hands, voto a mano levata. To —, mostrare, manifestare, far vedere; provare, dimostrare; metter in mostra, espórre. — respect, portar rispetto. — a strong vitality, dimostrare una forte vitalità. — the door to, metter alla porta. — in, far entrare. — off, far pompa. — out, cóndurre alla porta, accompagnare alla porta. — up, metter a nudo, sventare; far risaltare; far salire.

Show-bread; pane di proposizione. **-card**; cartèllo *m.* **-case**; mostra di bottega.

Shower; acquata *f.* Heavy —, acquazzóne *m.*, torrènte *m.* Light —, pioggerèlla *f.* — of bullets, grandine di palle. — down upon, far piovere su, mandar giù in abbondanza su. **-bath**; dóccia *f.* **-y**; piovóso.

Show-iness; fasto *m.*, colori vivi, pómpa *f.* **-ing**; espósto, scopèrto. By his own —, per ciò che lui stesso ha detto. On this —, se è così. **-room**; sala d' espoṡizione. **-y**; fastóso, pompóso.

Shrank; *rem.* di Shrink.

Shrapnel; granata a pallottole.

Shred; ritáglio *m.*, brano *m.*, brindèllo *m.*; stracciare, tagliuzzare.

Shrew; santippe *f.*, megèra *f.*, pettégola *f.* **-mouse**; toporagno *m.*

Shrewd; sagáce, fino, sottíle, accòrto; bèllo (colpo). **-ly**; da sagace ecc. I — suspect, ho un sospetto che mi pare ben fondato. **-ness**; acume *m.*, sottigliézza *f.*, astúzia *f.*

Shrewish; borbottóne, biṡbètico. **-ly**; borbottando, da pettegola. **-ness**; mal umore, indole bisbetico, cattivería *f.*

Shriek; grido acuto, strido *m.*, strillo *m.*; strillare, urlare, strídere.

Shrievalty; uffizio di sceriffo.

Shrift; assoluzióne *f.* Give short — to, accordar breve tempo per confessarsi.

Shrike; vèlia *f.*

Shrill; squillante, strídulo, acuto. **-ness**; suono strillante, acutézza *f.*

Shrimp; granchiolíno *m.*, gamberettino di mare; *fig.* nano *m.* **-sauce**; salsa con granchiolini.

Shrine; fano *m.*, tabernácolo *m.*

Shrink; ritirare, raccorciarsi, rientrare, stríngersi (cuore), rifuggire (da). **-age**; scemaménto *m.*, contrazióne *f.*, riéntro *m.* **-ingly**; con ristringimento di cuore.

Shrive; sentire la confessione di.

Shrivel; raggrinzarsi, raccartocciarsi.

Shroud; 1. sudário *m.*, cóltre *f.* 2. in *pl.* (*mar.*) sartíe *f. pl.* 3. To —, ravvòlgere.

Shrove Tuesday; martedì grasso.

Shrub; arboscèllo *m.*, frútice *m.*, arbusto *m.* **-bery**; bosco inglese, fruticéto *m.* **-by**; cespuglióso.

Shrug; stretta delle spalle. — the shoulders, ristringersi nelle spalle, alzare le spalle.

Shrunk; *rem.* di Shrink. **-en**; dimagrato.

Shudder; brívido *m.*, frèmito *m.*, trèmito *m.*; rabbrividire, avere i brividi. **-ingly**; rabbrividèndo.

Shuffl-e; inganno *m.*, equívoco *m.*; andatura trascinante; trascinare il passo, strascicare i piedi; scozzare, mescolare (carte); scusarsi alla meglio, usar sotterfugi. — away, ṡgattaiolare. — out of sight, fare sparire senza esser osservato. **-er**; persona furbesca, ingannatóre *m.*, trappolóne *m.*; mescolatóre *m.* **-ing**; l' usar sotterfugi. — excuse, scusa evasiva.

Shun; scansare, sfuggire.

Shunt; derivazione elettrica; derivare; scambiare (treno); *fig.* licenziare, liberarsi di. **-circuit**; circuito derivato. **-coil**; spirale in derivazione. **-current**; corrente derivata.

Shut; chiúdere, serrare. — down, non usar più, non metter più in marcia. — in, rinchiúdere, racchiúdere, confinare. — off, intercettare, esclúdere. — out, non lasciar entrare. — up, non tener più aperto, non continuare a fare qualche cosa; tacére, far tacere, non permettere di parlare; imprigionare.

Shutter; Inside —, sportèllo *m.*, scuro *m.* Outside —, persiána *f.*, impósta *f.* Of a camera, otturatóre *m.* Venetian —, stoino a persiana. For carrying a body, barèlla *f.*

Shuttle; spòla *f.* **-cock**; voláno *m.*

Shy; 1. tímido, schivo, sospettóso, vergognosétto; pigliar ombra, adombrarsi, fare uno scarto. Be —, vergognarsi.

2. (gergo) gettare, lanciare. **-ly**; timidaménte, in modo schivo. **-ness**; timidézza *f.*, peritanza *f.*

Sib-erian; -eriáno. **-ilant**; -ilante. **-yl, -ylline**; -illa *f.*, -illíno.

Sic-ambrian; -ambro. **-cative**; essiccante. **-ilian**; -iliáno.

Sick; maláto, infèrmo. Feel —, sentire nausea, aver voglia di recere. Be —, vomitare. — at heart, colla morte al cuore, senza spirito, abbattuto. — of, lasso di. — headache, emicrània *f.* — man, maláto *m.* **-bay**; ospedale di bordo. **-bed**; letto di malato. **-berth**; infermería *f.* **-en**; nauśeare, diśgustare; ammalarsi. **-ener**; causa di disgusto. **-ening**; nauśeabóndo. **-fund**; cassa dei malati.

Sickle; falcétto *m.*, falcíno *m.*

Sick-leave; congedo per malattia. **-liness**; insalubrità *f.*; l' esser malaticcio ecc. **-list**; lista degli ammalati. **-ly**; malatíccio, poco sano, cagionévole; insalúbre. — smile, sorriso scipito. Be —, languire. **-ness**; malattía *f.*; náuśea *f.* Sea —, mal di mare.

Side; 1. lato *m.*, canto *m.*, banda *f.*, fianco *m.*, spónda *f.* — of bacon, mezzana di maiale. 2. versante *m.* 3. partíto *m.*, parte *f.* Cricket is played with eleven a —, il "cricket" si giuoca con undici per parte. 4. Inner —, lato interióre. Outer —, lato esterióre. 5. at billiards, giro *m.* 6. (gergo) affettazióne *f.*, atteggiamento d' importanza. 7. Take the — of, — with, prender le parti di, tenere da, parteggiare per o in favore di. 8. By my —, accanto, vicino, a me. — by —, l' uno allato all' altro. By the — of the road, accanto alla strada. Ride on the — of the road, menare il cavallo sull' orlo della strada. Sway from — to —, bilanciare da parte e d' altra. Pierce from — to —, passare da banda a banda. On both -s, dalle due parti. On every —, da tutte le parti. On my —, per me, dalla mia parte, dalla parte verso di me. On the mother's —, per parte di madre. On neither —, da nessuna parte. On one — ..., on the other, da questa parte..., da quella. On this, the other — of the river, al di qua, di là, del fiume. Lie on one's —, coricarsi sul fianco. Stand on its —, metter pel suo verso. Right — of a stuff, dritto *m.* Wrong —, rovescio *m.* Wrong — out, al rovescio. Wrong — up, a catafascio, sossópra. This — up, sopra (su una cassa). Hear both -s, udire il pro ed il contro. On the other — of the street, dall' altra parte della strada. Put on —, at billiards, fare il giro, *fig.* fare il grande, lo smargiassone, andar trionfo. 9. To —, *v. supra* (7).

Side-arm; arme bianca. **-board**; credènza *f.* **-car**; carrozzetta laterale, motocicletta con carrozzetta laterale. **-dish**; princípio *m.*, primo piatto, piatto di mezzo. **-door**; porta laterale. **-face**; profílo *m.* **-glance**; occhiata obliqua. **-light**; illustrazione incidentale. **-long**; obliquo, a traverso. **-loop** (*avia.*); rovesciamento sull' ala.

Sidereal; siderále.

Side-saddle; sella da donna. **-show**; esercizio o altro secondario. **-slip**; śdrucciolata *f.* (di bicicletta); prole illegittima. To —, (*bicycl.*) śdrucciolare, (*avia.*) scivolar d' ala, (*autom.*) ślittare. **-sman**; laico assistente di una chiesa. **-table**; tavola a parte; consòlle *f.* **-view**; veduta laterale, o di profilo. **-walk**; marciapiède *m.* **-ways**; a traverso, lateralménte, a śghembo. **-wind**; vento pel traverso. By a —, indirettaménte.

Siding; binario accessorio, via laterale.

Sidle; — up, venire allato pian piano.

Siege; assèdio *m.*

Sienn-a; Burnt, Raw —, giallo di Siena adusto, crudo. **-ese**; senése.

Sie-rra; catena di montagne. **-sta**; *id.*

Sieve; váglio *m.*, stáccio *m.*, crivèllo *m.*

Sift; stacciare, crivellare, vagliare, *fig.* eśaminare. **-er**; *see* Sieve.

Sigh; sospír-o *m.*, -are.

Sight; vista *f.*, spettácolo *m.*; mira *f.*, alzo *m.* By —, a vista d' occhio. At first —, a tutta prima. Out of —, fuor di vista. Catch — of, vedere per un momento. Manage to catch — of, riuscire a vedere. Out of —, out of mind, lontano dagli occhi lontano dal cuore. To —, scòrgere, avvistare. Lose — of, perder di vista, non veder più. **-less**; cièco.

Sightl-iness; venustà *f.* **-y**; vistóso, avvenènte, bèllo, venusto.

Sign; ségno *m.*, indízio *m.*, contrasségno *m.*, síntomo *m.*; cénno *m.* To —, firmare, sottoscrívere, apporre la sua firma; far segno a, accennare a. Converse by -s, parlare con cenni. I -ed to her to go across, gli accennai che passasse da quell' altra parte. I -ed to him to take a chair, gli additai una seggiola, gli additai colla mano che si accomodasse.

Signal; segnále *m.*; far segnali a. Distant —, segnale di lontananza. Distress —, segnale di pericolo. Sound —, segnale acustico. — exercise, esercitazione di segnalazione. **-book**; libro di segnali.

-box; cabina dei segnali. -gun; cannoncíno *m*. There goes the —! ecco la cannonata segnale! -ise; segnalare. -lamp; lampada da segnali. -ler, -man; segnalatóre *m*. -ling; servizio segnali, segnalazióne *f*. -ly; segnalataménte. -mast, -post; albero da segnali. -station; stazione di segnali.

Signat-ory; firmatário *m*. -ure; firma *f*.

Sign-board; inségna *f*. -et; suggèllo *m*., sigillo *m*. — ring, anello con sigillo.

Signif-icance; -icanza *f*., sènso *m*., importanza *f*. -icant; -icante, -icatívo. -icantly; -icativaménte. -ication; -icazióne *f*., -icato *m*. -y; -icare, voler dire. It does not —, non fa niente, non importa. I signified to him, gli ho dato ad intendere, l' ho fatto sapere. It is nothing to —, non è nulla, è nulla d' importante.

Sign-manual; sigillo *m*. -painter; pittore di insegne. -post; palo con segno di direzione.

Silen-ce; silènzo *m*. Dead —, silenzio mortale. To —, far tacere; spegner il fuoco di. Keep —, tacére. Keep — about, tacere. Pass over in —, passare sotto silenzio. — gives consent, chi tace acconsente. —! zitti! -cer; bariletto di scaricamento, camera di scarico, marmitta *f*. -t; tácito, taciturno. -tly; tacitaménte, pian piano.

Sil-esia; Šlèšia *f*. -ex; sílice *f*. -houette; siluètta *f*. -d against the sky, in siluetta contro il cielo. -icious; -íceo. -icon; sílice *f*.

Silk; séta *f*., tela di seta. -business; setería *f*. -culture; sericoltúra *f*. -district; paese sericoltore. -en; di seta. -goods; seteríe *f*. *pl*. -grower; sericoltóre *m*. -handkerchief; fazzoletto di seta. -iness; morbidezza come di seta. -merchant; negoziante in seterie. -mill; filanda *f*. -spinning; filatura di seta. -worm; baco da seta, filugèllo *m*., bigatto *m*. — breeder, bigattière *m*. — establishment, bigattièra *f*. -y; fino, mòrbido, líscio ecc., come la seta.

Sill; sòglia *f*. (di porta), davanzále *m*. (di finestra).

Sillabub; latticinio con vino.

Sill-iness, -y; sciocc-hézza *f*., -o; scempiaggine *f*., -o; scémo; mentecattaggine *f*., -o.

Silo; *id*.

Silt; posatura di sabbia, renícc io *m*., rintèrro *m*. — up, colmare di sabbia. -ing up, insabbiaménto *m*.

Silur-ian; -iáno. -us; -o *m*.

Silver; argènto *m*., monete d' argento; inargentare. -bath; soluzione di nitrato d' argento. -fir; abete argentato. -fish; pesce d' argento. -gilt; argento dorato. -grey; grigio d' argento. -haired; dai capelli argentei. -lace; gallone d' argento. -leaf; foglia d' argento. -mine; miniera d' argento. -mounted; montato in argento. -paper; carta argentata. -plate; vasellame d' argento. -plated; inargentato. -plating; inargentatura *f*. -side; girello di bue, lucèrtolo *m*. -smith; argentière *m*. -wedding; nozze di argento. -weed; argentína *f*. -wire; argento filato. -y; argentíno.

Simi-an, -ous; scimmiésco.

Similar; símile, pari, uguále. -ity; somiglianza *f*.; rassomiglianza *f*. -ly; pariménte, similménte.

Simil-e, -itude; -itúdine *f*.

Simmer; sobbollire.

Simnel cake; torta dolce.

Simon Pure; la vera persona.

Simon-iacal, -iacally; -iáco, con -ia. -y; -ía *f*.

Simoom; simùn *m*.

Simper; sorriso affettato; sorridere con smorfie. -er; chi ride scioccamente. -ing, -ingly; smorfiós-o, -aménte.

Simple; sémplice. -hearted, -minded; da cuore schietto, franco, ingènuo. -mindedness; semplicità *f*., ingenuità *f*., candóre *m*. -s; erbe medicinali. -ton; scioccóne *m*., semplicióne *m*., scimuníto *m*.

Simpl-icity, -ification, -ify; sempl-icità *f*., -ificazióne *f*., -ificare. -on; Sempióne *m*. -y; sempliceménte, puraménte, sólo.

Simula-crum; -cro *m*. -te; -re. -tion; -zióne *f*.

Simultane-ous, -ously, -ousness; -o, -aménte, -ità *f*.; contemporane-o, -aménte, -ità *f*.

Sin; pecc-ato *m*., -are.

Since; 1. da, dópo, di poi, dall' ultima volta che. — the Latins, dai latini in poi. — seven o'clock, dalle sette in poi. — that time, da allora in poi. Long —, da molto tempo. 2. poichè, dacchè, giacchè, posciacchè, dal momento che.

Sincer-e, -ely, -ity; -o, -aménte, -ità *f*.

Sine; séno *m*. -cure; -cúra *f*. -curist; chi gode una sinecura.

Sinew; nèrvo *m*., tèndine *m*., nèrbo *m*. -y; vigoróso, nerboruto.

Sinful, -ly; peccaminós-o, -aménte. -ness; iniquità *f*., malvagità *f*.

Sing; cantare, gorgheggiare; tintinnare (orecchio). Have a -ing in the ears, sentirsi fischiare gli orecchi. — small, cessare di vantarsi, confessarsi vinto. — out, cantare forte, ad alta voce.

Singe; rošolare, abbrustolire.

Sing-er; cantóre *m.*, cantante *m.*, corista *m.* **-ing**; il cantare, canto *m.* — **bird**, uccello cantore. — **master**, maestro di canto.

Single; sólo, sémplice, único, isolato; non maritato, scápolo. — **blessedness**; celibato *m.* — **combat**, combattimento singolare. — **match**, partita o tenzone singolare. — **entry**, tenuta dei conti a partita semplice. To — **out**, prescégliere, staccare, separare. **-acting**; a semplice effetto. **-barrelled**; a una canna. **-handed**; sólo, senza aiuto. **-hearted**, **-minded**; franco, sémplice, sincèro, schiètto. **-mindedness**, **-ness of mind**; franchézza *f.*, schiettézza *f.* **-ton**; una sola carta di qualunque seme.

Singly; ad uno ad uno, separataménte.

Singsong; riunione dove si canta. To read in a — **way**, leggere con tono monotono.

Singular, **-ity**, **-ly**; singolar-e, -ità *f.*, -ménte.

Sinister; cupo, tètro, proibíto.

Sink; acquáio *m.*; affondare, sprofondare, infossare; scavare (pozzo); ammortire, metter da parte (differenze di opinione); metter (capitale) a vitalizio; attuffarsi, sommèrgersi, colare a fondo, andare a fondo; mandare a picco, colare a picco; soccómbere, indebolirsi; penetrare (nella mente); esser vicino alla morte. — **deeply into**, affondersi nel vivo di. — **into a chair**, lasciarsi andare sur una seggiola. Of a flood, abbassarsi. — **low**, *fig.* degradarsi, cadére. **-er**; peso per far affondare. Well —, scavatóre *m.* **-ing**; depressióne *f.*, abbassaménto *m.* — **fund**, fondo di amortizzazione.

Sin-less, **-lessness**; impeccábil-e, -ità *f.* **-ner**; pecca-tóre *m.*, -trice *f.* **-offering**; offerta espiatoria.

Sinuo-sity, **-us**, **-usly**; -sità *f.*, -so, -saménte.

Sinus; seno marcioso.

Sip; sórso *m.*, centellíno *m.*; sorseggiare, centellinare, bere a sorsi.

Siphon; sifóne *m.*; travasare con un sifone.

Sippet; fettolína *f.*

Sir; signóre *m.*; titolo corrispondente a quello di Cavaliere. **-e**; padre (d' animale), cavallo da razza; modo familiare per volger parola al re. **-en**; sirèna *f.* **-loin**; lombo di bue. **-occo**; sciròcco *m.* **-rah**; sor. No —! gnornò!

Siskin; lucherino *m.*

Sister; sorèlla *f.*; congènere. **-hood**; comunità di monache. **-in-law**; cognata *f.* **-ly**; da sorella. **-of-charity**; suóra *f.*

Sit; sedére; covare (gallina); essere aperta (la Camera). Parliament sat till the middle of August, la Camera era aperta fin alla metà d' agosto. Be **-ting**, Be seated, rimanere seduto, starsene seduto, *or simply* Stare. — **down**, accomodarsi. — —! basta! sedetevi! — **for**, esser deputato per. — — **one's portrait**, posare, tener la posa. I am to — — my portrait from two to four, devo posare dalle due alle quattro. — **out** (at a dance), rimanere a sedere. — **it out**, restar fino alla conclusione di uno spettacolo. — **tight**, non lasciarsi smuovere. — **under**, ascoltare il predicare di. — **up**, 1. stare seduto (sul letto). 2. accularsi (cane). 3. — — **to wait for**, essere alzato per attendere, star levato ad aspettare. Don't — — for me, còricati senza aspettarmi. 4. — — **with**, vegliare al letto di. — **upon**, 1. considerare giudizialmente. 2. (gergo) sgridare, rimproverare, trattare con poca cortesia, *see* Snub.

Sit-e; sito *m.* **-ter**; modèllo *m.*; (gergo) colpo molto facile.

Sitting; 1. posto riservato in una chiesa. 2. udienza (di tribunale), seduta (d' assemblea), sessione (del Parlamento). At a —, seduta stante. **-s**, sedute *f. pl.* He did me in twenty **-s**, mi fece il ritratto in venti sedute. 3. in consiglio, in seduta (giudice).

Sitting-hen; gallina che cova. **-room**; salòtto *m.*, salóne *m.*

Situat-e, **-ed**; situato. Awkwardly **-ed**, in situazione imbarazzante. This is how I am **-ed**, ecco la mia posizione. **-ion**; situazióne *f.*; pósto *m.*, impiègo *m.*

Six; sèi. Double **-es**, sèna *f.* At **-es and sevens**, in scompiglio. It is — of one and half a dozen of the other, è tutt' una zuppa e pan bagnato. **-fold**; sèstuplo. **-foot-way**; interbinário *m.* **-penny**; di dodici soldi. **-teen**, **-teenth**; sèdic-i, -èsimo. **-th**; sèsto; (*music*) sèsta *f.* **-thly**; in sesto luogo. **-tieth**; sessantèsimo. **-ty**; sessanta.

Sizar; borsista (a Cambridge o Dublin). **-ship**; bórsa *f.*

Size; 1. grandézza *f.*, statura *f.*, mòle *f.*; (of a tree) grossézza *f.*, (book) formato *m.*, (glove) misura *f.*; metter in ordine secondo la grandezza. — **up**, misurare coll' occhio o colla mente. 2. còlla *f.*, incollatura *f.* **-able**; non troppo piccolo.

Skat-e; 1. pattín-o *m.*; -are. Roller —, pattino a rotelline. 2. razza bavosa. **-er**; pattinatóre *m.*

Skating-club; circolo dei pattinatori. **-rink**; impiantito di pattinaggio.

Skedaddle; fuggire, far tela.

Skein; matassa *f.*, trafúṡola *f.*
Skeleton; schèletro *m.*, ossatura *f.* **-key**; grimaldèllo *m.*
Skep; arnia di paglia o vinchi; burbále *m.*, césta *f.*
Sketch; abbòzzo *m.*, schizzo *m.*, diṡégno *m.*, mácchia *f.*; abbozzare, schizzare. — out, dare il piano di. **-book**; album, libretto da disegnare. **-er**; disegnatóre *m.*, abbozzatóre *m.* **-ily**; in modo leggiero. **-ing-block**; cartella da disegno. **-y**; leggièro, incompleto, da abbozzo.
Skew; ṡbièco, ṡghimbèscio, ṡghémbo.
Skewer; spiedíno *m.*, schidionare.
Ski; schia *f.*; schiare.
Skid; sciarpa *f.*, freno di via; parabórdo *m.* To —, ṡlittare.
Skied; *part.* di Sky.
Skiff; schifo *m.*, palischérmo *m.*, barchettína *f.*
Skil-ful; ábile, dèstro, espèrto. **-fully**; abilménte, scienteménte, con maestria. **-l**; abilità *f.*, destrézza *f.*, bravura *f.* It **-s nothing**, è inutile. **-led**; períto, espèrto. **-let**; casserola a manico lungo, crogiuolo per l' acciaio fuso. **-ly**; brodo lungo.
Skim; pellícola *f.*; schiumare, spannare; sfiorare, scórrere. **-milk**; latte spannato.
Skimming-ladle; schiumatóio *m.*, stiumíno *m.* **-pan**; tegame da spannare.
Skin; pèlle *f.*, cuòio *m.*, búccia *f.*; scorticare, scoiare, spellare. — deep, superficiále, leggèro. — over, cicatriżżarsi, rimarginarsi. Escape by the — of one's teeth, uscirne pel rotto della cuffia.
Skin-flint; spilórcio *m.* **-ful**; scorpacciata *f.* **-k**; scinco *m.* **-niness**; macilènza *f.* **-ny**; macilènto, scarno.
Skip; 1. salterèllo *m.*, balzèllo *m.*; saltellare, balzellare, ṡgambettare; saltare (leggendo). 2. *see* Skep. **-jack**; elatèria *f.*, saltatóre *m.* **-per**; capitáno *m.* **-pingly**; a saltelloni.
Skipping-rope; corda per saltellare.
Skirmish; avviṡáglia *f.*, scaramúcci-a *f.*, -are. **-ers**; chi combattono in ordine sparso. **-ing**; In — order, in ordine sparso.
Skirret; siṡáro *m.*
Skirt; gonnèlla *f.*, sottána *f.* To —, costeggiare, andar lungo l' orlo di. **-ing**; stoffa per gonnella o sottana. — board, plinto *m.*, zòccolo *m.* **-s**; confíni *m. pl.*
Skit; schérzo *m.*, friżżo *m.*, imitazione frizzante. **-tish**; ombróso, biṡbètico, gaio. **-tishness**; l' esser ombroso ecc. **-tle-alley**; andito per giocare ai birilli grossi. **-tles**; birilli *m. pl.* (grossi, non quelli da biliardo).
Skua; labbo *m.*
Skulk; nascondersi per vigliaccheria o per scopo di furto, andare furtivamente. **-er**; scansaperícolo *m.*, scansafatíche *m.*, vigliacco *m.* **-ingly**; appiattandosi.
Skull; cránio *m.* **-cap**; 1. papalína *f.*, calòtta *f.*, cúffia *f.* 2. sincípite *m.*
Skunk; puzzola americana. Mean —, sornióne *m.*, furbo vigliacco.
Sky; cièlo *m.* — high, fino al cielo. The flame lights up half the —, la vampa accende mezzo l' arco del cielo. To —, mandare (una palla) in aria; mettere (un quadro) nella fila più alta. **-blue**; celèste.
Skye-terrier; cane bassotto di Skye.
Sky-lark; lodola panterana o campestre. **-larking**; giuochi giovanili. **-light**; abbaíno *m.*, invetriata *f.*, osteríggio *m.*, spiráglio *m.* **-line**; confine tra terra e cielo. **-rocket**; razza volante. **-scraper**; gratta-núvole *m.* **-ward**; verso il cielo.
Slab; lastra *f.*, banchína *f.*, piastra *f.*
Slack; 1. imbando *m.* To haul in the —, ricuperare l' imbando. 2. polvere di carbon fossile. 3. fiacco, allentato, infingardo, balògio. — water, marea stanca. — tyre, gomma molle o floscia. **-en**; allargare, mollare, diminuire, rallentare; languire. **-ly**; fiaccaménte. **-ness**; fiacchézza *f.*, mancanza d' energia.
Slag; scòria *f.*, rostícci *m. pl.*, loppi di ferro. Basic —, scorie Thomas.
Slain; *part.* di Slay.
Slake; spègnere. — one's thirst, dissetarsi, cavarsi la sete.
Slam; cappòtto *m.*; ṡbáttere, ṡbatacchiare.
Slander; diffamazióne *f.*, -are; calúnni-a *f.*, -are. **-er, -ous**; calunni-atóre *m.*, -óso; diffamatóre *m.*, infamante.
Slang; gèrgo *m.* To —, rampognare, ingiuriare. **-y**; di gergo.
Slant; inclinare, pèndere. **-ing**; ṡbièco, inclinato, di sghimbescio.
Slap; schiaffo *m.*, guanciata *f.*; schiaffeggiare, dar le busse a. — one's chest, battere la birbantina. As *adv.* (gergo), tutto, dirittaménte, nel mezzo. **-dash**; senza riguardo. In a — sort of way, in una maniera avventata. **-up** (gergo); òttimo, coi fiocchi.
Slash; sfrégio *m.*, táglio *m.*, fendènte *m.*; sfregiare, tagliuzzare, squarciare. — about, menare sciabolate da cieco.
Slat; stécca *f.* **-e**; lavagna *f.*; (gergo) ṡgridare. — pencil, lapis di lavagna. — quarry, cava di lavagne. **-ed**; coperto di lavagne. **-er**; cónciatétti *m.* **-tern**; donna sciatta. **-ternly**; sudicióne, sudicio e negligente. **-y**; di lavagna, schistóso.

Slaughter; strage *f.*, macellazióne *f.*; macellare, ammazzare, uccídere. **-er**; ammazzatóre *m.* **-house, -yard**; macèllo *m.*, ammazzatóio *m.*

Slav, -onic; ṡlavo.

Slave; schiavo *m.*; affaticarsi, ṡgobbare, sfaccendare. — States, Stati dove esisteva la schiavitù. **-dealer**; negrière *m.* **-driver**; aguzzíno *m.*, schiavista *m.* **-holder, -owner**; possessore di schiavi. **-r**; 1. negrièro *m.* 2. bava *f.* **-ry**; schiavitù *f.*, lavoro da schiavo, lavoro penoso. **-trade**; tratta dei negri. **-y** (gergo); sèrva *f.*

Slavish; servíle, troppo esatto. **-ly**; con troppa esattezza. **-ness**; servilità *f.*, esattezza meticulosa.

Slay; uccídere, trucidare. **-er**; ucciṡóre *m.*

Sledge; ṡlitta *f.*, tréggia *f.*, tráino *m.* **-dogs**; cani da traino. **-hammer**; martello da fabbro, martellóne *m.*

Sleek, -ness; lisc-io, -ézza *f.*

Sleep; sónno *m.*; dormire. Go to —, addormentarsi. — off, ṡmaltire (il vino), lasciar dissiparsi col dormire. — over it, pensarci su ventiquattr' ore.

Sleep-er; dormitóre *m.*; travèrso *m.*, traversína *f.* **-ily**; sonnacchiosaménte, come addormentato. **-iness**; sonnolènza *f.*, cascággine *f.* **-ing**; addormentato. — berth, lètto *m.* — car, vagone a letto. — draught, narcòtico *m.*, pozione calmante. — partner, specie di socio accomandante. — room, camera da dormire, dormitòrio *m.* — sickness, malattia del sonno. **-less**; insònne. **-lessness**; insónnia *f.* **-walker**; sonnámbulo *m.* **-y**; sonnacchióso, sonnolènto, preso dal sonno. — pear, pera mézza.

Sleet; nevíschio *m.*; cadere nevischio. **-y**; di nevischio.

Sleeve; mánica *f.* Laugh in one's —, ridere sotto i baffi. He has something up his —, ha qualche cosa che non dice. **-less**; senza maniche.

Sleigh; slitta leggera. **-ing**; lo slittare.

Sleight; — of hand, prestidigitazione *f.*

Slender; ṡmilzo, ṡnèllo, eṡíle, eṡíguo. — means, pochi mezzi. — waist, vitina sottile ed elegante. **-ly**; leggerménte, magraménte. **-ness**; sottigliézza *f.*, ṡveltézza *f.*

Slept; *rem.* di Sleep.

Sleuth-hound; cane segugio.

Slew; 1. *rem.* di Slay. 2. — round, girare, far girare.

Slice; fétta *f.*; spátola *f.*, palétta *f.* Fish —, tagliapésce *m.* To —, affettare.

Slick; lèsto, dèstro; di botta.

Slide; striscia fatta per sdrucciolarvi, lo sdrucciolare; (music) strisciata *f.*; (magic lantern) veduta *f.*; (microscope) vetrino porta-oggetto; (photographic) lastra *f.* Land —, sfrana *f.* To —, ṡdrucciolare, far scivolare, far scorrere. **-face**; specchio del cilindro. — of the valve, faccia del distributore. **-r**; chi sdrucciola. **-rod**; asta del distributore. **-rule**; regolo calcolatore. **-valve**; valvola di distribuzione.

Sliding-scale; scala variabile.

Slight; offésa *f.*; leggièro, eṡíguo; offèndere, trattare con poco, rispetto. **-ingly**; sprezzevolménte. **-ly**; leggierménte. **-ness**; leggerézza *f.*, eṡiguità *f.*

Sli-ly, -ness; *see* Sly.

Slim; ṡmilzo, ṡlanciato, grácile. Tall — fellow, perticóne *m.*

Slim-e; mélma *f.*, limáccio *m.*; allumacatura *f.*, bava *f.*, moccicáglia *f.*, móccio *m.* **-iness**; viscosità *f.*, natura limacciosa. **-ness**; ṡveltézza *f.*, l' esser smilzo ecc., *see* Slim. **-y**; limaccióso, fangóso, melmóso.

Sling; frómbola *f.*, fiónda *f.*; sciarpa *f.*, fáscia *f.*; cínghia *f.*; braca *f.*, bracòtto *m.*, imbracatura *f.* Have one's arm in a —, portare il braccio al collo. To —, imbracare. — over the shoulder, portare ad armacollo. **-er**; frombolière *m.*

Slink; andar mogio mogio o furtivamente. — off, ritirarsi vergognosamente, andarsene lemme lemme.

Slip; ṡdrúcciolo *m.*, passo falso, fallo *m.*, ṡbáglio *m.*, striscia di carta, distinta *f.*, schèda *f.*; tovagliétta *f.*; scalo di costruzione; rampóllo *m.* Correction —, striscia di correzione. A little — of a girl, un pezzo di ragazzetta. Make a — of the tongue. dire una parola per un' altra. Land —, frana *f.* Pillow —, fódera *f.* Give the — to, piantare. — of the screw, recesso del propulsore. To —, ṡdrucciolare, scivolare, fare un passo falso; ṡguinzagliare; mollare; scappare, sfuggire, guizzare. — the cable, filare per occhio la catena. His foot -ped, gli mancò il piede. Let the opportunity —, lasciarsi sfuggire l' occasione. — **away**, fuggire o uscire inosservato, ṡgattaiolare. — **down**, cadere per esser scivolato. — **in**, far entrare, introdurre dolcemente o furtivamente. — **into**, scivolar dentro, entrare di soppiatto. — **off**, scivolare via; sbrigarsi di, levarsi lestamente. — **on**, mettersi alla meglio. He -ped on his waterproof, si avvolse in fretta nell' impermeabile. — **out**, allontanarsi, andarsene cheto cheto. — — of one's clothes, svestirsi presto. — — of one's engagement, trovar modo di non adempire la sua promessa.

Slip-carriage; vagone da staccarsi mentre il treno è in moto. **-knot**; nodo scorsoio, cáppio *m*. **-per**; pianèlla *f*., piantòfola *f*. **-periness**; natura sdrucciolevole. **-pery**; śdrucciolévole, imprendíbile, da non fidarsene. **-shod**; colle scarpe scalcagnate, *fig*. negligènte, sciatto. **-slop**; risciacquatura *f*. **-way**, for a seaplane; scívolo *m*., pontíle *m*.

Slit; fessura *f*., spacco *m*.; fèndere, spaccare.

Slitting-mill; cioncóne *m*., macchina per ridurre una lamiera in verghe.

Slither; scivolare.

Slobber; bava *f*., far bava. **-ing**; bavóso.

Sloe; prugna salvatica.

Slog (gergo); colpire (palla) fortemente.

Slogan; grido di guerra scozzese.

Sloop; slòp *m*., corvétta *f*., scialuppa *f*.

Slop; 1. guazzo *m*., fanghiglia *f*.; sparger liquido, far versare. **-basin**; vaso da risciacquatura, catinellína *f*., recipiente in cui si versano i residui (fondi) delle tazze. **-e**; pendío *m*., versante *m*., declívio *m*.; pèndere, inclinare; piòvere. — arms! spall' arm! **-ing**; pendènte, inclinato, in pendio, spiovènte. **-pail**; secchio da lavatura. **-piness**; fangosità *f*., guazzabúglio *m*. **-py**; melmóso, bagnato, fangóso. **-s**; 1. lavatura *f*. Live on —, vivere di latticinii. *See* Sop. 2. panni larghi di marinaio; abiti fatti. **-seller**; rigattière *m*. **-shop**; bottegáccia *f*., magazzino di abiti fatti.

Slot; fessura *f*., buca *f*.; traccia di cervo; incávo *m*., incastro *m*., scanalatura *f*. To —, scanalare.

Sloth; 1. infingardía *f*., pigrízia *f*., indolènza *f*., mala voglia. 2. brádipo *m*. **-ful**, **-fully**, **-fulness**; infingard-o, -améñte, -ággine *f*.; pigr-o, -aménte, -ízia *f*.; indolèn-te, -teménte, -za *f*.

Slouch; andatura pesante o da tanghero; moversi goffamente, andar dondolone o bighellonando. **-hat**; cappello morbido a tesa larga. **-ing**; da goffo.

Slough; 1. acquitríno *m*. 2. spoglia di serpente; carne morta di una piaga. — away, separarsi (carne morta). **-y**; con carne quasi morta.

Slov-ak, **-ene**; -èno.

Sloven; sudicióne *m*., sciamannóne *m*. **-liness**; trascuratézza *f*., modi di sudiciona. **-ly**; sciamannato, trascurato, sciatto.

Slow; lènto, tardo, in ritardo (orologio); pesante, noióso; ordinário, misto (treno). They invited him down and he was not — in accepting, lo invitarono in villa, ed egli non intese a sordo. To —, rallentare. — down, rallentarsi. **-coach**; persona poco lesta, melensa, noiosa. **-ly**; adágio, tardi, lentaménte, pian piano, a piccola velocità. **-match**; corda miccia. **-ness**; lentézza *f*., tardézza *f*. **-worm**; cecíglia *f*.

Sludg-e, **-y**; fang-híglia *f*., -óso.

Slue; *see* Slew.

Slug; lumáca *f*. **-gard**; dormiglióne *m*., infingardo *m*. **-gish**; pigro, apático, indolènte. — liver, fegato inerte. **-gishly**, **-gishness**; *see* Slothfully etc.

Sluice; cateratta *f*. — oneself, bagnarsi con una spugna. **-gate**; paratóia *f*.

Slum; quartiere basso. **-ber**; sònno *m*.; dormire, *fig*. covare. **-berous**; sonnacchióso. **-my**; súdicio, mal tenuto.

Slump; abbassamento rapido e generale; abbassarsi assai.

Slur; mácchia *f*., sfrégio *m*.; (*mus*.) legatura *f*. Cast a — upon, macchiare, sporcare, denigrare. To —, articolar male, strisciare; acciarpare; masticar le parole. — over, lasciare senza spiegazione, passare sotto silenzio, scivolare su. **-red**; imbrattato, fatto male; (*mus*.) segnato con una legatura.

Slush, **-y**; poltígli-a *f*., -óso.

Slut; sudicióna *f*. **-tish**; spòrco, lúrido. **-tishly**, **-tishness**; sconc-iaménte, -ézza *f*.

Sly; sornióne, accòrto, fino, furbo. **-boots**; furbétt-o *m*., -a *f*. **-ly**; scaltraménte, da sornione ecc. **-ness**; astúzia *f*., finézza *f*., malízia *f*.

Smack; sapóre *m*., tinta *f*.; bacio sonoro; schiaffo *m*., sculacciata *f*.; barca da pesca. To —, schiaffare, sculacciare. — the lips, leccarsi le labbra.

Small; píccolo, piccíno, minúto, meschíno, di poca importanza, bassa (carta). Sing —, umiliarsi, parlare umilmente. — arms, armi da fuoco portatili. — beer, birra leggera. — door, sportèllo *m*. — hours, le ore dopo mezzanotte. — pica, filosofía *f*. — talk, il parlare del più e del meno. In a — way, in piccolo, con fondi piccoli.

The word is often to be translated by a diminutive, as Ragazzino, Uccelletto.

Small-ish; piuttosto piccolo. **-ness**; piccolézza *f*., eśiguità *f*. **-pox**; vaiuòlo *m*. **-s**; 1. calzoni corti. 2. il primo esame a Oxford.

Smart; dolore acuto, brucióre *m*., cocióre *m*.; bèllo, attillato, galante, ażżimato; spiritóso, piccante, lésto, ben fatto, enèrgico, che fa onore a chi l' ha fatto. To —, cuòcere, far male, soffrire. My hand -s, mi brucia la mano. He shall — for this, gli cocerà. You may — for it, può costarti cara. **-en up**; rinnovare, ripristinare. **-ly**; ben bene, con spirito, con brio. — dressed, in ghingheri, attillato. -ness; vigóre *m.*, prontézza *f.*, energía *f.*, brio *m.*; eleganza *f.*, attillatézza *f.*

Smash; rottura generale, il frantumare; crac *m.* Go to —, perdersi completamente. To —, schiantare, frantumare, sfragellare; cadere in pezzi; far crac. — in, scassinare. — up, sconquassare. **-er**; colpo violento; chi mette in circolazione le false monete.

Smatter-er; semidòtto *m.* **-ing**; leggiera tintura, infarinatura *f.*, spólvero *m.*

Smear; mácchia *f.*, striscia di colore; imbrattare, spalmare.

Smell; odóre *m.*, fiúto *m.*, sentóre *m.*; odorato *m.*; sentire, fiutare, odorare. — bad, aver cattivo odore. — good, olezzare. — a rat, annusare qualche cosa all' aria. **-ing-bottle**; boccetta di odori. **-ing-salts**; sale ammoniaco odoroso, i sali. **-y**; puzzolènto.

Smelt; 1. eperlàno *m.* 2. fóndere.

Smelting-furnace; alto forno. **-house**; fondería *f.*

Smile; sorríso *m.*, risatína *f.*; sorrídere. — at, sorridere di.

Smir-ch; sporcare. **-k**; fare smorfie.

Smite; percuòtere, ferire. **-r**; percussóre *m.*

Smith; fabbro *m.*, fabbro ferraio; (on a ship) fucinatóre *m.* Black —, manescalco *m.* Copper —, ramaio *m.* Gold —, orèfice *m.* Lock —, magnáno *m.* Silver —, argentière *m.* Tin, White —, stagnáio *m.*, lattáio *m.* **-ereens**; pezzettíni *m. pl.* **-y**; fucína *f.*, ferrièra *f.*

Smitten; *part.* di Smite; *fig.* innamorato.

Smock; camiciòtto *m.*

Smoke; fumo *m.*; fumare, filare (lampada); affumicare. **-d**; 1. con odore e gusto di fumo. 2. affumicato. — out, uccidere o far uscire con fumo. **-box**; cassa a fumo. **-consuming**; fumivoro. — apparatus, spegnitore di fumo. **-producing apparatus**; apparecchio fumigeno. **-sail**; parafumo *m.* **-stack**; fumaiòlo *m.*

Smoking; il fumare. **-carriage**; scompartimento per fumatori. **-room**; fumatóio *m.*

Smoky; fumóso, pieno di fumo.

Smolt; salmone giovane.

Smooth; líscio, piáno, levigato; dólce, calmo; appianare, spianare, lisciare. — down, rimetter in buon umore. To — matters, per facilitare l' aggiustamento degli affari. **-bore**; a canna liscia. **-ing-iron**; ferro da stirare. **-ly**; soaveménte, lisciaménte. Go —, andare come si vorrebbe, senza frizione. **-ness**; levigatézza *f.*, l' esser liscio ecc. **-spoken**; con voce melata.

Smote; *rem.* di Smite.

Smother; soffocare, sopprímere.

Smudg-e; macchia strisciata, imbrattatura *f.*, ŝgorbiatura *f.*; imbrattare, ŝgonbiare. **-y**; imbrattato, indistinto.

Smug; affettato, soddisfatto di sè.

Smuggl-e; frodare, introdurre segretamente, far passare di contrabbando. **-er**; contrabbandière *m.* **-ing**; fródo *m.*

Smug-ly; lindaménte. **-ness**; ŝdolcinatezza *f.*, attillatezza o pulitezza da ipocrita.

Smut; fiocco di filiggine; gólpe *f.*, carbonchio *m.*; sconcézza *f.*, porchería *f.*

Smutch; impronta sudicia.

Smutt-iness; l' esser coperto di fiocchi di filiggine, *fig.* sporchería *f.* **-y**; tutto fiocchi di filiggine, *fig.* spòrco, oscèno; infetto della golpe.

Smyrna; Smirne *f.*

Snack; bocconcíno *m.*, spuntíno *m.*

Snaffle; mòrso *m.*, filétto *m.*

Snag; tronco d' albero sommerso. **-gy**; pieno di tali tronchi.

Snail; chiòcciola *f.* **-'s pace**; passo di lumaca.

Snake; bíscia *f.*, colúbro *m.*, serpe *f.* **-charmer**; incantatóre di serpenti. **-root**; serpentária *f.* **-weed**; bistòrta *f.*

Snaky; tortuóso, attortigliato.

Snap; rottura *f.*; fermaglio o fibbia a scatto; colpo di dente, morsicatura *f.*; schiòcco *m.* Cold —, breve freddo. To —, rómpere; morsicare; fotografare istantaneamente; scoccare (le dita). — at, azzannare, gettarsi su, abboccare avidamente; dar parolacce a. — off, strappar via. — up, affrettarsi a pigliare, agguantare, arranfiare; dare una risposta aspra a.

Snap-dragon; 1. bocca di leone. 2. giuoco d' afferrare uve passe da un piattello di acquavite accesa in una camera al buio. **-pish**; ringhióso, dispettóso. **-pishly**; da ringhioso. **-pishness**; umore arcigno.

Snare; láccio *m.*, caláppio *m.*, tráppola *f.*; accalappiare. Lay -s, tendere insidie. **-r**; chi tende trappole, accalappiatóre *m.*

Snarl; grugnire, ringhiare, brontolare. **-ing**; ringhióso, brontolóne.

Snatch; pezzetto di canto; afferrare, strappare. — at, cercare di prendere. — up, raccogliere di schianto. **-block**; pastècca *f.*

Sneak; sornióne *m.*, persona bassa; far la spia alla scuola, rifischiare; insinuarsi; (gergo) ŝgraffignare. Area —, ladrúncolo *m.* — in, off, venire, andarsene,

furtivamente. -ing; vile, ipòcrita, strisciante. — regard, un non so che di amore.
Sneer; sogghigno beffardo, motteggio sarcastico; śghignazzare, sogghignare. — at, farsi beffe di, motteggiare. -ing; beffardo. -ingly; in modo canzonatorio.
Sneeze; starnut-o *m.*, -ire.
Snick; intacco piccolo. He -ed it for four, appena toccò la palla e ne ottenne quattro punti.
Sniff; fiuto *m.*; fiutare, annusare. -y; *see* Snuffy.
Snigger; ridacchi-aménto *m.*, -are.
Sniggle; ficcare dell' esca nei nascondigli delle anguille
Snip; forbicciata *f.*, tagliare con forbici.
Snipe; beccaccíno *m.* Jack —, frullíno *m.* To —, tirare sul nemico da lontano (con fucile). -r; francotiratóre *m.*
Snippet; pezzettíno *m.*
Snivel; móccio *m*; moccicare. -ler; moccicón-e *m.*, -a *f.* -ling hypocrite; bacchettone lagrimoso.
Snob; villan rifatto, figúro *m.* -bish; malcreato, basso. -bishly; da malcreato. -bishness; śnobiśmo, sciocchezza vanitosa.
Snooze; sonnolíno *m.*; sonnecchiare.
Sno-re; russ-aménto *m.*, -are. -rt; śbuffata *f.*, -are. -t; móccio *m.* -ut; grugno *m.*, cèffo *m.*
Snow; néve *f.*; nevicare. — under, sopraffare di troppe risposte o altro. — up, imprigionare per grossa nevicata.
Snow-ball; pallottola di neve. -berry; palloncini di neve. -bunting; zigolo della neve. -capped; coronato di neve. -drift; ammasso di neve. -drop; bucanéve *m.* -flake; 1. fiocco di neve. 2. campanelle di state. -line; limite della neve. -plough; spartinéve *m.* -shoe; schia *f.* -shower; nevicata *f.* -storm; turbine o burrasca di neve. -white; bianco come la neve. -y; come la neve, nevóso, níveo.
Snub; respingiménto *m.*, rimpròvero *m.*, rabbuffo *m.*; respingere acerbamente, rimproverare aspramente, trascurare intenzionalmente. -nose; naso camuso. -nosed; camuśo.
Snuff; 1. tabacco da naso, starnutíglia *f.* Pinch of —, presa di tabacco. Up to — (gergo), accòrto. 2. mòccolo *m.*, śmoccolatura *f.*; śmoccolare. — out, spegnere collo smoccolatoio, metter fine a. — up, aspirare per le narici. -box; tabacchièra *f.* -ers; śmoccolatóio *m.* -le; respirare con difficoltà, aspirar forte per il naso, soffiar per il naso quando è intasato. -les; siffatta difficoltà di respirazione. -ling; che parla per il naso. -y; impermalíto, stizzíto.
Snug; còmodo, benestante, agiato, bellíno, ben fatto, ben assestato. -gery; cameretta bellina. -gle down; rannicchiarsi, avvilupparsi nelle coperte del letto. -ly; comodaménte, al suo bel agio.
So; così, tanto, cotanto; perciò, pertanto, quindì, dunque, adunque; in questo modo; purchè, a condizione che. —! ecco! state così! pronti! — and —, un tale. — as, cosicchè, a condizione che; abbastanza per. Not — bad after all, non c' è tanto male, dopo tutto. Even if that be —, sia pure. I believe —, lo credo. — called, così detto. — I do, è ciò che intendo. — do I, anche io, così la penso anche io. I told him to do —, gliel' ho detto io. — far as, per quanto. — far that, a tal punto o grado che. — foolish as to expose himself, così sciocco da compromettersi, sciocco al punto di compromettersi. And — forth, e così del resto, e via dicendo. You have a fortune of your own and — have I, tu hai una fortuna tua propria e così l' ho io. — much — that, cosicchè. — much —, talménte, al punto. — much as, tanto da. — much the better, tanto meglio. — much the worse, tanto peggio. Not —, non è così. And — on, e così via, e via discorrendo. Quite —, per l' appunto come voi dite. — I say, ecco ciò che penso io. — to say, per così dire. — so, passabilménte, così così. — that, purchè, a condizione che, per modo che, di maniera che, in modo che, tanto che, in guisa che; affinchè. — then, così, adunque, perciò. — I thought, è ciò che pensavo, così l' ho pensato da me. — true is it, tanto è vero. A week or —, circa una settimana. If only it were —! così fosse! Why — ? e perchè?
Soak; inzuppare, bagnare. In —, in molle. — up, assorbire, imbeversi di. -er; beóne *m.*; pioggia violenta.
Soap; sapóne *m.*; insaponare. -ball; saponétta *f.* -boiler; saponáio *m.* -dish; saponièra *f.* -iness; *fig.* śdolcinatézza *f.* -stone; steatíte *f.* -suds; saponata *f.* -works; saponería *f.* -wort; saponária *f.* -y; saponaceo, *fig.* śdolcinato.
Soar; alzarsi, innalzarsi, spiccare il volo. -ing; sublíme, eccèlso.
Sob; singhiózz-o *m.*, -are.
Sober; sòbrio. — down, calmarsi. -ly; con calma. -minded; sèrio. -ness; calma *f.*, moderazióne *f.*
Sobriet-y; -à *f.*
So-called; così detto.

Sociab-ility, -le, -ly; -ilità *f.*, -ile, -ilménte.
Social, -ism, -ist, -istic, -ise, -ly; -e, -iṡmo *m.*, -ista *m.*, -istico, -iżżare, -ménte.
Society; società *f.*, compagnía *f.*, brigata *f.* Fashionable —, il bel mondo, la vita mondana. Secret —, sètta *f.*
Socin-ian, -ianism; -iáno, -ianiṡmo *m.*
Sociolog-ical, -y; -ico, -ía *f.*
Sock; calzíno *m.*, calzettína *f.*; solétta *f.*
Socket; bóccola *f.*, mánico *m.*, manicòtto *m.*, cantière *m.*, mortalétto *m.*, bronżína *f.*, baṡe *f.*, baṡaménto *m.*, bocciuòlo *m.*, alvèolo *m.*, incastratura *f.*, incassatura *f.* — of an electric lamp, porta-lampada *m.* Bayonet —, attacco a baionetta. Ball —, cuscinetto sferico. **-joint**; collegamento ad incastro, manicotto *m.*
Socle; zòccolo *m.*, plinto *m.*, dado *m.*
Sod; piòta *f.* **-cutter**; tagliazòlle *m.*
Soda; sòda *f.* **-water**; gassósa *f.*, acqua di Seltz.
Sod-den; inzuppato. **-ium**; -io *m.*
Sodom; Sòdoma. **-ite**; -íta *m.* **-y**; -ía *f.*
Sofa; sofà *m.*, diváno *m.*, canapè *m.* **-bed**; letto canapè.
Soffit; soffitto *m.*
Soft; mòrbido, mòlle, ténero, flóscio, sòffice; effeminato; semplicióne. — water, acqua dolce. — job, impiego facile. **-bodied**; dal corpo molle. **-en**; rammollire, addolcire, ammorbidare; calmare, raddolcire; moderare (luce); intenerire. **-ening**; rammollimento (cerebrale). **-grass**; fieno canino. **-ly**; pian piano, adagio. Speak —, parlare a voce bassa o sommessa. **-meadow-grass**; sagginèlla *f.* **-spoken**; dalla voce dolce.
Soil; suòlo *m.*, terréno *m.*; letáme *m.*, stèrco *m.*; sporcare, macchiare. **-ed**; súdicio.
Soirée; seráta *f.*, véglia *f.*
Sojourn; soggiórn-o *m.*, -are. **-er**; abitante di passaggio.
Solace; sollazz-o *m.*, -are.
Solan goose; sula *f.*
Sol-ar; -are. **-atium**; compènso *m.*
Sold; *rem.* di Sell.
Solder; sald-atura *f.*, -are. To soft —, saldare a dolce o a stagno. -ing iron, saldatóio *m.*
Soldier; soldato *m.* Foot —, fantaccíno *m.* Private —, soldato semplice. Common —, sorcíno *m.* Fellow —, commilitóne *m.* **-ly**; soldatésco. **-y**; soldatésca *f.*
Sol-e; 1. suòla *f.*, pianta del piede. To —, risuolare. 2. sògliola *f.* 3. sólo, único. **-ecism**; -eciṡmo *m.* **-ely**; sólo, solaménte, puraménte.
Solemn, -isation, -ise, -ity, -ly; solènn-e, -iżżaménto *m.*, -iżżare, -ità *f.*, -eménte.
Solicit; pregare, importunare, sollecitare. **-ation**; sollecitazióne *f.* **-or**; legále *m.*, notaio *m.*, procuratóre *m.* — general, procuratore del re. **-ous**; desideróso, premuróso. **-ously**; con premura. **-ude**; premúra *f.*, sollecitúdine *f.*
Solid, -arity, -ification, -ify, -ity, -ly; -o, -arità *f.*, -ificazióne *f.*, -ificare, -ità *f.*, -aménte.
Soliloqu-ise; fare un -io. **-y**; -io *m.*
Solitaire; solitario *m.*, eremíta *m.*
Solit-arily; da solo. **-ariness, -ude**; -udine *f.* **-ary**; -ario. — confinement, il trovarsi rinchiuso da solo.
Solo; *id. m.* Instrumental —, assólo *m.*
Solomon's seal; sigillo di Salomone.
Solsti-ce, -tial; solstízi-o *m.*, -ále.
Solu-bility, -ble, -tion; -bilità *f.*, -bile, -zióne *f.*
Solv-ability; *see* -ency. **-e**; risòlvere, trovar la soluzione di. **-ency, -ent**; -ibilità *f.*, -íbile. Chemical -ent, dissolvènte *m.*, solvènte *m.* **-er**; chi risolve. **-ing**; il risolvere.
Sombre; fósco, tètro, cupo, bruno. **-ly**; foscaménte ecc. **-ness**; tetrággine *f.*, cupézza *f.*
Some; alcuno, cèrti, certuni, qualcuno, parécchi, circa, del, un po' di, ne, gli uni, altri. Give me — more of it, datemene ancora. I should like to see — of them, ne vedrei volontieri qualcuno. — fifty yards, una cinquantina di passi. It is — time after ten, le dieci son passate da tanto, sono alquanto passate. — day, un giorno o l' altro. **-body**; qualcuno, qualcheduno, taluno. You will be considered as —, sarete rispettato. — else, qualche altro. **-how**; in qualche modo, tanto bene che male, alla meglio, non saprei dire come.
Somersault; capitómbolo *m.*
Some-thing; qualchecòsa, qualcòsa, un non so che, alcunchè. There was —, vi era un che. Be called —, chiamarsi in qualche modo. Learn — about painting, istruirsi un po' in fatto di pittura. **-time** (past); un tempo, già; (future) un giorno. — ago, qualche tempo fa. **-times**; alle volte, qualche volta, alcune volte, talvòlta, ora...ora. **-what**; alquanto, un po'. **-where**; in qualche luogo, da qualche parte, qualche dove. — else, altróve, in qualche altro posto. — here, in queste parti, vicino di qui, qui d' intorno. — there, all' incirca là, là d' intorno, poco lontano di là.
Somn-ambulism, -ambulist, -iferous, -olence, -olent; sonn-amboliṡmo *m.*, -ámbolo *m.*, -ífero, -olènza *f.*, -olénto.
Son; fíglio *m.*, figliuòlo *m.* There were three -s and four daughters, i figli erano

tre maschi e quattro femmine. God —, figlióccio *m.* Grand —, nipóte *m.* Great grand —, pronipóte *m.* Step —, figliastro *m.* **-in-law**; gènero *m.*

Song; canto *m.*, canzóne *m.* Plain —, canto fermo. **-book**; canzonière *m.* **-less**; che non canta. **-ster**; uccello cantatore. **-stress**; cantatrice *f.*

Sonnet, -eer; sonétt-o *m.*, -ista *m.*

Sonor-ous; -o, risonante. **-ously**; -aménte. **-ousness**; -ità *f.*, risonanza *f.*

Sonship; qualità di figlio.

Soon; tòsto, prèsto. — after, poco dopo. As — as, appena che, tosto che, subito che. As — as possible, al più presto possibile, quanto prima. Be — about to, stare per. Very — afterwards, di lì a poco tempo, a poco di nuovo. I would as — be plain G. as Prince of S., a me è lo stesso essere semplicemente G. quanto Principe di S. **-er**; più presto, più tosto, piuttosto. I would —, preferirèi. The — the better, il più presto sarà il meglio. — or later, tosto o tardi. No — said than done, detto, fatto.

Soot; fulíggine *f.*

Sooth; — to say, per dire il vero.

Sooth-e; alleviare, lenire, blandire, calmare, raddolcire. — the vanity of, lusingare, appagare la vanità di. **-ingly**; dolceménte, in modo lusinghiero.

Soothsay-er; indovíno *m.*, arúspice *m.* **-ing**; divinazióne *f.*

Soot-iness; l' esser come la fuliggine. **-y**; fuligginóso.

Sop; pane o altro inzuppato, panbollíto *m.*, *fig.* dono per acquietare, calmante *m.* Give, Throw a — to, gettar l' offa a. By way of a —, come contentino, per premio di consolazione. — up, asciugare (con tovaglietta o spugna).

Sophis-m, -t, -tical, -tically, -tication, -ticate, -try; sofis-mo *m.*, -ta *m.*, -tico, -ticaménte, -ticazióne *f.*, -ticare, -tería *f.*

Soporific; soporífero.

Sop-ping, -py; bagnato, intríso. Sopping wet, bagnato fradicio.

Sorb-apple; sòrba *f.*

Sorcer-er, -ess, -y; streg-óne *m.*, -óna *f.*; -onería *f.*, -hería *f.*

Sordid, -ly, -ness; -o, -aménte, -ézza *f.*

Sore; piaga *f.*; che fa male; sevèro, grave; indispettíto, stizzíto; sensíbile, sensitivo di dolore. — point, punto sensibile. — eyes, mal agli occhi. With — eyes, scerpellíno. — throat, mal di gola. Have a — throat, aver mal alla gola. A — place, una parte dolorosa. My finger feels very —, il dito mi fa assai male. Feel — in one's mind, afflíggersi, sentirsi offeso. Feel — about it, sentirsene offeso. Be — afraid, aver gran paura. **-ly**; molto, assai. — disquieted, unhappy etc., inquietissimo, infelicissimo ecc. **-ness**; dolóre *m.*, male *m.*

Sor-ghum; sórgo *m.* **-ites**; -íte *f.* **-rel**; acetósa *f.*, rómice *f.*; sauro. **-rentine**; sorrentíno.

Sorr-ily; meschinaménte. **-iness**; povertà *f.*, meschinità *f.*

Sorrow; dolóre *m.*, dispiacére *m.*, affanno *m.*, cordòglio *m.*, péna *f.*, rincresciménto *m.* **-ful**; triste, afflitto, infelíce, doloróso, affannóso. **-fully**; tristeménte con dolore, dolorosaménte, con aria addolorata. **-ing**; afflitto.

Sorry; chi si lamenta, pòvero, meschíno, dispiacènte, dolènte. Be —, afflíggersi, rincréscersi. I am — for him, me ne dispiace per lui. I am — for it, me ne rincresce. I am — to say, mi spiace di dire. A — specimen of humanity, un triste esempio dell' umanità. — fellow, miśerábile *m.* Very —, dispiàcentissimo.

Sort; sòrta *f.*, gènere *m.*, spècie *f.*, manièra *f.*; in bad sense, riśma. Anything of the —, qualche cosa di questo genere. Free from any — of affectation, senz' affettazione di sorta veruna. They made no — of objection, non fecero rimostranza di sorta alcuna. Rather a good —, una buona pasta di persona. They are a good — of people, sono brava gente. Out of -s, malatíccio. Be out of -s, non star bene. There is no — of doubt about it, è vero, gua'. To —, distribuire, assortire, classificare, mettere in ordine. It does not — with my ideas, non mi conviene, non mi va a genio. — the cards, accozzar le carte. — out, scégliere. **-er**; sceglitóre *m.* **-ie**; sortíla *f.*

Sot; beóne *m.* **-tish**; imbrutito. **-tishness**; abbrutiménto *m.*

Sou; sòldo *m.* **-brette**; sèrva *f.* **-fflé**; bianco d' ova montato.

Sough, -ing; susurr-are, -o *m.*

Sought; *vem.* di Seek. — after, ricercato.

Soul; ánima *f.* Life of the —, vita interiore. Old —, vècchia *f.* **-less**; senz' anima.

Sound; 1. suòno *m.* 2. tènta *f.*, sónda *f.* 3. vescica di pesce. 4. braccio o stretto di mare. 5. sano, sòlido, illéśo, in buono stato; bello (castigo), profóndo (sonno). — asleep, in un profondo sonno.

6. suonare, risuonare, far risuonare. — the retreat, battere la ritirata. 7. scandagliare, prendere gli scandagli di, *fig.* tastare il terreno. You might

— them about it, potreste fargliene parola. — the well, sondare le sentine. 8. — attractive, — well, aver un bel suono. — hopeful, dar bella speranza. — suspicious, far nascere il sospetto.
Sound-er; (*electr.*) risuonatóre *m.* **-ing**; sonòro. — board, cielo di pulpito. — rod, sonda di pompa. **-ings**; scandágli *m. pl.* Deep, Shallow —, scandagli forti, deboli. **-ly**; bene, (dormire) profondaménte.
Soup; minèstra *f.*, zuppa *f.* In the — (gergo), bell' e fritto. **-basin**; scodèlla *f.* **-kitchen**; cucina per i poveri. **-ladle**; romaiòlo *m.*, cucchiaióne *m.* **-plate**; scodèlla *f.* **-ticket**; bono per minestra. **-tureen**; zuppièra *f.*
Soupçon; tantíno *m.*
Sour; agro, acido, brusco; acre. To —, inacerbire. **-tempered**; biśbètico. **-visaged**; arcigno.
Source; sorgènte *f.*, fónte *f.*, orígine *f.*
Sour-ish; agrétto, acidétto. **-ly**; aspraménte. **-ness**; agrézza *f.*, asprézza *f.*
Souse; salamòia *f.*; marinare; tuffare, sommèrgere.
South; sud *m.*, austro *m.*, meżżodì *m.*, meżżogiorno *m.*; meridionále. — wind, òstro *m.*, áustro *m.* To —, andare verso il sud, passare il meridiano. With a — aspect, che dà al sud, con vista a mezzogiorno. — Downs, colline di Sussex. **-down**; una razza di pecore inglesi. **-east**; sud-est *m.* — wind, sciròcco *m.* **-eastern**; del sud-est. **-erly, -ern**; del sud, meridionále. **-erly** gale, burrasca dal sud. **-erner**; meridionále *m.* **-ernmost point**; il punto più al sud. **-ernwood**; abròtano *m.* **-ron**; meridionále *m.* **-wards**; verso il sud. **-west**; sud-òvest. — wind, libéccio *m.*, vento da sud-ovest. **-westerly gale**; burrasca dal sud-ovest.
Souvenir; ricòrdo *m.*
Sou'wester; burrasca dal sud-ovest; cappèllo marinaresco.
Sovereign; sovráno; lira sterlina, sovrána *f.* Australian —, corona australiana. **-ty**; sovranità *f.*
Sow; tròia *f.*, scròfa *f.*; salmone di piombo. Wild —, cignale femmina. To —, seminare. **-er**; seminatóre *m.* **-ing**; seminagióne *f.*, seménta *f.* **-thistle**; cicérbita *f.*, grispígnolo *m.*
Soy; salsa giapponese.
Spa; tèrme *f. pl.*, stazione termale, bagni *m. pl.*
Space; spázio *m.*, luògo *m.* Boiler —, ca mera delle caldaie. — out, spaziare, ordinare secondo lo spazio, disporre secondo gl' intervalli richiesti. **-line**; interlínea *f.*
Spac-ing; scartaménto *m.* **-ious**; vasto, spazióso, ámpio. **-iously**; spaziosaménte. **-iousness**; spaziosità *f.*
Spade; vanga *f.*, badíle *m.*; at cards, picche *f.* Call a — a —, chiamar la gatta gatta e non micia. **-ful**; vangata *f.* **-work**; *fig.* opera di preparazione.
Spa-dix; spadíce *m.* **-in**; Spagna *f.* **-lpeen**; briccóne *m.*
Span; palmo *m.*; larghézza *f.*, ampiézza *f.*, portata di un arco, durata *f.*; traversare, stare attraverso a. **-roof**; tetto a capanna.
Span-drel; tímpano *m.* **-gle**; lustríno *m.*, pezzetta scintillante. To —, ornare di lustrini. **-gled**; stellato. **-iel**; bracco spagnuola, spagnolíno *m.*, cane piccolo dalle orecchie penzoloni, cane maltese.
Spanish; spagnuòlo; lingua spágnuola. Ancient —, ispánico. **-broom**; ginestra di Spagna. **-chestnut**; castagna *f.* — tree, castagno coltivato. **-fly**; cantáride *f.* **-grass**; sparto *m.*
Spank; sculacci-ata *f.*, -are; correre vivacemente. **-er**; randa *f.* **-ing**; gagliardo.
Spanner; chiave per dadi. Adjustable —, chiave inglese. Barrel —, chiave a tubo. Double-ended —, chiave doppia. Box —, chiave a tubo.
Spar; asta *f.*, anténna *f.*, abéte *m.*, trave *f.*; spato *m.* To —, báttersi. **-deck**; controcopèrta *f.* **-s**; alberatura *f.*
Spare; magro, śmilzo; di riserva, di ricambio, di rispetto, d' avanzo, disponíbile. To —, dare, accordare (la vita); far senza di, fare a meno di. I have no time to —, non ho tempo da perdere. — no expense, non risparmiare nessuna spesa. — oneself, conservare le sue forze. A — set of, una muta, un ricambio di. — time, ritagli di tempo. -rib; costoletta di maiale.
Sparing; frugále, ecònomo. **-ly**; con parsimonia, scarsaménte, poveraménte.
Spark; scintilla *f.*, favilla *f.*; galante *m.*, dameríno *m.*
Sparking-cam; palmola d' accensione. **-plug**; candéla *f.*
Sparkl-e; lustríno *m.*; scintillare, brillare, luccicare. **-ing**; spumante, sprizzante.
Sparring; rissa *f.*, il querelare.
Sparrow; pássero *m.* **-hawk**; sparvière *m.*
Sparse, -ly, -ness; rad-o, -aménte, -ézza *f.*
Spartan; spartáno.
Spasm; spáśimo *m.* **-odic**; -òdico, saltuário. **-odically**; -odicaménte.
Spa-t; 1. fregola d' ostriche. 2. ghétta *f.* 3. *rem.* di Spit. **-tch-cock**; pollo cucinato subito che è ucciso. **-te**; piena subitanea. In —, in piena. **-the**; spata

f., méstola *f.* **-tter**; spárgere, inzaccherare. **-tterdashes**; uòse *f. pl.* **-tula**; mestichíno *m.*, spárola *f.*
Spavin; spavènio *m.*
Spawn; uova di pesci. To —, andare in frega. **-ing**; fréga *f.*, frégola *f.* — time, tempo della frega.
Spay; castrare gli animali femmine.
Speak; parlare; (*mar.*) parlamentare. Spoken, incontrato. — of, on, parlare di. — out, up, parlare forte. — to, dar testimonianza su, intorno a. **-er**; parlatóre *m.*; presidente della casa dei Comuni. Last —, preopinante *m.* **-ership**; presidenza della casa dei Comuni.
Speaking; — of, a proposito di. — likeness; ritratto parlante. **-trumpet**; pòrtavóce *m.* **-tube**; tubo acustico.
Spear; lancia *f.* Hunting —, spièdo *m.* To —, trafíggere, uccidere con una lancia, arpionare. **-head**; punta di lancia. **-man**; lancière *m.* **-mint**; menta verde. **-wort**; ranuncolo delle canne.
Special; speciále, particoláre. — purpose, scopo precipuo. — train, treno straordinario. — pleading, ragionamento avvocatesco, ragioni artifiziate. **-isation**, **-ise**, **-ism**, **-ity**; lo -izzare, -iżżare, -iśmo *m.*, -ità *f.* **-ist**; -ista *m.*, períto *m.* **-ly**; -ménte, in ispecie. **-ty**; prodotto o commercio speciale.
Spec-ie; numerario *m.*, spècie *f.*, danaro metallico. **-ies**; spècie *f.*, classe *f.* **-ific**; -ífico *m.*, -ífico. **-ifically**; -ificaménte. **-ification**; -ífica *f.* **-ify**; -icare, particoleggiare. **-imen**; eśemplare *m.*, sággio *m.* **-ious**; -ióso. **-iously**; -iosaménte. **-iousness**; plauśibilità *f.*
Speck; chiazza *f.*, macchiétta *f.* **-led**; moschettato, picchiettato.
Spect-acle; spettácolo *m.* — case, astuccio degli occhiali. **-acles**; occhiáli *m. pl.* **-acular**; teatrále. **-ator**; assistènte *m.*, astante *m.*, spettatóre *m.* **-ral**; da spettro. **-re**; spèttro *m.* **-roscope**, **-roscopic**, **-roscopy**; spettroscòp-io *m.*, -ico, -ía *f.* **-rum**; spèttro *m.* — analysis, analisi spettrale.
Specul-ate; -are, meditare, considerare. **-ation**; -azióne *f.*, meditazióne *f.*, congettura *f.*, suppośizióne *f.* **-ative**, **-atively**; -atívo, -ativaménte. **-ator**; -atóre *m.* **-um**; spècolo *m.*, specillo *m.*
Sped; *rem.* di Speed.
Speech; favèlla *f.*, linguággio *m.*; discórso *m.* **-ify**; far discorsi lunghi. **-less**; interdétto, muto, ammutolíto. **-lessness**; l' esser muto. **-maker**; oratóre *m.*
Speed; frétta *f.*, velocità *f.* Wish good —, augurare felice esito, buon viaggio, buon successo. To —, affrettare il passo. How have you sped? come ti è riuscito. At full —, a tutta velocità, al più presto possibile, a briglia sciolta, a tutto vapore. — up, sollecitare, accelerare la marcia a. — indicator, tachímetro *m.*, contagíri *m.*, indicatore di velocità. **-ily**; prèsto, súbito, di rincorsa, quanto prima. **-iness**; rapidità *f.* **-well**; verónica *f.* **-y**; prónto, rápido, tòsto.
Spell; malía *f.*, incanto *m.*, fascíno *m.*; breve tempo, breve riposo. — of duty, turno di servizio. To —, compitare, scrívere. — out, compitare lettera a lettera. **-bound**; incantato, affascinato, interdétto. **-er**; chi scrive, chi compita. **-ing**; grafía *f.*, ortografía *f.* — book, sillabário *m.*
Spelt; farro *m.* **-er**; zinco *m.*
Spencer; spènser *m.*, giacchétta *f.*; randa *f.*
Spend; spèndere, śborsare, eśaurire. Spent shot, palla morta o stracca. **-thrift**; spenderéccio *m.*, scialacquatóre *m.*, mangiatutto *m.*
Sperm-aceti; spermacèti *m.*, bianco di balena. **-atic**; -atico. **-whale**; capidòglio *m.*
Spew; vòmit-o *m.*, -are.
Sphagnum; sfagno *m.*
Sphenoid; sfenòide *m.*
Spher-e, **-ical**, **-ically**, **-icity**, **-oid**, **-oidal**; sfer-a, -ico, -icaménte, -icità, -òide *f.*, -oidále.
Sph-incter; sfintére *m.* **-inx**; sfinge *f* **-ygmograph**; sfigmògrafo *m.*
Spica bandage; fasciatura spica.
Spic-e; spèzie *f. pl.*, spezieríe *f. pl.* A —, tintura *f.*, pochíno *m.* To —, condire. **-es**; dróghe *f. pl.* **-ily**; riccaménte, famosaménte.
Spick and span; nuovo di zecca, lucènte.
Spic-ule; punta *f.* **-y**; sugóso, piccante.
Spider; ragno *m.* **-'s web**; ragnatélo *m.* **-monkey**; atélo *m.* **-wort**; fiore d' un giorno.
Spigot; zípolo *m.*
Spike; spiga *f.*; punta *f.*, puntóne *m.*, bacchetta a punta, chiodo grosso. To —, inchiodare (cannone). — oneself, ferirsi con un puntone, infilzarsi, farsi trafiggere da. **-lavender**; spigo *m.*, lavanda *f.* **-nard**; radici del nardo.
Spiky; tutto punte, a punte acute.
Spile; zípolo *m.*
Spill; fídibus *m.*, accendicandela di carta; ribaltatura *f.*, caduta *f.*; spándere, versare, rovesciare, fare spárgersi. **-ikins**; fuscelli da gioco.
Spin; filare; girare, trottolare, far girare. Go for a —, far una bella passeggiata. — along, correre a gran velocità. —

out, mandare o menare per le lunghe, allungare, tirare in lungo. **-ach**; spinácio *m.* **-al**; -ále. **-dle**; fuso *m.* — wood, fusággine *f.* **-drift**; spruzzaglia delle marose. **-e**; spina di una vertebra, filo delle reni, colonna vertebrale, spina dorsale. **-et**; spinétta *f.* **-ner**; fila-tóre *m.*, -trice *f.* **-neret**; trafila del ragno. **-ney**; boschétto *m.* **-ning**; filatura *f.* — jenny, filatoio meccanico. — mill, filanda *f.* — top, tròttola *f.* — wheel, filatóio *m.*, ruota da filare. **-ster**; zitèlla *f.* **-y**; spinóso.

Spir-aea; -èa *f.* **-al**; -ále. — coil, spira *f.* **-ally**; -alménte. **-e**; alta guglia sormontante una torre.

Spirit; spírito *m.*, ánimo *m.*, disposizióne *f.*, natura *f.*; spirito di vino. The — of the age, lo spirito del tempo. To — away, fare sparire segretamente, toglier via per incanto. **-dealer**; liquorista *m.* **-ed**; spiritoso, focóso, fièro. **-lamp**; lampada a spirito, fornello a spirito. **-less**; senza spirito, abbattuto, pigro, fiaccóne. **-level**; livello a bolla d' aria. **-merchant**; negoziante di spiriti. **-rapping**; spiritismo *m.* **-room**; magażżino di spiriti a bordo. **-s**; bevanda spiritosa. Animal —, esuberanza gaia del vivere. Good, Low —, umore gaio, triste. In good —, baldo. His — rose, divenne più allegro. **-stir-ring**; focóso, che sveglia lo spirito, emozionante. **-store**; magazzino di liquori. **-ual, -ualism, -ualist, -uality, -ually, -uous**; spirit-uále, -ualismo *m.*, -ualista *m.*, -ualità *f.*, -ualménte, -uóso.

Spirt; schizzare, spruzzare.

Spit; spiède *m.*; lingua di terra; salíva *f.*; fittata *f.*, puntata (di vanga); schidionare, infilzare; sputare, sputacchiare.

Spitchcock; spaccare per il lungo e cucinare sulla gratella.

Spite; dispètto *m.*, ástio *m.*, cattiveria *f.*, mal talento, risentiménto *m.* In — of, malgrado, ad onta di, alla barba di, a dispetto di. In — of himself, suo malgrado. To —, far dispiacere a, tormentare. **-ful**; astióso, malintenzionato, livido. — witticism, arguta maldicenza. **-fully**; dispettosaménte, con malignità ecc. **-fulness**; malignità *f.*, *see* Spite.

Spit-fire; collèrico *m.*, che sputa fuoco. **-tle**; salíva *f.*, sputo *m.* **-toon**; sputacchièra *f.*

Spitz; cane lupetto.

Splash; schizzo *m.*, tónfo *m.*, zácchera *f.*, pillácchera *f.*; inzaccherare; śguazzare, far schizzare. — through the mud, camminare faticosamente nel fango. **-board**; parafángo *m.*

Splay; strómbo *m.*, strombatura *f.*, spallétta *f.*; strombare. **-foot**; piede piatto volto al fuori.

Spleen; milza *f.*, *fig.* mal umore, atrabíle *f.* Vent one's —, sfogare il fiele. **-wort**; scolopèndria *f.*

Splend-id, -idly, -our; -ido, -idaménte, -óre *m.*; laut-o, -aménte, -ézza *f.*

Splenetic, -ally; atra-biliare, con -bile.

Splice; impiomb-atura *f.*, -are, unire, riunire. Get -d (gergo), sposarsi, ammogliarsi. — the main brace (gergo), trincare.

Splint; 1. stécca *f.* incannucciata *f.* Put in -s, incannucciare. 2. sopròsso *m.* **-er**; śvèrza *f.*, schéggia *f.*; spezzare, spaccare. — bar, bilancíno *m.*

Split; fessura *f.*, spaccatura *f.*; divisióne *f.*, separazióne *f.*; féndere, spaccare, divídere, spaccarsi; divulgare un segreto. — with laughter, scoppiare dalle risa. — on a rock, infrangersi su uno scoglio. -ting headache, mal di testa da impazzire. — hairs, cavillare, sofisticare. **-ring**; anello spaccato.

Spl-otch; macchióna *f.* **-ügen**; Spluga *f.* **-utter**; barbugliare, crepitare.

Spode; avorio calcinato.

Spoil; préda *f.*, spòglia *f.*; guastare, rovinare, corrómpere; inviziare (bambino). — a move, far mancare, sventare, un colpo. — the trade of, imbrogliare il mestiere a. -t child, fanciullo viziato. **-er**; saccheggiatóre *m.*, spogliatóre *m.*

Spoke; 1. razza *f.* Head of a —, scarpa di una razza. Inclination of the —, campanatura della razza. Wire —, razza di fil di ferro. Put a — in his wheel, mettergli un bastone nelle ruote. **-key**; morsetto per bocciolo. **-shave**; tirapètto *m.* 2. *rem.* di Speak. **-n**; *part.* di Speak. **-sman**; oratóre *m.*, chi prende la parola.

Spoliation; spoliazióne *f.*

Spond-aic, -ee; -aico, -èo *m.*

Spong-e; spugna *f.*; scóvolo *m.*; pulire colla spugna; scroccare. To — a supper out of him, scroccargli una cena. Live by -ing, campare a ufo, alle spese altrui. Throw up the —, confessarsi vinto. — out, scancellare colla spugna. **-e-cake**; pan di Spagna. **-er**; scroccóne *m.* **-iness**; spugnosità *f.* **-ing-house**; prigione per debitori. **-y**; spugnóso.

Spons-ons; giardinetti del tamburo. **-or**; compáre *m.*, comáre *f.*; patríno *m.*, matrína *f.*

Spontane-ity, -ous, -ously; -ità *f.*, -o, -aménte.

Spook; spéttro *m.*

Spool; rocchétto *m.*

Spoon; cucchiáio *m.* To — (gergo), amoreggiare. Coffee, Tea —, cucchiaíno da caffè, da tè. Dessert, Table, Gravy —, cucchiaio da dolce, da zuppa, da tavola. Salt —, palettína da sale. **-bill**; spátola *f.* **-ful**; cucchiaio *m.*, cucchiaíno *m.* **-y** (gergo); cascamòrto *m.*, innamorato.

Spo-or; tráccia *f.* **-radic**, **-radically**; -rádico, -radicaménte. **-re**; spòra *f.* **-rran**; borsa di montanaro scozzese.

Sport; sport *m.*, giuòco *m.*, schérzo *m.*, passatèmpo *m.*; cáccia *f.*, pésca *f.*; (gergo) dilettante dello sport; organismo di forma diversa del suo progenitore. In —, per ridere. Make — of, beffarsi di, farsi beffa di. To —, divertirsi, ruzzare; (gergo) portare, far vedere. — one's oak, chiudere la porta esteriore. -ing chance, probabilità esigua. -ing dog, cane da caccia. **-ive**; leggèro, gioviále, giocóso. **-ively**; gaiaménte. **-iveness**; gaiézza *f.* **-sman**; cacciatóre *m.*, sportsman *m.* **-smanship**; qualità di sportsman.

Spot; luògo *m.*; mácchia *f.*, punto nero, ségno *m.* On the —, sul posto; in buona vena; immantinènte, seduta stante, senz' altro. Fall dead on the —, cader morto fulminato. In a vital —, in una congiuntura vitale. To —, osservare, scoprire, riconóscere; metter (la palla) sul segno. **-less**; senza taccia, senza macchia. **-lessly**; irreprensibilménte. **-lessness**; l' esser inappuntabile. **-ted**; *see* Spotty. — crake, voltolíno *m.* — fly-catcher, piglia-mósche *m.* **-ty**; macchiato, chiazzato, punteggiata (stoffa).

Spouse; spòś-o *m.*, -a *f.*

Spout; grondáia *f.*; tubo *m.*, bécco *m.*, beccúccio *m.*; śgorgare, gettare, zampillare; (gergo) declamare. — up, schizzare. Up the — (gergo), al monte di pietà. Water —, tromba d' acqua. -ing whale, balena spumeggiante.

Sprag; rampone d' arresto, puntello del tetto in una miniera.

Sprain; stòrta *f.*, storciménto *m.*; stòrcere.

Sprang; *rem.* di Spring.

Sprat; spratto *m.* (è sconosciuto nel Mediterraneo); *fig.* ragazzíno *m.*

Sprawl; śdraiarsi (sgarbatamente), prostendersi goffamente.

Spray; spruzzo *m.*; ramicèllo *m.*, frasca *f.*; cospárgere, spruzzare. **-er**; spruzzatóre *m.*, aspersòrio *m.*, polverizzatóre *m.*, getto a pioggia.

Spread; estensióne *f.*, dispersióne *f.*; sfoggio di comestibili; stèndere, distèndere, spándere, spárgere, sparpagliare, spiegare, allargare, mettere (tovaglia o altro sulla tavola). — abroad, divulgare. — over, coprire. — payment over five years, pagare con cinque rate annuali. Bed —, sopraccopèrta *f.* **-eagle**; aquila foggiata a ali distese. **-eagleism**; patriottismo esagerato.

Spree; 1. baldoría *f.*, scappata *f.*, divertiménto *m.*, farsa *f.* 2. Sprèa *f.*

Sprig; ramoscèllo *m.*

Sprightl-iness; vivacità *f.*, lestézza *f.*, brio *m.*, śvegliatézza *f.* **-y**; viváce, lèsto, brióso, śvegliato.

Spring; primavèra *f.*; balzo *m.*, śląncio *m.*, salto *m.*; sorgènte *f.*, pòlla *f.*; mòlla *f.* To —, saltare, balzare; provenire, prender origine, náscere; precipitarsi, śląnciarsi; fare scoppiare. — of an arch, imposta di un arco. Take a —, spiccare un salto. This proposal is sprung upon us, ci si fa questa proposta senza il preavviso convenevole. The spar is sprung, l' albero si è cominciato a spaccare. — into prominence, diventar celebre improvvisaménte. — up, alzarsi (vento). **-backed chair**; seggiola a dorso a molla. **-balance**; bilancia a molla. **-board**; trampolíno *m.* **-bok**; gazzella saltante. **-cart**; carro montato su molle. **-halt**; granchio *m.* **-mattress**; materassa elastica, a molla. **-tail**; podúra *f.* (insetto). **-tide**; marea alta (di novilunio o plenilunio). **-time**; stagione primaverile. **-water**; acqua di polla. **-wheat**; grano marzaiuolo.

Spring-e; calappio da scatto. **-iness**; elasticità *f.* **-y**; elástico.

Sprinkl-e; spruzzare, aspèrgere. **-er**; spruzzatóre *m.*, aspersòrio *m.* **-ing**; spruzzo *m.*; piccol numero, piccola quantità, spruzzáglia *f.*

Sprint; correre a tutta forza. **-er**; chi si allena per le corse brevi. **-race**; corsa breve.

Sprit; buttafuóri *m.* **-sail**; vela tarchia.

Sprite; follétto *m.*

Sprocket; dente grosso di ruota. **-wheel**; ruota per catena. Lift on to the —, ingranare.

Sprout; germóglio *m.*, tallo *m.*; germogliare; impiolare. **-s**; cavoli di Bruselle.

Spruce; attillato, lindo; abete rosso. **-ness**; attillatézza *f.*, lindura *f.*

Sprung; *part.* di Spring.

Spry; viváce, vivo.

Spud; zappétta *f.*, sarchio a manico lungo.

Spun; *rem.* di Spin. **-ge**; *see* Sponge.

Spunk; ésca *f.*; coraggio *m.*

Spur; spróne, speróne *m.*; contrafforte di montagna; stímolo *m.* Upon the — of the moment, così su due piedi. To —, spronare, eccitare. **-ge**; erba lazza, catapúzia *f.*, eufòrbia *f.* — laurel, laurèola *f.*

Spurious; spurio, contraffatto. **-ness**; falsità *f.*, carattere spurio.

Spurn; respingere con disprezzo, ṡdegnare.

Spurrey; spergola de' campi.

Spurt; sforzo a tutto potere, sforzarsi siffattamente.

Sputa; gli spurghi.

Sputter; sputacchiare, barbugliare; schizzare.

Spy; spia *f.* — into, scrutare, spiare. — out, scoprire, scòrgere. **-glass**; cannocchiále *m.*

Squab; cuscino piatto e denso.

Squabble; zuffa *f.*, rissa *f.*; questionarsi, abbaruffarsi.

Squad; squadra *f.*, drappèllo *m.* Awkward —, squadra di reclute. **-ron**; squadra *f.*, squadróne *m.*

Squails; gioco con certe girelline.

Squalid, -ly, -ness; squállid-o, da -o, -ézza *f.*

Squall; ráffica *f.*, burrasca *f.*; gridare. **-y**; a raffiche.

Squalor; squallóre *m.*

Squander, -er; scialacqu-are, -atóre *m.*, sperper-are, -atóre *m.*

Square; squadra *f.*; quadrato *m.*, figura quadrata; piazza *f.*; scacco *m.*; vétro *m.*; ad angolo retto, in isquadra, quadro; pareggiato, saldato, pari; sostanzióso (mangiare); in croce (pennoni); *fig.* giusto, onèsto. On the —, lealménte. Fair and —, senza raggiri, senza cavilli. — root, radice quadrata. Out of —, a falsa quadra. All —, al pari. Get —, ṡdebitarsi.

To —, quadrare, bilanciare, metter in regola, pareggiare (conti); adattare, agguagliare, aggiustare, convenire; corrómpere, comprare il silenzio di; bracciare (pennoni). — up, conguagliarsi. — up to, farsi per fare a' pugni contro, prender l' attitudine di pugilatore. **-built**; dalle spalle quadre. **-ly**; in modo acconcio, pienaménte. **-ness**; l' esser quadrato ecc. **-rigged**; a vele quadre. **-toes**; puntiglióso, bacchettóne *m.*

Squash; calca fitta, rèssa *f.* Lemon —, spremuta di limone. To —, schiacciare, *see* Squeeze. **-gourd**; zucca verde. **-y**; flóscio.

Squat; tòzzo; acquattarsi, accoccolarsi. **-ted, -ting**; quatto, rannicchiato. **-ter**; intruṡo *m.*, chi si pianta su terreno non suo; grosso proprietario di pecore ecc. in Australia.

Squaw; donna indiana americana.

Squeak; guaíto *m.*, pigolío *m.*, strillo *m.*; guaire, cigolare, pigolare, squittire. Be, Have a — (gergo), esser vicinissimo ad una catastrofe; *see* Shave. **-er**; uccello piccolo.

Squeal; strillo *m.*, grido di dolore; strillare, guaire, lamentarsi.

Squeamish; fastidióso, schizzinóso. **-ness**; troppa delicatézza.

Squeegee; asciugatóio di gomma.

Squeez-able; chi si arrenderà alla pressione altrui. **-e**; compressióne *f.*, stretta di mano; prèssa *f.*, sèrra *f.*, calca *f.*; strizzare, sprèmere, comprímere, strìngere. — out, far uscire, sbarazzarsi di, estòrcere. — through, aprirsi un passaggio per, trovar modo di passare.

Squelch; schiacciare, annientare.

Squib; raẓẓétto *m.*, salterèllo *m.*; pasquinata *f.*

Squid; specie di calamaio grande.

Squiggle; — through, passare con difficoltà.

Squill; scilla *f.*

Squint; sguardo torto, strabiṡmo *m.*; guardare guercio, guardar di traverso. **-eyed**; guèrcio, lósco.

Squir-e; scudièro *m.*; proprietario (non nobile) di terre, possidènte *m.* **-earchy**; il ceto dei proprietarii di beni stabili nella campagna. **-een**; siffatto proprietario in Irlanda.

Squirm; stòrcersi, ritirarsi per paura o per ribrezzo.

Squirrel; scoiáttolo *m.*

Squirt; siringa *f.*, schizzétto *m.*, schizzatóio *m.*; schizzare, zampillare. **-ing** cucumber, cocomero asinino amaro.

Stab; pugnalata *f.*, coltellata *f.*; pugnalare, accoltellare, scoltellare. -bing pain, trafittura *f.*

Stabil-ise; consolidare. **-iser**; piano stabilatore. **-ity**; -ità *f.*, ferméẓza *f.*

Stable; 1. scudería *f.*, stalla *f.* 2. stábile, férmo, costante. **-boy**; mozzo di stalla. **-man**; stallière *m.*, garzone di scuderia. **-manure**; concime di stalla. **-yard**; cortile della scuderia.

Stabling; stallaggio *m.*, stalle *f. pl.*

Stack; mucchio *m.*, catasta *f.*, bica *f.*, pagliaio *m.*; fascio di fucili; abbicare, accatastare; metter le armi a fascio.

Stad-ium; -io *m.* **-tholder**; statólder *m.*

Staff; bastóne *m.*, asta *f.*, bordóne *m.*; stato maggiore; personále *m.*, impiegati *m. pl.* Naval —, stato maggiore navale. Regimental —, maggiorità *f.* Be -ed by, avere il personale composto di. **-college**; scuola superiore di guerra. **-officer**; ufficiale dello stato maggiore.

Stag; cérvo *m.* **-beetle**; cervo volante.

Stage; scèna *f.*, palcoscènico *m.*; grado *m.*, faše *f.*; tappa *f.*; mettere in scena. The English —, il teatro inglese. Go on the —, fare l' attore. **-coach**; pòsta *f.*, diligènza *f.* **-direction**; direzione di scenica. **-r**; Old —, volpóne *m.*, volpe vecchia. **-struck**; innamorato della scena. **-whisper**; un a parte. **-y**; teatrále.

Stag-ger; barcollare; far vacillare, scuòtere, far titubare. **-gers**; vertígini *f. pl.* **-hound**; segugio da cervo. **-ing**; castèllo *m.*, intavolato *m.*, impalcatura *f.*; il metter in scena, sceneggiaménto *m.*

Stag-nant; chéto, stagnante, férmo. **-nate**; stagnare. **-nation**; l' esser senz' anima, ristagno *m.*

Staid; posato, sèrio, contegnóso.

Stain; mácchia *f.*; macchiare, tíngere. **-ed glass**, vetro colorito. **-ed glass window**, finestra dipinta. **-er**; tintóre *m.* **-ing**; tintura *f.* **-less**; senza macchia, intemerato, immacolato.

Stair; grado *m.*, scalíno *m.* Flight of -s, scalinata *f.* Down -s, abbasso. Up one pair of -s, al primo piano. Up -s, al disopra. Run down the -s, correr giù per le scale. **-case**; scala *f.*, scalóne *m.* Winding —, scala a chiocciola. **-rod**; regolo che fissa un tappeto da scala.

Stake; palo *m.*, palanca *f.*, steccóne *m.*; rògo *m.* (supplizio); pòsta *f.*; giocare, porre una posta, arrischiare. At —, in gioco. Our honour is at —, ce ne va dell' onore. His reputation was at —, c' era di mezzo la sua riputazione. — out, segnare con stecconi o pioli.

Stala-ctite, -gmite; -ttíte *f.*, -gmíte *f.*

Stale; stantío, vièto. — bread, pan raffermo. — news, notizia vecchia. — beer, birra guasta, stracca. To —, orinare (cavallo). **-mate**; stallo *m.* To give —, fare stallo. **-ness**; vecchiézza *f.*, l' esser stantio, stracchézza *f.*

Stalk; stélo *m.*, gambo *m.*, picciuòlo *m.* Cabbage —, tòrsolo *m.* To —, inseguire senza lasciarsi vedere, aggattonare, cacciare all' agguato, alla posta. — along, camminare a passi lunghi. Deer -ing, caccia al daino. **-er**; cacciatóre, chi sta in agguato. **-ing-horse**; cavallo di comparsa. **-y**; con molta stoppia, con lungo stelo.

Stall; stalla *f.*; bottega posticcia, bottegúccia *f.*, désco *m.* (beccaio o ciabattino); stallo *m.*, scanno *m.*, sedíle *m.* (nel coro), poltróna *f.* (nel teatro). As *adj.*, stallíno. **-holder**; rivendúgliolo *m.*, chi tiene una baracca ad una fiera di beneficenza. **-ion**; stallóne *m.*

Stalwart; robusto, gagliardo, fièro.

Stam-en; stame *m.* **-ina**; salute ferma, solida; capacità di lavorare lungo tempo. **-mer**; balbettare, tartagliare. **-merer**; balbuziènte *m.*, tartaglióne *m.* **-mering**; balbúzie *f.*, balbettaménto *m.* **-meringly**; tartagliando.

Stamp; stampa *f.*, imprónta *f.*, ségno *m.*, bóllo *m.*, márchio *m.*; stampo *m.*, carátttere *m.*; maglio *m.*, mazzuòlo *m.*; punzóne *m.*, frantóio *m.* This law carried with it the divine —, questa legge portava la sanzione divina. Postage —, francobóllo *m.* To —, bollare, improntare; scalpitare, pestare il piede. **-ed envelope**, busta affrancata. — about, andare in giro pestando. — out, estirpare. — upon, calpestare. **-act**; legge sul bollo. **-collector**; collettore di francobolli. **-ede**; fuga precipitata; metter in fuga precipitata. **-ing-mill**; macchina per tritare il minerale grezzo. **-office**; uffizio di bollo.

Stanch; ristagnare. **-ion**; puntèllo *m.*, candelière *m.*, scalmòtto *m.*

Stand; luògo *m.*, stazióne *f.*, pòsto *m.*; páuša *f.*, sòsta *f.*; sostègno *m.*, cavallétto *m.*; reggi-, porta-, as in Lamp-stand, reggilume *m.*, Photograph-stand, portaritratti *m.*; banco (di bazar); tribuno *m.*, tribuna *f.* (alle corse), tavolato *m.*, palco *m.*; resistènza *f.*; rastrellièra *f.* (d' armi); cessazione di movimento. Be at a —, esser impacciato, non saper che fare. Bring to a —, portare una sosta a. A determined —, una resoluta resistenza. To —, star ritto, esser ritto, stare in piedi, règgersi; fermarsi, pórsi, star lì, essere stazionario; trovarsi in una tale posizione; mantenere un' attitudine; esser fisso; presentarsi come candidato; durare, esser valido; sopportare, tollerare; far rotta (nave). Hardly able to —, male in gambe. Tears stood in her eyes, le lagrime le inumidavano gli occhi. — **against**, resistere a, tener testa a; presentarsi candidato in opposizione a, opporsi a. — **aloof, aside**, appartarsi. — **away**, allontanarsi. — **back**, farsi dietro. — —! dietro! — **by**, spalleggiare, sovvenire, appoggiare; star lì; mantenere (promessa), star fermo in un' opinione; star attenti, pronti; trovarsi nella vicinanza. As *sb.*, cosa su cui si può fidare. — **down**, scèndere, cedere il posto ad un altro (testimone, vittima ecc.). — **erect**, starsene dritto. — **fast**, non lasciarsi smovere. — **for**, rappreŝentare, significare, voler dire; presentarsi candidato per. — **forward**, farsi avanti. — **good**, esser sempre valido. — **high**, esser molto stimato, molto alto; esser posto in alto. — **idle**, oziare. — **in**, avvicinarsi (alla terra). This coat -s me in at seventy francs, quest' abito mi viene a costare settanta lire. — **in with**, esser d' accordo con, associarsi a. — **in need**, aver bisogno. — **off**, prendere il largo. — —! alla larga! — **on end**, It is enough to make one's hair — — —, è da far rizzare i capelli. My hair stood on end, i capelli mi si rizzarono. — **on one's dignity**, mantenere una dignità orgogliosa. — **open-mouthed**, rimanere a bocca aperta. — **out**, separarsi; risaltare, far risalto; stare sulle sue. — **out for**, ostinarsi a chiedere. — **over**, esser rimesso, rimandato ad un altro giorno; sovrastare a. He stood over him, looking at him with some surprise, gli fu sopra a guardarlo con qualche sorpresa. — **still**, starsi cheto, rimaner tranquillo, stare immobile. At a — —, fermato, ridotto ad inazione. Come to a — —, non poter andare più avanti, non poterne più. — **to**, persistere in. — **to reason**, esser facile a capire. — **up**, alzarsi, rizzarsi, mettersi in piedi; stare in piedi. — — fight, battaglia campale. — **up for**, appoggiare, sostenere le parti di. — **up to**, non lasciarsi intimidire da, far fronte alta a. — **upon one's rights**, chieder ciò che è suo, volere i suoi diritti. — **upright**, star ritto. — **with**, accordarsi con. — **well with**, esser nelle buone grazie di.

Standard; modèllo *m*., tipo *m*., nòrma *f*.; grado *m*.; stendardo *m*. — of life, tenor di vita. — authority, autorità riconosciuta o di primo valore. — compass, bussola normale. — price, prezzo normale o di tariffa. — tree, arbusto in piena terra. — work, opera classica autorevole. **-bearer**; gonfalonière *m*.

Standardis-e, -ation; normaliżż-are, -azióne *f*.

Standing; poṡizione *f*., condizióne *f*. As *adv*., in piedi, ritto. Of old, long, —, vècchio, di lunga mano. Of ten years' —, che ha durato dieci anni. — army, esercito permanente. — crops, grano in erba, o non falciato. — dish, piatto giornaliero. — order to supply, ordine fisso di mandare. — orders, regolamenti permanenti (delle Case del Parlamento). — part (*mar*.), dormiènte *m*.

Standoffishness; alterígia *f*.

Stand-pipe; tubo verticale con robinetto.

-point; punto di vista, baṡe *f*. **-still**; *see* Stand still.

Stan-k; *rem*. di Stink. **-za**; *id*. *f*., strófe *f*., terzína *f*., quattrína *f*.

Staple; staffa *f*. — product, prodotto o derrata principale, roba che si produce regolarmente per esportazione, prodotto caratteristico. — of conversation, soggetto principale della conversazione.

Star; stèlla *f*., astro *m*.; attore noto. Evening —, véspero *m*. — of Bethlehem, latte di gallina. To —, segnare con asterisco. **-board**; dritto *m*. As *adj*., di dritta. — watch, guardia di dritta.

Starch; ámido *m*.; inamidare, insaldare. **-water**; salda *f*. **-y**; amidáceo.

Star-chamber; camera stellata.

Star-e; sguardo impudente; guardare impudentemente. — at, fissare, guardar fisso. **-er**; chi guarda fisso. **-ing**; stralunato (occhio), chiassoso (colore).

Star-fish; astèria *f*., stella marina. **-gazing**; Be, Stand —, almanaccare.

Stark; tutto, affatto. — mad, pazzo a catene.

Star-less; senza stelle. **-light**; luce delle stelle.

Starling; 1. stórno *m*., stornèllo *m*. 2. pigna di un ponte.

Star-lit; illuminato dalle stelle. **-ry**; seminato di stelle, ornato di stelle. **-spangled**; cosparso di stelle.

Start; sobbalzo *m*., ṡbalzo *m*., scòssa *f*.; primo passo, avviaménto *m*.; vantággio *m*., abbòno *m*., giunta *f*.; partènza *f*. With a —, di soprassalto. A — of ten points, un vantaggio di dieci punti. From — to finish, dal principio alla fine. To —, balzare, trasalire, far nascere, avviare, dare il segnale di partenza, far partire; prender le mosse, partire; levare, scovare (lepre); diṡgiungersi, staccarsi. — slightly, avere una leggera scossa. — a fire, provocare incendio. With his eyes -ing from his head, cogli occhi fuori delle orbite. **-er**; lo starter.

Starting-handle; manovella d' avviamento o d' incamminamento. **-point**; punto di partenza. **-post**; luogo della partenza. Near the —, vicino alle mosse.

Startl-e; far trasalire, sorprèndere. **-ing**; sorprendènte, spaventóso, emozionante.

Starv-ation; morte di fame. **-e**; morir di fame, affamare; privare del necessario. — out, ridurre o domare per fame. **-eling**; affamato *m*.

State; stato *m*.; condizióne *f*.; pómpa *f*.;

espórre, dire, dichiarare, declinare, affermare. The United -s, gli Stati Uniti. Reasons of —, ragioni di Stato. Lie in —, stare su letto mortuario in uniforme. — of life, tenor di vita. — of mind, stato di spirito. His — of mind, lo stato dell' animo suo. In great —, con grande pompa. Keep great —, menare una vita di magnificenza. **-cabin**; cameríno *m.*, cabina di lusso. **-carriage**; carrozza di gala. **-craft**; astuzia politica. Master of —, politico astuto. **-d**; fisso, determinato. **-liness**; magnificènza *f.*, aspetto maestoso. **-ly**; maestóso, orgoglióso, dignitóso. **-ment**; esposizióne *f.*, dichiarazióne *f.*, raccónto *m.* **-room**; *see* -cabin. **-sman**; uomo di stato, statista *m.* **-smanlike**; da uomo di stato. **-smanship**; sapienza politica.

Static; -o. **-ally**; -aménte. **-s**; -a *f.*

Station; stazióne *f.*, grado *m.*, pòsto *m.*; appostare, stanziare. Air —, stazione aeronautica. — oneself, porsi in un posto. On the Australian —, nei mari dell' Australia. Police —, questura *f.* Be -ed with his regiment at Aldershot, stare alla stazione di Aldershot col suo reggimento. **-ary**; stazionario, fisso; che non progredisce neanche retrocede, che non migliora. — engine, macchina fissa. **-er**; cartoláio *m.* **-ery**; cartolería *f.* Fancy —, cartoleria di lusso. **-master**; capostazióne *m.*

Statistic-al, -ian, -s; -o, -o *m.*, -a *f.*

Statu-ary; statue *f. pl.*; -ário. **-e**; -a *f.* **-esque**; come una -a. In a — attitude, atteggiato come una -a. **-ette**; figurína *f.*, stucchíno *m.* **-re**; statura *f.*, táglia *f.* **-s**; stato o condizione civile. **-table**; conforme alla legge. **-te**; -to *m.*, légge *f.* — book, còdice *m.* **-tory**; -tario, prescritto dalla legge.

Staunch, -ly; fórm-o, -aménte.

Stave; dóga *f.*; stròfa *f.*; rigo *m.* — in, sfondare. — off, respíngere, scansare; ritardare. **-sacre**; stafiságria *f.*

Stay; dímora *f.*, indúgio *m.*; sostègno *m.*, puntèllo *m.*, tirante *m.*, stráglio *m.*, strallo *m.* Back -s, paterazzi *m. pl.* — in port, permanènza *f.*, soggiórno *m.* To —, stare, rimanére, trattenérsi; calmare, arrestare; puntellare; ritardare. — the stomach, confortare lo stomaco. — at, alloggiare. The hotel where I —, l' albergo dove prendo alloggio. — away, non venire, assentarsi. — in, stare in casa. — out, non partecipare. — up, *see* Sit up. **-at-home**; casalingo. **-er**; chi si ostina sempre nel suo lavoro. **-lace**; lacciuolo di busto. **-maker**; bustáia *f.* **-s**; 1. busto *m.*, fascétta *f.* 2. In —, davanti al vento. To miss —, sbagliare nel virar di bordo. **-sail**; vela di straglio.

Stead; Stand in good —, giovare, esser utilissimo a. **-fast**; férmo, risoluto, sòlido. **-fastly**; fermaménte ecc. **-fastness**; ferménzza *f.* ecc. **-ily, -iness**; costanteménte, -za *f.* ecc., *see* Steady. **-y**; costante, stábile, férmo, sòlido, fisso, assiduo, (vento) fatto, (brezza) tesa, (barometro) fermo; posato, sávio, sèrio; reggente al mare. Go —, andar piano o adagio. To —, render più savio, fermo ecc.

Steak; fétta *f.* Beef —, bistécca *f.*

Steal; rubare. Stolen goods, refurtíva *f.* — **away**, andarsene alla chetichella. — **from**, derubare (uno di qualchecosa). — the **heart** of, cattivarsi il cuore di. — **a march** upon, fare una marachella a. — **on**, avanzarsi insensibilmente. — **off, out**, allontanarsi, uscire, di nascosto. — **upon**, sorprèndere.

Stealth; By —, **-ily**; di soppiatto, alla sordina. **-iness**; segretézza *f.*, pratica segreta. **-y**; segréto, furtívo, clandestíno.

Steam; vapóre *m.* At full —, With all — on, a tutto vapore. There is no — in him, gli manca affatto l' energia. To —, correre, camminare, navigare (a vapore); esporre al vapore; esalare vapore. **-bath**; bagno a vapore. **-boat**; battello vapore; *or simply*, vapóre *m.* **-carriage**; locomotíva *f.* **-dome**; cupola o duomo di vapore. **-engine**; macchina a vapore. **-er**; piròscafo *m.*, vapóre *m.* Mail —, vapore postale. Screw, Paddle —, piroscafo ad elica, a ruote. Passenger —, vapore da passeggieri. **-gauge**; manòmetro *m.* **-hammer**; maglio a vapore. **-jacket**; camicia di vapore o di riscaldamento. **-launch**; pirobarca *f.*, pirolancia *f.*, lancia a vapore. **-packet**; battello a vapore. **-pipe**; tubo di vapore. **-roller**; rullo a vapore. **-ship**; bastimento a vapore. **-tug**; rimorchiatore a vapore. **-whistle**; fischio di macchina a vapore. **-yacht**; yacht a vapore. **-y**; fumicóso, fúmido. A — morning, una mattina ad aria fumicosa.

Stear-ine; -ina *f.*, -ico.

Steed; cavalcatura *f.*, destrièro *m.*

Steel; acciáio *m.*, acciaríno *m.*, accaiuòlo *m.* To —, indurire (cuore), fortificare. Hardened —, acciaio temprato. Soft —, acciaio dolce. **-bronze**; bronzo compresso. **-wine**; vino ferruginoso. **-y**; luccicante come l' acciaio. **-yard**; stadèra *f.*

Steep; rípido, érto. To — macerare, imbévere. **-le**; campanile a foggia di freccia, guglia *f*. — chase, corsa ad ostacoli. **-ly**; a pendio rapido, ertaménte. **-ness**; pendènza *f*., ripidézza *f*.

Steer; 1. manzo *m*., bue giovane. 2. To —, dirígere, governare. She -s well, governa bene. **-age**; stírice *m*., posti terza classe. — passenger, passeggiero di terza classe. — way, abbastanza abbrivo perchè la nave ubbidisca al timone. To have no — way, non governare. **-er**; timonière *m*. **-ing**; il timoneggiare. — compass, bussola di rotta. — gear (*mar*.), apparecchio del timone; (motor car) meccanismo di sterzo; (dirigible) ordigni di direzione. — wheel, ruota del timone.

Stell-ar, **-ate**; -are, -ato.

Stem; stélo *m*., gambo *m*.; tèma *m*.; céppo *m*., trónco *m*.; dritto di prora; razza *f*., schiatta *f*. To —, resistere a, arrestare, andar contro a.

Sten-ch; puzzo *m*., fetóre *m*. **-cil**; imprimere collo stampino. — plate, stampíno *m*. **-ographer**, **-ographic**, **-ography**; -ògrafo *m*., -ográfico, -ografía *f*. **-torian**; -tòreo.

Step; passo *m*.; gradíno *m*., scalíno *m*.; predellíno, pianta, pedata, o piano, dello scalino; andatura *f*.; traversína *f*.; piuòlo *m*. (di una scala); montatóio *m*. (di carrozza). Library -s, scalèo *m*. Pair of -s, scala doppia. Keep — with, andare di pari passo con. To —, andare, fare un passo. — a mast, mettere un albero nella scassa. The -s taken were unavailing, la pratica è risultata infruttuosa. Take -s towards, far pratiche perchè. Take the necessary -s for, provvedere con opportune modalità che. — **across**, varcare. — **aside**, appartarsi. — **forward**, avanzarsi. — **in**, entrare; intervenire. — **out**, camminar presto. — **outside**, uscire, venir fuori. — **up**, salire, venir sopra.

Step-brother; fratellastro *m*. **-daughter**; figliastra *f*. **-father**; patrigno *m*. **-ladder**; scalèo *m*. **-mother**; matrigna *f*. **-pe**; stèppa *f*. **-per**; trottatóre *m*. High —, cavallo con alta azione. **-pingstones**; pietre per agevolare il passaggio di un ruscello, pietre da passaggio. **-sister**; sorellastra *f*. **-son**; figliastro *m*.

Stephen; Stéfano.

Ster-coraceous; -corário. **-eoscope**, **-eoscopic**; stereoscòp-io *m*., -ico. **-eotype**; stereotipía *f*., stereotipare. **-ile**, **-ilise**, **-ility**; steril-e; -ire, -izzare; -ézza *f*., -ità *f*.

Sterling; sterlíno; véro, puro. Of — worth, di merito inappuntabile. Pound —, lira sterlina.

Stern; 1. poppa *f*. As *adj*., poppièro. 2. duro, fièro, sevèro, austèro. **-ly**; duraménte ecc. **-ness**; durézza *f*. ecc. **-post**; dritto di poppa. **-sheets**; camera (di una lancia).

Ste-rtorous; — breathing, stertóre *m*. **-thoscope**, **-thoscopic**; stetoscòp-io *m*., -ico. **-ttin**; Stettíno *f*. **-vedore**; stivatóre *m*.

Stew; úmido *m*., intíngolo *m*., stufato *m*.; far cuocere a fuoco lento, stufare. In a —, infastidíto, scompigliato. Irish —, umido di castrato con patate. **-ard**; fattóre *m*., intendènte *m*., dispensière *m*., ecònomo *m*.; (*mar*.) camerière *m*. Head —, maggiordòmo. **-ardess**; cameriera di bordo. **-ardship**; intendènza *f*., carica di fattore ecc., fattoría. **-pan**; casseruòla *f*.

Stick; bastóne *m*., bastoncíno *m*., mazza *f*. Bundle of -s, fastello di legna. Small -s, legna minute, ramoscèlli *m*. *pl*. Umbrella —, asta d' ombrello. To —, appiccare, appiccicare, attaccare; trafíggere; pórre; aderire; arrestarsi, impacciarsi, impiastricciarsi. The words almost stuck in his throat, le parole gli rimasero quasi attaccate in gola. Be stuck in a belt, stare raccomandato alla cintura. Pig -ing, caccia al cinghiale con spiede. — it out, sopportarla alla fine. — **at**, farsi scrupolo di. — **by**, restare fidele a, star sempre al servizio di. — **fast**, aderire fortemente. — **in**, **into**, infíggere, far penetrare in. — **on**, rimanere nella sella; incollare. — **out**, spòrgere; tener fermo, persístere, non voler acconsentire. — **out beyond**, oltrepassare. — **to**, perseverare in. — — business, accudire agli affari. — — it, non lasciarsi vincere, non abbandonare la lotta. — **up**, erígere; alzarsi, star dritto. — — for, sostenere le parti di, parlare in difesa di. Stuck up, borióso, con alta opinione di sè stesso, arrogante; imbrogliato affatto. This question stuck him up, questa domanda non gli lasciò nessun modo di respondere, fece sì che lui non seppe che fare.

Stick-iness; glutinosità *f*., viscosità *f*. **-ing-plaster**; ceròtto *m*. Court —, taffetà inglese. **-leback**; spinarèllo *m*. **-ler**; attaccato (alle regole). Be a great — for, tener molto a. **-y**; appiccicóso, appiccicaticcio.

Stiff; duro, rígido, fòrte, resistènte; impalato, stecchíto, irrigidíto; compassato; ostinato, inflessíbile; intirizzíto, indolenzíto, assiderato; stentato (stile). I have got a — neck, il collo mi s' è indurito, ho un torcicollo. — breeze, brezza tesa. **-en**; indurire, intirizzire. — one's back, ostinarsi a resistere, star fermo. **-ening**; anima di bavero ecc., fòrte *m.*, cambriglione d' una scarpa; contraffòrte *m.*, sostègno *m.*; induriménto *m.* **-ly**; con durezza, con sussiego. **-necked**; capárbio, testardo. **-ness**; indolenziménto *m.*; consistènza *f.*, durézza *f.*; aria dura, sussiègo *m.*

Stifle; 1. grasciuòla *f.* 2. soffocare. **-bone**; rotèlla *f.* (di cavallo).

Stigm-a; marchio d' infamia; stimma *m.* **-ata**; stímate *f. pl.* **-atise**; stimatiżżare.

Stil-e; barrièra che si può salire; stilo *m.* **-etto**; pugnále *m.*, stilétto *m.*

Still; 1. lambicco *m.* 2. calmo, chéto, férmo, immòbile, immòto, quièto, tranquillo. Sit —, starsene fermo a sedere. — Moselle, mosella non spumante. **-born**; nato morto. **-life**; natura morta. **-ness**; calma *f.*, quiète *m.* To —, calmare, tranquillare.

As *adv.*, anche, pure, tuttóra, anche oggi, sèmpre, tuttavía, per altro, ma poi. — more, anche più. — less, anche meno. — cheaper, anche più a buon mercato. — more so, anche a più forte ragione.

Stilt; 1. trámpolo *m.* 2. cavalier d' Italia (uccello). **-ed**; pompóso, ampollóso.

Stimul-ant, -ate, -ating, -ation, -us; eccitante *m.*, stimol-ante *m.*; -are, -atívo, -azióne *f.*, -o *m.*

Sting; pungiglióne *m.*, acúleo *m.*; puntura *f.* The sarcasm had lost its —, il sarcasmo non pungeva più. To —, pinzare, púngere, irritare. **-er**; colpo pungente, colpo al vivo. **-ily**; da avaro, stentataménte. **-iness**; grettézza *f.*, spilorcería *f.* **-ing**; mordáce, cocènte. **-less**; senza pungiglione. **-o**; birra vecchia. **-y**; grétto, spilórcio, taccagno.

Stink; puzz-o *m.*, -are. **-ing**; puzzolènte. **-pot**; granata a gas velenoso.

Stint; 1. Without —, abbondanteménte. To —, tener corto del necessario, provvedere scarsamente. — oneself, stare a stecchetto, risparmiare sul necessario. 2. gambécchio *m.*

Stip-end, -endiary; -èndio *m.*, -endiato. **-ple, -pling**; punteggi-are, -aménto *m.* **-ulate, -ulation**; -ulare; -azióne *f.*, patto *m.* **-ule**; stípola *f.*

Stir; mòto *m.*, moviménto *m.*; mòvere, agitare, rimescolare; attizzare; mòversi. Nobody was -ring, non c' era nessuno in piedi. — up, concitare, aizzare. **-about**, poltiglia di farina ed avena. **-rer**; mestóne *m.* **-ring**; vivo, pieno d' incidenti. — spectacle, spettacolo emozionante.

Stirrup; staffa *f.* **-cup**; bicchiere dato a chi sen va a cavallo, bicchiere di benandata. **-leather**; staffíle *m.*

Stitch; punto *m.*, máglia *f.*; punta al fianco. Back —, punto addietro. Chain —, punto a catenella. To —, cucire. — up, appuntare. **-ing**; appuntatura *f.*, il cucire. **-wort**; stellaria *f.*

Stiver; centesimo olandese.

Stoat; dònnola *f.*

Stock; 1. céppo *m.*, pedále *m.* — still, fisso ed immobile. 2. razza *f.*, schiatta *f.*, prośápia *f.* 3. bestiáme *m.* Live, Dead —, stime vive, morte. 4. violacciòcca *f.* Mediterranean —, violacciocca marittima. Ten weeks —, violacciocca rossa quarantina. 5. carne da brodo. 6. collare di prete. 7. fóndo *m.*, assortiménto *m.* — in trade, fondo di magazzino, mercanzíe *f. pl.*, ferri di mestiere. Keep in —, Lay in a — of, avere, fare provvigione di. Take —, far l' inventario. -s, eśistènze *f. pl.* 8. cassa (di schioppo). 9. On the -s, (bastimento) in costruzione. 10. ordinario. — piece, commedia del repertorio.

11. fornire, popolare, provvedére, èmpiere. 12. mettere al toro.

Stock and share list; listino di Borsa.

Stock-ade; stecconato *m.*, palizzata *f.* **-book**; libro inventarii; registro di bestiame di razza. **-breeder**; allevatóre *m.* **-brick**; mattone ordinario. **-broker**; agente di cambio. **-dove**; colombo selvatico. **-epithet**; epiteto comune, o di regola. **-exchange**; Bórsa *f.* **-fish**; stoccafisso *m.* **-holder**; azionista *m.* **-holm**; Stocòlma *f.* **-inet**; stoffa elastica da sottoveste. **-ing**; calza *f.*, calzétta *f.* — frame, telaio a calze. **-jobber**; borsista *m.*, negoziante di azioni o titoli fondiarii. **-man**; bováro *m.* **-market**; Bórsa *f.*; mercato di bestiame. **-pot**; marmitta *f.* **-whip**; frusta usata in Australia (a manico corto e cordicella lunghissima). **-yard**; recinto pel bestiame.

Stodg-e; imbużżare. **-y**; poltiglióso, denso e molliccio, saziévole.

Stoep (in Sud-Affrica); verόne *m.*

Stoic, -al, -ally, -ism; -o *m.*, -o, da -o, -iśmo *m.*

Stoke; attizzare. **-hole**; camera delle caldaie. **-r**; fochista *m.*

Stole; 1. stòla *f.* 2. *rem.* di Steal.

Stolid, -ity, -ly; -o, -ézza *f.*, -aménte.

Stomach; stòmaco *m.*; digerire, *fig.* sopportare. **-er**; pettorína *f.* **-ic**; stomático.

Stone; piètra *f.*; nòcciolo *m.*, ácino *m.*; cálcolo *m.*; fatto di pietra. Cobble —, ciòttolo *m.* To —, lapidare; acciottolare, macadamiżżare; cavare i noccioli. **-age**; età della pietra. **-blind**; cieco affatto. **-cold**; freddo come la pietra. **-crop**; erba da calli. **-curlew**; occhióne *m.* **-cutter**; taglia-piètre *m.*, scalpellíno *m.* **-dead**; morto stecchito. **-deaf**; sordo affatto. **-fruit**; frutto a nocciolo. **-mason**; scalpellíno *m.* **-parsley**; sisóne *m.* **-pine**; pino da pinocchi. **-quarry**; cava di pietre. **-'s throw**; tiro di pietra. Within a — — of, a tiro di mano da. **-ware**; vasellame ordinario.

Ston-ily; con occhi indifferenti. **-iness**; natura pietrosa, qualità pietrosa. **-y**; pietróso, roccióso, di macigno.

Stood; *rem.* di Stand.

Stook; fascio di covoni.

Stool; śgabèllo *m.*; ceppáia *f.*; evacuażióne *f.*; andar di corpo. Camp —, seggiola a iccasse, sedia pieghevole.

Stoop; un tenersi curvato; curvarsi, abbassarsi; lasciarsi scendere (falco). — down, curvarsi in giù. — forward, curvarsi innanzi. **-ing**; curvato, inclinato.

Stop; fermata *f.*; impediménto *m.*, ostácolo *m.*; registro *m.* (organo). Full —, punto fermo; arresto completo. To —, fermare, arrestare, impedire; otturare, impiombare (dente); far cessare, (*intr.*) sostare, fermarsi. — the whole day, starsene tutta la giornata. With the engines -ped, con le macchine ferme. — the mouth of, chiuder la bocca a. — payment, sospendere i pagamenti. — short, fermarsi ad un tratto. — short of, arrestarsi prima di. — up, intasare, ostruire, ingorgare.

Stop-cock; chiave *f.* **-gap**; turabuchi *m.*, riempitóre *m.* **-page**; fermata *f.*, sòsta *f.*, sospensióne *f.*; ingórgo *m.*, intasatura *f.*, ostruzióne *f.* **-per**; turácciolo *m.*, tappo *m.*, (*mar.*) śbirro *m.* **-ping**; 1. impiombatura *f.*, riempitura *f.* 2. Without —, senza fermarsi, in una tirata, senza cessare.

Stor-age; magażżinággio *m.* Water —, provvista d' acqua. Cold —, conservazione a freddo. Cold — ship, nave frigorifera. **-ax**; storáce *m.*

Store; magażżíno *m.*; abbondanza *f.*, depòsito *m.*, provvigióne *f.* Set great — by, far gran caso di. To —, conservare, approvviśionare, immagażżinare. — up, far conserva di. **-cupboard**; ripostíglio *m.*, guardaròba *f.* **-house**; magażżíno *m.*, depòsito *m.* **-keeper**; magażżinière *m.*, negoziante *m.* **-room**; dispènsa *f.*, guardaròba *f.* **-s**; vettováglie *f. pl.*, víveri *m. pl.*, materiále *m.* munizióni *f. pl.*, provviste *f. pl.*

Storied; famoso per la sua storia. Three, four etc. —, a tre, quattro piani.

Stork; cicógna *f.*

Storm; temporále *m.*, burrasca *f.*, fortuna di mare, tempésta *f.*; prender d' assalto; andar nelle furie, tempestare, fare una scenata. **-iness**; l' esser tempestoso ecc. **-ing-party**; colonna d' assalto. **-tossed**; sbattuto dalle tempeste, fortunóso. **-y**; tempestóso, burrascóso, procellóso.

Story; stòria *f.*, fiába *f.*, raccónto *m.*, novèlla *f.*; fandònia *f.*; piáno *m.* Bottom —, pian terreno. Top —, uttimo piano. **-book**; libro di racconti. **-teller**; menzognèr-e *m.*, -a *f.*; raccontatóre *m.*, racconta-fiabe *m.* **-writer**; novellière *m.*, romanzière *m.*

Stoup; boccále *m.*

Stout; 1. birra nera. 2. robusto, gagliardo, corpulènto. **-ly**; forteménte, fieraménte. **-ness**; pinguèdine *f.*

Stove; 1. stufa *f.*, calorífero *m.*, fornello all' inglese, cucína *f.* Gas —, cucina a gas. 2. *rem.* di Stave. **-pipe**; tubo di stufa. **-plant**; pianta di serra.

Stow; assettare, stivare. — away, metter in serbo. **-away**; chi si nasconde a bordo. **-age**; assettaménto *m.*, stivággio *m.*

Straddle; allargare. — across, mettersi a cavalcioni sopra.

Straggl-e; staccarsi, restare in dietro; arrampicarsi disordinatamente (rosa). Straggling building, edificio irregolare. **-er**; ritardatário *m.*, soldato ramingo o vagabondo.

Straight; dritto; schiètto, sincèro leále, rètto. As *adv.*, difilato, diritto. Set —, *see* Straighten. — away, subito, al più presto, senz' altro. Hold oneself stiff and —, tenersi rigido ed impettito. **-edge**; rigo *m.*

Straight-en; assettare, compórre, drizzare, raddrizzare. **-forward**, **-forwardly**; schiètt-o, -aménte. **-forwardness**; schiettézza *f.*, rettitudine *f.* **-ness**; dirittura *f.*, l' esser dritto ecc., *see* Straight. **-way**; *see* Straight away.

Strain; sfòrzo *m.*, tensióne *f.*; storciménto *m.*; razza *f.*, schiètta *f.*; manièra *f.*, stile *m.* There is a — of the German about him, c' e del tedesco in lui, ha del tedesco. To —, tendere (gli orecchi), aguzzare (gli occhi), stringere (al petto); tendere a forza (fune); colare, far colare, filtrare; stòrcere. I have -ed a sinew in my leg, mi son fatto male ad un nervo della gamba. — every nerve, fare ogni sforzo, sforzarsi a tutta possa. **-ed**; — relations, rapporti sforzati o sgradevoli. **-er**; colíno *m.*, colatóio *m.*, passante *m.* Tea —, passa-tè *m.* **-ing**; lo sforzarsi. — post, palo rafforzato. **-s**; accòrdi *m. pl.*, concènto *m.*

Strait; strètto. — jacket, camicia di forza. **-en**; angustiare, porre alle strette. **-laced**; rígido, moralmente stecchito, severo nei costumi. **-s**; strètto *m.*, passo *m.*, braccio di mare.

Strake; cinta *f.* Garboard —, torèllo *m.* Top —, sòglia *f.*, suòla *f.* Rubbing —, cinta di difesa. Sheer —, cinta principale.

Stramonium; stramònio *m.*

Strand; lido *m.*, spiággia *f.*; filo di corda; inarenare, incagliare. **-ed**; *fig.* a secco, separato dalle proprie risorse.

Strange; strano, singolare; sorprendènte; inuṡitato, poco pratico. **-ly**; stranaménte ecc. **-ness**; singolarità *f.*, novità *f.* **-r**; stranièro *m.*, forestièro *m.*, persona estranea, sconosciuto *m.* You have become quite a —, vi fate vedere ben di rado.

Strang-le; strozzare, strangolare. **-les**; strangugliòni *m. pl.* **-ulated hernia**; ernia strozzata o incarcerata. **-ulation**; -olazióne *f.* **-ury**; -úria *f.*

Strap; striscia di cuoio, corréggia *f.*, cigna *f.*, legáme *m.*, lastra di ferro, cintolone d' uno schioppo. Riding —, staffa *f.* To —, legare, attaccare con una cigna, stroppare (bozzello). The boxes may be -ped up, i bauli son pronti perchè si affibbino le cigne. **-ping**; 1. fascia a drappo inglese, fascia cerata; tarchiato. 2. — girl, ragazzòtta *f.* **-wort**; correggiola marittima.

Strasburg; Straṡbúrgo *f.*

Strat-agem; -agèmma *f.* **-egic, -egical**; -ègico. **-egist**; -ègico *m.* **-egy**; -egía *f.* **-ification, -ify, -um**; -ificazione *f.*, -ificare, -o *m.*

Straw; páglia *f.* Be not worth a —, non valer nulla. Not to care a —, curarsene quanto d' una festuca, impiparsene. **-berry**; frágola *f.* — mark, voglia di fragola, chiazza *f.*, nèo *m.* **-cutter**; trinciapáglia *m.* **-hat**; cappello di paglia. **-jacket**; rivestimento di paglia.

Stray; ṡmarríto; ṡmarrirsi, ṡviare, traviare. — bits, brani sparsi.

Streak; stríscia *f.*; strisciare. **-ed**; rigato. **-y**; a strisce, a righe, screziato.

Stream; fiúme *m.*, corrènte *f.*; sèguito *m.*, successióne *f.*; scórrere, colare abbondantemente. — of people, fiumana di gente. The light -ed in, vi si diffondeva un fiotto di luce. The congregation was -ing out, i fideli uscivano come un fiume. **-er**; banderuòla *f.*, pennèllo *m.*, albore d' aurora boreale. **-let**; ruscèllo *m.*, ruscellétto *m.* **-tin**; stagno d' alluvione.

Street; strada *f.*, via *f.*, contráda *f.* **-boy**; monèllo *m.* **-corner**; canto della strada. **-door**; porta della strada. **-lamp**; lampióne *m.* **-organ**; organetto portátile. **-performer**; saltimbanco *m.* **-singer**; cantatore della strada. **-sweeper**; spazzíno *m.* **-walker**; donna di mala vita.

Strength; fòrza *f.*, potére *m.*, potènza *f.*, intensità *f.* On the — of, in forza di. On the — of a regiment, maritata con permesso del comandante. **-en**; rinforzare, rafforzare, rinvigorire, fortificare. It only -ed his determination, non fece altro che rafforzarlo in ciò che aveva risoluto. **-ening-piece**; lapazza *f.*

Strenu-ous, -ously; -o, -aménte. **-ousness**; carattere -o, vigóre *m.*

Stress; sfòrzo *m.*, tensióne *f.*; ènfaṡi *f.*, importanza *f.*, accento tonico. — of weather, tempo fortunoso. Shearing, Tensile —, sforzo di cesoiamento, di trazione.

Stretch; estensióne *f.* To its full —, in tutta la sua estensione. On the —, coi nervi tesi. At a —, d' un tratto, d' un fiato. That cannot by any — of language be called right, è affatto impossibile che ciò si possa chiamare giusto. To —, tèndere, estèndere, allungare, stirare. — oneself out, stèndersi, ṡdraiarsi. — forward, avanzarsi, allungare. Lie -ed out at her full length, giacere lunga e distesa. **-er**; 1. barèlla *f.*; allargaguanti *m.*; pedagna *f.*, puntapièdi *m.* 2. *see* Header.

Strew; spárgere, seminare, sparpagliare.

Stri-ated; -ato. **-cken**; — in years, invecchiato. — field, campo di battaglia.

Strict; strètto, eṡatto, sevèro. The -est secrecy, il più scrupoloso segreto. **-ly**; strettaménte ecc. **-ness**; eṡattézza *f.*, severità *f.*, rigóre *m.* **-ure**; ristringiménto *m.*, contrazióne *f.*; osservazione critica, voce di biasimo, censura *f.*

Stri-de; passo lungo; andare a passi lunghi. Take it in one's —, farlo senza sforzarsi più del solito. — over, scavalcare. **-dent**; -dènte, strídulo. **-fe**; lòtta *f.*, gara *f.*, rissa *f.*

Strike; 1. sciòpero *m.*; scioperare. He struck at that, non ci volle acconsentire. 2. colpire, battere, percuòtere, urtare. 3. coniare. 4. A new thought struck him, una nuova idea gli balenò per la mente. It struck him at once, l' idea lo colse a volo. It -s me, mi pare, mi è sovvenuta l' idea. It did not — me, non mi venne in mente.

This is how it -s me, ecco ciò che ne penso io.

5. **Strike** an average, fare una media. — a **balance**, stender un bilancio. — a **bargain**, conchiudere un patto. — **blind**, render cieco, accecare. — a **blow**, allungare o menare un colpo. — the **camp**, levare il campo. — a **chord**, far vibrare una corda. — **dead**, fulminare. — **fire**, far venire scintille. — the **flag**, ammainare la bandiera o i colori, calare la bandiera. — the **hour**, sonare l' ora. — a **light**, far luce. — a **match**, accendere un fiammifero. — a **mine**, urtare in una mina. — a **rock**, urtare in uno scoglio. — a **sail**, abbassare una vela. — a **sandbank**, incagliare in un banco di sabbia. — a **tent**, levare una tenda.

6. **Strike across**, prendere a traverso, esser contrario a. You will find a footpath where you can — — the fields, troverai un sentiero che mena a traverso i campi. — **at**, minacciare; cercar di rovinare. — **down**, far cadere, abbáttere. — **in**, **into**, intervenire, interpórsi, entrare improvvisamente. — **off**, tagliare, mozzare di; lasciar la strada; tirare (copie); cancellare dai ruoli. — **out**, mettersi a nuotare; scancellare; menar colpi. — — a line for oneself, farsi una strada, una carriera, propria. — through, cancellare con tratti di penna. — **up**, intonare, incominciare. — — an acquaintance, far conoscenza.

Strik-er; battitóre *m.*; scioperante *m.*; martellétto *m.*, salterèllo *m.* **-ing**; cospícuo, sorprendènte, che colpisce. — resemblance, rassomiglianza rimarchevole. **-ingly**; meravigliosaménte, singolarménte.

String; spago *m.*, cordicína *f.*, cordicèlla *f.*, funicèlla *f.*, nastro *m.*; corda di violino; fila *f.* — of lies, filastrocca di menzogne. — of onions, resta di cipolle. — of beads, filza di perline. Shoe —, stringa *f.* To —, infilzare, metter le corde a. Highly strung, coi nervi tesi. — **up**, impiccare. -ed instrument, strumento a corda. **-band**; orchestra di strumenti a corda. **-board**; pancone di una scala di legno. **-course**; cordóne *m.*

String-ency; stringiménto *m.*, urgènza *f.* **-ent**; -ènte. **-ently**; rigorosaménte. **-er**; corrènte *m.*; (*mar.*) trincaríno *m.* **-halt**; spavènio *m.* **-iness**; l' esser fibroso ecc. **-y**; fibróso, tiglióso, filamentóso.

Strip; striscia *f.*; spogliare, denudare, disattrezzare, sguarnire. **-e**; lista *f.*, riga *f.*; gallóne *m.* **-ed**; rigato, vergato. **-ling**; giovinòtto *m.*

Strive; sforzarsi, ingegnarsi, lottare.

Stroke; cólpo *m.*, bòtta *f.*; tratto *m.*, pennata *f.*, pennellata *f.*; tòcco *m.*, rintòcco *m.* In writing, asta *f.* Apoplectic —, accidènte *m.* Thick —, asta grossa. Thin —, filétto *m.* — of a piston, passo o percorso dello stantuffo. Working —, corso utile; ciclo di lavoro. At a —, d' un tratto. Good — of business, bello affare. — oar, capo voga. To —, lisciare, accarezzare, blandire, dare una lisciatina a.

Stroll; passeggiata *f.*, girettíno *m.*; girare, girandolare, girellare, andarsene in giro. Go for a —, fare una passeggiata. **-er**; girandolóne *m.* **-ing**; errante, ambulante, vagabóndo.

Strong; fòrte, vivo, fièro, sòlido; ráncido (burro). — **resemblance**, rassomiglianza grande. Be — again, tornare in forza. **-box**; cassa forte. **-hold**; fortézza *f.* **-limbed**; nerboruto, tarchiato. **-ly**; forteménte. Every line of his — marked face, ogni lineamento del suo volto caratteristico. I — advise you, vi consiglio di cuore. **-minded**; di mente virile, ardíto.

Str-op; cuoio da rasoio; ripassare sul cuoio. **-ophe**; stròfe *f.* **-ove**; *rem.* di Strive. **-uck**; *rem.* di Strike.

Structur-al; della struttura. **-ally**; riguardo la struttura. **-e**; struttura *f.*

Struggle; lòtta *f.*; lottare, dibáttersi.

Strum; strimpellare, sonacchiare.

Strumpet; puttána *f.*

Strung; *rem.* di String.

Strut; puntèllo *m.*, sostégno *m.*, montante *m.* (velivolo); pavoneggiarsi, ringalluzzarsi.

Strychnine; stricnína *f.*

Stub; céppo *m.*, mozzicóne *m.*; sradicare. **-ble**; stóppia *f.*, séccia *f.* **-bly**; irsuto. **-born**; capárbio, tenáce, duro. **-bornly**; caparbiaménte ecc. **-bornness**; caparbietà *f.*, ecc. **-by**; tòzzo; pieno di ceppi.

Stuc-co; *id.* **-k**; *rem.* di Stick. — **up**, arrogante, borióso.

Stud; 1. chiòdo *m.*, bòrchia *f.*, bullétta *f.*, bottóne *m.*, bottoncíno *m.* On a link of a chain, traversíno *m.*; on a shell, alétta *f.* To —, guarnire di borchie. -ded over, tempestato. 2. scudería *f.*, stabilimento di allevamento. **-bolt**; bollone prigioniero. **-book**; registro di animali di razza. **-ding-sail**; coltelláccio *m.* **-ent**; studióso *m.*, -ènte *m.* **-farm**; masseria di allevamento. **-groom**; capo-allevatóre *m.* **-horse**; cavallo da razza. **-ied**; premeditato. **-io**; *id.* **-ious**; studióso, attènto.

-iously; con premura. He — avoided me, fece tutto per iscansarmi.

Study; studio *m.*, gabinétto *m.*; lo studiare. Academy —, accadèmia *f.* Be in a brown —, star soprapensieri. To —, studiare. — appearances, fare attenzione alle apparenze. — economy, mirare all' economia. — the comfort of, cercare il benessere di. — hard, ṡgobbare.

Stuff; stòffa *f.*, tessuto *m.*; ròba *f.*, materiáli *m. pl.*; robáccia *f.*; sciocchézza *f.*, stupidézza *f.*; imbottire, impagliare; infarcire, metter il ripieno. -ed goose, oca con ripieno. -ed eagle, aquila impagliata. Capon -ed with potatoes, cappone ripieno di patate. — in, far entrare. — up, turare, ostruire, intasare, rimpinzare, riempire troppo. **-iness**; afa *f.*, mancanza d' aria. **-ing**; imbottitura *f.*, ripièno *m.*, battuto *m.* **-y**; afóso, pesante, mal aerato. — room, stanza ad aria usata.

Stultif-ication; il render nullo. **-y**; render nullo, neutralizzare l' utilità di.

Stumble; passo falso, inciampata *f.*; inciampare, incespicare. — across, incontrare per caso. — against, over, inciampare in. Stumbling block, inciampo *m.* Stumbling stone, pietra d' inciampo.

Stump; tòppo *m.*, céppo *m.*; dente rotto nella gengiva; moncóne *m.*, moncheríno *m.*, troncóne *m.*, torso di cavolo, pezzettino di sigaro; sfumíno *m.* -s (gergo), le gambe. Al "cricket," bastone che il "batsman" deve difendere dalla palla col bastone; come verbo, un modo di congedare il "batsman." Stir one's -s (gergo), affrettarsi, dimenare le gambe. To —, proporre un problema insolubile a. — about, zoppicare qua e là. — the country, percorrere il paese facendo discorsi politici. — up, pagare in contanti. **-orator**; oratore da piazza. **-y**; tòzzo.

Stun; stordire, ṡbalordire. **-g**, **-k**; *rem.* di Stin-g, -k. **-ner** (gergo); persona o cosa ottima. **-ning**; che stordisce ecc.; deliziosissimo.

Stunt; tentatívo *m.*, sfòrzo *m.*; far imbastardire, far intristire. **-ed**; mal cresciuto, impicciolito.

Stupef-action, **-y**; -azióne *f.*, -are. **-ied**; intontíto.

Stupend-ous, **-ously**; -o, -aménte.

Stupid; stólto, stúpido, balórdo, melènso, sciòcco, di poca levatura, scipíto, insípido. **-ity**; stoltézza *f.*, stupidággine *f.*, melensággine *f.*, sciocchézza *f.*, scipitággine *f.* **-ly**; stupidaménte, da scempiato, da scervellato.

Stupor; intormentimento della mente.

Sturd-ily; arditaménte, gagliardaménte. **-iness**; fermézza *f.*, pertinácia *f.* **-y**; gagliardo, fòrte, tarchiato.

Stu-rgeon; storióne *m.* **-tter**; tartagliare; *see* Stammer. **-ttgart**; Stutgarda *f.*

Sty; porcíle *m.*; orzaiòlo *m.* **-gian**; stígio.

Styl-e; stile *m.*, manièra *f.*; stilo *m.*; chiamare. In the French —, alla francese, ad uso dei francesi. **-ish**; distinto, alla moda, ṡgargiante. **-ishly**; eleganteménte. **-ishness**; eleganza *f.*, attillatézza *f.*

Sty-ptic; astringènte. **-rian**; stiriáno. **-x**; Stige *f.*

Sua-ble; processábile. **-sion**; persuaṡióne *f.* **-ve**, **-vely**, **-vity**; soav-e, -eménte, -ità *f.*

Sub-acid; acidétto. **-acute**; di media intensità. **-agent**; sottofattóre *m.* **-alpine**; subalpíno. **-altern**; subaltèrno *m.* **-aqueous**; sottácqueo.

Sub-class; divisione d' una classe. **-clavian**; succlávio. **-commission**; sottocommissióne *f.* **-committee**; sottocomitato *m.* **-conscious**; occultamente conscio. **-contract**, **-contractor**; subappalt-o *m.*, -atóre *m.* **-cutaneous**; sottocutáneo.

Sub-deacon; suddiácono *m.* **-dean**; suddecáno *m.* **-delegate**; suddeleg-ato *m.*, -are. **-derivative**; sottoderivato *m.* **-diminutive**; sottodiminutívo *m.* **-divide**; suddivídere. **-divisible**, **-division**; suddiviṡí-bile, -óne *f.*

Subdu-al, **-e**; soggioga-zióne *f.*, -re; assoggetta-ménto *m.*, -re; attutire. Subdued voice, voce sommessa. **-plicate**; súdduplo (ragione delle radici quadrate di due numeri).

Sub-editor; redattore assistente. **-family**; divisione d' una famiglia di piante. **-fusc**; grigio bruno. **-genus**, **-group**; divisione d' un genere, d' un gruppo. **-indication**; accenno incerto. **-inspector**; sottispettóre *m.* **-inspectorship**; sottispettorato *m.*

Sub-jacent; sottogiacènte. **-ject**; argomento *m.*, soggètto *m.*; súddito *m.*; espósto, soggètto. — matter, matèria *f.*, argoménto *m.* To —, sottométtere, far subire, sottopórre. **-jection**; assoggettaménto *m.*, sottomissióne *f.*, soggezióne *f.* **-jective**, **-jectively**, **-jectivity**; soggettív-o, -aménte, -ità *f.* **-join**; aggiúngere, soggiúngere, allegare. **-jugate**, **-jugation**; soggiog-are, -aménto *m.* **-junctive**; congiuntívo. **-kingdom**; divisione d' un regno.

Sub-lease, **-lessee**, **-let**; subaffitt-o *m.*, -ário *m.*, -are. **-librarian**; sottobibliotecário *m.* **-lieutenant**; sottotenènte *m.*

-limation, **-limate**, **-lime**, **-limely**, **-limity**; sublim-azióne *f.*, -ato *m.*, -e, -eménte, -ità *f.* **-liminal**; occulto. **-lingual**; sublinguále. **-lunar**, **-lunary**; sottolunáre.

Sub-manager; sottintendènte *m.* **-marine**; sottomaríno *m.*, sommergíbile *m.* Cruiser —, sommergibile incrociatore. As *adj.*, sottomaríno. **-maxillary**; sottomascelláre. **-merge**; sommèrgere, immèrgere. **-d** (permanently), subácqueo; (temporarily) immèrso. **-mersible**; sommergíbile. **-mersion**; sommersióne *f.*

Sub-mission; sommessióne *f.*, deferènza *f.* **-missive**; somméssо, rassegnato. **-missively**; con sommessione, umilménte. **-missiveness**; sommessióne *f.*, soggezióne *f.*, umiltà *f.* **-mit**; sottométtere, sottopórre; rimettere al giudizio di, alla considerazione di; sottométtersi, rasse, gnarsi, acconsentire. **-multiple**; summúltiplo *m.* **-normal**; subnormále.

Sub-ordinate; subordin-ato *m.*, -ato, -are; sussidiario. **-ordinately**; subordinataménte. **-ordination**; subordinazióne *f.*, disciplína *f.*, il subordinare, subordinaménto *m.* **-orn**, **-ornation**; suborn-are, -azióne *f.* **-permanent**; quasi permanente. **-poena**; citazióne *f.*, citare come testimonio. **-prefect**; sottoprefètto *m.* **-rector**; vice-rettóre *m.*

Sub-scribe, sottoscrívere, abbonarsi a, contribuire. **-scriber**; associato *m.*, contribuènte *m.*, abbonato *m.* **-script**; sottoscritto. **-scription**; soscrizióne *f.*, sottoscrizióne *f.*, abbonaménto *m.* — form, scheda d' abbonamento. **-section**; sottoparágrafo *m.*, cláuśola *f.* **-sequent**; susseguènte, successívo, di seguito, ulterióre. **-sequently**; dòpo, indì, ulteriorménte, più tardi. **-serve**; servire a, giovare a, contribuire a. **-servience**; abbiettézza *f.*, l' esser giovevole. **-servient**; utile d' un modo subordinato o poco onesto. Make — to, far servire a.

Sub-side; scemare, calmarsi, abbassarsi; avvallarsi. **-sidence**; lo scemare ecc., abbassaménto *m.*, avvallaménto *m.* **-sidiary**; sussidiário, auśiliário. **-sidise**; sussidiare, sovvenzion-are. **-sidy**; sussídio *m.*, sovvenzióne *f.* **-sist**; sussístere, mantenérsi. **-sistence**; sussistènza *f.*, cibo *m.*, il da vivere, sostentaménto *m.* **-sistent**; eśistènte, sussistènte. **-soil**; sottosuòlo *m.*

Substan-ce; sostanza *f.*, sunto *m.*; bèni *m. pl.*, avére *m.* Person of —, possidènte *m.* **-tial**; sostanziále, sostanzióso; ricco, agiato; considerévole, sòlido. **-tially**; in sostanza, sostanzialménte. **-tiate**; comprovare, far valere, convalidare, stabilire. **-tive**; sostantívo *m.* **-tively**; da sostantivo.

Sub-stitute; sostituto *m.*, supplènte *m.*, surrogato *m.* As a — for, in sostituzione di. To —, sostituire, metter in luogo di, supplire. To act as — for, rimpiazzare. **-stitution**; sostituzióne *f.*, surrogazióne *f.*, rimpiazzo *m.* **-stratum**; elemento fondamentale, fóndo *m.* **-struction**; fondaménto *m.*, sostruzióne *f.* **-tenant**; sottopigionále *m.*, chi prende in subaffitto. **-tend**; sottèndere. **-terfuge**; sotterfúgio *m.*, mezzotèrmine *m.*, equívoco *m.*, rigíro *m.*, scampo *m.* **-terranean**; sotterráneo.

Subtl-e; fino, astuto; delicato. **-ety**; finézza *f.*, astúzia *f.* **-y**; con finezza ecc.

Sub-tract, **-traction**; sottra-rre, -zióne *f.* **-tropical**; vicino ai tropici, con una flora quasi tropicale. **-urb**; subúrbio *m.*, sobbórgo *m.* **-urban**; suburbáno. **-variety**; varietà secondaria. **-vene**; intervenire, sopravvenire. **-vention**; sussídio *m.*, sovvenzióne *f.* **-version**; sovvertiménto *m.* **-versive**; sovversívo. **-vert**; sovvertire, rovesciare. **-verter**; sovvertitóre *m.* **-way**; sotterráneo *m.*, sottopassaggio *m.*

Succeed; riuscire, aver buona sorte; succedere a, seguire. **-ing**; sequènte, successívo, susseguènte.

Success; riuscíta *f.*, succèsso *m.*, (in a career) succèssi *m. pl.* **-ful**; felíce, ben riuscito, che ha buona riuscita. **-fully**; feliceménte, con successo. **-ion**; séguito *m.*, successióne *f.* **-ive**; successívo, di seguito, consecutívo. **-ively**; successivaménte, di seguito.

Succ-inct, **-inctly**, **-inctness**; succint-o; -aménte, -ézza *f.* **-ory**; cicòria *f.*, radícchio *m.* **-our**; soccórso *m.*, aiúto *m.*; soccórrere, aiutare. **-ubus**; súccubo *m.* **-ulence**; sugosità *f.* **-ulent**; sugóso, succulènto. **-umb**; soccómbere.

Such; tale, símile, siffatto. — and —, taluno, questo e quello. In — wise, in tal guisa, siffattaménte. At — an hour, ad un' ora simile, in un simile momento. In — a way, talménte; così. And — like, ed altri simili. A person — as I am, un par mio. — a learned man as he is, un uomo dotto come lui. No — thing! in nessun modo! No — thing was ever heard of, non si sentì mai siffatta cosa. — as I never thought of, al quale non ho mai pensato.

Suck; succhiare, súggere, poppare. Give —, allattare. — down ingoiare. — up, sorbire, assorbire. — up to, adulare, leccare gli stivali a. — the monkey, sottrarre vino dal barile. **-er**;

ventósa *f.*; pollóne *m.*, rimessiticcio *m.*; stantuffo *m.* **-ing-calf**; lattónzolo *m.* **-ing-pig**; porcellino di latte. **-le**; allattare. **-ling**; bambino lattante, poppante *m.* or *f.*

Suction; succhiaménto *m.*, aspirazióne *f.* — of the screw, risucchio dell' elica. **-pump**; pompa d' aspirazione.

Sudden; repentíno, subitáneo, improvvíso, inopinato. All of a —, di botta, d'un tratto, di schianto, che è che non è. **-ly**; súbito, improvvisaménte, ad un tratto. **-ness**; subitaneità *f.*, prontézza *f.*

Sudorific; sudorífico.

Suds; saponata *f.*

Sue; 1. citare in giudizio, intentar lite a. — for, chièdere, pregare. 2. *raccorc.* di Susan.

Suet; grasso *m.*, ségo *m.* **-y**; segóso.

Suffer; soffrire, subire, patire, provare, sopportare, perméttere; esser punito; guastarsi. — oneself to be led, lasciarsi condurre. **-ance**; tolleranza *f.* **-er**; soffrènte *m.*, paziènte *m.* Fellow —, compagno di sofferenza. **-ing**; pene *f. pl.*, sofferènza *f.*, dolóri *m. pl.*, il soffrire; soffrènte.

Suffic-e; bastare. **-iency**; sufficènza *f.*, il bastevole. **-ient**; bastante, bastévole, sufficiènte. **-iently**; abbastanza, bastanteménte, sufficenteménte.

Suff-ix; suffisso *m.*; aggiúngere. **-ocate, -ocation**; soffoc-are, -azióne *f.*; asfissiare, -a *f.* **-ragan**; suffragáneo. **-rage**; suffrágio *m.*; diritto al voto. **-use**; coprire, spándersi. **-usion**; suffusióne *f.*

Sugar; zúcchero *m.* Brown —, cassonáda *f.*, zucchero greggio. To —, inzuccherare. — of lead, sale di Saturno, acetato di piombo. **-baker**; raffinatore di zucchero. **-basin**; zuccherièra *f.* **-candy**; zucchero candito. **-cane**; canna da zucchero. **-ing**; velatura di zucchero. **-loaf**; pane di zucchero. **-maple**; acero da zucchero. **-plantation**; piantagione di canne da zucchero. **-plum**; confètto *m.* **-tongs**; mollétte *f. pl.* **-y**; zuccheróso.

Suggest; suggerire, accennare a, lasciare supporre. — itself, presentarsi. **-ion**; suggeriménto *m.*, suggestione *f.* (ipnotica). **-ive**; suggestívo. **-ively**; in modo suggestivo. **-iveness**; l' esser suggestivo.

Suicid-al; da -a. — tendency, propensione al -io. It would be —, sarebbe come -arsi. **-e**; -a *m.*, -io *m.* Commit —, -arsi.

Suit; richièsta *f.*, preghièra *f.*; lite *f.*, procèsso *m.*; corteggiaménto *m.*; abito completo; séme *m.* (di carte). Follow —, giocare una carta dello stesso seme, rispondere al colore, *fig.* seguire gli altri. Not to follow —, rifiutare. To —, convenire, accordarsi con, confare; contentare. The house -s me, la casa mi va. It -s my purpose, mi viene a taglio. — the action to the word, far seguire l' azione alla parola. It -s me to, mi fa comodo di. If that hour -s you, se quell' ora vi accomoda. **-able**; convenévole, confórme, accóncio, che si addice, adegnato. **-ableness**; conveniènza *f.* **-ably**; confórme convenevolménte, in modo acconcio.

Suit-e; cortèo *m.*, cortéggio *m.*, sèguito *m.* — of rooms, appartaménto *m.*, sfilata di stanze. — of bedroom furniture, ammobiliamento di camera da letto. **-or**; litigante *m.*, postulante *m.*; pretendènte *m.*, chi aspira alla mano d' una donna.

Sulk; tenere il broncio, stare da parte in mal umore, far tanto di muso. **-ily**; con brutto muso. **-iness, -s**; mal umore, musonería *f.* **-y**; imbroncíto, musóne, cupo; carrozzino a due posti.

Sullen; ostinato a non parlare, ritróso, di mala voglia, *see* Sulk. **-ly**; malvolentièri. **-ness**; umore ostinato o ritroso.

Sully; insudiciare, imbrattare.

Sulph-ate, -ide, -ite, -ur, -ureous *or* **-urous, -uric**; solf-áto *m.*, -úro *m.*, -ìto *m.*, -o *or* zólfo *m.*, -oróso, -òrico. Fumigate with -ur, solforare. Sulphur mine, solfatára *f.*

Sultan; sultáno *m.*, soldáno *m.* Sweet —, ambrétta *f.* Yellow —, ambretta gialla. **-a**; sorta d' uva passa.

Sultr-iness; tempo afoso, afa *f.* **-y**; d' un caldo pesante, cocènte, afóso.

Sum; sómma *f.*, montante *m.*, cifra *f.* — up, sommare, riassúmere.

Sumach; sommacco *m.*, scòtano *m.*

Summar-ily; breveménte, senz' altro. **-ise**; riassumere, far sunto di. **-y**; sunto *m.*, sommário *m.* As *adj.*, sommário. General — of a set of ledgers, riassunto di controllo.

Summer; state *f.*, estate *f.* **-clothes**; vestiti d' estate. **-house**; cupolíno *m.*, padiglióne *m.*, frascato *m.*, bersò *m.* **-set. -sault**; capitómbolo *m.*

Summing-up; sunto *m.*

Summit; cima *f.*, cólmo *m.*, vèrtice *m.*

Summon; citare, far venire, convocare, mandare a chiamare; intimare a. — up, riunire. — up one's courage, farsi animo. **-ing officer**, uscière *m.* **-s**; citazióne *f.*, appèllo *m.*; convenire in giudizio.

Sump; pozzo di scarico. **-ter**; da soma. **-tuary, -tuous, -tuously, -tuousness**; suntu-ário, -óso, -osaménte, -osità *f.*

Sun; sóle *m.*; soleggiare. **-beam**; raggio di sole. **-burn**; abbronzatura dal sole. **-burnt**; abbronżato. **-day**; doménica *f.* **-der**; separare, spartire. **-dew**; rośòlida *f.* **-dial**; meridiána *f.* **-down**; tramónto *m.* **-dried**; seccato al sole. **-dries**; spese casuali. **-dry**; parécchio, divèrso. **-fish**; mòla *f.* **-flower**; girasóle *m.* **-hat**; cappello per ripararsi dal sole, o per il sole.

Sun-g, -k; *part.* di Sing, Sink. Sunk fence, siepe nascosta, chiusura affondata. **-ken**; infossato.

Sun-less; senza sole. **-light**; luce del sole. **-ned**; abbronzato o illuminato dal sole. **-niness**; l' esser ben soleggiato. **-nite**; sunníta *m.* **-ny**; esposto al sole, solatío, soleggiato, *fig.* allegro come il sole. **-proof**; impervio ai raggi solari. **-rise**; il levar del sole. **-set**; tramónto *m.* After —, dopo l' avemmaria. **-shade**; ombrellíno *m.*, parasóle *m.* **-shine**; luce del sole, splendore del sole. In —, al sole. **-shiny**; raggiante, *fig.* allegro. **-stroke**; insolazióne *f.*, colpo di sole.

Sup; cenare.

Super; *raccorc.* di Supernumerary. **-abound, -abundance, -abundant, -abundantly**; sovrabbond-are, -anza *f.*, -ante, con -anza. **-add, -addition**; sopraggiúngere, -ta *f.* **-annuate, -annuation**; giubilare, -lazióne *f.* **-b, -bly, -bness**; -bo, -baménbi, l' esser -bo. **-cargo**; sopraccárico *m.* **-ciliary**; sopracciliáre. **-cilious**; arrogante, accigliato, búrbero. **-ciliously**; in modo altiero e vanitoso. **-ciliousness**; vanità boriosa. **-eminence, -eminent, -eminently**; sovreminèn-za *f.*, -te, -teménte. **-erogation, -erogatory**; superrog-azióne *f.*, -atòrio. **-excellent**; eccellentissimo. **-fetation**; -fetazióne *f.* **-ficial, -ficiality, -ficially**; -ficiále, -ficialità *f.* -ficialménte. **-ficies**; -fície *f.* **-fine**; sopraffíno, finissimo. **-fluity, -fluous, -fluousness, fluously**; -flu-ità *f.*, -o, l' esser -o, -aménte. **-heat**; sorriscaldare. **-heated**; sovrascaldato. **-human**; sovrumáno. **-impose**; sovrimpórre. **-imposition**; sovrimpośizióne *f.* **-incumbent**; sovrimpósto. **-induce**; sopraggiúngere. **-induction**; sopraggiunta *f.* **-intend**; soprintèndere, sorvegliare, soprastare. **-intendence**; soprintendènza *f.*, sorveglianza *f.* **-intendent**; soprintendènte *m.*, capo *m.*

Superior, -ity, -ly; -e, -ità *f.*, -ménte. Superior force, forza soverchiante.

Super-lative, -latively; superlatív-o, -aménte. **-natural, -naturally**; soprannaturál-e, -ménte. **-numerary**; soprannumerário. **-phosphate**; soprafosfáto *m.* **-pose**; *see* Superimpose. **-saturate, -saturation**; soprasatura-re, -zióne *f.* **-scribe**; scrivere su. **-scription**; soprascritta *f.* **-sede**; rendere inutile; sostituire, surrogare, rimpiazzare, cassare. Be -d, passare di moda, divenire inutile. **-session**; sostituzióne *f.*, spostaménto *m.* **-stition, -stitious, -stitiously, -stitiousness**; superstizió-ne *f.*, -so, -saménte, tendenza alla superstizione. **-structure**; costruzione al disopra del suolo. Of a railroad or war-ship, soprastruttura *f.* **-tax**; soprattassa *f.* **-vene**; sopravvenire, sopraggiúngere. **-vise, -vision**; sorvegli-are, -anza *f.* **-visor**; ispettóre *m.*, sorvegliante. **-visory**; di sorveglianza.

Supin-ation; -azióne *f.* **-e**; -o; negligènte, trascurato. **-ely, -eness**; negligen-teménte, -za *f.*; trascur-ataménte, -ággine *f.*

Sup-per; céna *f.* — time, ora da cena. **-perless**; senza cena. **-plant**; soppiantare. **-planter**; chi soppianta. **-ple**; pieghévole, śnèllo, ágile, *fig.* fino. **-plejack**; canna pieghevole. **-plement**; suppleménto *m.*, aggiunta *f.*; supplire a. **-plemental, -plementary**; supplementare, completòrio. **-pleness**; pieghevolézza *f.*, flessibilità *f.*

Suppl-iant, -icant; supplic-e, -ante *m.* **-icate**; -icare. **-icatingly**; con aria supplicante. **-icatory**; -ice, -icatòrio. **-ication**; -ica *f.*, -icazióne *f.* **-ier**; provveditóre *m.*, fornitóre *m.* **-y**; provvedére a, fornire. As *sb.*, provvista *f.*, provvigióne *f.*, approvviśionaménto *m.*, rifornimento *m.*, vettovigliaménto *m.* — and demand, offerta e domanda. Lay in a — of, approvvigionarsi di. — pipe, tubo d' ammissione. — ship, nave fornitrice.

Support; sostègno *m.*, appòggio *m.*, soccórso *m.*; sussistènza *f.* Without means of —, senza mezzi visibili. To —, sopportare, règgere, sostenére; appoggiare, confermare, sostentare; caldeggiare. **-able**; tollerábile. **-er**; sostègno *m.*, seguáce *m.*, sostentatóre *m.* Heraldic —, suppòrto *m.*, tenènte *m.* **-ing**; — ship, nave in appoggio.

Suppos-able; supponíbile. **-e**; suppórre, crèdere, ritenére, metter caso. — that, puta caso che. **-ition**; -izióne *f.* **-ititious**; -itízio.

Suppress, -ion; soppr-ímere, -essióne *f.*, reprímere. To — the disturbances, sedare i disordini. **-ive**; repressívo.

Suppura-te, -tion; -re, -zióne *f.*

Supraorbital; soprorbitále.

Suprem-acy; -azía *f.*, primáto *m.* **-e**; -o. **-ely**; in modo superlativo.

Sur-a; capitolo del Corano. **-ah**; stoffa di seta a spiga, surah *m.* **-al**; -ále.

-charge; supplemento ad un conto; far restituire da chi ha fatto uno sborso non autorizzato dalla legge. **-cingle**; sopraccínghia *f.* **-d**; irrazionále, radice di un numero che non ne ha una esatta.

Sure; cèrto, sicuro. To be —, 1. sì, è certissimo. 2. però, è vero che. Be doubly —, garantirsi. I will be — to come, non mancherò di venire. I shall be — to come, non vi è dubbio che io non venga, è impossibile che io non venga. Make —, accertarsi, assicurarsi. I made — that, credevo per certo che. Well I'm —! ma se lo credevo impossibile! I'm — I don't know, sto tutto in dubbio, non ne so niente. And — enough, ed ecco che. **-footed**; a passo sicuro, che non incespica, con piè fermo. **-ly**; sicuro, di certo; ma. — you will not go in this weather, ma non oserai di andare con questo tempaccio. — he can't have forgotten, deve esser impossibile che abbia dimenticato. **-ness**; certézza *f.*, sicurézza *f.* **-ty**; garante *m.*, mallevadóre *m.*, fideiussóre *m.*; fideiussióne *f.* Give, Go —, prestar malleveria. **-tyship**; mallevadoría.

Surf; risacca *f.* **-boat**; barca da navigarsi nella risacca.

Surface; superfície *f.*, esterióre *m.* Rise, Bring, to the —, venire, portare a galla. On the —, superficialménte. Be apparent on the —, apparire a prima vista. On the — of the water, a fior d' acqua. — of a cylinder, specchio *m.* Upper — of a rail, faccia di scorrimento di una rotaia. (Submarine) on the —, in emersione, emerso. Come to the —, salire alla superficie. Sail on the —, navigare in emersione. **-current**; la corrente superficiale. **-ship**; nave di superficie. **-water**; acqua piovuta su un' area qualunque. **-well**; pozzo poco profondo.

Surf-eit; sazietà *f.*, crápula *f.*; saziare, satollare, impinzare. **-eited**; stufo, satòllo, stucco e ristucco. **-y**; (spiaggia) dove ci è sempre risacca.

Surg-e; ondata *f.*, marósi *m. pl.*; ondeggiare, moversi (folla) come un fiotto. -ing sea, mare di leva, gonfiato.

Surg-eon; chirurgo *m.* House —, chirurgo assistente. Army —, chirurgo militare. Navy —, chirurgo di marina. **-ery**; chirurgía *f.*; gabinetto di un chirurgo. **-ical**; chirúrgico.

Surl-ily; da burbero ecc. **-iness**; naturale ringhioso ecc. **-y**; búrbero, ringhióso, arcigno, biśbètico, scontróso.

Sur-mise; congettura *f.*; suppórre, immaginarsi, sospettare. **-mount**; sorpassare, sormontare. **-mountable**; sorpassábile, sormontábile. **-mullet**; triglia maggiore. **-name**; cognóme *m.*, casato *m.*; soprannominare.

Surp-ass, -assable; sorpass-are, -ábile. **-assingly**; straordinariaménte. **-lice**; cotta bianca. **-liced**; in cotta. **-lus**; soprappiù *m.*, avanzo *m.*, eccedènte *m.* — stock, scámpoli *m. pl.* — steam, eccesso di vapore. As *adj.*, sovèrchio. **-lusage**; parole superflue. **-rise**; sorprésa *f.*; sorprèndere. Be -d, farsi meraviglia. You — me, mi fate stupire. Be -d to find, rimaner sorpreso di trovare. **-risingly**; sorprendenteménte, inaspettataménte. **-risingness**; l' esser sorprendente.

Surr-ender; résa *f.*, cessióne *f.*, conségna *f.*; dare in mano, lasciare, cédere, abbandonare, rinunciare a; arrèndersi, capitolare. — oneself to justice, costituirsi alla giustizia. **-eptitious**; furtívo, nascósto. **-eptitiously**; sottècche, di soppiatto, di nascosto. **-ogate**; deputato di un giudice ecclesiastico. **-ound**; circondare, cíngere, attorniare, accerchiare. **-ounding**; circostante. **-oundings**; dintorni *m. pl.*, ambiènte *m.* Early —, precedenti contatti.

Sur-tax; soprattassa *f.*; imporre una soprattassa. **-tout**; soprábito *m.* **-veillance**; sorveglianza *f.* **-vey**; vista *f.*, víśita *f.*, eśáme *m.*, ispezióne *f.*, perízia *f.*; studio topografico o idrografico, levata di piani, rilevaménto *m.*, agrimensura *f.*; considerare, contemplare; miśurare, levare i piani di, rilevare. **-veyor**; agrimensóre *m.* Nautical —, perito nautico. — of a ship, ispettore di registro. **-veyorship**; ispettorato *m.* **-vival, -vive, -vivor**; sopravviv-ènza *f.*, -ere; -ènte *m.*, supèrstite *m.* **-vivorship**; diritti toccanti a chi sopravvive.

Suscept-ibility; suscettibilità *f.* **-ible**; suscettíbile, passíbile. **-ibleness**; sensibilità *f.* **-ive**; suscettívo.

Suspect; persona sospetta; sospètto; sospettare, diffidarsi di. — the underlings, the servants, sospettare dei sottoposti, della servitù. Take care that nobody -s, che nessuno sospetti di nulla. — the truth, fiutare la verità. — the truth of, dubitare della verità di. I — it was on account of, credo che...possa esserne stato la cagione.

Suspen-d; sospèndere. — one's judgment, tenere sospeso il suo giudizio. **-ders**; cigne *f. pl.*, bertèlle *f. pl.* **-se**; incertézza *f.*, dúbbio *m.*, stato di sospensione. — account, conto provvisorio. **-sion**; sospensióne *f.* Held in —, disperso per un liquido senza precipitarsi. — bridge, ponte sospeso. **-sory bandage**; sospensòrio *m.*

Suspic-ion; sospètto *m.*, *fig.* piccolissima quantità. **-ious**; sospètto; sospettóso, malfido. **-iously**; con sospetto, con diffidenza. **-iousness**; indole sospettosa.

Sust-ain; sostenére, règgere, sopportare, sostentare. **-ainable**; sostenibile. **-ained**; prolungato. **-ainer**; sostenitóre *m.*, fautóre *m.*, partigiáno *m.*, sostègno *m.* **-enance**; aliménto *m.*, manteniménto *m.* **-entation**; manteniménto *m.*

Sut-ler; vivandière *m.* **-tee**; sutti *f.* **-ure**; sutura *f.*

Suzerain; sovráno *m.* **-ty**; signoría *f.*

Swab; strofináccio *m.*, radazza *f.*; pulire con radazza ecc.

Swab-ia, -ian; Śvèv-ia *f.*, -o.

Swaddle; fasciare. Swaddling clothes, fasce *f. pl.*

Swag; bottíno *m.*; bagaglio portato sul dosso. **-e**; stampo da latta. **-ger**; fanfaronata *f.*, spagnolággine *f.*, boría *f.*; (in Australia) operaio viaggiatore. To —, far lo spaccone, lo spavaldo, vanagloriarsi. -ing air, aria da spaccamonte. **-gerer**; śmargiassóne *m.*

Swain; amante *m.*

Swallow; 1. róndine *f.* 2. ingoiare, inghiottire. He will — anything, *fig.* beve grosso. **-tail**; a coda di rondine. — butterfly, macaóne *m.*, farfalla coda di rondine.

Swam; *rem.* di Swim.

Swamp; pantáno *m.*, acquitríno *m.*, palúde *f.*; inondare, *fig.* fare sparire in un mare di cose. Be -ed, riempirsi di acqua. -ed by a sea, riempito da un colpo di mare. **-y**; mollíccio, acquitrinoso, paludóso, pantanóso.

Swan; cigno *m.* **-neck-pipe**; tubo a collo di cigno. **-'s down**; piuma di cigno. **-shot**; pallottole da cigno. **-skin**; mollettóne *m.*

Swap; scámbi-o *m.*, -are; baratt-o *m.*, -are. **-hook**; falcíno *m.*

Sward; terreno erboso.

Swarm; sciáme *m.*; fòlla *f.*, calca *f.*; far lo sciame; abbondare, pullulare, brulicare. — up, inerpicare un albero abbracciandolo. — into, affollare in.

Swarth-iness; carnagione bruna. **-y**; bruno, neríccio.

Swashbuckler; mangiacristiáni *m.*

Swath; falciáta *f.*, linea di erba o grano falciato.

Swathe; fasciare.

Sway; domínio *m.* Bear —, regnare. To —, oscillare. The carriage -ed furiously from side to side, il vagone si scoteva da tutte le parti. — up, issare.

Swear; giurare, bestemmiare, tirar moccoli. — at, ingiuriare. — by, fidarsi implicitamente in, esser convinto dell' efficacia di, far giuramento su. — falsely, spergiurarsi. — in, deferire il giuramento (ai giurati ecc.).

Sweat; sudóre *m.*; sudare; toṡare (monete). **-er**; giacchetta di maglia a maniche lunghe; chi fa lavorare a prezzi meschini, sfruttatóre *m.* **-ing-system**; lo sfruttamento spietato dei lavoranti. **-y**; sudicio dal sudore. — job, lavoro che fa sudare.

Swed-e; rutabága *f.*, rapa svedese. **-en**; Śvèzia *f.* **-ish**; śvedése.

Sweep; spazzata *f.*; remo lungo, remo da galera. With a — of his arm, girando il braccio attorno. The river takes a wide — to the left, il fiume si piega a sinistra con una curva lungamente estesa. The house is approached from the high road by a fine carriage —, si giunge davanti alla casa per una strada carrozzabile che fa una curva vistosa dalla strada maestra. The — of the human intellect, la portata dell' intelletto umano. At each — of his scythe, ad ogni volta che fece girare la sua falce. At one —, d' un solo colpo. Make a clean —, far repulisti, far tavola rasa, far piazza pulita. Chimney —, spazzacamíno *m.* To —, spazzare, ṡbrattare; passare rapidamente, fieramente, o dignitosamente. — for mines, dragare, rastrellare. — an area, dragare una zona. Mine -ing, dragaggio o rastrellamento delle mine. — away, spazzar via, portar via. — the board, vincere tutto. — in, riunire, far raccolta di. — off, toglier via. — out, pulire con la spazzola, far pulizia a. — up, spazzare per bene. — up the snow, spazzare la neve.

Sweep-er; spazzíno *m.* **-ings**; spazzatura *f.* **-net**; giácchio *m.* **-stake**; partita o giuoco dove ognuno mette una posta che cade al vincitore.

Sweet; dólce, soáve, caríno. **-s**, dólci *m. pl.*, chicche *f. pl.* Keep —, conservarsi in buona condizione. Smell —, odorare soavemente. **-bread**; animèlla *f.* **-briar**; rosa salvatica dalle foglie odorose. **-en**; addolcire, inzuccherare. **-flag**; canna odorifera. **-gale**; miríca *f.* **-heart**; amante *m.*, caríno *m.* **-ies**; confètti *m. pl.* **-ish**; piuttosto dolce. **-ly**; dolceménte. **-maudlin**; erba giulia. **-meat**; confètto *m.*, zuccheríno *m.* **-natured**; mansuèto, amábile. **-ness**; dolcézza *f.*, soavità *f.* **-pea**; pisello odorato. **-potato**; patata dolce, igname *m.* **-rush**; canna odorifera. **-scabious**; scabbiosa muschiata. **-scented**; profumato, odoróso. **-stuff**; dolciumi *m. pl.* **-sultan**; ambrétta *f.* **-tempered**; di carattere buono, placido. **-toothed**; cui piacciono i dolci. **-violet**; viola mammola. Double —, viola mammola a fiori doppi. **-William**; violine di Spagna.

Swell; mare di leva, ondeggiaménto *m.* — after a storm, mare vecchio, mar morto. Heavy —, ondeggiamento grosso; (gergo) elegante *m.*, milòrdo *m.*, pezzo grosso, gran signore. To —, gonfiare, ingrandire, ingrossare, créscere, rigonfiare. — out, gonfiarsi. -ed head, testa gonfia, idea esagerata della propria importanza. **-ing**; tumóre *m.*, gonfiatura *f.*, enfiagióne *f.* **-mob**; borsaioli ben vestiti.

Swelter; far un caldo suffocante.

Swept: *rem.* di Sweep.

Swerve; piegarsi, deviare.

Swift; rondóne *m.*; rápido, velóce, prèsto. To — (*mar.*), imbrigliare, assicurare. **-er**; strangolatura *f.* **-ly**; rapidaménte, in fretta. **-ness**; celerità *f.*, ṡveltézza *f.*

Swig (gergo); tracannare.

Swill; lavatura *f.*; (gergo) trangugiare. **-er**; ubbriacóne *m.* **-tub**; mastello da lavatura.

Swim; nuotare, esser inondato (di); soprannuotare. — across, passare a nuoto. My head is -ming, mi gira la testa. Be in the —, esser della partita. **-bladder**; vescica natatoria. **-mer**; nuotatóre *m.* **-ming**; nuòto *m.* **-mingly**; benissimo.

Swindle; abbindolaménto *m.*, truffa *f.*, fróde *f.*; scroccare, truffare, defraudare. **-r**; scroccóne *m.*, bindolóne *m.*

Swine; pòrco *m.*, maiále *m.* **-herd**; porcaro *m.*

Swing; oscillaménto *m.*, barcollaménto *m.*; altaléna *f.* In full —, in piena attività, a tutto andare. To —, dondolare, agitare, oscillare, fare all' altalena, girare sull' ancora. — for the compasses, far il giro della bussola. — the yards round, controbracciare, cambiare. -ing room, spazio per presentare. **-bridge**; ponte girante. **-door**; porta battente.

Swingeing; fortissimo.

Swingle; vétta *f.*

Swinish; da porco, bestiále.

Swipe; colpo forte, colpire fortemente.

Swipes; birra leggera o cattiva.

Swirl; scorrere con moto vorticoso.

Swish; scròscio *m.*, stròscio *m.*; scrosciare, agitare (coda); sferzare con verga di betulla.

Swiss; ṡvízzero.

Switch; bacchétta *f.*, stecchíno *m.*; interruttóre *m.*, commutatóre *m.*, rompicircúito *m.*, ṡbarra *f.*, deviatóio *m.*, ago scambiavía, linguétta *f.*, scámbio *m.* Main light —, sbarra di luce. Main power —, sbarra di forza. Safety —, deviatoio di sicurezza. — off, on, spègnere, accèndere (luce); aprire, chiúdere (la corrente). **-board**; quadro di distribuzione. **-man**; ṡviatóre *m.*, guardaeccèntriche *m.*

Switzerland; Ṡvízzera *f.*

Swivel; maglia o anello a molinello. **-block**; bozzello a molinello. **-bridge**; ponte girevole. **-gun**; cannoncino girevole. **-hook**; gancio a molinello.

Swollen; *part.* di Swell.

Swoon; ṡveniménto *m.*, delíquio *m.*; ṡvenire, venir meno.

Swoop; slancio di un falco, attacco inaspettato. At one —, ad un sol tratto, ad un colpo. To — down, avventarsi, piombare.

Swop; *see* Swap.

Sword; spada *f.* Broad —, sciábola *f.* **-bearer**; portaspada *m.* **-belt**; cinturíno *m.* **-fish**; pesce spada *m.* **-sman**; schermitóre *m.*, spadaccíno *m.* **-stick**; mazza animata.

Sw-ore, -orn; *rem.*, *part.*, di Swear. Sworn friend, amico devoto. Sworn foe, nemico giurato. **-um, -ung**; *part.* di Swim, Swing.

Sybarit-e; sibaríta *m.* **-ism**; lusso sfrenato.

Syc-amore; acero sicomoro, acero di montagna, loppóne *m.* **-e**; sais *m.*, scudiero indiano. **-ophant, -ophantic**; sicofant-e *m.*, -ico.

Syllab-ic, -le; sillab-ico, -o *m.* **-us**; tavola di studi o conferenze, programma *m.*, spècchio *m.*, sunto *m.*

Syllog-ism, -istic, -istically, -ise; sillogiṡmo *m.*, -istico, -isticaménte, -iżżare.

Syl-ph, -van; síl-fide *f.*; -váno, boscheréccio.

Symbol, -ic, -ically, -ise, -ism; símbol-o *m.*, -ico, -icaménte, -iżżare, -iṡmo *m.*

Sym-metrical, -metrically -metry; simmétr-ico, -icaménte, -ía *f.* **-pathetic, -pathetically, -pathise, -pathising, -pathy**; simpat-ico, -icaménte, -iżżare, di -ia; -ía *f.*, compassióne *f.*, compatiménto *m.* Sympathise with, compatire. **-phony**; sinfonía *f.* **-physis**; sínfiṡi *f.* **-posium**; simpòṡio *m.*

Symptom, -atic, -atically; síntom-o *m.*, -atico, -aticaménte.

Syn-aeresis; sinèreṡi *f.* **-agogue**; sinagòga *f.* **-chronise, -chronous**; esser sincrono, síncrono. **-copate, -copation, -cope**; sincop-are, -atura *f.*; -e *f.*, delíquio *m.*, lipotimía *f.*

Syndic; síndaco *m.* **-ate**; sindacáto *m.*,

consiglio amministrativo; società anonima provvisoria.
Synod, -ical; sínod-o *m.*, -ále.
Synonym, -ous, -ously, -y; sinònim-o *m.*, -o, -aménte, -ía *f.*
Synop-sis; sinòssi *f.*, veduta generale, riassunto *m.* **-tic**; sinòttico.
Synovi-al; — fluid, sinòvia *f.* **-tis**; sinovíte *f.*
Sy-ntax; sintassi *f.* **-nthesis, -nthetic, -nthetically**; sínte-śi *f.*, -tico, -ticaménte. **-philis**; sifílide *f.*, mal francese. **-philitic**; sifilítico. **-racuse, -racusan**; Siracuś-a *f.*, -ano. **-riac, -rian**; siríaco. **-ringa**; salíndia *f.* **-ringe**; siringa *f.*; siringare. **-rup**; sciròppo *m.* **-rupy**; come lo sciroppo.
System; sistèma *m.*, rete ferroviaria. Bodily —, gli organi del corpo. **-atic, -atically, -atisation, -atise**; sistematico, -aticaménte, -azióne *f.*, -are.
Sy-stole; sístole *f.* **-zygy**; sizígie *f.*

T

T; *pronunz.* Ti. To a —, eśattaménte. **-bandage**; fasciatura a T. **-iron**; ferro a T.
Tab; striscettína *f.* Of a boot, laccétto *m.*
Tabby; tigrato, grigiastro, soriáno.
Tabernacle; tabernácolo *m.* Feast of -s, festa delle capanne.
Table; távola *f.*; índice *m.*, tabèlla *f.*, prospètto *m.* To —, metter innanzi, intavolare. Holy —, altáre *m.* Small —, tavolíno *m.*
Tableaux-vivants; quadri plastici.
Table-Bay; la Baia della Tavola. **-beer**; birra leggera. **-cloth**; továglia *f.* **-cover**; tappéto *m.* **-d'hôte**; tavola rotonda. **-land**; altipiáno *m.* **-linen**; biancheria da tavola. **-money**; tassa pagata per la mensa. **-Mountain**; il Monte della Tavola. **-spoon**; cucchiaio da tavola. **-spoonful**; cucchiaiata da cucchiaio da zuppa. **-talk**; conversazione familiare.
Tab-let; tavolétta *f.* **-loid**; -lòide *f.* **-oo**; sorta di interdetto religioso presso i selvaggi della Polinesia, soggetto proibito; proibire. **-ula rasa**; tavola rasa. **-ular**; in tavole. — statement, elènco *m.* **-ulate**; ridurre in tavole sinottiche, far elenco di.
Tacit, -ly; -o, -aménte.
Taciturn, -ity; -o, -ità *f.*
Tack; 1. bulletta a capocchia larga. 2. mura *f.*, bordata *f.* On the port (starboard) —, colle mure a sinistra (destra). Get on the wrong —, prender una falsa strada. Be on the right —, esser in buona via. To —, bordeggiare, virar di bordo. 3. aggiúngere. 4. imbastire. 5. (gergo) cibo *m.* Soft —, pane *m.* Hard —, biscòtti *m. pl.*
Tackle; arnési *m. pl.*, ordigni *m. pl.*, ròba *f.*, attrézzi *m. pl.*; paranco *m.*, calióma *f.* To —, metter mano a, intraprèndere. I think I can — him, credo d' aver abbastanza forza per ridurlo alla ragione. I think I know how to — the job, credo di saper come fare per riuscire nell' affare. **-block**; bozzello di caliorna. **-fall**; tirante di paranco.
Tact; tatto *m.* **-ful**; che ha tatto, accòrto. **-ical, -ician, -ics**; táttic-o, -o *m.*, -a *f.* **-ile**; táttile. **-less**; senza tatto, gòffo, stúpido.
Ta-dpole; giríno *m.* **-enia**; ténia *f.* **-ffeta**; -ffettà *m.*
Tag; puntále *m.*, aghétto *m.*; zéppa *f.*, taccóne *m.*, aggiunta *f.* — rag and bobtail, canáglia *f.*
Tail; códa *f.* — of a violin, còdolo. With — between the legs, (tornare) colle pive nel sacco. **-coat**; abito a falda. Swallow —, abito a coda di rondine. **-ings**; mondíglia *f.*, rifiuto di miniera. **-less**; senza coda. **-or, -oress**; sart-o *m.*, -a *f.* **-pocket**; tasca nella falda.
Taint; infezióne *f.*, magagna *f.*, tintura *f.*; infettare, guastare, corrómpere.
Take; présa *f.*; incasso *m.* To —, pigliare, prèndere, desúmere; portare con sè; condurre; attecchire, riuscire; intèndere. I do not quite — you, non vi intendo tutto. — **aback**, sconcertare. — **advantage**, approfittarsi, avvantaggiarsi. — **advantage of**, prender di sorpresa; valersi di, utilizzare. — **after**, rassomigliare a. — — the father, mother, padreggiare, madreggiare. — **aim**, mirare. — — at, prender di mira. — careful — at, prender ben di mira. — **along**, accompagnarsi, portare con sè. — **arms**, — up arms, prender le armi. — **away**, toglier via, portar via, spogliare di. — **back**, 1. riprèndere. 2. riportare, ricondurre. — to one's **bed**, allettarsi. — **breath**; rifiatare, prender fiato. — **care**, fare attenzione, stare attenti, badare. — —! attenti! — — of, prendersi cura di, badare. — — not to, badarsi da, badarsi bene di. — **one's chance**, rimettersi alla for-

tuna. — **charge of**, farsi responsabile di, pigliare in custodia, ritirarsi (un orfano) in casa. — one's **choice**, scègliere. — a **course of action**, ricórrere a una misura. — **credit** to oneself for, farsi onore di. — **down**, abbáttere, levare, abbassare; scrívere, far nota di; ammainare; inghiottire; staccare; umiliare. — **effect**, prendere o fare effetto. — the **field**, uscire in campo. — **fire**, accéndersi. — **for**, sbagliare per. — **from**, dedurre da, derogare a, togliere da, sottrarre da, staccare da. You may — it — me that, potete accertarvi, sono io che velo dico, che. — for **granted**, prender come convenuto, ritenere per fermo, presuppórre. — in **hand**, intraprèndere, prender su di sè, metter mano a. — into one's **head**, mettersi in testa. If he should — it into his —, se gli fosse passato per la testa. — **heart**, farsi coraggio. — the — out of him, torgli li coraggio. — **heed**, stare attento, aver cura, badare. — to one's **heels**, menar le calcagna. — **hold** of, afferrare, aggrapparsi a, tenere fermamente. — **ill**, **in ill part**, recarsi a male o ad ingiuria, prender in mala parte. Be -n ill, esserti venuto male. He has been -n ill, gli ha preso male, gli è venuto male. — **in**, 1. ricevere, albergare. 2. introdurre, far entrare, amméttere. 3. comprendère, arrivare a credere. Do you — — that you are ten years old to-day? hai capito che oggi hai dieci anni compiuti? 4. abbracciare, inclúdere (cingendo con muro o siepe). 5. associare, far socio. 6. metter in mezzo, ingannare, imbrogliare. 7. serrare (le vele). 8. raccorciare. 9. — — washing, fare la stiratrice. — **into**, portare dentro, introdurre in, menare in. — — one's confidence, far parte delle sue segretezze a. — a **journey**, fare un viaggio. — **leave**, perméttersi; accomiatarsi, congedarsi. — — of one's senses, perdere il suo senno o la sua assennatezza. — **notice**, osservare. — an **observation**, fare un' osservazione. — **off**, 1. levarsi d' addosso, ṡdossare, cavarsi (il cappello). The wind nearly took me off my legs, poco mancò che il vento non mi precipitasse a terra. 2. imitare, burlarsi di. 3. *see* — from. 4. — — a stain, ṡmacchiare. — — the mask, ṡmascherarsi. — — some of the bad impression he has made, scemare la cattiva impressione che ha fatta. — — some of the colour, alleggerire il colore. 5. — oneself —, ṡvignarsela, scappar via. 6. spiccar il salto. This is where you — — from, è da qui che si spicca il salto. As *sb.*, 7. caricatura *f.* 8. luogo per spiccare il salto. — **offence** at, offendersi di. — **on**, 1. assúmere. 2. prender partito contro, opporsi a. 3. afflíggersi, lagrimare. — **out**, 1. tògliere, levare, fare sparire (macchia), ritirare. 2. estrarre. 3. cancellare, ṡdipíngere. 4. prèndere (brevetto). 5. — — for exercise, menar fuori per esercizio. — — for a walk, far fare una passeggiata. 6. — — of pawn, riscattare. 7. — it — of one, stancare uno, straccarlo, lasciarlo esausto o spossato. 8. — it — in, rifarsi con, pagarsi in. — **over**, condurre per; assumere la responsabilità di. — — the assets and liabilities of, incaricarsi del passivo di, ricevendone l' attivo. — — the business of, rilevare, prender la successione di. The X. bank was taken over by the Y., la banca X. fu trasferita alla Y. The road will be taken over by the parish, la strada sarà accampionata al comune. — to **pieces**, ṡmontare. — **pity** on, aver compassione di. — **place**, aver luogo, verificarsi. — **pleasure** in, compiacersi di. — **possession**, entrare in possesso. — **root**, abbarbicare. — a **step**, fare un passo. — **stock**, fare l' inventario. — **time**, volersi tempo. — **to**, applicarsi a, studiare, occuparsi di, trovar piacere in, divenire amico di, aver ricorso a. — — drinking, gambling, darsi al bere, al giocare. — — smoking, prender l' abitudine di fumare. — — heart, dolersi di, recarsi a cuore. — a **turn**, fare una girata. — one's —, prender il proprio turno. — a — for the better, worse, volgersi in meglio, migliorarsi; volgersi in peggio, peggiorarsi. — **up**, 1. sollevare, raccògliere; far salire. 2. occuparsi un po' di. 3. arrestare. 4. interrómpere, intervenire con una contradizione. 5. interessarsi (di un' invenzione), fare (un' opzione). 6. assorbire. 7. consúmere (tempo). 8. patrocinare. He had a hard struggle till he was -n — by Lord C., menava dura vita finchè non ottenne il patrocinio di Lord C. 9. — — a bill, saldare una cambiale ad un tempo diverso da quello della sua scadenza. 10. Carriages will — — in B. street, si sale in carrozza in via B. — **up with**, associarsi con, praticare, bazzicare. -n — —, assorbito da. — **upon oneself**, assúmersi, arrogarsi. — **in vain**, profanare. — something **with** one's food, accompagnare qualche cosa al cibo. -n —, innamorato di. — you at your **word**, prenderti in parola.

Tak-er; chi accetta una scommessa. He found no —, non trovò chi accettasse. **-ing**; attraènte, seducènte. **-ingly**; in modo attraènte ecc. **-ings**; incasso *m.*

Talc; talco *m.*

Tale; novèlla *f.*, raccónto *m.*; número *m.* Fairy —, racconto delle fate, *fig.* fandònia *f.*, cosa incredibile. **-bearer**; rifischióne *m.*

Tal-ent; talènto *m.*, ingègno *m.* **-ented**; abilissimo, altamente dotato.

Tales (*leg.*); giurati supplenti.

Talisman, -ic; -o *m.*, -ico.

Talk; discórso *m.*, ragionaménto *m.*, dicería *f.*, ciárla *f.*, conversazióne *f.* Small —, frivolézze *f. pl.*, banalità *f.* I had come to the end of my small —, discorrevo del più e del meno finchè non ebbi più nulla da dire. Be the — of the place, esser nella bocca di tutti. Tall —, millantería *f.*

To —, parlare, ragionare. — out, discorrer su un progetto di legge finchè sia impossibile di votarla; discorrere su qualche cosa completamente. You had better — it out with him when you see him, farete bene di discorrer di tutto l' affare con lui quando lo vedrete. — over, discórrere; guadagnar dalla nostra parte, persuadére.

Talk-ative; loquáce, parlièro. **-ativeness**; loquacità *f.* **-er**; parlatóre *m.*, millantatóre *m.* **-ing-to**; ramanzína *f.*

Tall; grande, alto. — old man, vecchio alto della persona. — story, storia difficile a credere. — hat, cilindro *m.*, cappello alto. **-ness**; altézza *f.*, grandézza *f.*

Tallow; ségo *m.* **-candle**; candela di sego. **-chandler**; candelaio *m.*

Tally; táglia *f.*; accordarsi, quadrare, rispóndere. **-man, -shop**; bottegaio o bottega che si fa pagare a rate.

Talmud, -ic; talmúd *m.*, -ico.

Talon; artíglio *m.*; matrice di un foglio di tagliandi.

Talus; pendío *m.*, scarpa *f.* (di precipizio).

Tam-ability, -able; addomestichevo-lézza *f.*, -le.

Tamar-ind; -indo *m.* **-isk**; -íge *m.*, cipressína *f.*

Tamb-our; -úro *m.* **-ourine**; -uríno *m.*

Tame; dòcile, mansuèto, doméstico; ṡbiadíto, ṡnervato; domare, addomesticare. **-ly**; senza resistenza. **-ness**; l' esser docile ecc. **-r**; domatóre *m.*, addomesticatóre *m.*

Tamp; turare. **-er with**, immischiarsi di, falsificare, corrómpere, forzare (serratura), alterare (scritto). **-ion**; tappo *m.*, zaffo *m.*

Tan; buccia da concia, cóncia *f.*; conciare; abbronżare. Black and — terrier, can terrier nero e tanè. **-dem**; *id.*, tiro di cavalli l' uno dietro l' altro.

Tang; 1. sapore aspro. 2. alghe *f. pl.* 3. còdolo *m.*, spica *f.*

Tang-ent, -ential, -entially; -ènte *m.*, -enziále, -enzialménte. **-ibility, -ible, -ibly**; -ibilità *f.*, -íbile, -ibilménte.

Tangier; Tangèri *or* Tángeri *f.*

Tangle; arruffío *m.*, nodo ingarbugliato, garbúglio *m.*, imbròglio *m.*; laminária *f.*; arruffare, imbrogliare, ingarbugliare. **-d**; intricato.

Tank; cistèrna *f.*, serbatóio *m.*; stagno *m.* (in India). Blow off — of a submarine, soffiatóre *m.* Compensating —, cassa compensa, serbatoio d' immersione. Trimming —, cassa d' assetto. Blow the -s, vuotare i serbatoi. Military —, carro d' assalto.

Tankard; boccále *m.*

Tank-steamer; nave cisterna.

Tan-ner, -nery, -ning; conc-iapèlli *m.*, -ia *f.*, -ería *f.* **-nin**; tanníno *m.* **-sy**; tanacéto *m.*, atanáṡia *f.* **-talise**; tormentare come Tantalo, stuzzicare. **-talising**; crudèle, che dà le pene di Tantalo. **-tamount**; tanto che, simile, lo stesso che. **-tivy**; a tutta carriera. **-trums**; fúrie *f. pl.*

Tap; bòtta *f.*, colpo leggero; rubinétto *m.*, cannèlla *f.*; colpire leggerménte; spillare, maniméttere; far la paracentesi, far incisione (a un albero da gomma). — the ground, battere lievemente in terra.

Tap-e; passamáno *m.*, cordellína *f.*, nastro *m.* Red —, *fig.* regolamenti pedantici da burocrata. **-er**; cèro *m.*; affusare, affusolare. **-ering**; affusolato, che va assottigliandosi dai capi. **-estry**; arazzo *m.*; coprire di arazzi. **-e-worm**; ténia *f.* **-ioca**; *id. f.* **-ir**; tapíro *m.* **-is**; tappéto *m.* Bring on the —, intavolare. **-pet**; castagnuola dell' eccentrico, bocciuolo di espansione.

Tap-room; sala d' osteria. **-root**; radice maestra, fittóne *m.* **-ster**; garzone di bettòla.

Tar; catráme *m.*, pece liquida; incatramare, spalmare. Jack —, marináio *m.* Have a touch of the -brush, avere un negro fra gli antenati. **-antass**; carrozzone russo. **-antula**; tarántola *f.*

Tard-ily, -iness, -y; -aménte; -ézza *f.*, -ità *f.*; -o lent-aménte, -ézza *f.*, -o.

Tar-e; 1. żiżżánia *f.*, lóglio *m.*, véccia *f.* 2. tara *f.* **-get**; berságlio *m.* **-iff**; taríffa *f.* **-latan**; -latána *f.* **-n**; laghétto *m.* **-nish**; appannare, offuscare, scolorire, annerire. **-paulin**; tela incatramata; copertone di questa.

Tarragon; targóne *m.*

Tarry; 1. impeciato, incatramato. 2. indugiare, tardare; dimorare.

Tars-al, -us; -ále, -o *m.*

Tart; tórta *f.*, crostata *f.*; aspro, asprigno, brusco. **-an**; -ána *f.* **-ar**; tártaro *m.*, ròccia *f.* Catch a —, far prigioniere chi è più forte di noi. **-arean**; -áreo. **-aric**; -árico. **-arus**; -aro *m.* **-let**; tortína *f.* **-ly**; aspraménte, impertinenteménte. **-ness**; acerbézza *f.*, acerbità nel parlare. **-rate**; tartarato *m.*

Task; cómpito *m.*, lavóro *m.*; far lavorare, metter alla prova. Take to —, lavare il capo a, riprèndere. **-master**; padróne *m.*, ispettóre *m.* **-work**; lavoro a cottimo.

Tassel; fiócco *m.*, nappína *f.* **-led**; a fiocchi.

Tast-e; gusto *m.*, sapóre *m.*; gènio *m.*; bocconcíno *m.*, un pochino. To —, assaporare, assaggiare, gustare; aver un sapore, sapere di; sentire, provare. There is no accounting for -s, tutti i gusti son gusti. **-eful**; di buon gusto. **-efully**; con buono gusto. **-eless**; senza gusto, insípido, di cattivo gusto. **-elessly**; senz' arte, scioccaménte. **-elessness**; scipitézza *f.*, insipidità *f.*; mancanza di buon gusto. **-er**; gustatóre *m.*, assaggiatóre *m.* **-ily**; di buon gusto. **-y**; saporíto.

Ta-ta; addío.

Tat-terdemalion; pezzènte *m.*, stracciόne *m.* **-tered**; stracciato, śdrucíto. **-ters**; stracci *m. pl.* **-tle, -tler**; cianci-a *f.*, -óne *m.* **-too**; tatuare. Beat the devil's —, tamburinare colle dita sulla tavola. — marks, tatuággio *m.*

Taught; *rem.* di Teach.

Taunt; rinfacci-aménto *m.*, -o *m.*, sarcaśmo *m.*; rinfacciare, gettare alla faccia. **-ing, -ingly**; ingiuriós-o; -aménte, in modo sarcastico.

Taut; tèso.

Tautolog-ical, -y; -ico, -ía *f.*

Tavern, -keeper; bèttol-a *f.*, -ière *m.*

Taw; pallottola di marmo; conciare con allume. **-drily**; con sfoggio volgare. **-driness**; sfoggio senza arte. **-dry**; chiassóso, barocco, da comparsa.

Tawny; fulvo, leonato, bruníccio.

Tax; impòsta *f.*, tassa *f.* Income —, imposta sul reddito, tassa sull' entrata. House —, imposta sugli immobili. To —, tassare, imporre una tassa. —with, accusare di. It may — you rather severely, può essere un lavoro piuttosto duro per la vostra forza. **-ability, -able**; tassabil-ità *f.*, -e. **-ation**; tassazióne *f.* **-collector, -gatherer**; ricevitóre *m.* **-free**; esente da tassa. **-i-cab**; d' affitto *m.*, vettura a tassametro. **-idermist, -idermy**; impaglia-tóre *m.*; -tura *f.*, arte dell' impagliare. **-imeter**; tassámetro *m.* **-payer**; contribuènte *m.*

Tea; tè *m.* **-caddy, -canister**; scatola da tè. **-cake**; schiacciata leggera. **-chest**; cassa da tè. **-cup**; tazza da tè. **-drinker**; bevitore di tè. **-garden**; osteria con giardino. **-gown**; abbigliamento spigliato, costume da "five-o'clock." **-kettle**; calderotto da tè. **-plant**; albero del tè. **-plantation**; luogo piantato di tè. **-party**; conversazióne *f.*, riunione di società. **-pot**; teièra *f.* **-room**; sala da tè. **-rose**; rosa tèa. **-service**; servizio da tè. **-spoon**; cucchiaíno *m.* **-table**; tavola da tè, tavolíno *m.* **-taster**; assaggiatore di tè. **-tray**; vassoio da tè.

Teach; insegnare, ammaestrare. **-able**; chi desidera imparare. **-ableness**; volontà di imparare. **-er**; maéstro *m.*, insegnante *m.* Private —, docènte *m.* **-ing**; istruzióne *f.*, ammaestraménto *m.*

Teak; legno teak. **-tree**; quercia delle Indie *f.*

Teal; alzávola *f.*

Team; tiro *m.*, muta *f.*, partito di giocatori. Four horse —, tiro a quattro. **-ster**; chi mena una muta di buoi o cavalli.

Tear; 1. lágrima *f.*, luccicóne *m.* -s, pianto *m.* 2. squárcio *m.*, stracciatura *f.*; lacerare. — asunder, dividere in due. — off, out, strappare. — past, passare a furia. The dog tore past him, il cane gli tempestò via furiosamente a fianco. — to pieces, fare a brandelli. — up, squarciare, mettere in pezzi. — up by the roots, śradicare.

Tearing rage; furia *f.* Go into **a** — —, andar su tutte le furie.

Tearful; lagrimóso. **-ly**; piangèndo.

Teas-e; contrariare, stuzzicare, tormentare, annoiare. — out, cardare, separare le fibre di. **-el**; scardasso *m.*, cardo *m.* **-er**; seccatóre *m.*

Teat; capézzolo *m.*, cióccia *f.*, tétta *f.*

Techni-cal, -cality, -cally, -que; tècni-co; cavillo -co, modo -co; -caménte, -ca *f.*

Techy; *see* Touchy.

Ted; *raccorc.* di Edward; rivoltare. **-der**; spandifiéno *m.* **-ious**; -ióso, uggióso. **-iously**; -iosaménte. **-iousness, -ium**; tédio *m.*, nòia *f.*, úggia *f.*

Tee; prato di partenza al "golf"; mucchietto di rena per la palla (cominciando a giocare); metter la palla sul detto mucchietto. Be -d up, stare alzata (la palla) su qualche mucchietto d' erbaggio.

Tee-m; abbondare, formicolare. **-ming**;

sovrabbondante. **-ns**; In his —, d' età tra i tredici e i dicianove (cifre che finiscono in inglese colla sillaba *-teen*). **-th**; *pl.* di Tooth. **-the**; mettere i denti. **-total**; non-alcoolico. **-totalism**; astensione dall' alcool. **-totaller**; bevilacqua *m.* **-totum**; trottolíno *m.*, frullíno *m.*

Teg; pecora di due anni.

Tele-gram; telegramma *m.*, dispáccio *m.* **-graph**, **-graphic**, **-graphically**, **-graphist**, **-graphy**; telègraf-o *m.*, -are; -ico, -icaménte, -ista *m.*, -ía *f.* **-pathy**; -patía *f.* **-phone**, **-phonic**, **-phonically**, **-phony**; -fono *m.*, -fonare; -fònico, -fonicaménte, -fonía *f.* Telephone girl, telefonista *f.* **-scope**; -scòpio *m.*, cannocchiále *m.* The train was -d, il treno fu infilato (in uno scontro). — **maker**, fabbricante di telescopii. **-scopic**; — observation, osservazione con un telescopio. — star, stella che si vide solo con un telescopio. **-scopically**; con un telescopio.

Tell; dire, raccontare; portar effetto, fare il suo effetto; contare i votanti. — the difference, scoprire la differenza, distínguere. — for the Ayes, contare i sì. I am told, mi si dice. — off, designare (ad un servizio particolare). — upon, fare effetto pregiudiziale su. **-er**; scrutatóre *m.*, contatóre *m.* **-ing**; efficáce, che fa viva impressione. **-tale**; rifischióne *m.*; contatore o registro meccanico; assiometro del timone.

Temerity; temerità *f.*, arditézza *f.*

Temper; umóre *m.*, disposizióne *f.*, naturále *m.*, caráttere *m.*; tèmpra *f.* Keep one's —, serbare la calma, mantenere la sua calma, non si lasciar adirare. Lose one's —, perder la calma, andar sulle furie. Ill —, mal talento, cattivo umore. Good —, buon umore. In a fit of —, sopr' animo. To —, temperare, moderare. **-ament**; -aménto *m.*, complessióne *f.* **-ance**; -anza *f.* **-ate**; -ato, -ante, sòbrio. **-ately**; sobriaménte, con moderazione. **-ature**; -atura *f.*

Tempest; tempésta *f.*, burrasca *f.*, fortuna *f.* **-uous**, **-uously**; tempestós-o, -aménte; burrascóso ecc.

Templ-ar; -are *m.* **-ate**; ságoma *f.*; sostègno *m.* **-e**; 1. tèmpio *m.* 2. tèmpia *f.*

Tempor-al; -ále. — power, il potere temporale. **-alities**; i beni temporali. **-arily**, **-ary**; temporane-aménte, -o. **-ise**, **-iser**; temporeggi-are, -atóre *m.* **-ising**; che si piega alle circonstanze.

Tempt, **-ation**, **-er**, **-ing**, **-ress**; tentare, -azióne *f.*, -atóre *m.*, -ante, -atrice *f.*; sedu-rre, -zióne ecc. Tempting offer, offerta allettante, seducente.

Ten; dièci. **-ability**; l' esser difendibile ecc. **-able**; difendíbile, sostenibile. — for three years, da occuparsi godersi o simile, durante tre anni. **-ace**; combinazione della carta dominante colla terza dello stesso seme. **-acious**, **-aciously**, **-acity**; -ace, -aceménte; -ácia *f.*, -acità *f.* **-ancy**; fitto *m.*, il tenere in affitto, *see* Tenure. **-ant**; fittaiòlo *m.*, fittávolo *m.*, pigionále *m.*, locatário *m.*, inquilíno *m.* **-able**; abitábile. In — repair, in stato abitabile. **-anted**; occupato. **-antless**; senza locatario, non affittato. **-antry**; i fittaioli, i mezzaioli.

Tench; tinca *f.*

Tend; curare, aver cura di, badare a; tèndere, aver tendenza.

Tender; 1. offèrta *f.*; nave ausiliaria, scafa *f.*; tender della locomotiva. Legal —, danaro legale. 2. ténero, delicato, amoróso; sensitívo. — meat, carne tenera, frolla. 3. offrire; deferire (giuramento). **-er**; offrènte *m.*, concorrènte *m.* **-foot** (gergo); novo venuto. **-ly**; teneraménte. **-ness**; tenerézza *f.*, sensibilità *f.*

Ten-don; nèrvo *m.*, tèndine *m.* **-dril**; vitíccio *m.* **-ement**; tenuta *f.*, appartaménto *m.* (di basso valore), casúccia *f.* — house, casamento diviso in appartamenti meschini. **-eriffe**; Teneriffa *f.* **-et**; dògma *m.*, dottrína *f.* **-fold**; dieci volte. **-nis**; pallacorda *f.* — court, terreno della pallacorda. — ball, palla da tennis. **-on**; mástio *m.* **-or**; 1. tenóre *m.* 2. sénso *m.*, sostanza *f.*

Tens-e; 1. tèmpo *m.* 2. téso. **-ely**; in modo teso, strettaménte. **-ile**; di tensione. **-ion**; -ióne *f.*

Tent; tènda *f.*, padiglióne *m*; vino d' Alicante; rotolo di filaccia. **-bed**; letto a padiglione. **-maker**; fabbricante di tende.

Ten-tacle; -tácolo *m.* **-tative**; sperimentále, tale da tastare il terreno. — effort, sforzo di prova. **-tatively**; per via di tentativo o di prova. **-ter-hook**; uncino affilato, arpióne *m.* **-th**; décima *f.*; décimo. **-uity**; -uità *f.*, sottigliézza *f.* **-ure**; possèsso *m.* — of office, gestióne *f.* During his — of office, mentre era ministro. During his — of the farm, mentre stava in occupazione del podere.

Tepid, **-ity**, **-ly**; tièpid-o; -ézza *f.*, -ità *f.*; -aménte.

Tergiversa-tion; -zióne *f.*

Term; tèrmine *m.*; durata *f.*; chiamare. School —, trimèstre *m.* Law —, sessione dei tribunali. **-s**; condizióni *f. pl.*, patto *m.* Not on any —, a nessun patto. Arrange — with, far patto con. I have named my lowest —, ho dato il mio ultimo prezzo. On good — with, amico di. We are on bad —, non siamo amici. On equal —, del pari. By the — of the will, secondo le prescrizioni testamentarie.

Termagant; megèra *f.*, Santippe *f.*

Termin-able; -ábile. **-al** (*electr.*); morsétto *m.*, serrafílo *m.* Cramp, Screw —, morsetto di attacco. **-ate, -ation, -ology**; -are, -azióne *f.*, -ología *f.* **-us**; termini *m. pl.*, capolínea *f.*

Tern; rondine di mare, beccapésci *m.*, corrière *m.*, fraticèllo *m.* **-ary**; -ário.

Terpsichore; Tersícore.

Terrace; terrapièno *m.*, spianata *f.*, terrazzína *f.*, terrazza *f.*; balzo *m.*, scaglióne *m.* Vines are often grown on -s, le vigne si piantano spesso su de' terrapieni. To —, disporre in terrazza. -d roof, terrazzo *m.* -d vineyard, vigna a balze. The hills are -d for the vines, le colline sono disposte in terrazze per le vigne.

Terr-aqueous; -áqueo. **-estrial**; -èstre. **-ible**; -íbile. **-ibly**; -ibilménte. **-ier**; can bassotto, terrier *m.* — bitch, cagna terrier. Rough, Piedmontese —, restóne *m.* **-ific, -ifically**; spaventévol-e, -ménte. **-ified**; esterrefatto. **-ify**; spaventare, atterrire.

Territor-ial, -ially, -y; -iále, -ialménte, -io *m.*

Terr-or, -orise, -orism; -óre *m.*, -orižžare, -orišmo *m.*

Terror-struck; colpito di terrore.

Terse; térso, nítido. **-ly, -ness**; nitidaménte, -ézza *f.*; ters-aménte, -ézza *f.*

Terti-an, -ary; terz-áno, -iário.

Tessellated; intarsiato a mosaico.

Test; pròva *f.*, critèrio *m.*, esperiènza *f.*, esperiménto *m.* Bending —, prova a flessione. To —, esperimentare, provare, assaggiare. — for arsenic, esaminare per accertarsi se vi sia dell' arsenico. **-ament, -amentary**; -amento *m.*, -amentário. **-ator, -atrix**; -atóre *m.*, -atrice *f.* **-er**; cielo del letto. **-icle**; -ícolo *m.*, coglióne *m.* **-ify**; -ificare, prestar testimonianza. **-ily**; da impermalito. **-imonial**; dono di ricordanza e riconoscimento; certificato di benemerenza. **-iness**; irascibilità *f.* **-paper**; carta di prova, carta reattiva. **-tube**; tubo d' assaggio, bicchierino cilindrico. **-y**; iróso, irascíbile.

Tet-anic; -ánico. **-anus**; tétano *m.* **-chy**; *see* Touchy.

Tête-à-tête; colloquio a quattr' occhi.

Tether; pastóia *f.*; impastoiare, legare. **-ing-rope**; corda da legare.

Teuton; Tèutone *m.*

Text; tèsto *m.* **-book**; manuále *m.* **-ile**; tèssile. **-iles**; tessuti *m. pl.* **-ual, -ually**; testuál-e, -ménte. **-ure**; tessitura *f.*

Tha-ler; tállero *m.* **-llus**; tallo *m.* **-mes**; Tamígi *m.*

Than; che; after a comparative, di. He has something better to do — examine, ha qualche cosa di meglio da fare che non sia esaminare. To betray more emotion — he cared to show, mostrarsi più commosso di quanto avrebbe voluto parere. It is more difficult — it seems at first, è più difficile di quel che non sembri dapprima. Better that one man die — that a whole nation perish, meglio che si morisse un solo uomo piuttosto che una nazione intera cadesse in rovina. He knew her better now — he had known her then, la conosceva ora meglio di quanto l' avesse conosciuta da prima. He feared death rather because it might prevent him from carrying out his intentions — because his conscience was burdened with the recollection of many misdeeds, temeva la morte piuttosto perchè questa poteva gli impedire di compiere i suoi disegni, e non già perchè si sentisse aggravata la coscienza dal ricordo di molte cattive azioni. Better late — never, meglio tardi che mai. Charles is better educated — John, Carlo è più istruito di Giovanni. In the fourteenth century Italy was more polished — any other country in Europe, nel trecento l' Italia era più colta che tutte le altre nazioni dell' Europa. You are richer — I am, voi siete più ricco di me. She is much more learned — he is, ella è di gran lunga più dotta di lui. Drawing is more difficult — I thought, il disegno è più difficile che io non lo credevo *or* più difficile di quel che io lo credevo. He has more — thirty thousand pounds, egli possiede più di trenta mila lire sterline. It is more difficult to listen — to speak, è più difficile saper ascoltare che parlare. She is attractive rather — beautiful, essa è piuttosto vezzosa che bella. In Switzerland one meets more English people — French, in Svizzera si incontrano più Inglesi che Francesi.

Thane; barone sássone *m.*

Thank, Give -s to; ringraziare. **-ful**; riconoscènte, grato. **-fully**; con riconoscenza. **-fulness**; riconoscènza *f.*, gratitúdine *f.* **-less**; ingrato, poco stimato, poco da approfittarsene. **-lessness**; che non mena gratitudine. The — of his task, l' impossibilità che il suo lavoro gli recasse ricompenso in questo mondo. **-s**; ringraziaménto *m.*; grazie, vi ringrazio. — to him, mercè sua. — to Providence, la Dio mercè. **-sgiving**; rendimento di grazie.

That; quèllo, ciò; acciocchè, perchè, affinchè; che. For all —, malgrado tutto ciò. — man, quègli, colúi. — fellow, costui. — way, in quel modo, da quella parte, per questa via. The house — I saw, la casa che ho veduta. So —, cosicchè, talmente che. I told him of it so — he might improve, gliel' ho detto perchè si emendasse.

Thatch; páglia *f.*, stipa *f.*; coprire con queste. **-ed** house, casa coperta di paglia.

Thaw; ṡgél-o *m.*, -are.

The; You will be all — better, all — warmer, for it, ne sarete tanto più giovato, ne avrete tanto più caldo. — richer people are — more covetous they are, più si è ricco più si è avaro. To shine — brighter, brillare con tanto più splendore.

Theatr-e, -ical, -ically; teátr-o *m.*, -ále, -alménte; scèn-a, -ico, in modo -ico. Private -icals, recita di dilettanti, recitazione in famiglia.

Theb-aid, -es, -an; Tebáide *f.*, Tèb-e *f.*, -áno.

Theft; furto *m.*, ladrocínio *m.*, rubería *f.*

Their; lóro. **-s**; il loro, quello di loro. Your horses and -s, i cavalli vostri e i loro.

Theis-m, -t, -tic; teiṡ-mo *m.*, -ta *m.*, -tico.

Them; li, quèlli. To —, gli, a loro. **-selves**; sè stessi.

Theme; tèma *m.*

Then; allóra, in quel tempo; pòscia, índi, pòi, su questo. — and there, proprio in quel momento e luogo. Now and —, ogni quando, di quando in quando, ogni tanto. Till —, fin allora. So —, dunque. What —? e poi?

Thence; índi, di là, da questo, ne. **-forth, -forward**; d' allora in poi, da quel tempo in qua, da indi in qua, d' allora innanzi.

Theobald; Teobaldo.

Theocra-cy, -tic; teocra-zía *f.*, -tico.

Theodolite; teodolíto *m.*

Theolog-ian, -ical, -ically, -y; teòlog-o *m.*, -ico, -icaménte, -ía *f.*

Theor-em, -etical, -etically, -ise, -ist, -y; teor-èma *m.*, -ico, -icaménte (*or* -ètico, -eticaménte), far delle -ie, -ico *m.*, -ía *f.*

Theosoph-ical, -ist, -y; teoṡòf-ico, -o *m.*, -ía *f.*

Therapeutic-al, -s; terapèutic-o, -a *f.*

There; lì, là, colà; vi, ivi, ci; in ciò; ecco! — you are! eccovi! **-abouts**; a un dipresso, giù di lì, là intorno. **-after**; pòscia, dopo ciò, *see* Thenceforward. **-anent**; riguardo a ciò. **-at**; a ciò, su di ciò. **-by**; con questo mezzo, da ciò. **-for**; invece di questo, in sua vece. **-fore**; per ciò, quíndi, laónde, ónde, dunque, ne segue che, per conseguenza. **-from**; ne, da ciò, di là, da quella cosa. **-in, -into**; in ciò, la dentro, ivi. **-of**; ne, di cio. **-on**; su di ciò, sopra di ciò, lassù. **-out**; ne, di là, fuori di là. **-to, -unto**; a ciò, vi, ci. **-upon**; su di ciò, in seguito a ciò. **-with, -withal**; con ciò, con quella cosa, con quello; con tutto questo, oltre a questo, nello stesso tempo.

Therm-ae, -al, -ometer, -ometric, -opylae; tèrm-e *f. pl.*, -ále, -òmetro *m.*, -omètrico, -òpili *f. pl.*

Thesis; tèsi *f.*

Thessalonian; Tessalonicése *m.*, tèssalo.

Thews; nèrvi *m. pl.*

They; colóro, costóro, lóro, éssi. — tell me, mi si dice.

Thibet, -an; Tíbet *m.*, -áno.

Thick; gròsso, fitto, spésso, serrato, fólto, dènso; tórbido; stúpido; (respiro) diffícile, (buio) profóndo, (tempo) caliginóso, piovóso, (amici) strétti; in folla, a sciami. Through — and thin, sempre, fidelménte, ad ogni costo, senza rilassamento. **-en**; addensare, affollare, condensare; riscaldarsi (imbroglio). **-ening**; condensaménto *m.*, roba per condensare. **-et**; macchia folta. **-lipped**; a labbra grosse. **-ly**; spessaménte, densaménte. — covered with, coperto di molto. **-ness**; spessézza *f.*, spessóre *m.*, grossézza *f.*, torbidézza *f.* **-set**; traccagnòtto, tarchiato. **-skinned**; poco sensibile, che ha la pelle dura. **-skulled**; a cranio duro.

Thie-f; ladro *m.* **-ve**; rubare. **-very**; rubería *f.* **-vish**; ladro, ladronésco. **-vishly**; da ladro. **-vishness**; propensione ladronesca.

Thigh; còscia *f.* Of a carcase, còscio *m.* **-bone**; fèmore *m.*

Thimble; ditále *m.*; (*mar.*) radancia *f.*, rosétta *f.*; (*electr. cable*) serrafilo *m.* **-case**; astuccio per il ditale. **-ful**; dito *m.* **-rigger**; giocatore di bussolotti.

Thin; sottíle, magro, ṡmilzo, ṡmunto; poco spesso, rado, scarso; leggèro, eṡíle, lungo (brodo). To —, diramare, sterzare, diradare. Get —, dimagrire. **-faced**; dal viso sparuto. **-skinned**; sensibilissimo, assai sensitivo, chi non vuole la beffa.

Thine; tuo, il tuo.

Thing; còsa *f.*, affare. **-s**, effètti *m. pl*, ròba *f.*, vestiménti *m. pl.* Above all -s, innanzi tutto. It is a good thing, è molto buono, meno male. For one —, se non vi fosse altro, prima di tutto.

That is the —, ecco il punto. The — is, gli è che, non si deve dimenticare. Just the — for you, proprio ciò che vi bisogna. Not quite the —, non proprio ciò che si vorrebbe; alquanto sconvenevole; alquanto malato. Not the —, sconveniènte. Know a — or two, saperla lunga. Put on, Take off one's -s, abbigliarsi, svestirsi. **-umbob, -ummy** (gergo); còso *m.*, aggéggio *m.*

Think; pensare, crédere, trovare, stimare, giudicare. — of, raccordarsi. What do you — of it? che ve ne pare? You know what I — of it, sai come la penso. You may — what you please about it, this is how I mean to have it, gua' pensatela come volete, mi piace così. Not to — much of, non aver troppo buona opinione di. — a great deal of, stimare alto, far gran caso di. — a great deal of oneself, sentire alto di sè. — nothing of, non far caso di. I may — myself lucky if, avrò dicatti se. — better of it, mutar pensiero, ravvedérsi. I should —, mi pare. I should — so, naturalménte. I thought so, me lo figuravo. — out, considerare in tutte le sue conseguenze, considerare a fondo. — over, riflettere su. I will — it over, ci penserò. **-er**; pensatóre *m.* Deep —, chi va molto in fondo alle cose. **-ing**; che riflette, di giudizio.

Thin-ly; scarsaménte, appèna, leggerménte. — scattered, seminato qua e là. **-ness**; magrézza *f.*, sparutézza *f.*

Third; tèrzo, la terza parte. — parties, i terzi. **-ly**; in terzo luogo.

Thirst; séte *f.*, *fig.* brama *f.* To —, aver sete. Quench one's —, dissetarsi. **-ily**; avidaménte. **-iness**; l' aver sete. **-y**; assetato, *fig.* sitibóndo. Be —, aver sete.

Thirt-een, -eenth; trédic-i, -èsimo. **-ieth, -y, -y-first**; trent-èsimo, -a, -esimo primo.

This; quèsto, codèsto. — way, da qui. — would have followed, questo fatto sarebbe avvenuto.

Thistl-e; cardo *m.*, cardóne *m.* **-edown**; peluria di cardone. **-y**; tutto cardoni.

Thither; lì, là, colà, vi, ci.

Thole-pin; scalmo *m.*

Thomas; Tommáso.

Thong; striscia di cuoio, cigna *f.*

Thor-acic, -ax; torá-cico, -ce *m.*

Thorn; spina *f.* **-back**; arzilla chiodata. **-bush**; spino *m.*, róvo *m.*, cespuglio spinoso. **-y**; spinóso.

Thorough; perfètto, profóndo, arci- as in arci-briccone, thorough rogue, and many such compounds. **-bred**; di razza, reále, di puro sangue. A —, un purosangue. **-fare**; via pubblica. **-ly**; completaménte, a fondo. — pleased, contentissimo, arci-contento, *see above.* **-ness**; sincerità *f.*, risolutézza *f.* A man of great —, un uomo che va a fondo di tutto. **-paced**; compiuto. — rascal, furfante di tre cotte.

Though; benchè, quantunque, sebbène, tuttochè, ammesso pure, ancorchè, quand' anche, però, pertanto, pure. As — to protect him, quasi a difenderlo.

Thought; pensièro *m.*; *rem.* di Think. **-ful**; pensieróso, pensóso, prevideǹte. Be —, star sopra pensiero. **-fully**; dopo averci pensato, pensataménte. **-fulness**; sollecitúdine *f.*, previdènza *f.*, abitudine di pensare. **-less**; spensierato, sconsiderato, stordíto, sventato. **-lessly**; spensierataménte ecc., da spensierato ecc. **-lessness**; spensieratézza *f.*, trascuratággine *f.*

Thousand; mille, migliáio *m.* Three —, tre mila. By -s, a migliaia. **-fold**; mille volte più, moltiplicato per mille. **-th**; millèsimo, millesima parte.

Thrac-e, -ian; Tráci-a *f.*, -o.

Thral-dom, -l; schiavitù *f.*, schiavo *m.*

Thrash; bastonare, sferzare; víncere; trebbiare. -ing machine, trebbiatrice *f.* **-er**; órca *f.*; alopia codalunga.

Thrasymene; Trasimèno *m.*

Thread; filo *m.*, réfe *m.*; pane (di vite), filetto (dell' elica); infilare, infilzare. — one's way, insinuarsi, infilare (per). **-bare**; trito, consunto, che mostra le fila. **-worm**; ossiúro *m.*, vermiciáttolo *m.* **-y**; vermicolare (polso); filaccióso.

Threat, -en, -ening; minácci-a *f.*, -are, -óso.

Three; tre. Rule of —, regola aurea, regola del tre. **-cornered**; triangolare. — hat, tricòrno *m.*, nícchio *m.* **-decker**; trepónti *m.* **-fold**; triplo. **-master**; treálberi *m.*

Thr-esh; *see* Thrash. **-eshold**; sòglia *f.* **-ew**; *rem.* di Throw. **-ice**; tre volte.

Thrift; economía *f.*, frugalità *f.*; spillettóne *m.* **-ily, -iness**; frugal-ménte, -ità *f.* **-less**; pròdigo, scialacquatóre. **-lessly**; prodigaménte, da scialacquatóre. **-lessness**; sciupío *m.*, modi spenderecci. **-y**; frugále, parco.

Thrill; brívido *m.*, frémito *m.*; frèmere, far fremere, rabbrividire, trasalire. **-ing**; che fa fremere, commovèntissimo. **-ingly**; in modo da far fremere.

Thriv-e; prosperare, crescere bene, attecchire, allignare. **-ing**; pròspero, fiorènte. **-ingly**; fiorenteménte. **-ingness**; pròsperità *f.*

Thro-at; góla *f.*, stròzza *f.* **-b**; spásimo

m., sussulto *m.*; palpitare, báttere. **-es**; dòglie *f. pl.*, angósce *f. pl.* **-ne**; tròno *m.*, seggiola a trono. **-ng**; calca *f.*, fòlla *f.*, tòrma *f.*; accalcare, affollare. **-stle**; tórdo *m.* **-ttle**; strozzare. — valve, registro *m.*, valvola d' immissione o di strozzamento.

Through; per, a traverso, da banda a banda; per mezzo di, per colpa di, dietro. Carry —, condurre a buon fine. Wet —, tutto bagnato. Soaked — and —, fradicissimo. **-carriage**, **-train**; vagone o treno diretto. **-ticket**; biglietto diretto.

Throw; tiro *m.*, gètto *m.*; colpo (ai dadi) corsa di uno stantuffo, manovella ecc. Within a stone's —, a un tiro di pietra. To —, gettare, scagliare, buttare, lanciare, tirare la palla (alle bocce); atterrare; tòrcere (seta). — oneself into the arms of, darsi in braccio a. — **about**, spargere qua e là. — **aside**, metter da parte, scartare. — **away**, buttar via, gettar da parte, scialacquare, spendere inutilmente, sperperare. — **back**, far indietreggiare; mostrare le caratteristiche di un antenato remoto. — **down**, rovesciare, distrúggere; precipitare. — **dust in the eyes of**, infinocchiare. — **in**, dare per soprammercato. — **into gear**, ingranare. — **off**, gettar via, levarsi d' addosso, liberarsi da; ṡguinzagliare. — — the scent, far perdere le tracce, ingannare, metter in falsa strada. — — verses, improvviṡare. — **on**, mettersi alla meglio, indossare in fretta; rigettare (colpa) su. — **out**, metter fuori, rigettare, metter alla porta, cacciare (da ufficio); sturbare, scompigliare, sconcertare; metter innanzi (idea). — — a feeler, tastare il terreno. — — of gear, diṡingranare. — **over**, rinunciare, abbandonare, lasciare in asso. — him —, mancare alla promessa fattagli. — **up**, gettar in aria; costruire; rigettare sulla spiaggià; vomitare; lasciare (il suo lavoro), abbandonare. — — on shore, sbattere. — — the sponge, darsi per vinto.

Thr-ower; lanciatóre *m.* **-owster**; torcitóre *m.* **-um**; frángia *f.*, órlo *m.*; strimpellare. **-ush**; tórdo *m.* Missel —, tordèla *f.*, turdo maggiore. — in the mouth, afte *f. pl.*, mughétto *m.*

Thrust; spinta *f.*, *fig.* bòtta *f.*; pressione orizzontale. To —, spíngere, ficcare, cacciare. **-block**; cuscinetto reggispinta. **-shaft**; asse reggispinta.

Thud; colpo sordo.

Thug; assassino religioso.

Thuja; túia *f.*

Thumb; póllice *m.* Under his —, in suo potere. Well -ed, che è stato letto e riletto. **-screw**; vite ad aletta o a farfalla. **-stall**; fascétta *f.*, ditale da pollice.

Thump; bòtta *f.*, cólpo *m.*; báttere, bastonare, bussare. **-ing** (gergo); grosso. — great, enorme, madornále. — lie, -er, bugiáccia *f.*

Thunder; tuòn-o *m.*, -are. **-bolt**; colpo di fulmine. **-clap**; colpo di tuono. **-cloud**; nuvolóne *m.* **-er**; tonante *m.* **-ing**; che tuona; (gergo) -accio, as Sciocconaccio, — fool. **-ous**; che minaccia il tuono. **-shower**; pioggia breve con tuono. **-storm**; temporale con tuono. **-struck**; fulminato, *fig.* atterríto. **-y**; *see* Thunderous.

Thurible; turíbolo *m.*

Thursday; giovedì *m.*

Thus; così. — much, quanto questo. I can tell you — much, posso dirvelo fin qui.

Thw-ack; colpo secco, bussa forte; bussare. **-art**; banco *m.* To —, contrariare, impedire, ṡventare.

Thy-me; timo *m.* **-rsus**; tirso *m.*

Ti-ara; *id.* **-ber**; Tévere *m.* **-bia**; stinco *m.*

Tick; ticche-tacche *m.*; (gergo) crèdito *m.*; zécca *f.*; ségno *m.*, segnétto *m.* To —, far ticche-tacche; segnare. — off, contrassegnare. **-bean**; fava da foraggio. **-bed**; letto di traliccio. **-er** (gergo); orològio *m.*

Ticket; bigliétto *m.*, etichétta *f.*, cartellíno *m.*, schèda *f.*, bollettíno *m.*, buono *m.* Season —, biglietto d' abbonamento o periodico. Take a season — (at a theatre), abbonarsi. Season — holder, abbonato *m.* — **of leave**, liberazione condizionata. — **of leave man**, forzato che ha la libertà condizionata. To —, munir d' etichetta, metter l' etichetta a, segnare. **-examiner**; controllóre *m.* **-window**; sportèllo *m.*

Tick-ing; tralíccio *m.*, tela da materassa; il ticche-tacche. **-le**; solleticare, vellicare, titillare. **-lish**; sensitivo al solletico; delicato, scabróso. **-lishness**; difficoltà *f.*; suscettibilità al solletico.

Tidal; di marea. — basin, bacino di marea. — river, fiume dove si sente la marea. — wave, maroso straordinario p.e. per terremoto sottomarino.

Tide; marèa *f.*, corrente di marea. Easter, Christmas —, stagione di Pasqua, di Natale. Low, High —, bassa, alta marea. Neap —, marea dei quarti. Spring —, marea dei pieni, marea grande. Turn of the —, cambiamento di marea. — over, riuscire o aiutare a riuscire dalle difficoltà temporanee. **-ball**; palloncino di segnalazione di marea. **-gate**; chiusa di marea; forte corrente di marea. **-gauge**; mareòmetro *m.* **-less**; senza marea. **-rip**; ribollimento di marea. **-waiter**; doganiere riguardo navi che entrano colla marea, *fig.* politico che aspetta l' opinione pubblica prima di dichiararsi. **-way**; filo della corrente.

Tid-ily; nettaménte ecc. **-iness**; pulitézza *f.*, lindura *f.* **-ings**; nuòve *f. pl.*, notízia *f.* **-y**; netto, pulíto, lindo. As *sb.*, copertura *f.* (di seggiola ecc.). — up, Put —, ravviare, ravversare, rassettare.

Tie; legáme *m.*, víncolo *m.*, tirante *m.*; cravatta *f.*; parità di punti, partita nulla. To —, Be -s, far patta. In music, legatura *f.* To —, legare, attaccare, fare (nodo). — down, obbligare. — up, serrare, assicurare, legare. His fortune was -d up for him till he was twenty-five, era ritenuto dal godere il suo patrimonio finchè non avesse venticinque anni. **-beam**, **-rod**; tirante *m.*, caténa *f.*

Ti-er; fila *f.*, órdine *m.*, ruota di cavo. In -s, disposto a gradini, a strati. **-erce**; tèrza *f.* — major, terza maggiore.

Tie-rod; *see* Tie-beam.

Tiff; battibécco *m.*, picca *f.* **-any**; garza di seta. **-in** (in India); merènda *f.*

Tiger; tigre maschio. **-beetle**; cicindèla *f.* **-cat**; gatto selvaggio, pantera o altro dei felini minori. **-cub**; tigròtto *m.* **-ish**; da tigre. **-lily**; giglio tigrino. **-moth**; bombicino tigrino.

Tight; serrato, tèso, strétto; (gergo) brillo. Water —, stagno. — place, situazione difficile. **-en**; serrare o stringere più strettamente. **-ly**; strettaménte, forteménte. **-ness**; strettézza *f.*, oppressione al petto. **-rope**; corda tesa. **-s**; calzoni collanti, maglia *f.*

Ti-gress; tigre femmina. **-gris**; Tígri *m.*

Tilbury; calessíno *m.*, bagheríno *m.*

Tile; Flat roofing —, tégolo *m.* Curved roofing —, émbrice *m.* Gutter —, grónda *f.* Ridge —, embrice a basto rovescio. Floor —, mattóne *m.* To —, coprire di tegoli ecc., ammattonare. -d floor, ammattonato *m.* **-maker**; fornaciaio *m.* **-r**; cónciatétti *m.* **-s**, Tiling; tegolato *m.*

Till; 1. fino, sino, infíno, insíno, finchè, fino a che, fintanto che. — Monday, sino a lunedì. — now, finóra. — then, fin allora. 2. cassétta *f.* 3. coltivare, arare. **-age**; coltivazióne *f.* **-er**; barra del timone; coltivatóre *m.*; germòglio *m.* To — out, germogliare.

Tilt; copertone di carrettone, tènda *f.*, padiglióne *m.*, filza di gondola; giòstra *f.*; inclinazióne *f.*, pendío *m.* To —, giostrare. — at, assalire. — a cask, inclinare una botte. Be -ed, inclinare, piegarsi.

Tilth; terra preparata per la seminagione; profondità del suolo coltivato.

Timb-ale; pastíccio *m.* **-er**; legname di costruzione o d' opera, trave *f.* -s of a ship, còste *f. pl.*, còstole *f. pl.*, ordinate *f. pl.*, ossatura *f.* Heavily -ed, con molti alberi di alto fusto. — hitch, nodo d' anguilla. — trade, commercio del legname da costruzione. — work, lavoro in legno. — yard, cantiere di legno da costruzione. **-re**; timbro *m.* **-rel**; cèmbalo *m.*

Time; tèmpo *m.*, època *f.*, stagióne *f.*, moménto *m.*; vòlta *f.* Ahead of —, in anticipo. There is always —, si è sempre a tempo. At -s, alle volte, qualche volta. At the —, allóra. Behind —, in ritardo sull' ora. Capital —, gran divertimento. The — will come, verrà giorno. Pass the — of day, dare il saluto del giorno. In due —, al tempo giusto, a tempo e luogo. — of flight of a projectile, durata della traiettoria. Within a given —, entro un dato tempo. It is — to go, l' ora è venuta per andare. Have a good —, divertirsi, darsi buon tempo, rallegrarsi. In good —, prèsto, di buon' ora, opportunaménte. Have the —, avere campo, esserci campo. From — immemorial, ab antico. In —, col tempo. Be — —, fare a tempo. Kill —, ingannare il tempo. Mean —, tempo medio. Three -s as much, tre volte tanto. The present —, tutt' oggi. Since that —, da quell' epoca in poi. Three -s three, tre via tre. Three at a —, a tre a tre. Watch for the —, spiare il momento, l' occasione. What — is it? Che ora è?

To —, fissare il tempo (d' una visita). — a blow, fare il colpo nel momento che.... — a fuse, graduare una spoletta. Al "golf," to — one's stroke, è il metter in gioco la massima forza muscolare proprio nel momento di riscontro tra bastone e palla.

Time-allowance; compenso di tempo alle regate. **-ball**; palloncino per segnalare il tempo colla sua caduta. **-bargain**; patto da eseguirsi ad un' epoca futura, mercato a termine. **-honoured**; vecchio a venerabile. **-keeper**; chi registra le ore di lavoro in un opificio. Good, Bad —, orologio che va esattamente o no. **-liness**; il tornar opportuno. **-ly**; opportuno. **-piece**; pèndola *f.* **-server**,

-serving; opportunista *m.*, chi s' accomoda ai tempi. **-sheet**; foglia di presenza. **-table**; orário *m.* **-worn**; logoro dagli anni.

Tim-id, -orous, -orsome; -ido, -oróso, apprensívo. **-idity, -orousness**; timidità *f.*, paúra *f.* **-idly, -orously**; -idaménte, paurosaménte.

Timothy; Timòteo. **-grass**; coda di topo.

Tin; stagno *m.*; (gergo) quibus *m.*; scatola (di latta); stagnare. **-cture**; tintura *f.*, tinta *f.* To —, dare una tintura a. **-der**; èsca *f.* **-e**; dente di erpice ecc. **-foil**; stagnòla. **-ge**; tinta *f.*, colore o sapore leggero; tíngere, colorire. **-gle**; cuòcere. — with indignation, fremere di sdegno. **-gling**; formicolío *m.* **-ker**; calderaio ambulante. — at, rassettare in parte. — up, raccomodare alla meglio. **-kle**; tintinn-ío *m.*, -are; squill-o *m.*, -are. **-man**; stagnáio *m.* **-ned**; conservato in scatóla. **-ning**; stagnatura *f.* **-plate**; latta *f.*, lama di metallo bianco. **-sel**; orpèllo *m.*, lustro o splendore falso. **-t**; tinta *f.*, colóre *m.*; tíngere, colorire.

Tiny; piccolíno, picciníno, minúscolo. — bit, tantíno *m.*

Tip; 1. punta *f.*; regálo *m.*, máncia *f.* On the — of the tongue, a fior delle labbra. 2. informazione riguardo le corse, la Borsa ecc. Straight —, informazione specialissima. 3. luogo per gettare rifiuto di miniera, scárico *m.* 4. cuoio (da stecca). 5. To —, mettere o fare una punta a, coprire la punta, metter il cuoio ad una stecca da biliardo; fare una mancia a, regalare. — over, rovesciare, far rovesciare. — a wink to, lanciare uno sguardo a, accennare a.

Tip-cart; carro a bilico. **-cat**; gioco con bastoncino e pezzettino di legno. **-pet**; pellegrína *f.* **-ple**; bevanda *f.*; bevicchiare, ŝbeucchiare. **-pler**; beóne *m.* **-sily**; da ubbriaco. **-siness**; ubbriachézza *f.* **-staff**; uscière *m.* **-ster**; chi dà le informazioni, *see* Tip (2). **-sy**; ubbriáco. — cake, pasta inglese. **-toe**; On —, in punta di piedi. On the — of expectation, aspettando col cuore sospeso. **-top**; cima *f.* As *adj.*, eccellènte, di prima forza. Be —, esser l' asso.

Tirade; tirata *f.*, tiritèra *f.*

Tire; 1. stancare. **-d**; stanco. 2. *see* Tyre (2). **-less, -lessly**; instancábil-e, -ménte. **-some**; noióso, importúno, seccante. **-somely**; in modo noioso ecc. **-someness**; modi noiosi ecc., l' esser noioso ecc.

Tiryns; Tirinto.

Tissue; tessuto *m.* **-paper**; carta velina.

Tit; cinciallégra *f.* Bearded, Blue, Coal, Crested, Great, Long-tailed, Marsh —, cinciallegra coi mustacchi, turchina o piccola, bruna, col ciuffo, maggiore, codona (also termed Codibúgnolo *m.*), bigia o palustre.

Tit-an, -anic; -áno *m.*, -anico.

Titbit; leccornía *f.*, leccume *m.*, manicarétto *m.*

Tithe; décima *f.* **-collector**; eŝattore *m.* **-owner**; riscuotitóre *m.*, delle decime. **-paying**; soggetto alla decima.

Titill-ate, -ation; -are, -azióne *f.*

Titivate; — oneself, rinfronżolarsi.

Titlark; píspola *f.*

Title; títolo *m.* **-d**; titolato. **-deeds**; títoli *m. pl.*, documenti di titolo. **-page**; frontispízio *m.*

Titmouse; *see* Tit.

Titter; risolíno *m.*, sogghígno *m.*; ridere dolcemente, sogghignare.

Tittle; ètte *m.*, niènte *m.* **-tattle**; chiácchiere *f. pl.*

Titubation; eŝitanza *f.*

Titular; titolare.

Tituppy; vispo.

Tizzy; pezzo di dodici soldi.

To; a, per, di, in, sino a, ecc. They went — Rome, si recarono in Roma. Send — Rome, mandare a Roma. — and fro, su e giù. — one's face, in faccia. It was a new amusement for the child — watch the snow falling, era un nuovo divertimento per il bambino quello di guardare la neve cadere. — make the gown fall better, perchè la sottana cadesse meglio. — his surprise he won, con sua sorpresa vinse la partita. Do one's duty — God and man, fare il suo dovere verso Dio e verso gli uomini.

☞ As a simple sign of the infinitive the word "to" is either to be translated by *a* or *di* or is left out. But if purpose is to be expressed the particle to be used is *per*. To assist translation into Italian, a list of words which may be followed by an infinitive is given in the Introduction, showing the particle, if any, required for translating such infinitives.

Toad; ròspo *m.*, bòtta *f.* **-flax**; scotonèllo *m.*, cembalária *f.* **-stool**; fungo velenoso. **-y**; parassíta *m.*; lisciare, leccare gli stivali a. **-yism**; piaggería *f.*

Toast; 1. fetta di pane rosolata, crostíno *m.* Buttered —, pane abbrustolito con burro. To —, abbrustolire. — and water, acqua panata. 2. bríndiŝi *m.*; fare un brindisi a. **-ing-fork**; forchettone da rosolare (a manico lungo, spesso a foggia di tridente). **-master**; direttore dei brindisi. **-rack**; portacrostini *m.*

Tobacco, -nist; tabacc-o *m.*, -áio *m.* **-pouch**; borsa da tabacco.
Toboggan; scivolare in una slitta giù per una declività coperta da neve; la slitta stessa. **-slide**; luogo per tale scivolata.
Toby; Tobía. **-jug**; boccale a foggia di vecchietto con tricorno.
Toco (gergo); punizióne *f.*
Tocsin; Sound the —, suonare a martello.
To-day; òggi, quest' oggi. **-'s**; odièrno.
Toddle; trotterèll-o *m.*, -are. **-r**; trottolín-o *m.*, -a *f.*
Toddy; bevanda spiritosa.
To-do; affare *m.* Make a great —, far gran commozione, darsi da fare.
Toe; dito del piede. Big —, dito grosso. From top to —, da capo a piedi. — the line, *fig.* stare a dovere. **-cap**; spuntèrbo *m.*, mascherína *f.*
Toffee; caramella al burro.
Toga; *id.*
Together; insième, unitaménte. Agree —, andar d' accordo. — with, insieme a.
Toggery (gergo); panni *m. pl.*, frónżoli *m. pl.*
Toggle; coccinèllo *m.*
Toil; lavóro *m.*, péna *f.*; lavorare, affannarsi. — hard, arrabbattarsi, darsi gran pena. **-er**; lavorante *m.* **-s**; tráppole *f. pl.*
Toilet; l' abbigliarsi; scatola per gli indumenti di notte. Make one's —, far la toëletta. **-cover**; tela da toëletta. **-glass**; specchio da toëletta. **-table**; toëlètta *f.*
Toilsome; faticóso, penóso. **-ly**; con gran fatica. **-ness**; l' esser faticoso ecc.
Token; ségno *m.*, contrasségno *m.*, marca *f.*; tèssera *f.* — coin, moneta divisionaria con valore al di là del valore intrinseco.
Told; *rem.* di Tell.
Tolera-ble, -bly; passábil-e, -ménte; tollerábil-e, -ménte. **-nce, -nt, -te, -tion**; tollera-nza *f.*, -nte, -re, -zióne *f.*
Toll; diritto *m.*, impósta *f.*, gabèllo *m.*, pedággio *m.*; suonare a rintocchi, suonare a morto. — the hours, suonare le ore. **-bar, -gate**; barriera di pedaggio. **-bridge**; ponte a pedaggio. **-collector**; chi riscuote il pedaggio, ricevitóre *m.* **-ing**; rintócco *m.*
Tom-ahawk; accetta dei Pelli-Rossi. **-ato**; pomodòro *m.* **-b**; tómba *f.* — stone, lápide *f.* **-boy**; ragazzettáccia *f.* **-cat**; gatto *m.* **-e**; tòmo *m.* **-fool**; minchióne *m.*, balórdo *m.* **-foolery**; buffonate *f. pl.*, balordággine *f.* **-my Atkins** (gergo); sorcíno *m.* **-noddy**; grullo *m.*
To-morrow; dománi. Day after —, poṡdománi, dopodománi, domani l' altro. — afternoon, domani dopopranzo. — evening, domani sera. — morning, domattína.
Tomtit; cinciallégra *f.*, *see* Tit.
Ton; tonnelláta *f.*, (*ship.*) tonnellata di stazza.
Tone; tòno *m.* — down, raddolcire, ammorvidire. Regain —, ritemprarsi.
Tongs; mòlle *f. pl.* Sugar —, mollétte *f. pl.*
Tongue; lingua *f.*, idiòma *m.*, favèlla *f.*; linguétta *f.*; ardiglióne *m.*; battáglio *m.* Give —, scagnare. **-tied**; che non può parlar bene.
To-nic; -nico. **-night**; stanotte.
Tonnage; tonnellággio *m.*, stazza *f.*
Ton-quin; -chíno *m.* **-sil**; -silla *f.* **-sure**; -sura *f.* **-sured**; -surato. **-tine**; -tína *f.* **-y**; Tònio.
Too; tròppo; anche, pure, altresì.
Tool; arnése *m.*, ordígno *m.*; lancia spezzata. **-s**, fèrri *m. pl.* **-bag**; borsa per ferri, borsa da utensili. **-basket**; sporta per ordigni. **-box**; scatola degli utensili. **-house**; tettoia per gli utensili. **-maker**; fabbricante di utensili.
Toot; suono d' un corno; suonare il corno.
Tooth; dènte *m.* Show the teeth, rignare, digrignare. **-ache**; mal di dente. **-brush**; spazzolino da denti. **-ing**; addentellato *m.* **-less**; ṡdentato. **-pick**; stuzzicadènti *m.*, stecchino da denti. **-powder**; polvere per i denti. **-some**; ghiottóne, di gusto gradevole. **-wash**; acqua dentifricia.
Top; 1. parte superiore, cima *f.*, cocúzzolo *m.*, alto *m.*; copèrchio *m.*, piano (di comodino), parete superiore (di caldaia), il di sopra. The — of this table has a crack in it, questa tavola ha una fessura al di sopra. At the — of, primo di (classe), al capo di. Be at the — primeggiare. At the very — of his speed, (correre) con tutta la sua forza. Be on the — of one's game, esser ne' suoi pieni mezzi. On the — of the tide, ad alta marea. At the — of the house, all' ultimo piano dell' edifizio. At the — of his voice, a più non posso. From — to bottom, dall' alto in basso, dall' alto in giù. On the — of, su, sopra. I fell down and he fell on the — of me, io caddi a terra ed egli cadde sopra di me. 2. capo superiore (tavola da pranzo, biliardo). 3. bacchétta *f.* (canna da pesca). 4. rivòlta *f.* (stivale a rivolta). 5. (*mar.*) còffa *f.* 6. tròttola *f.*, palèo *m.* 7. As *adj.*, sómmo, mássimo.
To —, 8. sovrastare, dominare, sorpassare. 9. (*mar.*) cicognare, imbroncare. 10. ṡvettare.

Top-az; topázio *m*. **-boots**; stivali a rivolta. **-coat**; soprábito *m*. **-dressing**; letto di concime. **-e**; 1. galeo cane, lámia *f*. 2. tumulo o torre buddista. 3. boschétto *m*. **-er**; beóne *m*. **-gallant**; di velaccio. **-hamper**; attrezzatura ingombrante. **-heavy**; sopraccarico dalla parte di sopra. **-het**; infèrno *m*.

Topic; soggètto *m*., argoménto *m*. **-al**; locale. — song, canzone relativa ai soggetti del giorno.

Top-knot; ciuffo di penne, fiocco di nastri, *see* Tuft. **-lining**; batticòffa *f*. **-man**; gabbière *m*. **-mast**; albero di gabbia. **-most**; sómmo, *see* Top (7) *and* Uppermost. **-ographer etc.**; topògraf-o, -ico, -icaménte, -ía *f*. **-per** (gergo); cosa eccellentissima. **-ping** (gergo); eccellentissimo. **-ple**; cadére. — down, sprofondare, cadere sfasciandosi. — over, cadere per esser troppo carico. **-sail**; gabbia *f*. — schooner, goletta a gabbiola. **-syturvy**; sossópra.

Toque; tòcco *m*.

Tor; picco di montagna. **-ch**; torcia a vento, fiáccola *f*. **-e**; *rem*. di Tear. **-eador**; toreadóre *m*. **-ment**; tormènto *m*., traváglio *m*.; tormentare, afflíggere. **-mentor**; tormentatóre *m*. **-n**; *part*. di Tear. **-nado**; uragáno *m*.

Torpedo; torpèdine *f*., siluro semovente. To —, silurare. **-boat**; torpedinièra *f*. — destroyer, caccia-torpedinièra *m*. **-room**; camera di lancio. **-school ship**; torpediniera d' istruzione.

Torp-id; -ido. **-idity, -or**; -óre *m*. **-idly**; -idaménte.

Tor-rent, -rential; -rènte, -renziále. **-rid**; tòrrido. **-sion**; -sióne *f*., torcitura *f*. **-so**; *id*. **-t**; danno *m*., tòrto *m*. **-ticollis**; -cicòllo *m*. **-toise**; tartarúga *f*., testúggine *f*. — shell, tartarúga *f*.

Tortuo-us, -sity, -usly; -so, -sità *f*., -saménte.

Tortur-e; -a *f*., péna *f*.; -are, crucciare. Be in —, spaşimare. **-er**; bòia *m*., tormentatóre *m*. **-ingly**; in modo cruccioso.

Tor-us; -o *m*. **-y**; torì *m*., codíno *m*. **-yism**; toríşmo, modi da torì.

Toss; scòssa *f*., movimento petulante della testa, gettata *f*., gètto *m*.; gettare in aria, lanciare. Win, Lose the —, vincerla, perderla, a testa e croce. Cambridge won the — and chose the Surrey side, il gioco a testa e croce andò in favore di Cambrigge il cui capitano scelse la riva di Surrey. -ing sea, mare che si agita, mare ondeggiante. Tempest -ed, ballottato o battuto dalla tempesta, dalle intemperie. — off, bere ad un sorso. — up, gettare in aria; decidere giocando a testa e croce. They -ed up for it, la decisero a testa e croce. It is a pure — up, è puro caso, è affatto incerto.

Tot up; sommare, far la somma di.

Total; totále. As *sb*., il totale. — amount, l' ammontare complessivo. — abstinence, astinenza assoluta. **-iser**; -izzatóre *m*. **-ity**; -ità *f*. **-ly**; -ménte.

Totter; barcollare, pencolare, traballare. **-ingly**; in modo barcollante. **-y**; traballante, poco solido.

Touch; tatto *m*., tòcco *m*., contatto *m*.; tratto di pennello, toccata *f*.; tintura *f*., tinta *f*.; attacco leggero (di febbre), ferita leggera. — of irony, punta d' ironia. Be — and go, scapparla da vicino, correr gran rischio, esser vicinissima una sventura. In —, in comunicazione. In — with, conosciuto a. Keep in — with, non perder di vista, aver sempre conoscenza dei fatti di. To —, toccare; commuovere (il cuore); interessare, riguardare; combaciarsi, esser in contatto. — at, approdare a, vişitare, prender porto a. — off, esplòdere, accender la miccia a. — up, ritoccare, riacciaiare (incisione), rimetter in ordine; dare una frustatina a, pizzicottare. — upon, parlare di.

Touch-hole; focóne *m*. **-ily**; con mal umore. **-iness**; suscettibilità *f*. ecc., *see* -y. **-ing**; commovènte; quanto a, riguardo. **-ingly**; in modo commovente. **-stone**; pietra di paragone. **-wood**; ésca *f*. **-y**; suscettíbile, irritábile, sensitívo.

Tough; duro, resistènte, coriáceo, salcigno, tiglióso, *fig*. scabróso. A —, persona dura. Be —, aver consistenza. **-en**; indurire; far tenace, robusto. **-ish**; durétto, scabrosétto. **-ness**; durézza *f*., tenácia.

Tou-lon, -louse; To-lóne *m*., -lòşa *f*.

Tour; giro *m*., girata *f*. **-aine**; Turèna *f*. **-ist**; turista *m*. **-maline**; tormalína *f*. **-nament, -ney**; tornèo *m*. Chess —, concorso di giocatori agli scacchi. Lawn tennis —, gara di tennis. **-niquet**; tornichétta *f*.

Tours; Tornèa *f*. Of —, tornése.

Tousle; -d hair, capelli arruffati.

Tout; commesso viaggiatore d' agente di cambio, associatóre *m*., spione riguardo le corse. To —, cercare clienti per mezzi non troppo belli.

Tow; 1. stóppa *f*., filáccia *f*. 2. rimorchiare. In —, a rimorchio. **-age**; spesa di rimorchio.

Towards; vèrso, alla volta di, a fine di. With pronouns, verso di. — me, verso di me.

Towel; asciugamáno *m.*, továglia *f.* Round —, bandinèlla *f.* **-horse**; buttalà *m.* **-ling**; tela da tovaglie; (gergo) busse *f. pl.*

Tower; tórre *f.*, ròcca *f.*; torreggiare. He -ed above all his contemporaries, sorpassò da gran lunga tutti i suoi coetanei. **-ing**; grandissimo, *fig.* violentissimo.

Tow-line; alzáia *f.*, alággio *m.*, fune di rimorchio. **-path**; banchina di rimorchio.

Town; città *f.* Country —, bórgo *m.*, borgata *f.* Go to —, andare in città. In —, a Londra. Out of —, alla campagna. Fortified —, piazza forte. Man about —, girellóne *m.*, ricconáccio *m.* Woman of the —, donna di mala vita. **-clerk**; segretario municipale. **-council**; consiglio municipale. **-councillor**; consigliere municipale. **-crier**; banditore pubblico. **-hall**; municipio *m.*, palazzo municipale. **-house**; casa in citta. **-life**; vita di città. **-sfolk**, **-speople**; cittadinanza *f.*, abitanti di una città. **-sman**; cittadíno *m.*, borghése *m.* **-talk**; ciò che si dice sulle strade.

Toxic, -ology; tòssic-o, -ología *f.*

Toy; balòcco *m.*, giocáttolo *m.*, trastullo *m.*; giocolare. — with one's food, mangiucchiare senz' appetito. **-dealer**, **-man**; negoziante o fabbricante di balocchi. **-shop**, **-warehouse**; magazzino di giocattoli. **-terrier**; cane piccolissimo. **-trade**; commercio di giocattoli.

Trace; filo *m.*, tráccia *f.*, vestígio *m.*, órma *f.*; tirèlla *f.*; tracciare; calcare. Kick over the -s, *fig.* saltare il canapo. — a river to its source, rimontare un fiume alla sua sorgente. — a story to, — a fire to, scoprire che la storia rimontava a, l' origine dell' incendio era stata. The thief could not be -d, non si riuscì di scoprire un' orma del ladro. — out, delineare, far vedere, scoprire, metter' all' aperto.

Trac-eable; attribuíbile. Be — to, trarre origine da. **-ery**; scultura o altro a rete. **-hea**, **-heal**, **-heotomy**; -hèa *f.*, -heále, -heotomía *f.* **-ing**; calco *m.*, tracciato *m.* — paper, carta da calco.

Track; tráccia *f.*, pedata *f.*, órma *f.*, carreggiata *f.*, sólco *m.*, pésta *f.*; binário *m.*; rótta *f.*, sentièro *m.* Follow the beaten —, andare per la carreggiata. To —, seguitare all' orma, *see* Trace. **-less**; senza strada.

Tract; tratto *m.*, regióne *f.*; opuscoletto religioso. **-ability**, **-able**; trattabilità *f.*, -e.

Traction; trazióne *f.* **-engine**, **Tractor**; locomòbile *m.*, trattrice *f.*

Trade; 1. commèrcio *m.* Home, Foreign —, commercio interno, coll' estero. Shipping —, commercio marittimo. Slave —, tratta dei negri. Atlantic, Black Sea, China —, navigazione dell' Atlantico, del mar nero, nei mari della Cina. Coasting —, cabotággio *m.* 2. mestière *m.* 3. i negozianti, specialmente di liquori. 4. To —, fare affari (in). To — between, navigare tra...e.... **-allowance**; ribasso *m.*, provvigióne *f.* **-mark**; marca di fabbrica. **-price**; prezzo usato in commercio. **-r**, **-sman**; negoziante *m.*, fornitóre *m.* **-union**; società operaia. **-unionism**; esistenza, attività ecc. di società operaie. **-unionist**; membro di una società operaia. **-wind**; vento aliseo.

Trading-vessel; bastimento mercantile.

Tradition, -al, -ally; tradizión-e *f.*, -ále, -alménte.

Traduc-e, -er; calunni-are, -atóre *m.*, -atrice *f.*; diffam-are, -atóre *m.*, -atrice *f.*

Traffic; -o *m.*, -are. **-ker**; mercante *m.*

Tragacanth; gomma dragante.

Trag-edian, -edienne, -edy; -ico *m.*, attrice -ica, -èdia *f.* **-ic, -ical**; -ico. **-ically, -icomedy, -icomic**; -icaménte, -icommèdia *f.*, -icòmico.

Trail; tráccia *f.*, *see* Track. To —, strascicare. In the — of, in seguito a o di. **-er**; carrozzetta da rimorchio.

Train; séguito *m.*, cortéggio *m.*; stráscico *m.*; trèno *m.*; traccia di polvere; convòglio *m.* In —, in esecuzione. — of reasoning, corso o filo di ragionamento. Down —, treno di andata. Up —, treno di ritorno. Excursion, Express, Goods, Mail, Stopping *or* Ordinary —, treno di piacere, treno diretto o direttissimo, treno merci, treno postale, treno omnibus. To —, ammaestrare, allenare; dar brandeggio a. **-er**; allenatóre *m.*, trainer *m.* **-ing**; allenaménto *m.* In —, chi s' allena, s' esercita per qualche gara. — college, scuola normale primaria. — ship, nave scuola. **-oil**; olio di balena.

Traipse; *see* Trapes.

Trait; caratterística *f.* A fine — in his character, un bel lato del suo carattere.

Traitor, -ous; traditóre *m.*, traditore.

Trajectory; traiettòria *f.*

Tram; tranvái *m.*, tram *m.* **-car**; vettura del tram. **-conductor**; controllore di tram. **-driver**; conduttore di tram. **-service**; servizio dei tram. **-way**; *see* Tram.

Trammel; intòppo *m.*, ostácolo *m.*; imbarazzare, inceppare. **-net**; tramáglio *m.*

Tramp; vagabóndo *m.*, mendicante *m.*

vagabondare, córrere (il paese, le strade).
Trample; calpestare, conculcare, camminare con calpestio.
Trance; èstaṡi *f.*, catalessía *f.*
Tranquil, -ise, -ity, -ly; -lo, -liżżare, -lità *f.*, -ménte.
Transact; fare, negoziare. **-ion**; affare *m.*, fatto *m.* -s of a society, atti *m. pl.*
Trans-alpine; -alpíno. **-atlantic**; -atlántico. **-caspian, -caucasian, -continental**; tras-caspiano, -caucásico, -continentále.
Transcend, -ent, -ental, -entally; trascénd-ere, -ente, -entále, in modo -entale. **-ently**; eminenteménte.
Transcr-ibe; trascrívere. **-iber**; trascrittóre *m.*, copista *m.* **-ipt**; còpia *f.*, apògrafo *m.* **-iption**; trascrizióne *f.*, il trascrívere.
Transdanubi-an; -áno.
Transept; transètto *m.*
Transfer; traspòrto *m.*, tràsferta *f.*; trapasso *m.*, bancogíro *m.*, passaggio di cassa, trasferiménto *m.*; trasferire, cèdere, trasportare, traṡlocare. **-able**; trasferíbile, trasportábile. **-ee**; cessionário *m.* **-or**; cedènte *m.*
Transfigur-ation, -e; trasfigur-azióne *f.*, -are.
Trans-fix; trafíggere. **-form, -formable, -formation, -former**; trasform-are, -ábile, -azióne *f.*, -atóre *m.* Electrical -former, trasformatóre *m.* **-fuse, -fusion**; trasfóndere, -fuṡióne *f.* **-gress, -gression, -gressor**; traṡgre-dire; -ssióne *f.*, -diménto *m.*; -ssóre *m.*, -ditóre *m.*, -ditrice *f.*; peccare; -a *f.*, -o *m.*; -atóre *m.*, -atrice *f.*
Tranship, -ment; traṡbord-are, -o *m.*
Transient, -ly; passeggèro, fugáce; in modo passeggero ecc.
Transit; -o *m.*, passággio *m.* Cost of —, spese di trasporto. **-ion**; transizióne *f.*, trapasso *m.* **-ional**; di transizione. **-ionally**; per via di transizione. **-ive, -ively**; -ívo, -ivaménte. **-orily**; -oriaménte. **-ory**; -òrio, passeggèro.
Transl-atable; traducíbile. **-ate**; tradurre; traṡlatare, trasferire o traṡlocare (vescovo). **-ation**; traduzióne *f.*; trasferiménto *m.* **-ator**; tradu-ttóre *m.*, -ttrice *f.* **-iterate, -iteration**; traṡlitera-re, -zióne *f.* **-ucency**; l' esser diafano. **-ucent**; diáfano.
Transm-arine; oltremaríno, traṡmaríno. **-igration**; traṡmigrazióne *f.* **-issibility, -issible, -ission**; traṡmiss-ibilità *f.*, -íbile, -ióne *f.* **-it**; traṡméttere, rimèttere. **-ittal**; invío *m.* **-itter**; traṡmettitóre *m.* **-ogrify**; sfigurare, travestire, trasformare.
Transmut-ability, -able, -ation, -e; traṡmut-abilità *f.*, -ábile, -azióne *f.*, -are.
Transoceanic; -o, che traversa l' oceano.
Transom; barra d' arcaccia, gaisóne *m.*, dragante *m.*; calastrèlla *f.* (d' affusto); travèrsa *f.* (di finestra). **-window**; finestra divisa da una traversa.
Transpacific; traspacífico.
Transparen-cy, -t, -tly; trasparèn-za *f.*, -te, in modo -te. Transparently clear, chiarissimo.
Transpire; traspirare, trapelare. Something is sure to — about it in the village, è impossibile, che nel paese non sia traspirato qualchecosa. The secret -d, il segreto trapelò.
Transplant, -ation; trapianta-re, -ménto *m.*
Transport; traspòrto *m.*, (military) carréggio *m.* — of rage, fúria *f.*, accesso di rabbia. To —, trasportare. **-ation**; deportazióne *f.* **-ship**; nave di trasporto.
Transpos-al, -e; traspo-ṡizióne *f.*, -rre.
Transu-bstantiation; -stanziazióne *f.*
Transud-ation, -e; trasuda-ménto *m.*, -re.
Transvers-al, -e, -ely; traṡvers-ále, -o, -aménte.
Trans-ylvanian; -ilváno.
Trap; tráppola *f.*, trabocchétto *m.*, insídia *f.*, tranèllo *m.*; valvola di una fogna; carrozzétta *f.* To —, prender nelle trappole, ingannare. Be -ped, cader nelle insidie. **-door**; trabocchétto *m.*, bòdola *f.* **-s**; effètti *m. pl.*, ròba *f.* Set — for, tender insidie a.
Trapes; vagabónda *f.*; girovagare.
Trapez-e, -ium, -oid; -io *m.*, -io *m.*, -òide *m.*
Trap-per; cacciatore di pelli nell' America del nord. **-pings**; finiménti *m. pl.* **-pist**; -pista *m.* **-rock**; trappo *m.*
Trash; robáccia *f.*, scarto *m.* **-y**; senza valore, di rifiuto, nullo.
Traumatic; -o.
Travail; In —, sopra parto.
Travel; il viaggiare; viaggiare. -s, viággi *m. pl.* — from mouth to mouth, propagarsi da bocca in bocca. — over, percórrere. **-ler**; viaggiatóre *m.* **-ler's joy**; vitalba *f.*
Traverse; travèrsa *f.*, sbarra posta a traverso; traversare, viaggiare attraverso; contraddire, opporsi a.
Travest-y; -iménto *m.*, -ire.
Trawl; rete a strascico, draga *f.*; pescare con questa. **-er**; battello pescatore colla rete a strascico.
Tray; vassóio *m.*, sottocòppa *f.*, còfane *m.*, (*mar.*) cucchiáio *m.* Loading — cucchiaio di carico.
Treacher-ous; pèrfido, ṡleále, traditóre

-ously; da perfido ecc. **-ousness**; perfídia *f.*, ṡlealtà *f.*, l' esser perfido ecc. **-y**; tradiménto *m.*

Treacl-e; melassa *f.* **-y**; coperto di, o mischiato colla melassa.

Tread; passo *m.*, andatura *f.*; pedata *f.* (di scalino). — of a tyre, superficie di scorrimento. To —, metter il piede; pigiare (uva); calcare, accoppiarsi (gallo). — down, calpestare, pestare. — softly, camminar pian piano. **-le**; pedále *m.*, cálcola *f.* **-mill**; mola di disciplina.

Treason; tradiménto *m.* High —, delitto di lesa maestà. **-able**; reo di lesa maestà. **-ably**; ṡlealménte.

Treasur-e; teṡòro *m.*; conservare come tesoro, custodire gelosamente nel cuore. **-er**; teṡorière *m.* **-ership**; teṡorierato *m.* **-y**; teṡorería *f.*, erário *m.*; ministero delle finanze in Inghilterra. — bill, bono del Tesoro.

Treat; cosa squisita, piacere straordinario; trattare; discútere, discórrere; far festa a, dare a bere a; curare, medicare. **-ise**; trattato *m.* **-ment**; cura *f.*, medicaménto *m.*, trattaménto *m.* **-y**; trattato *m.*, patto *m.* Be in — for, far delle trattative per.

Trebizond; Trebiṡónda *f.*

Trebl-e; tríplice, triplo; sopráno. To —, triplicare. **-y**; tripliceménte, triplicataménte.

Tree; álbero *m.* Be at the top of the —, essere in prima fila, tra i primi della sua professione. **-creeper**; rampichino *m.* **-frog**; granocchièlla *f.* **-heath**; scopa arborea. **-less**; senza alberi. **-sparrow**; passera mattugia.

Tre-foil; trifòglio *m.* **-k**; viaggiare in carro (nell' Africa del sud). **-llis**; pèrgola *f.*, graticolato *m.*; ingraticolare.

Trembl-e; frèmito *m.*; tremare, frèmere, tremolare. **-er**; timido *m.*; (*electr.*) interruttóre *m.* **-ing**; pauróso, tremante. **-ingly**; con paura, trepidaménte.

Tremend-ous, -ously; **-o, -aménte; stupènd-o, -aménte.**

Trem-or; -óre *m.*, trèmito *m.* **-ulous**; -olo, -ante. **-ulously**; con tremolio.

Trenail; cavíglia *f.*

Trench; fòssa *f.*, fòsso *m.*; tríncea *f.*, trinceraménto *m.*; diveltare, *see* Trenching. **-ant**; tagliènte (osservazione). **-antly**; severaménte, acutaménte. **-er**; taglière *m.* — cap, tocco universitario. **-ing**; scasso andante. **-mortar**; lanciabómbe *m.*

Trend; tendènza *f.*; **tèndere, incurvarsi.**

Trent; -o *m.* Of —, trentíno.

Trep-an, -hine; **trapanare. — saw, trápano *m.***

Trepid-ation; -azióne *f.*

Trespass; peccare; entrare nella proprietà altrui, violare i confini. If I am not -ing upon your time, salvo l' abuso del vostro tempo. **-er**; chi va in una bandita. -s will be prosecuted, divieto d' entrare.

Tr-ess; tréccia *f.* **-estle**; cavallétto *m.*, tréspolo *m.*, piètica *f.* **-eves**; Trèveri *f.* **-iable**; soggetto alla giurisdizione. **-iad**; tríade *f.*

Trial; sággio *m.*, pròva *f.*, esperiménto *m.*, esperiènza *f.*; procèsso *m.*, cáuṡa *f.*; tentatívo *m.*; cosa difficile a sopportare. -s, sofferènze *f. pl.* Put to the —, metter alla prova. **-balance**; bilancio di verificazione.

Triang-le, -ular; -olo *m.*, -olare. **-ulation**; -olazione geodetica.

Trib-al; di tribù. **-e**; -ù *m.* **-ulation**; angòscia *f.*, péne *f. pl.* **-unal**; -unále *m.* **-une**; -úno *m.* **-utary**; -utário. **-ute**; -úto *m.*

Trice; 1. In a —, dal vedere al non vedere. 2. tirare, issare.

Trick; tiro *m.*, burla *f.*, malízia *f.*, malıziétta *f.*, furbería *f.*, gherminèlla *f.*; abitudine speciale, tícchio *m.*; data *f.*, plico *m.* (di carte); ingannare, gabbare. Do the —, correspondere al bisogno. That will do the —, ecco ciò che ci vuole per riuscire. See the —, riconoscere la furberia, capire, veder come fare. Back -s, date d' addietro. — out, rinfronżolare, abbellire. **-ery**; furbería *f.* **-ily**; scaltraménte, con inganno, con frode. **-iness**; furbería *f.*, l' esser imbroglione o ciurmadore.

Trickle; ṡgróndo *m.*; gocciolare. A tear -d down her cheek, una lagrima le gocciolò giù per la gota.

Trick-ster; rigiratóre *m.*, furbo *m.*, mariuòlo *m.* **-sy**; *see* Tricky (1). **-y**; 1. astuto, furbo. 2. scabro, diffícile.

Tri-colour, -coloured; tricolóre. **-cuspid**; -cuspide. **-cycle**; -cíclo *m.* **-dent**; -dènte *m.* **-ed**; *rem.* di Try; sperimentato, riconosciuto. — fidelity, fede sperimentata. **-ennial**; -ènne. **-ennium**; -ènnio *m.* **-er**; saggiatóre *m.*; chi cerca di far il suo meglio.

Trifl-e; bagattèlla *f.*, bażżècola *f.*, gingillo *m.*; zuppa inglese; frivoleggiare, baloccarsi, trastullarsi, gingillarsi. — with, farsi beffe di, tenere a bada. **-er**; tentennóne *m.*, gingillóne *m.* **-ing**; di poca importanza.

Trigger; grillétto *m.* **-guard**; guardamácchia *f.*, sicura *f.*

Triglyph; tríglifo *m.*

Trigonometr-ical, -y; -ico, -ía *f.*

Tri-lateral; **-laterále. -linear**; **-lineare,**

-lingual; -linguále. **-literal**; composto di tre lettere.
Trill; -o *m.*, -are.
Trilobat-e; -o.
Trilog-y; -ía *f.*
Trim; assètto *m.*; nétto, lindo, ben messo; assettare, allestire, guarnire, aggiustare; ṡmoccolare; spuntare (barba); esitare tra due partiti, temporeggiare; drizzare (imbarcazione); ritagliare, potare. **-eter**; trímetro *m.* **-mer**; 1. chi temporeggia, un Don Girella politico. 2. sughero con lenza e amo per i lucci. 3. carbonáio *m.* **-ming**; guarniménto *m.*, nastri *m. pl.*, passamantería *f.*; contórni *m. pl.* **-mings**; potatura *f.*, ritagli *m. pl.*
Trinit-arian; -ário. **-y**; -à *f.* — Sunday, domenica della Trinità.
Trinket; cióndolo *m.*, gioièllo *m.*
Trio; *id.*, tríade *f.*
Trip; gita *f.*, viaggétto *m.*, córsa *f.* Take a —, fare una corsa. Trial —, viaggio di prova, di verifica; of an aeroplane, ascensione di verifica. To —, saltellare. — up, inciampare; far inciampare, dare il gambetto a. — oneself up, fare un passo falso. — the anchor, spedare l' ancora. -ping palms, contramarre *f. pl.* Catch -ping, cogliere in fallo.
Trip-artite; -artíto. **-e**; trippa di bue. — seller, trippáio *m.* — shop, trippería *f.* **-le**; triplo, tríplice. **-let**; terzína *f.* **-lets**; trigèmini, tre bambini ad una volta. **-licate**; -licáto. **-ly**; triplicemènte. **-od**; treppiède *m.* **-oli**; Trípoli *f.* **-per**; escursionista *m.* **-ping**; leggèro. **-pingly**; ṡveltaménte, in modo salterellante.
Tri-reme; -rème *m.* **-sect**; dividere in tre parti. **-section**; -sezióne *f.* **-syllabic, -syllable**; trisíllabo.
Trit-e; -o, comune. **-eness**; l' esser trito. **-on**; -óne *m.* **-urate, -uration**; -urare, -urazióne *f.*
Triumph, -al, -ant, -antly; triónf-o *m.*, -are; -ále, -ante, -alménte.
Triumvir, -ate; -o *m.*, -ato *m.*
Trivet; treppiède *m.*
Trivial; da nulla, di poca importanza. **-ity**; l' esser da nulla ecc., piccolézza *f.*
Trocar; trocarre *m.*
Troch-aic, -ee; troc-áico, -hèo *m.*
Trod; *rem.* di Tread.
Troglod-yte; -íta *m.*
Tro-jan; -iáno.
Troll; 1. gnòmo *m.* 2. pescare con esca girante. **-op**; sudicióna *f.*, ṡgualdrína *f.*
Tromb-one; -óne *m.*
Troop; truppa *f.*, fròtta *f.*, compagnia di attori. — of cavalry, squadróne *m.* To —, affollarsi. **-er**; soldato di cavalleria. **-ship**; nave oneraria da truppe, nave da trasporto, traspòrto *m.*
Trop-e; -o *m.* **-hy**; trofèo *m.*
Tropic, -al; -o *m.*, -ále.
Trot; -to *m.* Full —, gran -to. Jog —, piccolo -to. To —, -tare. Little —, trottolín-o *m.*, -a *f.*
Troth; féde *f.*
Trot-ter; trottatóre *m.* **-ters**; peducci *m. pl.*
Trotting-race; corsa al trotto.
Troubadour; trovatore provenzale.
Trouble; péna *f.*, traváglio *m.*, guáio *m.*, affanni *m. pl.*, fastídi *m. pl.*, disturbo *m.*, scompíglio *m.*, impáccio *m.*; inquietare, spiacére, incomodare, frastornare, accorare, dare disturbo a. May I — you for? mi favorisca? Take the —, prendersi il fastidio, l' incomodo. Fish in -d water, pescar nel torbido.
Troubl-er; guastafèste *m.* **-esome, -ous**; noióso, penóso seccante, agitato, tórbido. — days, giorni di trambusto. **-esomeness**; l' esser noioso ecc.
Trough; trògolo *m.* Kneading —, mádia *f.* — of the waves, avvallamento delle onde.
Trounce; malmenare.
Troupe; compagnia di attori.
Trousers; calzoni lunghi, pantalóni *m. pl.*
Trousseau; corredo da sposa.
Trout; tròta *f.* **-stream**; ruscello dove vi sono delle trote.
Trow; I — not, non mi pare.
Trowel; méstola *f.*, cazzuòla *f.*; spiantatóre *m.*, trapiantatóio *m.*
Troy; 1. Tròia. 2. — weight, peso tornese. **-es**; Tornèa *f.*
Truan-cy; l' assentarsi. **-t**; chi sala la scuola, manca al suo posto.
Truce; trégua *f.*
Truck; carrétta *f.*, vagone-mèrci *m.*, carro *m.*; baratto *m.*, cámbio *m.*; (*mar.*) pomo d' albero. — system, il pagare gli operai con merci. **-le**; umiliarsi. — bed, letticciuolo su rotelle, carriòla *f.*
Truculen-ce; feròcia *f.* **-t**; feròce, fièro, trucolènto. **-tly**; feroceménte ecc.
Trudge; camminare a piedi, a stento, con fatica.
True; véro, leále, confórme (copia); centrare (palla da biliardo). **-hearted**; sincèro, franco. **-lover's-knot**; nodo molto ritorto.
Truffle; tartúfo *m.*
Trug; canestro di stecche.
Truism; verità evidente da sè stessa.
Trull; ṡgualdrína *f.*
Truly; veraménte, a dir vero.

Trump; triónfo *m.*; persona di gran valore, amico valentissimo; giocare un trionfo. — up, inventare, metter innanzi. **-ery**; fròttole *f. pl.* As *adj.*, inètto, di poco valore. **-et**; trómba *f.*, trombétta *f.* Ear —, corno acustico. To —, strombazzare, strombettare, pubblicare a suon di tromba. —flower, tromba del giudizio. **-eter**; trombettière *m.*

Trun-cate; troncare. **-cheon**; bastóne *m.*, mazza *f.* **-dle**; ruzzolare. **-k**; baúle *m.*; probòscide *f.*; trónco *m.*, fusto *m.*, pcdále *m.*; (*mar.*) pózzo *m.*, trómba *f.* — line, linea principale. — call, comunicazione telefonica intercomunale. — for a connecting-rod, fòdero *m.* — maker, bauláio *m.* **-nion**; orecchióne *m.*

Truss; fáscio *m.*, fastèllo *m.*; cinto erniário, brachière *m.*; tròzza *f.* (d' un pennone); travatura (di un tetto). To —, legare, affastellare. — up, succíngere. **-rod**; caténa *f.*, tirante *m.*

Trust; fidúcia *f.*, confidènza *f.*; fidecomméssо *m.*; fidarsi di, aver fiducia in; far credito a; incaricare di; sperare. — to luck, confidare nella fortuna. I — it may not rain, è da sperare che non piova. **-ee**; fidecommissário *m.*, curatóre *m.*, tutóre *m.*, curatore definitivo (di fallimento). **-eeship**; uffizio di fidecommissario, curatèla *f.*, tutèla *f.* **-ful**; fiducióso, che ha fiducia. — look, sguardo di fiducia. **-fully**; con aria di fiducia. **-ing**; fidènte. **-iness**; probità *f.*, lealtà *f.* **-worthiness**; fidatézza *f.* **-worthy**; fidato, degno di confidenza, sicuro, eṡatto, da fidarsene. **-y**; fedéle.

Truth; verità *f.*, il vero. **-ful**; veráce, veritièro, ingènuo, verídico. **-fully**; veraceménte. **-fulness**; veracità *f.*, veridicità *f.*

Try; tentatívo *m.*; tentare, cercare, provarsi, fare saggio di, intraprèndere; processare, giudicare; stancare (occhi). — experiments, far degli esperimenti. Are you -ing to ? vuoi? The case was tried before Judge A., la causa fu discussa sotto la presidenza del giudice A. That illness tried him severely, quella malattia fu una dura prova pre la sua forza. — for, cercare di ottenere, concorrere a (borsa). — on, tentativo senza probabilità di riuscita; provare (abito). — it on with, tentare di ingannare. — out, purificare colla liquefazione.

Trying; penóso, diffícile, noióso, fastidióso. — day, giorno pieno di fatiche, disgrazie o sim. — for the eyes, faticoso per gli occhi. — journey, viaggio stancante assai.

Try-sail; randa di cappa.

Tryst; convègno *m.* -ing place, luogo di convegno.

Tsar; zar *m.*

Tub; tino *m.*, tinòzza *f.*, cónca *f.*; bagno *m.*; bastimento vecchio. For plants, cassa *f.*

Tub-e; tubo *m.*, condótto *m.* Small —, tubétto *m.* Inner — of a tyre, camera d' aria. Nest of -s, fascio di tubi. Torpedo —, lancia-siluri *m.* — of force (*electr.*), linea di forza. **-er**; túbero *m.*

Tuberc-le; tubèrc-olo *m.* **-ular**, **-ulous**; -olóso. **-ulosis**; -ulòsi *f.*

Tub-erose; tuberosa dei giardini. **-erosity**; -erosità *f.*, prominènza *f.* **-ing**; serie di tubi; materiale per tubi. System of —, tubulatura *f.* **-ular**; tubolare. **-ule**; tubettíno *m.*

Tuck; basta *f.*, sessitura *f.*, alzata *f.*, piega di un vestito; (gergo) cibo *m.*, pasticci *m. pl.*; ficcare, spingere dentro sgualcendo. — up, tirar su. — up in bed, rincalzare il letto di un bambino dopo averlo coricato. **-er**; gola aggiunta al collare di una veste, pettorína *f.*

Tuesday; martedì *m.* Shrove —, martedì grasso.

Tufa, Tuff; tufo volcanico.

Tuft; ciuffétto *m.*, fiócco *m.*, ciòcca *f.*, mazzo di piume, nappina del chepi. **-ed**; crestato. — duck, morétta *f.*

Tug; tratta *f.*, tirata *f.*; rimorchiatóre *m.*; tirar forte, strappare. — of war, lotta alla corda.

Tuition; istruzióne *f.*

Tulip; tulipáno *m.*

Tulle; *id. m.*

Tumble; cascata *f.*, capitómbolo *m.*; cascare, rotolare, capitombolare, rovinare, piombare; rovesciare, scompigliare. **-down**; crollante, caduco. **-dung-beetle**; scarafaggio *m.*

Tumbler; saltatóre *m.*, balleríno *m.*, saltimbanco *m.*; vétro *m.*, bicchiere di vetro; molla di una toppa, che impedisce alla stanghetta di moversi. **-ful**; quanto si contiene in un bicchiere.

Tumbril; carrétta *f.*, carrettóne *m.*, forgóne *m.*

Tum-id; -ido. **-our**; -óre *m.*

Tumult, **-uous**, **-uously**; -o *m.*, -uóso, -uosaménte.

Tumulus; túmulo *m.*

Tun; bótte *f.*

Tune; ária *f.* In, Out of —, in accordo, fuori d' accordo. In — (*wireless*), accordato, in sintonia. Get out of —, scordarsi. Sing in, out of, —, cantar giusto o intonato, falso o stonato. **-ful**, **-fully**; melodiós-o, -aménte. **-r**; accordatóre *m.*

Tungsten; tunstèno *m.*
Tunic; -a *f.*, tònaca *f.* **-ated**; -ato.
Tuning-fork; corista *m.*, diápaśon *m.*
Tunis, -ian; Túniśi *f.*, tuniśíno.
Tunnel; gallería *f.*, trafóro *m.*; far una galleria, traforare. **-ling**; trafòro *m.*
Tunny; tònno *m.* **-fishing ground**; tonnara *f.*
Tup; montóne *m.*
Turb-an; turbante *m.* **-id, -idity, -idly**; tórbid-o, -ézza, -aménte. **-ine**; turbína *f.* **-ot**; rómbo *m.* **-ulence, -ulent, -ulently**; turbolèn-za *f.*, -to, -taménte.
Turcoman; turcomanno.
Turd; stèrco *m.*
Tureen; zuppièra *f.*
Turf; erba, tappeto vede di erba. **Be on the —**, tenere cavalli da corsa. **-cutter**; taglia-żòlle *m.*
Turg-escence, -id, -idly; -escènza *f.*, -ido, -idaménte.
Turin; Toríno *m.* **Of —**, torinése.
Turk, -ish; turco. **Turkish slipper**, babbúccia *f.* **-ey**; tacchíno *m.*; Turchía *f.* **— oak**, cèrro *m.* **-ophil**; turcòfilo. **-'s cap lily**; giglio martagone. **-'s head**; turbante *m.*
Turmeric; cúrcuma *f.*
Turmoil; scompíglio *m.*, baraónda *f.*
Turn; giro *m.*, voltata *f.*, śvòlta *f.*; passeggiáta *f.*; vicènda *f.*, cambiaménto *m.*, pièga *f.*, turno *m.* **Done to a —**, cotto a perfezione. **Take -s, Do by -s**, fare a vicenda. **Have a — for**, aver gusto a, inclinazione per, esser abile in. **— of duty**, turno di servizio. **It is my — to**, è a me il, tocca a me a. **— and — about**, una volta per uno. **By -s timid and rash**, a volte timido e a volte impetuoso. **It gave me quite a —**, mi ha messo tutto sossopra il cervello. **Things have taken a queer —**, le cose hanno preso una strana piega. **Serve one's —**, servire al proprio scopo.

To —, girare; rivoltare; tornire; diventare; inacetirsi, guastarsi; tradurre; far girare, sconvòlgere (cervello); far voltare; far pendere, far traboccar, dare il trabocco a (bilancia). **Be -ed forty**, aver passato i quaranta. **— to the right**, prender alla dritta. **— paler**, farsi più pallido. **— the scale at**, pesare. **— into ridicule**, metter in ridicolo, farsi beffa di. **He stood as though -ed to stone**, egli rimase come di pietra. **— to account**, trarre profitto di. **— the tables**, cambiare il vantaggio, alterare le posizioni.
Turn about, volgere e rivolgere. **— adrift**, respingere, rinviare, mandar al diavolo. **— aside**, stornare, deviare. **— away**, stornare, śviare; congedare, cacciare, dar lo sfratto a, licenziare; non lasciar entrare. **— back**, tornar indietro; far ritornare. **— down**, rovesciare, ripiegare (pagina), rivoltare; rigettare (proposta); prender (via). **— elsewhere**, volgersi altrove. **— in**, coricarsi; ripiegare, fare un orlo a. **— — one's toes**, volger le punta de' piedi all' indentro. **— into**, cambiare in, convertire in. **— off**, diramare (strada), lasciar la strada; intercettare, non lasciar piu venire (acqua, vapore, elettricità); licenziare. **— on**, far correre (acqua). **— — the light**, far luce. **— out**, 1. metter alla porta. 2. riuscire (bene, male). **It -ed — as I expected**, la cosa andò a finire come me l' aspettavo. **It -ed — otherwise**, andò a finire diversaménte. **It -ed — to be only**, poi non era che. 3. metter (cavallo) al pascolo, (bestiame) nei campi, metter in libertà. 4. lasciare il lavoro, scioperare. 5. metter fuori, produrre. 6. vuotare (tasca). 7. levarsi dal letto. 8. metter in campo. 9. As *sb.*, equipággio *m.*, attacco *m.* (insieme di carrozza e cavalli). **— over**, 1. voltare (pagina). 2. rovesciare, ribaltare, capovòlgersi. **— the matter — in one's mind**, rimuginare sull' accaduto. 3. **They — — their capital several times in the course of the year**, fanno vendite che ammontano al totale loro capitale parecchie volte all' anno. As *sb.*, 4. circolazione di fondi. 5. dolce ripieno. **Apple — —**, ripieno di mele. 6. **— — to**, consegnare a, dar nelle mani di. **— round**, voltare, voltarsi in là. **— to**, rivolgersi a; mettersi al lavoro come si deve. **— up**, présentarsi, sopravvenire; rimboccare; rivoltare, rimuòvere; alzare (carta); sollevare (fiammella di lampada). **— — one's eyes**, tener gli occhi fissi al cielo. **— — card**, carta voltata. **— — collar**, goletto ritto. **— — nose**, naso camuso. **— upon**, rivoltarsi per assalire (bestia imbizzita); dipendere da, rigirarsi a.
Turn-coat; volta-caśacca *m.* **-cock**; uomo addetto alle fontane. **-er**; tornitóre *m.* **-ery**; articoli fatti al tornio. **-ing**; voltata di strada. **— point**, punto critico, decisivo, punto di cambiamento. **-ip**; rapa coltivata; (*scherz.*) grosso orologio, cipólla *f.* **— fly**, galerúco *m.*, altica delle rape. **— tops**, foglie di rapa. **-key**; sottocarcerière *m.*, secondíno *m.* **-pike**; barriera di pedaggio. **-spit**; cane che gira lo spiede, specie di restone. **-stile**; arganèllo *m.* **-stone**; vòltapiètre *m.* (uccello). **-table**; piattaforme girante.
Tur-pentine; trementína *f.* **Chian —**, tre-

mentina del terebinto. -pitude; -pitudine *f.* -quoise; -chése *f.*
Turret; torrétta *f.* -ed; con torrette.
Turtle; tartarúga *f.*, testuggine di mare. Mock —, tartaruga falsa. Snapping —, triònice *f.* Turn —, capovòlgere. -dove; tórtora *f.*
Tuscan, -y; toscáno, Toscána *f.*
Tush; scaglióne *m.* —! frottole!
Tusk; zanna *f.* -ed; zannuto. -er; elefante maschio.
Tussle; lott-a *f.*, -are; zuffa *f.*, azzuffarsi.
Tussock; ciuffo di erba. -grass; festuca antartica. -y; a ciuffi.
Tut! pst! ta!
Tutel-age, -ary; -a *f.*, -ário.
Tutor; insegnante *m.*, maéstro *m.*, ripetitóre *m.*; insegnare, ammaestrare. -ship; uffizio di insegnante ecc.
Tutsan; tuttasána *f.*
Twaddl-e; stupidággine *f.* -er; parlatore sciocco, ciarlone insipido.
Twain; due.
Twang; accento nasale; far risonare.
Tweak; pizzicòtt-o *m.*, -are.
Tweed; tela scozzese.
Tweezers; pinzettíne *f. pl.*
Twelfth; dodicèšimo. -night; epifanía *f.*
Twent-ieth; ventèšimo, la ventesima parte. -y; vénti. -y-first; ventunèšimo, ventesimo primo. -y-one; ventuno. — horses, ventuno cavallo. — francs, ventuna lira. -y-two, -y-three etc., ventidue, -tre ecc.
Twice; due volte.
Twiddle; far girare.
Twig; ramoscèllo *m.*; (gergo) capire.
Twilight; crepúscolo *m.*
Twilled; spigato.
Twin; gemèllo *m.*
Twine; spago *m.*, filo *m.*; allacciare, attorcigliarsi, intrecciare.
Twinge; spášimo *m.*, fitta *f.*
Twinkl-e; tremolare. -ing; tremolío *m.* In the — of an eye, in un batter d' occhio.
Twirl; far girare, prillare.
Twist; cordoncíno *m.*, filo ritorto; torciménto *m.*; tòrcere, avvòlgere, intrecciare. — up, attòrcere, attorcigliare, attortigliare.
Twit; rimbrottare.
Twitch; 1. gramigna *f.*, *see* Couch grass. 2. scòssa *f.*, pízzico *m.*, tirata *f.*; tirar bruscamente, carpire. — out of his hand, far saltare dalla mano.
Twitter, -ing; cinguett-are, -ío *m.*
Two; due. Putting — and — together, confrontando i dati l' uno coll' altro. -fold; dóppio. -headed; a due teste. -penny; di due soldi, *fig.* insignificante, meschíno.
Tycoon; taicùn *m.*
Type; tipo *m.*; caráttere *m.* To —, scrivere a macchina, dattilografare. -writer; macchina dattilografica.
Typh-oid; tifòide. — fever, tifo *m.* -oon; tifóne *m.*
Typ-ical, -ically; típic-o, -aménte. -ify; figurare, rappresentare. -ist; dattilògraf-o *m.*, -a *f.* -ography; tipografía *f.*
Tyran-nical, -nically, -nicide, -nise, -ny, -t; tiran-nico, -nicaménte; -nicída *m.* (the slayer), -nicídio *m.* (the slaughter); -neggiare, -nía *f.*, -no *m.*
Tyr-e; 1. Tiro *f.* 2. cerchióne *m.*, gomma pneumatica. -ian; di Tiro.
Tyro; novízio *m.*, principiante *m.*
Tyrol, -ese; Tiròlo *m.*, tirolése.
Tyrrhenian; tirrèno.

U

U; *pronunz.* iù.
Ubiquit-ous; che si trova dappertutto. -y; -à *f.*
Udder; mammèlla *f.*
Ugh! peuh!
Ugl-iness; bruttézza *f.* -y; brutto, poco bello. The word may often be translated by the suffix -accio, *e.g.* parolaccia, ugly word.
Uhlan; uláno *m.*
Ukase; decreto russo, ucáse *m.*
Ukraine; Ucránia *f.*
Ulcer, úlcer-a *f.* -ate; -are. -ation; -aménto *m.*, -azióne *f.* -ous; -óso, -atívo.
Ullage; mancamento del vino in una botte.
Ulm; Ulma *f.*
Ulna; *id.*
Ulster; ulster *m.*
Ulterior; ulterióre. — purpose, secondo fine.
Ultim-ate; -o. -ately; alla fine. -atum; -atum *m.* -o; scórso.
Ultra-; tròppo, stra-. Ultra-fine ladies, dame di una delicatezza impossibile.
Ultramarine; oltremare *m.*
Ultramontane; oltramontáno.
Umbel, -late; ombèll-a *f.*, -ífero.
Umb-er; terra d' ombra. -rage; Take —, esser offeso. -rageous; ombróso. -rella; ombrèllo *m.* — case, 1. fodera di ombrello. 2. pòrta-ombrèlli *m.* -rian; umbro.

Umpire; árbitro *m.*; far l' arbitro.
Unab-ashed; senza vergogna. **-ated**; non scemato. **-le**; incapace. — to work, inabile al lavoro. **-ridged**; intéro.
Unacc-ented; senza accenti; piano. **-eptable**; inaccettábile. **-epted**; non accettato. **-limatised**; non acclimato. **-ommodating**; poco cortese, poco pieghevole. **-ompanied**; senza compagno. — by, senza. **-omplished**; incompiuto. **-ountable, -ountably**; inesplicábile, in modo inesplicabile. **-ustomed**; poco abituato.
Unac-hieved; incompiuto. **-knowledged**; senza riposta, non riconosciuto. **-quainted**; poco versato in, ignaro di, senza conoscenza di. **-quired**; naturále.
Un-adjusted; non assestato. **-adorned**; senza ornamenti, diśadorno. **-adulterated**; puro, pretto. **-affected**; non affettato; naturále, sincèro, senza affettazione. **-affectedly**; naturalménte, genuinaménte. **-aided**; senza aiuto.
Unal-layed; non alleggerito. **-lotted**; *see* Unappropriated. **-loyed**; puro, senza lega. **-terable**; inalterábile. **-tered**; invariato, sempre lo stesso.
Unambiguous, -ly; chiar-o, -aménte; non equivoco, senza equivoco.
Unambitious, -ly; senza ambizione.
Unam-enable; non soggetto a, poco disposto a ubbidire, incorrigíbile. **-iable**; poco amabile.
Unanim-ity, -ous, -ously; -ità *f.*, -e, -eménte.
Unan-nounced; senza esser stato annunziato. **-swerability**; l' esser irrefutabile ecc. **-swerable**; irrefutábile, incontestábile, incontrastábile. **-swerably**; in modo irrefutabile ecc. **-swered**; senza risposta.
Unapp-easable; incontentábile, implacábile. **-eased**; poco contento, mal soddisfatto. **-lauded**; non applaudito. **-lied for**; non richiesto. **-reciated**; poco apprezzato. **-rehended**; incompréso. **-roachable**; inabbordábile; al di là di ogni concorrenza. **-roached**; senza rivale, cui nessun altro si è mai avvicinato. **-ropriated**; non appropriato; non messo a parte per fine specifico.
Unapt; poco abile.
Unar-gued; non discusso. **-m**; diśarmare. **-med**; inèrme. **-moured**; senza corazza. **-rayed**; senza vestiti. **-rested**; senza esser arrestato. **-ticulated**; non articolato. **-tistic**; poco artistico.
Unas-certainable; impossibile a scoprire. **-certained**; non accertato. **-hamed**; senza vergogna. **-ked**; senza invito, non richiesto. **-pirated**; non aspirato. **-piring**; poco ambizioso. **-sailable**; non assalibile, inattaccábile, incontrastábile. **-sessed**; non tassato. **-signed**; *see* Unappropriated. **-similated**; non assimilato. **-sisted**; senza l' altrui aiuto. **-sociated**; non associato. **-sorted**; miscelláneo, non assortito. **-suaged**; non alleviato. **-suming**; modèsto, senza pretensione o arroganza.
Unat-oned for; non espiato. **-tached**; studente di Oxford o Cambrigge che non si è associato ad un collegio. **-tackable**; inattaccábile. **-tainable**; inconseguíbile. **-tempted**; intentato. **-tended**; senza seguito. **-tested**; non attestato, non confermato. **-tractive**; poco attraente o simpatico.
Unau-dited; non controllato, non esaminato. **-thentic, -thenticated**; poco autentico, non vidimato. **-thorised**; non autorizzato. **-thoritative**; di dubbiosa validità.
Unav-ailable; indisponíbile; inútile, poco giovevole. **-ailing**; inefficáce. **-ailingly**; senza pro, inutilménte. **-enged**; non vendicato, non punito. **-oidable, -oidably**; inevitábil-e, -ménte. **-owable**; non confessabile. **-owed**; non confessato.
Unaware; insciènte, incònscio. Be — of the arrangement, non conoscere questa disposizione. **-s**; all' improvvista.
Unba-cked; non appoggiato o sostenuto. **-ked**; non cotto. **-lanced**; non equilibrato, fuor de' gangheri, poco giudizioso. **-llasted**; mancante la zavorra, malsicuro; *fig.* *see* Unbalanced. **-ndage**; levar le bende, śbendare. **-ptised**; non battezzato. **-r**; levare le sbarre, śbarrare.
Unbea-rable; insopportábile. **-ten**; mai vinto, non sconfitto. — tracks, vie non frequentate.
Unbecoming, -ly, -ness; sconvenièn-te, -teménte, -za *f.*; diśdicévole, poco convenevole.
Unbelie-f; incredulità *f.*, scetticiśmo *m.* **-vable**; che non si sa credere, tutto incredíbile, da non credersi. **-ver**; miscredènte *m.*, incrèdulo *m.* **-ving**; miscredènte ecc.
Unbend; 1. diśintugliare, diśormeggiare. 2. addolcirsi, arrèndersi, non starsene più in sussiego, ricrearsi. **-ing, -ingly**; inflessíbil-e, -ménte; austèr-o, -aménte; rígid-o, -aménte.
Unben-eficed; senza beneficio. **-efited**; senza vantaggio. **-t**; non piegato.
Unbi-assed; senza prevenzioni, imparziále. **-dden**; spontáneo; senza invito. **-nd**; sciògliere, ślegare.
Unbl-amed; senza biasimo. **-eached**; non imbiancato. **-emished**; senza taccia. **-est**; senza benedizione, maledètto, in-

felíce. **-ighted**; non avvizzito, frésco. **-otted**; senza sgorbio; non ancora asciugato. **-ushing**, **-ushingly**; sfacciat-o, -aménte; spudorat-o, -aménte.

Unbo-iled; non bollito. **-lt**; ṡbarrare, levare il paletto, il catenaccio. **-rn**; non nato. **-som oneself**; sfogarsi, aprirsi, dire il segreto. **-ught**; non comprato. **-und**; sciòlto, ṡlegato; líbero. **-unded**; ṡmiṡurato.

Unbr-eakable; non rompibile. **-ibable**, **-ibed**; incorr-uttíbile, -ótto. **-idle**; ṡbrigliare. **-idled**; sfrenato. **-ightened**; non rallegrato. **-oken**; 1. non domato, non scozzonato, non ammaestrato. 2. non rotto, senza rottura. 3. non interrótto. **-otherly**; poco fratellevole. **-uised**; senza ammaccatura.

Unbu-ckle; sfibbiare. **-ilt**; non costruito. **— upon**, senza abitazioni, senza edifizii. **-oyed**; sprovvisto di boe. **-rden oneself**; vuotare il suo sacco. **— — to**, aprirsi con. **-ried**; insepólto. **-rnt**; non danneggiato dal fuoco; non cotto (mattone). **-sinesslike**; poco serio, senza metodo, poco pratico. **-tton**; ṡbottonare.

Unca-ge; lasciar uscire dalla gabbia. **-lled for**; non richiesto, fuor di posto. **-ncelled**; sempre valido. **-ndid**; poco sincero. **-nny**; strano, che sa di stregoneria. **-nonical**; non canonico. **-p**; togliere la copertura, scoprire. **-red for**; neglètto. **-rpeted**; senza tappeto. **-ught**; non preso, libero, senza esser sorpreso ecc., *see* Catch.

Unce-asing, **-asingly**; incessant-e, -eménte. **-nsured**; senza biasimo. **-remonious**; poco ceremonioso. **-remoniously**; senza ceremonie, alla buona. **-rtain**; poco certo. **-rtainly**; in modo mal sicuro. **-rtainty**; incertézza *f*. **-rtificated**; — bankrupt, fallito non riabilitato. **-rtified**; — lunatic, pazzo la cui follia non è legalmente dichiarata.

Unchain; scatenare. The devil was -ed, il diavolo spadroneggiava, era sciolto.

Unchallenge-able, **-ably**; indisputábil-e, -ménte. **-d**; senza questione, incontrastato.

Unchang-eable, **-eably**; immutábil-e, -ménte. **-ed**; inalterato. **-ing**; costante, sempre fermo.

Uncharged; non caricato, non accusato.

Uncharitabl-e; poco caritatevole, senza carità, astióso. **-eness**; mancanza di carità. **-y**; senza carità.

Uncha-rted; non segnato su una carta geografica. **-rtered**; senza privilegio. **-ste**; non casto, impuro. **-stised**; impuníto. **-stity**; impurità *f*.

Unche-cked; senza freno; non controllato, non verificato. **-ered**; non rallegrato. **-quered**; intatto e intero, senza incidenti. **-wed**; non masticato.

Unchivalrous; poco cavalleresco, villáno. **-ly**; scortesemente.

Unchristian; indegno d' un cristiano.

Unchronicled; non ricordato.

Unci-al; onciále. **-nate**; -nato. **-rcumcised**; non circonciso. **-rcumcision**; i gentili *m. pl.* **-rcumscribed**; non circoscritto. **-vil**; ṡcortése, ṡgarbato, incivíle. **-vilised**; incivíle, bárbaro. **-villy**; scortesemente ecc.

Uncl-ad; nudo. **-aimed**; non reclamato. **-asp**; rilasciare. **— one's hands**, rallentare la stretta delle mani. **-e**; zio *m*. **-ean**; immóndo. **-eanliness**; sudicería *f*. ecc. **-eanly**; súdicio, spòrco, lúrido. **-eanness**; immondézza *f*. **-erical**; indegno d' un prete. **-imbable**; su cui non si può arrampicare, tale da non potersi salire. **-ipped**; non tagliato, intéro. **-oak**; metter a nudo. **-ogged**; non ostruito, non intasato. **-ose**; aprire, schiúdere. **-othe**; spogliare, ṡvestire. **-ouded**; senza nuvole, ṡnebbiato.

Unco-ck; diṡarmare. **-ffined**; non rinchiuso in una cassa. **-il**; ṡvòlgere, ṡviluppare, diṡintugliare. The snake -ed itself, il serpente si svolse. **-ined**; non monetato. **-llected**; non riscosso, non percetto. **-loured**; non colorito, incolóro.

Uncomb-ed; non pettinato, ingarbugliato. **-inable**; non combinabile. **-ined**; non combinato.

Uncomel-iness; difetto di avvenenza. **-y**; brutto, poco avvenente.

Uncomfortabl-e; scòmodo, diṡagiato, ṡgradévole, poco comodo, non confortabile, poco a suo agio, poco agiato, in disagio. Be — to, tornare incomodo a. **-eness**; diṡágio *m*., incòmodo *m*. **-y**; con disagio, in modo incomodo, scomodo. He was — seated, stava seduto scomodo.

Uncomm-anded; senza esserci comandato; senza capo, senza chi comandasse. **-emorated**; non commemorato. **-ercial**; senza scopo commerciale. **-iserated**; non compianto, non compassionato. **-itted**; non impegnato, non legato, líbero. **-on**; poco comune, singolare. **-only**; assai. **-onness**; singolarità *f*., rarità *f*. **-unicative**; poco comunicativo.

Uncomp-ensated; senza compenso. **-laining**; che non si lagna. **-lainingly**; senza lagnarsi. **-leted**; incompiuto. **-licated**; senza complicazioni, sémplice. **-li-**

mentary; poco lusinghiero. **-ounded**; non composto. **-ressed**; non compresso. **-romising**; fermo, che non acconsente, inflessíbile. **-romisingly**; da chi non cederà nulla.

Unconc-ealed; apèrto, in nullo modo nascosto. **-ern**; noncuranza *f*. **-erned**; insensíbile. **-ernedly**; indifferenteménte. **-iliatory**; poco conciliativo.

Uncondition-al, **-ally**; senza condizione. **-ed**; incondizionato.

Uncon-fessed; non confessato. **-firmed**; non confermato. **-genial**; antipático. **-nected**; sconnèsso.

Unconquer-able, **-ably**; insuperábil-e, -ménte. **-ed**; invitto, indòmito.

Unconsci-entious; poco coscenzioso. **-entiously**; in modo poco coscenzioso. **-entiousness**; mancanza di coscienza.

Unconscionabl-e, **-eness**, **-y**; śvergognat-o, -ézza *f*., -aménte; eśorbitan-te, -za *f*., -teménte.

Unconscious; incònscio, inconsapévole, insensíbile, privo di conoscenza. **-ly**; inconsciaménte, senza saperlo. **-ness**; śveniménto *m*., inconsapevolézza *f*.

Uncon-secrated; non consecrato. **-soled**; inconsolato. **-stitutional**; incostituzionále. **-stitutionally**; in maniera incostituzionale. **-strained**, **-strainedly**; senza esservi costretto. **-sulted**; non consultato. **-consumed**; non consumato. **-taminated**; incontaminato. **-tested**; incontrastato, non disputato. **-tradicted**; non contraddetto. **-trollable**; indomábile, irrefrenábile. **-trolled**; senza limite, líbero. **-troverted**; incontrastato. **-verted**; non convertito, non cambiato nell' opinione. **-vinced**; non convinto, non soddisfatto. **-vincing**; poco soddisfacente.

Unco-oked; crudo, non cotto. **-rd**; disfare la corda, ślegare. **-rk**; cavare il turacciolo, sturare. **-rrected**; non riveduto, non riformato, non contraddetto. **-rroborated**; non corroborato. **-rrupted**; non corrotto. **-unted**; non numerato. **-uple**; diśgiúngere, staccare. **-urteous**; śgarbato, incivíle, scortéśe. **-urteously**; śgarbataménte ecc. **-urteousness**; scorteśía *f*. **-urtly**; mal educato, różżo. **-uth**; gòffo, biżżarro, baròcco, barbarésco. **-uthness**; goffággine *f*., biżżarría *f*. **-ver**; scoprire, denudare, metter a nudo, togliere il coperchio, scoprirsi il capo. **-vered**; a testa scoperta.

Unc-ramped; sciòlto. **-redited**; non creduto. **-ritical**; poco disposto a criticare. **-ropped**; tenuto a maggese. **-rossed**; non barrato. **-rown**; scoronare. **-rowned**; senza corona. **-tion**; unzióne *f*. **-tuous**; untuóso. **-ultivated**; incólto. **-urbed**; licenzióso, sfrenato. **-url**; disfare i riccioli, spiegare. **-urtailed**; non scemato, non diminuito. **-ut**; non falciato ecc., *see* Cut.

Unda-maged; non avariato, in buona condizione. **-mped**; non scemato. **-rkened**; non oscurato. **-ted**; senza data. **-unted**; impertèrrito. **-zzled**; non abbagliato.

Unde-bauched; non corrotto. **-cagon**; endecágono *m*. **-cayed**; non deperito, non guastato, solido. **-ceive**; diśingannare, diśillúdere. **-cided**; indecíso. **-ciphered**; non decifrato. **-cked**; apèrto, senza ponte. **-clared**; non dichiarato, latènte. **-clinable**; indeclinábile. **-fended**; senza difesa, senza difensore. — action, processo non contestato. **-filed**; intemerato, immacolato, senza taccia, non macchiato. **-liverable**; con destinatario introvabile. **-monstrative**; poco dimostrativo. **-niable**, **-niably**; innegábil-e, -ménte.

Under; sótto, al disotto di, meno di, nel tempo di, per virtù di. — age, minorènne. — twenty years of age, al disotto di venti anni. — arms, sotto le armi. — one's breath, sottovóce. — any other circumstances, in altre circostanze. — construction, in costruzione. — fire, esposto al fuoco. — God, coll' aiuto di Dio. — the hand and seal of, sottoscritto e sigillato da. — the rose, in segreto. — sail, sotto vela. — way, in abbrivo.

Under-bid; fare offerta più bassa di. **-bred**; malcreato. **-brush**; *see* Undergrowth. **-butler**; sóttomaggiordòmo *m*. **-charge**; chieder troppo poco. **-cliff**; parte inferiore d' una costa dirupata. **-clothes**, **-clothing**; biancheria (personale), vestiario di sotto, sottovèsti *f. pl.* **-cook**; sottocuòco *m*. **-cooked**; non abbastanza cotto. **-crust**; crosta di sotto. **-current**; corrente sottomarina. — of seriousness, fondo di serietà. **-cut**; filétto *m*. **-done**; non abbastanza cotto. **-estimate**; stima troppo bassa, stimare al di sotto del giusto. He -d the force of the current, non credette che la forza della corrente fosse quella che veramente era. **-feed**; nutrire insufficenteménte. **-foot**; sotto il piede. **-gardener**; sottogiardinière *m*. **-garment**; vestimento di sotto. **-go**; subire, patire, sopportare, sottoporsi a. **-governess**; sóttogovernante *f*. **-governor**; vice-governatóre *m*. **-graduate**; studènte *m*. **-ground**; sotterráneo. As *adv*., sottèrra. **-grown**; non cresciuto dovutamente. **-growth**; tutto ciò che cresce sotto gli alberi di un bosco, boscáglia *f.*, macchia *f.*, arboscelli fitti. **-hand**; clandestino, nascósto, dissimulato. — dealings, mene segrete. **-housemaid**; seconda donna di servizio. **-insured**; insufficentemente assicurato. **-keeper**; sóttoguardacáccia *m.* **-lay**; alzo *m.* **-lease**; subaffitto *m.* **-lessee**; subaffittário *m.* **-let**; subaffittare. **-librarian**; vicebibliotecário *m.* **-lie**; esser sottoposto a. The problem of religion -s the whole Eastern question, il problema della religione si trova nel fondo a tutta la questione dell' oriente. **-line**; sottolineare. **-linen**; pannilini di sotto. **-ling**; subaltèrno *m.* **-lying**; (*geolog.*) subgiacènte; che è al disotto a. **-manned**; equipaggiato scarsamente. **-masted**; con alberatura bassa. **-master**; sóttomaéstro *m.* **-mattress**; saccóne *m.* **-mentioned**; sottomenzionato. **-mine**; sottominare. **-most**; più basso. **-neath**; sótto, al di sotto, al di sotto di. From —, da di sotto di. **-nurse**; sóttobambináia *f.* **-officer**; subaltèrno *m.* **-pay**; pagare insufficentemente. **-peopled**; poco abitato. **-petticoat**; sottana di sotto. **-pin**; puntellare, rimpellare. **-pinning**; riprésa *f.* **-porter**; sóttoportináio *m.* **-rate**; *see* Undervalue. **-score**; sóttolineare. **-secretary**; sóttosegretário *m.* **-sell**; vender men caro di. **-servant**; servo di grado inferiore. **-sheriff**; sóttosceríffo *m.* **-shot wheel**; ruota mossa dall' acqua disotto, ruota a pala. **-side**; disótto *m.* **-signed**; sóttoscrítto. **-sized**; di statura bassa. **-skirt**; sottana di sotto.

Understand; 1. capire, intèndere, comprèndere, intendersi di. Not to —, non sapere spiegarsi. I don't — you, non ti intendo. I — enough of the language for, so' abbastanza addentro nell' idioma per. To — a subject, raccapezzarsi. I can't — how the deuce it can be, non mi posso raccapezzare come diavolo sia. 2. aver notizie, aver informazioni, aver nozione, esser informato. Give to —, informare, far sapere. 3. sottintèndere. **-able**; intelligíbile. **-ing**; intellètto *m.*, intelligènza *f.*, comprendònio *m.*, comprensíva *f.*; accòrdo. Come to an —, accordarsi. Keep up a good — with, vivere in armonia con. Have an — with, avere un patto con. Have a secret — with, esser di valuta intesa con. We have a mutual —, ci siamo reciprocamente convenuti. As *adj.*, intelligènte. -s (*scherz.*), le gambe.

Understate; To — the case, dir meno del vero. He -d his income, dichiarò le sue entrate con una cifra al disotto della vera.

Under-steward; sottindènte *m.* **-stock**; provvedereinsufficentemente, *see* Stock. **-strapper**; subaltèrno *m.*, assistènte *m.*

Undertak-e; intraprèndere, impegnarsi, ingerirsi, farsi responsabile di, assúmersi, essersi prefisso, incaricarsi di. **-er**; intraprenditore di pompe funebri. **-ing**; imprésa *f.*

Under-taxed; insufficentemente tassato. **-tenant**; subaffittuario *m.* **-tone**; voce bassa. In an —, sottovoce. **-valuation**; valutazione bassa. **-value**; stimare troppo basso; non apprezzare il valore di, stimar troppo poco. He considered that his services had been -d, credeva che i suoi servigi non fossero stati abbastanza apprezzati. **-vest**; camiciuòla *f.* **-went**; *rem.* di Undergo. **-wing**; catocála *f.* **-wood**; arboscèlli *m. pl.*, bosco ceduo, arbusti *m. pl.*, frasche *f. pl.*, frascáme *m.* **-write**; 1. firmare una polizza di assicurazione marina. 2. sottoscrivere per via preliminare, una emissione di fondi, assumersi una quota determinata di un' emissione nel caso che non venga assorbita dal pubblico. **-writer**; 1. assicuratore marittimo. 2. *see* Underwrite (2).

Undes-cribed; non descritto. **-erved**, **-ervedly**; immeritat-o, -aménte. **-erving**; immeritévole. **-igned**; involontário. **-irable**; poco desiderabile.

Unde-tected; inosservato, senza esser scoperto. **-termined**; non ancora fissato, indeciso, non limitato, non conosciuto. **-terred**; non stornato, non spaventato. **-veloped**; poco sviluppato. **-viating**; che non svia mai.

Undid; *rem.* di Undo.

Undi-gested; indigèsto. **-gnified**; poco dignitoso, senza dignità. **-minished**; non diminuito, non scemato. **-mmed**; non offuscato. **-plomatic**; brusco, poco diplomatico.

Undis-cerning; poco giudizioso. **-charged**; non scaricato; non congedato; non saldato. — bankrupt, fallito non riabilitato. **-ciplined**; indisciplinato. **-closed**; tenuto segreto. **-couraged**; non scoraggiato. **-coverable**; introvábile. **-covered**; non scoperto. **-criminating**; che non distingue. **-cussed**; indiscusso. **-guised**; apèrto, non mascherato. **-mayed**; non sgomentato. **-posed of**; non venduto. **-puted**; incontrastato. **-solved**; non sciolto. **-tinguished**; non rinomato, senza distinzione. **-tinguishing**; senza far distinzione. **-torted**; non distorto. **-tributed**; non ancora distribuito. — middle, mezzo termine ambiguo. **-turbed**; senza esser disturbato, tranquillo.

Undiv-erted; non distornato. **-ided**; indiviṡo, non ancora diviso. **-ulged**; non divulgato.

Undo; disfare, ṡlegare, sciògliere, ṡvòlgere; annullare, cancellare; rovinare, mandare in rovina. Leave undone, tralasciare di fare. To — the bandages of, sfasciare. **-ing**; rovína *f.*, sfáscio *m.*

Undoubt-ed; indubitato, indúbbio. **-edly**; indubbiaménte. **-ing**; senza sospetto.

Undr-aped; non drappeggiato. **-aw**; aprire, ritirare (tendina). **-awn**; 1. non tirate (cortine). 2. non ritirato. 3. non ancora disegnato, raffigurato o descritto. 4. non sguainato. **-eamed of**; mai sognato. **-ess**; abito da camera. — uniform, divisa piccola, ordinaria, *or* di servizio. To —, spogliare. **-essed**; senza vestimenti; crudo, gréżżo, senza guarnizione.

Undu-e; indébito, ingiusto. **-late**; ondeggiare. **-lating**, **-latory**; ondeggiante, ondulatòrio. **-ly**; indebitaménte, tròppo. **-tiful**, **-tifully**, **-tifulness**; diṡubbidièn-te, -teménte, -za *f.*; poco ubbidiente, in modo poco ubbidiente, mancanza al dovere filiale.

Undy-ed; non tinto. **-ing**; imperituro.

Unearned; immeritato, non guadagnato. — income, reddito patrimoniale.

Unearth; dissotterrare. **-ly**; da demonio. An — beauty, una bellezza non terrena.

Uneas-ily; con aria inquieta. **-iness**; diṡagio *m.*, inquietúdine *f.*, scòmodo *m.*, péna *f.*, malèssere *m.* **-y**; diṡagiato, incòmodo, penóso, travagliato, inquièto.

Un-eatable; non mangiabile. **-eaten**; non mangiato. **-economical**; poco economico. **-edifying**; poco edificante. **-educated**; senza istruzione, illetterato. **-embarrassed**; non imbarazzato. **-emotional**; che si commuove difficilmente. **-employed**; diṡoccupato, senza lavoro. — money, danari inoperosi. **-employment**; diṡoccupazióne *f.*, mancanza di lavoro.

Unen-closed; apèrto, non assiepato. **-cumbered**; non gravato d' ipoteca. **-ding**; sterminato. **-dorsed**; senza girata. The cheque is —, vi manca allo scecche la firma del giratario. **-dowed**; senza dotazione. **-durable**, **-durably**; insopportábil-e, -ménte; insoffríbil-e, -ménte. **-franchised**; privo del voto, del diritto al voto. **-glish**; indegno d' un Inglese. **-lightened**; non illuminato, poco istruito. **-tailed**; libero da sostituzione. **-terprising**; poco intraprendente, inattívo. **-viable**; da non invidiarsi, malagevole (situazione).

Unequal; ineguále, diṡuguále. **-led**; in comparábile, inarrivábile. **-ly**; inegualménte.

Unequivocal, **-ly**; chiar-o, -aménte, da non sbagliarsi.

Unerring, **-ly**; infallíbil-e, -ménte.

Unessential; di importanza secondaria.

Uneven, **-ly**; irregolar-e, -ménte; ineguál-e, -ménte; ímpari. Uneven number, caffo *m.* **-ness**; diṡuguaglianza *f.*

Uneventful; senza incidenti.

Unexampled; inaudito, senza esempio.

Unexceptionable; ineccezionábile, irreprensíbile, su cui non c' è da ridire.

Unex-ecuted; ineṡeguito. **-ercised**; non esercitato. **-hausted**; ineṡausto. **-panded**; non sbocciato. **-pected**; inattéso. **-pended**; non ancora sborsato. **-pired**; non ancora scaduto. **-plained**; non spiegato. **-plored**; inesplorato. **-pressed**; non espresso, sottintéso.

Unfa-ding; sempre florido, imperituro. **-iling**; immancábile, ineṡauríbile. **-ilingly**; senza fallo. **-ir**; ingiusto, iniquo, inonèsto, ṡleale, frodolènto, poco onesto. **-irly**; ingiustaménte ecc., in modo poco onesto. **-irness**; ingiustízia *f.*, furbería *f.*, modi poco leali. **-ithful**, **-ithfully**, **-ithfulness**; infedel-e, -ménte, -tà *f.*; infid-o, -aménte, modi infidi. **-ltering**; férmo. **-lteringly**; senza titubare. **-miliar**, **-miliarity**; poco familiare, mancanza di familiarità. **-rrowed**; senza piccoli.

Unfashionabl-e; fuor di moda, non più d' uso. **-y**; non secondo la moda.

Unfasten; sciògliere, ṡlegare, disserrare, disfare, sfibbiare. — the catch of the door, sciogliere il lucchetto della porta.

Unfa-therly; poco paterno, poco benevolo. **-thomable**; impenetrábile, senza fondo, che non si può scandagliare. **-vourable**; sfavorévole, contrario. **-vourably**; sfavorevolménte.

Unfe-d; senza cibo. **-eling**; insensíbile, crudèle, duro. **-elingly**; senza simpatia, da insensibile ecc. **-igned**, **-ignedly**; sincèr-o, -aménte. **-lt**; non sentito. **-minine**; indegno di una donna. **-nced**; senza chiusura, senza siepe. **-rmented**; non lievito, non fermentato. **-ttered**; illimitato, piena (discrezione).

Unfi-gured; non figurato. **-lial**; poco filiale. **-lled**; non riempito, inoccupato. **-ltered**; non filtrato. **-nished**; incompiuto. **-t**; diṡadatto, inètto, sconvenévole. Be —, non convenire. To —, diṡadattare; render inutile, incapace, inabile. **-tness**; diṡadattaggine *f.*, inettitúdine *f.* **-tting**; diṡdicévole, sconveniènte. **-ttingly**; in modo disdicevole ecc. **-x**; staccare, togliere (baionette).

-xed; staccato, sciòlto. Come —, sciògliersi, staccarsi.

Unfl-agging; instancábile. -attering; poco lusinghiero. -atteringly; senza lusingare. -edged; senza piume, implume, *fig.* inespèrto. -inching; risoluto, che non si lascia sbigottire. -inchingly; senza batter palpebra.

Unfo-ld; spiegare, ṡvòlgere, sciorinare; raccontare a lunga. -rced; facile, naturále. -rdable; inguadábile. -reseeable; imprevidíbile. -reseen; impreveduto. -rgettable; indimenticábile. -rgiving; poco placábile, ineṡorábile. -rgotten; non dimenticato. -rmed; infórme. -rtified; non fortificato. -rtunate; disgraziato, infelíce. — love affair, disgrazia d' amore. -rtunately; diṡgraziataménte ecc., per mala fortuna. -ught; non combattuto. -unded; senza fondo, infondato.

Unfr-amed; senza cornice. -equented; poco praticato. -equently; di rado. -iendliness; scorteṡía *f.*, l' esser poco amichevole ecc. -iendly; poco amichevole, ostíle, scortéṡe, contrário. -ock; sfratare. -ozen; non gelato. -uitful, -uitfully; infruttuóṡ-o, -aménte. -uitfulness; sterilità *f.*, infecondità *f.*

Unfu-lfilled; non adempito. -nded; non consolidato. -rl; mollare, spiegare. -rnished; non ammobiliato.

Ungainl-iness; atteggiamento goffo, goffággine *f.* -y; goffo, ṡguaiato, dinoccolato.

Ungallant, -ly; scortéṡ-e, -eménte.

Ungen-erous; meschíno, poco generoso. -erously; in modo meschino ecc. -ial; poco geniale, freddo. -ially; in modo freddo. -teel; rożżo, incivíle. -tle; duro, brusco, rúvido. -tlemanlike, -tlemanly; basso, malcreato, malcostumato, indegno d' un gentiluomo. -tlemanliness; ṡgarbatézza *f.*, volgarità *f.*

Ungilt; senza doratura.

Ungl-azed; senza vetri; non invetriato, non verniciato. -oved; senza guanto. -ue; Come -d, sciogliersi la colla.

Ungodl-iness; empietà *f.* -y; émpio, poco devoto, senza Dio o religione.

Ungovernable; infrenábile; ingovernábile.

Ungrac-eful; ṡvenévole, ṡgraziato, ṡguaiato. -efully; ṡvenevolménte ecc. -efulness; ṡvenevolézza *f.*, ṡgraziatággine *f.*, ṡguaiatággine *f.* -ious; mal garbato, ṡmanierato, brutále. -iously; in maniera mal garbata, da smanierato. -iousness; maniere mal garbate.

Ungrammatical; ṡgrammaticato. -ly; senza grammatica.

Ungrateful, -ly, -ness; ingrat-o, -aménte, -itúdine *f.* Ungrateful to the taste, poco grato al palato.

Ungratified; non appagato.

Ungrounded; senza ragione, infondato.

Ungrudging; dato di buon cuore, di buon grado. -ly; molto volentieri.

Ungu-arded; senza difesa. -ardedly; senza riflettere. -ent; -ènto *m.* -essable; non indovinábile. -ided; senza guida.

Unha-llowed; émpio, profáno. -mpered; non imbarazzato. -nd; lasciar andare, levar la mano da. -ndiness; inettitúdine *f.*, goffággine *f.* -ndsome; poco civile, grétto, meschíno, poco onesto. -ndy; inètto, gòffo, malestróso. -ppily, -ppiness, -ppy; infelíceménte, -ità *f.*, -e; diṡgrazia-taménte, l' esser -to, -to; sciagurat-aménte, l' esser -o, -o.

Unhar-med; illéṡo, indènne, niente danneggiato. -ness; staccare, levare i finimenti.

Unhatched; non uscito dall' ovo.

Unhealth-ily; in condizioni malsani. -iness; insalubrità *f.* -y; insalúbre, malsáno.

Unheard; non udito, non ascoltato. — of, inaudíto.

Un-heeded; non ascoltato. -heeding; senza dar retta. -helpful; non giovevole. -hesitating; férmo, risoluto. -hesitatingly; senza esitare. -hewn; gréżżo. -hindered; niente impedito. -hinge; ṡgangherare. His mind became -d, gli girò il cervello. -hired; non noleggiato. -historic; senza base istorica. -hitch; staccare. -holy; émpio, che sa dell' inferno. -honoured; inonorato. -hook; staccare, sfibbiare, ṡlacciare. -hoped for; inaspettato, insperato. -horse; scavalcare, levar da sella. -housed; senza casa, senza tetto. -hung; non impiccato, non sospeso. -hurt; illéṡo, indènne, salvo.

Uni-corn; liocòrno *m.*

Unif-iable, -ication; -icábile, -icazióne *f.* -orm; diviṡa *f.*, tenuta *f.* In full —, in gran tenuta. As *adj.*, -órme, confórme. -ormity; -ormità *f.*, conformità *f.* -ormly; ogni volta; conformeménte. -y; -icare.

Unilateral; -e.

Unim-aginable; inimmaginábile. -paired; in pieno vigore. -passioned; senza passione, impassíbile. -peachable, -peachably; incontestábil-e, -ménte, su cui non c' è da ridire. -peded; non impedito. -portance; piccolézza *f.* -portant; poco importante, di nessuna importanza. -pressionable; poco impressionabile. -pressive; che non fa impressione. -provable; che non si può migliorare. -proved; non coltivato, nel suo stato naturale.

Unin-closed, -cumbered, -dorsed; *see* Unenclosed etc.

Unin-fluenced; non influenzato. **-fluential**; senza influenza. **-formed**; ignorante, ignaro, non informato. **-habitable**; inabitábile. **-habited**; (casa) diŝabitata, (isola) inabitata. **-itiated**; non iniziato. **-jured**; *see* Unhurt. **-jurious**; innocuo. **-quiring, -quisitive**; poco curioso. **-spired**; non ispirato. **-structed**; senza istruzione. **-surable**; che non si può assicurare. **-sured**; non assicurato.

Unintell-ectual; poco intellettuale. **-igent**; poco intelligente. **-igible, -igibly**; inintelligíbil-e, -ménte.

Uninten-ded, -tional; non intenzionato, senza intenzione, non fatto apposta.

Uninter-ested; senza interesse, non interessato. **-esting**; poco interessante, pesante. **-estingly**; in modo poco interessante. **-mittent, -mitting**; incessante, senza pausa. **-rupted**; non interrotto. **-ruptedly**; senza posa, senza tregua, senza fermata.

Unin-toxicating; non inebbriante. **-troduced**; senza introduzione, intruŝo. **-vaded**; non invaso. **-vested**; disponíbile, non collocato. **-vited**; non invitato. **-viting**; poco attraente, poco appetitoso. **-volved**; non involto.

Union; unióne *f.*; riunione di parecchi comuni per l' amministrazione della legge sull' assistenza pubblica; asilo degli indigenti; accòrdo *m.* Hose —, accordo per tubo. Screw —, accordo a vite. — between two architectural elements, cèmbra *f.* Trade —, società operaia. **-ism**; -iŝmo *m.* **-ist**; partigiano dell' unione, unionista *m.* Trade —, membro d' una società operaia. **-Jack**; bandiera inglese.

Unique, -ly; unic-o, -aménte.

Unison; In —, all' unísono.

Unit; unità *f.* Military —, riparto *m.* **-arian**; -ário, sociniáno. **-arianism**; socinianiŝmo *m.*

Unit-e; unire, riunire, accoppiare, collegare, congiúngere; radunare. **-edly**; insième, unitaménte. **-ed States**; gli Stati Uniti. **-y**; -à *f.*, concórdia *f.*

Univalv-e; -o.

Univers-al, -ality, -ally, -e, -ity; -ále, -alità *f.*, -alménte, -o *m.*, -ità *f.*

Unjust; ingiusto. **-ifiable, -ifiably**; ingiustificábile, in modo ingiustificabile, a torto. **-ified**; senza giustificazione. **-ly**; ingiustaménte.

Unkempt; scarmigliato.

Unkennel; far uscire dalla tana.

Unkept; non osservato.

Unkind; crudéle, poco gentile, cattívo. **-ly**; duramente, in modo crudele ecc. As *adj.*, crudo. Let me have a gentle refusal and a not — farewell, mi dia solo un rifiuto cortese ed un addio non troppo cattivo.

Un-kingly; indegno d' un re. **-knightly**; poco cavalleresco. **-knit**; disfare; rasserenare (la fronte).

Unknow-able; inconoscíbile. **-ingly**; inconsapevolménte. **-n**; sconosciuto.

Unlaboured; naturále, spontáneo.

Unla-ce; ŝlacciare. **-den**; senza carico. **-dylike**; indegno d' una signora. **-id**; non esorcizzato. **-mented**; non compianto. **-wful**; contro la legge, illécito. **-wfully**; illecitaménte. **-wfulness**; illegalità *f.*

Unlearn; diŝimparare. **-ed**; ignorante.

Unleavened; senza lievito.

Unless; a meno che, se non che. — indeed, seppure non sia che.

Un-let; non affittato, senza locatario. **-licensed**; senza permesso. — premises, casa non autorizzata per la vendita degli spiritosi.

Unlicked; — cub, ragazzo sgarbato.

Unlighted; senza lume, non acceso.

Unlike; dissímile, divèrso, poco somigliante. — most people, he was..., a differenza della maggior parte delle persone, egli era.... **-lihood**; inverisimiglianza *f.*, improbabilità *f.* **-ly**; poco probabile, inverisímile. Be — to come, esser di là da venire. **-ness**; dissomiglianza *f.*

Unl-imber; staccare l' avantreno. **-imited, -imitedly**; illimitat-o, -aménte. **-iquidated**; non liquidato. **-istening**; che non fa attenzione. **-oad**; scaricare. **-oaded**; scárico. **-oading**; scárico *m.* **-ock**; aprire, disserrare. **-ooked for**; inaspettato. **-oose**; scatenare, ŝlegare, ŝnodare, lasciar andare, ŝguinzagliare. **-oved**; non amato da nessuno. **-oveliness**; bruttura *f.*, mancanza di attrattiva. **-ovely**; poco attraente. **-oving**; insensíbile, fréddo.

Unluck-ily; sfortunataménte, per mala sorte. **-y**; sfortunato, ŝgraziato. — omen, presagio sinistro, malaugurato.

Unm-ade; (letto) disfatto, non fatto. **-aidenly**; indegno d' una giovanetta modesta. **-ake**; disfare. **-an**; privare di forza, di coraggio, abbattere moralmente. **-anageable**; non maneggiabile, non maneggevole. **-anliness**; effeminatézza *f.* **-anly**; indegno d' un uomo, débole. **-annerliness, -annerly**; malcreanza *f.*, -ato. **-anufactured**; crudo, gréżżo.

Unmar-ked; non marcato, senza marca. **-ketable**; invendíbile. **-ried**; non maritata, scapolo, zitèlla.

Unm-ask; ŝmascherare. **-ast**; diŝalberare. **-astered**; indomato; non imparato. **-atched**; impareggiábile. **-eaning**; senza significato. **-easured**; ṡmiṡurato. **-editated**; non premeditato. **-eet**; poco adatto. **-elodious**; senza melodia. **-elted**; non liquefatto. **-entionable**; da non menzionarsi. **-entionables**; calzóni *m. pl.* **-entioned**; senza menzione. **-erciful**, **-ercifully**; senza misericordia, spietat-o; -aménte. **-erited**; non meritato. **-ethodical**; senza metodo.

Unmi-litary; non militare. **-lled**; (moneta) senza cordone. **-nded**; senza guardia, neglètto. **-ndful**; ṡmemorato, senza ricordarsi. **-ngled**; *see* Unmixed. **-ssed**; di cui l' assenza non fa niente. **-stakable**; chiarissimo, che non si può sbagliare. **-stakably**; in maniera da non potersi sbagliare, senza rischio di sbaglio. **-tigated**; non mitigato. — scoundrel, arcibirbante. **-xed**; non mescolato; puro. — satisfaction, soddisfazione completa. Not — with, non scevro di.

Un-modified; non modificato. **-molested**; indisturbato. **-moor**; diṡormeggiare. **-mortgaged**; non ipotecato. **-motherly**; poco da madre. **-mounted**; (truppe) in piedi; (acquerello) senza cartone. **-mourned**; non compianto. **-moved**; immòbile; impassíbile, non commosso. **-murmuring**; che non brontola. **-murmuringly**; senza lamentarsi. **-musical**; discordante; poco amante della musica. **-mutilated**; intiéro. **-muzzle**; togliere la museruola.

Un-nail; schiodare. **-named**; innominato. **-natural**; ṡnaturato, oltre la natura, contro la natura. — style, stile forzato, ricercato. **-naturalness**; l' esser snaturato ecc. **-navigable**; innavigábile. **-necessarily**; senza nessuna necessità. **-necessary**, **-needed**; non necessario, senza necessità. **-neighbourly**; poco amichevole, da vicino cattivo. **-nerve**; ṡnervare, indebolire, spossare. **-noticed**; inosservato. **-numbered**; non numerato.

Un-objectionable; ineccipíbile, su cui non c' è da ridire. **-observable**; non osservabile. **-observant**; chi fa poco uso degli occhi. **-observed**; inosservato. **-obstructed**; non impedito o fermato, aperto. **-obtainable**; inattuábile, inottenibile. **-obtrusive**; non importuno, non troppo cospicuo. **-obtrusively**; senza farsi troppo vedere. **-occupied**; libero, diṡoccupato, inoccupato. **-offending**; innocènte. **-official**; non ufficiale. **-officially**; I have been — informed, mi è stato detto, sebbene non ufficialmente. **-opened**; non aperto, non dissuggellato. **-opposed**; senza opposizione, incontrastato. **-organised**; non organizzato. **-ornamental**; che sfigura, di apparenza brutta. **-ornamented**; diṡadórno. **-orthodox**; poco ortodosso. **-ostentatious**; senza fasto, poco borioso, úmile. **-ostentatiously**; senza ostentazione. **-owned**; senza padrone. **-oxidised**; non ossidato.

Un-pacified; non pacificato. **-pack**; ṡballare, disfare. **-paid**; non pagato. The great —, i magistrati non retribuiti. **-paired**; non appaiato. **-palatable**; poco saporito, ṡgradito, spiacévole. **-paralleled**; incomparábile. **-pardonable**; imperdonábile. **-parliamentary**; poco civile, grossolano, triviále. **-paste**; Come -d, scollarsi. **-patriotic**; poco patriottico. **-paved**; senza selciato, non lastricato. **-perceived**; inosservato. **-philosophical**; poco filosofico. **-pin**; togliere gli spilli a. **-pitied**; non compatito. **-pitying**; spietato. **-placed**; non fra i tre primi alle corse. **-plait**; disfar la treccia. **-pleasant**, **-pleasing**; ṡgradíto, spiacévole, spiacènte. **-pleasantly**; spiacevolménte. **-pleasantness**; dissensióne *f.*, molèstia *f.*, nòia *f.*

Un-poetic; poco poetico. **-pointed**; senza punta. **-polarised**; non polarizzato. **-polished**; rúvido, różżo, non lustrato, gréggio. **-polled**; chi non ha votato. **-popular**; impopolare, poco amato, mal visto dal popolo. **-popularity**; impopolarità *f.* **-practical**; poco pratico.

Unpre-cedented; inaudíto, senza precedente. **-cedentedly**; in grado inaudito. **-judiced**; senza prevenzione, senza pregiudizi, imparziále. **-meditated**; impremeditato. **-pared**; impreparato. **-paredness**; l' esser impreparato. **-possessing**; poco avvenente. **-sentable**; poco presentabile. **-suming**; sottomésso, non presuntuoso. **-tending**, **-tendingly**, **-tentious**; senza pretensione. **-ventable**; inevitábile.

Unprin-cipled; senza buoni principii. **-ted**; non stampato.

Unpro-curable; che non si può procurare. **-ductive**; stèrile, non produttivo. **-ductively**; in modo improduttivo. **-fessional**; indegno di un professionista. **-fessionally**; fuori della sua professione. **-fitable**, **-fitableness**, **-fitably**; inútil-e, -ità *f.*, -ménte; poco proficuo, l' esser senza prò, senza prò. **-gressive**; non progressivo. **-mising**; che dà poca speranza. **-misingly**; in modo poco promettente. **-mpted**; non suggerito, spontáneo. **-nounceable**; che non si sa pronunziare. **-nounced**; taciuto, muto. **-pertied**; nullatenènte. **-pitious**; poco propizio. **-tected**; senza protezione. **-ved**; non dimostrato; non provato. **-vided**; sprovvisto, non fornito. **-voked**; non provocato.

Un-pruned; non potato, non tagliato. **-published**; inèdito, non pubblicato. **-punctual**; poco puntuale, poco esatto. **-punctually**; in ritardo. **-punished**; impuníto. **-purchasable**; che non si può comprare. **-purged**; non espiato. **-pursued**; non inseguito. **-qualified**; senza le qualità volute; senza riserva, pièno; (medico) irregolare, che non ha passato gli esami regolari. **-quenchable**; inestinguíbile. **-quenched**; With thirst still —, colla stessa sete di prima. **-questionable**; incontestábile, cèrto, indubitábile. **-questionably**; senza il minimo dubbio, incontestabilménte ecc. **-questioning**; implícito, da chi non domanda perchè. **-quiet**; inquièto. **-ravel**; sfilacciare, *fig.* stralciare, ṡbrogliare, metter in luce, districare.

Unre-ad; non letto. **-adable**; illeggíbile, troppo pesante per esser letto. **-ady**; impreparato, non pronto. **-al**; non reale. **-ality**; il non esser vero. **-aped**; non mietuto. **-ason**; irragionevolézza *f.* **-asonable**; irragionévole, eṡorbitante, poco ragionevole. **-asonableness**; irragionevolézza *f.* **-asoning**; che non ragiona. **-claimable**; che non si può riformare. **-claimed**; non riformato, non dissodato (terreno). **-cognisable**; irriconoscíbile. **-cognised**; sconosciuto, non riconosciuto. **-conciled**; non riconciliato. **-ctified**; non rettificato. **-deemed**; non redento, non riscattato. **-dressed**; non riparato. **-fined**; non raffinato. **-flecting**; irriflessívo. **-formed**; non riformato. **-freshed**; non rinfrescato. **-freshing**; che non rinfresca. **-futed**; non confutato. **-garded**; neglètto, disprezzato. **-generate**; non rigenerato. **-gistered**; non registrato. — shares, azioni al portatore. **-gretted**; non compianto. **-gulated**; ṡregolato. **-hearsed**; non preparato prima. **-lated**; senza rapporto (con); non imparentato. **-lenting**; ineṡorábile. **-liable**; incerto, mal fondato, poco da fidarsene. **-lieved**; niente alleggerito, non soccorso. **-medied**; non rimediato. **-membered**; non ricordato. **-mitted**; non rimesso, non perdonato; non mandato. **-mitting**; senza posa, indefèsso, incessante, senza sosta. **-munerative**; poco rimunerativo. **-newed**; non rinnovato. **-paid**; non compensato. **-paired**; non riparato. **-pealed**; sempre vigente, non abrogato. **-pentant**; impenitènte. **-piningly**; senza lagnarsi. **-plenished**; non riempito. **-ported**; non rapportato. **-presented**; non rappresentato. **-pressed**; non represso. **-proved**; senza biasimo. **-quited**; non ricompensato, non rimunerato. **-sented**; non pigliato in mala parte. **-serve**; franchézza *f.* **-served**; senza riserva; non riservato. **-sisted**; non resistito. **-sistingly**; senza resistenza. **-solved**; insoluto, non risolto. **-sponsive**; poco pronto a riconoscere l' altrui gentilezza, o a mostrarsene soddisfatto; *see* Responsive.

Unrest; inquietúdine *f.*, agitazióne *f.* **-ing**; incessante, senza posa. **-ored**; 1. (edifizio) che non ha subito il restauro. 2. non restituito. **-rained**; non raffrenato, non represso. **-ricted**; illimitato, senza restrizione, senza freno.

Unr-etracted; non ritrattato, non disdetto. **-evealed**; non rivelato. **-evenged**; non vendicato. **-eversed**; non annullato. **-evised**; non riveduto, non corretto. **-evoked**; non revocato. **-ewarded**; senza ricompenso, non ricompensato. **-iddle**; sciogliere l' enimma di. **-ideable**; non adatto per cavalcare. **-ig**; diṡattrezzare, ṡguarnire, diṡarmare. **-ighteous**; ingiusto, peccaminóso, malvágio. **-ighteously**; ingiustaménte ecc. **-ighteousness**; malvagità *f.*, iniquità *f.* **-ip**; scucire, aprire (tagliando). **-ipe**; vérde, immaturo. **-ipeness**; immaturità *f.* **-ivalled**; senza pari, impareggiábile. **-obe**; ṡvestire, spogliare. **-oll**; spiegare, ṡvòlgere, sciorinare, ṡviluppare. **-omantic**; poco romantico. **-oof**; togliere o distruggere il tetto di, levare il tetto. **-uffled**; calmo, senza sturbarsi, non incollerito. **-uled**; senza righe. **-uliness**; ṡregolatézza *f.* **-uly**; ṡregolato, turbolénto.

Unsa-ddle; levare la sella, togliere il basto a; buttar dalla sella. **-fe**; pericolóso, poco sicuro, rischióso. **-feness**; mancanza di sicurezza. **-id**; non detto. They say what should be left —, dicono quel che si dovrebbe tacere. **-leable**; invendíbile. **-nctioned**; non sancito.

Unsatisf-actorily; poco bene. **-actoriness**; insufficènza *f.* **-actory**; punto soddisfacente, poco convincente. **-ied**; non ancora contento, non pagato, non appagato. **-ying**; insufficènte, poco soddisfacente.

Unsavoury; nauṡeante, stomachévole, schifóso.

Unsay; diṡdire, retrattare.

Unsc-alable; *see* Unclimbable. **-arred**; senza cicatrici, non sfregiato. **-athed**; illéṡo, incòlume. **-holarly**; indegno di uno scolare. **-hooled**; non istruito, senza educazione, non addottrinato. **-ientific**; poco scientifico. **-ientifically**; senza conoscenza. **-orched**; non scottato, senza esser stato bruciato. **-ratched**; senza la più leggiera ferita. **-reened**; non ombreggiato, non riparato; senza grigliatura. **-rew**; śvitare. **-riptural**; contrario alla Scrittura. **-rupulous**; senza scrupolo. Be —, filare grosso. **-rupulously**, **-rupulousness**; senza scrupolo, mancanza di scrupoli.

Unsea-l; dissuggellare. **-led**; senza suggello, col suggello rotto. **-rchable**; imperscrutábile. **-rched**; inesplorato. **-sonable**; fuor di tempo, fuor di stagione, intempestívo. **-sonably**; fuor di tempo, intempestivaménte. **-soned**; immaturo, vérde, non stagionato; non abituato. **-t**; buttare della sella; dichiarare non più deputato per irregolarità nell' elezione. **-worthy**; innavigábile, non atto al mare.

Unse-conded; non secondato. **-ctarian**; non settario. **-cured**; senza guarentigia, non assicurato, allo scoperto (creditore), scoperto (debito). **-duced**; non sedotto. **-emliness**; indecènza *f.*, sconveniènza *f.*, l' esser diśdicevole. **-emly**; diśdicévole, sconvenévole. **-en**; inosservato, inviśíbile, non veduto prima. The — world, il mondo di là. **-lfish**; altruista, chi pensa ad altri, chi non pensa a sè stesso, diśinteressato. **-lfishly**; altruisticaménte, per amor d' altrui, per bene altrui, per l' altrui, senza pensare a sè stesso. **-lfishness**; amor d' altrui, abnegazione di sè stesso, altruiśmo *m.* **-rved**; non servito. **-rviceable**; inservíbile, non più servizievole. **-ttle**; scompigliare, diśordinare, render inquieto, sconcertare. **-ttled**; irrequièto, poco certo, non ancora fissato o determinato; non colonizzato; non pagato; incostante, variabile; piovigginóso. His — state of mind, la sua perturbazione, incostanza, irresolutézza. **-ttlement**; lo scompigliare, il disordinare, stato scompigliato ecc. **-w**; scucire. **-xed**; senza le qualità del suo sesso, inferocíta.

Unsh-ackle; śvincolare. **-aded**; non ombreggiato. **-adowed**; non adombrato. **-akable**; incrollábile. **-aken**; niente indebolito, non scosso, tetrágono. Remain —, star fermo. **-apely**; defórme. **-ared**; indivíśo, non partecipato. **-aven**; colla barba non fatta. **-eath**; śguainare. **-eltered**; senza riparo (contro). **-ip**; śbarcare; śmontare. **-od**; scalzo; senza ferri. **-orn**; intònso. **-ortened**; non abbreviato. **-rinkable**; che non si ristringe o ritira. **-rinking**; che non indietreggia, impertèrrito. **-runk**; (flanella) che non si è ritirata.

Unsi-fted; non stacciato, *fig.* non esaminato. **-ghtliness**; l' esser poco leggiadro ecc. **-ghtly**; poco leggiadro o vistoso. **-gnalised**; non segnato. **-gned**; non firmato, senza firma. **-lvered**; non inargentato. **-nged**; non abbruciacchiato. **-nkable**; non affondabile. **-sterly**; poco da sorella. **-zed**; non incollato.

Uns-kilful; inábile, inespèrto, inètto. **-kilfully**; poco abilmente, malaccortaménte. **-kilfulness**; inabilità *f.*, malaccortézza *f.* **-killed**; non versato, non pratico. — labour, lavoro manuale. **-kimmed**; non spannato. **-laked**; (calce) viva. **-leeping**; sempre desto. **-moked**; non affumicato. **-ociable**; poco socievole, insociábile. **-ociableness**; umore insociale. **-oiled**; non macchiato, pulíto. **-old**; non venduto. **-older**; dissaldare. **-oldierly**; indegno di un soldato. **-olicited**; non richiesto **-olved**; non resoluto, insoluto. **-ophisticated**; puro; sémplice, schietto. **-orted**; non assortito.

Unsou-ght; senza che si sia sforzato di averlo. — for, non richiesto, non ricercato. **-nd**; poco da fidarsene, non sano, poco savio, poco solido, guasto; falso, erròneo; indebolíto. **-ndly**; poco solidamente, in modo falso. **-ndness**; stato malsano, l' esser poco solido ecc.

Unsp-aring; pròdigo, largo; ineśorábile, spietato. **-aringly**; senza far risparmio di sè. **-eakable**; ineffábile. **-eakably**; oltre ogni dire. **-ecified**; non specificato. **-ent**; non ancora sborsato. **-oiled**; non guasto. **-oilt**; non viziato. **-oken**; rimasto nella bocca. His — sympathy, la simpatia che manifestava senza dir parola. **-ortsmanlike**; indegno d' uno sportsman. **-otted**; senza macchia, senza taccia.

Unst-able; poco fermo, irresoluto. **-ained**; non tinto, *fig.* senza macchia. **-amped**; senza francobollo, non bollato. **-arched**; non inamidato. **-atesmanlike**; poco da uomo di stato. **-eadily**; barcollando, barcollóni. **-eadiness**; incostanza *f.*; irresolutézza *f.* **-eady**; instábile, incostante, poco fermo, barcollóne. **-inted**; illimitato, di pien cuore, *see* Unsparing. **-itch**; scucire. **-op**; staśare. **-ring**; levar la corda a. His nerves were unstrung, i suoi nervi erano scossi, troncati. **-udied**; senza apparenza di sforzo, non artificioso.

Unsu-bdued; non soggiogato. **-bsidised**; senza sussidio. **-bstantial**; non sostanziale, leggèro. **-bstantially**; con materia leggera. **-ccessful**; non riuscito, che non ha successo. **-ccessfully**; senza successo, con mala riuscita. **-itable**; diŝadatto, che non va, poco adatto. **-itableness**; inettitúdine *f.*, l' esser disadatto. **-itably**; impropriaménte, incongruaménte. **-ited**; non quello che si vorrebbe. **-llied**; immacolato, non macchiato. **-ng**; non celebrato in versi, non decantato. **-pplied**; sprovvisto, senza. **-pported**; non appoggiato, senza sostegno, senza truppe di riserva. **-rpassable**; inarrivábile, che non si può sorpassare. **-rpassed**; mai sorpassato. **-spected**; non sospettato. **-specting, -spicious**; poco sospettoso, senza sospetto. **-stainable**; insostenĭbile. **-stained**; non sostenuto, senza prove. **-staining**; che non nutrisce.

Unsw-ayed; non mosso, non influenzato. **-ept**; non spazzato, non scopato. **-erving**; che non si lascia deviare. **-ervingly**; senza lasciarsi deviare. **-orn**; non giurato, non fatto o legato con giuramento.

Unsy-mmetrical; asímmetro, non simmetrico. **-mpathetic**; fréddo, duro, senza simpatia. **-mpathetically**; freddaménte ecc. **-stematic**; non sistematico.

Unta-inted; non infettato, non guasto, *fig.* senza macchia, intemerato. **-ken**; non preso. **-mable**; indomábile, che non si può addomesticare. **-nned**; non conciato. **-rnished**; senza discolorazione, non appannato, *fig.* senza macchia. **-sted**; non gustato. **-ught**; senza istruzione. **-xed**; non tassato, esente di tassazione.

Unte-achable; incapace di imparare, chi non può imparare. **-arable**; non stracciabile. **-mpted**; insensibile ad una tentazione. **-nable**; insostenĭbile; non difensibile. **-nantable**; inabitábile. **-nanted**; diŝabitato, non occupato. **-nded**; senza guardia. **-rrified**; impertèrrito. **-sted**; non provato.

Unth-ankful; ingrato. **-atched**; non coperto di paglia. **-awed**; non disciolto, non sgelato. **-inkable**; che non si può nemmeno pensare. **-inking, -inkingly**; spensierat-o, -aménte. **-ought of**; impensato. **-read**; sfilare. **-rift** or **-riftiness, -riftily, -rifty**; prodig-alità *f.*, -aménte, -o; scialacqu-ío *m.*, da -atore, -atóre; spenderéccio.

Untid-ily; in disordine, poco lindamente. **-iness**; diŝórdine *m.* **-y**; diŝordinato.

Untie; ŝlegare, sciògliere, disfare. **-d**; líbero, sciòlto.

Until; finchè, fino a, sino a, fino a non. **— lately**, fino a poco tempo fa. **— next week**, sino alla settimana ventura. **— now**, finóra. **— then**, fin d' allora.

Untilled; non coltivato.

Unti-mely; inopportúno, intempestívo, prematuro. **Come at an — hour**, venire fuor d' ora. **-nged**; senza tinta di. **-rable, -ring**; instancábile. **-tled**; senza titolo di nobiltà.

Unto-ld; innumerévole; non contato, non rivelato. **-uched**; intatto; non commosso; non colpito. **-ward**; pervèrso, inconveniènte. **— incident**, contrattèmpo *m.* **-wardly**; contrariaménte. **-wardness**; contrarietà *f.*

Untr-ained; non istruito, non ammaestrato. **-ammelled**; non inceppato, non imbarazzato. **-anslatable**; intraducíbile. **-anslated**; non tradotto. **-avelled**; chi non ha viaggiato. **-aversed**; non traversato; non contrastato. **-ied**; non provato, intentato, non sperimentato; non processato. **-immed**; senza guarnimento, non ornato. **-odden**; mai battuto, mai esplorato. **-oubled**; non turbato, placido, senza noia. **-ue**; falso, ŝleale. **-uly**; falsaménte. **-ustworthiness**; carattere ŝleale. **-ustworthy**; indegno di fiducia, infído, sospetto. **-uth, -uthful, -uthfully, -uthfulness**; menzógn-a *f.*, -èro, con -e, abitudini menzognere.

Untu-ck; disfare. **-ned**; non accordato. **-rned**; **Leave no stone —**, metter in opra ogni mezzo, fare ogni sforzo. **-tored**; naturále, spontáneo.

Untwi-ne, -st; sciògliere. **Come -ned, -sted**, sfilacciarsi.

Unus-ed; nuòvo, non mai posto in opera; inuŝitato; poco pratico, poco avvezzo. **-ual**; insòlito, strano, anormále. **-ually**; più dell' ordinario. **-ualness**; infrequènza *f.*

Unutterabl-e, -y; indicíbil-e, -ménte.

Unv-accinated; non vaccinato. **-alued**; poco stimato; non apprezzato. **-arnished**; non verniciato, *fig.* chiaro, sémplice. **-arying**; unifórme. **-eil**; ŝvelare, togliere il velo a, scoprire. **-entilated**; senza ventilazione. **-ersed**; poco pratico. **-isited**; non visitato.

Unwa-lled; senza mura. **-nted**; che non si desiderava. **-rlike**; poco guerriero. **-rned**; non avvertito. **-rrantable**; non giustificabile. **-rrantably**; inescusabilménte. **-rranted**; non autorizzato, non giustificato, ineŝatto. **-rily, -ry**; incaut-aménte, -o. **-shed**; non lavato. **The —**, la plebaglia. **-sted**; non dissipato. **-tched**; senza guardia. **-tered**; árido. **-vering**; férmo, deciso.

Unwe-aned; non spoppato; non svezzato. **-arable**; che non si può indossare, logoro al punto di non esser più in assetto per esser portato. **-aried, -ariedly**; infaticábil-e, -ménte; indefèss-o, -aménte. **-dded**; non maritato, cèlibe.

-eded; tutto male erbe. -lcome; malveduto, ṡgradíto, diṡaccètto. -ll; indispósto, malato, poco bene. -pt; non lamentato.

Unwh-ipped; indisciplinato, senza educazione, impertinènte. -olesome; poco salutare, malamente digeribile, insalúbre, malsano, *fig*. viziato, corrótto. -olesomeness; insalubrità *f*., l' esser poco salutare ecc. -olesomely; in luogo o modo malsano.

Unwi-eldiness; incomodità, l' esser poco maneggevole ecc. -eldy; poco maneggevole, poco a mano, poco comodo. -lling; indispósto, ritróso, poco desideroso. Be — to, non volere. However — you may be, che lo vogliate o no, per quanto non lo vogliate. -llingly; a mala voglia, malvolentièri, a contraggenio, senza volerlo. -llingness; ritrosía *f*., mala voglia, avversióne *f*. -nd; distrigare, ṡgomitolare, dipanare, disfare. -sdom; sciocchézza *f*. ecc. -se; sciocco, poco savio, insensato, imprudènte. -sely; scioccaménte ecc. -tnessed; non visto da nessuno. -tting, -ttingly; senza saperlo, senza volerlo.

Unw-omanly; indegno di una donna. -onted; insòlito. -ontedly; stranaménte, oltre il solito. -ooed; non corteggiata. -orkmanlike; non fatto come si deve, mal congegnato. -orldliness; distaccamento dal mondo. -orldly; chi pensa poco alle cose di questo mondo, poco mondano. -orn; non mai portato. -orthily; indegnaménte. -orthiness; mancanza di merito, indegnità *f*. -ounded; non ferito, senza ferita, illéṡo.

Unwr-ap; sfasciare, levare l' avviluppamento. -itten; non scritto. -ought; non lavorato. -ung; non scorticato.

Un-yielding; inflessíbile; che non acconsente, ostinato. -yoke; sciogliere dal giogo.

Up; su, in su, in alto, alzato; riscaldato (sangue); alzato, sorto (sole); pièna (marea). All —, perduto. It is — — with him, è bell' e spacciato. — in arms against, alle prese con, in rivolta contro. Be —, esser spumante (liquore); non esser a letto, esser in piedi, esser alzato; al "golf," colpire la palla in modo che giunga al di là del buco. — the country, nell' interno del paese. — to date, all' altezza dei tempi, modernissimo. I am — to your little dodge, già conosco quel piccolo tiro vostro. — and doing, attivo, pieno di attività. — and down, da capo a piede. Praise — and —, lodare per diritto e per traverso. I looked right — and — the train, ho guardato per tutto il treno dal primo vagone all' ultimo. Ups and downs, vicende di bene e di male, di dolori e di gioie, gli alti e bassi. — early and late, in piedi presto e tardi. Be — to the effort of, aver abbastanza forza per. Feel — to, sentirsi capace di, uguale a. The funds are —, i fondi sono in rialzo. The game is —, siamo rovinati, si è vinto. — line; binario di ritorno. Not — to much, di poco valore. — to now, fin adesso. — to snuff (gergo); accivettato, furbo. With steam —, sotto pressione. How long will it take to get — steam? quanto ci vuole per far montare la pressione al vapore? — stream, a monte, contro la corrente, rimontando il fiume. Be — to all the tricks of the trade, conoscere a fondo tutti i rigiri del mestiere. — train, treno di ritorno. Well — in, bene informato su, bene ammaestrato in. It is — to you, spetta a voi.

Upas tree; albero del veleno di Giava.

Up-borne; sorrètto. -braid; rimproverare. -cast; — eyes, occhi rivolti al cielo. — shaft, tubo d' aspirazione. -heaval, -heave; sollev-aménto *m*., -are. -hill; montante, in salita, *fig*. penòso, árduo. -hold; mantenére. -holder; difensóre *m*., sostenitóre *m*. -holster; ammobigliare. -holsterer; tappezzière *m*. -keep; manteniménto *m*. -land; altipiáno *m*. — cotton, cotone con corto filamento. -lift; alzare.

Upon; su. Have blood — his hands, aver le mani lorde di sangue. — evidence, in base a prove. To insist — the case being tried at law, insistere perchè il caso fosse deciso dai tribunali. — my arrival, al mio arrivo. — the whole, in complesso. Live — milk, vivere di latte. Take — oneself, assúmersi. Call —, 1. passare da. 2. fare appello a.

Upper; superióre. — ten, — ten thousand, il gran mondo. — hand, superiorità *f*., padronanza *f*. Get the — hand of, vincer la mano a. — House, Camera Alta. — housemaid, prima cameriera. — leather (of a boot), tomaio *m*. — works, opera morta di un bastimento. -most; più alto. Be —, essere il primo. — thought in his mind, l' idea che gli predominava nella mente, che lo dominava. Say what comes —, dire ciò che vien prima alla bocca.

Up-pish; insolentúccio. -raise; elevare, rizzare. -right; ritto, in piedi, *fig*. íntegro o intégro, onèsto. -rightly; con probità. -rightness; probità *f*., onestà *f*. -rising; sollevazióne *f*. -roar; bac-

cáno *m.*, gażżarra *f.*, bruśio *m.*, chiasso *m.*, strèpito *m.*
Uproarious, -ly, -ness; chiassós-o, -aménte, l' esser -o.
Uproot; śradicare.
Upsala; Úpsala.
Upset; ribaltatura *f.*; *fig.* rissa *f.*, scenata *f.*; rovesciare, far ribaltare, capovòlgere, travòlgere; scompórre, alterare; far ribalto. As *adj.*, scompigliato, diśordinato; alterato, stizzíto. — price, prezzo d' apertura d' un incanto intimato dal banditore. Get —, turbarsi.
Up-shot; risultato *m.* **-side down**; rittorovèscio *m.*, sossópra, capovòlto, *fig.* a catafascio. **-stairs**; di sopra, al piano di sopra. **-start**; villan rifatto, nuovo pervenuto. — prince, principotto d' ieri. **-stroke**; tratto all' insù. **-take**; *see* Upcast. **-throw**; sollevaménto *m.* **-turned**; alzato verso il cielo. **-ward**; in alto, verso l' alto. — movement of prices, rialzo dei prezzi. **-wards**; insù, all' insù. — of, più di, oltre a, in là di. Ten francs and —, dieci lire e più.
Uraem-ia, -ic; urem-ía *f.*, -ico.
Ural; The -s, gli Úrali.
Urban; -o. **-e**; -o, cortéśe, dólce. **-ely, -ity**; -aménte, -ità *f.*
Urbino; Of —, urbinate.
Urchin; ragazzettáccio *m.*, monèllo *m.*, bardassa *m.*, birichíno *m.* Sea —, echíno *m.*
Urge; sollecitare, eccitare, spíngere; insístere, metter avanti l' osservazione, accampare. **-ncy**; urgènza *f.*, premúra *f.*, stretto bisogno. **-nt**; incalzante, di prima importanza, urgènte. Be —, incalzare. **-ntly**; urgenteménte.
Urin-al, -e; orin-atóio *m.*, -a *f.*
Ur-n; urna *f.* **-sine**; orsíno. **-sula**; Órsola. **-ticaria**; orticária *f.*
Usa-ble; -bile. **-ge**; uśo *m.* **-nce**; -nza *f.*
Use; utilità *f.*, valóre *m.*, vantaggio *m.*; uśo *m.*; uśare, impiegare, adoperare, servirsi di, metter in opera, valersi di; trattar (bene, male). Be -d to, esser avvezzo a. What is the — of talking? a che serve parlare? It was no —, I had to come, non vi fu verso, son dovuto venire. If it were any —, se potesse servire a qualche cosa. It is still in —, se ne serve anche oggi. Out of —, śmésso, fuor d' uso. I -d to get up at seven, solevo alzarmi alle sette.
Useful, -ly, -ness; útil-e, -ménte, -ità *f.*; benemèr-ito, -ènza *f.*; convenièn-te, -teménte, -za *f.*
Useless, -ly, -ness; inútil-e, -ménte, -ità *f.*
Usher; uscière *m.* — in, far entrare, annunziare, esser precursore di.
Usquebaugh; uischi irlandese.
Usu-al; -ále, sòlito. As —, al solito, secondo il solito, come al solito. Be —, uśarsi. **-ally**; -alménte, generalménte, ordinariaménte. **-fruct**; uśufrutto *m.* **-rer**; uśuráio *m.*, strozzíno *m.*
Usurious, -ly, -ness; usurái-o, da -o, carattere -o.
Usurp, -er; -are, -atóre *m.*
Usury; uśúra *f.*
Ut-ensil; -ensíle *m.*, arnése *m.*, ordígno *m.* **-erine**; -eríno. **-erus**; -ero *m.* **-ilisation, -ilise**; utiliżż-azióne *f.*, -are. **-ilitarian**; -ilitário. **-ilitarianism**; -ilitariśmo *m.*
Utmost, Uttermost; intéro, complèto, massimo, sómmo. In the — astonishment, al colmo dello sbalordimento. At the —, a sprofondare. *See* Very.
Utopia, -n; utop-ía *f.*, -istico.
Utter; intéro, complèto, puro. — fool, scioccóne *m.*, sciocco marcio. To —, pronunziare, proferire, mandare, eméttere; metter in circolazione (moneta falsa). **-ance**; pronúncia *f.*, modo di parlare; détto *m.*, paròle *f. pl.* Give — to, paleśare. **-ly**; affatto, tutt' affatto. **-most**; *see* Utmost.
Uvula; úgola *f.*
Uxorious; schiavo della moglie. **-ness**; amore soverchio e debole per la moglie.

V

V; *pronunz.* Vi.
Vac-ancy; -anza *f.*; il voto. **-ant**; -ante, vòto, distratto, istupidíto, senza scopo. **-antly**; distrattaménte, con aria stupida. **-ate**; lasciar -ante, śgomberare. **-ation**; le vacanze.
Vaccin-ate, -ation, -ator, -e; -are, -azióne, -atóre *m.*, -o *m.*
Vacilla-te, -tion; -re, -zióne *f.*
Vacu-ity, -ous; -ità *f.*, -o. **-um**; -o *m.* As *adj.*, a vuoto.
Vag-abond; -abóndo. **-abondage**; -abondággio *m.* **-ary**; fantaśía *f.*, capriccio *m.* **-rancy**; accattonaggio *m.* **-rant**; accattóne *m.* **-ue**; -o. **-uely**; -aménte. **-ueness**; incertézza *f.*
Vain; vano, inútile; vanitóso. In —, invano. **-glorious, -gloriously, -glory**; vanaglori-oso, -osaménte, -a *f.* **-ly**; inutilménte.
Val-ance; gala *f.*, balza *f.*, tornalètto *m.* **-ediction, -edictory**; addio, d' addio.

-encia; Valènza *f.* **-entine**; lettera amorosa o simile inviata il 14 febbraio. **-erian**; -eriàna *f.* **-et**; servitóre *m.* **-etudinarian**; -etudinario. **-etudinarianism**; modi di -etudinario. **-halla**; Valalla *m.* **-iant, -iantly**; valorós-o, -aménte.
Valid, -ity, -ly; válid-o, -ità *f.*, -aménte. **-ate**; convalidare.
Valise; valígia *f.*
Valkyrie; Valchíria *f.*
Valley; valle *m.* **-tile**; convèrsa *f.*, spigolóne *m.*
Valois; Vallése *m.*
Val-orous; -oróso, pròde.
Valour; valóre *m.*, prodézza *f.*
Valu-able; prezióso, di gran valore. **-ables**; oggetti di valore. **-ation**; stima *f.*, valutazióne *f.*, estímo *m.* — of live and dead stock, stime vive e morte. **-ator**; *see* Valuer. **-e**; valóre *m.*, prèzzo *m.*, importanza *f.*, utilità *f.* Set great — upon, far gran caso di. For — received, per valuta avuta. Market, Cash —, valore di borsa. To —, stimare, apprezzare, tener conto di. **-ed**; stimato, molto apprezzato. **-eless**; senza valore, di nessun pregio. **-er**; stimatore o apprezzatore perito.
Valve; válvola *f.* Of shell-fish, valva *f.* Lift, Stroke, of —, alzata della valvola. Blow off —, valvola di estrazione, di scarico, di spurgo. By-pass —, valvola ausiliaria, per lo scappamento. Check —, valvola di alimentazione. Cut-off —, valvola di espansione. Flap —, animèlla *f.* Safety —, valvola di sicurezza. Slide —, valvola di distribuzione, a cassetto *or* piana. Starting —, valvola di messa in moto. Suction —, valvola d' aspirazione. Throttle —, valvola di strozzamento, a farfalla, di presa. **-cord** (balloon); corda di comando della valvola. **-seating**; gabbia della valvola.
Valvular; delle valvole.
Vamp; tomáio *m.* — up, racconciare, rappezzare. **-ire**; vampíro *m.*
Van; vanguárdia *f.*; forgóne *m.*, vettura *f.* **-dal, -dalism**; -dalo, -dališmo *m.*
Van-e; banderuòla *f.* **-guard**; avanguárdia *f.* **-illa**; vainíglia *f.* **-ish**; sparire, dileguarsi. -ing point, punto di fuga. **-ity**; -ità *f.*, futilità *f.*, piacere vano.
Vanquish, -er; vínc-ere, -itóre *m.*
Vantage; Position of —, posizione vantaggiosa. **-ground**; terreno vantaggioso.
Vapid, -ity; insuls-o, -ággine *f.*
Vap-orise; ridurre in vapore, *fig.* millantarsi. **-our**; vapóre *m.* — bath, bagno a vapore. **-ouring**; millantería *f.*
Var; Varo *m.*
Varia-bility; -bilità *f.* **-ble**; -bile. **-nce**; dišaccòrdo *m.* **-nt**; -nte *f.* **-tion**; -zióne *f.*
Varico-cele; -cèle *m.* **-se**; -so. **-se vein, -sity**; varíce *f.*
Varied; diversificato.
Variegat-ed, -ion; screzi-ato, -o *m.*
Vari-ety; -età *f.* — theatre, caffè concerto. — entertainment, spettacolo di varietà. **-orum**; commentato da vari autori. **-ous**; -o, parécchi (*pl.*), divèrso. **-ously**; -aménte.
Var-let; furfante *m.* **-nish**; verníce *f.*; inverniciare. **-nisher**; verniciatóre *m.* **-nishing**; inverniciatura *f.*
Vary; variare, esser diverso, diversificare. **-ing**; variábile, divèrso.
Vas-cular; vascol-are, -arižžato. **-cularity**; l' esser -arizzato. **-e**; vašo *m.* **-eline**; -ellína *f.*
Vassal, -age; vassall-o *m.*, -ággio *m.*
Vast; -o, estéso. **-ly**; assai, grandeménte. **-ness**; immensità *f.*
Vat; tino *m.* **-ican**; -icáno.
Vaticina-te, -tion; -re, -zióne *f.*
Vau-cluse; Valchiusa *f.* **-deville**; operétta *f.*, canzonétta *f.* **-dois**; valdése.
Vault; vòlta *f.*; sotterráneo *m.* To —, saltare, specialmente aiutandosi colle mani; fabbricare a volta. -ed roof, tetto a volta. **-ing**; costruzione a volta; le volte.
Vaunt; vant-o *m.*, -are. **-ing**; millantería *f.*, bravate *f. pl.*
Veal; carne di vitello. **-cutlet**; costoletta di vitello. **-pie**; pasticcio di carne di vitello.
Ved-a; Vèda *m.* **-ette**; -étta *f.* **-ic**; dal Veda.
Veer; 1. girare. 2. filare (grippiale).
Vegetable; vegetále *m.*, (leguminous) legúme *m.* As *adj.*, vegetábile. **-s**; ortággio *m.*, erbággi *m. pl.*, (leguminous) civáie *f. pl.* **-dish**; piatto da legumi. **-garden**; òrto *m.* **-marrow**; zucca *f.*, zucchétta *f.*, zucca popona.
Vegetari-an; -áno. **-anism**; -anišmo *m.*, regime -ano.
Vegeta-te; -re. **-tion**; -zióne *f.*
Veh-emence, -ement, -emently; veemènza *f.*, -te, -teménte. **-icle**; veícolo *m.* **-icular**; — traffic, circolazione dei veicoli.
Veil; vél-o *m.*, -are.
Vein, -ed, -ing; vén-a, -ato, -atura *f.*
Vellum; velíno *m.* **-paper**; carta velina da lettera.
Veloc-ipede; -ípede *m.* **-ity**; -ità *f.* Muzzle —, velocità iniziale. Remaining —, velocità residua. Striking —, velocità d' urto.

Velvet; velluto *m*. With a — pile, (tappeto) con pelo lungo e morbido. **-een**; velluto di cotone, velluto in panna. **-y**; vellutato.
Venal, -ity, -ly; -e, -ità *f*., -ménte.
Venation; venatura *f*.
Vend; -ere. **-etta**; *id*. **-or**; -itóre *m*. **-ean**; vandeáno.
Veneer, -ing; impiallacci-are, -atura *f*.
Vener-able; -ábile. **-ableness**; -abilità *f*. **-ate**; -are. **-ation**; -azione *f*. **-eal**; -eo.
Venesection; flebotomía *f*.
Vene-tian; -ziáno. — district, il veneto. — blind, stoino a persiana, persiana cinese. — shutter, gelosía *f*.
Vengeance; vendétta *f*. Take —, vendicarsi. With a —, senza discrezione, con furia. Did he give it him well? With a —, gliel' ha fatta passare bella? Altro che!
Vengeful; che minaccia vendetta.
Venial, -ity, -ly; -e, -ità *f*., -ménte.
Venice; Venèzia *f*.
Venison; carne di cervo o capriolo.
Venom; veléno *m*. **-ous**; velenóso, *fig*. maldicènte. **-ously**; con maldicenza velenosa.
Venous; venóso.
Vent; uscíta *f*., spiráglio *m*., sfogatóio *m*.; ano *m*.; focóne *m*. Gas —, scappaménto *m*. To —, Give — to, dare sfogo a, sfogare. **-pipe** (of a magazine), tubo di scarico, (of a radiator) tubo di espansione.
Ventilat-e, -ion, -or; ventil-are, -azióne *f*., -atóre *m*. Ventilating brick, bucaruòla *f*. Well ventilated, arióso.
Ventr-al; -ále. **-icle**; -ícolo *m*. **-iloquism, -iloquist**; -ilòquio *m*., -íloquo *m*.
Venture; ventura *f*., imprésa *f*.; oṡare, arrischiarsi. At a —, a caso. **-some**; ardíto, ażżardóso, avventato. **-someness**; arditézza *f*., l' esser azzardoso.
Venue; luogo di un delitto o del processo che ne risulta. Change the —, far processare in una contea diversa da quella che è stata scena del delitto.
Venus; Vènere *f*.
Verac-ious, -iously, -ity; -e, -eménte, -ità *f*.; verídic-o, -aménte, -ità *f*.
Verandah; veranda *f*.; verone a vetri.
Verb; -o *m*. **-al**; -ále. **-ally**; -alménte. **-atim**; parola per parola. **-ena**; verbena da mazzetti. Lemon-scented —, appiastro *m*., erba cedrina. **-iage**; copia di parole inutili. **-ose, -osely, -osity**; -óso, -osaménte, -osità *f*.
Vercingetorix; Vercingetòrige.
Verd-ant; -eggiante. **-antique**; verde antico. **-erer**; guardabòschi *m*. **-ict**; verdétto *m*. **-igris**; -eráme *m*. **-ure**; -úra *f*.
Verge; órlo *m*.; esser vicino a.
Verger; sagrestáno *m*.
Ver-ifiable, -ify; -ificábile. **-ificare**, avverare, controllare. **-ily**; -aménte, per certo, infatti. **-isimilitude**; -isimiglianza *f*. **-itable**; -itièro. **-itably**; -itieraménte, affatto. **-ity**; -ità *f*. **-juice**; agrèsto *m*.
Verm-icelli; *id*., spaghettíni *m*. *pl*. **-icide**; -ífugo *m*. **-icular**; serpeggiante. **-iform**; -ifórme. **-ifuge**; -ífugo, antelmíntico. **-ilion**; -iglióne *m*.; -íglio. **-in**; insetti ed animaletti schifosi o dannosi; *fig*. persone disgustose. — killer, polvere insetticida, miscela velenosa per topi. **-inous**; cimicióso o pidocchióso. **-outh**; -ùt *m*.
Ver-nacular; volgáre. **-nal**; primaveríle. — grass, paleo odoroso. **-nier**; -nièro *m*. **-sailles**; Verságlia *f*. **-satile**; -sátile. **-satility**; -satilità *f*.
Vers-e; -o *m*., -étto *m*. **-ed**; versato, prático. **-ification, -ifier, -ify**; versificazióne *f*., -atóre *m*., -are. **-ion**; versióne *f*., volgariżżaménto *m*. **-us**; cóntro.
Vertebra, -l, -te; vèrtebr-a *f*., -ále, -ato.
Vert-ex; -ice *m*., cima *f*. **-ical**; -icále. **-ically**; -icalménte. **-iginous**; -iginóso. **-igo**; -ígine *f*., capogíro *m*. **-u**; eccellenza artistica. Articles of —, opere d' arte. **-umnus**; Vertunnio.
Vervain; verbèna *f*.
Verve; brio *m*.
Very; mólto, assái, gran che. — many, moltissimi. — well, benissimo; va bene, d' accordo. — far from, ben lungi da. The — name, il solo nome. He worshipped her — name, ne adorava persino il nome. This — evening, questa sera stessa. The — thing, proprio quel che ci bisognava. The veriest idiot, lo sciocco il più denso. The — thought of it makes me sick, solo il pensarvi mi fa male allo stomaco. At the — best, worst, tutt' al meglio, peggio. At the — outside, tutto al più, a dir molto, al massimo. — little, ben poco, pochissimo. Do one's — utmost, far ogni sforzo possibile. Is the water hot? Yes, very, è calda l' acqua? Sì, molto calda, o caldissima.

☞ The word may often be translated by a superlative, or, if the adjective has no superlative in use, by doubling the adjective, as, Very slowly, adagio adagio, pian piano.

Vesic-ant, -le; vescic-ante *m*., -hétta *f*.
Vespers; vèspro *m*.
Vessel; vaṡo *m*.; for liquids, recipiènte *m*.; nave *f*., bastiménto *m*. — of war, vascello di guerra.
Vest; vèste *f*., sottovèste *f*., camiciòla *f*. To —, investire, porre in possesso. —

in, divenire la proprietà di. **-ed interests**, interessi o diritti personali, permanenze d' interesse.
Vest-a; fiammifero deflagrante. **-al**; -ále. **-ibule**; -íbolo *m.* **-ige**; -igio *m.*, órma *f.* **-ment**; abito di prete. **-ments**; arredi sacri. **-ry**; sagrestía *f.*; adunanza dei contribuenti di una parrocchia. **-ryman**; membro di questa. **-ure**; -íto *m.*
Vesuv-ian; -iáno. As *sb.*, *see* Vesta.
Vet-ch; véccia *f.* **-chling**; véccia *f.*, mòchi, *m. pl.* **-eran**; -ano. **-erinary**; -erinario *m.* **-o**; *id.* To —, apporre il veto.
Vex; vessare, contrariare, addolorare. **-ation**; nòia *f.*, dispiacére *m.* **-atious**; molèsto, fastidióso.
Via-ble; vitábile. **-duct**; -dótto *m.* **-l**; bòccia *f.*, boccétta *f.* **-nds**; vivande *f. pl.*, commestíbili *m. pl.* **-ticum**; -tico *m.*
Vibr-ate; -are, tremare. **-ation, -atory**; vibr-azióne *f.*, -atòrio.
Vicar; vicário *m.*, pieváno *m.* **-age**; presbitèrio *m.*, casa parrocchiale. **-ial**; di vicario. **-ious**; sostituíto, (pena) sofferta per colpa altrui.
Vice; 1. vizio *m.* 2. mòrsa *f.*, vite *f.*, morsétta *f.* 3. — versâ, vicevèrsa.
Vice-admiral, -chancellor, -consul, -gerent, -presidency, -president, -regal, -roy; vice-ammiraglio *m.*, -cancellière *m.*, -cònsole *m.*, -gerènte *m.*, -presidenza *f.*, -presidènte *m.*, -reále, -rè *m.*
Vic-inage, -inity; -inato *m.*, -inanza *f.* **-ious, -iously, -iousness**; viziós-o, -aménte, -ità *f.* **-issitude**; -issitúdine *f.* **-tim**; víttima *f.* **-timise**; fare una vittima di. **-tor, -toria, -torious, -toriously, -tory**; vincitóre *m.*, vittòria *f.* (vettura scoperta), vittor-ióso, -iosaménte, -ia *f.* **-tual**; vettovagliare. **-tuals**; vettováglie *f. pl.* **-tualler**; provveditore di generi alimentari. Licensed —, òste *m.*, trattóre *m.* **-tualling**; vettovagliaménto *m.* **-una**; vigógna *f.*
Videlicet; cioè, e precisamente.
Vie; gareggiare, concórrere, fare a gara.
Viennese; viennése.
View; vedúta *f.*, vista *f.*; vedére, mirare. In my —, a parer mio. My — of that, le mie idee su quel proposito. At first —, a prima vista. With a — to, collo scopo di. Bird's eye —, vista a volo d' uccello. Take the —, considerare, esser d' opinione. Field of —, campo di vista. In — of, considerato, avuto riguardo a. On —, in vista, alla portata dello sguardo del pubblico. **-er**; ispettóre *m.*
Vigil; vèglia *f.* **-ance**; -anza *f.* **-ant**; -ante. **-antly**; -anteménte.
Vignette; vignétta *f.*
Vigo-rous, -rously, -ur; vigor-óso, -osaménte, -e *m.* Vigorous style, stile vivo.
Viking; pirata scandinavo.
Vile, -ly, -ness; vil-e, -ménte, -tà *f.*; bass-o, -aménte, -ézza *f.*
Vilif-ier, -y; -icatóre *m.*; -icare, vilipèndere.
Villa; casíno *m.*, casétta *f.*, villa suburbana.
Village; villággio *m.*, paéše *m.*, borgáta *f.* As *adj.*, di villaggio, rústico. **-r**; contadíno *m.*
Villain; furfante *m.*, briccóne *m.*, scellerato *m.*, mišerábile *m.* **-ous**; basso, infáme. — dress, abito meschino, cattivissimo. — looking, di apparenza bruttissima. **-ously**; in modo basso, da scellerato. **-y**; scelleratézza *f.*, azione indegna o bassa.
Villein, -age; schiav-o, -itù (feodale) .
Villo-sity, -us; -sità *f.*, -so.
Vin-aigrette; scatolino di aceto aromatizzato. **-cent**; Vincènzo.
Vindic-ate, -ation; giustific-are, -azióne **-tive, -tively, -tiveness**; vendicatív-o, -aménte, l' esser -o; rancóre *m.*, risentiménto *m.*
Vine; vigna *f.*, vite *f.* **-arbour**; pèrgola *f.* **-branch**; pámpano *m.*, trálcio *m.* **-clad**; coperto di vigne. **-dresser, -grower**; vignaiòlo *m.* **-gar**; acéto *m.* — maker, acetáio *m.* **-leaf**; pámpino *m.* **-prop**; palo *m.*, calòcchia *f.* **-ry**; serra da viti. **-stock**; vitígno *m.*, viziato *m.* **-yard**; vignéto *m.*
Vin-ous; (fermentazione) vinosa. **-tage**; vendémmia *f.* — wine, vino scelto. **-tner**; mercante di vino.
Viol; -a *f.* **-ate**; -are. **-ation**; -azióne *f.* **-ator**; -atóre *m.* **-ence**; -ènza *f.* Do — to, -entare, usar forza a. By —, per forza. **-ent**; -ènto, impetuóso. — surf, storm, row etc., forte. — rain, pioggia rovinosa. **-ently**; -enteménte. **-et**; -a *f.* Sweet —, -a mammola, -étta *f.* Dog —, -a canina. Double —, (plant) -a mammola a fiori doppi; (flower) -etta doppia. — coloured, color -a mammola.
Violin; -o *m.* **-case**; astuccio da -o. **-ist, -player**; -ista *m.* **-maker**; -áio *m.* **-string**; corda di -o.
Violoncell-ist; -ista *m.* **-o**; *id.* — case, astúccio da -o.
Viper; -a *f.* **-ous**; velenóso, cattívo. **-'s bugloss**; erba -ína.
Virago; virágo *f.*, donnáccia *f.*
Virgili-an; -áno.
Virgin; vérgin-e *f.*; -ále, virgíneo. — forest, foresta vergine. Her — forehead, la sua virginea fronte. **-al**; ver-

ginále. **-ia-creeper**; vite del Canadà. **-ian**; della Virginia. **-ity**; verginità *f.*
Viril-e, -ity; -e, -ità *f.*
Virtu-al; -ále. **-ally**; -alménte. **-e**; virtù *f.*, saviézza *f.* Healing —, virtù sanativa. By — of, grazie a. **-oso**; *id.*, amatóre *m.* **-ous**; virtuóso, buòno, onèsto, sávio, morigeráto. **-ously**; da -oso ecc. **-ousness**; morigeratézza *f.*
Virulen-ce, -t, -tly; -za *f.*, -to, con -za.
Virus; virus *m.*
Vis viva; forza viva.
Visa; visto *m.*, vidimazióne *f.* To —, vidimare. **-ge**; viso *m.*, fáccia *f.*, vólto *m.* Sour -d, ad espressione acerba.
Vis-à-vis; dirimpetto a, in faccia a; (at a dance) coppia di faccia.
Visc-era; le víscere, i vísceri, interióra *f. pl.* (di uccello). **-eral**; -erále, **-id, -idity**; víscid-o, -ità *f.* **-osity**; -osità *f.* **-ount, -ountess**; viscónt-e *m.*, -éssa *f.* **-ous**; -óso.
Visé; *see* Visa.
Visib-ility, -le, -ly; -ilità *f.*, -ile, -ilménte.
Visigoth; viśigòta *m.*
Vision; vista *f.*, viśióne *f.*, apparizióne *f.* **-ary**; -ário.
Visit; -a *f.*, -are, andare a trovare. When he had -ed B. on the previous evening, quando era stato a trovare il B. la sera innanzi. **-ation**; -azióne *f.*, ispezióne *f.* — of Providence, gastigo divino. **-ing-card**; biglietto da visita. **-or**; viśitatóre *m.* Unless a — came, a meno che venisse una visita. **-'s room**, parlatòrio *m.*
Vis-or; -ièra *f.* **-ta**; prospettíva *f.* **-tula**; Vístola *f.* **-ual**; -uále, viśívo. **-ualise**; far visibile, vedere coll' occhio della mente.
Vital, -ise, -ity, -ly; -e, dar vita a, vital-ità *f.*, -ménte. — **spot**, congiuntura vitale. **-s**; organi essenziali alla vita.
Vitiate; viziare, guastare.
Vitr-eous; -eo. **-ification, -ify**; vetrificazióne *f.*, -are. **-iol, -iolic**; vetriòl-o *m.*, -ico.
Vitupera-te, -tion, -tive; -re, -zióne *f.*, -tívo.
Vivac-ious, -iously, -ity; -e, -eménte, -ità *f.*
Vivâ voce; di viva voce, orále.
Vivid; vivace, vivo, risentíto. **-ly**; animataménte. Bring — before him, far rivivere in lui la memoria di. **-ness**; animazióne *f.*
Vivi-fy; -ficare, animare. **-parous**; -paro. **-sect**; far la -sezione di. **-section**; -sezióne *f.* **-sector**; chi fa le -sezioni.
Vixen; volpe femmina, *fig.* megèra *f.*, donnettaccia *f.*, Santippe. **-ish**; da megera ecc.
Viz.; *see* Videlicet.
Vizier, -ate; viśír-e *m.*, **-ato** *m.*
Vladimir; Vladimíro.
Vocabulary; vocabolàrio *m.*
Voc-al; -ále. **-alise**; -aliżżare. **-ally**; a voce. **-ation**; -azióne *f.* **-ative**; -atívo. **-iferate**; -iferare. **-iferous**; -ífero.
Vogue; vóga *f.*, móda *f.*
Voice; vóce *f.*; dar voce a. In a loud —, ad alta voce. In a low —, a voce sommessa. Active —, attívo *m.* Passive —, passívo *m.* **-less**; senza voce.
Void; vano, vacuo, nullo, inválido. — of, senza. To —, vuotare.
Volatil-e; *id.* **-isation, -ise**; -iżżazióne *f.*, -iżżare. **-ity**; -ità *f.*
Volcan-ic, -o; vulcán-ico, -o *m.*
Vole; topo d' acqua.
Volition; volizióne *f.*
Volley; scárica *f.* (di cannoni), cárico *m.* (di sassate, vituperî), torrènte *m.* (di ingiurie). To — (giocando alla palla), colpire la palla in piena volata prima dello sbalzo.
Vol-scian; vòlscio. **-t**; vòlta *f.* **-tage**; tensióne *f.*, voltággio *m.* **-taic**; voltáico. **-taire, -tairean**; Voltèr, volterriáno. **-te-face**; giravòlta *f.*
Volub-ility, -le, -ly; -ilità *f.*, -ile, -ilménte; garrul-ità *f.*, -o, con -ità.
Volum-e; -e *m.*, tòmo *m.*, massa *f.* Volumes of smoke, turbini di fumo. **-etric**; -ètrico. **-inous**; -inóso, copióso. **-inously**; copiosaménte. **-inousness**; -inosità *f.*, copia *f.*
Volunt-arily; volontariaménte, spontaneaménte. **-ariness**; buona volontà. **-ary**; pezzo sonato sull' organo mentre la gente esce dalla chiesa; volontário, spontáneo. **-eer**; volontario *m.*; offrirsi liberamente. **-eering**; servizio volontario.
Voluptu-ary; uomo voluttuoso, epicurèo *m.* **-ous**; voluttuóso, sensuále. **-ously**; voluttuosaménte. **-ousness**; voluttà *f.*, il cercare i piaceri del senso.
Vol-ute; -úta *f.* **-vulus**; -volo *m.*
Vomi-ca; *id.* **-t**; vòmito *m.*; vomitare, rècere. **-tory**; -tòrio *m.*
Vor-acious, -aciously, -acity; -ace, -aceménte, -acità *f.* **-tex**; -tice *m.*, górgo *m.*
Vosges; i Vogési, i Vòśgi.
Vot-ary; devòto *m.*, amante *m.* **-e**; -o *m.*, -are, andare al -o. **-er**; -ante *m.* **-ing**; -azióne *f.* — **paper**, bollettino di votazione. **-ive**; -ívo.
Vouch; attestare. — **for**, esser mallevadore di. **-er**; buòno *m.*, documénto *m.* Examined with the -ers and found correct, confrontato cogli scontrini e passato per corretto. **-safe**; accordare, ac-

condiscendere. Be -d a glimpse, esserti concesso di intravedere un lembo.

Vow; vóto *m.*; giuraménto *m.*, fare un voto. — vengeance, giurare di vendicarsi.

Vowel; vocále *f.*

Voyage; viaggio per mare; viaggiare. **-r**; viaggiatóre *m.*

Vulcani-se; -żżare. **-te**; gomma -zzata, ebaníte *f.*

Vulgar; volgáre, comúne; triviále. **-isation**; il render popolare. **-ise**; render popolare. **-ism**; espressione volgare. **-ity**; volgarità di maniere o linguaggio. **-ly**; comuneménte.

Vulgat-e; -o *m.*

Vulnerab-ility, **-le**; -ilità *f.*, **-ile.**

Vulpine; volpíno.

Vulture; avvoltóio *m.*

Vying; *part. pres.* di Vie.

W

W; *pronunz.* Dábbliu.

Wad; bórra *f.*, stoppáccio *m.*, disco di feltro. **-ding**; bambagia *f.*, ovatta *f.*

Waddle; camminare come le anatre, andar barcolloni.

Wade; andare nell' acqua. — across, traversare (un fiume) a piedi. — through, leggere senza piacere. **-r**; trampolière *m.* **-rs**; calzoni impermeabili congiunti cogli stivali.

Wafer; cialda *f.*, òstia *f.*, brigidíno *m.*, cialdone arrotolato.

Waft; trasportare col vento.

Wag; burlóne *m.*, capo ameno; scuòtere, dimenare. — the tail, scodinzolare.

Wage; paga *f.*, salário *m.* To — war, guerreggiare. **-earner**; salariato *m.* **-r**; scomméssa *f.*; scomméttere.

Wag-gish; scherzévole, facèto. **-gishly**; da burlone, da furbo. **-gishness**; malízia *f.*, argúzia *f.* **-gle**; agitare da parte a parte, *see* Wag. **-gon**; vagóne *m.*, carro *m.*, carrettóne *m.*; forgóne *m.* **-goner**; carrettière *m.*, carrettáio *m.* **-gonette**; carrozzétta *f.* **-tail**; cutréttola *f.*, ballerína *f.*, batticóda *f.*

Waif; cosa abbandonata, ragazzo negletto.

Wain; Charles's —, il Carro. **-scot**; rivestiménto *m.*, intavolato *m.* **-scoting**; intavolatura *f.* **-wright**; fabbricatore di carri.

Waist; vita *f.* **-band**, **-belt**; cintura *f.* **-coat**; panciòtto *m.*, sottovèste *f.*

Wait; aspettare. — for more, attender altro. — at table, servire a tavola. — upon, servire; andare a visitare. I -ed for you the whole morning, vi ho atteso tutta la mattina. **-er**; camerière *m.*; vassoíno d' argento. **-ing**; attésa *f.* Lady in —, dama d' onore. — room, sala d' aspetto. — woman, waitress, camerièra *f.* **-s**; musici ambulanti di Natale.

Waive; rinunciare a. **-r**; rinúncia *f.*

Wake; 1. scïa *f.* Follow in the — of, seguire le tracce di. 2. veglia di un morto. 3. destare, śvegliare; śvegliarsi. Waking hours, ore di veglia. **-ful**; insònne. **-fulness**; insònnia *f.* **-n**; *see* Wake (3).

Waldens-es, **-ian**; Valdés-i, -e.

Wale; ammaccatura *f.*; cinta (di nave).

Wales; paese di Galles.

Walk; passéggio *m.*, passeggiata *f.*, moto a piede; andatura *f.*; viále *m.*; carrièra *f.*, professióne *f.* At a —, al passo. To —, camminare, andare a piedi, passeggiare. Go for a —, andare a spasso. — the hospitals, frequentare gli ospedali come studente. — in, entrare. — off, śvignarsela. — off with, portar via. — on, entrare in iscena. — out, uscire. — over, vincere una corsa per mancanza di chi concorresse. A — over, siffatta vincita. **-er**; camminatóre *m.*, pedóne *m.*

Walking-race; gara pedestre. **-stick**; bastone o mazza da passeggio.

Wall; muro *m.*, muráglia *f.*, paréte *f.* Dry —, muro a secco. Party —, muro divisorio. Supporting —, contromuro *m.* Go to the —, soccómbere. The weakest go to the —, i cenci vanno sempre all' aria. Run one's head against the —, fare a' cozzi co' muriccioli. To —, murare, circondare con muri. -ed city, città circondata di mura. — up, murare. **-creeper**; picchio muraiolo. **-eyed**; vaiato. **-flower**; violacciòcca *f.* **-fruit**; frutto di spalliera. **-ing**; muratura *f.* **-paper**; tappezzería *f.*

Wallachia, **-n**; Valachía *f.*, valacco.

Wall-et; bórsa *f.*, biśáccia *f.*

Walloon; Vallóne *m.*

Wallop (gergo); bastonare.

Wallow; ravvoltolarsi, rotolarsi.

Walnut; nóce *f.* **-tree**; nóce *m.*

Wal-rus; trichéco *m.*, cavallo marino. **-tz**; valzer *m.* To —, ballare il valzer.

Wan; pállido.

Wand; bacchétta *f.*

Wander; vagare, girovagare, errare; turbarsi (mente), delirare, vagellare. — about, vagolare. — out of the way, smarrire la strada. — from the subject, scostarsi dal tema. **-er**; vagabóndo *m.*, viaggiatóre *m.* **-ing**; giròvago, ambulante; delirante. **-ings**; peregrinaziόni *f. pl.*, viaggi *m. pl.*; delírio *m.*, vaneggiaménti *m. pl.*

Wan-e; scemarsi, declinare. On the —, scemandosi. **-ness**; pallóre *m.*

Want; bisogno *m.*, indigènza *f.*, mancanza *f.*; mancare, esservi bisogno, aver bisogno, volére; aver d' uopo di. Ready to give his services to any one who -ed them, pronto a prestar servizio a chi ne avesse d' uopo. You are -ed, si chiede di voi, vi si cerca. -ed, a coachman, si chiede cocchiere. **-ing**; 1. méno. 2. mentecatto. 3. assènte, in difetto.

Wanton; protèrvo, lascívo; scherzévole. Piece of — mischief, cattiveria fatta apposta. **-ly**; da protervo ecc., appòsta. **-ness**; licènza *f.*, libertinággio *m.*

Wapiti; cervo del Canadà.

War; guèrra *f.*; guerreggiare. On a — footing, su piede di guerra. — office, ministero della guerra. At—, in guerra.

Warbl-e; gorgheggiare. **-er**; beccafico *m.*, sterpagnòla *f.* **-ing**; gorghéggio *m.*

Ward; pupillo *m.*; rióne *m.*, quartière *m.*; corsía *f.* Accident —, sala di guardia. — off, tener lontano, respíngere. **-en**; custòde *m.*, governatóre *m.*, rettóre *m.* **-enship**; governatorato *m.* **-er**; carcerière *m.* **-robe**; guardaròba *f.*; vestiménti *m. pl.* **-room**; quadrato degli ufficiali.

Warehous-e; magażżino *m.*; immagażżinare. **-eman**; magazzinière *m.* **-ing**; depòsito *m.*

Wares; mèrci *f. pl.*, derráte *f. pl.*

War-fare; guèrra *f.*, il guerreggiare. **-horse**; cavallo da guerra.

Wari-ly, -ness; accort-aménte, -ézza *f.*

War-like; guerrièro. **-lock**; stregóne *m.*

Warm; caldo; riscaldare. Feel —, aver caldo. Be —, far caldo. **-blooded**; a sangue caldo. **-er**; riscaldatóre *m.* **-hearted**; di cuore, tutto cuore, caldo di sentimento. **-ing-apparatus**; calorífero *m.* **-ing-pan**; scaldalètto *m.* **-ly**; caldaménte, ardenteménte. **-th**; calóre *m.*

Warn; avvertire, ammonire. — off, intimare di ritirarsi. **-ing**; avvertiménto *m.*, avvíso *m.* Give — (to a servant), congedare, licenziare; (to an employer) congedarsi. The cook gave a month's — yesterday, la cuoca si è congedata ieri a un mese di scadenza. **-ingly**; avvisando, preammonèndo.

Warp; ordíto *m.*; tonnéggio *m.*; incurvarsi, rimbarcarsi, svergolarsi; sviare, stornare, pervertire; tonneggiare. **-ing**; tonnéggio *m.*; svergolatura *f.*

Warrant; 1. buòno *m.*, warrant *m.*, nota di pegno. — for delivery, buono per la consegna. — for warehousing, buono per deposito. 2. diritto *m.*, giustificazióne *f.*, scuṡa *f.*; mandato (di cattura o morte). 3. garantire; giustificare, autorizżare. **-officer**; sott' ufficiale *m.* **-y**; malleverίa *f.*

War-ren; coniglièra *f.* **-rior**; guerrièro *m.* **-ship**; vascello da guerra. **-saw**; Varsávia *f.* **-t**; pòrro *m.*, verrúca *f.*, nèo *m.*, bitórzolo *m.* **-ty**; bitorzolúto, tutto porri ecc. **-worn**; consumato dalla guerra.

Wary; accòrto, scaltro.

Wash; lavatura *f.*, sciacquaménto *m.*; biancheria da lavarsi; ondeggiamento nelle acque d' un vapore; intònaco *m.* A light — of yellow ochre over the paper, una sfumatura di ocra gialla sulla carta. To —, lavare, bagnare, metter in bucato. — away, portar via. — down, dare una lavata a; trasportar colla corrente; mandar giù la gola. — out, nulla *m.*; annullare, cancellare; far perder colore. He looks -ed out, si vede che ha perso il colore. — over, inondare, sommèrgere. The seas -ed right over the ship, i marosi inondarono tutto il bastimento. — over with a coat of blue, dare una mano di blu a. — up, lavare, risciacquare; rigettare sulla sponda.

Wash-ball; saponétta *f.* **-basin** (fixed); lavandíno *m.* **-board**; falca *f.*, falchétta *f.*, alettone di rullio. **-er**; dischetto di cuoio, roṡétta *f.* **-erwoman**; lavandáia *f.* **-hand-basin**; catinèlla *f.* **-house**; lavanderίa *f.* **-ing**; lavanda *f.*, bucato *m.* — day, giorno del bucato. **-leather**; bażżána *f.*, pelle di camoscio. **-stand**; toelètte *f.*, pòrtacatíno *m.*, lavamáno *m.*, trespolo della catinella. **-tub**; cónca *f.* **-y**; insípido, ṡbiadíto, (brodo) lungo.

Wasn't; *raccorc.* di Was not.

Wasp; vèspa *f.* **-ish**; permalóso, stizzóso, dispettóso.

Wassail; gozzovíglia *f.*

Waste; 1. capirótti *m. pl.*, cascáme *m.*, rifiúti (del cotone, della lana); spèrpero *m.*, calo *m.*, deperiménto *m.* Cotton —, cascami di cotone, ritagli di cotone. 2. incólto, inútile. **-paper**; carta straccia. **-metal**; trucciolidi metallo. 3. sciupare, scialacquare, sprecare. — away, consumarsi, deperire. 4. (legge) consumo *m.*

Waste-book; sfogliazzo *m.*, brogliasso *m.*,

scartafáccio *m.* **-cock**; rubinetto di scarico. **-ful**; poco economico, spenderéccio, pròdigo. **-fully**; inutilménte, con pura perdita. **-fulness**; l' esser distruttivo, rovinoso o prodigo. **-paper-basket**; paniere da carta straccia, cestíno *m.* **-pipe**; tubo di scarico. **-steam-pipe**; condotta scaricatrice.

Wastrel; guastatóre *m.*, sprecóne *m.*

Watch; 1. véglia *f.*, sorveglianza *f.*, attenzióne *f.* 2. guárdia *f.*, corpo di guardia. Man on —, guardiáno *m.* Morning —, guardia della diana, diána *f.* Afternoon —, guardia del pomeriggio. Port —, guardia di sinistra o del tenente. Starboard —, guardia di dritta o del capitano. Be on —, far la guardia. Be off —, esser franco di guardia. Be on the —, stare all' erta, stare attento, stare in agguato. 3. oriòlo *m.* (da tasca). Hunting —, savonétta *f.*, cilindro a savonétta. Stop —, cronògrafo *m.* 4. osservare, spiare, stare a guardare; star desto, vigilare. — over, vegliare, aver l' occhio a, sorvegliare.

Watch-case; custodia di orologio. **-dog**; cane di guardia. **-er**; vegliatóre *m.*, assistènte *m.*, osservatóre *m.*; guárdia *f.* **-ful**; attènto, vigilante. **-fully**; attentaménte ecc. **-fulness**; vigilanza *f.*, cura *f.* **-glass**; cristallo di oriolo. **-guard**; cordoncino per un oriolo. **-house**; prigióne *f.* **-key**; chiavína *f.* **-maker**; orioláio *m.* **-man**; guardia (da notte); piantóne *m.* **-pocket**; taschíno *m.* **-tower**; torre d' osservazione. **-word**; parola d' ordine.

Water; acqua *f.*; inaffiare, abbeverare, annacquare; mareżżare. Hold —, *fig.* sopportare un' esaminazione. Make one's mouth —, far venire l' acquolina in bocca. As *adj.*, acquático.

Water-bailiff; ufficiale di porto, guardia di pesca. **-bed**; materassa da acqua. **-beetle**; coleottero acquatico. **-biscuit**; biscotto di farina e acqua. **-boatman**; notonètta *m.* **-borne**; trasportato dall' acqua. **-bottle**; caraffa *f.*, borraccia *f.* **-brash**; piròśi *f.* **-butt**; botte da acqua. **-carriage**; trasporto per via acquea. **-cart**; carretto da inaffiare. **-clock**; clèssidra *f.* **-closet**; cesso inglese. **-colour**; colore da stemperarsi in acqua; acquerèllo *m.* **-colourist**; acquerellista *m.* **-cooler**; alcarázas *m.*, búcchero *m.*, cantimplòra *f.*, vaso di terra porosa. **-course**; scolatóio *m.*, canále *m.* **-cress**; crescióne *m.* **-dog**; cane da acqua. **-fall**; cascata *f.* **-fowl**; uccello acquatico. **-furrow**; solco scolatoio. **-hen**; gallinella d' acqua.

Watering-cart; carro irrigatore. **-place**; bagni *m. pl.*, luogo di bagni, luogo di acque minerali, stazione balnearia. **-pot**; annaffiatóio *m.*

Water-jug; bròcca *f.* **-less**; árido. **-lily**; ninfèa *f.* **-line**; linea di galleggiamento. **-logged**; pieno di acqua ma galleggiante. **-man**; barcaiòlo *m.* **-mark**; filigrána *f.* **-meadow**; prato inondabile. **-melon**; cocómero *m.* **-mill**; mulino ad acqua. **-nymph**; náiade *f.* **-ousel**; merlo acquatico. **-parsnip**; crescione d' acqua falso. **-pipe**; condótto *m.*, doccióne *m.* **-plantain**; piantaggine d' acqua. **-pot**; vaśo *m.* **-power**; forza idraulica. **-proof**; impermeábile. **-rail**; gallinella *f.* **-rat**; topo acquaiolo. **-rate**; tassa per l' uso dell' acqua municipale. **-shed**; spartiácque *m.* **-side**; spónda *f.*, riva *f.* — labourer, chi lavora sulle sponde d' un fiume. **-soldier**; erba coltella. **-spout**; tromba marina. **-table**; livello dell' acqua sotterranea. **-tank**; serbatóio *m.*, cistèrna *f.* **-tight**; stagno, impermeábile. **-trough**; abbeveratóio *m.* **-violet**; erba scopina. **-wagtail**; cutréttola *f.*, ballerína *f.*, batticóda *f.* **-way**; fiume o canale navigabile. **-wheel**; turbína *f.*, ruota idraulica. **-works**; impianto idraulico. **-worn**; attrito dall' acqua. **-y**; acqueo, (brodo) lungo.

Wattle; gratíccio *m.*, canníccio *m.*; bargíglio *m.*; acácia *f.*

Wave; ónda *f.*, flutto *m.*, cavallóne *m.*, maróso *m.*; ondeggiare; brandire, agitare. — a flag, agitare una bandiera. — one's hand, far cenno colla mano. Heat —, ondulazione calorifica; caldo di breve durata. **-let**; piccola onda crespa.

Waver; vacillare, titubare, avere un momento di titubanza, tentennare. **-er**; indeciśo, chi non s' è deciso. **-ing**; eśitazióne *f.*; eśitante.

Wavy; ondeggiante, serpeggiante.

Wax; céra *f.*, cerume delle orecchie, lucido da scarpe, pece da calzolaio; (gergo) stizza *f.* Sealing —, ceralacca. To —, incerare; crèscere; divenire, farsi. **-chandler**; ceraiuòlo *m.* **-match**; ceríno *m.* **-wing**; beccofruśóne *m.* **-work**; modello in cera. **-y**; ceróso; (gergo) stizzíto, collèrico.

Way; via *f.*, strada *f.*; mòdo *m.*, manièra *f.*; abbrívo *m.*; abitúdine *f.* **-s**, uśanze *f. pl.* Launching -s, letto del varo. All the —, per tutta la strada. Make one's — back, ritornare. Be in a bad —, esser in cattivo stato. This is not the — to behave, non è cosi che tu devi comportarti. By the —, a proposito, di passaggio. **By — of**, per, per via di. **Be — — —**, usare, aver l' abitudine di. I am not — — — going every day, non si aspetta che io vada ogni giorno. **Clear the —**, far strada aperta, preparar la via. **Come in one's —**, presentarsi a uno. **Cut, Force, Work one's — through**, aprirsi la strada. In a fair — to succeed, in buona via per riuscire, con ogni probabilità di successo. **In the family —**, incinta. **Feel one's —**, andar tastoni. **Get into the — of it**, abituarcisi. **Get one's own —**, aver ciò che si vuole, raggiunger la sua mira. **Give —**, 1. cedere, accondiscendere. 2. remare con forza. — —! voga tutti! **Go one's —**, andarsene in santa pace, proseguire la sua strada. I am going your —, vado per la vostra strada. I shall be going your — next week, devo andare dalle vostre parti fra otto giorni. **Go on one's —**, continuare la sua strada. **A good — off**, alquanto distante. **Have — on**, aver dell' abbrivo. **In the —**, molesto, incomodo, a noia. I wish you would not get in my —, ma volete non disturbarmi. I should only be in the —, non vi sarei altro che disturbo. **Put in the — of doing it**, insegnare a farlo. Something in the — of a wrap, un mantello qualunque. **Know one's — about**, esser familiare col luogo, intendersi di tutto ciò che possa esser utile. **Lead the —**, andare il primo. **Lie in his —**, trovarsi sulla sua strada. **Little —**, piccola distanza. A — — off, poco lontano, a poca distanza. With — — on, leggermente abbrivato. **Long —**, distanza grande. A — — off, assai distante, lontano. Be a — — off finishing, esser lontano dalla fine, mancarti molto al compimento. **Lose one's —**, śmarrirsi, perder la via. **Make —**, far luogo. — one's —, 1. farsi strada. 2. recarsi. — — for, lasciar libero il passo a. **In no —**, punto. **On the —**, per istrada, cammin facendo, in cammino. **One — or the other**, in una maniera o in un' altra, per diritto e per traverso. Decide — — or the other, decidersi o per questo oppur per quello. **The other — about**, il contrario. **Out of the —!** fuori! via! — of the — place, luogo fuor di via, fuor di mano, scartato, appartato. Go — of one's —, śviare, andar fuor di via, fuor di strada, scomodarsi. Keep — of the — of, 1. tener lontano da. 2. (*mar.*) lasciar libera la rotta a. Put — of the —, śbarazzarsi di, togliersi di mezzo. **Over the —**, dall' altra parte della strada. **Pay one's —**, fare il proprio cammino senza indebitarsi. **In every possible —**, di punta e di taglio. **Right of —**, diritto di passaggio. **See one's — to**, vedere il modo per. **Six foot —**, interbinário *m.* **Stand in the — of**, impedire fare ostacolo a. **Take one's —**, prender le mosse. Take one's own —, seguire la propria inclinazione. **That, This —**, da quella, da questa, parte. This — and that, da qua e da lì. **Under —**, in abbrivo, in marcia, in cammino, in navigazione. Get — —, salpare. **Go the wrong — to work**, mettercisi male, principiar male. **Take a person the — —**, andargli a contrappelo.

Way-bill; foglio di rotta. **-farer**; viandante *m.* or *f.* **-faring**; viaggiante. **— tree**, viórno *m.* **-lay**; porre agguato per, attendere al passaggio. **-side**; margine della strada. **— inn**, osteria di campagna. **-ward**; pervèrso, ritróso, fuorviato. **-worn**; stanco dal viaggiare.

We; noi. **— English**, noialtri Inglesi.

Weak; débole, fiacco; indulgènte. **-en**; indebolire, debilitare, attenuare. **-ling**; sparutèllo *m.* **-ly**; debolménte; delicato, cagionévole. **-minded**; fiacco, senza anima o forza. **-ness**; debolézza *f.*

Weal; 1. ammaccatura *f.* 2. **Common —**, benessere pubblico.

Weald; parte (già foresta) delle contee di Kent, Surrey e Sussex.

Wealth, -y; ricc-hézza *f.*, -o. The -y T. Gordoni, il possidente T. Gordoni.

Wean; spoppare, *fig.* śvezzare.

Weapon; arme *f.*

Wear; uśo *m.*, durata *f.*; danno dall' uso, logorío *m.* **Fair — and tear excepted**, eccettuati i danni normali. Of machinery, uśura *f.* **To —**, portare, indossare. **— away**, consumare a poco a poco, logorare, uśare. **— off**, sparire col tempo, dissiparsi. **— out**, uśarsi, consumarsi; eśaurire, spossare. **Worn out**, lógoro, affranto. **— through**, rompere coll' uso.

Wear-able; da portarsi, uśábile. It is still quite —, è tuttora abbastanza in assetto per esser portato. **-er**; chi indossa un vestito. **-ily**; da stanco. **-iness**; stanchézza *f.* **Utter —**, spossatézza *f.* **-isome**; tedióso, noióso. **-y**; stanco, spossato, noióso; *fig.* stucco e ristucco. **To —**, stancare; *fig.* stufare.

Weasand; asperartèria *f.*

Weasel; dònnola *f.*

Weather; tèmpo *m.* **— permitting**, se il tempo lo permette. **Hot —**, calda stagione. **Bad, Fine, Thick —**, tempo cattivo, bello, caliginóso. To —, règgere (tempesta), doppiare (promontorio). — out a storm, agguantare un fortunale all' ancora, sostenere (un colpo di vento). **-beaten**; sbattuto dalle tempeste. **-boarding**; intavolato di riparo contro le piogge (a giunture sovrapposte l' una sull' altra). **-cock**; banderuòla *f.* **-ed**; scolorito dalle piogge. **-forecast**; previsione o presagio del tempo. **-wise**; chi sa prevedere il tempo.

Weave; tèssere, ordire, intrecciare. **-r**; tessitóre *m.* — bird, passero repubblicano.

Web; téla *f.*, tessúto *m.*; ragnatéla *f.* Of a girder, ánima *f.* Of a crank, bráccio *m.*, còrpo *m.* **-bing**; tela da cigna. **-footed**; palmípede.

Wed; spoṡare, maritarsi, prender a marito, prender in moglie; *fig.* accoppiare, unire. **-ding**; nózze *f. pl.*, spoṡalízio *m.* As *adj.*, nuziále. — ring, anello matrimoniale. — tour, viaggio di nozze.

Wed-ge; cúneo *m.*, biétta *f.* — up, serrare con cunei. **-gwood**; sorta di porcellana. **-lock**; matrimònio. **-nesday**; Mercoledì *m.*

Wee; piccíno.

Weed; èrba *f.*, erbáccia *f.*; cavalláccio *m.*, różża *f.*, brénna *f.*, ronżíno *m.*; (gergo) tabacco *m.*, sígaro *m.* To —, sarchiare. — out, purgare da. Widow's -s, bruno di vedova. **-y**; pieno di male erbe, *fig.* débole, gramo.

Week; settimána *f.* In a -'s time, fra otto giorni. To-morrow —, domani a otto. This day —, oggi a otto. A — to-day, otto giorni fa. Yesterday —, otto giorni fa ieri. **-day**; giorno di lavoro. **-end**; la domenica (compresovi il giorno prima o poi), vacanza i fine settimana. **-ly**; settimanále, ebdomadario. — review, periodico settimanale.

Ween; immaginarsi.

Weep; piángere, lagrimare; stillare. **-ers**; strisce di tela.

Weeping-willow; salcio piangente.

Weever; trachíno *m.*

Weevil; punteruòlo *m.*, curculióne *m.*

Weft; trama *f.*; bandiera in derno.

Weigh; pesare; salpare (ancora). Under —, *see* Way. — down, far pendere, *fig.* opprímere. **-bridge**; basculla *f.*, ponte a bilico. **-ing**; pesatura *f.* — machine, macchina da pesare, stadèra *f.* **-t**; péso *m.*, pesantézza *f.*; importanza *f.* Person of —, pezzo grosso. Dead —, peso morto. Heavy — (boxer), gran peso (pugilatore). Light —, peso medio. Of a clock, contrappeso. Pull one's —, *fig.* lavorare in modo da non esser a carico degli altri. To —, caricare di pesi. **-tily**; seriaménte, gravemémte. **-ty**; pesante, convincènte.

Weir; chiusa *f.*, ṡbarraménto *m.*, pescáia *f.*

Weird; strano, biżżarro, fantástico, che sa dell' incantesimo. **-ly**; stranaménte ecc. **-ness**; stranézza ecc.

Welcher; scroccóne *m.*, truffatóre *m.*

Welcome; benvenuto, benarrivato, accètto, grato, gradíto; accogliere lietamente, non sgradire, non disgradire, dare il benvenuto a, far le feste a.

Weld; sald-atura *f.*, -are a fuoco. **-ing** heat, calda sudante.

Welfare; benèssere *m.*, bène *m.*

Welkin; volta celeste.

Well; 1. pózzo *m.*; viváio *m.* Oil — (of a car), vasca d' olio. To — up, scaturire, pullulare. 2. bène; in buona salute. Alive and —, vivo e verde. Be —, star bene. Best leave — alone, il meglio è nimico del bene. Get —, riméttersi, guarire; far guarire. — off, — to do, benestante, in buone circostanze. — up, fra i primi. — up in, bene informato su. 3. ebbène.

Well-a-day; Alack and —! ohimè! **-advised**; ben consigliato. Be —, far bene. **-appointed**; pienamente equipeggiato. **-balanced**; ben equilibrato, *fig.* assennato. **-being**; benèssere *m.* **-born**; ben nato. **-bred**; ben creato, ben costumato; di razza. **-disposed**; ben intenzionato. **-earned**; riccamente meritato. **-favoured**; bèllo.

Well-head; sponda d' un pozzo.

Wellington boot; stivalóne *m.*

Well-intended; *see* Well-meaning.

Well-judged; ben conceputo. **-known**; conosciuto a tutti, nòto. **-meaning**; ben intenzionato. **-met**; ben trovato; mi rallegro di vedervi. Be hail fellow —, esser di facile abbordo. **-nigh**; quasi. **-preserved**; ben portante. **-spring**; fontàna *f.*, sorgènte *f.* **-timed**; opportuno. **-wisher**; chi ti vuol bene.

Welsh; gallése, del paese di Galles. **-er**; *see* Welcher. **-rabbit**; fetta di pane con formaggio arrostito.

Welt; tramèżża *f.* **-er**; avvoltolarsi. — handicap, corsa di cavalli carichi di pesi piuttosto forti.

Wen; natta *f.* **-ceslaus**; Venceṡlao.

We-nch; ragazza *f.* **-nd**; — one's way, andare. **-pt**; *rem.* di Weep. **-rewolf**; lupo mannaro.

West; occidènte *m.*, òvest *m.*, ponènte *m.* Go — (gergo della guerra), morire. — Indies, le Indie occidentali. — Indian, indiano occidentale. — wind, vento d' occidente. **-ering**; che passa all' occidente. **-erly**; dall' ovest. **In a —**

direction, verso l' ovest. **-ern**; occidentále. **-ernmost**; il più all' ovest. **-ing**; cambiamento di longitudine verso l' ovest.

Westphalia, -n; Vestfáli-a *f.*, -áno.

Westward; al ponente.

Wet; úmido, bagnato, frádicio, mòlle, piovóso. As *sb.*, umidità *f.*, acqua *f.* To —, bagnare, umettare, inumidire. — through, tutto bagnato. Be — (weather), piòvere. — paint, color fresco.

Wether; castrato *m.*, pecora maschio.

Wet-ness; umidità *f.* **-nurse**; balia lattante. **-ting**; bagnatura *f.* Get a —, bagnarsi. **-tish**; alquanto bagnato. A — day, una giornata piovigginosa. We had — weather, i giorni correvano piovigginosi.

Weymouth pine; pino bianco.

Whack; bussa *f.*, (gergo) porzione *f.*; bussare, bastonare; víncere. **-er** (gergo); pesce o altro stragrande, specialmente bugía enorme. **-ing** (gergo); bastonata *f.*; enórme. Give a —, víncere, sconfíggere.

Whale; baléna *f.* Sperm —, capidòglio *m.* **-boat**; balenièra *f.* **-bone**; osso di balena. **-fishery, Whaling**; pesca della balena. **-r**; balenière *m.*

Wharf; scalo *m.*, avanzaménto *m.*, calata *f.*, banchína *f.*, mòlo *m.* **-age**; diritto di sosta, tassa di ripaggio. **-inger**; proprietario di una banchina.

What; che, quale; ciò che. — you say, quel che dite. — of that? ma poi? I tell you —, ve lo dico chiaro e tondo. — are you thinking about? A che pensate? — kind of? che genere di? — have you got in the way of cheese? che qualità di formaggio avete? — is the matter with you? Cosa avete? — is it made of? di che sostanza è fatto? — is up? Che cosa c' è? — else? che altro? — little money I had left, quel po' di danaro che mi rimaneva. — with flowers on the table and a fire on the hearth the room looked cheerful, un po' per i fiori che stavan sul tavolo e poi per il fuoco nel caminetto la stanza era allegra. Not but —, non che non. To reflect upon — had occurred, per riflettere su quanto era accaduto. Ask him — he wants, domandategli cosa vuole. — d'you call it, aggéggio *m.* I don't know but — he may be gone by now, non so che non sia già partito.

Whatever; qualunque, qual si sia, tutto ciò che, checchè. — I thought was most sure to please, quel che ero più sicuro potesse far piacere. — might be thought, qualunque cosa si pensasse. — they may be, quali pur siano. — you please, tutto quel che volete. — his talents may be, qualunque siano i suoi talenti.

Whatnot; scaffalétto *m.*

Whatsoever; *see* Whatever. In — condition I may be, in qualunque stato io mi trovi.

Wheal; *see* Weal (1).

Wheat; grano, o frumento, d' estate. **-ear**; culbianco *m.*, monachèlla *f.* **-en**; di grano.

Wheedl-e; ingannar colle moine, colle carezze. — out of, cavare di colle moine. **-ing**; carézze *f. pl.*, moine *f. pl.* As *adj.*, lusinghièro.

Wheel; ruòta *f.* Disc —, ruota piena o a disco. Driving —, ruota direttrice; ruota maestra o motrice. Fly —, volante *m.* Hand —, volantíno *m.* Free —, ruota libera. Road, Running —, ruota portante. Splay, Dish of the -s, conicità delle ruote. Steering —, ruota del timone. — out of true, ruota che batte. Overshot —, ruota che si muove con acqua che vi cade dal di sopra. Water —, ruota idraulica. Man at the —, timonière *m.* To —, trasportare colla carriola, far rotolare; fare una conversione (soldati). Right, Left —, quick march! plotone a destra, o a sinistra, marsc! **-ed traffic**, i veicoli che passano. **-animalcule**; rotífero *m.* **-barrow**; carriòla *f.* **-chair**; poltróna a ruote. **-er**; cavallo del timone, o delle stanghe. **-house**; casotto del timonière. **-track**; rotáia *f.* **-wright**; carradóre *m.*, carráio *m.*

Wheez-e; respiro difficile, con fischio; respirare strepitosamente. **-iness**; respirazione asmatica. **-ing**; asma *m.* **-y**; affannóso, che fischia.

Whelk; buccíno *m.*, trombétta *f.*

Whelp; piccíno *m.*, lupicíno *m.*, leoncíno *m.*

When; quando, allorchè, qualóra; a che ora? Since —? da quando? **-ce**; dónde. **-ever**; ogni volta che, sempre che, qualóra.

Where; dóve, in che luogo. — do you come from? di dove venite? Sit — you like, sièdeti dove tu vuoi. **-abouts**; in che posto; as *sb.*, luogo frequentato da uno. Can you tell me — he is to be found? potreste indicarmi dove pratica? **-as**; stante che, siccóme. **-at**; al che, su di che. **-by**; ónde, per lo che, per mezzo di cui, per qual mezzo. **-fore**; ónde, il perchè, per la qual cosa; *see* Therefore. **-in**; in che, nel quale; in che cosa? dove? **-of**; del quale, di cui. **-on**; sul quale, su cui, sopra di che, su di che. **-soever**; *see* Wherever. **-to**; al quale, al che. **-upon**; *see* Whereon. **-ver**; dovunque, in qualunque luogo. — it is, dove che sia. **-with**; col quale, con cui, con che. **-withal**; *see* Wherewith. The —, i mezzi, il modo.

Wherry; barchétta *f.*

Whet; stímolo *m.*; affilare, aguzzare, stimolare. **-her**; se, sia che, che. — he comes or not, che venga o no. — of the two, quale dei due. **-stone**; còte *f.*

Whew! suono del fischiare.

Whey; siero di latte.

Which; quale, che. At —, sul quale. The dog — you are speaking about, il cane di cui parlate. — of you all? chi di tutti voi? **-ever**; chiunque, qualunque, qualsisía. — is least trouble, quel che dia meno disturbo.

Whiff; sóffio *m.*, álito *m.*

Whig; liberále *m.*

Whil-e; méntre, intanto che, quando, finchè, qualóra. In a little —, fra poco. A good — ago, lungo tempo fa. It is a good — since I was here, è già un pezzo che non sono stato qui. All this —, per tutto questo tempo. For a —, per un pezzo. Be worth —, valere la pena. It would be worth — to die, varrebbe la pena di morire. **-es**; talvòlta. **-st**; *see* While.

Whim; capríccio *m.*, ghiribizzo *m.*

Whimbrel; chiurlétto *m.*

Whimper; singhiózzo *m.*; piagnucolare. **-ing**; piagnistèo *m.*, piagnucolaménto *m.*

Whimsical, -ity, -ly; biżżarr-o, -ería *f.*, -aménte; fantastic-o, -hería *f.*, -aménte. Be whimsical, aver grilli per il capo.

Whin; ginestrone d' Olanda. **-chat**; stiaccíno *m.* **-e**; gèmito *m.*; mugolare, lamentarsi. **-ing**; piagnucolóso. As *sb.*, mugolío *m.* **-ny**; nitrire.

Whip; frusta *f.*, sfèrza *f.*; organizzatore di partito; ghia *f.*; guidatóre *m.*; capocaccia *m.* To —, frustare, sferzare; śbattere (uova ecc.). — on, mettere (i suoi vestiti) in fretta. — off, spogliarsi frettolosamente di; arraffare, levare (in fretta). — up, fare radunarsi, raccògliere; agguantare (in fretta); dar la sferza a.

Whip-cord; corda da frusta. **-hand**; superiorità *f.*, posizione di potere, padronanza *f.* **-per-in**; capocaccia *m.* **-per-snapper**; monèllo *m.*, povero diavolo, meschinúccio *m.* **-ping-post**; palo per la fustigazione. **-ping-top**; palèo *m.* **-py**; ágile, flessíbile.

Whir; frullío *m.*, sfrullío *m.*; frullare.

Whirl; girare, far girare. My head is in a —, mi gira la testa. **-igig**; giràndola *f.*, giocattolo girevole. **-pool**; mulinèllo *m.*, vòrtice *m.*, vorágine *f.* **-wind**; túrbine *m.*

Whirring; *see* Whir.

Whisk, -brush; spolverácciolo *m.*, granatíno *m.* Whisk off, levare lestamente. **-er**; fedína *f.* Cat's -ers, baffi *m. pl.*

Whisky; uischio *m.*

Whisper; biśbíglio *m.*, sussúrro *m.*; biśbigliare, sussurrare. In a —, sotto voce. In a voice hardly above a —, con una voce poco più d' un mormorio. Stage —, a parte. **-er**; biśbigliatóre *m.* **-ing-gallery**; galleria acustica.

Whist; whist *m.*

Whistle; físchio *m.*, zufolío; fischiare, zufolare. Steam —, fischio a vapore. **-r**; fischiatóre *m.*

Whit; ètte *m.* Not a —, niente affatto.

White; bianco. — frost, brina *f.* — lie, bugia innocente. — man, bianco; *fig.* uomo schietto. — of egg, chiara d' ovo, or if boiled, bianco. **-s** of two eggs, due chiari d' ovo. The — of one egg, una chiara d' ovo. **-bait**; pesciolíni *m. pl.*, parazzíni *m. pl.* **-beam**; sorbo alpino. **-clover**; trifoglio bianco, luppolíno *m.* **-faced**; pállido. **-footed**; balzáno. **-heart cherry**; ciliegia corniola. **-heat, -hot**; incandescèn-za *f.*, -te. **-lead**; cerussa *f.*, biacca di piombo. **-leg**; flemmasia bianca dolorosa. **-livered**; vigliacco, pusillánime. **-n**; imbiancare. **-ness**; bianchézza *f.* **-ning, Whiting**; calce da imbiancare, bianco di Spagna. **-pine**; pino bianco. **-poplar**; pioppo bianco, gáttice *m.* **-smith**; stagnáio *m.* **-thorn**; biancospíno *m.* **-throat**; sterpazzòla *f.* **-wash**; calce da imbiancare; imbiancare, *fig.* riabilitare (reo o fallito), purgare da imputazioni. **-washer**; imbianchíno *m.* **-y-brown**; (carta) marrone chiara.

Whither; dóve, per dove. **-soever**; in qualunque luogo.

Whit-ing; merlango *m.* **-ish**; biancastro. **-low**; paneréccio *m.*, giradíto *m.* **-Sunday, -Monday, -Tuesday**; domenica, lunedì, martedì di Pentecoste. **-suntide**; le Pentecòste, Pasqua di rose

Whittle; tagliuzzare. — down, attenuare, minimare.

Whiz; sibilare. — by, passare come una saetta. Come -zing down, scendere come un lampo.

Who; chi, che, il quale. As — should say, come chi dicesse. **-ever**; chiunque, qualunque persona. — it is, chississia.

Whoa! fermo!

Whole; intéro, tutto; incòlume, non intaccato; complessívo. The —, l' insième. Upon the —, in fin dei conti, tutto sommato, in complesso, complessivaménte. A — degree, tutt' un grado. **-length portrait**; ritratto di tutta la figura, a figura intiera. **-meal bread**; pane integrale. **-sale**; all' ingrosso. — slaughter, macellazione generale, uccisione senza distinzione, all' ingrosso. **-some**; salutare, sano, giovévole, salúbre. **-somely**; salutarménte ecc. **-someness**; sanità *f.*, salubrità *f.*, l' esser salutare ecc.

Wholly; tutto, interaménte, pienaménte.

Whom; che, cui, il quale. The girls with — she was to associate, le ragazze con cui si sarebbe trovata. **-soever**; chiunque.

Whoop; url-o *m.*, -are, mandare un grido di gioia. **-ing-cough**; ipertósse *f.*, tosse canina.

Whop; bastonare; víncere. **-per**; cosa enorme, una delle più grosse. *See* Whacker.

Whor-e; puttána *f.* **-l**; verticillo *m.* **-tleberry**; (plant or berry) mirtillo *m.*, (plant) báccole *f. pl.*, uva orsina.

Whose; cui, di chi, del quale. —? di chi?

Whosoever; *see* Whoever.

Why; perchè; ma, ebbène. — it's the one I lost, ma se è quel che io ho perduto. The — and the wherefore, il perchè e il percome. I cannot tell —, non ne saprei dire la ragione.

Wick; stoppíno *m.*, lucígnolo *m.*, anima di candela. **-ed**; tristo, malvágio, émpio, scellerato. **-edly, -edness**; malvagiaménte, -tà *f.*; empi-aménte, -ézza *f.*; scellerat-aménte, -ézza *f.* **-er**; vinco *m.*, vímine *m.*; vimíneo, fatto di vimini. — basket, paniere di vimini. — table, tavolinetto di vimini. — work, viminata *f.* **-et**; sportèllo *m.*; al "cricket," le sbarre su cui il "bowler" dirige la palla. — gate, cancello di legno.

Wide; largo, ampio, estéso, lato. Far and —, dappertutto, da ogni banda. Throw — open, spalancare. — of the mark, lontano dal vero, dal segno. A —, al "cricket," una mandata del "bowler" sviata. The — — world, il vastissimo mondo. Ten metres —, largo dieci metri. **-awake**; tutto svegliato, all' erta, avvistato, desto e lesto. As *sb.*, cappello morbido a tesa larga. **-ly**; largaménte, generalménte, dappertutto (conosciuto). **-n**; allargare. — out, estendersi. **-ness**; larghézza *f.*, ampiézza *f.* **-open**; spalancato. **-spread**; largamente diffuso.

Widgeon; fischióne *m.*

Widow, -ed, -er, -hood; védov-a *f.*, -are; -o, -o *m.*, -anza *f.*

Wi-dth; larghézza *f.* It is three feet in —, ha tre piedi di larghezza. **-eld**; maneggiare, brandire. **-fe**; móglie *f.* Young —, spòsa *f.* **-fely**; da moglie. **-g**; parrucca *f.* — maker, parrucchière *m.* **-gging** (gergo); lavata di capo. **-gwam**; capanna indiana.

Wild; selvaggio, salvático, incólto; furióso, sfrenato, disordinato, incöerènte; tempestóso. Run —, vagabondare. Leave to run —, abbandonare alle erbacce. Sow one's — oats, correr la cavallina. — beast, fièra *f.* — boar, cinghiále *m.* — cat, gatto salvatico. — eyes, occhi stralunati. Like — fire, furiosissimaménte. — fowl, uccelli salvatici. — goose chase, impresa folle. — scrape, passo dissennato, birichinata *f.* — shot, tiro disperato, congettura fantastica.

Wild-erness; desèrto *m.*, solitúdine *f.* **-ly**; furiosaménte ecc., *see* Wild. **-ness**; insensatézza *f.*

Wile; furbería *f.*, astúzia *f.* — away, far passare.

Wilful; capárbio, volontário, testardo; fatto apposta, premeditato. **-ly**; appòsta, maliziosaménte. **-ness**; volontarietà *f.*, caparbietà *f.*

Wiliness; scaltrézza *f.*, accortézza *f.*

Will; volontà *f.*, volére *m.*, piacére *m.*; testaménto *m.* Against one's —, malvolentièri. At —, a piacere. Free —, libero arbitrio. Good —, benevolènza *f.* He has the — — of his chief, è ben visto dal suo superiore. — — of a business, diritto d' entratura, clientèla *f.*, avviaménto *m.* Ill —, malevolènza *f.* Bear — — to, voler male a. Strong —, animo risoluto, carattere fermo. He has a — — of his own, vuol bene ciò che vuole. Where there's a — there's a way, chi mira al fine trova i mezzi. With a —, di tutto cuore.

To —, 1. volére. Heaven -ed it so, così piacque al cielo. Whether he — or no, buon grado mal grado. 2. — to, lasciare a per via testamentaria. — away from, alienare da per via testamentaria.

☞ Come ausiliario, esprime il futuro; nella prima persona indica la volontà, una promessa oppure una minaccia; con le due altre persone esprime generalmente una semplice affermazione riguardo l' avvenire. *See* Shall.

Willing; prónto, dispósto, volonteróso, di buona volontà, compiacènte. **-ly**; volentièri. **-ness**; buona volontà, inclinazióne *f.*, compiacènza *f.*, acconsentiménto *m.*

Will o' the wisp; fuoco fatuo.

Willow; sálcio *m.*, vétrice *f.* Basket —, salcio da ceste, brillo *m.*, vinco *m.* Almond-leaved —, salcio dalle foglie di mandorla. Yellow —, salcio giallo o da legare. White —, salcio bianco o lombardo, salice da pertiche o da forche. Weeping —, salcio piangente. **-bed**; salcéto *m.* **-herb**; salcerèlla *f.*, epilòbio *m.* **-warbler**, **-wren**; canapíno *m.*

Wilted; avvizzíto.

Wily; scaltro, furbo.

Wim-ble; foratóio *m.* **-ple**; soggólo *m.*

Win; víncita *f.*; guadagnare, víncere, cattivarsi, conquistare, vincere il cuore di. — back, riacquistare.

Wince; trasalire di dolore, rinculare per dolore. — under, esser punto da, sentirsi trafitto da.

Winch; verricèllo *m.*, martinèllo *m.*; manivèlla *f.* Hand —, verricello a mano.

Wind; 1. vènto *m.*; flatulènza *f.* — in the intestines, flato *m.* North —, tramontana *f.* East, South, West —, vento d' est, del sud, di ovest. North-west —, maestrále *m.* North-east —, grecále *m.* South-east —, sciròcco *m.* South-west —, libéccio *m.* *See* Compass. **Baffling** -s, venticelli variabili. To **break** —, spetezzare. **Breath** of —, soffio di vento. **Down** the —, col vento. **In** the -'s eye, a controvento. **Fair** —, vento favorévole. **Get** —, divulgarsi. — the — of, avere il vantaggio su. — — of, fiutare, informarsi di. **Head to** —, con la prora al vento. **High** —, vento forte. Hit in the —, colpire sopra lo stomaco in modo da togliere il fiato. **Light** —, brèżża *f.*, vento debole. At the **mercy** of the —, in balia al vento. Have the — **on the port** (**starboard**) side, ricevere il vento alla sinistra (destra). **Preach** to the -s, predicare al deserto. **Prevailing** —, vento regnante, dominante. **Put** the — up on, fare arrabbiare. **Raise** the — (gergo), procurarsi il *cum quibus*, provvedersi di danaro. **Run** before the —, correre in fil di ruota. **Sea** —, vento foraneo. **Get** one's **second** —, racquistare il fiato continuando a correre. **See** which way the — blows, accertarsi la posizione, la condizione delle cose. **Sharp** —, vento penetrante. **Shifting** —, vento variabile. **Steady** —, vento fatto, stabile. **Strong** —, vento forte. **Take** the — out of his sails, prevenirlo, sventare i suoi disegni. In the **teeth** of the —, a controvento. **Trade** —, alisèo *m.* **Between** — **and water**, al bagnasciuga. To —, *see above*, Get — of. To — a **horn**, suonare il corno.

2. avvòlgere, attorcigliare, annaspare, aggomitolare. — **along**, serpeggiare per. — **off**, śvòlgere. — **up**, caricare; finire, concludere, condurre a fine; venire ad una conclusione; liquidare.

Wind-age; vento, spazio tra la palla e la canna; deriva *f.*, forza del vento traviando il tiro. **-bag**; parlatore vano. **-bound**; trattenuto da venti contrarii. **-egg**; uovo non fertilizzato. **-er**; arcolaio *m.* **-fall**; frutto abbattuto dal vento, *fig.* bażża *f.*, guadagno inaspettato. **-gall**; schienèlla *f.* **-gauge**; anemòmetro *m.* **-hover**; ghéppio *m.* **-iness**; l' esser ventoso. **-ing**; sinuóso, serpeggiante, tortuóso. — engine, argano per sollevare minerali. — sheet, lenzuòlo *m.* — stairs, scala a chiocciola. **-lass**; árgano *m.* **-mill**; mulino a vento.

Window; finèstra *f.*, sportèllo *m.* There is only what you see in the —, c' è solo la roba che si vede da fiuori. Double —, contrimpannata *f.*, controfinèstra *f.*, finestra a controvetrata. **-blind**; cortína da finestra. **-curtain**; tenda allato alla finestra. **-fastener**; nottolíno *m.*, spagnolétta *f.*, gáncio *m.* **-frame**; intelaiatura della finestra. **-glass**; vetro da finestra. **-opening**; vano della finestra. **-pane**; vétro *m.* **-seat**; sedile sotto la finestra. **-sill**; davanzále *m.* **-strap**; cinghia della finestra.

Wind-pipe; asperartèria *f.*, trachèa *f.* **-row**; stergáio *m.* **-sail**; manica o tromba di vento. **-sor-chair**; seggiola tutto di legno. **-ward**; a sopravvento. As *adj.*, al vento, al lato del vento. To —, al vento. **-y**; ventóso, tempestóso; battuto dal vento; flatulènto.

Wine; víno *m.* Light, Dinner, Dessert —, vino leggèro, da pasto, scélto. **-bibber**; beóne *m.* **-bin**; scompartimento in una cantina. Iron —, palco da vino in ferro. **-bottle**; fiasco *m.*, fiaschétto *m.*, bottiglia da vino. **-cellar**; cantína *f.* **-cooler**; vaso o secchio refrigerante. **-country**; paese vinicolo. **-glass**; bicchiere da vino. **-glassful**; bicchière *m.* **-grower**; viticoltóre *or* viticultóre *m.* **-list**; lista o distinta dei vini. **-merchant**; mercante di vino. **-press**; torchio da vino. **-shop**; béttola *f.* **-skin**; ótre *m.*

Wing; ala *f.* Of a house, bráccio *m.* Take —, volare, prender volo. — one's flight, spiccare il volo. — one's way, dirigere il volo. To —, ferire nell' ala. **-case**; elítra *f.* **-ed**; alato. **-less**; senza ali.

Wink; batter d' occhio, cénno *m.*, ammicco *m.*, occhiata *f.* Forty **-s**, sonnellíno *m.* To —, batter le palpebre, strizzar l' occhio. — **at**, chiuder un occhio a.

Win-ner; vincitóre *m.* **-ning**; attraènte, avvenévole, amorévole; vincitóre. The — game, la partita decisiva. **-nings**; víncite *f. pl.* **-now**; spulare. **-some**; grazióso, seducènte.

Winter; invèrno *m.*, vèrno *m.*; invernále; ṡvernare. **-aconite**; piè di gallo. **-cherry**; chichíngero *m.*, ciliègine *f.* **-heliotrope**; tossilággine odorosa d' inverno. **-quarters**; quartieri d' inverno. **-y**, **Wintry**; gelato, d' inverno, invernále.

Winy; che sa di vino.

Wipe; strofinata *f.*; (gergo) fazzolétto *m.*; cólpo *m.* To —, nettare, pulire, strofinare, forbire. — one's nose, smocciolarsi il naso. — away, tògliere, portar via. — off the dust, spolverare. — out, scancellare. **-r**; strofináccio *m.*, stòia *f.*

Wire; filo *m.*; telegramma *m.*, dispáccio *m.*; telegrafare; assicurare con fil di ferro; prender al laccio di fil di ferro; fare l' impianto per la luce elettrica; spedire un telegramma. — in, proteggere con reticolato di ferro; (gergo) far ogni sforzo. Conducting —, filo conduttore, reòforo *m.* **-brush**; scovolo di fil di ferro. **-core**; nucleo di fil di ferrc. **-cutters**; tenaglia taglia- fila. **-draw**; trafilare. **-drawn**; stiracchiato. **-entanglement**; reticolato *m.* **-gauze**; tela metallica.

Wireless; senza filo, radiotelegrafico. A — message, una radio. — telegraphy, telegrafia senza filo, radiotelegrafía *f.* — apparatus, impianto o apparecchio radiotelegrafico. — installation, station, installazione, stazione radiotelegrafica. — coast station, stazione radiotelegrafica costiera. — operator, radiotelegrafista *m.* — watch, ascoltazione radiotelegrafica. Keep — watch, prestare ascoltazione radiotelegrafica.

Wire-netting; rete di fil di ferro, reticolato di fil di ferro. **-nippers**; pinza taglia-fili. **-puller**; mestatore politico, raggiratóre *m.* **-pulling**; maneggio segreto, raggiri *m. pl.* **-rope**; fune di fil di ferro. **-work**; lavori di fil di ferro. **-worm**; bruco *m.*, larva di una specie di elateride.

Wiry; secco e nerboruto.

Wisdom; saggézza *f.*, sapiènza *f.* — tooth, dente del giudizio.

Wise; mòdo *m.*, guiṡa *f.*; savio, sensato, avveduto. Be —, esser cosa saggia. **-acre**; saccentóne *m.* **-ly**; da savio ecc.

Wish; vòglia *f.*, desidèrio *m.*, brama *f.*; volére, desiderare, bramare; augurare. **-er**; Well —, buon amico. **-ful**; desideróso, voglióso, bramóso. **-fully**; da desideroso ecc. **-y-washy**; scipíto, ṡnervato, come la sciacquatura.

Wisp; strofinaccio di paglia.

Wistful; desideroso senza speranza. **-ly**; da chi desidera senza sperare, da chi si rincresce.

Wit; spírito *m.*, umóre *m.*, ingegno umoristico. To —, cioè. Live by one's -s, vivere sull' ingegno. A —, uomo di spirito ingegnoso, umoristico, umorista *m.* Be at his -s' end, essere all' ultimo espediente, non saper più che pesci pigliare, a che santo votarsi. Out of his -s, fuorsennato.

Witch; strèga *f.*, maliarda *f.*, vecchiaccia brutta. Little —, ragazza affascinante. **-craft**; stregonería *f.*, incantèṡimo *m.*

With; cón. But other prepositions often replace it, as in the following examples: Ad alta voce, Di tutto cuore, A braccia aperta, Presso i Romani, Coperto di neve, Dai capelli grigi, Lottare contro l' avversità, Contento di te. Away — you! andatevene! What am I to do — it? che ne faccio? She flushed — pleasure, if also — some embarrassment, ella arrossì dal piacere, sebbene misto a qualche imbarazzo. My wife is — her people, mia moglie è dalla parte dei suoi.

With-al; nello stesso tempo; per soprappiù. **-draw**; ritirare, ritrarre, richiamare, sottrarre. **-drawal**; ritíro *m.*, rinúnzia *f.*, richiámo *m.* **-e**; *see* Withy. **-er**; deperire, avvizzire, appassire. **-ered**; deperíto, avvizzo, passo. **-ering**; (in modo) fulminante, sprezzante, ṡchiacciante, agghiacciante. **-ers**; garrése *m.*

With-hold; ritenére, trattenére, non dare. **-in**; déntro, interiorménte, in casa. — the city, in città. From —, dal di dentro. — ten days, in meno di dieci giorni. — and without, per entro e fuori. — reach of, alla portata di. It was — a little of coming true, per poco non si avverò. **-out**; sénza; fuóri, esteriorménte, al di fuori; a meno che. Do —, fare a meno di. **-stand**; resístere opporsi a.

Withy; vímine *m.*, vincíglio *m.*, ritòrta *f.*

Wit-less; sciòcco. **-ling**; saccentuzzo *m.*

Witness; testimòn-io *m.*; -ianza *f.*; far -ianza; vedére, assistere a. Eye —, testimonio oculare. Call to —, chiamare in testimonio. Challenge a —, rifiutare un testimonio. **-box**; posto del testimonio.

Wittenberg; Vittemburga *f.*

Witt-icism; frizzo *m.*, spiritosità *f.* Spiteful —, arguta maldicenza. **-ily**; spiritosaménte ecc. **-ingly**; sciënteménte, a bello studio, appòsta. **-y**; spiritóso, arguto, umoristico.
Wive; ammogliarsi.
Wiz-ard; mago *m.*, stregóne *m.* **-ened**; avvizzito, dimagrito, sécco.
Woad; guado *m.*
Wobbl-e; tentennare, vacillare, stare *or* da questa parte *or* da quella. **-er**; tentennóne *m.* **-ing**; tentennóne, poco fermo.
Woe; guáio *m.* **-begone**; addolorato. **-ful**; triste, pieno di guai. **-fully**; terribilménte, miseraménte. **-fulness**; afflizióne *f.*, misèria *f.*
Wolf; lupo *m.* She —, lupa *f.* To — down, divorare da lupo. **-cub**; lup-étto *m.*, -icíno *m.* **-hound**; cane da lupo. **-ish**; lupésco. **-ishly**; da lupo. **-'s bane**; acònito *m.*
Wolverene; ghiottóne *m.*
Woman; dònna *f.*, fémmina *f.* **Big, Good, Handsome, Horrid** —, donn-óna *f.*, -ína *f.*, -òtta *f.*, -accia *f.* **Little, Clever little, Feeble little, Horrid little** —, donn-étta *f.*, -ettína *f.*, -úccia *f.*, -ettáccia *f.* **Miserable, Miserable little, Poor little, Pretty little** —, donn-ácchera *f.*, -accína *f.*, -arèlla *f.*, -íno *m.* **Silly little, Stupid, Stupid little, Tall and strong** —, donn-icciuolaccia *f.*, -icciuòla *f.*, -icciuolúccia *f.*, -óne *m.* **Tiny little, Vulgar, Wretched** —, donn-uccína *f.*, -ácchera *f.*, -úcola *f.*
Woman-hater; nemico delle donne. **-hood**; stato, età, o qualità, di donna. **-ish**; effeminato. **-kind**; le donne. **-like**; femmíneo. **-liness**; femminilità *f.* **-ly**; degno di una donna, da vera donna.
Womb; séno *m.*, matrice *f.*, útero *m.*
Wombat; fascolòmide *m.*, vombáto *m.*
Won; *rem.* di Win.
Wonder; meravíglia *f.*, cosa meravigliosa, prodígio *m.*; meravigliarsi, domandare a sè stesso, badare a pensare, badare a riflettere; stupirsi. I —, vorrei sapere. I do —, pagherei a sapere. -ing within herself, non raccapezzando in cuor suo. — about, fantasticare su. **-ful, -fully**; meravigliós-o, -aménte; stupènd-o, aménte. Promise -ful things, promettere mari e monti. **-ing**; che si meraviglia. **-ingly**; con aria stupefatta. **-land**; terra delle meraviglie. **-ment**; meraviglia *f.*, stupóre *m.*, sbalordiménto *m.* **-worker, -working**; taumaturg-o *m.*, -ico.
Wondrous; *see* Wonderful.
Won't; *raccorc.* di Will not.
Wont; uso *m.* **-ed**; sòlito, ordinário.
Woo; corteggiare, far la corte a.

Wood; légno *m.*; bòsco *m.*; légna *f. pl.*, legnáme *m.* From the —, dal barile. Out of the —, in sicurézza *f.* **-anemone**; anemone dei boschi. **-ashes**; ceneri di legna. **-bine**; caprifòglio *m.* **-carver, -carving**; scultore, scultura, in legno. **-chuck**; marmotta americana. **-cock**; beccáccia *f.* **-craft**; scienza arboricoltrice, conoscenza della vita forestale. **-cut**; incisióne in legno. **-cutter**; taglialegna *m.* **-ed**; boschívo, boscóso. **-en**; di legno, *fig.* senza espressione. — shoe, zòccolo *m.* **-iness**; legnosità *f.* **-land**; terreno boschivo. **-lark**; tottavilla *f.* **-louse**; onisco *m.*, porcellino di terra; armadillo *m.* (a somewhat larger species). **-man**; boscaiuòlo *m.* **-nymph**; dríade *f.* **-pavement**; lastricato di legno. **-pecker**; pícchio *m.* **-pigeon**; colombáccio *m.*, colombèlla *f.*, colombo salvatico. **-reeve**; guardia forestale. **-ruff**; asperèlla *f.* **-shed**; tettoia da legna. **-sorrel**; acetosèlla *f.* **-stack**; catasta di legname. **-store**; legnáia *f.* **-turner**; tornitóre *m.* **-work**; legname *m.*, intavolato *m.* **-y**; legnóso. **-yard**; legnáia *f.*
Wooer; corteggiatóre *m.*, pretendènte *m.*
Woof; trama *f.*
Wool; lana *f.* **-carder**; scardassière *m.* **-gathering**; sbadatággine *f.* Go —, almanaccare. **-grower**; allevatore di pecore. **-len**; di lana. — draper, pannaiòlo *m.* **-ly**; lanóso. **-sorter**; chi sceglie le lane.
Woold (*mar.*); avvòlgere. **-ed**; fasciato.
Woorali; curare *m.*
Word; paròla *f.*, vóce *f.*, tèrmine *m.* The —, il Verbo. Send out —, mandare avviso, notizia. Pass one's —, dar la sua promessa. — of command, parola d' ordine. Ugly —, paroláccia *f.* High -s, altèrchi *m. pl.* Soft -s, parole gentili. Honied -s, parole melate. By — of mouth, di bocca. Send —, mandare a dire. I should — it so, scriverei così. -ed thus, così concepito. Write the date in -s, scriver la data in parola. — for —, parola per parola. Keep one's —, mantenere, parola, esser di parola. I have kept my —, sono stato di parola. Break one's —, mancare di parola, I take you at your —, vi prendo in parola. Beyond -s, inqualificabile, oltre misura. **-ing**; modo di dire. **-painting**; descrizione vivida ed accurata. **-y**; verbóso, di parole.
Work; lavóro *m.*, òpera *f.*, effètto *m.*; ricamo *m.*, lavoro di biancheria; incombènza *f.* I have mislaid my —, ho smarrito il mio lavoro. At —, in operazione, occupato. Out of —, senza

lavoro, diṡoccupato. — of art, opera d' arte. Contract, Piece —, lavoro a cottimo. Day —, lavoro a giornata. **Earth** —, opera di fortificazione campale. **External** —, lavoro esterno. **Extra** —, lavoro straordinario. **Hired** —, lavoro mercenario. **Maintenance** —, lavori di manutenzione. **Manual** —, lavoro manuale. — **of manufacture**, manodòpera *f*. **-s**; meccaniṡmo *m*.; fábbrica *f*. Public —, lavori pubblici. **Upper** — (*mar*.), opera morta.

To —, lavorare, far nascere, operare, far correre o marciare; fermentare, bollire; risolvere (problema), estrarre materiali da; ricamare; funzionare, agire; riuscir praticabile. — **it**, riuscire, ottenere ciò che bisognava. Make sad — of, sconciare, guastare. Set to —, far lavorare, mettersi al lavoro risolutamente, mettere in attività. — **as**, fare il. — **down**, ridurre col lavoro. — **in**, insinuare, far entrare, introdurre. — **loose**, prender gioco. — **off**, pagare lavorando; liberarsi da (coll' esercizio). I soon -ed off my stiffness, mi sgranchii presto col lavorare. — **on**, *see* Work upon. — **oneself into a rage**, agitarsi in modo da diventar rabbioso, arrovellarsi. — **out**, effettuare, calcolare (il risulto), eṡaurire (miniera). — **it out**, fare il relativo calcolo. It -s out like this, il risultato sarà questo. How do you — that out? come arrivate a quel risultato? — **one's passage**, procurarsi il passaggio lavorando a bordo. — **up**, far uso di; eccitare, stimolare; mescolare. — **up into a paste**, impastare (farina). — **upon**, agire su, lavorare a, commuòvere.

Work-able; prático. **-bag**; sacco da lavoro. **-box**; astuccio da lavoro. **-er**; lavoratóre *m*., industriante *m*., mestierante *m*. **Independent** —, artigiano indipendente. **Good** —, chi lavora bene. **-house**; asilo degl' indigenti.

Working; operazióne *f*., modo di operare, eṡercízio *m*.; che lavora, occupato; laborióso, attívo. **-capital**; capitale circolante o di maneggio. **-classes**; classi operaie. **-clothes**; vestiti da lavoro. **-committee**; comitato esecutivo. **-day**; giorno di lavoro, giorno lavorativo. **-expenses**; spese di gestione o giornalieri, oneri d' esercizio. **-hours**; ore di lavoro. **-man**; operáio *m*., artigíano *m*., lavorante *m*. **-order**; buono stato, efficènza *f*. **Full** —, piena efficenza. **-partner**; socio d' industria. **-party**; ricevimento di signore a scopo di lavori d' ago per beneficenza.

Workman; operáio *m*. **-like**; ben fatto, fatto come si deve, da mano pratica. **-ship**; fattura *f*., mano d' opera. **Poor piece of** —, lavoro mal fatto, opera mal fatta.

Work-people; gente operaia, impiegati *m. pl*. **-room**; locale di lavoro. **-shop**; officína *f*. **-table**; tavola di lavoro, (*telegr*.) tavolo dell' apparecchio. **-woman**; operáia *f*., sarta *f*.

World; móndo *m*. **Begin the** — **again**, farsi carriera nuova. **Give oneself a** — **of trouble**, darsi un' infinità di spiaceri. Next —, mondo a venire. **-liness**; spirito mondano, mondanità *f*. **-ling**; mondáno *m*. **-ly**; mondáno, di questo mondo, di quaggiù. — **minded**, chi non bada alle cose spirituali. — **mindedness**, mondanità *f*., spirito mondano. — **wise**, saggios econdo il mondo. **-wide**; sparso dappertutto il mondo.

Worm; vèrme *m*., baco *m*.; lombríco *m*.; (gear) vite perpetua, (spiral tube) serpentíno *m*., (screw) chiòcciola *f*. Book —, tarma *f*., *see* Book. **Parasitic** —, elminte *m*. **Thread** —, ossiúro *m*. Wood —, tarlo *m*. — **out**, cavare da chi non vuole confessare. — **oneself into the confidence of**, insinuarsi nella confidenza di. **-cast**; deiezione di lombrico. **-eaten**; bacato, tarlato. **-powder**; polvere vermifuga. **-wood**; assènzio *m*.

Worn; *part*. di Wear.

Worr-ied; infastidíto ecc., *see* Worry. **-iment**; *see* Worry. **-isome**; annoiante ecc., *see* Worry. **-it**; annoiarsi di piccolezze. **-y**; spiacére *m*., nòia *f*., impiccerèllo *m*.; infastidire, tormentare, annoiare; ṡbranare. — **oneself**, darsi fastidio. **-ying**; noióso, seccante.

Worse; pèggio, sometimes peggiòre. — and —, peggio che mai. I have got people out of — difficulties, ho cavato altri da peggio imbrogli. Be — off, star peggio. Grow —, peggiorare, rincrudire. So much the —, tanto peggio. Taking the — supposition of the two, nella peggiore ipotesi. **-n**; peggiorare.

Worship; culto *m*.; adorare, avere un culto per. Your —, vostra eccellenza, vossignoría, illustrissimo. **-ful**; onorévole. **-per**; adoratóre *m*. **-pers**; i fedeli. — **are reminded**, si rammenta ai fedeli.

Worst; pèggio, sometimes peggióre. — quality, ultima qualità. Of the — kind, della peggiore specie. At the —, alla peggio, nel peggior caso. To —, víncere, sconfíggere. **-ed**; roba di lana. — **petticoat**, sottana di lana.

Wort; mósto *m*., birra nuova.

Worth; mèrito *m.*, prègio *m.*, valóre *m.*; del valore di; degno di; che ha fondi del valore di. — considering, attendíbile. Be — a million, possedere un milione. Be — while, tornar conto. Be well — doing, valere tutta la pena di farlo. Be — nothing, something, non valer niente, aver un certo valore. Be not — speaking of, non valer la pena di parlarne. **-ily**; degnaménte. **-iness**; mèrito *m.*, l' esser degno. **-less**; senza valore o merito, tristo, vile, spregévole. **-lessness**; l' esser senza valore ecc. **-y**; dégno, che merita, pregévole. As *sb.*, uomo illustre. brav' uomo, onest' uomo.

Would; 1. segno del condizionale. He — do it as cheaply as any one, egli lo farebbe tanto a buon mercato quanto un altro. He — do it if he were asked, lo farebbe se glielo si chiedesse. — you do it? Yes, I —, lo fareste voi? Sì, lo farei.

After a verb in the past tense, a *present* conditional in English, expressing a single action, in the future past, is a *past* conditional in Italian. He said he would go, disse che sarebbe andato, an expression which might also mean He said he would have gone. Similarly, He said we should have it rough before long, disse che ne avremmo avuto fra breve tempo. But if the action has already begun the present conditional is used in Italian as in English. He said we should have it rough until daybreak, disse che ne avremmo sino all' alba.

The present conditional is however sometimes used in sequence to a past verb where the rule indicated above fails, and I have been unable to discover any trustworthy clue to the difficulty; it is not discussed in any grammar that I have seen.

2. The conditional may sometimes be avoided; He was afraid he — have to go, temeva di dover andare. He thought he — try, ha voluto tentare. I thought I — speak to you about it, ho creduto bene di parlarvene.

3. *rem.* di Will. He — go in spite of all I could say, volle assolutamente andare per quanto potessi io dire al contrario. He — do it though I advised him not, ha voluto farlo benchè glielo sconsigliassi. — to God! volesse Dio!

Would-be; sedicènte, che s' ingegna di essere. A — dandy, un milord mancato.

Wound; 1. feríta *f.*, piága *f.*; ferire, colpire, *fig.* offèndere. -ed vanity, vanità offesa. 2. *rem.* di Wind (avvolgere). **-wort**; erba di S. Pietro.

Wove; *rem.* di Weave.

Wr-ack; rifiuti del mare. **-aith**; spèttro *m.* **-angle**; rissa *f.*; rissarsi, contrastarsi. **-angler**; di prima classe nella matematica a Cambrigge. **-angling**; dísputa *f.*, il questionarsi.

Wrap; scialle *m.*, mantèllo *m.*, pellíccia *f.*, copèrta *f.* To —, avvòlgere, inviluppare. — up, invòlgere, avvoltolare. **-per**; invòlto *m.*, fáscia *f.*, copertina *f.*, accappatóio *m.*, tela o carta da involto. In a —, sotto fascia. Stamped —, fascia affrancata.

Wrasse; labro *m.*, crenilábro *m.*

Wrath; stizza *f.*, śdégno *m.* **-ful**; stizzóso, incolleríto. **-fully**; da stizzoso, con collera.

Wreak; — vengeance, vendicarsi.

Wreath; ghirlanda *f.*, ghirlandína *f.*, túrbine *m.* (di fumo), nuvolétta *f.* (di nebbia). **-e**; inghirlandare, intrecciare.

Wreck; naufrágio *m.*, bastimento naufragato; rovína *f.*; naufragare, rovinare. **-age**; avanzi di naufragio, relitti di mare, frantumi *m. pl.* **-ed**; naufragato, náufrago *m.* **-er**; chi procura un naufrago; saccheggiatóre di bastimento naufragato; chi cerca a rovinare una impresa qualunque; operaio che mette a utile un bastimento naufragato a pro del proprietarío o che dirocca le vecchie navi in un cantiere.

Wren; re di macchia, scrícciolo *m.* Golden-crested —, fiorráncio *m.*

Wrench; strappo *m.*, storsióne *f.*; madrevíte *f.*, chiave a vite, chiave per dadi. Monkey —, chiave inglese. Socket —, chiave femmina. To —, strappare, stòrcere, śviśare, śnaturare.

Wrest; strappare ecc., *see* Wrench.

Wrestl-e, -er; lott-are, fare alle braccia; -atóre *m.* **-ing**; lòtta *f.* — match, gara di lottatori, lotta corpo a corpo.

Wretch, -ed; sciagurato, miśerábile, śgraziato. **-edly**; miśeraménte. **-edness**; miśèria *f.*

Wrick; stòrcere.

Wriggl-e; guizzo *m.*; divincolarsi, dimenarsi. — out of, liberarsi di con mezzi poco onesti. **-ing**; contorciménto *m.*

Wring; tòrcere. — from, strappare da, forzare a confessare. — one's hands, torcersi le mani. — out, strizzare. **-er**; cilindro da bucato. **-ing**; torciménto *m.*

Wrinkle; ruga *f.*, grinza *f.*; pièga *f.*, créspa *f.*; nozione o avviso utile; aggrinzare, corrugare, spiegazzare.

Wrist; pólso *m* **-band**; polsíno *m.*, manichíno *m.* **-joint**; giuntura della mano.

Writ; citazióne *f.*, mandato *m.*, eṡecutòria *f.* Holy —, Santa Scrittura. To —, citare in giudizio.
Write; scrívere. — **back**, riscrívere. — **down**, metter in iscritto; denigrare, screditare. — **for**, scrivere per far venire, scrivere che si mandi. — **off**, metter al passivo, scancellare. — **out**, copiare. — **up**, scrivere in lode di; scrivere le partite in un libretto di banca, appuntare. **-r**; scrittóre *m.*, scriváno *m.* — to the signet (W.S.), procuratóre *m.*, legale *m.* (in Iscozia). **-rship**; ufficio di scrivano.
Writhe; contòrcersi.
Writing; scrittura *f.*; calligrafía *f.* In —, per iscritto. -s, scritti *m. pl.* **-book**; quadèrno *m.* **-case**; cartella con l' occorrente per scrivere. **-desk**; scrivanía *f.*, scrittóio *m.* **-pad**; cartella per scrivere. **-paper**; carta da scrivere. **-table**; tavola da scrivere. Large —, gran banco da scrivere.
Written; chirografário; *part.* di Write.
Wrong; tòrto *m.*, danno *m.*, ingiúria *f.*; cattívo, ingiusto, poco equo, ineṡatto, impròprio. Right and —, il bene ed il male. The — book, un libro che non è quel che si desiderava, un altro libro. — aim, falso scopo. I got into the — train, ho sbagliato treno. I took a — road, pigliai una strada falsa. I took the — glove, ho preso un guanto per l' altro. It was in the — place, si trovò in un posto che non era suo. You have applied to the — man, vi siete rivolto male. — **side**, rovèscio *m.* — side out, alla rovescia. Right or —, a dritto o a torto. Own oneself in the —, riconoscersi dalla parte del torto. There is something —, vi è sotto qualche cosa di male. Be —, aver torto; esser mal fatto. That is —, vi siete ṡbagliato. It is very —, è molto male, è un gran male. Nothing —, nulla di male. On the — side (of the barricade), dalla parte di chi le ha buscate. Have the — sow by the ear, tenere per l' orecchio il falso maiale.
To —, far torto a, esser ingiusto con. Go —, ṡbagliarsi; incattivire, andare a male. Set —, metter come non si doveva, accomodar male, regolar male (orologio).
Wrong-doer; comméttimále *m.*, furfante *m.* **-doing**; il mal fare. **-ful**; iníquo, a torto. **-fully**; a torto, per mezzi iniqui. **-headed**; pervèrso, pervicáce, ritróso, chi vede le cose stupidamente. **-headedness**; perversità, pervicácia *f.* **-ly**; a torto. As I — thought, come credevo falsamente.
Wro-te; *rem.* di Write. **-th**; incolleríto. **-ught**; *rem.* di Work. — iron, ferro battuto. Highly — nerves, nervi fortemente commossi.
Wrung; *rem.* di Wring.
Wry; contòrto. Make a — face, contorcere il viso, storcere la bocca.
Wryneck; torcicòllo *m.*
Würtemberg, -er; Virtembèrg-o *m.*, -hése.
Würzburg; Vurzburgo *f.*
Wych-elm; olmo di montagna. **-hazel**; amamèlide della Virginia.

X

X; *pronunz.* Eks.
Xebec; zambécco *m.*
Xenophon; Senofónte.
Xerxes; Sèrse.

Y

Y; *pronunz.* Uái.
Yacht; bastimento da piacere, yacht *m.* **-ing**; lo sport con gli yacht, il navigare in uno yacht. **-sman**; proprietario di uno yacht.
Yaffle; picchio verde.
Yahoo; ia' u *m.*, persona nauseosa.
Yak; yak *m.*, bue tibetano.
Yam; igname *m.*, dioscorèa *f.*
Yankee; soprannome degli abitanti della Nuova Inghilterra, cioè New-York e gli Stati vicini.
Yap; guaire.
Yard; cortíle *m.*; iarda *f.* (91 centimetri); anténna *f.*, pennóne *m.*; nervo di bue. **-arm**; varea di pennone.
Yarn; filo *m.*, filáccia *f.*, filato *m.*; cónto *m.*, storièlla *f.*; fandònia *f.*
Yarrow; millefòglie *f. pl.*
Yataghan; iatagan *m.*, tagáno *m.*
Yaw; guizzare, prender straorzate.
Yawl; iòla *f.*
Yawn; ṡbadígli-o *m.*, -are; spalancarsi.
Yaws; framboèṡia *f.*

Yclept; chiamato.
Year; anno *m*. Every —, d' anno in anno. Every other —, ogni altro anno. New —, capo d' anno. New -'s gift, strènna *f*. In -s, d' età avanzata. Twice a —, due volte all' anno. Taking one — with another, calcolando un anno con un altro, sulla media degli anni. Be ten -s old, aver dieci anni. Have a hundred a —, avere un reddito di cento lire sterline. Wish a happy New —, dare il capo d' anno. **-book**; annuário *m*. **-ling**; d' un anno. **-ly**; annuál-e, -ménte.
Yearn; agognare, strúggersi.
Yeast; lièvito *m*. **-plant**; saccaromicéte *m*.
Yelk; *see* Yolk.
Yell; url-o *m*., -are; strill-o *m*., -are.
Yellow; giallo. — hair, capigliatura di un colore giallo. — deadnettle, ortica gialla. **-hammer**; zigolo giallo. **-ish**; giallastro. **-ness**; color giallo, l' esser giallo.
Yelp; guaire, latrare.
Yeoman; contadino proprietario. **-ry**; cavalleria della guardia nazionale.
Yes; sì, già.
Yesterday; ièri. — morning, ieri alla mattina. — afternoon, ieri dopo mezzogiorno. Day before —, l' altro ieri, ier l' altro. — week, otto giorni fa. — was Monday, ieri era lunedì. I was not born —, non sono nato d' ieri.
Yet; ancóra, anche, tuttóra, pure, nondiméno, però, tuttavía. As —, per anco, finóra. And —, in pari tempo. — to come, di là da venire.
Yew; tasso *m*. Irish —, tasso d' Irlanda.
Yiddish; dialetto ebraico-tedesco degli ebrei polacchi.
Yield; rèndita *f*., frutto *m*., gèttito *m*.; rèndere, fruttare, produrre; accondiscéndere, cèdere, soccómbere. **-ing**; cedévole.
Yoicks; esclamazione di gioia.
Yoke; giógo *m*.; paio *m*.; aggiogare, appaiare. **-fellow**; sòcio *m*., compagno *m*.
Yokel; villáno *m*., villanzóne *m*.
Yolk; tòrlo *m*.
Yon, Yonder; quèllo; di là.
Yore; Of —, altre volte, anticaménte.
Yorkshire; — fog, sagginella salvatica. — pudding, specie di polenta.
You; vòi, voialtri.
Young; gióvane. — ones (animal), píccoli *m. pl*. — fellow, giovinòtto *m*. **-er**; minore d' età. Apparently some ten years — than he, in apparenza più giovane di lui di dieci anni. — than his years, più giovane de' suoi anni. **-est**; il più giovane. — son, figlio minore. **-ish**; piuttosto giovane. **-ster**; giovinòtto *m*.
Younker; *see* Youngster.
Your; vòstro. **-s**; il vostro, di voi. **-self**; voi stesso. **-selves**; voi stessi.
Youth; giovinézza *f*., gioventù *f*. **-ful**; giovaníle. — days, gioventù *f*. **-fulness**; giovinézza *f*., l' esser giovane.
Yowl; guaire.
Yule; Natále *m*.

Z

Z; *pronunz*. Ŝed.
Zambesi; Zambése *m*.
Zante; Zacinto *f*.
Zany; zanni *m*.
Zeal, -ot, -ous, -ously; żèl-o *m*., -ante *m*., -ante, con -o.
Zeb-ra; żèbra *f*. **-u**; żebù *m*.
Zenana; serraglio indiano, árem *m*.
Zen-ith; żènit *m*. **-o**; Żenóne.
Zephyr; żèffiro *m*.
Zer-o; żèro *m*. **-ubbabel**; Żorobabèle.
Zest; gusto *m*., piacére *m*. Give — to, accrescere il piacere di.
Zeuxis; Zèuŝi.
Zigzag; a żig-żag, andare a zig-zag.
Zi-nc; żinco *m*. **-ther**; cétra *f*.
Zo-diac, -diacal; -díaco *m*., -diacále. **-nal**; in zone. **-ne**; żòna *f*. **-ological, -ology**; żoològ-ico, -ía*f*. -ophyte; zoòfito *m*. **-uave**; Zuávo *m*. **-unds**; cápperi.
Zurich; Zurígo *f*.
Zymotic; żimòtico.